〔第3版〕

コンメンタール消費者契約法

日本弁護士連合会
消費者問題対策委員会 〔編〕

商事法務

第 3 版の刊行に寄せて

　2001年4月に消費者契約法の施行と合わせて本書初版が刊行されました。その後も時代や世相を反映した多種多様な消費者被害の発生は続き，後追いの形で数度の改正が行われましたが，積残した課題に対応すべく2022年5月改正が行われました。その直後に大きな社会問題として顕在化した霊感商法問題に対応するため12月改正が行われました。民事ルールである消費者契約法が同じ年に2度も改正されるのは異例のことであり，それだけ消費者契約法が消費者被害の救済のために重要な法律であることを如実に物語っています。

　この間，本書は2006年及び2008年の法改正を踏まえた第2版を2010年3月に，第2版増補版を2015年6月に，2016年及び2018年改正を踏まえた第2版増補版補巻を2019年12月に発刊しました。消費者契約法が活用された裁判例の蓄積も2022年12月に適格消費者団体が消費者契約法を活用して獲得した画期的な最高裁判例を始め膨大な数に増加しています。そのため，2022年の2度の改正箇所の解説を加えるとともに2分冊に分かれていた本書第2版増補版と第2版増補版補巻を，活用しやすいように合冊したうえで内容を整理した第3版を発刊することにいたしました。

　第3版が，これまで同様に多くの実務家，研究者に活用され，さらに裁判，消費者センター等現場で消費者被害の救済に尽力されている多くの方々の一助となることを願っています。

2025年3月

　　　　　　　　　　　　　　　　　　　　日本弁護士連合会
　　　　　　　　　　　　　　　　　　　　　会長　渕　上　玲　子

第3版の刊行にあたって

　本書は，2001年4月の消費者契約法施行にあたり，同法の立法経緯を踏まえ，消費者保護という同法の立法趣旨に即した解釈論を示す逐条解説として刊行されました。以降，同法の実務を担う人たちを中心とした支持を受けたこともあり，法改正や裁判例の蓄積に合わせ版を重ねてきました。

　2015年の第2版増補版，2019年の同補巻の刊行後，2022年（令和4年）には消費者裁判手続特例法に加えて，2度にわたる消費者契約法の改正があり，また，裁判例の蓄積も進んだことから，今般第2版増補版と同補巻を統合し，全面改訂の上第3版として本書を刊行することとなりました。

　第3版では，立法時の議論経過や裁判例を含む，条文に関する解釈部分の充実を図る一方，前版まで掲載していた事例を中心とした「活用法」や立法課題に関する記載を割愛し，注釈書としての本書の特長により特化した内容を目指しました。また，資料として掲載している裁判例一覧を最新のものにアップデートしました。

　消費者契約法は消費者契約一般を対象とする包括的な民事ルールとしてスタートしましたが，その後消費者団体訴訟制度に関する規定が追加されたほか，消費者契約に関する取消権や消費者契約条項の無効に関する実体法部分についても大幅に条文が増えました。

　他方で，取消権に関する条文を中心に，要件が個別具体的に過ぎ，いわゆる「つけ込み型」勧誘をはじめとする，不当な勧誘行為を包摂することができておらず，包括的な民事ルールとしての機能を果たしていないと批判があるところです。また，情報提供義務を始めとする消費者契約法上の事業者の義務についても拡充はされているものの，大半は努力義務にとどまっているため，その実効性については不透明と言わざるを得ません。

　消費者庁は，「消費者法の現状を検証し将来の在り方を考える有識者懇談会」等において，内閣府消費者委員会は，「消費者法制度のパラダイムシフトに関する専門調査会」等において，法体系全体の中で消費者法が果たすべき役割や，消費者法全体の中での各法律の実効的な役割分担等について議論

を進めているところです。

　その意味で，法施行後20年以上を経た現在も，あるべき「消費者契約法」は未だその途上にあるものと言わざるを得ません。とはいえ，現行法について立法の趣旨や同法1条に規定される目的に立ち返った解釈を実践していくことが，個別紛争の適切な解決の観点からも将来のあるべき立法の観点からも重要です。本書がその一助になれば幸いです。

2025年3月
　　　　　　　　　　　日本弁護士連合会消費者問題対策委員会
　　　　　　　　　　　　　　委員長　洞　澤　美　佳

第 2 版増補版補巻の刊行にあたって

　2001 年 4 月に施行された消費者契約法は，消費者と事業者の間の情報の質・量や交渉力に構造的な格差があることを踏まえ，不当な勧誘による契約の取消し，不当な契約条項の無効等の消費者契約における民法の特則となる包括的な民事ルールを定めた法として，重要な役割を果たしている。

　そこで，日本弁護士連合会消費者問題対策委員会は，立法過程や実務の視点を加味した消費者契約法の逐条解説として，2001 年 4 月に『コンメンタール消費者契約法』の初版を刊行した。そして，2010 年 3 月にはその内容を大幅に改訂した第 2 版を刊行し，さらにその 5 年後には，2010 年以降の新しい裁判例や法改正の動きを書き加えた第 2 版増補版を刊行していた。

　今般，消費者契約法については，上記の不当な勧誘による契約の取消し，不当な契約条項の無効等の民事ルールを定めた部分について，民法の債権法改正での検討事項や，成年年齢の引下げなどの状況も踏まえつつ，2016 年，2018 年と相次いで法改正が行われ，大幅な規律の変更が行われた。

　これらの改正による新たな規律は，消費者の被害の予防，救済を図るための新たなツールとして期待できるものであり，今後の積極的な活用が期待されるところである。しかしその実現のためには実務担当者が改正法の立法趣旨を十分理解して規律を解釈し運用していくことが必要となる。

　そこで，本書は，上記『コンメンタール消費者契約法』の「補巻」として，消費者契約法 2016 年改正及び 2018 年改正の内容を対象とし，改正法の立法経過を踏まえ，改正の趣旨を示すとともに，各規定の逐条解説及び現実に発生している消費者問題への実務上の適用の在り方等を示すものである。

　本書が実務担当者に幅広く利用され，消費者の被害の予防，救済のために

消費者契約法が積極的に活用されることを期待したい。

　2019年11月

　　　　　　　　　　　　　日本弁護士連合会消費者問題対策委員会
　　　　　　　　　　　　　　　　委員長　黒　木　和　彰

第2版増補版の刊行にあたって

　2001年4月に施行された消費者契約法は，消費者契約における民法の特別法として，ますます重要な法規となっています。本書は，立法過程や実務の視点を加味した消費者契約法の逐条解説として，2001年4月に初版を刊行し，9年後の2010年3月には，大幅に改訂した第2版を刊行しました。

　第2版では，法改正や蓄積されてきた裁判例，学説の動向を紹介するほか，具体的事例によるケーススタディの改訂，消費者団体訴訟制度の実践的な活用方法と課題，消費者契約法改正のあるべき方向について紹介し，施行以降の同法の実績を踏まえて，大幅な改訂を行いました。第2版は当時の消費者契約法に関する最新の情報と議論に基づいて述べられていました。しかし，消費者契約の分野では常に新しい問題が発生しています。消費者契約法を巡る動きは，目まぐるしく進展しています。

　第2版が刊行されてから5年が経過しました。その間には，建物賃貸借契約における敷引条項・更新料条項と消費者契約法10条に関する最高裁判決，生命保険契約約款の失効条項に関する最高裁判決，商品先物取引の勧誘と消費者契約法4条に関する最高裁判決など，消費者契約法の解釈や契約実務に重要な影響を及ぼす判例が立て続けに言い渡されています。また，消費者団体訴訟制度においては，2013年に食品表示法の制定に伴って差止請求訴訟の対象が食品の不当表示にも拡大されました。さらに，2013年12月には，集団的消費者被害の回復を図るための新しい訴訟法である，「消費者の財産的被害の集団的な回復のための民事の裁判手続の特例に関する法律」（以下，「消費者裁判手続特例法」といいます）が新設されました。適格消費者団体の中から認定された「特定適格消費者団体」が訴訟主体となり，共通義務確認訴訟と簡易確定手続を組み合わせた2段階型の訴訟となっています（本書では，適格消費者団体による差止訴訟制度を「消費者団体訴訟制度」と表記

し，新設された消費者裁判手続特例法を含める場合には「いわゆる消費者団体訴訟制度」と表記します）。そして，2014年には，消費者法の実体法改正の検討が消費者庁，消費者委員会において本格化し，日本弁護士連合会も改めてあるべき改正を条文化した消費者契約法試案を公表しています。

　第2版増補版では，2010年以降の新しい裁判例や法改正の動きを書き加えました。新しい情報が加えられた本書が，多くの実務家，研究者の皆さんに広く活用され，消費者契約法の解釈の検討と活用がさらに進むことを期待しています。第2版増補版が消費者被害の救済と被害防止に役立ち，消費者市民社会の実現の一助となることを願っています。

　2015年6月

　　　　　　　　　　　　日本弁護士連合会消費者問題対策委員会
　　　　　　　　　　　　　　　　委員長　野々山　　宏

第2版の刊行に寄せて

　本書が2001年4月に出版されてから，9年ちかくが経ちました。

　その間，消費者契約法は2006年に改正され，2007年6月より，適格消費者団体が同法に規定する不当行為に対して差止請求をすることができるようになりました（消費者団体訴訟制度）。また，消費者団体訴訟制度は，2008年の改正により，特定商取引に関する法律や不当景品類及び不当表示防止法に規定する一定の行為に対しても，適格消費者団体が差止請求をすることができるようになりました。

　消費者契約法は，裁判実務にも定着し，判例も蓄積されて，消費者被害の救済に効果を発揮しています。適格消費者団体による差止請求訴訟も提訴されており，新しい制度の実務上の問題点も意識されるようになっています。

　そこで，本書では，初版にもまして，より消費者被害の救済に役立つことを願って，消費者契約法の解説を大幅に改訂しました。これまでに集積された裁判例を盛り込み，消費者団体訴訟制度の創設という大きな改正に対応し，差止請求訴訟に携わる実務家の問題意識も取り込みました。

　消費者契約法が，消費者被害の救済のために活用されることが定着してきたことは喜ばしいことで，本書の初版がこれに一定の役割を果たしてきたと自負しています。

　改訂された本書が，多くの実務家，研究者に活用され，消費者被害のさらなる救済の一助となることを強く期待しています。

　2010年3月

日本弁護士連合会
会長　宮　﨑　　　誠

第2版の刊行にあたって

　本書初版は，消費者契約法が2001年4月に施行されるのに先立って，日本弁護士連合会の消費者契約法制定への積極的な取り組みをもとに，立法経過を踏まえた逐条解説として刊行されました。

　本書は，法律実務家の視点から消費者保護という法の立法趣旨に忠実な条文解釈を示す実務書として，弁護士，裁判官，司法書士，消費生活相談員をはじめとする実務担当者によって大いに活用され，現実の紛争解決と判例形成に一定の影響と役割を担ってきました。また，2001年10月には，消費者問題に関する理論的または実践的にすぐれた研究に付与される神戸市の第24回奨励賞を受賞するなどの高い評価を受けてきました。

　刊行から9年ちかくが経過し，消費者契約に関する多くの裁判例が集積されてきました。また，その間に消費者契約法は2回改正されました。2006年改正により，消費者全体の利益を擁護するために事業者の不当な行為に対する差止請求権を適格消費者団体に与える消費者団体訴訟制度が導入され，さらに，2008年改正により，適格消費者団体による差止請求の対象が特定商取引法と景品表示法の定める不当行為にも拡大されました。消費者契約法が果たす役割と社会に与える影響は益々重要なものとなっています。

　第2版においては，第2部の逐条解説をこれまで集積されてきた裁判例や学説の動向と2度の法改正を反映した最新の内容に改めるとともに，第3部のケーススタディで取り上げる具体的事例の見直しを行っています。さらに，第4部において，2007年6月から運用が始まった消費者団体訴訟制度の担い手である適格消費者団体の活動経験を踏まえ，消費者団体訴訟制度の実践的な活用方法を具体的に示しました。第5部は，これまでの実務の積み重ねから明らかとなった実体法改正のあるべき方向性や現行消費者団体訴訟制度の問題点と同制度への損害賠償制度の導入の必要性等につき意見を述べてい

ます。さらに，巻末資料には，当委員会が独自に収集を続けてきた刊行物未登載の判例を含む消費者契約法裁判例一覧を新たに掲載しました。

　消費者庁が創設され，消費者行政が国及び地方で強化されていく方向性が示されています。一方で，消費者契約の適正化や消費者被害の救済において，消費者や消費者団体が果たす役割もさらに重要となっています。

　消費者契約法は消費者や消費者団体が自ら行使できる権利内容を定めている法律です。そしてこれらの権利の実現には，実務担当者による同法の立法趣旨に基づく解釈による積極的な活用が不可欠です。第2版が初版同様に幅広く活用され，消費者被害の救済にとどまらず，消費者被害を生まない社会の実現に貢献できることを願ってやみません。

2010年3月

　　　　　　　　　　　日本弁護士連合会消費者問題対策委員会
　　　　　　　　　　　　　　　委員長　津　谷　裕　貴

「コンメンタール消費者契約法」の刊行に寄せて

　日本弁護士連合会が,「消費者契約法日弁連試案」を公表するなど,長年にわたって立法を提言し取り組んできた「消費者契約法」が成立し,2001年4月に施行されることとなった。

　この法律は消費者と事業者との間の契約関係について,労働契約を除き例外なく対象とするもので,きわめて広範囲な適用を予定した法律であり,民法の特別法としての包括的民事ルールを定めるものと位置づけられる。

　立法の過程において,日弁連試案と比較し,消費者保護の立場からは後退したものとなったとはいえ,消費者と事業者との間の格差を正面から認めたこの法律が,十分に活用され,消費者契約の適正化が図られ,ひいては消費者被害の予防,救済が実現されることが大いに期待される。そのため,当連合会では,この法律の立法経過をふまえた逐条解説,および,現実に発生している契約問題への適用のあり方等,弁護士,裁判官はもとより消費生活センター等の実務担当者に利用されることを期待して,本書を刊行することとなった。本書が幅広く活用されることを希望する。

　2001年2月

日本弁護士連合会
会長　久保井一匡

刊行にあたって

　21世紀を迎え，消費者をめぐる法律の施行が相次いでいる。新法である消費者契約法，金融商品販売法が2001年4月1日から施行され，差止請求権を認めた改正独占禁止法も同日施行される。また，特定商取引に関する法律に名称変更された訪問販売法が改正割賦販売法とともに同年6月1日から施行される。

　これらの消費者保護法制をめぐるめまぐるしい動きは，規制緩和の進展・情報化社会の急速な発展等による，事業者と消費者との間の情報力・交渉力等の格差が，従来の法制度ではもはや対応できなくなっていることを如実に示している。

　契約の基本法である民法は，当事者が対等・平等であることを前提としているが，実際の取引では，消費者が独自に必要な情報を収集・整理・分析し，さらに事業者と交渉するための環境にはなく，その能力も十分ではない。このたび成立した消費者契約法は，こうした実態にふさわしい民事ルールを民法の特別法として定める必要性を認めた点では画期的である。しかし，消費者契約法に盛り込まれた具体的内容は，実際の格差を是正するには部分的であり，かつ不十分である。不当条項の効力については一般条項を残したにとどまり，消費者に不利益な契約条項を排除するためには，なお多大の困難が伴う。情報開示の促進や不当勧誘の排除についてももの足りないものがある。

　銀行取引被害，証券取引被害，薬害，欠陥製品被害等，現代型消費者被害の多くは，事業者が情報を独占し消費者に容易に開示しないことによってもたらされる。積極的・攻撃的な販売方法による被害も，消費者相談の統計上，相変わらず上位を占め続けている。製品やサービスに関する情報の開示と情報や交渉力の格差の是正は，契約締結の公正さの確保だけでなく，消費者被害の適正な回復においても不可欠であり，法整備に向けた活動が引き続き必要である。

　そのために，いま私たちにとって重要なことは，新しく制定され，あるい

は改正された法律を実際の被害防止や救済のために活用していくことである。とりわけ消費者契約法は民事ルールであり，行政機関の通達等ではなく，裁判例や解決事例，学説によってその内容が具体化されていくものである。具体的紛争解決への活用を通して，消費者契約法の各条項を今日の社会にふさわしいものとして定着させていくことができる。また，そうなることによって，同法が消費者保護のために活用されることになる。その意味で，被害救済の交渉や訴訟に携わる私たち弁護士の役割は重要である。

日本弁護士連合会は，消費者契約法の制定にあたって，意見書を提出し，また法律試案を公表するなど，法の制定に積極的にかかわってきた。これらの活動をもとに，今後，同法がより活用されることを期待して刊行することとなったのが本書である。

第1部では同法の特徴や背景を述べ，第2部は逐条解説の形式をとっている。同法制定後すでにいくつかの論点について論文が公表されている。同法第1条，第2条，第4条，第10条等，重要な条項については，これらの論点もふまえ，生きたコンメンタールとなるよう配慮した。第3部では，第2部の解釈に基づき，具体的な事例について，ケース・スタディを掲載した。第4部では，今後私たちが取り組んでいかなくてはならない課題を述べている。情報開示の推進や消費者団体への差止請求権の付与等，実現しなければならない課題も多い。

本書は，訴訟等，実践に役立つことをめざしている。本書が消費者被害の救済に広く活用され，その経験の蓄積によってより改善され，充実されていくことを期待している。

2001年2月

日本弁護士連合会消費者問題対策委員会
委員長　浅　岡　美　恵

第 3 版執筆者 (五十音順)

井田　雅貴（大分県弁護士会）
伊藤　陽児（愛知県弁護士会）
今井　一成（長崎県弁護士会）
岩城　善之（愛知県弁護士会）
上田　孝治（兵庫県弁護士会）
大上　修一郎（大阪弁護士会）
大髙　友一（第一東京弁護士会）
大塚　陵（東京弁護士会）
大野　岳（群馬県弁護士会）
大橋　賢也（神奈川県弁護士会）
釜谷　理恵（第一東京弁護士会）
北村　純子（兵庫県弁護士会）
五條　操（大阪弁護士会）
志部　淳之介（京都弁護士会）
白井　晶子（第二東京弁護士会）

鈴木　敦士（東京弁護士会）
高島　梨香（仙台弁護士会）
太宰　順一（神奈川県弁護士会）
二之宮　義人（京都弁護士会）
野々山　宏（京都弁護士会）
羽山　茂樹（福井弁護士会）
平尾　嘉晃（京都弁護士会）
藤村　元気（福岡県弁護士会）
本間　紀子（東京弁護士会）
牧野　一樹（愛知県弁護士会）
増田　朋記（京都弁護士会）
山本　健司（大阪弁護士会／清和法律事務所）
吉村　健一郎（第一東京弁護士会）

第 2 版増補版補巻執筆者（五十音順）

※肩書きはいずれも執筆当時のもの

朝 見 行 弘（福岡県弁護士会）
井 田 雅 貴（大分県弁護士会）
伊 藤 陽 児（愛知県弁護士会）
伊 吹 健 人（京都弁護士会）
今 井 一 成（長崎県弁護士会）
岩 城 善 之（愛知県弁護士会）
上 田 孝 治（兵庫県弁護士会）
上 田 　 純（大阪弁護士会）
大 上 修一郎（大阪弁護士会）
大 髙 友 一（第一東京弁護士会）
大 塚 　 陵（東京弁護士会）
大 橋 賢 也（神奈川県弁護士会）
釜 谷 理 恵（第一東京弁護士会）
北 村 純 子（兵庫県弁護士会）
皿 田 幸 憲（高知県弁護士会）
白 井 晶 子（第二東京弁護士会）
鈴 木 敦 士（東京弁護士会）

髙 島 梨 香（仙台弁護士会）
太 宰 順 一（神奈川県弁護士会）
二之宮 義 人（京都弁護士会）
野々山 　 宏（京都弁護士会）
羽 山 茂 樹（福井弁護士会）
平 尾 嘉 晃（京都弁護士会）
舟 木 　 諒（群馬弁護士会）
本 間 紀 子（東京弁護士会）
牧 野 一 樹（愛知県弁護士会）
増 田 朋 記（京都弁護士会）
森 貞 涼 介（京都弁護士会）
山 本 健 司（大阪弁護士会／
　　　　　　　清和法律事務所）
湯 浅 　 亮（福島県弁護士会）
吉 田 哲 郎（香川県弁護士会）
吉 野 　 晶（群馬弁護士会）
吉 村 健一郎（第一東京弁護士会）

第2版増補版執筆者（五十音順）

石田　光　史（福岡県弁護士会）
井田　雅　貴（大分県弁護士会）
伊藤　陽　児（愛知県弁護士会）
岩城　善　之（愛知県弁護士会）
上田　　　憲（大阪弁護士会）
上田　孝　治（兵庫県弁護士会）
上田　　　純（大阪弁護士会）
大髙　友　一（大阪弁護士会）
大橋　賢　也（横浜弁護士会）
釜谷　理　恵（第一東京弁護士会）
河原田　幸　子（大阪弁護士会）
北村　純　子（兵庫県弁護士会）
佐々木　幸　孝（東京弁護士会）
志部　淳之介（京都弁護士会）

城田　孝　子（横浜弁護士会）
谷山　智　光（京都弁護士会）
二之宮　義　人（京都弁護士会）
野々山　　　宏（京都弁護士会）
羽山　茂　樹（福井弁護士会）
平尾　嘉　晃（京都弁護士会）
舟木　　　諒（群馬弁護士会）
本間　紀　子（東京弁護士会）
前川　直　善（金沢弁護士会）
牧野　一　樹（愛知県弁護士会）
山本　健　司（大阪弁護士会／清和法律事務所）
吉野　　　晶（群馬弁護士会）
吉村　健一郎（第一東京弁護士会）

第2版執筆者（五十音順）

井田　雅貴（大分県弁護士会）
伊藤　陽児（愛知県弁護士会）
上田　　憲（大阪弁護士会）
上田　孝治（兵庫県弁護士会）
大髙　友一（大阪弁護士会）
近江　直人（秋田弁護士会）
荻原　典子（愛知県弁護士会）
尾﨑　敬則（大阪弁護士会）
川上　博基（岩手弁護士会）
川添　　志（長崎県弁護士会）
菊井　康夫（大阪弁護士会）
北村　純子（兵庫県弁護士会）
黒木　理恵（大阪弁護士会）

五條　　操（大阪弁護士会）
小林　史人（旭川弁護士会）
佐口　裕之（滋賀弁護士会）
佐々木幸孝（東京弁護士会）
鈴木喜久子（第一東京弁護士会）
長野　浩三（京都弁護士会）
野々山　宏（京都弁護士会）
福田　浩久（長崎県弁護士会）
本間　紀子（東京弁護士会）
前川　直善（金沢弁護士会）
牧野　一樹（愛知県弁護士会）
山本　健司（大阪弁護士会）

初版執筆者 （五十音順）

井 田 雅 貴（京都弁護士会）　小 暮 浩 史（京都弁護士会）
上 田　　 憲（大阪弁護士会）　五 條　　 操（大阪弁護士会）
近 江 直 人（秋田弁護士会）　小 谷 寛 子（大阪弁護士会）
尾 﨑 敬 則（大阪弁護士会）　佐々木 幸 孝（東京弁護士会）
片 岡 利 雄（大阪弁護士会）　鈴 木 真知子（第一東京弁護士会）
加 納 克 利（大阪弁護士会）　長 野 浩 三（京都弁護士会）
亀 井 尚 也（兵庫県弁護士会）　野々山　　 宏（京都弁護士会）
川 上 博 基（岩手弁護士）　福 田 あやこ（大阪弁護士会）
菊 井 康 夫（大阪弁護士会）　松 井 淑 子（大阪弁護士会）
北 村 純 子（京都弁護士会）　松 葉 知 幸（大阪弁護士会）
久米川 良 子（大阪弁護士会）　山 本 健 司（大阪弁護士会）

凡　例

● 本書では，以下の略語を用いている場合がある。

消費者契約法（平成12年法律第61号）	本法または法
消費者契約法施行令（平成19年政令第107号）	政令又は令
消費者契約法施行規則（平成19年内閣府令第17号）	規則又は施行規則
消費者契約法の一部を改正する法律（平成28年法律第61号）	平成28年改正法
消費者契約法の一部を改正する法律（平成28年法律第61号）による改正	平成28年改正
消費者契約法の一部を改正する法律（平成30年法律第54号）	平成30年改正法
消費者契約法の一部を改正する法律（平成30年法律第54号）による改正	平成30年改正
消費者契約法及び消費者の財産的被害の集団的な回復のための民事の裁判手続の特例に関する法律の一部を改正する法律（令和4年法律第59号）	令和4年5月改正法
消費者契約法及び消費者の財産的被害の集団的な回復のための民事の裁判手続の特例に関する法律の一部を改正する法律（令和4年法律第59号）による改正	令和4年5月改正
消費者契約法及び独立行政法人国民生活センター法の一部を改正する法律（令和4年法律第99号）	令和4年12月改正法
消費者契約法及び独立行政法人国民生活センター法の一部を改正する法律（令和4年法律第99号）による改正	令和4年12月改正

民法の一部を改正する法律（平成29年法律第44号）	民法改正法
民法の一部を改正する法律（平成29年法律第44号）による改正	民法改正
民法の一部を改正する法律（平成29年法律第44号）による改正前の民法	改正前民法
不当景品類及び不当表示防止法（昭和37年法律第134号）	景品表示法
特定商取引に関する法律（昭和51年法律第57号）	特定商取引法
消費者の財産的被害等の集団的な回復のための民事の裁判手続の特例に関する法律（平成25年法律第96号）	消費者裁判手続特例法
「適格消費者団体の認定，監督等に関するガイドライン」（消費者庁　平成19年2月16日制定，最終改訂令和6年4月18日（未施行）)	適格ガイドライン
「特定適格消費者団体の認定，監督等に関するガイドライン」（消費者庁　平成27年11月11日制定，最終改訂令和5年8月31日）	特定適格ガイドライン
消費者庁消費者制度課編『逐条解説　消費者契約法〔第2版補訂版〕』（平成27年5月）	消費者庁解説〔第2版補訂版〕
消費者庁消費者制度課編『逐条解説　消費者契約法〔第3版〕』（平成30年5月）	消費者庁解説〔第3版〕
消費者庁消費者制度課編『逐条解説　消費者契約法〔第4版〕』（令和元年9月）	消費者庁解説〔第4版〕
消費者庁消費者制度課編『逐条解説　消費者契約法〔第5版〕』（令和5年12月）	消費者庁解説

日本弁護士会連合会消費者問題対策委員会編「コンメンタール消費者裁判手続特例法」（2016年11月）	コンメンタール特例法
消費者庁「消費者契約法の一部を改正する法律に関する一問一答」（平成28年法律第61号）	一問一答
日本弁護士連合会「消費者契約法日弁連試案・同解説」（平成11年10月）	1999年日弁連試案
日本弁護士連合会「消費者契約法日弁連改正試案（2012年版）」（平成24年2月）	2012年日弁連改正試案
日本弁護士連合会「消費者契約法日弁連改正試案（2014年版）」（平成26年7月）	2014年日弁連改正試案
日本弁護士連合会	日弁連
第16次国民生活審議会消費者政策部会中間報告「消費者契約法（仮称）の具体的内容について」（平成10年1月）	第16次国生審中間報告
第16次国民生活審議会消費者政策部会報告「消費者契約法（仮称）の制定に向けて」（平成11年1月）	第16次国生審最終報告
第17次国民生活審議会消費者政策部会報告「消費者契約法（仮称）の立法に当たって」（平成11年12月）	第17次国生審報告
〔内閣府〕平成19年度消費者契約における不当条項の実態に関する調査請負事業報告書　平成19年度消費者契約における不当条項研究会「平成19年度消費者契約におけ不当条項研究会報告書」（平成20年3月）	平成19年度不当条項研究会報告書

消費者庁「平成23年度消費者契約法（実体法部分）の運用状況に関する調査結果報告」（平成24年6月）	平成23年度運用状況調査結果報告
内閣府消費者委員会「消費者契約法に関する調査作業チーム」論点整理の報告（平成25年8月）	平成25年論点整理の報告
消費者庁「消費者契約法の運用状況に関する検討会報告書」（平成26年10月）	平成26年運用状況検討会報告書
民法（債権法）改正検討委員会編「債権法改正の基本方針」別冊NBL126号（商事法務，2009）	債権法改正の基本方針
内閣府消費者委員会消費者契約法専門調査会	専門調査会
消費者委員会　消費者契約法専門調査会「中間取りまとめ」（平成27年8月）	平成27年専門調査会中間取りまとめ
消費者委員会　消費者契約法専門調査会「消費者契約法専門調査会報告書」（平成27年12月）	平成27年専門調査会報告書
消費者委員会　消費者契約法専門調査会「消費者契約法専門調査会報告書」（平成29年8月）	平成29年専門調査会報告書
消費者庁消費者契約に関する検討会	消費者契約に関する検討会
消費者庁「消費者契約に関する検討会報告書」（令和3年9月）	令和3年消費者契約に関する検討会報告書
独立行政法人国民生活センター	国民生活センター

大審院・最高裁判所民事判例集	民集
大審院民事判決録	民録
最高裁判所刑事判例集	刑集

判例時報	判時
判例タイムズ	判タ
金融・商事判例	金判
New Business Law	NBL
金融法務事情	金法
ジュリスト	ジュリ
法学セミナー	法セミ
法学教室	法教
法律のひろば	ひろば
国民生活センター報道発表資料「消費者契約法に関連する消費生活相談の概要と主な裁判例等」	国セン報道発表資料
Westlaw Japan	Westlaw，ウエストロー・ジャパン
LLI/DB 判例秘書 INTERNET	判例秘書
LEX/DB インターネット	LEX/DB
D1-Law.com	D1-Law

目　次

第1部　消費者契約法の概要

- Ⅰ　はじめに──消費者契約法を活用しよう……………………1
- Ⅱ　消費者契約法の主な内容……………………………………3
  - 1　目的，適用範囲…………………………………………3
  - 2　契約締結過程……………………………………………4
  - 3　不当条項規制……………………………………………5
  - 4　消費者団体訴訟制度……………………………………5
- Ⅲ　消費者契約法の制定の背景…………………………………5
  - 1　消費者トラブルや被害の増加…………………………6
  - 2　規制緩和の進行…………………………………………6
  - 3　格差のある契約当事者に適応した法制度の必要性………6
  - 4　行政的救済と民事的救済の両輪の必要性……………7
  - 5　国際的ハーモナイゼーション…………………………7
- Ⅳ　消費者契約法改正の背景……………………………………8
- Ⅴ　消費者契約法の特徴…………………………………………9
  - 1　消費者に権利を付与した民事特別法…………………9
  - 2　事業者と消費者との間には格差があることを明確に宣言…………………………………………………………9
  - 3　すべての消費者契約に適用される …………………10
  - 4　不十分な情報提供の促進 ……………………………10
  - 5　2条以下の解釈における1条の重要性 ………………11
  - 6　契約条項適正化のための一般条項を規定 …………12
- Ⅵ　消費者団体訴訟制度…………………………………………12

  1 消費者団体訴訟制度の成立 …………………………12
  2 消費者団体訴訟制度の概要 …………………………13
  3 いわゆる消費者団体訴訟制度（団体訴権）の必要性 …14

第2部 逐条解説消費者契約法

第1章 総 則 ……………………………………………17

第1条（目的）………………………………………………17
 Ⅰ 趣 旨 ……………………………………………17
 Ⅱ 事業者と消費者の構造的格差と民法の修正 ………18
  1 情報力格差 …………………………………………19
  2 交渉力格差 …………………………………………19
 Ⅲ 消費者契約法の立法目的は何か ……………………21
 Ⅳ 消費者契約法によって事業者と消費者の「対等性」は確
  保されたのか ……………………………………………23
 Ⅴ 解釈指針としての1条の重要性 ……………………25
 Ⅵ 本法の改正と民法理論の発展の必要性 ……………25

第2条（定義）………………………………………………27
 Ⅰ 趣 旨 ……………………………………………27
  1 意 義 …………………………………………27
  2 1項から3項まで …………………………………28
  3 4 項 …………………………………………32
 Ⅱ 解 説 ……………………………………………33
  1 1項「消費者」の定義………………………………33
  2 2項「事業者」の定義………………………………44
  3 3項「消費者契約」の定義…………………………46
  4 4項「適格消費者団体」の定義 …………………47

第3条（事業者及び消費者の努力）……………………49
　Ⅰ　趣　旨 ……………………………………………49
　　1　意　義 …………………………………………49
　　2　制定の経緯 ……………………………………53
　　3　改正の経緯 ……………………………………57
　Ⅱ　解　説 ……………………………………………67
　　1　1項について …………………………………67
　　2　2項について …………………………………85

第2章　消費者契約

第1節　消費者契約の申込み又はその承諾の意思表示の取消し……87

第4条（消費者契約の申込み又はその承諾の意思表示の取消し）…87
　Ⅰ　総　説 ……………………………………………91
　　1　取消に関する3つの類型 ……………………91
　　2　誤認類型の取消 ………………………………91
　　3　困惑類型の取消 ………………………………94
　　4　過量類型の取消 ………………………………96
　　5　本条の効果 ……………………………………97
　Ⅱ　4条1項 …………………………………………99
　　1　趣　旨 …………………………………………99
　　2　解　説 …………………………………………99
　Ⅲ　4条2項（不利益事実の不告知）……………112
　　1　趣旨・改正経緯 ………………………………112
　　2　解　説 …………………………………………118
　Ⅳ　4条3項 …………………………………………130
　　●4条3項1号～4号 ……………………………131
　　　1　総　論 ………………………………………131
　　　2　解　説 ………………………………………131
　　●4条3項5号，7号，8号 ……………………143

◆合理的な判断ができない事情を利用して契約を締結さ
　　　　せる類型（平成30年改正によって規定された4条3項5
　　　　号～8号（改正当時は3号～6号）。なお，令和4年12
　　　　月改正によって同項8号（改正当時は6号）の条文がさ
　　　　らに改正されている。）……………………………………143
　　　　　1　総　論……………………………………………………144
　　　　　2　消費者の不安をあおる告知・その1（4条3項5号）
　　　　　　　……………………………………………………………162
　　　　　3　消費者の不安をあおる告知・その2（4条3項7号）
　　　　　　　……………………………………………………………173
　　　　　4　消費者の不安をあおる告知・その3（4条3項8号）
　　　　　　　……………………………………………………………177
　　　●恋愛感情等に乗じた人間関係の濫用（4条3項6号）……182
　　　　　1　趣　旨……………………………………………………182
　　　　　2　解　説……………………………………………………183
　　　●4条3項9号・10号………………………………………191
　　　◆契約締結前の債務の内容の実施・契約締結前に実施し
　　　　た活動に対する損失補償請求が，平成30年改正法によ
　　　　って4条3項7号・8号として規定された。その後，令和
　　　　4年5月改正で，4条3項9号・10号となり，同9号に
　　　　は契約目的物の現状変更という内容が追加された。………191
　　　　　1　趣　旨……………………………………………………191
　　　　　2　解　説……………………………………………………194
Ⅴ　4条4項……………………………………………………………201
　　　◆過量な内容の消費者契約の取消し………………………201
　　　　　1　趣　旨……………………………………………………201
　　　　　2　解　説……………………………………………………202
Ⅵ　4条5項……………………………………………………………218
　　　　1　趣　旨……………………………………………………218
　　　　2　解　説……………………………………………………221

Ⅶ　取消の効果 …………………………………………233
　　1　取消権の行使方法 ………………………………233
　　2　取消の遡及効 ……………………………………234
　　3　契約取消の場合の原状回復義務に関して ……235
Ⅷ　4条6項 ……………………………………………243
　　1　趣　旨 ……………………………………………243
　　2　解　説 ……………………………………………243
第5条（媒介の委託を受けた第三者及び代理人） ……………245
　Ⅰ　5条1項 ……………………………………………246
　　1　趣　旨 ……………………………………………246
　　2　解　説 ……………………………………………247
　Ⅱ　5条2項 ……………………………………………252
　　1　趣　旨 ……………………………………………252
　　2　解　説 ……………………………………………252
第6条（解釈規定） ……………………………………………253
　Ⅰ　趣　旨 ………………………………………………253
　　1　意　義 ……………………………………………253
　　2　制定経緯 …………………………………………253
　Ⅱ　解　説 ………………………………………………254
　　1　「これらの項に規定する消費者契約の申込み又はその
　　　承諾の意思表示」 …………………………………254
　　2　「民法第96条の規定の適用を妨げるものと解してはな
　　　らない」 ……………………………………………254
第6条の2（取消権を行使した消費者の返還義務） …………255
　Ⅰ　趣　旨 ………………………………………………256
　　1　意　義 ……………………………………………256
　　2　改正経緯 …………………………………………256
　Ⅱ　解　説 ………………………………………………257
　　1　要件（「給付を受けた当時その意思表示が取り消すこ
　　　とができるものであることを知らなかったとき」） ………257

  2　効果（「当該消費者契約によって現に利益を受けてい
　　　　る限度において，返還の義務を負う」）……………………257
　第7条（取消権の行使期間等）…………………………………………258
  Ⅰ　趣　旨……………………………………………………………258
  Ⅱ　制定の経緯………………………………………………………259
  Ⅲ　改正経緯…………………………………………………………260
  Ⅳ　解　説……………………………………………………………263
   1　本条1項の要件…………………………………………………263
   2　本条2項の要件…………………………………………………270
第2節　消費者契約の条項の無効……………………………………271
  Ⅰ　前　注……………………………………………………………271
  Ⅱ　諸外国の条項規制と消費者契約法……………………………272
  Ⅲ　制定の経緯等……………………………………………………273
   1　第16次国生審中間報告まで……………………………………273
   2　第16次国生審最終報告から第17次国生審報告………………275
   3　消費者契約法の制定とその後の改正経緯……………………275
  Ⅳ　第2節（8条〜10条）の適用対象………………………………276
   1　個別に交渉された条項…………………………………………276
   2　事業者間の契約…………………………………………………277
   3　契約の主たる目的等を定める条項……………………………277
   4　認可約款等………………………………………………………278
  Ⅴ　その他の不当条項規制に関する諸問題………………………278
   1　消費者有利解釈の原則…………………………………………278
   2　不意打ち条項……………………………………………………279
  Ⅵ　不当条項かどうかの判断時点…………………………………280
  Ⅶ　不当条項の効力…………………………………………………281
  Ⅷ　「みなし合意の除外規定」と本法10条の適用関係…………282
　第8条（事業者の損害賠償の責任を免除する条項の無効）………283
  Ⅰ　趣　旨……………………………………………………………284
   1　意　義……………………………………………………………284

2　制定の経緯……………………………………………………287
　　3　改正経緯（平成28年改正）………………………………288
　　4　改正経緯（平成30年改正）………………………………289
　Ⅱ　解　説………………………………………………………………293
　　1　8条1項1号…………………………………………………293
　　2　8条1項2号…………………………………………………297
　　3　8条1項3号…………………………………………………300
　　4　8条1項4号…………………………………………………301
　　5　8条2項………………………………………………………302
　　6　8条3項………………………………………………………308
第8条の2（消費者の解除権を放棄させる条項等の無効）………314
　Ⅰ　趣　旨………………………………………………………………315
　　1　意　義………………………………………………………315
　　◆整備法による改正…………………………………………315
　　2　改正経緯……………………………………………………315
　　3　比較法………………………………………………………318
　Ⅱ　解　説………………………………………………………………319
　　1　「事業者の債務不履行により生じた消費者の解除権」…319
　　2　「その解除権」………………………………………………320
　　3　「当該事業者にその解除権の有無を決定する権限を付
　　　　与する」……………………………………………………320
　　4　効　果………………………………………………………321
第8条の3（事業者に対し後見開始の審判等による解除権を
　付与する条項の無効）……………………………………………321
　Ⅰ　趣　旨………………………………………………………………322
　　1　問題の所在…………………………………………………322
　　2　経　緯………………………………………………………322
　Ⅱ　解　説………………………………………………………………324
　　1　「後見開始，保佐開始又は補助開始の審判を受けたこ
　　　　とのみを理由として」……………………………………324

　　　　2　かっこ書による除外規定 …………………………………325
　　　　3　効　果 ……………………………………………………326
第9条（消費者が支払う損害賠償の額を予定する条項等の無効）…326
　　Ⅰ　総　論 ………………………………………………………327
　　Ⅱ　9条1項1号 ………………………………………………328
　　　　1　趣　旨 ……………………………………………………328
　　　　2　解　説 ……………………………………………………338
　　Ⅲ　9条1項2号 ………………………………………………357
　　　　1　趣　旨 ……………………………………………………357
　　　　2　解　説 ……………………………………………………358
　　Ⅳ　9条2項 ……………………………………………………361
　　　　1　趣　旨 ……………………………………………………361
　　　　2　解　説 ……………………………………………………365
第10条（消費者の利益を一方的に害する条項の無効）……………367
　　Ⅰ　趣　旨 ………………………………………………………368
　　　　1　意　義 ……………………………………………………368
　　　　2　制定経緯 …………………………………………………368
　　　　3　改正経緯 …………………………………………………370
　　　　4　比較法 ……………………………………………………372
　　Ⅱ　解　説 ………………………………………………………373
　　　　1　第一要件──「消費者の不作為をもって当該消費者
　　　　　　が新たな消費者契約の申込み又はその承諾の意思表示
　　　　　　をしたものとみなす条項その他の法令中の公の秩序に
　　　　　　関しない規定の適用による場合に比して消費者の権利
　　　　　　を制限し又は消費者の義務を加重する消費者契約の条
　　　　　　項」………………………………………………………373
　　　　2　第二要件──「民法第1条第2項に規定する基本原
　　　　　　則に反して消費者の利益を一方的に害するもの」………380
　　　　3　効　果 ……………………………………………………388
　　Ⅲ　本条の適用が問題となりうる不当条項例 ………………392

1　事業者に契約内容の一方的変更権を認める条項 ………392
　　2　事業者に契約内容の一方的決定権を認める条項 ………399
　　3　意思表示の擬制を定める条項 ………………………………405
　　4　到達擬制を定める条項 ………………………………………410
　　5　事業者の契約責任等を減免（消費者の権利を制限）
　　　する条項 …………………………………………………………412
　　6　事業者の契約不適合責任（瑕疵担保責任）を軽減す
　　　る条項 ……………………………………………………………419
　　7　事業者の担保保存義務を減免する条項 …………………424
　　8　消費者の抗弁権等を排除・制限した条項 ………………426
　　9　消費者に対する過大な損害賠償金や違約金の支払義
　　　務を定めた条項 …………………………………………………430
　　10　契約上の地位の移転について消費者の事前の承諾を
　　　定める条項 ………………………………………………………435
　　11　債権譲渡に関し事前の異議を留めない承諾を定める
　　　条項 ………………………………………………………………438
　　12　事業者からの解約・解除の要件を緩和する条項 ………441
　　13　消費者に与えられた期限の利益を不当に奪う条項 ……447
　　14　消費者の解除権を制限する条項 …………………………451
　　15　継続的契約関係等における消費者の解約権を制限す
　　　る条項 ……………………………………………………………454
　　16　契約終了時の消費者の清算義務や原状回復義務を加
　　　重（事業者の義務を減免）する条項 …………………………461
　　17　証明責任に関する条項 ……………………………………479
　　18　裁判管轄に関する条項 ……………………………………482
　　19　仲裁等に関する条項 …………………………………………485
　　20　過量販売を内容とする契約 …………………………………488
　　21　サルベージ条項 ………………………………………………492
　　22　その他不当条項性が問題とされる契約条項例 …………495
第3節　補　則 ………………………………………………………………501

第11条（他の法律の適用）……………………………………………501
 Ⅰ　11条1項 ……………………………………………………501
  1　趣　旨 ……………………………………………………501
  2　解　説 ……………………………………………………501
 Ⅱ　11条2項 ……………………………………………………504
  1　趣　旨 ……………………………………………………504
  2　解　説 ……………………………………………………504

第3章　差止請求 ………………………………………………509

第1節　差止請求権 …………………………………………509
第1　適格消費者団体による差止請求権～消費者団体訴訟
 制度～総説 ……………………………………………………509
 Ⅰ　適格消費者団体による差止請求権導入の意義 …………509
 Ⅱ　比較法 ………………………………………………………510
  1　総　論 ……………………………………………………510
  2　EUにおける消費者団体訴訟制度の歴史 ………………511
  3　差止請求の対象 …………………………………………512
  4　差止請求の主体（適格消費者団体の要件）……………513
  5　訴訟手続 …………………………………………………514
 Ⅲ　本制度導入に至る経緯 ……………………………………514
 Ⅳ　適格消費者団体による差止請求権の法的構成 …………516
第12条（差止請求権）……………………………………………516
 ●12条1項・2項（不当勧誘行為に対する差止請求）……518
  1　趣　旨 ……………………………………………………518
  2　不当勧誘行為に対する差止請求権 ……………………518
  3　不当勧誘行為に対する是正措置等請求権 ……………525
 ●12条3項・4項（不当契約条項に対する差止請求）……526
  1　趣　旨 ……………………………………………………526
  2　不当契約条項に対する差止請求権 ……………………527
  3　不当契約条項に対する是正措置等請求権 ……………533

第2　特定商取引法差止請求権 …………………………………534
　Ⅰ　特定商取引法58条の18（訪問販売に係る差止請求権）…534
　　1　概　要 …………………………………………………………534
　　2　差止請求の対象となる行為 …………………………………535
　　3　差止請求の相手方 ……………………………………………536
　　4　適用除外（特定商取引法58条の25）………………………536
　Ⅱ　特定商取引法58条の19（通信販売に係る差止請求権）…537
　　1　概　要 …………………………………………………………537
　　2　差止請求の対象となる行為 …………………………………537
　　3　適用除外（特定商取引法58条の25）………………………538
　Ⅲ　特定商取引法58条の20（電話勧誘販売に係る差止請求権）…538
　　1　概　要 …………………………………………………………538
　　2　差止請求の対象となる行為 …………………………………538
　　3　適用除外（特定商取引法58条の25）………………………539
　Ⅳ　特定商取引法58条の21（連鎖販売取引に係る差止請求権）…539
　　1　概　要 …………………………………………………………539
　　2　差止請求の対象となる行為 …………………………………540
　　3　適用除外（特定商取引法58条の25）………………………542
　Ⅴ　特定商取引法58条の22（特定継続的役務提供に係る差
　　止請求権）……………………………………………………542
　　1　概　要 …………………………………………………………542
　　2　差止請求の対象となる行為 …………………………………542
　　3　適用除外（特定商取引法58条の25）………………………544
　Ⅵ　特定商取引法58条の23（業務提供誘引販売取引に係る
　　差止請求権）……………………………………………………544
　　1　概　要 …………………………………………………………544
　　2　差止請求の対象となる行為 …………………………………545
　　3　適用除外（特定商取引法58条の25）………………………546
　Ⅶ　特定商取引法58条の24（訪問購入に係る差止請求権）…546
　　1　概　要 …………………………………………………………546

         2　差止請求の対象となる行為 …………………………………546
         3　差止請求の相手方 ……………………………………………547
         4　適用除外（特定商取引法58条の25）……………………548
  第3　景品表示法差止請求権（景品表示法30条1項）……………548
     Ⅰ　概　　要 ……………………………………………………………548
     Ⅱ　差止請求の対象となる行為 ……………………………………549
         1　優良誤認表示（1号）及び有利誤認表示（2号）……549
         2　「表示」の定義 ………………………………………………549
         3　景品表示法5条1号及び2号規定の行為との関係 ……550
     Ⅲ　差止請求権を行使しうる場合 …………………………………550
         1　要　　件 ……………………………………………………550
         2　「事業者」の意義 ……………………………………………550
         3　「一般消費者」の意義 ………………………………………551
         4　行政規制との関係 …………………………………………551
     Ⅳ　認められる請求の内容 …………………………………………552
     Ⅴ　管　　轄 …………………………………………………………553
     Ⅵ　施行期日及びその後の法改正 …………………………………554
  第4　食品表示法差止請求権（食品表示法11条）…………………555
     Ⅰ　概　　要 …………………………………………………………555
     Ⅱ　差止請求の対象となる行為 ……………………………………556
     Ⅲ　差止請求権を行使しうる場合 …………………………………559
     Ⅳ　認められる請求の内容 …………………………………………560
     Ⅴ　管　　轄 …………………………………………………………561
     Ⅵ　施行期日 …………………………………………………………561
  第5　適格消費者団体による差止請求権の法的性質 ………………561
  第12条の2（差止請求の制限）…………………………………………564
     ●12条の2第1項 …………………………………………………565
         1　趣　　旨 ……………………………………………………565
         2　12条の2第1項1号 ………………………………………566
         3　後訴制限効（12条の2第1項2号）………………………567

●12条の2第2項 …………………………………………574
　1　趣　旨 …………………………………………574
　2　解　説 …………………………………………575
第12条の3（消費者契約の条項の開示要請）……………576
　Ⅰ　意　義 …………………………………………577
　Ⅱ　解　説 …………………………………………578
　　1　1　項 …………………………………………578
　　2　2　項 …………………………………………580
第12条の4（損害賠償の額を予定する条項等に関する説明
　の要請等）……………………………………………580
　Ⅰ　趣　旨 …………………………………………581
　　1　意　義 …………………………………………581
　　2　改正経緯 ………………………………………582
　Ⅱ　解　説 …………………………………………585
　　1　「第9条第1項第1号に規定する平均的な損害の額
　　　を超えると疑うに足りる相当な理由があるとき」……585
　　2　「内閣府令で定めるところにより，当該条項を定め
　　　る事業者に対し，その理由を示して」………………585
　　3　「損害賠償の額の予定又は違約金の算定の根拠」……586
　　4　「営業秘密（不正競争防止法（平成5年法律第47号）
　　　第2条第6項に規定する営業秘密をいう。）が含まれ
　　　る場合その他の正当な理由がある場合」 ……………586
　　5　「要請に応じるよう努めなければならない。」………587
第12条の5（差止請求に係る講じた措置の開示要請）……588
　Ⅰ　意　義 …………………………………………589
　Ⅱ　解　説 …………………………………………590
　　1　1　項 …………………………………………590
　　2　2　項 …………………………………………591

第2節　適格消費者団体 …………………………………592
第1款　適格消費者団体の認定等 ………………………592
　　第13条（適格消費者団体の認定）……………………592
　　　Ⅰ　13条1項・2項 …………………………………602
　　　　1　趣　旨 ……………………………………………602
　　　　2　解　説 ……………………………………………602
　　　Ⅱ　13条3項 …………………………………………606
　　　　1　趣　旨 ……………………………………………606
　　　　2　解　説 ……………………………………………606
　　　Ⅲ　13条4項 …………………………………………623
　　　　1　趣　旨 ……………………………………………623
　　　　2　解　説 ……………………………………………623
　　　Ⅳ　13条5項 …………………………………………627
　　　　1　総　説 ……………………………………………627
　　　　2　解　説 ……………………………………………628
　　第14条（認定の申請）……………………………………630
　　　Ⅰ　趣　旨 ……………………………………………633
　　　Ⅱ　解　説 ……………………………………………633
　　　　1　申請書の記載事項 ………………………………633
　　　　2　申請書の添付書類（2項，規則8条）…………634
　　第15条（認定の申請に関する公告及び縦覧等）………639
　　　Ⅰ　趣旨及び解説 ……………………………………639
　　　　1　15条1項，規則9条 ……………………………639
　　　　2　15条2項 …………………………………………640
　　　　3　15条3項 …………………………………………640
　　第16条（認定の公示等）………………………………640
　　　Ⅰ　趣旨及び解説 ……………………………………641
　　　　1　適格消費者団体の認定を受けた場合の公示及び公示
　　　　　　方法（1項，規則10条）………………………641
　　　　2　適格消費者団体である旨の掲示（2項，規則11条）…642

3　消費者団体と誤認されるおそれのある表示等の禁止
　　　　（3項）……………………………………………………642
第17条（認定の有効期間等）………………………………………642
　Ⅰ　趣　旨……………………………………………………………643
　Ⅱ　解　説……………………………………………………………644
　　　1　適格認定の有効期間 ……………………………………644
　　　2　更新手続 …………………………………………………644
　　　3　更新の要件，申請の方法等 ……………………………645
第18条（変更の届出）………………………………………………646
　Ⅰ　趣　旨……………………………………………………………648
　Ⅱ　解　説……………………………………………………………649
　　　1　届出を要することとした理由 …………………………649
　　　2　届出の方式及び届出事項 ………………………………650
第19条（合併の届出及び認可等）…………………………………651
　Ⅰ　趣　旨……………………………………………………………652
　Ⅱ　解　説……………………………………………………………652
　　　1　合併の認可を必要とした理由等 ………………………653
　　　2　認可申請の方法等 ………………………………………654
第20条（事業の譲渡の届出及び認可等）…………………………655
　Ⅰ　趣　旨……………………………………………………………656
　Ⅱ　解　説……………………………………………………………657
　　　1　事業譲渡の認可を必要とした理由等 …………………657
　　　2　認可の申請の方法等 ……………………………………658
第21条（解散の届出等）……………………………………………660
　Ⅰ　趣　旨……………………………………………………………660
　Ⅱ　解　説……………………………………………………………660
第22条（認定の失効）………………………………………………661
　Ⅰ　趣　旨……………………………………………………………661
　Ⅱ　解　説……………………………………………………………661
　　　1　1号 ………………………………………………………661

         2　2　号 …………………………………………662
         3　3　号 …………………………………………662
         4　4　号 …………………………………………663
    第2款　差止請求関係業務等 …………………………………663
      第23条（差止請求権の行使等）………………………………663
        Ⅰ　趣　旨 ………………………………………………669
        Ⅱ　解　説 ………………………………………………670
         1　適格消費者団体の一般的義務（23条1項ないし3項）…670
         2　通知・報告義務（23条4項・5項） ………………671
         3　債務名義を得た差止請求権の放棄の禁止（23条6項）…674
      第24条（消費者の被害に関する情報の取扱い）……………674
        Ⅰ　趣旨及び解説 ………………………………………675
      第25条（秘密保持義務）………………………………………675
        Ⅰ　趣旨及び解説 ………………………………………675
      第26条（氏名等の明示）………………………………………676
        Ⅰ　趣旨及び解説 ………………………………………677
      第27条（判決等に関する情報の提供）………………………678
        Ⅰ　趣旨及び解説 ………………………………………678
      第28条（財産上の利益の受領の禁止等）……………………679
        Ⅰ　趣　旨 ………………………………………………680
        Ⅱ　解　説 ………………………………………………680
         1　「その差止請求権の行使に関し」（1項から4項）……680
         2　「第三者」（3項）……………………………………681
         3　4　項 …………………………………………………681
         4　5項, 6項 ……………………………………………681
      第29条（業務の範囲及び区分経理）…………………………682
        Ⅰ　趣　旨 ………………………………………………682
        Ⅱ　解　説 ………………………………………………682
         1　「定款の定めるところにより」（1項）………………683
         2　「差止請求関係業務に支障が」ある場合（1項）………683

3　区分経理（2項） ……………………………………683
第3款　監　　督………………………………………………684
　第30条（帳簿書類の作成及び保存）……………………………684
　　Ⅰ　趣　旨…………………………………………………687
　　Ⅱ　解　説…………………………………………………687
　　　1　作成・保存すべき帳簿書類 ……………………………688
　　　2　差止請求権の行使に関し，相手方との交渉の経過を
　　　　　記録したもの（規則21条1項1号）……………………688
　　　3　差止請求権の行使に関し，適格消費者団体が訴訟，
　　　　　調停，仲裁，和解，強制執行，仮処分命令の申立てそ
　　　　　の他の手続の当事者となった場合，その概要及び結果
　　　　　を記録したもの（規則21条1項2号）…………………688
　　　4　消費者被害情報収集業務の概要を記録したもの（規
　　　　　則21条1項3号），差止請求情報収集提供業務の概要
　　　　　を記録したもの（規則21条1項4号）…………………689
　　　5　前各号に規定する帳簿書類の作成に用いた関係資料
　　　　　のつづり（規則21条1項5号）……………………………690
　　　6　理事会の議事録並びに13条3項5号の検討を行う部
　　　　　門における検討の経過及び結果等を記録したもの（規
　　　　　則21条1項6号）…………………………………………690
　　　7　会計簿（規則21条1項7号）……………………………691
　　　8　会費等について，一定の事項を記録したもの（規則
　　　　　21条1項8号）……………………………………………691
　　　9　28条1項各号に規定する財産上の利益の受領につい
　　　　　て記録したもの（規則21条1項9号）……………………691
　第31条（財務諸表等の作成，備置き，閲覧等及び提出等）………692
　　Ⅰ　趣　旨…………………………………………………696
　　Ⅱ　解　説…………………………………………………697
　　　1　1項 ………………………………………………………697
　　　2　2項 ………………………………………………………697

3　3項・4項 …………………………………………698
　　　4　5　項 ……………………………………………698
　第32条（報告及び立入検査）………………………………699
　　Ⅰ　趣旨及び解説 …………………………………………699
　第33条（適合命令及び改善命令）…………………………700
　　Ⅰ　趣　旨 …………………………………………………700
　　Ⅱ　解　説 …………………………………………………701
　　　1　適合命令・改善命令とは ……………………………701
　　　2　適合命令・改善命令の選択の基準 …………………701
　　　3　「その他適格消費者団体の業務の適正な運営を確保
　　　　するために必要があると認めるとき」 ………………702
　第34条（認定の取消し等）…………………………………703
　　Ⅰ　趣　旨 …………………………………………………705
　　Ⅱ　解　説 …………………………………………………706
　　　1　原則として取消しとなる事由 ………………………706
　　　2　強制執行に必要な手続を怠ったことが不特定かつ多
　　　　数の消費者の利益に著しく反する場合（34条1項5号）…708
　　　3　2　項 …………………………………………………709
　　　4　3　項 …………………………………………………709
　第35条（差止請求権の承継に係る指定等）………………710
　　Ⅰ　趣　旨 …………………………………………………712
　　Ⅱ　解　説 …………………………………………………713
　　　1　差止請求権の承継に係る指定等（35条1項から5項
　　　　関係） ……………………………………………………713
　　　2　差止請求権が新たな指定を受けた適格消費者団体に
　　　　承継される場合（6項，8項，9項関係） ………………714
　　　3　差止請求権が従前の適格消費者団体に再び承継される
　　　　場合（7項から9項関係） ………………………………714
　第4款　補　則 …………………………………………………715
　　第36条（規律）………………………………………………715

		Ⅰ 趣　旨 ………………………………………………………715

　　Ⅰ　趣　旨 ………………………………………………………715
　　Ⅱ　解　説 ………………………………………………………716
　　　1　「政党又は政治的目的のために利用」 ……………………716
　　　2　政策の提言及び意見の表明 ………………………………716
　　　3　本条違反の効果 ……………………………………………717
　第37条（官公庁等への協力依頼）……………………………………718
　　Ⅰ　趣旨及び解説 …………………………………………………718
　第38条（内閣総理大臣への意見）……………………………………718
　　Ⅰ　趣旨及び解説 …………………………………………………719
　第39条（判決等に関する情報の公表）………………………………720
　　Ⅰ　趣　旨 ………………………………………………………721
　　Ⅱ　解　説 ………………………………………………………721
　　　1　公表される情報 ……………………………………………721
　　　2　公表の方法 …………………………………………………723
　第40条（適格消費者団体への協力等）………………………………723
　　Ⅰ　趣　旨 ………………………………………………………726
　　Ⅱ　解　説 ………………………………………………………727
　　　1　情報提供の方法 ……………………………………………727
　　　2　情報提供の内容 ……………………………………………727
　　　3　目的外利用の禁止 …………………………………………729
第3節　訴訟手続等の特例 ………………………………………………729
　第41条（書面による事前の請求）……………………………………729
　　Ⅰ　趣　旨 ………………………………………………………730
　　Ⅱ　解　説 ………………………………………………………731
　　　1　1項本文 ……………………………………………………731
　　　2　1項ただし書 ………………………………………………734
　　　3　2　項 ………………………………………………………734
　　　4　3　項 ………………………………………………………734
　第42条（訴訟の目的の価額）…………………………………………735
　　Ⅰ　趣　旨 ………………………………………………………735

Ⅱ　解　説 …………………………………………………………736
　　　1　財産権上の請求でない請求とみなす意義 ……………736
　　　2　訴額算定に関する諸問題 ………………………………736
第43条（管轄）………………………………………………………738
　　Ⅰ　趣　旨 …………………………………………………………739
　　Ⅱ　解　説 …………………………………………………………740
　　　1　管　轄 ……………………………………………………740
　　　2　差止請求訴訟の土地管轄 ………………………………741
　　　3　行為地管轄（本条2項）………………………………742
第44条（移送）………………………………………………………744
　　Ⅰ　趣　旨 …………………………………………………………744
　　Ⅱ　解　説 …………………………………………………………745
　　　1　移送が相当か否かを判断する際に考慮すべき事情 ……745
　　　2　移送の手続，その他 ……………………………………746
第45条（弁論等の併合）……………………………………………746
　　Ⅰ　趣　旨 …………………………………………………………746
　　Ⅱ　解　説 …………………………………………………………747
　　　1　併合する場合 ……………………………………………747
　　　2　「併合してすることが著しく不相当である」の意義 …748
　　　3　当事者の申告 ……………………………………………748
第46条（訴訟手続の中止）…………………………………………749
　　Ⅰ　趣　旨 …………………………………………………………750
　　Ⅱ　解　説 …………………………………………………………750
　　　1　1項 ………………………………………………………751
　　　2　2項 ………………………………………………………752
　　　3　3項 ………………………………………………………752
第47条（間接強制の支払額の算定）………………………………752
　　Ⅰ　趣　旨 …………………………………………………………753
　　Ⅱ　解　説 …………………………………………………………753
　　　1　間接強制とは ……………………………………………753

2　「執行裁判所は，債務不履行により不特定かつ多数の消費者が受けるべき不利益を特に考慮しなければならない」の解釈 …………………………753

第4章　雑　　則 ……………………………………………755

第48条（適用除外）……………………………………………755
　Ⅰ　趣　旨 ………………………………………………………755
　Ⅱ　解　説 ………………………………………………………755

第48条の2（権限の委任）……………………………………757
　Ⅰ　趣　旨 ………………………………………………………757
　Ⅱ　解　説 ………………………………………………………758
　　1　内閣総理大臣に留保されている権限 ………………758

第5章　罰　　則 ……………………………………………759

第49条 …………………………………………………………759
　Ⅰ　趣　旨 ………………………………………………………759
　Ⅱ　解　説 ………………………………………………………760
　　1　1項 …………………………………………………………760
　　2　2項 …………………………………………………………761
　　3　3項 …………………………………………………………761
　　4　4項 …………………………………………………………761
　　5　5項 …………………………………………………………761

第50条 …………………………………………………………762
　Ⅰ　趣　旨 ………………………………………………………762
　Ⅱ　解　説 ………………………………………………………762
　　1　1項 …………………………………………………………762
　　2　2項 …………………………………………………………763

第51条 …………………………………………………………763
　Ⅰ　趣　旨 ………………………………………………………764
　Ⅱ　解　説 ………………………………………………………765

　　　　1　1号 ……………………………………………………765
　　　　2　2号 ……………………………………………………765
　　　　3　3号 ……………………………………………………765
　　　　4　4号 ……………………………………………………766
　第52条 ……………………………………………………………766
　　Ⅰ　趣　旨 ………………………………………………………766
　　Ⅱ　解　説 ………………………………………………………767
　　　　1　1項 ……………………………………………………767
　　　　2　2項 ……………………………………………………768
　第53条 ……………………………………………………………768
　　Ⅰ　趣　旨 ………………………………………………………769
　　Ⅱ　解　説 ………………………………………………………770
　　　　1　1号 ……………………………………………………770
　　　　2　2号 ……………………………………………………771
　　　　3　3号 ……………………………………………………772
　　　　4　4号 ……………………………………………………772
　　　　5　5号 ……………………………………………………772
　　　　6　6号 ……………………………………………………772
　　　　7　7号 ……………………………………………………773
　　　　8　8号 ……………………………………………………773
　　　　9　9号 ……………………………………………………773
　　　　10　10号 …………………………………………………773
　　　　11　過料の制裁 ……………………………………………773
　　　　12　故意・過失の要否 ……………………………………774

附　則 ………………………………………………………………775
　　Ⅰ　趣　旨 ………………………………………………………775
　　Ⅱ　解　説 ………………………………………………………775
　　　　1　施行期日 ………………………………………………775
　　　　2　時間的適用関係 ………………………………………776

平成18年附則（平成18年法律第56号）……………………776
 Ⅰ 施行期日（1項）………………………………777
  1 趣　旨 …………………………………………777
  2 解　説 …………………………………………777
 Ⅱ 検討（2項）……………………………………777
  1 趣　旨 …………………………………………777
  2 解　説 …………………………………………778

平成20年附則（平成20年法律第29号）……………………778
 Ⅰ 施行期日（1項）………………………………779
  1 趣　旨 …………………………………………779
  2 解　説 …………………………………………779
 Ⅱ 経過措置（2項・3項）………………………779
  1 趣　旨 …………………………………………779
  2 解　説 …………………………………………780

平成25年附則（平成25年法律第70号）（抄）……………780
 Ⅰ 施行期日（1条）………………………………780
  1 趣　旨 …………………………………………780
  2 解　説 …………………………………………780
 Ⅱ 検討（19条）……………………………………781
  1 趣　旨 …………………………………………781
  2 解　説 …………………………………………781

平成25年附則（平成25年法律第96号）（抄）……………781
 Ⅰ 施行期日（1条）………………………………783
  1 趣　旨 …………………………………………783
  2 解　説 …………………………………………783
 Ⅱ 経過措置（2条）………………………………783
  1 趣　旨 …………………………………………783
  2 解　説 …………………………………………784
 Ⅲ 検討等（3条〜7条）…………………………785
  1 趣　旨 …………………………………………785

2　解　説 …………………………………………………785
平成26年附則（平成26年法律第71号）（抄）……………788
　Ⅰ　趣　旨 …………………………………………………788
　Ⅱ　解　説 …………………………………………………788
平成26年附則（平成26年法律第118号）（抄）……………789
　Ⅰ　趣　旨 …………………………………………………789
　Ⅱ　解　説 …………………………………………………789
平成28年附則（平成28年法律第61号）………………………789
　Ⅰ　施行期日（1条）………………………………………791
　　1　趣　旨 …………………………………………………791
　　2　解　説 …………………………………………………791
　Ⅱ　経過措置（2条・3条）………………………………792
　　1　趣　旨 …………………………………………………792
　　2　解　説 …………………………………………………792
　Ⅲ　政令への委任（4条）…………………………………793
　Ⅳ　検　討（5条）…………………………………………793
　　1　趣　旨 …………………………………………………793
　　2　解　説 …………………………………………………793
　Ⅴ　民法改正に伴う民法改正整備法の一部改正（6条）……794
　　1　趣　旨 …………………………………………………794
　　2　解　説 …………………………………………………794
平成29年附則（平成29年法律第43号）（抄）……………795
　Ⅰ　施行期日（1条）………………………………………795
　　1　趣　旨 …………………………………………………795
　　2　解　説 …………………………………………………795
　Ⅱ　経過措置（2条）………………………………………795
　　1　趣　旨 …………………………………………………796
　　2　解　説 …………………………………………………796
平成29年附則（平成29年法律第45号）………………………796
　Ⅰ　趣　旨 …………………………………………………796

Ⅱ　解　　説 ………………………………………………796
平成30年附則（平成30年法律第54号） ………………………797
　　Ⅰ　施行期日（1条） …………………………………798
　　　1　趣　　旨 ………………………………………798
　　　2　解　　説 ………………………………………798
　　Ⅱ　経過措置（2条） …………………………………799
　　　1　趣　　旨 ………………………………………799
　　　2　解　　説 ………………………………………799
　　Ⅲ　政令への委任（3条） ……………………………799
　　Ⅳ　検討（4条） ………………………………………799
　　　1　趣　　旨 ………………………………………800
　　　2　解　　説 ………………………………………800
　　Ⅴ　民法改正に伴う民法改正整備法の一部改正（5条） ……801
令和4年附則（令和4年法律第59号）（抄） ………………801
　　Ⅰ　施行期日（1条） …………………………………805
　　　1　意　　義 ………………………………………805
　　　2　解　　説 ………………………………………805
　　Ⅱ　経過措置（2条） …………………………………806
　　　1　意　　義 ………………………………………806
　　　2　解　　説 ………………………………………806
　　Ⅲ　経過措置（4条） …………………………………808
　　Ⅳ　政令への委任（5条） ……………………………808
　　Ⅴ　検討（6条） ………………………………………809
　　　1　意　　義 ………………………………………809
　　　2　解　　説 ………………………………………809
令和4年附則（令和4年法律68号）（抄） …………………810
　　Ⅰ　趣　　旨 ……………………………………………810
　　Ⅱ　解　　説 ……………………………………………811
令和4年附則（令和4年法律第99号）（抄） ………………811
　　Ⅰ　施行期日（1条） …………………………………812

　　　　　1　趣　旨 …………………………………………………812
　　　　　2　解　説 …………………………………………………812
　　　Ⅱ　経過措置（2条）………………………………………812
　　　　　1　趣　旨 …………………………………………………812
　　　　　2　解　説 …………………………………………………812
　　　Ⅲ　検討（3条）……………………………………………813
　　　　　1　趣　旨 …………………………………………………813
　　　　　2　解　説 …………………………………………………813

資　料

1　外国法令一覧 …………………………………………………817
2　消費者契約法の制定・改正の経緯 …………………………818
3　消費者契約法裁判例 …………………………………………842

第1部
消費者契約法の概要

I　はじめに——消費者契約法を活用しよう

　消費者契約法は，2001年4月1日から施行されている消費者保護法である。その特質は，事業者と消費者との間に情報の質と量，交渉力に構造的格差があることを正面から認め，その格差を是正するために消費者への不公正な契約勧誘行為に対して取消を認め，不公正な契約条項に対して無効を認める民事的効果をもつという点，すなわち，消費者が自らの手で被害救済を実現できるという点にある。消費者契約法は消費者契約に対する包括的な民事ルールなのである[1]。その後，同法は，2006年，2008年，2013年，2016年，2018年，2022年（5月，12月の2回）に主な改正がされている。

　消費者契約法は，製造物責任法と車の両輪として，規制緩和時代の消費者被害の救済を図り，新たな消費者の武器となる立法がめざされた。また，対等当事者を前提とした近代民法の枠組みを修正し，格差のある当事者にふさわしい契約関係のルールをつくることが意図された。しかし，その内容は制定当時から決して満足すべきものではなかったし，その後の改正においても十分な改善が図られとはいえない。制定時から，取り消しうる情報提供義務違反や威迫・困惑行為は事業者団体の強い反対などで限定が加えられ，改正

（注1）　制定当時の議論内容は，落合誠一ほか「座談会・消費者契約適正化のための検討課題(1)～(4・完)」NBL621号6頁以下・622号24頁以下・624号51頁以下・626号33頁以下，「特集・消費者契約法（仮称）に何を期待するか」ESP410号6頁以下，第17次国民生活審議会消費者政策部会消費者契約法検討委員会議事録，第147回国会衆議院商工委員会議録第7号以下，第147回国会参議院経済・産業委員会議録第11号以下等に詳しい。

によって取り消しうる事項は増加したが限定的な場面で、その要件は厳しい限定がされた。事業者と消費者の利害調整を重視したこと、包括的な民事法としてはふさわしくない過度な明確性が求められたこと等がその要因として考えられる。

しかしながら、たとえ満足すべき内容ではないとしても、できあがった法律を私たちは最大限に活用していかなければならない。本法施行後、全国銀行協会、全国警備業協会等の事業者団体が消費者契約に関するガイドラインを定めたり、各企業において販売方法や約款の見直し作業が進められるなどの取組みが行われてきた。また、消費生活相談の現場や弁護士、司法書士、適格消費者団体による訴訟において、本法の活用が進められてきた。今後も本法が育っていくかどうかは、消費者やその救済に関わる実務家が本法を利用し、活用していくかどうかにかかっている。

消費者契約法が施行されて20年以上が経過して同法の適用をめぐる裁判例も多数蓄積されてきた（その一部は、毎年国民生活センターが「消費者契約法に関連する消費生活相談の概要と主な裁判例等」として同センターHPに裁判例の概況が報告され、本書の巻末資料にも掲載している）。

これらの裁判例をみると、消費者契約法は消費者訴訟の中に定着してきたと考えられる。消費者契約法施行当初の判例の多くにおいて消費者側が勝訴していることは特筆すべきであるが、他方で、次第に消費者や消費者団体が敗訴する事例も出てきている。消費者契約法が消費者の利益擁護のために制定されている以上、消費者に資する解釈が採用されることは当然ともいいうるが、これを広めて定着させるためには消費者契約法を公正な取引の実現のため、あるいは消費者被害の救済のために活かしていこうとする実務家の努力が必要である。

訴訟だけでなく、全国の消費生活センターにおける消費生活相談においても、法施行後には年を追うごとに消費者契約法を活かした相談件数が増加した[2]。日本弁護士連合会消費者問題対策委員会が2003年に実施した全国各

(注2) 2001年度1403件、2002年度2132件、2003年度1856件、2004年度1514件、2005年度1871件、国民生活センター「消費者契約法に関連する消費者生活相談と裁判の概況～法施行後5年～」。

地の消費生活相談員に対して行ったアンケート調査においても，消費者や仲裁・斡旋機関において不当勧誘を立証できる事例や信販会社等の第三者からの指導があった事例等において，消費者契約法による解決が効果的に行われていることが報告されている。このアンケートでは，勧誘行為の不当性に関する消費者の立証責任の負担が重いこと，事業者の説明義務を明確な法的義務にすること，「重要事項」を広く解釈すること，取消権の行使期間の延長，不当条項リストの増加等の改善点が寄せられていた[3]。これらの改善提案は，本法の改正に繋がっている。

今後も本法の立法目的に適合した解釈を行い，相談活動のなかで，トラブル解決や被害救済の交渉において，また，裁判の中で本法を最大限に活用していく努力が実務家に求められているのである。

II 消費者契約法の主な内容

消費者契約法は，大きく分けると①総則（目的，適用範囲），②契約締結過程，③不当条項規制，④消費者団体訴訟制度の4つに大別される。その主な内容は以下のとおりである。

1 目的，適用範囲（第1章 総則，第4章 雑則）

(1) 目的に消費者と事業者との間の情報の質及び量並びに交渉力の格差の存在を明記し，事業者によって不当勧誘が行われた場合の意思表示の取消しと不当条項の無効を消費者が主張できるようにすることで消費者保護を図ると共に，消費者の被害の発生又は拡大を防止するため適格消費者団体による差止請求ができることを明記した（1条）。

(2) 例外を設けず，消費者と事業者との間で締結された消費者契約を幅広く適用対象としている（ただし，労働契約を除く）（2条，48条）。

「事業者」とは，法人その他の団体及び事業として又は事業のために契約

(注3) 山本健司「消費者契約法アンケートの実施結果について」消費者問題ニュース97号8頁。

する個人と定義され，あらゆる団体が「事業者」とされ，その適用範囲は広い（2条2項）。

消費者団体訴訟制度の主体となる適格消費者団体の定義を設けている（2条4項）。

(3) 事業者に，消費者契約の内容について，明確かつ平易にする配慮と考慮要素を示した消費者の権利義務等の情報提供，約款の開示請求権（民法548条の3第1項）のあることの情報提供，解除権行使に関する情報提供の各努力義務を明記した（3条）。

2 契約締結過程（第2章 消費者契約 第1節 消費者契約の申込み又はその承諾の意思表示の取消し）

契約締結過程での事業者の以下の不適切な勧誘行為に対して消費者に取消権を与えた（4条）。

(1) 誤認行為（4条1項，2項）
(i) 重要事項に関する不実告知。
(ii) 将来の変動が不確実な事項についての断定的判断の提供。
(iii) 重要事項に関する消費者の不利益事実の故意・重過失による不告知。
(2) 困惑行為（4条3項1号から10号）
(i) 住居，就業場所からの不退去による勧誘行為。
(ii) 勧誘場所からの退去を阻害する勧誘行為。
(iii) 退去困難な場所へ同行する勧誘行為。
(iv) 相談のための連絡を妨害する勧誘行為。
(v) 不安をあおる勧誘行為。
(vi) 好意の感情を利用する勧誘行為。
(vii) 契約をする前にした行為で心理的負担を与える勧誘行為。
(3) 過量契約
当該消費者にとって通常の分量等を著しく超えることを知って契約（4条4項）。

3 不当条項規制（第2章 消費者契約 第2節 消費者契約の条項の無効）

(1) 約款等の契約条項のうち，以下のような消費者に一方的に不利益な条項は無効となるとした。
  (i) 債務不履行，不法行為に基づく損害賠償責任の全部を免除する，又は当該事業者にその責任の有無や限度を決定する権限を与える免責条項（故意・重過失は一部免除の免責条項も無効）（8条）。
  (ii) 消費者の解除権を放棄させ，又は当該事業者にその解除権の有無を決定する権限を与える条項（8条の2）。
  (iii) 事業者に対して後見開始の審判等を理由とする解除権を付与する条項（8条の3）。
  (iv) 解除に伴う損害賠償額の予定が平均的な損害額を超えるもの（9条1項1号）。
  (v) 支払期日経過による遅延損害金の予定が年14.6パーセントを超えるもの（ただし，金銭消費貸借は利息制限法を適用。9条1項2号，11条2項）。

(2) 信義誠実の原則に反して消費者の利益を一方的に害する条項は無効とした（一般条項。10条）。

4 消費者団体訴訟制度（第3章 差止請求）

①内閣総理大臣から認定を受けた適格消費者団体は（2条4項，13条），②事業者等に対し，③消費者契約法の定める不当勧誘行為・不当条項を含む意思表示について，④差止めその他の必要な措置を求めることができる（12条1項ないし4項）。

Ⅲ 消費者契約法の制定の背景

消費者契約法の立法に向けた検討作業は製造物責任法が制定された以後の1994年から本格的にはじめられた。以下では制定の背景となった点を指摘する。

1　消費者トラブルや被害の増加

　大量生産・大量消費社会の進展と情報化社会の進展は，商品やそれに関する情報の多様化や契約の複雑化をもたらし，一方で多くの消費者被害やトラブルを生じさせた。全国の消費生活センターに寄せられる販売方法，契約・解約に関する相談件数は，1989 年度は 10 万 6900 件であったが，1998 年度には 32 万 9513 件と 10 年間で 3 倍以上の増加をみせていた。全国的な被害やトラブルになっているものも多く存在した。

　これらの消費者被害やトラブルの背景には事業者と消費者との間の情報力，交渉力等の格差の存在があり，それを前提とした消費者取引全体に適用される適正な民事法規が必要であった。

2　規制緩和の進行

　日本経済の活性化や外国からの要求によって規制緩和が進行していた。規制緩和は問題のある業者が参入したり，問題のある商品やサービスが不十分な情報のもとで販売されるなど，消費者に不利益をもたらすことがある。正しい情報が事前に提供されなければ，消費者が不利益を受けることになる。また，事前規制が緩和される以上，事後的救済手段が整備される必要がある。しかしながら，消費者に対する情報開示や事後的救済手段は未だ不十分であった。

　規制緩和はさらに進行していく可能性が高いにもかかわらず，消費者に対する情報開示や事後的救済手段が不十分な現状をそのままにして，情報や交渉力がない消費者に選択と自己責任だけを押しつけることは，消費者被害やトラブルをますます増加させることは明らかであった。情報開示を進め，事後的救済手段として，不公正な勧誘による契約を取り消したり，不公正な契約条項を無効とする制度が必要となっていた。

3　格差のある契約当事者に適応した法制度の必要性

　近代民法の基本原則である自己決定の原則，自己責任の原則が前提とする当事者の対等性が消費者取引では妥当せず，消費者に自己責任を求めるには

これにふさわしい環境整備が必要となった。

4 行政的救済と民事的救済の両輪の必要性

消費者契約法立法前の消費者保護法制は1968年に制定された消費者保護基本法をはじめとして，行政規制中心のものであった。2004年改正前の消費者保護基本法（2004年改正後は消費者基本法）には消費者の実体的な権利は定められず，代わって消費者保護に対する国，地方自治体の責務を明らかにし（消費者保護基本法2条・3条。消費者基本法では3条・4条），行政組織の整備，行政運営の改善（消費者保護基本法16条。消費者基本法では24条）を明記した。

その結果，行政規制を柱とする個別の消費者保護法（いわゆる業法）が次々と制定され，各地方自治体に，消費者保護に関する条例が制定され，消費生活センターが設置された。各地の消費生活センターは消費者被害の具体的救済に大きな成果をあげ，消費者被害の救済に果たした役割には特筆すべきものがあった。

しかし，一方で個別業法中心の法制は，すき間の存在や被害の後追いとなる問題点とともに，民事訴訟においては消費者の権利関係には直接適用されないという限界があった。

消費者契約法の立法化は，消費者契約において従来の行政的救済と合わせて，その不十分な点を補い，消費者自身による被害救済を図れる方策を創設したものである。

なお，消費者自身による被害救済手段が制定されたとしても，被害救済の交渉や訴訟の場面においても，事業者と消費者との間の情報や交渉力等の格差は歴然とある。制度の創設はようやく消費者にその権利が付与されたにすぎず，これを十分に使いこなせる環境はきわめて不十分である。そのため，行政的救済の必要性は今後も高い。行政的救済と民事的救済の各制度は今後も両輪そろって機能していくことになる。

5 国際的ハーモナイゼーション

諸外国でも消費者契約には事業者と消費者との間に格差のあることが自覚

され，消費者契約の適正化のために行政的規制だけでなく，民事法を制定してルールを定めることがなされていた。具体的には，消費者契約の適正化について，民事ルールを定め，司法の積極的な関与や消費者の代表としての消費者団体の関与のための制度が定められていた。契約条項に関する約款規制法制は 1970 年代からドイツ等ヨーロッパの諸国で制定され，アジアでもイスラエル標準契約法（1964 年制定）や韓国約款規制法（1986 年制定）等が制定されていた。1993 年に EC で「消費者契約における不公正条項に関する指令」が採択され，それ以降フランス消費者法典（1993 年制定），イギリス消費者契約における不公正条項規則（1999 年制定）等，広い範囲の国々で消費者契約に関する民事ルールの整備が進められていた。

これに対して日本は，民事法による救済法制が大きく遅れており，国際的な法制の流れから立ち後れていた。

Ⅳ　消費者契約法改正の背景

消費者契約法の実体法部分については，2016 年，2018 年，2022 年 5 月，同年 12 月に，以下のような背景から改正がされた。

1　本法は，平均的な消費者を基準としており，超高齢化社会の進展によるぜい弱な消費者である高齢者の被害の増加に十分対応できていなかった（4 条 3 項 3 号以下，4 条 4 項）。

2　民法の成年年齢の 20 歳から 18 歳への引き下げが 2022 年 4 月 1 日から施行され，未成年者取消権（民法 5 条 2 項）による保護の対象範囲が縮減されることになった。それによって若年成年の被害増加が見込まれ，消費者教育などの予防策とともに，被害に遭ったときの救済の方策が必要であった（4 条 3 項 3 号以下）。

3　新しい契約条項中に消費者に不利な契約条項があるが，8 条，9 条以外の不当条項リストが不十分であった（8 条，8 条の 2，8 条の 3）。

4　商品・サービスの複雑化やネット取引の進展，決済方法の多様化など事業者と消費者の消費者契約における情報，交渉力その他の格差の拡大が日々進んでいることへの対応が必要となった（3 条）。

5　制定時から問題点として指摘されてきた論点について判例や実務の蓄積がされたことへの対応が必要となった（4条2項，4条5項，7条）。

6　2022年12月には，社会問題となった霊感商法に関して改正がされた（4条3項8号）。

V　消費者契約法の特徴

消費者契約法には以下のような特徴が指摘できる。

1　消費者に権利を付与した民事特別法

消費者契約法の特徴の第1は，事業者と消費者との権利義務関係に直接適用される民事法の特別法であるということである。従来の消費者保護法制は行政的規制が中心であった。消費者保護基本法（現行「消費者基本法」）は民事ルールを何ら定めることはせず，特定商取引に関する法律（以下「特定商取引法」という），割賦販売法，貸金業法（旧称は貸金業の規制等に関する法律）等はいずれも行政による規制を主な内容とする行政規制法規である。これに対して消費者契約法は民法の特別法と位置付けられ，意思表示の取消や契約条項の無効等消費者契約における事業者と消費者との間の権利関係を定めるものとなっている。行政による規制を求めるのではなく，消費者が自ら権利行使することを内容とする法律である。そのため，本法に基づいて救済を実現するには，自ら権利行使しなくては消費者の権利擁護はできない。消費者には権利行使の主体であるとの自覚が必要であり，この権利行使を容易にしていく制度や支援体制が必要となる。

2　事業者と消費者との間には格差があることを明確に宣言

消費者契約法の特徴の第2は，事業者と消費者との間には情報力（質と量）と交渉力に格差があることを明確に認めたことである（1条）。このような格差の存在を明記したはじめての法律である。

近代民法では契約当事者は互いに対等であることが前提とされている。収集できる情報の質や量，これを分析・処理する能力は同様であり，情報に基

づいた交渉も対等に行えることが前提とされている。このような対等性の存在が自己決定の原則と自己責任の原則の前提となっている。したがって，契約当事者間の対等性が欠ける場合には，自己決定の原則や自己責任の原則をそのまま認めることはできず，近代民法の原理は修正を余儀なくされることになる。

事業者と消費者との間の消費者取引では，契約当事者間の情報力格差と交渉力格差が典型的かつ構造的に存在している。この契約当事者間の情報力格差と交渉力格差を正面から認めたことは，消費者取引においては自己決定の原則，自己責任の原則がそのまま適用されず，劣位におかれた消費者を保護する民事制度が必要なことを宣言したものである。この宣言は本法の解釈の指針となるだけでなく，他の消費者法の制定や改正の指針となるものである。実際に，消費者契約法制定後に消費者保護基本法を改正した消費者基本法では，この格差の存在が明文で明記された。また，現行民法の解釈や理論的発展の重要な指針ともなっていくと考えられる。

3 すべての消費者契約に適用される

消費者契約法の第3の特徴は，すべての消費者契約に適用され，適用範囲が極めて広いということである（2条，48条）。代表的な消費者保護法規である特定商取引法，割賦販売法は，販売形態，取引形態や契約形態に限定が付されていた。指定商品，指定役務，指定権利があり，適用範囲にも限定があった。貸金業法，宅地建物取引業法等の各種業法も適用される業種に限定がある。これらの限定の存在は，救済にあたってはすき間が生じるとともに被害が生じるとあわてて改正がなされるという後追い立法が繰り返されることになる。これに対して消費者契約法は労働契約を除くすべての消費者と事業者との間の消費者契約に適用があり，例外のない包括的な民事ルールとなっている。

これによって，これまで行政的法規制では救済が不十分であった新規取引やアウトサイダー取引に対しても対応が可能となる。

4 不十分な情報提供の促進

消費者契約法の第4の特徴は，立法目的では情報力格差を認めながら，事業者の情報提供の促進には不十分な規定となっていることである。消費者契約の締結過程において，事業者が不公正な方法で勧誘した場合には，消費者は締結した契約を取り消すことができるようになったが，事業者の情報提供義務は努力規定となり，本法においては特にサンクションは設けられず，4条の不公正勧誘行為にも限定がある（3条1項，4条）。

　情報の質や量に格差があり，対等性の前提が欠けている場合に，これを是正するためには情報をもっている側が情報提供をするしかない。1条で立法目的として明確に情報力格差の存在を明言しているのであるから，本来その是正のためには本法で事業者の重要事項に対する情報提供義務を認め，その違反には取消等の効果を付与しなければならないはずであった。また，少なくとも消費者が誤認するような勧誘行為は広く取消の対象にすべきである。金融商品のリスク開示が不十分であったり，原産地や原材料が正しく表示されないなど我が国の消費者被害の多くが契約締結過程に問題があること，特に情報開示義務が尽くされないことに問題があることは明らかである。1条ではこれに着目して情報力格差を明確に宣言しながら，3条，4条の規定が部分的にとどまっているのは，立法目的と実際の法規に離齬があると評価せざるをえない。我が国の消費者取引において，十分な情報開示のルールが実現していないことからも，情報提供義務の明示等，早急な法改正が望まれる。

　そして，現行法の3条，4条の解釈においても1条の立法目的に沿って，情報開示をできるだけ認める解釈が特に必要となる。また，4条に関してどのような裁判例が蓄積されるかは極めて重要である。

5　2条以下の解釈における1条の重要性

　消費者契約法の特徴の第5は，2条以下の解釈について1条の立法目的の存在が極めて重要となっていることである。

　事業者と消費者との間の情報力格差を宣言しながら，3条以下では格差是正の方策が部分的にとどまっていることは前述したとおりであり，交渉力格差の是正についても制定された内容は網羅的ではない[4]。

　そのため，1条の立法目的を実現するには，規定された2条以下の内容を

できるだけ立法目的に沿って解釈し，情報力格差と交渉力格差の是正を図っていく必要性がある。

6 契約条項適正化のための一般条項を規定

消費者契約法の第6の特徴は，ヨーロッパ等では既に制定されている一般条項を含む契約条項適正化法規を日本にも採用したことである。

契約条項のうちトラブルの多い，事業者の責任を免除したり軽減する免責条項と違約金に関する条項については，これにあたれば無効となる場合を定めた（8条，9条）。これに反する条項は契約条項として定めてあっても無効となる。「不当な」，「著しく」等の評価を要する要件を定めておらず，条項が8条，9条に該当すれば直ちに無効と判断されることになる。

そして重要なことは，契約適正化法規において不可欠ともいえる一般条項を採用したことである。10条は，「民法第1条第2項に規定する基本原則〔信義則〕に反して消費者の利益を一方的に害する」条項を無効とすると一般的に定めている。この10条の解釈については本書でも指摘しているようにいくつかの論点があるが，消費者の利益を一方的に害する規定が無効であるとの一般条項が規定されたことは大きな意義がある。10条は消費者契約の各種条項が公正かつ適正なものになる大きな手がかりとなっていくことが期待される。

VI 消費者団体訴訟制度

1 消費者団体訴訟制度の成立

2006年5月31日，いわゆる消費者団体訴訟制度（団体訴権）のうち，差

（注4） 契約条項については，10条で消費者に一方的に不利益な条項は無効とする一般条項が規定されたものの，契約締結過程の交渉力格差の是正には，4条3項で困惑行為として不退去と退去妨害を規定したにとどめた。威迫や目的を隠匿して接近する交渉態様や，窮状・経験不足等に乗じて契約をした場合に取消を認める「状況の濫用の法理」等は議論はされたものの採用されなかった。

止制度の導入を内容とする改正消費者契約法が成立し，2007年6月7日から施行された。

同制度は，消費者契約法の実効化策として，また，多発する消費者被害の防止策として制定されたものである。

その後の2008年4月25日，特定商取引法，景品表示法に差止制度を導入する改正消費者契約法，改正特定商取引法，改正景品表示法が成立し，景品表示法に関する差止制度は2009年4月1日から，特定商取引法に関する差止制度は，2009年12月1日から施行され，さらに2013年6月21日に新たに成立した食品表示法にも差止制度が導入された（2015年4月1日施行）。

さらに，2013年12月4日には，「消費者の財産的被害の集団的な回復のための民事の裁判手続の特例に関する法律」（消費者裁判手続特例法）が成立し，いわゆる消費者団体訴訟制度のうち，消費者団体による損害賠償請求等の金銭支払請求制度（集団的消費者被害回復に係る訴訟制度）が導入されるに至った（施行は2016年10月1日）。同法は，2022年5月25日に改正され，対象範囲の拡大，和解内容の早期柔軟化，消費者に対する情報提供方法の充実，特定適格消費者団体の支援法人認定制度の導入等が実現した（改正の中心部分の施行は2023年10月1日）。

なお，現在，我が国では，いわゆる消費者団体訴訟制度（団体訴権）のうち，差止制度について「消費者団体訴訟制度」と呼称していることから，本書でも，以降，消費者団体による差止制度について単に「消費者団体訴訟制度」と表記し，広く消費者団体による訴訟制度全般をいう場合は「いわゆる消費者団体訴訟制度（団体訴権）」と表記することとする。

2　消費者団体訴訟制度の概要

消費者団体訴訟制度は，内閣総理大臣から認定を受けた適格消費者団体が，事業者等が不特定かつ多数の消費者に対し消費者契約法，特定商取引法，景品表示法，食品表示法の定める不当行為を行っている，ないし，行うおそれがある場合に差止めその他適当な措置を請求できる制度である。同制度では，適格消費者団体は，事業者等に対し，差止めその他の措置を請求できるのみであり，損害賠償・金銭支払は請求できない。他方で特定適格消費

者団体は，消費者裁判手続特例法に基づく被害回復制度（共通義務確認訴訟，簡易確定手続）により，被害救済手続を行うことができる。

3　いわゆる消費者団体訴訟制度（団体訴権）の必要性

消費者と事業者の間の知識・情報力と交渉力の格差の存在を明確にして，消費者被害救済の前進を図った消費者契約法制定後も消費者トラブルは高止まりしている。消費者団体訴訟制度が導入された 2006 年度の時点で各地の消費者センターに寄せられた苦情・相談件数は，約 110 万件に達していた[5]が，2022 年度に各地の消費者相談センターに寄せられた苦情・相談件数は 89 万件を超えている[6]。IT 技術などの発展により，これまでにない新たなタイプの消費者被害が日々発生している現状にある。

こうした消費者被害の特徴の 1 つに，被害額が比較的少額である場合が多いこと，また，多数の者に被害が及ぶことが多いということがあげられる。このような消費者被害にあっては，被害を受けた個人が訴えを提起することは困難が伴い，被害をすべて救済することは，極めて困難な作業となる。そして，これまでの個別救済制度では，被害者の一部でかつその損害額の一部しか救済されないことが多く，加害事業者に多くの利得が残ることになる。

被害救済や被害防止のためには，加害行為をやめさせ，これら消費者の損害によって得られた加害事業者の利得をはき出させる必要がある。

事業者の不当な契約条項や勧誘方法によって消費者被害が発生していることが消費者団体や関係各機関に認知されても，これまでの法制度では，消費者も消費者団体も直接にこれらの不当な契約条項の使用や勧誘方法をやめさせる有効な手段がなく，被害の拡大を防ぐことが困難であった。被害の拡大を防ぐには，消費者の視点によって早期にこれらの不当な契約条項の使用や勧誘方法を差し止める制度が必要である。

（注5）　国民生活センター「2006 年度の PIO-NET にみる消費生活相談の概要」（https://warp.da.ndl.go.jp/info:ndljp/pid/11173897/www.kokusen.go.jp/news/data/n-20070802_2.html）。

（注6）　国民生活センター「2022 年度 全国の消費生活相談の状況― PIO-NET より―」（https://www.kokusen.go.jp/pdf/n-20230809_1.html）。

これらの被害救済や加害事業者の利得をはき出させること，あるいは不当な約款の使用や勧誘方法の差止めは，消費者全体の利益のために行われることであるため，情報力や紛争解決力に事業者と格差のある個々の消費者ではなく，消費者全体の利益のために活動する消費者団体が行うことがふさわしい。

　このようなことから，多発する消費者被害の防止・救済を実効化させるためには，消費者の視点に立って活動する消費者団体が，消費者の利益を代表して，事業者の不当契約条項の使用や不当勧誘行為の差止め，もしくは損害賠償請求といった訴訟を提起できるようにすること，すなわち，いわゆる消費者団体訴訟制度の導入が必要である。また，このような制度を導入することは，単に被害救済の実効化にとどまるものではなく，消費者を真に市場の監視者たらしめる効果をも有しているという点で，極めて意義あることである。

　前述のとおり，我が国では，まず，差止制度が「消費者団体訴訟制度」として2006年に導入され，その後，7年を経た2013年に消費者団体による損害賠償請求等の金銭支払請求制度である「集団的消費者被害回復に係る訴訟制度」が導入されるに至った。

　ただし，同制度は，対象範囲の限定や事業者との和解における選択肢が極端に限定されていたこと，担い手である特定適格消費者団体の負担の大きさといった問題から利用が低迷していた[7]ため，前記の改正が行われている。

　また，消費者団体訴訟（差止）制度についても，前記の対象範囲の拡大のほか，適格消費者団体の報告等の手続負担軽減を目的とした認定期間の延長や提出書類の軽減等，団体による事業者からの情報収集機能の強化等を目的とした事業者の情報提供努力義務規定の創設等，数次（2008年，2009年，2022年）にわたり改正が行われている。

（注7）　同法の施行（2016年10月1日）から同法改正法が成立した2022年5月までに提起された訴訟件数は4件であった。

第2部
逐条解説消費者契約法

第1章　総　則

第1条　(目的)

> 第1条　この法律は，消費者と事業者との間の情報の質及び量並びに交渉力の格差に鑑み，事業者の一定の行為により消費者が誤認し，又は困惑した場合等について契約の申込み又はその承諾の意思表示を取り消すことができることとするとともに，事業者の損害賠償の責任を免除する条項その他の消費者の利益を不当に害することとなる条項の全部又は一部を無効とするほか，消費者の被害の発生又は拡大を防止するため適格消費者団体が事業者等に対し差止請求をすることができることとすることにより，消費者の利益の擁護を図り，もって国民生活の安定向上と国民経済の健全な発展に寄与することを目的とする。

Ⅰ　趣　旨

　本条は，本法の制定目的を明記する。すなわち，本法の制定目的は，まず，事業者と消費者との間に，構造的な「情報の質及び量並びに交渉力の格差」が存在することを認め，契約締結過程や契約内容において，事業者の不適切な勧誘行為により消費者が契約を締結した場合に消費者に契約の取消権を認めて契約関係からの離脱を認め，不当な条項の無効を宣言することによって不当な条項の拘束力から解放させることで，消費者を保護することである。さらに，2006年改正によって，消費者被害の発生又は拡大防止のため

に適格消費者団体による差止請求制度を創設し、もって国民生活の安定向上と国民経済の健全な発展に寄与することである。

本条で重要なのは、消費者取引において事業者と消費者との間に構造的な格差が存在していることを正面から認めたこと、本法の目的が消費者保護にあることを宣言したこと、本条が2条以下の解釈指針となること、である。

本法の審議の過程では、事業者と消費者との間の格差の存在に疑問を呈する意見もあったが[1]、本条記載のとおり、事業者と消費者との間の格差の存在を明確に認め、立法目的として明記した。本法は、このような格差の存在を明記したはじめての法律であり、その意味で、本条の存在は重要である[2]。

II 事業者と消費者の構造的格差と民法の修正

近代民法は、契約当事者は互いに対等であることが前提とされている。すなわち、互いに十分な情報を収集し、これを分析して処理でき、双方とも自律して理性的な判断ができ、さらに互いに対等に交渉できることが前提とされている。このような対等性があるからこそ当事者は自己決定が可能であり、決定した内容については責任をとらなくてはならない、とされている（自己決定の原則、自己責任の原則）。この契約当事者間の対等性の前提が欠ける場合には、自己決定の原則や自己責任の原則をそのまま認めることはできない。特に構造的に対等性が欠け、格差が存在する場合には、近代民法の原理は修正を余儀なくされるのである。

ところで、現実の取引では契約当事者間には様々な格差が存在する。大企業と中小企業との取引、元請と下請との取引等、事業者間取引にも格差が存在するが、事業者と消費者との間の消費者取引では「事業者」と「消費者」という異なる立場が固定され、契約当事者間の格差が典型的かつ構造的に存在している。事業者と消費者との間の格差としては、主に、①情報力格差、

(注1) 角田博「経済界は、消費者契約法（仮称）に何を期待するか。」ESP410号37頁。

(注2) 松本恒雄「規制緩和時代と消費者契約法」法セミ549号6頁。

②交渉力格差が指摘されている[3]。

1 情報力格差

　事業者は商品・役務に関する取引等を反復継続して行っており，商品・役務及びその契約に関する情報・知識を豊富に有している。また，商品・役務自体，非常に専門化・複雑化し，契約関係や内容も多様になっており，商品・役務及び契約に関する情報量自体が増加してきている。事業者は増加している情報に接する機会が多く，質の高い有用な情報を多量に収集する能力と情報処理能力も高くなっている。

　これに対して消費者は，商品・役務の専門化・複雑化，契約関係の多様化のなかで，契約しようとする商品・役務及びその契約に関する知識・情報を十分には保有せず，収集するにしてもそれは事業者側から与えられた一方的なものが多く，質の高い多数の情報を収集することや，これを自ら分析し取捨選択することが困難な状況におかれている。

2 交渉力格差

　事業者は豊富な情報知識を有しているうえに，商品・役務に関する取引を反復・継続することで経験を積み，取引のノウハウ等も蓄積している。そのため収集，分析された情報に基づいて，取引に対する判断を正しく行い，交渉を有利に運ぶ能力が存する。

　一方，消費者は，情報収集力において事業者との間に歴然とした格差があるうえに，当該商品の取引は1回限りであることが多く，たとえ反復性があったとしても事業者の反復性に比べればはるかに少ない。この結果，消費者は取引に関するノウハウも蓄積できず，適正な判断を行う環境は十分ではない。また，事業者側の販売手法は，訪問販売や電話勧誘，メールやSNSを駆使した積極的・攻撃的なものが増加し，消費者が十分な検討の機会を与えられずに判断を求められることがある。

　さらに締結される契約条項も，あらかじめ事業者が作成した約款が利用さ

(注3)　潮見佳男「消費者契約法と民法理論」法セミ549号10頁。

れることがほとんどである。このような約款は事業者側に有利になっていることが多い。消費者は，事業者から約款に定められている契約内容を十分に知らされていないことが多いうえ，仮に知らされていたとしても，契約条項の変更は事実上できない。消費者は不利な契約条項を押しつけられる状況が存在している。

　以上のような，事業者と消費者の情報力格差と交渉力格差は構造的であり，大量消費と情報化社会のなかで，消費者に自己責任を求めることが適切ではない場合がある[4]。この事業者と消費者との間の情報力格差と交渉力格差の存在と拡大によって，消費者取引においては，もはや契約当事者間の対等性の前提が構造的に欠けていると評価できる。

　これらの格差の存在は既に民法の解釈においても認識され，裁判例でも格差の存在を前提とした解釈がされている[5]。しかし，もともと対等の契約当事者を前提としている民法の解釈では限界があり，消費者自らによる救済を行いやすくすることを通じて，消費者の利益の擁護を図るための環境整備が必要である[6]。特定商取引法等に規定されているクーリング・オフのような技術的な救済措置だけでは十分な対応が困難となるまで構造的格差は広がっている。事業者と消費者の情報力格差と交渉力格差の存在によって構造的に対等性が欠ける消費者契約において，不利益を押しつけられている消費者を保護するため民法原理に遡って検討する必要が生じてきている。消費者が事業者と取引をする場合，近代民法の原理である自己決定の原則や自己責任の原則をそのまま適用させるには，その前提を欠いていることを明確に宣言しているのが本条である。事業者と消費者との間の格差の存在を明文の規定ではじめて認めたという点で，本法は画期的な立法と評価されている[7]。

（注4）　消費者庁解説3～4頁。
（注5）　情報力格差について，最判平8・10・28判時1703号154頁，東京地判平11・3・30判時1700号50頁，大阪地判平11・3・30金法1558号37頁等。交渉力格差について，高松高決昭62・10・13判時1275号124頁，大阪高判平8・1・23判時1569号62頁等。
（注6）　消費者庁解説4頁。
（注7）　松本・前掲（注2）6頁。

Ⅲ　消費者契約法の立法目的は何か

　消費者契約法の直接の立法目的は，構造的に劣位におかれ不利益を押しつけられている消費者の保護にある。それとともに，その方策として近代民法の対等当事者を前提とした基本的な枠組みを変更させ，消費者契約の当事者に格差があることを認め，構造的に劣位におかれた消費者が自己決定し自己責任を負うにふさわしい環境をつくりあげようとするものである[8]。

　本条では，「消費者と事業者との間の情報の質及び量並びに交渉力の格差に鑑み」，一定の場合に消費者契約の取消しや契約条項を無効とできることとして，「(劣位におかれている)消費者の利益の擁護を図る」ことが法の目的であると明記されている。ここでは，本法が，構造的に劣位におかれ，不利益を押しつけられている消費者を保護することを目的としていることを明確に宣言している。本法制定の審議過程において，消費者による多数の苦情や相談の存在が立法の必要性の第1であることが繰り返し指摘され，当時の所轄官庁であった経済企画庁が国会答弁で消費者契約法を「総合的な消費者被害の防止・救済策の確立に資するもの」，「消費者政策の重要な柱」と述べていること[9]からも，本法が消費者被害の防止と救済を図り消費者保護を目的としていることは明らかである。その方策として，民法の予定している対等な契約当事者関係を否定し，格差のある当事者関係を明確に認め，これにふさわしい契約関係を法制化しようとしたものである。

　本法制定のもう1つの基本理念は，規制緩和時代の自由競争市場経済のもとで，構造的に劣位におかれた消費者に自己決定・自己責任原則が妥当するための基盤整備をすることである[10]。この基本理念は，民法の原則との関

(注8)　河上正二「消費者契約法立法への課題・総論」別冊NBL54号7頁では，「『消費者契約法』によって追求される理念には，当事者の自己決定の尊重や公正な自由市場の環境整備のみならず，経済的弱者保護と被害の適切な救済への要請に応えることもまた，等価値で含まれているというべきである。」と述べられている。

(注9)　第147回国会参議院本会議議事録第18号(平成12年4月19日。堺屋太一国務大臣発言)。

(注10)　第16次国生審最終報告6頁・7頁，潮見・前掲(注3)10頁。

係で重要と考えられる。しかし，事業者と消費者との間の格差は構造的であり，いくつかの不公正な事業者の行為態様に対して契約の取消しを認め，不当条項を無効とすることだけで格差が解消されて，消費者が事業者と対等な関係になるわけではない。消費者は劣位におかれているなかで取引をするしかなく，あまりに不公正な場合にのみ契約の拘束力から免れることができるにすぎない。格差を是正して公正な取引ルールを整備していくことは極めて重要であるが，本法を制定することのみで，消費者に自己決定・自己責任を問える環境が整備されたと安易に評価されることがないようにしなければならない。

　これに対して経済界から，本法の目的が消費者を保護することではなく，その自立を促すことであるとの見解が出されている[11]。この見解は消費者の自己責任原則を強調するとともに3条2項の存在をその論拠としている。しかし，この見解は，本法が事業者と消費者との間の格差の存在から消費者に自己責任を問う前提が欠けているから立法化されたという前述の制定経過や目的規定である本条の文言にも反しており，3条の解釈についても，事業者の情報提供義務を定めた1項こそが本法の中核の1つとなっていることを看過しているものである。また後述するように，本法の2条以下の規定が存することのみをもって，消費者に自己責任を問えるような環境整備が整ったとは到底評価できないことからも，本法の目的が消費者の自立を促すことにあるとはいえない。

　このように本法の立法目的は消費者保護にあり，それとともに近代民法の対等当事者を前提とした基本的な枠組みを変更し，格差のある当事者間の契約関係にふさわしい環境をつくりあげようとするものである。

　なお，本条の「もって国民生活の安定向上と国民経済の健全な発展に寄与すること」の意味は，本法の直接の立法目的である消費者保護の実現を通じて「国民生活の安定向上と国民経済の健全な発展」を達成することが期待されていることを注意的に示すものである。

　消費者が保護され公正かつ適正な消費者取引が実現しなければ，消費者契

　（注11）　横尾賢一郎「消費者契約法の意義と経済界の見方」法セミ549号42頁。

約に関するトラブルや被害は増加の一途をたどり，国民生活の安定を妨げ，国民経済の健全な発展を妨げるものである。本法が裁判規範として機能することにより，消費者の利益を擁護するのみならず，裁判外においても紛争解決の具体的指針となり，紛争処理の円滑化，迅速化，さらには，事業者の情報提供の推進，積極的な不当契約条項の排除が実現されることとなる。その結果，経済活動の適正化，活性化に資することも期待できる。「国民生活の安定向上と国民経済の健全な発展」に寄与することを目的とするというのは，このような意味を有するものと解される。

Ⅳ 消費者契約法によって事業者と消費者の「対等性」は確保されたのか

1条で宣言された本法の目的に基づいて，2条以下の規定によって消費者に自己決定ができるような環境整備，すなわち契約当事者の対等性が確保され，ひいては消費者保護の目的が実現できたといえるであろうか。答えは否といわざるをえない。

まず，事業者と消費者との間の構造的格差は情報力や交渉力に限られるものではない。判断力，攻撃的勧誘に対する耐性（取引耐性）についても格差が存在する[12]。消費者に自己決定の原則や自己責任の原則を問えるような環境整備をするには，これらの格差に対応する法制を整備する必要がある。例えば，審議過程で議論された窮状，異常な精神状態や経験不足等に乗じて契約をした場合に取消しを認める「状況の濫用の法理」や包括的な「つけこみ型不当勧誘取消権」，取引耐性の弱い消費者を勧誘してはならないという「適合性原則」などを採用する必要がある。しかし，消費者契約法ではこれらの規定が未だ設けられず，判断力不足や取引耐性の弱いものに対する環境整備が十分なされていない。

(注12) 潮見・前掲（注3）12頁，河上・前掲（注8）10頁。消費者庁「消費者法の現状を検証し将来の在り方を考える有識者懇談会における議論の整理」（令和5年7月）は，「消費者の脆弱性」を正面から捉えた消費者法の構築が必要とする（https://www.caa.go.jp/policies/policy/consumer_system/meeting_materials/review_meeting_004/）。

また，情報力格差と交渉力格差についても，消費者契約法は部分的にその整備をしたにすぎない。事業者の情報開示義務は努力義務を定めたものの（3条），その違反に対して契約取消しや損害賠償といった法的効果を明定しなかった。不実情報の提供や情報の不提供につき，契約の取消しを認めた範囲も限定的である（4条1項・2項）。不公正な交渉態様については，本法制定後に，過量契約取消権が制定され，また困惑類型が拡張されたものの，消費者の判断能力が十分でない状況につけこんで勧誘する事業者の行為を包括的に規制する「つけこみ型不当勧誘取消権」は定められていない。契約条項については，一般条項は設けられたものの（10条），不当条項リストは未だ不十分である（8条・9条）。

　このため，現状では，1条の明確な宣言にもかかわらず，本法の立法化によって格差のある契約当事者にふさわしい法整備がなされ，消費者に自己決定ができるような環境整備，すなわち契約当事者の対等性の確保がされたとは到底いえない[13]。

　2003年5月，国民生活審議会消費者政策部会は，「21世紀型の消費者政策の在り方について」と題する報告書を公表したが，そのなかで，消費者と事業者との間に情報力，交渉力に格差があり，これを縮小するために各種の消費者政策が講じられてきたことを指摘しつつ，21世紀にふさわしい消費者政策として，必要な情報を知ることができること，適切な選択を行えること，被害の救済が受けられること等を消費者の権利として位置付け，消費者政策を推進するうえでの理念とする必要があることを指摘している。そして，具体的には，消費者契約に関する重要事項について事業者が情報を提供することを基本原則として法的に明確化すること，広告・表示を適正化すること，執拗な勧誘に対する規制を拡充すること，消費者の特性に応じた勧誘についての規制を行うこと，契約条項の適正化を図ることを求めている。

　これは，消費者契約法施行によってもなお消費者と事業者との「対等性」が確保されたとはいえないこと，さらに，その格差を縮小する方向で消費者政策を推進する必要があることを示しているものと考えられる[14]。2004年

　（注13）　松本・前掲（注2）7頁，潮見・前掲（注3）13頁。

に改正された消費者基本法1条では「消費者と事業者との間の情報の質及び量並びに交渉力等の格差にかんがみ」と「等」が付加されているのはその趣旨と解される。

V　解釈指針としての1条の重要性

　1条の画期的な宣言に比べて，2条以下の規定は消費者保護にとって不十分であり，格差のある当事者間の契約関係にふさわしい環境整備がなされたとはいえない。その意味で1条と2条以下にはねじれが生じている。しかしながら，1条で宣言されている内容は，前述したように，近代民法の基本的な枠組みの変更の必要性を宣言する極めて重要な内容となっている。消費者取引において構造的な格差がある消費者の保護を図り，格差を是正して公正な取引ルールを整備していくことは，本法の基本的な考え方であり，2条以下の各条文及び他の法律の解釈にあたっては，本条が基本的かつ最も重要な解釈原理となるものと考えられる。2条以下の条文解釈にあたっては，本条で示された立法目的と基本理念を実現していく解釈をしなければならない。特に，消費者保護の視点にたった柔軟な解釈が必要となる[15]。

VI　本法の改正と民法理論の発展の必要性

　2条以下の内容は1条の立法目的と基本理念を十分に実現したものとはいえない。本法成立後に複数回にわたって法改正がなされているものの，既述のとおり，未だ消費者保護の観点からは十分な内容とはいえず，今後も，本法が改正されるにあたっては，1条の基本理念を十分に実現していく内容となる必要がある。係る基本理念を実現するための具体的な法制度としては，「つけこみ型不当勧誘に対する契約取消権を定める規定」「不当勧誘により契約を締結したことによる損害賠償を認める規定」「ある契約条項が不当条項

(注14)　第18次国民生活審議会消費者政策部会報告「21世紀型の消費者政策の在り方について」（平成15年5月）9〜22頁。

であると推定する規定」の創設などが考えられる。

また，1条で示された近代民法の枠組みの変更の方向性は，今後の民法の解釈や将来の民法改正にあたっても基本理念の1つとなると考えられる。

そして，1条で示された基本理念の実現には，本法の解釈とともに，本法でカバーできなかった格差の是正について民法理論のさらなる発展が必要となってくるであろう[16]。さらに，自己決定・自己責任とは異なる原理（例えば，専門家責任・職業的役割に基づく責任原理）や，具体的当事者間で創造された契約規範の視点（例えば，助言契約の考え方）を考慮に入れた理論体系の構築が望まれる。

(注15) 大津地判平15・10・3（最高裁HP）は，事業者の説明義務違反の有無について，1条，3条，4条2項をもとに，消費者契約法の趣旨が，事業者の情報の質及び量の絶対的な多さを考慮し，これに対する消費者の利益の擁護による健全な取引の発展を目的とするものであることを示しつつ，説明義務違反の解釈において，「事業者が，一般消費者と契約を締結する際には，契約交渉段階において，相手方が意思決定をするにつき重要な意義をもつ事実について，事業者として取引上の信義則により適切な告知・説明義務を負い，故意又は過失により，これに反するような不適切な告知・説明を行い，相手方を契約関係に入らしめ，その結果，相手方に損害を被らせた場合には，その損害を賠償する義務があると解する」とした。

また，大阪地判平15・10・16（最高裁HP）は，大学の在学契約に消費者契約法が適用されるか否かについて，「消費者契約」（2条）の解釈を示しつつ，「原告らは，在学契約の締結に際し，入学試験要項に定める入学金納付等の条項を被告と交渉して変更するなどの余地はなく，消費者契約法の趣旨とする交渉力の格差からの消費者の保護（同法1条）が妥当するものであり，実質的にも消費者契約法を適用すべき妥当性があるといえる」として，大学の在学契約に消費者契約法が適用されるとした。

他にも，大阪地判平14・7・19金判1162号32頁における「平均的な損害額」（9条1項1号）の立証責任の解釈，福岡高判平16・11・12（最高裁HP）における利息計算方法の解釈に関する裁判例があり，これらはいずれも，1条を基本的解釈原理としている。

(注16) 潮見・前掲（注3）14頁では，「今後は，消費者契約法原理のルール化として述べた点を踏まえて，民法の意思表示・法律行為論の再構築を試みることが強く求められよう（契約内容の確定・解釈準則の具体化，意思形成過程・動機レベルに関する規律の拡張・整備，公序良俗論の再構築など）」と述べられている。

第 2 条　（定義）

> 第 2 条　この法律において「消費者」とは，個人（事業として又は事業のために契約の当事者となる場合におけるものを除く。）をいう。
> 2　この法律（第 43 条第 2 項第 2 号を除く。）において「事業者」とは，法人その他の団体及び事業として又は事業のために契約の当事者となる場合における個人をいう。
> 3　この法律において「消費者契約」とは，消費者と事業者との間で締結される契約をいう。
> 4　この法律において「適格消費者団体」とは，不特定かつ多数の消費者の利益のためにこの法律の規定による差止請求権を行使するのに必要な適格性を有する法人である消費者団体（消費者基本法（昭和 43 年法律第 78 号）第 8 条の消費者団体をいう。以下同じ。）として第 13 条の定めるところにより内閣総理大臣の認定を受けた者をいう。

Ⅰ　趣　旨

1　意　義

　本条では消費者契約法の適用範囲を定めるために「消費者」（1 項），「事業者」（2 項），「消費者契約」（3 項），「適格消費者団体」（4 項）のそれぞれの定義を定めている。

　消費者契約法は，消費者と事業者との間に存在する情報と交渉力の構造的な格差が多くの消費者取引におけるトラブルや被害の原因であると認め，消費者取引について民法の特則として包括的民事ルールを定めたものである。本法の適用範囲は，「消費者」，「事業者」，「消費者契約」「適格消費者団体」それぞれの定義によって決まることになる。したがって，本法の立法目的が消費者取引における「消費者と事業者との間の情報の質及び量並びに交渉力の格差」（1 条）の是正にあることから，消費者と事業者との間で情報と交渉力に構造的な格差が存在する取引には広く適用されるように，これらの概念

を定義することが必要となる。

また，4項では平成18年改正によって創設された事業者等に対する差止請求権について，その主体となる消費者団体を「適格消費者団体」とし，その適格性が必要なことと，内閣総理大臣の認定を要することなど，主な要件を定義した。

2　1項から3項まで

(1)　制定の経緯

第16次国生審中間報告では，「消費者契約」の定義は，「消費者と事業者の間で締結される全ての契約」とされており，「消費者」は「消費生活において，事業に関連しない目的で行為する」「自然人」とし，「事業者」は「事業に関連する目的で行為する」「自然人又は法人その他の団体」としていた[1]。これに対しては，「消費生活において」の限定は本法の適用範囲を狭くする可能性があるので削除すべきであり，また，事業関連性は直接のものにすべきであるなどの批判があった[2][3]。

第16次国生審最終報告では，消費者と事業者とを区分する基準について，「両者の間に存在する情報，交渉力等の格差は同種の行為を反復継続して行っていることにより生じている。すなわち『事業性』が消費者と事業者との差異のメルクマールであり，これが消費者契約について特別の定めを置く根拠である」，「『事業』には，営利・非営利，公益・非公益を問わず反復継続

(注1)　第16次国生審中間報告7〜8頁。

(注2)　日本弁護士連合会「消費者契約法（仮称）の具体的内容についての国民生活審議会消費者政策部会中間報告に対する意見（平成10年9月11日）」，現代契約法制研究会「消費者契約法（仮称）の論点に関する中間整理（平成11年4月）」別冊NBL54号271頁，河上正二「消費者契約法立法への課題・総論」別冊NBL54号21頁。

(注3)　現代契約法制研究会・前掲（注2）278頁以下では，保護すべき「消費者」の範囲について，画一的・確定的な定義をすることに疑問を呈する意見や，要件の明確化は欠かせないとの意見，消費者契約法の各項目の規制の根拠をどのように理解するかとの関係で，保護すべき「消費者」も各項目ごとに異なりうるのではないか，との指摘がなされており，本法の解釈においても参考になる。

して行われる同種の行為が含まれ，また，『専門的職業』の概念も含まれるものと考えられる。なお，行政主体についても当然に事業性が排除されるものではないと考えられる」として，適用範囲についてより明確にした[4]。

第17次国生審報告では，「消費者契約法は，消費者が事業者と締結した契約（＝消費者契約）を幅広く対象とする」として，「消費者契約とは，例えば，当事者の一方（＝事業者）のみが，業として又は業のために締結する契約とすることが考えられる」とし[5]，「業として」だけでなく「業のために」締結する場合も「事業者」の範囲とすることを明確にした。

これに対して，1999年日弁連試案では，「(1)本法において，消費者契約とは，消費者と事業者の間で締結されるすべての契約をいう。(2)本法において，消費者とは，事業に直接には関連しない目的で取引する者をいう。(3)本法において，事業者とは，事業に直接に関連する目的で取引する者をいう」としている[6]。これは，本法の目的は，契約において情報，知識，交渉力等において，事業者と格差のある消費者の利益を保護することにある点に着目し，事業を行っている者でも，自己の取扱商品，役務とは直接関連性を有しない取引に関しては，通常の消費者と同様の情報，知識，交渉力しかないのであるから，全く事業を営んだことのない者はもちろん，事業者の相手方が個人商店主のように事業と関連する目的をもっていても，そこに事業者に対抗しうる専門的知識，交渉力を期待できない場合には，消費者として本法で保護されるべきであるとの見解に基づいている[7]。また，法人であっても格差のある場合がありうることから消費者概念に加えていることが特徴である。

(2) 改正の検討経緯

平成28年改正及び平成30年改正においては，本規定についての改正は無

(注4) 第16次国生審最終報告26頁。
(注5) 第17次国生審報告10頁。
(注6) 1999年10月公表の消費者契約法日弁連試案（日弁連HP。https://www.nichibenren.or.jp/document/opinion/year/1999/1999_5.html）参照。
　　　なお，2014年7月17日に公表の消費者契約法日弁連改正試案（2014年版）はhttps://www.nichibenren.or.jp/document/opinion/year/2014/140717_3.html を参照。
(注7) 前掲（注6）参照。

い。ただし，改正の検討経緯において「消費者」概念に関する議論が整理され，消費者庁解説において，形式的には事業者間契約に該当するとも思われる事案に消費者契約法が適用される具体例の記載が追加された。

　すなわち，平成28年改正に先立つ専門調査会において，「消費者」概念の在り方に関し，以下のような事例に「消費者」該当性を認める法改正の要否・内容が検討された[8]。

　第①類型：当該契約以外に事業者性を基礎付ける事情がない場合
　第②類型：事業の実体がない場合
　第③類型：事業を行う個人について，自己の事業に直接関連しない取引を行うために契約の当事者となる場合
　第④類型：団体が実質的には消費者の集まりである場合
　第⑤類型：形式的には事業者に該当するが，相手方事業者との間に消費者契約に準ずるほどの格差がある場合

　専門調査会における議論では，上記のような事例について消費者契約法が適用ないし準用されうる旨を明文化すべきとの意見があった一方で，現行法下でも事案に応じた柔軟な法の解釈・適用で対応することができるという意見や，定義規定はみだりに変えるべきではないという意見もあり，コンセンサスが形成できなかった。このため，平成27年専門調査会中間取りまとめ（同5頁）で今後の検討課題と位置付けられた（平成27年専門調査会報告書（同15-16頁），平成29年専門調査会報告書（同17頁）も同様である）。ただし，専門調査会の上記の議論を受けて，本法の適切な解釈・適用に資するための取組みという観点から消費者庁解説が改訂され，第④類型に関して消費者契約法の適用を認めた裁判例，具体的には，親善団体と考えられる大学のラグビークラブチームと事業者との契約において，当該チームが「消費者」に該当するかという問題について，権利能力なき社団のように，一定の構成員により構成される組織であっても，消費者との関係で情報の質及び量並びに交渉力において優位に立っていると評価できないものについては「消費者」に

（注8）　第7回専門調査会における資料2「1」部分，平成27年専門調査会中間取りまとめ4～5頁。

当たるとした裁判例（東京地判平 23・11・17 判時 2150 号 49 頁）が存在する旨の記述が加えられた（消費者庁解説 13 頁）。

なお，平成 30 年改正法案に対する衆議院及び参議院の附帯決議において「『消費者』概念の在り方」が今後の改正課題の 1 つとして明記されたものの，令和 4 年の法改正においても本条の改正は無く，引き続き今後の検討課題となっている。

(3) 比較法

諸外国においても消費者保護のための法律がある。その多くは明確な定義なしに「消費者」の文言を使用しているが[9]，消費者の定義をしている立法もみられるようになっている。例えば，EC の 1993 年 4 月 5 日付けの消費者契約における不公正条項に関する指令では，その 2 条で「消費者とは，本指令の適用される契約において，自己の営業，事業または専門職業外の目的で行為するすべての自然人をいう」，「売主または提供者とは，本指令の適用を受ける契約において，公的に所有されているか，私的に所有されているかを問わず，自己の営業，事業または専門職業に関係する目的で行為するすべての自然人または法人をいう」と定義した。オランダ新民法（1992 年制定）では，「消費者」との文言は使用していないが，「職業及び事業活動外で行為する自然人」に事業者と異なる保護を与えており（236 条，237 条），これが実質的には「消費者」の定義といえる。ドイツ民法典 310 条（3）では，消費者契約を「自己の営業活動または職業活動の実施において行為する人（事業者）と，営業活動または独立の職業活動には帰せられない目的で契約を締結する自然人（消費者）との間の契約」と定義している[10]。なお，これらの法制ではいずれも消費者を自然人に限定している。

(注 9) 大村敦志『消費者法〔第 4 版〕』24 頁（有斐閣，2011）。

(注 10) ドイツの消費者契約の定義はもともと旧ドイツ約款規制法 24 条 a で規定されていたが，その後同条はそのままドイツ民法典第 2 編債務関係法 310 条（3）に規定された。旧ドイツ約款規制法 24 条 a について石田喜久夫編『注釈ドイツ約款規制法』315 頁［谷本圭子］（同文舘出版，1998）。

3　4項

(1)　改正時の議論

どのような消費者団体に訴権を認めるかの適格団体の要件は，①活動実体の要件として何が必要か，②登録，認可等を要件とすべきか，③法人格を有することを要件とすべきか，などが議論となった[11]。消費者の利益擁護のために活動し，その実体を持っている団体が適格性を有することとなるが，その要件をいたずらに厳格にすると，制度の実効性が損なわれることになる。一方で，差止請求権の訴権を新たに付与するのであり，不当訴訟の弊害も考えられるとして，消費者利益代表性，訴権行使基盤，弊害排除等について厳格に考えるべきとの意見も出された。

なかでも，登録・認可制を採用して適格要件の判断を行政機関に委ねるか，これを採用せず，個別訴訟ごとに裁判所が判断するかが議論された。前者は，適格団体が明確になり訴訟前交渉の促進，不当訴訟の排除に資することとなり，制度の効率的運用が図られるメリットがあるが，訴権団体が限定され，効果的な訴権行使が阻害され，適格団体への過剰な監督や独立性への侵害の可能性が指摘された。団体の活動実体要件である人数要件，活動期間要件をどのようにするかも，消費者団体訴訟制度を消費者保護に資する制度として肯定的にとらえるか，警戒すべき制度としてその運用を限定した範囲で行わせようとするかの制度への信頼の差が議論の背景にあった。

(2)　比較法

消費者団体訴訟制度を早くから取り入れていたドイツでは，人数要件は75人以上で法人であることを要している。判断機関は当初は個別訴訟ごとに裁判所が判断していたが，EU の経済統合に伴い，他国の適格消費者団体が提訴することから登録制を採用した。

フランスは認証制で全国レベルの消費者団体には1万人の人数要件を設け

(注11)　「消費者団体を主体とする団体訴訟制度と消費者団体の役割消費者組織に関する研究会報告書」（平成15年5月内閣府国民生活局）16頁。国民生活審議会消費者政策部会消費者団体訴訟制度検討委員会「消費者団体訴訟制度の在り方について」（平成17年6月23日）11頁。

ている。地方レベルの団体には人数要件は設けていない。イギリスは規則付表に明記する方法を採っている。

Ⅱ　解　説

1　1項　「消費者」の定義

(1)　本条の「消費者」は，事業として又は事業のために契約の当事者となる場合を除く個人である。個人に限り，法人その他の団体はたとえ小規模であっても消費者とはしなかった。これは法人その他の団体は，個人とは異なり反復継続して何らかの活動をしており，構造的に事業者との格差はないとの考え方にたっているものである。

しかし，事業の反復継続性の有無が格差を生ずる原因となり，反復継続性がないことが保護の必要性の根拠となるならば，個人事業者や法人その他の団体であっても，その事業と直接関連性を有しない取引については反復継続性を欠き保護の対象となる場合がありうる。

また，前記Ⅰ2(2)のとおり，親善団体と考えられる大学のラグビークラブチームと事業者との契約において，当該チームが「消費者」に該当するかという問題について，権利能力なき社団のように，一定の構成員により構成される組織であっても，消費者との関係で情報の質及び量並びに交渉力において優位に立っていると評価できないものについては「消費者」に当たるとした裁判例（東京地判平23・11・17判時2150号49頁）も存在する。

さらに，法人成りしただけの個人など，形式的には事業者と判断される場合であっても，実質的に消費者と同視できるような場合（いわゆる消費者的事業者である場合）には，本法の類推適用を認めるのが相当である[12]。

(2)　「事業」については，「一定の目的をもってなされる同種の行為の反復継続的遂行」と定義するものがある[13]。しかしながら，この定義は広き

(注12)　齋藤雅弘「消費者契約法の適用範囲」法セミ549号18頁は，本法が「自然人」とせずにわざわざ「個人」という文言を用いているのは，個人と同視できる小会社等の場合には，本法の類推適用の余地を残す趣旨と解されるとしている。

(注13)　消費者庁解説9頁。

に失している。この定義では，健康のため毎日ジョギングしていることや主婦の毎日の食事の準備も事業に含まれてしまう可能性がある。このような個人生活に関する反復継続的行為が事業にあたらないことは明らかである。一方で，プロのマラソンランナーや飲食店の調理士の活動は「事業」に含ませるべきである。「事業」は，それを行っているものが当該契約について情報の質，量及び交渉力について相手方当事者より高いレベルにあると判断される場合であり，一応の定義をしたとしても各契約の実態に合わせて柔軟に解釈すべきである。むしろ，個人生活を除くことに重点をおいて，「事業」とは，「社会生活上の地位に基づいて，一定の目的を持って反復継続的になされる行為及びその総体」とすることが適切であろう。

　事業は目的の営利，非営利は問わない。したがって，営業のためだけでなく，慈善事業として無償で行われる場合や宗教活動も含まれる。公益，非公益も問わない。したがって，行政機関から委託された公益的な活動も含まれる場合がある。医師，弁護士，税理士等，専門的職業の行為も含まれる。

　実際の契約の場面においては，当該契約が事業として又は事業のためになされたか否かは，一定の目的をもって反復継続的になされる行為の内容や，当該契約に関して情報の質，量及び交渉力について相手方当事者との格差の有無，程度を総合判断して，社会通念上それが事業の遂行とみられる程度のものか否かを柔軟に判断するしかないと解される。このような解釈は，後述するマルチ商法や内職商法における本法の適用において実益が出てくる。法務省民事局内に設置された現代契約法制研究会の中間整理においても，消費者を定義する際の「事業性」概念と事業者を定義する際の「事業性」概念とは，必ずしも一致する必要はなく，消費者契約法の適用範囲を広げる観点からは，むしろ消費者の定義においては事業性を比較的狭く考え，事業者の定義においては事業性を比較的広く考えてはどうかとの意見が紹介されており[14]，「事業性」概念を柔軟に考えることを示唆している。

　(3) (i) 「事業として」契約の当事者となるとは，自己の事業に直接関連する契約をすることをいう。事業遂行そのものである。例えば，弁護士であれば依頼者との委任契約をすることであり，商店主であれば取扱商品の仕入や販売をすることであり，工務店であれば建築請負契約をすることである。

(ii)「事業のために」契約の当事者になるとは，自己の事業遂行そのものではないが，事業遂行に通常必要な契約をすることをいう。例えば，弁護士であれば事務所の賃貸借契約を締結することであり，商店主であれば商品運搬のために車輌を購入したり，工務店が会計管理のためにパソコンを購入すること等である。事業に際して行われた契約であっても，事業遂行に通常必要とされない契約はこれにあたらない。例えば，飲食店等でない事業所で従業員が飲むだけのために浄水器を購入したり，特に火を扱うわけでもない商店で消火器を購入することである[15]。

(iii) 結局「事業として」または「事業のために」に該当するか否かは，継続的な業務提供の実施があるか，両当事者間の情報・交渉力に格差があるか，予定されている労務が個人生活上の労務の範囲に含まれているかなどの社会生活上の地位の実態を総合的に判断する必要がある[16]。

(4)「事業として又は事業のために契約の当事者となる場合を除く」個人が「消費者」となる。サラリーマンや主婦等，事業を行っていないものが生活のために契約する場合には当然「消費者」である。事業を行っている個人でも，事業遂行に関連しない契約を締結する場合は「消費者」である。

例えば，弁護士でも自宅の賃貸借契約を締結する場合，商店主がレジャーや家族用に車輌を購入する場合，工務店の経営者が家族のインターネットのためにパソコンを購入する場合はいずれも「消費者」として契約の当事者となり，本法における消費者としての権利の主体となる。

(注14) 現代契約法制研究会・前掲（注2）271頁以下。山本豊「消費者契約法(1)」法教241号84頁は，本法では，消費者と事業者が全く表裏の関係にあるかのように「事業として又は事業のために」という文言がどちらの定義規定にも用いられていることを指摘しつつ，このように同様の文字を使用した場合，事業者性を広く解することは事業者の範囲を広げると同時に消費者の範囲を狭めるという相矛盾する効果をもってしまうことを指摘して，このことが将来における適切な解釈の妨げにならないことを望みたいとされている。

(注15) 自動車販売等を業とする株式会社における消火器の充填薬剤の購入が，営業のため若しくは営業としての購入でないとして特定商取引法の適用を認めた事例として神戸地判平15・3・4金判1178号48頁，その控訴審として，大阪高判平15・7・30（消費者法ニュース57号155頁，ウエストロー・ジャパン2003WLJPCA07306001）がある。

このように個人事業者の場合には，事業との関連性の有無によって，全く同じ契約であっても「事業者」として契約当事者となる場合と「消費者」として契約当事者となる場合がありうる。なお，2014年日弁連改正試案では，「消費者」「事業者」の定義につき，「1　この法律において『消費者』とは，個人（事業に直接関連する取引をするために契約の当事者となる場合における個人を除く。）をいう。2　この法律（第43条第2項第2号を除く。）において『事業者』とは，法人その他の団体及び事業に直接関連する取引をするために契約の当事者となる場合における個人をいう。」という提案をしている。本来，個人事業者であっても当該事業と間接的にしか関連しない契約であれば，相手方事業者との間に構造的な情報・交渉力格差があるのであるから，本法の目的からは，消費者として保護すべきだからである。

(5)　類推適用について

本法が契約における事業者と消費者との間の情報の質，量及び交渉力の格差に着目して制定されたことからすれば，たとえ個人事業者が事業と直接関連する契約をした場合であっても，相手方事業者との間に消費者契約と同程

（注16）　年間売上が100万円程度の零細な印刷画工がビジネスフォンのリース契約の締結につき，もっぱら賃金を得る目的であったといえることなどを理由に，営業のため若しくは営業としての締約ではないとして，特定商取引法の適用を認めた事例として，名古屋高判平19・11・19判時2010号74頁がある。このほか，一人暮らしで年金を主な収入とし，本件以前は家庭用の電話機を使用していた社会保険労務士が締結した電話機リース契約につき，リース物件である電話機は具体的業務との関係で業務上の必要性に乏しいこと等を理由に，特定商取引法の適用を認めた事例として，東京地判平20・7・29判タ1285号295頁がある。また，建築設計業等を営む株式会社が締結した電話機リース契約につき，リース物件である電話機の機能は具体的業務との関係で業務上の必要性に乏しいこと等を理由に，株式会社に対してすら特定商取引法の適用を認めた事例として，大阪地判平20・8・27消費者法ニュース77号182頁がある。さらに，ドロップシッピングの一形態であるインターネットショッピング運営支援事業を展開する事業者と個人（4名）との上記事業の利用契約について，うち1名は，コンビニエンスストアを経営している者であったが，自宅の私用パソコンで本件業務を行っており，コンビニ業務の一環として行っていたものではないという事実関係のもと，他の3名と同様に，特定商取引法の適用を認めた事例として，大阪地判平23・3・23消費者法ニュース88号266頁がある。

度の情報・交渉力の格差があり，実質的には消費者と異ならないような事業者（いわゆる消費者的事業者）である場合には，本法の類推適用を認めて良い。消費者契約法の実体法部分は民事ルールを規定する法規範であり，民法の諸規定と同じく，当事者間の利益状況が近似する場面では類推適用が可能と考えられるからである（例：民法94条2項，民法110条の類推適用など）。

なお，2014年日弁連改正試案では「事業者間の契約であっても，事業の規模，事業の内容と契約の目的との関連性，契約締結の経緯その他の事情から判断して，一方の事業者の情報の質及び量並びに交渉力が実質的に消費者と同程度である場合には，当該契約においては当該事業者を第2条1項の消費者とみなし，この法律の規定を準用する」として，消費者と同視できる事業者が他の事業者と契約を締結した場合に本法の準用ができる旨を明文化する立法提案を行っている。現行法でも類推適用は可能であるが，より明確化する点に意義がある。

(6) 問題事例に関する現行法下の解釈

「消費者」概念につき，法改正による対応は見送られたが，前記第①類型～第⑤類型の問題事案については，法の趣旨を踏まえた現行法の解釈，適用が可能である。具体的には，次のとおりである[17]。

(i) 第①類型：当該契約以外に事業者性を基礎付ける事情がない場合

＜具体的な問題事例＞
相手方事業者に勧められて個人が初めて投資用マンションを購入した。

第①類型の事案は，取消権行使時には事業者（賃貸マンション経営者）とも言えることから，相手方事業者から当該個人の「消費者」該当性が争われる問題事案である。

しかし，事業者の不当勧誘行為がなされた時点においては「消費者」であり，事業者から不当勧誘行為が実行されなければ当該契約を締結することもなく，ほかに事業者性を基礎付ける事情が無いような場合には，現行法上の

(注17) 本書に記載した第①類型～第⑤類型の「具体的な問題事例」は，いずれも第7回専門調査会・資料2で紹介されている事案である。

事実認定と解釈においても当該個人は「消費者」に該当すると解すべきである[18]。

(ii) 第②類型：事業の実体がない場合

> ＜具体的な問題事例＞
> 契約当時，既に事業を廃止していたが，相手方事業者の勧めで形式的には個人事業者として電話機及び主装置一式のリース契約を締結した。

第②類型の事案は，契約書等に事業者と記載されていることから，相手方事業者から当該個人の「消費者」該当性が争われる問題事案である。

しかし，客観的に事業者性が無く，相手方事業者も上記事実を知悉していたのであれば，現行法上の事実認定と解釈においても当該個人は「消費者」に該当すると解すべきである。

(iii) 第③類型：事業を行う個人について，自己の事業に直接関連しない取引を行うために契約の当事者となる場合

> ＜具体的な問題事例＞
> 自宅において1人で業務をしている社会保険労務士が，相手方事業者から電話料金が安くなるとの説明を受けて，電話機リース契約をした（期間84か月・総額約60万円，内線ボタン30個装備・複数同時通話機能付き）。

第③類型の事案は，個人事業者でも自己の事業に直接関連しない取引については一般消費者と何ら差異のない構造的に情報・交渉力に劣る地位にあることに鑑みて，「消費者」該当性を肯定すべき場合があるのではないかという問題事案である。特定商取引法では，たとえ事業者であっても事業目的と直接に関連しない取引についてクーリングオフを肯定している裁判例も存在

(注18) 東京地判平31・1・31判例秘書L07432500は，高校教諭が年金の補完的機能，生命保険的な機能，資産運用といった観点から投資用マンション2戸を業者から順次購入したという事案について，社会通念に照らしてみれば両契約は事業の遂行として締結したものとは評価できない，消費者に該当すると認めるのが相当であると判示している。

する（例えば，印刷画工がリース会社と電話機リース契約を締結した場合[19]や社会保険労務士が電話機リース契約を締結した場合[20]などがある）。

　この点，自己の事業に直接関連性を有しない取引については，相手方事業者とは情報・交渉力に格差があり，実質的には消費者と異ならないといえる場合があり，そのような事案については，現行法上の解釈においても，「事業として又は事業のために」に該当しないと解することができる場合や，本法の類推適用を認めるべき場合があると考えられる。

(iv)　第④類型：団体が実質的には消費者の集まりである場合

> ＜具体的な問題事例＞
> 　大学のサークルの合宿のため，サークル名義で宿泊契約を締結した（5泊6日，宿泊延べ人数209人）。

　第④類型の事案は，大学のサークル等は形式的には「その他の団体」に該当するとも解しうることから，相手方事業者から「消費者」該当性が争われる問題事案である。大学のスポーツクラブなど団体であったとしても実質的には消費者の集まりにすぎない場合，宿泊業者などの事業者との契約を個人名の列挙という形式で締結したか，団体名で締結したかによって結論を異にするのは不合理である。実際，ここで問題となっている契約は，実質的には事業者と多数の消費者との「消費者契約」と評価すべきものである。

　したがって，現行法下の事実認定と解釈においても，上記裁判例（前掲東京地判平23・11・17）も判示するように，こういった大学のサークル等も「消費者」であり「消費者契約」に該当すると解釈することが妥当である。なお，大学のスポーツクラブチームだけでなく，他にも，PTA，同窓会，マンション管理組合などの団体についても，上記同様の考え方が妥当しうる。

(v)　第⑤類型：形式的には事業者に該当するが，相手方事業者との間に消費者契約に準ずるほどの格差がある場合

(注19)　名古屋高判平19・11・19判タ1270号433頁。
(注20)　東京地判平20・7・29判タ1285号295頁。

> ＜具体的な問題事例＞
> 　マッサージ店を個人経営している者が，あるポイント端末機を利用すればスマートフォンを利用した効果的な広告のサービスが受けられると言われて，ポイント端末機（約160万円）の購入契約を締結した。

　第⑤類型は，形式的には「事業者」「事業者間契約」に該当し，かつ，契約の目的が当該個人の事業目的に直接関連する場合であっても，個別具体的な事情によっては，契約当事者間の情報・交渉力格差が大きい消費者的事業者に対し，消費者契約法の消費者保護規定が準用ないし類推適用を肯定すべき場合があるのではないかという問題事案である。

　この点，消費者契約法の実体法部分は民事ルールを規定する法規範であり，民法の諸規定と同じく，当事者間の利益状況が近似する場面では類推適用が可能と考えられる（例：民法94条2項，民法110条の類推適用など）。また，実際上も，ホームページリースの被害事案など，不当勧誘行為による小規模事業者の被害の態様が消費者契約被害と大差ない事案は存在する。

　したがって，現行法上の解釈においても，事業者間の契約であっても，相手方事業者との間に消費者契約と同程度の情報・交渉力の格差があり，実質的には消費者と異ならないような事業者（いわゆる消費者的事業者）である場合には，消費者契約法の消費者保護規定を類推適用することは可能と考えられる。

(7)　その他の問題となる事例

（ⅰ）　自宅兼事業所用の建物の請負契約や自家用事業用兼用の車輌やパソコンを購入する場合等，同一の契約にあたって個人使用目的と事業目的が混在する場合がある。このような場合，「事業として又は事業のために」契約の当事者となっているかどうかを機械的に判断することは困難である。当該契約の主要な目的が何か，事業との関連性の強弱，相手方当事者との当該契約に対する情報や交渉力の格差の有無や程度等をメルクマールに具体的契約について総合的に判断することになる[21]。判断はあくまで契約時についてな

（注21）　同旨＝山本豊・前掲（注14）83頁，消費者庁解説10〜11頁。

されることになる。購入した商品等の実際の使用状況等，事後の客観的な事情は立証にあたって考慮されることになろう。

　自家用と事業用がほぼ50パーセントずつというような場合には，本法の立法趣旨が消費者利益の保護の拡大にあることから，消費者と判断されるべきである。

　また，2条1項の「事業として又は事業のために契約の当事者となる場合におけるものを除く。」がかっこ内に記載されている規定ぶりからは，契約当事者たる個人が消費者か事業者かが争われた場合，消費者であることを主張する側は個人であることを主張すれば足り，争う側が当該個人が事業として又は事業のために契約の当事者となっていることの主張立証責任を負う[22]。

(ⅱ)　マルチ商法では商品を自ら購入したり会員になるだけでなく，商品を他に販売したり会員を勧誘したりすることが予定されている。そのため「消費者」ではなく「事業者」にあたるのではないかとの問題がある。

　マルチ商法は，これまで消費者問題の1つとしてとらえられており，不実告知や断定的判断の提供，不利益事実の不告知等による被害も多く報告されており，本法を適用すべき必要性は高い。第17次国生審報告でも，マルチ商法や後述の内職商法が本法の適用対象となることを意識して，「（業とは）社会通念に照らし客観的に事業の遂行とみることができる程度のものをいう」とされている[23]。

　まず末端の勧誘されている被勧誘者は消費者と解されるべきである[24]。マルチ商法で「反復継続的になされる」ことが予定されている連鎖販売取引

（注22）　消費者庁解説11頁では，「消費者」であることの立証責任は消費者契約法の適用があることを主張する個人がすることとなると述べているが，個人であることを立証すれば立証責任は尽くしたと解すべきである。
（注23）　第17次国生審報告10頁。
（注24）　同旨＝山本豊・前掲（注14）83頁。消費者庁解説15頁は，加入者の再販売意思で区分している。反対＝落合誠一『消費者契約法』58頁（有斐閣，2001）。連鎖販売取引であっても，それに加入しようとする者が商品等の再販売等を行う意思を持たずに当該商品の購入契約を締結する場合，当該加入者は「消費者」であると判断した事例として，三島簡判平22・10・7消費者法ニュース88号225頁がある。

の勧誘行為は, 多くの場合, 末端の被勧誘者の段階でもはや客観的に破綻が予想されており, 事業としてなされる行為とは評価できない。また, 末端の被勧誘者は, 当該契約に関して情報の質, 量及び交渉力について相手方当事者との格差が大きく, 社会通念上それが事業者とみられる程度にあるとはいいがたいからである。

そして, 既に他に対する勧誘行為をしている者であっても, その者が上位者から勧誘されている状況を評価して, 未だ当該契約に関して情報の質, 量及び交渉力について相手方当事者 (上位者) との格差が大きく, 社会通念上それが事業の遂行とみられる程度にあるとはいいがたいと評価できれば「消費者」と解して救済すべきである。ただし, その場合, 一方で勧誘する場合にはその契約においては「事業者」と解されることになる。消費者契約法における事業者と消費者の判断は当該契約ごとに判断されるので, こう解しても不都合はない。

(iii) いわゆる内職商法の被勧誘者もマルチ商法の末端被勧誘者と同様に「消費者」と解される。内職商法は, 内職自体はカモフラージュであり, 被勧誘者の内心はどうであれ, 勧誘者の本来的な目的はパソコン等の物品販売や加盟料名目の金員の収得にあり, 継続的な業務提供の実態を伴わないのが通常である。したがって, 内職商法は, 内職やその紹介等を目的とする事業としてあるいは事業のためになされる契約とはいい得ない[25]。内職商法の被勧誘者と勧誘者とでは, 当該契約に関して情報の質, 量及び交渉力について格差も大きく, 社会通念上, 情報の質, 量及び交渉力が事業の遂行とみられる程度にあるとはいいがたいため, 実質的に判断しても被勧誘者を事業者とはいい得ない。

上記解釈は, 特定商取引法 52 条, 55 条, 56 条, 58 条の各規定が, 本来商行為に該当するものを特別に同法の保護の対象に加えたものではなく, このような行為は商行為にあたらない (商法 502 条ただし書) との従来の判例・学説に基づいて確認的に定めたものと解されていることとも整合する[26]。

(注25) 同旨＝山本豊・前掲 (注14) 82 頁, 落合・前掲 (注24) 58 頁, 消費者庁解説 14〜15 頁。

(iv) 自販機商法は，設置自販機の台数や被勧誘者の自販機設置の経験等を実質的に判断して，被勧誘者が当該契約に関して情報の質，量及び交渉力について勧誘者当事者との格差が大きく，社会通念上それが事業の遂行とみられる程度にいたっているか否かを判断されるべきである。自販機設置経験のない者が1台ないし2台設置する場合は，通常「消費者」と評価されることになろう[27]。

(v) 代理店商法も内職商法と同様に，客観的にみて代理店としての収入が見込めず代理店がカモフラージュにすぎず加盟料名目の金員の収得に目的があるような場合には，被勧誘者は本法においては「消費者」と解される。この場合も内職商法と同様，被勧誘者と相手方当事者とでは当該契約に関して情報の質，量及び交渉力についての格差が大きく，社会通念上それが事業者とはいえないからである。

(vi) 個人による情報商材[28]の購入について，収入を得る行為を目的とする場合であっても，事業者の不当勧誘行為がなされた時点においては「消費者」であり，事業者から不当勧誘行為が実行されなければ当該契約を締結することもなく，ほかに事業者性を基礎付ける事情が無いような場合には，当該個人は「消費者」に該当する[29]。また，上記のような場合以外でも，購入者の情報・交渉力が実質的に消費者と同視できるような場合（いわゆる消費者的事業者である場合）には，消費者契約法の消費者保護規定を類推適用

(注26) 齋藤雅弘ほか『特定商取引法ハンドブック〔第3版〕』434頁（日本評論社，2025）。業務提供誘引販売契約につき，内職商法の被勧誘者が「消費者」であると判断した事例として東京簡判平16・11・15（最高裁HP）がある。

(注27) 通産省昭54・5・29通達は，「割賦販売法が取引に不慣れな購入者等を保護することを目的としていることにかんがみ，自動販売機の購入行為を行う以前に商人資格を取得している者以外の者の一台目の自動販売機の購入については，これらの条項（割販法4条の2，4条の3及び5条）が遵守されるべきである」としている。

(注28) 独立行政法人国民生活センターは，報道発表資料「簡単に高額収入を得られるという副業や投資の儲け話に注意！―インターネット等で取引される情報商材のトラブルが急増―」（平成30年8月2日）等で，「情報商材」を「インターネットの通信販売等で，副業，投資やギャンブル等で高額収入を得るためのノウハウ等と称して販売されている情報」としている。

することも可能と考えられる。

2　2項「事業者」の定義

(1)　消費者契約法において「事業者」とは，第1に「法人その他の団体」であり，第2に「事業として又は事業のために契約の当事者となる場合における個人」である。

これらのものは，通常，反復継続的な活動が予定されており，構造的に消費者との間に契約に関して情報の質，量及び交渉力について優位な地位にあると考えられるからである。

なお，本項のかっこ書きにある「第43条第2項第2号」（管轄）は，不当景品類及び不当表示防止法（景品表示法）上の不当行為があった地を規定しているものであるが，景品表示法上の「事業者」を本法上の「事業者」と区別する観点から，本条2項において，「この法律」とあるところ，その後に「（第43条第2項第2号を除く。）」と明記することとしたとされる[30]。

(2)　「法人」とは，法律に基づいて法律上の権利義務の主体たる地位が認められている自然人以外のものである。多くの法律によって多様な法人格が認められており，これらの法人は，消費者との契約にあたってはすべて本法における事業者となる。

法人の目的が営利か非営利かは問題とならない。また，規模の大小も問わない。株式会社，有限会社等の営利法人はもちろん，特定非営利活動促進法（NPO法）に基づく非営利なNPO法人も本法の「事業者」にあたる。一般社団法人及び一般財団法人に関する法律（平成18年法律第48号），公益社団法人及び公益財団法人の認定等に関する法律（平成18年法律第49号）に基づく公益法人や各種の協同組合法に基づく農業協同組合，生活協同組合，

(注29)　消費者庁「訪問販売等の適用除外に関するQ&A」は，「特定商取引法が，取引に不慣れな消費者との間でトラブルが多い販売類型を規制していることを踏まえると，お金を稼ぐといった利益活動を行う意思があることのみをもって，『営業のために若しくは営業として締結するもの』に直ちに該当すると解されるものではありません。」としている。

(注30)　消費者庁解説12頁。

宗教法人法 4 条に基づく宗教法人，医療法 39 条に基づく医療法人，労働組合法 11 条の労働組合，学校教育法 2 条に基づく学校法人[31]なども本法の「事業者」にあたる。私法人だけでなく国や地方公共団体等の公法人も契約当事者となる場合には本法の「事業者」にあたる。

(3)　「その他の団体」とは，本法の趣旨に照らし，反復継続的な活動が予定されており，構造的に消費者との間に契約に関して情報の質，量及び交渉力について優位な地位にあると評価できる団体がこれにあたる。この点，法人格なき社団に関する最高裁判例（最判昭 39・10・15 民集 18 巻 8 号 1671 頁）で示された要件である，(i)団体としての組織を備え，(ii)代表の方法，総会の運営，財産の管理，その他社団としての主要な点が規則によって確定していることが，本法でも参考となるが，前掲東京地判平 23・11・17[32]も判示するように，権利能力なき社団もすべてが本項の「その他の団体」「事業者」にあたるわけではない。団体が実質的には消費者の集まりである場合などは，事業者との契約においては消費者にあたると判断することが必要かつ相当である（前述の第④類型）。本項にいう「その他の団体」に該当するかどうかは，前述したとおり，本法の趣旨に照らして，問題となっている事例ごとに，契約の内容や状況（契約の相手方が事業者か消費者か等）に鑑みつつ，個々の団体の実態を個別具体的かつ総合的に考察して判断する必要がある。

その他の団体の具体例としては，建設等の共同企業体（JV）等がある。

(4)　「事業として又は事業のために契約の当事者となる場合の個人」とは，事業活動として契約の当事者となる場合の個人のことである。このような個人が，消費者に対して契約当事者となる場合には，あくまでも事業者として取り扱われる。これに対し，そのような個人事業者が，その事業と直接関連しない契約を他の事業者を締結する場合については，「消費者」として保護の対象となりうる（前述の第③類型）。

(5)　形式的には「法人」「その他の団体」「事業として又は事業のために

（注31）　京都地判平 15・7・16 判時 1825 号 46 頁。
（注32）　東京地判平 23・11・17 の判示の概要は 1「1 項『消費者』の定義」の解説を参照（消費者該当性を肯定した）。

契約の当事者となる場合における個人」に該当する場合であっても，そのような主体が他の事業者と契約を締結する場合であって，かつ，相手方事業者との間に消費者契約と同程度の情報・交渉力の格差があり，実質的には消費者と異ならないような事業者（いわゆる消費者的事業者）である場合には，本法の消費者保護規定の類推適用によって保護の対象となる場合がありえる（前述の第⑤類型）。

(6) 個別の問題として，賃貸借契約の賃貸人の事業者性が問題となっている。賃貸人が法人その他の団体であれば，個人が居住用に借りている限り事業者と消費者の契約であり消費者契約法の適用は問題ない。賃貸人が個人でもアパート経営を行っている場合は反復継続性が認められ事業者となると考えられる[33]。個人が下宿屋をしていたり，1軒だけ借家を持っている場合も結局賃貸を繰り返すことに反復継続性が認められるので事業者といえる。転勤中だけ空き家になった自宅を貸す場合は，転勤が長期間であったり，何回も賃借人が交代しているなど反復継続性が認められる限り事業者と考えるべきであるが，転勤中の1回限りの賃貸について事業者性を否定した裁判例がある[34]。管理・募集を業者に任せていることはそれだけでは事業者性があるとは言えないが，反復継続性を推定させると考えられる。反復継続性があるかないかを総合的に判断することになる。

3　3項「消費者契約」の定義

(1) 消費者と事業者との間で締結される契約は，すべて消費者契約となり，本法の適用を受ける。適用除外は，48条に定められた労働契約のみである。

(2) 本法の制定過程では，不動産業界や証券業界等から既に業法があることを理由に，一定の業種に限って適用除外を認めるべきだという意見があった。しかしながら，消費者契約においてすき間のない包括的な立法を行う

（注33） 京都地判平16・3・16（最高裁HP，ウエストロー・ジャパン2004WLJPCA03166001）及びその控訴審判決である大阪高判平16・12・17判時1894号19頁は，個人のアパート経営者と個人との賃貸借契約に10条の適用を認めている。

（注34） 京都地判平16・7・15（判例集未登載。平成16年（ワ）第750号事件）。

ことが消費者契約法の制定意図であり，業種による適用除外は採用されなかった。

　医師との診療契約や弁護士との事件委任契約も一方当事者が消費者であれば消費者契約である。大学の入学試験の合格者と当該大学との間の在学契約又はその予約も，消費者契約に該当する（最判平 18・11・27 判時 1958 号 12 頁）。

　(3)　契約であることを要し，事務管理等の事実行為は対象とならない。寄附は多くの場合は贈与契約及び消費者契約に該当すると思われる。

　(4)　国や地方公共団体等，公法人と消費者との契約も本法の適用対象となる。ただし，契約でなく公権力の行使である行政処分と評価されるものは対象とはならない。

　課税，土地収用は行政処分であるが，公用土地の任意買収や売却は契約である。大学への入学は，大学・学生間の在学契約の成立に基づくものであり[35]，このことは国公立大学[36]でも異なることはない。国公立大学でも，入学金や授業料の支払と教育の提供は在学契約に基づくものと解すべきである。

　許認可や登記，戸籍・住民票の記載等の規制行政，公証行政は公権力の行使であり契約ではない。

4　4項　「適格消費者団体」の定義[37]

　(1)　本法は，差止請求を行う消費者団体を「適格消費者団体」と呼ぶこととした。

（注35）　最判平 18・11・27 判時 1958 号 12 頁は，在学契約を有償双務契約としての性質を有する私法上の無名契約と解するのが相当であるとして，特段の事情のない限り，学生が要項等に定める入学手続の期間内に学生納付金の納付を含む入学手続を完了することによって，両者の間に在学契約が成立するものと解するのが相当であるとしている。

（注36）　国立大学は国立大学法人法により 2004 年 4 月に法人化され，公立大学については地方独立行政法人法において「公立大学法人制度」が創設された（2004 年 4 月 1 日施行）。

（注37）　認定手続等の詳細については 13 条以下の解説を参照。

(2) 差止請求は消費者の被害の発生又は拡大を防止して，消費者の利益擁護を図るために設けられており（1条），不特定のあるいは多くの消費者のためにこれを行使できるような消費者団体に訴権を付与する必要がある。4項では「不特定かつ多数の消費者の利益のために」差止請求権を行使する団体であることが求められ，その適格性の具体的内容は13条に定められることとなった。消費者利益を「不特定かつ多数の消費者の利益」と限定しており，これが12条の差止請求権の行使要件にも引き継がれているが，守るべき消費者利益は不特定又は多数の消費者の消費者利益とすべきであった。

13条は，適格性の要件として，団体の目的のほか，相当期間の活動の継続，その適正，体制や業務規定の整備，事業者からの独立性などを求めている。構成員の人数や活動期間について法では具体的数字は規定されなかったが，適格消費者団体の認定，監督等に関するガイドラインに目安（100名，2年）が規定されている。

(3) 適格消費者団体は法人であることを要する。13条では，特定非営利活動法人（NPO法人）と「一般社団法人若しくは一般財団法人」に限定している。日本の多くの消費者団体が法人格を持っていない現状では，適格消費者団体になれる消費者団体は限られてくる。

(4) 内閣総理大臣の認定を必要とする認可制を採用した。適格消費者団体の明確性を重視した制度設計となったが，他方で，監督規定が厳格となっている特徴がある。

(5) 「消費者団体」は消費者基本法8条の消費者団体をいうとされている。同条には消費者団体の期待される活動が規定されているだけで，消費者団体の定義が規定されているわけではないが，適格消費者団体は同条所定の活動をしている団体であり，さらにそのような活動に努めることが期待されている団体であることが求められているといえよう[38]。

（注38） 消費者庁解説21頁。

第3条 （事業者及び消費者の努力）

第3条　事業者は，次に掲げる措置を講ずるよう努めなければならない。
　一　消費者契約の条項を定めるに当たっては，消費者の権利義務その他の消費者契約の内容が，その解釈について疑義が生じない明確なもので，かつ，消費者にとって平易なものになるよう配慮すること。
　二　消費者契約の締結について勧誘をするに際しては，消費者の理解を深めるために，物品，権利，役務その他の消費者契約の目的となるものの性質に応じ，事業者が知ることができた個々の消費者の年齢，心身の状態，知識及び経験を総合的に考慮した上で，消費者の権利義務その他の消費者契約の内容についての必要な情報を提供すること。
　三　民法（明治29年法律第89号）第548条の2第1項に規定する定型取引合意に該当する消費者契約の締結について勧誘をするに際しては，消費者が同項に規定する定型約款の内容を容易に知り得る状態に置く措置を講じているときを除き，消費者が同法第548条の3第1項に規定する請求を行うために必要な情報を提供すること。
　四　消費者の求めに応じて，消費者契約により定められた当該消費者が有する解除権の行使に関して必要な情報を提供すること。
2　消費者は，消費者契約を締結するに際しては，事業者から提供された情報を活用し，消費者の権利義務その他の消費者契約の内容について理解するよう努めるものとする。

I　趣　旨

1　意　義

(1)　1項について
1項各号は，事業者の努力義務について定めるものである[1]。

本法1条にもあるとおり，消費者と事業者との間には情報の質及び量並びに交渉力に厳然たる格差が存在している。
　このような格差が存在するにもかかわらず，事業者が作成する契約条項が一般の消費者にとって理解困難な用語や表現で記載されていることも多く，このこと自体が紛争の原因になったり，消費者被害を生む重大な要因となったりしている。
　格差が存在するにもかかわらず，消費者契約の締結にあたり消費者が十分な情報提供を受けなかったために被害が発生した例は多い。
　先物取引や証券取引等では，取引や商品の内容，リスクについての十分な説明がないまま契約締結にいたり，消費者が多大な損害をこうむるという被害が多発しているのがその例である。このほか，資格商法等においても，資格の内容について十分な説明がないまま高額の講座の契約に至るという被害が多発しているのである。
　このように，消費者が十分な情報提供を受けなかったために生じた被害救済については，これまで民法や個別法によって対応が図られてきたが，かかる対応では様々な点で十分であるとはいえず，消費者契約における情報提供義務について立法化することが議論されてきた。そして，消費者契約法の立法化に際し，義務違反が直ちに取消等の私法上の効力を有する一般的な情報提供義務とはされなかったものの，契約締結にあたって事業者には消費者契約の内容についての必要な情報を提供するよう努める義務がある旨定められた。
　ちなみに，情報提供義務については，従来から判例や学説[2]において，民法上の信義則等により，一定の状況のもとでこれが肯定され，情報提供義務違反を理由とする損害賠償が認められてきた。本法は，この情報提供義務について，努力義務としてではあるが，これを消費者契約一般に拡大したもので，これによって消費者契約における事業者に対する一般的な情報提供義務の理念を明確にしたものとみるべきである[3][4]。そして，このような努力義

（注1）　山本敬三「消費者契約法における努力義務規定の意義と課題」『河上正二先生古稀記念・これからの民法・消費者法(Ⅱ)』55頁（信山社，2023）。

務となったのは，情報提供義務に関する規定を設けるについて事業者側の反対が強く，本法成立に向けて調整がなされた結果である[(5)]。

事業者が契約条項を起草するにあたり，平易かつ明確な表現を用いるべきであるといういわゆる「透明性原則」は，もともとは英米において進展した

(注2) 情報提供（説明）義務を認める判例としては，東京高判平9・12・10判夕982号192頁（先物取引），同平8・11・27判時1587号72頁，大阪高判平7・4・20判夕885号207頁（ワラント），東京地判平13・7・27判夕1106号131頁，横浜地判平14・2・13消費者法ニュース52号154頁（速報541号），横浜地判平14・12・11消費者法ニュース55号81頁（速報623号）（変額保険），最判平8・10・28金法1469号49頁（変額保険のケースで断定的な判断の提供もあり，この行為は違法としている。），大阪高判平13・10・31判時1782号124頁（火災保険），大阪高判平9・5・30判時1619号78頁（株式投資信託），福岡地判平5・10・7判時1509号123頁（美容整形），大津地判平8・10・15判時1591号94頁（請負），東京地判平9・1・28判時1619号93頁（不動産取引）等がある。なお，横山美夏「契約締結過程における情報提供義務」ジュリ1094号128頁参照。債権法改正の基本方針96頁は，契約当事者の情報提供義務の明文化と情報提供義務違反に対する損害賠償責任の明定を提案している。

(注3) これに対し，山本敬三「消費者契約法と情報提供法理の展開」金法1596号10頁は，「〔努力義務しか認められなかったのは〕一般的情報提供義務を否定する趣旨だと解するほかない」とされる。しかし，このように「静的」にこれを捉えるのではなく「動的」に捉え，情報提供努力義務の立法化は，一般的情報提供義務の存在を否定するものではなく，この存在を背景にしていると考えるべきである。
なお，加賀山茂「消費者契約法の実効性確保策と今後の展望」法セミ549号46頁以下は，「消費者契約法3条は，その条文の体系上，4条の消費者取消権の根拠規定の1つとしての事業者の情報提供義務を明らかにしたものと解すべきである」とされている。ただし，山本・前掲14頁参照。

(注4) ちなみに従来からの消費者保護に寄与する法律，例えば，割賦販売法4条等や特定商取引法4条等では一定の事項について書面交付義務が認められており，書面交付の日から起算して8日以内はクーリングオフを認め，宅建業法35条，37条では書面交付義務のほか，重要事項について説明義務を認めたりしている。そして，金融サービスの提供及び利用環境の整備に関する法律（以下「金融サービス法」という）4条では，金融商品販売事業者等は，金融商品の販売等を業として行おうとするときは，当該商品の販売が行われるまでの間に顧客に対して重要事項の説明をしなければならないとしている。そして，同法6条，7条は，販売業者が説明義務に違反し，これによって損害が生じた場合は，その賠償責任を負うものとし，元本欠損額がその損害額と推定されることとしている。

もので，ドイツでも判例上の展開をみせ，EC 指令にもとり入れられている[6]。

そして，この原則の根底には，「『契約内容を知る機会』の実質化の指向」および「条項に関する顧客の注意と理解を喚起する要請」があり，事業者に対して契約内容を開示させることにより情報提供の実質を確保するというところに主眼がある。

そこで，法制定にあたって，明文で「透明性原則」を明確にし，事業者に対して消費者契約の条項を定めるにあたっては，かかる透明性の原則に適うよう，配慮することに努めることを義務付けたものである。

(i) 1 号について

1 号は，明文で「透明性原則」を明確にし，事業者に対して消費者契約の条項を定めるにあたっては，かかる透明性の原則に適うよう，配慮すること

(注5) その後，平成 15 年 5 月の第 18 次国生審消費者政策部会最終報告「21 世紀の消費者政策の在り方について」は，消費者契約に関し，消費者の判断に影響を与える重要事項について，事業者が業態等に応じ十分かつ適切な情報を提供することは，消費者契約に不可欠な基本原則であり，その原則を法的に明確にする必要がある，としている。また，消費者基本法（旧消費者保護基本法）は，消費者に対し必要な情報を明確かつ平易に提供することを事業者の責務とする（5 条 1 項 2 号）。同法は，また，国は事業者による情報提供等について必要な施策を講じるものとしている（同法 12 条）。

(注6) 消費者契約における不公正条項に関する 1993 年 4 月 5 日付 EC 閣僚理事会指令 5 条は，「消費者に対して契約の全部または一部の条項が書面によって提示されるときは，それらの条項は，つねに平易かつ明瞭なことばで起草されなければならない。ある条項の意味について疑問がある場合，消費者にとってもっとも有利な解釈が優先する」とする（法制審議会民法（債権関係）部会第 12 回会議・部会資料 13-2・27 頁）。旧ドイツ約款規制法については，石田喜久夫編『注釈ドイツ約款規制法』（同文舘出版，1998）の 5 条の解説 56 頁以下参照。

鹿野菜穂子「約款による取引と透明性の原則—ドイツ法を手掛かりに」長尾治助ほか編『消費者法の比較法的研究』96 頁（有斐閣，1997），石原全「約款における『透明性』原則について」一橋大学研究年報法学研究 28 号 3 頁，上田誠一郎「英米法における『表現使用者に不利に』解釈準則(1)〜(3・完)」民商 100 巻 2 号 226 頁以下・4 号 601 頁以下，5 号 836 頁以下，同「法律行為解釈の限界と不明確条項解釈準則—ドイツ法における展開を中心として(1) (2・完)」民商 95 巻 1 号 1 頁以下，2 号 209 頁以下等。

に努めることを義務付けたものである。
　(ⅱ)　2号について（令和4年5月改正（一部文言追加））
　2号は，契約締結にあたって事業者には消費者契約の内容についての必要な情報を提供するよう努める義務がある旨定めるものである。
　(ⅲ)　3号について（令和4年5月改正（新設））
　3号は，事業者が定型約款に基づく消費者契約を勧誘する際には，事業者において消費者が定型約款の内容を容易に知り得る状態に置く措置を講じていなければ，定型約款の表示請求権の存在及び行使方法についての必要な情報を提供することを努力義務として定めるものである。
　(ⅳ)　4号について（令和4年5月改正（新設））
　4号は，事業者に対して，契約締結時だけでなく，解除時にも解除権行使に必要な情報提供を説明することを努力義務として定めるものである。
　(2)　2項について
　本条2項では，消費者に対して，事業者から必要な情報が提供されれば，消費者側においてもこれを活用し，消費者契約の内容を理解するよう努めることを求めている。本項については批判も多くみられる。

2　制定の経緯

　不明確条項の解釈準則については，第8次および第9次国生審報告で，明確な形で約款条項を規定することが必要であるとされ，解釈に疑義のある条項は作成者である事業者に不利に解釈することを原則とすべきであるとされている[7]。他方，情報提供義務については，判例・学説により，一定の状況のもとでその義務が認められてきている[8]。しかしここでは本条制定の直接の経緯である第16次国生審以降の経緯についてのみ述べることとする。
　(1)　国生審での経緯
　(ⅰ)　第16次国生審中間報告では，契約締結過程の適正化のためのルールの内容として，ⓐ重要事項について情報を提供しなかった場合は契約を取り

（注7）　上田・前掲（注6）民商95巻1号8頁参照。
（注8）　大村敦志『消費者法〔第4版〕』83頁以下および89頁以下（有斐閣，2011）参照。

消すことができるとし，ⓑ交渉の経緯からは消費者が予測することができないような契約条項（いわゆる「不意打ち条項」）については契約の内容とはならないとした⁽⁹⁾。次いで，契約内容の適正化のためのルールの内容として，ⓒ契約条項は，常に明確かつ平易な言葉で表現されなければならないとし，ⓓ契約条項の解釈は，合理的な解釈によるが，それによっても契約条項の意味について疑義が生じた場合は，消費者にとって有利な解釈を優先させなければならないとしていた⁽¹⁰⁾。

ちなみに，ⓐで提供されるべき情報については，契約の基本事項その他消費者の判断に必要な重要事項とされており，その基準としては，「当該事項が消費者の契約締結の意思決定を左右する事項であるか否か」が考えられていた。また，情報提供の方法としては，単に消費者にとって認識可能な状態におくことでは不十分であり，当該消費者の理解能力に応じて情報の内容を理解する機会が与えられることが不可欠としていた⁽¹¹⁾。

(ii) 第16次国生審最終報告では，ⓐ情報提供義務に関しては，事業者の不適切な情報提供に対する効果として消費者が当該契約の効力を否定することができる（契約法アプローチ）とするほかに，消費者が事業者に対して損害賠償をすることができる（損害賠償法アプローチ）とすることもありうることを示し，これらについて，いずれかあるいは両方を採用するかについてはさらに検討が必要であるとした。しかし，期待されていた具体的な立法の方向は示されなかった⁽¹²⁾。そして，ⓑ不意打ち条項については，不意打ち条項は契約内容とはならないとするものの，不意打ち条項か否かの予見可能性を担保する観点から，ドイツ法における不意打ち条項の異常性に相当するような一般的な要件が必要であり，これをできる限り明確化するとともに事業者から消費者への情報の適切な提供の確保に関する規定や，不当条項に関する規定との関係を十分に整理する必要があるとしたが，これまた具体的な内容は示されなかった⁽¹³⁾。ⓓ事業者が契約条項を一方的に定めた場合であ

（注9）　第16次国生審中間報告22頁参照。
（注10）　第16次国生審中間報告35頁・36頁参照。
（注11）　第16次国生審中間報告18頁・19頁参照。
（注12）　第16次国生審最終報告29頁・31頁以下・49頁参照。

って，契約条項の意味について疑義が生じたときは，消費者にとって有利な解釈を優先するものとし，この点は中間報告の内容を維持した（「消費者有利解釈の原則」の採用）が，ⓒ契約条項を定めるにあたっては，契約の範囲及び当該契約による権利義務を明確にするとともに，わかりやすいものにするように配慮しなければならないとし，「配慮」という，中間報告より一歩後退した表現となった[14]。ちなみに，同最終報告では，情報提供の方法として，基本的には当該契約を締結することが通常想定されるような「一般平均的な消費者」が情報の内容を理解できる程度の機会を提供することで足りるものとしていた[15]。

(ⅲ) そして，第17次国生審報告が平成11年12月に公表されたが，具体的な内容を検討していた消費者契約法検討委員会において，平成11年9月に提示された事務局案では，(ⅰ)，(ⅱ)で示されたⓐ事業者の情報提供義務，ⓑ不意打ち条項については全く触れられず，ⓒ透明性の原則については第16次国生審最終報告と同趣旨の内容の報告となっていた。ⓓ「消費者有利解釈の原則」については，「作成者不利の原則」からいっても，法的ルールとして消費者に最も有利な解釈が優先されることは，公平の要請の当然の帰結であると考えられるとしたが，産業界からの反対を入れ，これを立法することについては，相対交渉等裁判外の紛争処理において，客観的には合理的な解釈と認められない解釈を合理的解釈として主張する消費者によって，取引に無用な混乱が生ずるおそれがある点を考慮する必要があるとし，明文で定めることを避ける内容になっていた。これに対し，消費者側から強い反対があり，結局，検討委員会報告では，ⓐの情報提供義務に関しては，情報提供努力義務として，報告の内容に盛り込まれたものの，他方，事業者側に配慮し，消費者にも提供された情報の活用と理解に努めることが盛り込まれた。ⓓ「消費者有利解釈の原則」については，特定の解釈原則が法定されることによって，安易にこの解釈原則に依拠した判断が行われ，真実から遠ざ

(注13) 第16次国生審最終報告43頁参照。
(注14) 第16次国生審最終報告42頁参照。
(注15) 第16次国生審最終報告32頁・34頁参照。

かることになるおそれがあることを考慮する必要があるとし，さらに裁判外での相対交渉への影響を懸念する意見もあったことが付記され，結局，法文化することを見送る内容となった[16]。そして，第17次国生審報告は，この検討委員会報告を了承し，この報告の趣旨を十分尊重した消費者契約法の早期制定等を求める報告を公表した[17]。

(2) 国会での審議

国会における審議では，事業者の情報提供についての努力義務の法定が，これまでの他の法律による情報提供義務を緩和するものでも従来からの裁判例にみられた説明義務に関する考え方に悪影響を及ぼすものではない，情報提供義務を規定することが必要な契約についてはこれを対象とした個別法を制定することで補える，消費者が提供された情報の活用，理解努力を怠った場合でも，これが消費者の取消権の行使に対する抗弁となったり，過失相殺の原因になったり，消費者の権利が制限されたりするものではなく[18]，情報提供努力義務と情報活用，理解努力では同じ努力義務ではない，これらの努力義務については，明らかに事業者の方に重い努力義務を課しており，例えばぎりぎりのところで錯誤にあたるか詐欺にあたるかあるいは信義則の適用があるかという場面では，この立法趣旨に照らして判断され効果があるが，直接的には取消の効果が生じない，トラブルが消費生活相談員のところにもち込まれた際に，消費者の努力が足りないからこうなったのだということのないように相談員が応じることになる旨の大臣，政府参考人の答弁があった[19]。また，政府参考人は，不意打ち条項に関する規定を設けなかったのは，この条項の要件を明確にすることが難しいということでこの規定は定

(注16) 検討委員会報告4頁参照。

(注17) 第17次国生審報告7頁参照。

(注18) 同旨，名古屋地判平19・1・29（ウエストロー・ジャパン 2007WLJP CA01296001）。この立法者の考え方に対し反対する下級審裁判例として，大津地判平15・10・3（最高裁HP）。この裁判例はこの国会での審議の経緯にもかかわらず，本条2項等を理由として過失相殺したものである。後注（注49）（注55）を参照。

(注19) 第147回国会衆議院商工委員会会議録第7号29頁，同参議院経済・産業委員会会議録第11号25頁・5頁・26頁等参照。

めなかった旨答弁している[20]。

3　改正の経緯

(1)　平成30年改正について

(i)　平成30年改正前の3条1項は，前段として契約条項の平易・明確化を，後段として情報の提供を事業者の努力義務として定めていたが，条項の明確化・平易化を定めた1号と，情報提供について定めた2号に分けて規定されることとなった。

　1号においては，条項使用者不利の原則に関する議論を踏まえ，事業者が条項を定めるにあたって「解釈について疑義が生じない」ものとすべきことが明示された。

　2号においては，消費者に対する配慮義務に関する議論を踏まえ，事業者の情報提供の在り方として，「物品，権利，役務その他の消費者契約の目的となるものの性質に応じ」「個々の消費者の知識及び経験を考慮した上で」情報提供すべきとの文言が追加された。

(ii)　1号について――事業者の努力義務①――条項の明確化・平易化

①　改正の趣旨，問題の所在

　本法には，条項使用者不利の原則（契約の条項について，解釈を尽くしてもなお複数の解釈の可能性が残る場合には，条項の使用者に不利な解釈を採用すべきであるという解釈準則）を定めた規定が存在しない。

　しかし，契約条項が不明確であるために複数の解釈が可能である場合，消費者が事業者から不利な解釈を押し付けられるおそれがあるので，消費者の利益擁護を図る必要性がある。また，事業者に対して明確な条項を作成するインセンティブを与えることは，ひいては条項の解釈に関する事業者と消費者の間の紛争を未然に防止することが期待できる。上記のような観点から，条項使用者不利の原則を本法に規定する必要性は高い。

　この点，2014年日弁連改正試案では，条項使用者不利の原則を本法に明文で規定することを提言している（同15条・消費者有利解釈の原則）。

（注20）　第147回国会参議院経済・産業委員会会議録第11号22頁参照。

② 改正までの経緯

専門調査会における議論では，条項使用者不利の原則を定めた明文規定を設けるか否かについて，賛成する意見も多かったものの，事業者側委員から適用範囲の拡大を懸念する意見が述べられ，コンセンサスを形成できなかった。

その結果，平成27年専門調査会報告書では，条項使用者不利の原則の上述のような意義は指摘しつつも，上記原則の明文化については継続して審議すべき事項と位置付けられた。ただし，同報告書では，条項使用者不利の原則は，事業者に契約の条項の明確性に配慮すべきことを定めた法3条1項の趣旨から導かれる考え方の1つであるとの見解が示されると共に，消費者庁解説の同条の解説において，条項使用者不利の原則を採用することが相当と考えられる具体的な事例を紹介し，周知することが記載された（26頁）。

上記平成27年専門調査会報告書の取りまとめを受けて，平成28年改正に伴って行われた消費者庁解説の改訂では，条項使用者不利の原則を適用することが相当と考えられる具体的な事例の紹介と共に，消費者契約法には条項使用者不利の原則を定めた明文の規定はないものの，事業者は消費者契約の内容が消費者にとって明確かつ平易なものになるよう配慮するよう努めなければならないという法3条1項の趣旨から導かれる考え方の1つであるとの説明が加えられた[21]。

平成28年改正後に再開された専門調査会においても，同原則の明文化の是非について議論がなされたが，引き続き賛否は分かれ，コンセンサスは形成できなかった。

その結果，平成29年専門調査会報告書では，上記原則の明文化は継続して審議すべき事項と位置付けられた。ただし，同報告書では，法3条1項の「事業者は，消費者契約の条項を定めるに当たっては，消費者の権利義務その他の消費者契約の内容が消費者にとって明確かつ平易なものになるよう配慮する」よう努めなければならないとの規定を一歩進め，「条項の解釈について疑義が生ずることのないよう」という点を明らかにするという法改正が

(注21) 消費者庁解説〔第5版〕26頁。

適当と取りまとめられ（同13〜14頁），上記取りまとめを受けて平成30年改正において同条項が改正された。

　平成30年改正に対する衆議院及び参議院の附帯決議において，条項使用者不利の原則は，今後も継続して検討すべき立法課題の1つとして明記されている。

　(iii)　2号について——事業者の努力義務②——情報提供努力義務
　①　改正の趣旨，問題の所在
　ⓐ　情報提供義務の法的義務化

　平成30年改正前の法3条1項は，事業者の情報提供努力義務を規定していた。しかし，消費者と事業者の間の情報・交渉力の格差を是正して消費者の権利の擁護を図るという観点からは，情報提供義務が努力義務にとどまり，具体的な救済手段を定める規定内容ではないことは不十分である。

　そこで，消費者の権利保護の観点から，本法に事業者の情報提供義務を法的義務として明定し，かつ，義務違反の法的効果を明定する必要がある。

　この点，2014年日弁連改正試案では，事業者の情報提供義務を法的義務として規定すると共に，同義務違反の効果として損害賠償義務を規定することを提案している（同3条，7条1号）。

　ⓑ　消費者に対する配慮に努める義務の創設

　民法改正による成年年齢引下げという社会の動きを受けて，増加が危惧される18歳〜20歳の若年者層（若年成人）の消費者被害の防止・救済のための制度として，内閣府消費者委員会に設置された成年年齢引下げ対応検討ワーキング・グループは，平成29年1月，その報告書において，本法の改正による「つけ込み型不当勧誘取消権」の創設と，「若年成人に対する配慮に努める義務」（具体的な内容は「消費者の年齢，消費生活に関する知識及び経験並びに消費生活における能力に応じて，適切な形で情報を提供する……よう努める」義務というものである）の創設を提言した[22]。

　上記の立法提言を受けて，平成29年3月以降の専門調査会において，「消費者に対する配慮に努める義務」の創設について検討されるようになった。

　②　改正の経緯
　ⓐ　情報提供義務の法的義務化

専門調査会においては，インターネットによる取引を前提とした取引環境の変化や高齢化の進展に伴う高齢者被害の増加という社会情勢に対応する法制度として，情報提供義務の法的義務化や効果規定の明定が検討された。

この点，民事ルールの予見可能性の向上や相談現場における有用性の観点から法的義務化に賛成する意見も多かった一方，不利益事実の不告知に関する取消規定の改正で対応できる，法的義務とする場合の要件の明確化の困難性といった観点から消極的な意見もあった。

また，法的義務の発生要件については，①事業者にとって当該情報を入手することが可能であること（事業者の情報入手可能性），②当該情報が消費者の契約締結の意思決定に重要な影響を及ぼすものであること（情報の重要性），③消費者にとって当該情報を入手することが困難であること（消費者の情報入手困難性），④事業者において，消費者が情報を知らなかったことによって生じた損害を賠償させることが不相当でないことといった諸要素のうち，②のみで足りるとする意見や，それでは不十分であるとする意見があり，コンセンサスが形成できなかった。

上記のような議論の結果，平成27年専門調査会中間取りまとめでは，まずは不利益事実の不告知に関する取消規定の改正を検討したうえで，さらに情報提供義務違反の効果を損害賠償と定める規定を設けるべきかどうか，必要に応じて検討することとされた。

そして，同年12月に取りまとめられた平成27年専門調査会報告書では，情報提供義務の法的義務化については，今後の検討課題と位置付けられた。

ⓑ　消費者に対する配慮に努める義務の創設

（注22）　提案理由は「若年成人の場合，成熟した成人に比して，知識・経験・交渉力等が十分でないことがあり，事業者との格差が一層顕著となる。その格差を解消するためには事業者から若年成人に対する適切な情報提供をすることを検討すべきであり，このことは消費者基本法……第2条第2項に『消費者の年齢その他の特性に配慮』しなければならないと定められ，年齢を配慮すべき要素として掲げていることからも要請される。このような情報提供における配慮については，適合性原則からのアプローチとして，事業者との情報力及び交渉力格差が顕著にみられる若年成人という顧客属性に着目しつつ，年齢等に配慮した情報提供が考えられる。」というものである（同報告書8頁）。

成年年齢引下げ対応検討ワーキング・グループが平成29年1月に取りまとめた報告書の立法提言を受け，専門調査会では，同年3月以降，「消費者に対する配慮に努める義務」の創設の是非に関する検討が開始された。具体的には，「事業者は，消費者契約を締結するに際しては，消費者の年齢，消費生活に関する知識及び経験並びに消費生活における能力に応じて，適切な形で情報を提供するとともに，当該消費者の需要及び資力に適した商品及び役務の提供について，必要かつ合理的な配慮をするよう努めるものとする」という立法提言の是非について議論された。

上記の立法提言のうち「情報提供についての配慮義務」については，消費者保護の観点から賛成する見解もある一方，個別の消費者の事情は多くの場合に事業者にはうかがい知れないという消極的な意見もあった。

また，上記の立法提言のうち「商品及び役務の提供についての配慮義務」については，消費者保護の観点から賛成する見解もある一方，努力義務とはいえ，消費者契約のすべてに適用される規律として，事業者に消費者の需要及び資力に適すると考える商品及び役務を提供し，あるいは適さないと考える商品及び役務を提供しないという配慮義務を課することには，反対意見もあった。

上記のような議論の結果，平成29年専門調査会報告書では，法3条1項の事業者の情報提供努力義務を定めた部分を改正し，「当該消費者契約の目的となるものの性質に応じ，当該消費者契約の目的となるものについての知識及び経験についても考慮した上で，消費者の権利義務その他の消費者契約の内容についての必要な情報を提供するよう努めなければならない」旨を明らかにすることで，「消費者に対する配慮に努める義務」のうち「情報提供についての配慮義務」を立法化することが取りまとめられた。

そして，上記取りまとめを受けて，平成30年改正において，法3条1項の事業者の情報提供努力義務を定めた部分に，「物品，権利，役務その他の消費者契約の目的となるものの性質に応じ，個々の消費者の知識及び経験を考慮した上で」という文言が追加された。

なお，上記の取りまとめ内容に対し，内閣府消費者委員会の平成29年8月8日付答申書（府消委第196号）では，「消費者に対する配慮に努める事業

者の義務につき，考慮すべき要因となる個別の消費者の事情として，『当該消費者契約の目的となるものについての知識及び経験』のほか，『当該消費者の年齢』等が含まれること。」を喫緊の課題として付言している。

③　改正の概要と意義

平成30年改正により，法3条1項の事業者の情報提供努力義務を定めた部分に，「物品，権利，役務その他の消費者契約の目的となるものの性質に応じ，個々の消費者の知識及び経験を考慮した上で」という文言が追加された。

本法は，消費者と事業者の間に存在する構造的な情報の質及び量並びに交渉力の格差があることに着目し，不当勧誘行為規制や不当条項規制によって，消費者の利益の擁護を図ろうとする法律である（法1条）。

そして，3条1項の規定は，上記のような立法趣旨のもと，本来的に，一般的平均的な消費者を基準とした事業者の情報提供の努力義務を規定したものである。換言すれば，事業者は，本来的に，一般的平均的な消費者を基準として，当該消費者契約の締結の是非の判断に必要な程度の情報を提供しなければならない反面，その程度の情報提供をすれば足りる。

しかし，提供された情報をどの程度理解することができるかは個々の消費者の知識・経験や消費者契約の目的となるものの性質によって異なるものである。例えば，一般的平均的な消費者を基準とした場合には十分な情報提供であっても，個別事案における当該消費者の知識・経験等を基準とした場合には当該消費者契約の締結の判断には不十分な情報提供であるということはありえる。契約内容が複雑な消費者契約である場合にはなおさらである。そして，事業者が当該消費者のそのような事情を知り，又は，知り得た場合には，現行法下の解釈においても，当該事業者に当該消費者の知識・経験に即した情報提供を行う努力義務を課しても何ら不合理ではない。

この点，3条1項の平成30年の改正は，改正論議の議論経緯に鑑みても，情報提供努力義務に関する従来の考え方を根本的に覆すようなものではなく，個別事案において当該消費者の知識・経験が低い場合や当該契約の内容が難しい場合などには事業者の情報提供努力義務の内容・程度が加重される場合がありうることを明文化した規定と位置付けるのが相当である。

(2) 令和4年5月改正について
(i) 2号について

　令和元年から始まった消費者契約に関する検討会において，消費者と事業者との間には情報の質及び量に格差があることを踏まえ，事業者は，消費者契約の締結について勧誘をするに際しては，消費者の理解が不十分であるときは一般的・平均的な消費者のときよりも基礎的な内容から説明を始めるなど，個々の消費者の理解に応じて丁寧に情報提供を行うことが望ましいという観点からの見直しがなされた。1項2号は，事業者の努力義務として消費者の理解を深めるために，個々の消費者の知識及び経験を考慮した上で，消費者契約の内容についての必要な情報を提供することを定めている。しかし，近年，消費者取引がますます多様化・複雑化していることに照らし，個々の消費者の理解に応じた丁寧な情報提供がより積極的に行われるようにするため，情報提供に際し事業者が考慮すべき要素として，個々の消費者の「知識及び経験」以外の要素を加えるべきことが考えられるとされ，2018年の法改正等の附帯決議により，「年齢」，「生活の状況」および「財産の状況」についても考慮要素とすることの検討が求められた（令和3年消費者契約に関する検討会報告書27頁）。

　令和3年消費者契約に関する検討会報告書において，消費者の「年齢」については，「年齢」が同じであっても，理解の程度は個々の消費者によって異なるものであり，「年齢」のみで一律の対応をすることは適切ではないが，消費者が若年者である又は高齢者であるという意味で，消費者の「年齢」は理解の不十分さを伺わせる1つの手掛かりになると考えられること，また，消費者の「年齢」は，消費者の「知識及び経験」と比べると，取引の態様によっては事業者が容易に知ることができることが指摘され，消費者の「年齢」を考慮要素とすることで個々の消費者の理解に応じた丁寧な情報提供が，より多くの取引において行われることになることが期待できるとされた。そして，消費者の「年齢」，「知識及び経験」は個々の消費者に関する事情であり，事業者が知っているとは限らないが，事業者はこれらの要素を知ることができた場合には考慮した上で情報提供を行うことが期待されるので，これらの要素を積極的に調査することまで求めるものではないことを明

らかにするという考え方が示された。他方，消費者の「生活の状況」及び「財産の状況」については，一般的には消費者の理解の程度との関連性が低いため，考慮要素とはしないという考え方が示された（報告書27～28頁）。

他方，報告書において，消費者の判断力に着目した規定として，判断力の著しく低下した消費者が，自らの生活に著しい支障を及ぼすような内容の契約を締結した場合における取消権を定めることが提案されたものの法制化には至らなかった（報告書8頁）。それに代わる手当とは到底いえないが，情報提供義務における考慮要素として「心身の状態」を追加することとなった。

上記検討会の報告書を受けて，1項2号については，事業者が知ることができた個々の消費者の事情を総合的に考慮するものとし，個々の消費者の事情として「年齢」及び「心身の状態」が追加された。

(ii) 3号について

民法改正により，民法に定型約款の規定が設けられたところ，定型約款の組入要件として約款内容の事前開示や認識可能性が規定されなかったことから，2017年8月8日の内閣府消費者委員会からの答申において「消費者契約における約款等の契約条件の事前開示につき，事業者が，合理的な方法で，消費者が契約締結前に，契約条項（新民法第548条の2以下の「定型約款」を含む。）をあらかじめ認識できるよう努めるべきこと。」という点が喫緊の課題として付言された。これは，平成30年改正に向けた第43回消費者契約法専門調査会（平成27年7月7日）に提出された「約款の事前開示に関する提案」と題する資料においても学者の意見として示されている。

平成30年改正では最終的に継続審議となったが，参議院において約款の事前開示については「消費者が消費者契約締結前に契約条項を認識できるよう，事業者における約款等の契約条件の事前開示の在り方について，消費者委員会の答申書において喫緊の課題として付言されていたことを踏まえた検討を行うこと」という附帯決議が付された。

そのため，2019年から始まった消費者契約に関する検討会においても論点の1つとして取り上げられた。同検討会においては，消費者に対して適用される条件等の契約内容が定められた契約条項について，消費者が消費者契約の締結に先立ち容易に知ることができる状態に置くことは，少なくとも抽

象的な努力義務として，事業者に求められているものと考えられるという考え方を基礎とした上で，消費者保護の観点から消費者契約の条項の開示について具体的にどのような制度を設けるかが課題であるとして，平成30年の法改正における附帯決議にも指摘された契約条項の開示の在り方について検討された。

民法改正により，民法に定型約款の規定が設けられたところ，定型約款の内容を知る権利を保障するという観点から，定型約款準備者の相手方は，定型約款準備者に対し，定型約款の内容の表示を請求する権利を行使して内容を確認することができる旨が定められたが（民法548条の3第1項），定型約款準備者の相手方が消費者である場合には，当該消費者はこのような請求権があることを知らないことが多いと考えられる（令和3年消費者契約に関する検討会報告書25頁）。

そのため，同報告書においては，事業者が，消費者契約の条項として定型約款を使用するときは，消費者契約の締結について勧誘をするに際し，定型約款の表示請求権の存在及び行使方法についての必要な情報を提供することを努力義務として定めるという考え方が示された（報告書同頁）。

他方，定型約款を使用する事業者の多くは，消費者が定型約款の内容を容易に知ることができるようにするための措置を講じているものと考えられ，この場合には，別途，定型約款の表示請求権についての情報提供を行う必要はないと考えられることから，事業者がかかる措置を講じている場合には，定型約款の表示請求権に係る努力義務を負わないことを明らかにすることが考えられるとした（同頁）。

上記検討会の報告書を受けて，民法548条の2第1項に規定する定型取引合意に該当する消費者契約の締結について勧誘をするに際しては，消費者が同項に規定する定型約款の内容を容易に知り得る状態に置く措置を講じているときを除き，消費者が同法548条の3第1項に規定する請求を行うために必要な情報を提供することを，1項3号に新設して追加することになった。

ただし，上記検討会の報告書における「定型約款を使用する事業者の多くは，消費者が定型約款の内容を容易に知ることができるようにするための措置を講じているものと考えられ」るという点については（同頁），定型約款

を使用する事業者の実状からすると必ずしもそうとは言い切れない。本号は，定型約款を用いて消費者契約をする場合に事業者に情報提供義務を定めており，事業者が消費者に定型約款の内容を容易に知ることができるようにするための措置をとることは容易であることからすると，情報提供しなければならないことが原則である。

(iii) 4号について

令和元年から始まった消費者契約に関する検討会において，消費者の解除権に関する努力義務について検討された。

例えば，電気通信回線の利用契約等において，消費者による解除権の行使の方法を電話や店舗の手続に限定する契約条項や，予備校の利用規約等において，消費者による解除事由を限定するとともに，中途解約権の行使の際には，解除事由が存在することを明らかにする診断書等の書類の提出を要求する契約条項が使用され，消費者が解除権を容易に行使できない状態が生じる（令和3年消費者契約に関する検討会報告書21頁）。

このような事業者による契約条項の使用が原因となる場合の他に，消費者が解除権を容易に行使できなくなる状態は，事業者による運用が原因となる場合も考えられる。

具体的には，例えば，「①事業者が開設するホームページ上で契約の解除の方法について紹介しているが，ホームページの表記が分かりにくい，②契約を解除するためにはウェブページやアプリケーション上で手続をすることとされているが，解除をするためのリンクが分かりにくく表示される，③解除は電話によるとされるが，消費者が電話をしても事業者の担当者に電話が繋がりにくい，解除を進めるためには複数のウィンドウでクリックを繰り返す必要がある，④特にオンラインで結ばれる契約では，契約者の相続人による解除が非常に難しい場合がある，⑤サブスクリプション契約においては，契約締結の容易さに比して，解約手続が困難に設定されている場合がある等の運用があり得る」（同報告書23頁）。

このような運用は，場合によっては，解除権が消費者に認められている趣旨を没却しかねない（同報告書23頁）。

上記のような問題は，事業者が消費者の解除権の行使のために必要な情報

を，消費者が解除権を行使する時点において十分に提供できていないために生じている場合が多いと考えられる（同報告書23頁）。

そこで，検討会の報告書においては，法3条1項2号によって事業者に求められる情報提供の努力義務はあくまでも勧誘時のものであるが，事業者側から見れば，契約の締結の際に一番大きなエネルギーが割かれるところ，消費者側から見れば，契約の締結の際には契約への期待があるため大きな負担が生じない一方で，契約を解除する際には大きな負担が生じることから，解除に関する情報提供は契約締結時だけでなく，消費者が契約を解除する際にこそより丁寧になされる必要があると考えられ，これを努力義務とする規定を設けることが考えられるという提案がなされた（同報告書23頁）。

そこで，契約締結時だけでなく解除時についても事業者の努力義務を導入すべきという要請から，消費者の求めに応じて，消費者契約により定められた当該消費者が有する解除権の行使に関して必要な情報を提供することを1項4号に新設することとされた。

Ⅱ 解 説

1　1項について

(1) 柱書について

(i)「事業者」の定義

「事業者」については本法2条の解説を参照。

(ii)「努めなければならない」とは

本項においては，1号の「配慮すること」，2号から4号の「情報を提供すること」に「努めなければならない」として努力義務が規定されている点については，各号で解説する。

(2) 1号について

(i)「消費者契約の条項」とは

消費者契約の条項とは，消費者契約におけるすべての条項をいう。

なお，「消費者契約」については，本法2条の解説を参照。

(ii) 「消費者の権利義務その他の消費者契約の内容」とは

消費者の権利義務は，消費者契約の内容の例示である。ここに，消費者契約の内容とは，商品・権利・役務等の質及び用途や契約の目的物の対価，取引条件，商品名，事業者の名称等が含まれる[23]。

(iii) 「解釈について疑義が生じない」の意義

平成30年改正で追加された「解釈について疑義が生じない」との文言は，上述のとおり，条項使用者不利の原則の明文化に関する議論と，「事業者は，条項を定めるに当たっては，解釈を尽くしてもなお複数の解釈の可能性が残ることがないように努めなければならないという，条項使用者不利の原則の理由となっている部分を明文化することについてはコンセンサスがあったといえる。」という議論[24]の結果を受けて付加されたものであるから，条項使用者不利の原則の趣旨を踏まえた解釈と運用がなされなければならない。すなわち，個別事案において，契約の条項について解釈を尽くしてもなお複数の解釈の可能性が残る場合には，当該条項を作成した使用者は本号の努力義務に反しているとの解釈・運用が相当である。

なお，上記の文言は，契約の内容が解釈によって確定されることを否定するものではなく，契約の内容について解釈が必要であることをもって「解釈について疑義が生じ」ていることを意味しない[25]。

(iv) 「明確なもので，かつ，消費者にとって平易なもの」とは

いわゆる「透明性の原則」に適合するようにとの趣旨であり，文言の解釈が明らかでかつわかりやすいものをいう[26]。契約内容の確定に際して，解釈に多様性のある場合は，「明確かつ平易なもの」とはいえない。

(v) 「配慮すること」に「努めなければならない」の意義

本号が事業者に求めているのは配慮するよう努めることであり，一見単なる努力義務でありつつ何らの制裁はないようであるが，不明確であったりわかりにくい条項については，「条項使用者不利の原則」が適用されることと

(注23) 消費者庁解説25頁参照。
(注24) 平成29年専門調査会報告書13頁。
(注25) 消費者庁解説26頁。
(注26) 消費者庁解説27頁参照。

なる。この「条項使用者不利の原則」については、既に制定の経緯で述べたように、成文化こそ見送られたが、法的ルールとして当然のこととされており、事業者が不明確であったりわかりにくい条項を一方的に定めている場合には、事業者にとって思わぬ結果を招来することに留意すべきである[27]。その意味からも、今後の事業者に対する行政の指導においては、本号に沿った指導が求められることになろう。

裁判例においても、契約条項が不明確な場合について、「法は、消費者と事業者とでは情報の質及び量並びに交渉力に格差が存することに照らし、法3条1項において、事業者に対し、消費者契約の条項を定めるに当たっては、消費者契約の内容が、その解釈について疑義が生じない明確なものであって、かつ、消費者にとって平易なものになるよう配慮することを求めていることに照らせば、事業者は、消費者契約の条項を定めるに当たっては、当該条項につき、解釈を尽くしてもなお複数の解釈の可能性が残ることがないように努めなければならないというべき」としている（さいたま地判令2・2・5判時2458号84頁）。同裁判例の控訴審である東京高判令2・11・5消費者法ニュース127号190頁においても、第一審判決を踏襲しつつ、本件規約の意味内容について、一般に合理的限定解釈は許される等により明確であるとの事業者の主張について、「事業者は、消費者契約の条項を定めるに当たっては、消費者の権利義務その他の消費者契約の内容が、その解釈について疑義が生じない明確なもので、かつ、消費者にとって平易なものになるよう配慮すべき努力義務を負っているのであって（法3条1項1号）、事業者を救済する（不当条項性を否定する）との方向で、消費者契約の条項に文言を補い限定解釈をするということは、同項の趣旨に照らし、極力控えるのが相当である。」等と判断した。

また、最判令4・12・12民集76巻7号1696頁では、契約書の条項の解釈

(注27) この結果を招来しない場合を認めるか否かについては、なお、問題があるところであるが、かかる配慮を怠った事業者に対しては、少なくとも、配慮努力義務違反がかかる不利益取扱いの前提としての「過失」の存在を推定させる根拠とはなろう。上田誠一郎「不明確条項解釈準則の法的構造」民商118巻6号765頁以下参照。

に関し,「差止請求の制度は,消費者と事業者との間の取引における同種の紛争の発生又は拡散を未然に防止し,もって消費者の利益を擁護することを目的とするものであるところ」「差止請求の訴訟において,信義則,条理等を考慮して規範的な観点から契約の条項の文言を補う限定解釈をした場合には,解釈について疑義の生ずる不明確な条項が有効なものとして引き続き使用され,かえって消費者の利益を損なうおそれがあることに鑑みると」「何ら限定を加えていない」契約書の条項について「限定解釈をすることは相当でない」としており,明確性原則を明示したものではないものの,同趣旨に沿う内容となっている。

(vi) 条項使用者不利の原則

① 現行法下における条項使用者不利の原則の存否

平成28年及び平成30年の改正では,条項使用者不利の原則の明文化は,上述のとおり,見送られた。

しかし,解釈準則としての「条項使用者不利の原則」(あるいは「消費者有利解釈の原則」)[28][29]は,前記のとおり明文化されることが望ましいものではあるが,明文化されていない現行法下においても,法的ルールとして現に存在するものであり,個別事案において適用されうるものである。

実際,裁判例においては,後に紹介する裁判例のとおり,「それが明確でないことによる不利益は……本件規約作成者である被告が負うべきものと解するのが相当である。」と判示したものが存在する(神戸地判平11・4・28判タ1041号267頁)。

また,平成27年専門調査会報告書や消費者庁解説においても,条項使用者不利の原則が法3条1項の趣旨から導かれる考え方の1つとされていることは前述のとおりである。

② 現行法下における条項使用者不利の原則の適用・運用

条項使用者不利の原則を適用することが考えられる具体的な事例として

(注28) 上田誠一郎『契約解釈の限界と不明確条項解釈準則』(日本評論社,2003)。

(注29) 諸外国では明文で規律する例が多く存在する(ヨーロッパ契約法原則,ユニドロワ国際商事契約原則等)。

は，例えば，消費者契約の条項において消費者が事業者に対して金銭支払義務を負う要件として「A，B」と定められていたものの，他の条項ではAやBという文言が用いられておらず，AやBの定義を定めた規定もない等により，「A，B」が，AかつBなのか，A又はBなのかを，解釈を尽くしても確定することができない場合などが考えられる。この場合，AかつBと解釈する方が，A又はBと解釈するよりも，消費者が金銭支払義務を負う範囲が狭くなる点で事業者に不利であるため，条項使用者不利の原則を適用した場合には，AかつBと解釈することになると考えられる[30]。

また，条項使用者不利の原則の考え方を踏まえた裁判例としては，神戸地判平11・4・28判タ1041号267頁が存在する[31]。

上記裁判例は，阪神・淡路大震災時における火災による損害に関する被災者から生活協同組合への火災共済契約に基づく共済金請求事件において，生活協同組合が主張した上記火災共済契約における「原因が直接であると間接であるとを問わず」「地震によって生じた火災」については共済金を支払わないとの免責条項の適用につき，「①地震によって発生した火元火災」「②地震によって発生した火元火災が延焼した火災」のほかに，「③（原因の如何を問わず）発生した火災が，地震によって延焼した火災」をも適用対象とするものかは明らかではなく，このように契約条項が明確でないことによる不利益は，火災共済事業者で，当該規約の作成者である生活協同組合が負うと解するのが相当であるとの判示のもと，③の火災には本件免責条項が適用されないとし，事業者の免責主張を排斥して，火災共済金の支払を認めている[32]。

(注30) 消費者庁解説26頁。

(注31) 条項使用者不利の原則の考え方を踏まえた裁判例として，他に，東京簡判平17・2・14（ウエストロー・ジャパン2005WLJPCA02146001），東京簡判平17・2・3（ウエストロー・ジャパン2005WLJPCA02036001），東京地判平16・9・15（ウエストロー・ジャパン2004WLJPCA09150007），秋田地判平9・3・18判タ971号224頁などがある。上記4つの裁判例は，平成23年度運用状況調査結果報告において，それぞれ裁判例【123】【124】【129】【158】として紹介されている。

さらに、類似の判示をした裁判例として、神戸地判平12・3・1（平成7年（ワ）第1704号事件。判例集未登載）、その控訴審である大阪高判平13・3・9（平成12年（ネ）第1352号、第1353号事件。判例集未登載）、神戸地判平12・4・26（ウエストロー・ジャパン2000WLJPCA04269004）、その控訴審である大阪高判平13・12・20（ウエストロー・ジャパン2001WLJPCA12209003、最高裁HP）などがある。

加えて、最判平13・4・20判タ1061号68頁には、亀山継夫裁判官の「本件各約款が、保険契約と保険事故一般に関する知識と経験において圧倒的に優位に立つ保険者側において一方的に作成された上、保険契約者側に提供される性質のものであることを考えると、約款の解釈に疑義がある場合には、作成者の責任を重視して解釈する方が当事者間の衡平に資するとの考えもあ

（注32）　上記の裁判例（神戸地判平11・4・28判タ1041号267頁）の判示内容は「被告は、消費生活協同組合法に基づいて、組合員の生活の文化的経済的改善向上をはかることを目的として設立された組合である。そのような組合の性質上も、また、予期しない火災損害の発生に備えて、それが発生した場合の損害填補を期待して火災共済契約を締結する契約者の合理的な意思ないし期待に照らしても、本件規約のように定型的に内容を規定して火災共済契約を一律に規律している場合の契約条項の解釈にあたっては、組合員に不利な類推ないし拡張解釈はすべきではないというべきである。
　地震の際に火災による損害が異常に拡大することが少なくないのは、地震が、火災の発生自体にとどまらず、発生した火災の延焼に関わることも多いためであるといわれていることは、被告主張のとおりである。
　しかし、そうであるからといって、本件免責条項の規定文言を離れて、本件免責条項が当然に火災の延焼について被告主張のように規定しているものと解釈することはできない。被告主張の内容の地震免責条項を規定するのであれば、被告としてはそのように二義を許さない形で明確に規定すべきであったのであり、それが明確でないことによる不利益は共済事業者であり、本件規約作成者である被告が負うべきものと解するのが相当である。
　したがって、右のように一義的でない本件規約の免責条項の内容については限定的に解釈すべきであり、本件免責条項が適用される火災には、発生原因不明の（地震によって生じたとはいえない）火災が、地震によって延焼した場合を含まないものと解するのが相当である。」というものである。なお、このような判断については控訴審（大阪高判平12・2・10判タ1053号234頁）においても維持されている。

り得よう。」との補足意見が付されている。

　条項使用者不利の原則に関して，約款の条項の解釈について，最判平26・12・19判時2247号27頁において「一般に，約款は，国民一般が当然に遵守義務を負う法令とは異なり，契約の一方当事者が多くの相手方に対し同一条件の内容の契約を成立させるためにあらかじめ示した意思表示であり，これを前提とする契約が成立した場合，この約款の文言等が明確でなく，その解釈，適用範囲等が問題になった場合には，当該約款を抽象的な規範として捉えて解釈するのではなく，あくまでも約款を前提に当事者間で成立した契約における条項の解釈として行うべきであり，そこでは，当事者間において当該約款によりどのような内容の意思の合致があったのか，すなわち契約における意思表示の内容は何かをみていく必要がある。その際，第一次的には，当事者が合致した内心の意思は何かが問題となるが，この点については，明確でなくあるいは争いがある場合には，約款を含む契約条項の文言を基に，当事者の合理的意思解釈を行っていくべきであろう。」という補足意見がある。

　⑺　サルベージ条項

　サルベージ条項とは，ある条項が強行法規に反し全部無効となる場合に，その条項の効力を強行法規によって無効とされない範囲に限定する趣旨の条項をいう。かかる条項が使用された場合，有効とされる条項の範囲が明示されていないため，消費者が不利益を受けるおそれがあるという問題がある。

　平成29年専門調査会報告書では，「事業者は消費者にとって『明確かつ平易な』条項を作成するよう配慮する努力義務を負っていることから，サルベージ条項を使用せずに具体的に条項を作成するよう努めるべきであり，その旨を法第3条第1項の逐条解説に記載するなどにより，より適正な条項作成が行われるよう促すことが相当と考えられる」としている（同12頁）。

　これを受けて，消費者庁解説では，3条1項の解説において「サルベージ条項」の項目を設け，「事業者は，消費者にとって『消費者契約の内容が，その解釈について疑義が生じない明確なもので，かつ，消費者にとって平易な』条項を作成するよう配慮する努力義務を負っていることから（法第3条第1項第1号），サルベージ条項を使用せずに具体的に条項を作成するよう

努めるべきである。」との記載を加えている（同35頁）。

消費者庁解説も指摘するとおり，事業者は，法3条1項1号に基づき，サルベージ条項を使用せずに具体的に条項を作成するよう努めなければならない。

サルベージ条項は，本来，不当条項としても規制されるべき契約条項であり，専門調査会でも，「不当条項の類型の追加」という論点の1つとして議論されてきた経緯があるところ，令和4年5月改正において法8条3項が新設されたことから，同改正後は，一部免責条項については法8条3項で規制されることとなった。それ以外のサルベージ条項については，法10条の対象である（8条3項の解説及び10条の不当条項例のサルベージ条項の解説参照。）。

この点，消費者庁解説では，サルベージ条項のうち，事業者の損害賠償責任の一部を免除するものとして，「例えば，『賠償額は，法律で許容される範囲内において，10万円を限度とします』という条項があるが，法は事業者の故意又は重過失による損害賠償の一部を免除する条項を無効としていることから（第8条第1項第2号，第4号），令和4年通常国会改正により追加された第8条第3項により，『賠償額は10万円を限度とします。ただし，事業者の故意又は重過失による場合を除きます』と具体的に書き分けなければ当該条項は無効とされることとなった。」としている（同35頁）。

上記記載の結論自体はそのとおりであるが，実務では，上記のように書き分けた契約条項について，10万円という損害賠償額の上限金額が不当に低廉なものでないか，別途に法10条の不当条項審査が問題となりうる点について注意が必要である。消費者庁解説も法8条の解説部分（同157頁）において「事業者の損害賠償責任を制限する消費者契約の条項について，本条に該当しないものであっても，第10条により無効となることがあり得る。」と注記しているとおりである。

(3) 2号について

(i) 「勧誘をするに際して」の定義

「勧誘をするに際して」については4条1項の解説を参照。

(ii) 「物品，権利，役務その他の消費者契約の目的となるものの性質に応じ」

個々の消費者の知識及び経験の考慮が求められる程度は，当該消費者契約の目的となるものの性質によって異なり得る。例えば，商品の仕組みやリスク特性が複雑な金融商品を売ろうとする場合と，一般的な食料品を売ろうとする場合とでは，前者の場合の方が，事業者が消費者の知識及び経験を考慮すべき程度が相対的に高くなる[33]。

(iii) 「事業者が知ることができた個々の消費者の年齢，心身の状態，知識及び経験を総合的に考慮した上で」

情報提供努力義務の程度については，「基本的には当該契約を締結することが通常想定されるような『一般平均的な消費者』が情報の内容を理解できる程度の機会を提供することで足りる」[34]といわれるが，一般的な消費者を想定して必要な情報のみならず，個々の事案において個々の消費者の知識や経験を踏まえて必要であれば，さらに手厚い情報提供に努めるべきであることは，現行法下の解釈でも当然の帰結である。

平成30年改正法では，本号で「個々の消費者の知識及び経験を考慮」[35]すべきことを明示し，個々の消費者の事情を考慮すべき場合があることを明らかにしている。

例えば，消費者が若年者や高齢者であって，知識や経験が十分でないようなときには，そのような消費者の知識や経験を考慮して，一般的・平均的な消費者のときよりも，より基礎的な内容から説明を始めること等が事業者に求められる[36][37][38]。

(注33) 消費者庁解説28頁。

(注34) 第16次国生審最終報告32頁，34頁。

(注35) 平成29年専門調査会報告書でも「考慮すべき要因となる個別の消費者の事情としては，『当該消費者契約の目的となるものについての知識及び経験』のほか，『当該消費者の年齢』等も考えられるが，『知識及び経験』と『年齢』とでは考慮要因として重複する側面があるため，法文上は前者を明示することとし」たとする。なお，平成30年改正法に関する参議院及び衆議院の附帯決議では「考慮要素と提供すべき情報の内容との関係性を明らかにした上で，年齢，生活の状況及び財産の状況についても要素とするよう検討を行うこと。」とされている。

(注36) 消費者庁解説29頁。

一方,「個々の消費者の知識及び経験を考慮」との文言の付加は, 若年者や高齢者など脆弱な消費者の保護を促進させるための法改正であって, 上記の文言の付加をもって相手方消費者が例えば学歴の高い人物であるなど知識が豊富と考えられるような場合であれば, 一般的・平均的な消費者が相手方である場合よりも情報提供努力義務の程度を引き下げても良いといった反対解釈をしてはならない。事業者は, 相手方消費者がこのような人物であっても, 原則どおり, 一般的・平均的な消費者が内容を理解できる程度の情報提供に努めなければならない。

近年, 消費者取引がますます多様化・複雑化していることから, 事業者には個々の消費者の理解に応じた丁寧な情報提供をより積極的に行うことが求められているが, 事業者にとって消費者の知識及び経験は分からないことが多く, 同号の活用に限界があることから, 令和4年改正法では, 考慮要素として「知識及び経験」以外の要素を加えることとなった。

消費者の年齢や心身の状態は, 理解の不十分さを伺わせる1つの手がかりになるものである[39]。年齢については, 事業者は, 対面取引等において, 消費者のおおよその年齢を容易に知ることができるので, 年齢を考慮した情報提供が可能となる。心身の状態も, 事業者は, 対面の取引等においては, 勧誘の際の消費者とのやり取りの中で比較的容易に知ることができる。

「年齢, 心身の状態, 知識及び経験」という各考慮要素については, その

(注37) 事業者は勧誘行為の相手方消費者が的確な理解に至っていないと認識した場合には, 的確な理解に至るようさらなる情報提供に努めなければならない。逆に, 相手方消費者が有名大学を卒業した知的レベルの高い人物だとわかっていても, 一般的な消費者に対するのと同様の情報提供に努める義務がある。

(注38) 山本敬三ほか「座談会・消費者契約法の改正と課題」ジュリ1527号において河上正二教授は,「『平均的合理的消費者』から個別具体的な消費者の属性に対する配慮が語られるようになったことは, 画期的なことかもしれません。」と評価している (同書27頁)。

(注39) 年齢については, 裁判例の中には, 82歳又は92歳と高齢で理解力が低下していた可能性がある者に対して十分な説明を行わないまま不合理な内容の契約を締結させたとして, 公序良俗違反により契約を無効にしたものがある (東京地判平30・5・25判タ1469号240頁)。

中の特定の考慮要素だけを取り上げて対応するべきではなく，「総合的に考慮」しなければならないことは言うまでもない。

「事業者が知ることができた」ものと限定されているようにも読める。しかし，考慮要素は個々の消費者に関する事情であり事業者が知っているとは限らないが，事業者においては，対面等の勧誘に際して比較的容易に知ることのできる「年齢」や「心身の状態」を含め総合的に考慮し，消費者の理解に応じた情報提供を行うことを期待されているものであるから，勧誘する際に，これらの考慮要素が容易に知れたという場合も含むと解されるべきである。また，同種事業者が通常知ることができたといえるのであれば，当該事業者が知ることができない特別の事情がない限り，「事業者が知ることができた」といえると解すべきである。

この点，消費者庁解説においては，「事業者に期待されるのは，事業者がこれらの消費者の事情を知ることができた場合には，その事情を考慮した上で情報提供を行うことであり，事業者に対し，これらの事情を積極的に調査することまで求めるものではない。」とあるが（29頁），このような解釈では本号を改正した趣旨が没却されかねない。したがって，「事業者が知ることができた」という文言については，情報格差のある消費者の立場に鑑み，事業者においては，各考慮要素の前提となる事実関係等を知ろうとする努力は最低限求められていると解すべきである。

(iv) 「権利義務その他の消費者契約の内容についての必要な情報」

消費者契約の内容についての必要な情報とは，客観的に消費者契約を締結するにあたって当該消費者に必要な情報をいう。したがって，客観的には必要ではなく当該消費者が単に内心で必要としているにすぎない情報は含まれないが，当該消費者が必要としていることを明示している情報はもちろんのこと，交渉の経緯その他から必要としていることが事業者にもわかる情報については，これも含まれると解すべきである。

この点，消費者庁解説では，契約内容以外の周辺的な情報までは含まないとして比較情報やモデルチェンジに関する情報を例示しているが，これらの情報も個別事案によっては品質等の評価に影響を与えうるため，一般的に「消費者契約の内容」に該当しないと断言するのは相当でない[40]。

また、消費者庁解説では、「消費者が当然に知っているような情報まで提供する努力義務はない」とされているが[41]、実際に相手方消費者が知らない重要な情報に関する情報提供努力義務を否定する結論を導きかねない点において、不相当な解釈であると考える。

(v)　「提供すること」に「努めなければならない」の意義

本号は事業者に対し、「必要な情報を提供すること」に「努めなければならない」とし、情報提供義務ではなく情報提供努力義務を課しているにすぎない。しかし、事業者に対する情報提供義務については、従来から民法等を用いて情報提供義務理論が展開され、不動産取引や先物取引、変額保険契約等で一定の状況のもとにおける情報提供義務違反が認められてきた。ただ、このように判例等において認められてきた情報提供義務は、個別具体的事例のなかで認められてきていたものである[42]。

ところが、消費者契約法では、このような不動産取引や先物取引、変額保険契約等にかぎらず、消費者契約のすべてにおいて、事業者に情報を提供するよう努めなければならない義務を明らかにしている。このように、日常生活における契約のほとんどを占める消費者契約について、事業者の種類、取引の態様、契約金額等を問わず、一律に「情報を提供すること」に「努めなければならない」とする義務を負担させていることは注目すべきことである[43]。

(4)　3号について

(i)　「民法（明治29年法律第89号）第548条の2第1項に規定する定型取引合意に該当する消費者契約の締結について勧誘をするに際しては」

民法は、定型約款の組入要件として、契約締結前の約款内容の開示や認識可能性を要件として規定していない（民法548条の2参照）[44]。

定型約款準備者の相手方は、定型約款準備者に対して、定型約款の内容を示すよう請求することができる（民法548条の3第1項。以下「定型約款の表

(注40)　消費者庁解説29頁。
(注41)　消費者庁解説29頁。
(注42)　前掲（注2）参照。
(注43)　落合誠一『消費者契約法』62頁（有斐閣、2001）は、この義務は「真正な義務」であるとしている。

示請求権」という。)。定型約款の表示請求権は，契約の締結前に定型約款の内容を知る権利を保障するものであり，とりわけ契約の締結前において重要な権利であるといえるが，定型約款準備者の相手方である消費者は，当該請求権を知らないことが多い。そこで，消費者が契約の締結前に定型約款の内容を知る権利を保障するため，本号によって定型取引合意に該当する消費者契約の締結について勧誘する場合の情報提供の努力義務を定めた。

(ⅱ) 「消費者が同項に規定する定型約款の内容を容易に知り得る状態に置く措置を講じているときを除き」

本号は，定型約款を用いて消費者契約をする場合に事業者に定型約款の表示請求権についての情報提供の努力義務を定めており，情報提供しなければならないことが原則である。そのため，「定型約款の内容を容易に知り得る状態に置く措置を講じているとき」とは，契約前に定型約款を記載した書面を消費者に交付していた場合や，契約前に定型約款を記録したCD，DVDなどの電磁的記録を消費者に提供していた場合[45]のように，定型約款の内容についての情報提供が契約前に尽くされていた場合に限られると解釈するべきである。

この点，消費者庁解説において，「消費者契約において定型約款が用いられる場合には，情報・交渉力において構造的に劣位にある消費者が，安心して定型約款による取引を行えるようにする必要があり，この観点から，消費者が定型約款の内容を確認したいと考える場合には，定型約款準備者に請求

(注44) なお，民法は，定型約款の組入要件として，契約締結前の約款内容の開示や認識可能性を要件として規定していないものの，定型約款準備者が相手方に対して重要な約款条項を説明しなかった場合には，民法上も信義則上の説明義務の義務違反となり得る。この場合，相手方は，定型約款準備者に対し，説明義務違反によって被った損害の賠償を請求することができる。以上につき，第192回国会衆議院法務委員会会議録11号14頁（2016年11月25日。小川秀樹政府参考人発言），第193回国会参議院法務委員会会議録13号33頁（2017年5月23日。小川秀樹政府参考人発言）及び鹿野菜穂子監修，日本弁護士連合会消費者問題対策委員会編『改正民法と消費者関連法の実務—消費者に関する民事ルールの到達点と活用方法』214頁（民事法研究会，2020）参照。

(注45) 消費者庁解説30〜31頁。

するまでもなく，容易に定型約款の内容を知ることができるようにするのが本来望ましい」としている[46]。

なお，消費者庁解説では，「定型約款の内容を容易に知り得る状態に置く措置を講じているとき」の具体例として，「消費者が契約を締結するまでに目に入る場所に，『当店では〇〇約款（定型約款）を使用しています。詳細は当社ウェブサイトをご覧ください』と記載した紙を貼り，店舗のウェブサイトの分かりやすいところに定型約款を掲載する」場合を挙げている[47]。しかし，消費者の中にはウェブサイトへのアクセスが容易にできない者もいるため，ウェブサイトへの掲載が一律に「定型約款の内容を容易に知り得る状態に置く措置を講じているとき」に該当すると解釈することは相当ではない。

(ⅲ) 「消費者が同法第548条の3第1項に規定する請求を行うために必要な情報」

定型約款準備者の相手方は，定型約款準備者に対して，定型約款の内容を示すよう請求することができるため（民法548条の3第1項），その請求に必要な情報のことである。

「必要な情報」とは，定型約款の表示請求権の存在のみならず，消費者が請求をする場合の事業者の連絡先（住所やメールアドレス），事業者が請求書の書式を用意しているのであればその書式等を提供することを努力義務として定めたものである。

(ⅳ) 「提供すること」に「努めなければならない」

(3)の(ⅴ)の解説を参照。

(5) 4号について

(ⅰ) 「消費者の求めに応じて」

例えば，当事者の合意により消費者契約において任意解除権が設定されていても，任意解除権の存在や行使の方法が，消費者契約の締結後に事業者のウェブサイト上で消費者にとって分かりにくく表示される等の理由により，

（注46）　消費者庁解説30頁。
（注47）　消費者庁解説31頁。

消費者による契約の任意解除権が困難となるケースが散見されている。

　当事者が合意により消費者契約において設定した任意解除権に係る事項は法3条1項2号によって勧誘時に情報提供の努力義務の対象とされているが，任意解除権については，消費者は実際に解除を考えようとした段階で関心を抱くものであるから，勧誘時のみならず解除時にも，消費者からの求めがあれば，応じるように事業者に情報提供の努力義務を課したものである。

　(ⅱ)「消費者契約により定められた当該消費者が有する解除権」

　消費者庁解説では，「『消費者契約により定められた当該消費者が有する解除権』とは，消費者と事業者の解除についての合意によって発生する解除権（約定解除権）を指す（注）」「（注）民法第540条第1項で『契約……により当事者の一方が解除権を有するとき』と規定される解除権である。」とし（32～33頁），民法541条等の法律の規定による法定解除権と同一の内容の解除権を消費者契約で合意した場合は含まれないが，例えば，事業者の債務不履行を理由として消費者が消費者契約を解除するための要件を加重するように，消費者契約で法定解除権の条件を変更する合意をする場合は含まれると解説している（32頁）。

　しかし，本号の文言からはそのような例外があるとは解釈できないため，同号の「消費者契約により定められた当該消費者が有する解除権」には民法541条等の法律の規定による法定解除権と同一の内容の解除権を消費者契約で合意した場合は含まれると解釈すべきである。

　(ⅲ)「解除権の行使に関して必要な情報」

　「必要な情報」とは，消費者契約に規定された任意解除権の存在や行使の方法はもちろんのこと，消費者が任意解除の意思表示をする事業者の連絡先（住所やメールアドレス）を含むと考えられる。消費者契約を消費者が解除する際に必要な具体的な手順等の情報であり，その情報をもとにすれば，解除権の行使が，一般的にみて誰にでも容易に可能であることが必要である。

　消費者契約に関する検討会において，消費者が解除権を容易に行使できない被害事例が上げられているが，結局は，同被害事例に該当するような状況であれば，解除権の行使に関して必要な情報を提供しているとは到底いえないと解される。具体的には，「①事業者が開設するホームページ上で契約の

解除の方法について紹介しているが、ホームページの表記が分かりにくい、②契約を解除するためにはウェブページやアプリケーション上で手続をすることとされているが、解除をするためのリンクが分かりにくく表示される、③解除は電話によるとされるが、消費者が電話をしても事業者の担当者に電話が繋がりにくい、解除を進めるためには複数のウィンドウでクリックを繰り返す必要がある、④特にオンラインで結ばれる契約では、契約者の相続人による解除が非常に難しい場合がある〔解除手続をするための被相続人のID・PWがわからず再発行手続ができない、ログインできない〕、⑤サブスクリプション契約においては、契約締結の容易さに比して、解約手続が困難に設定されている場合〔解除方法や解除手続をするためのID・PWがわからず再発行手続ができない、ログインできない〕」など解除が困難な場合であれば、解除権の行使に関して必要な情報が提供されているとはいえない（令和3年消費者契約に関する検討会報告書23頁）。

(iv) 「提供すること」に「努めなければならない」

(3)の(v)の解説を参照。

(6) 違反の効果

本項の努力義務違反は、直ちに取消等契約解消の私法的効力を発生させるものではない。しかし、この規定は、事業者は、消費者契約において情報提供に努力する義務があり、その背景には一般的情報提供義務の理念が存在することを明らかにするもので、今後の消費者契約の解釈の指針となったり、方向性を示すものとなる。すなわち、不法行為における違法性や過失の認定の際に考慮される重要な要素となったり[48][49]、消費者契約の解釈や拘束力が問題とされる場合に、これらが消費者契約上の信義則（民法1条2項）あるいは公序の判断の際の大きな要素として考慮されるべきことになるし[50]、情報提供義務の存在が認められる場合もこれまでより容易になり広くなると思われる。また、消費者行政においては、事業者に対し、本項に沿って情報提供するよう指導することが求められることになろう。

（注48）落合・前掲（注43）62頁は、努力義務違反が不法行為責任の違法性を基礎付けることはありうるとする。

令和4年改正においては，3条1項だけではなく，9条2項，12条の3，12条の4，12条の5においても努力義務が規定された。これら努力義務の規定は，その内容が消費者契約法における法理，規範として重要なものであることが改めて確認されたものと解される。そのため，努力義務であっても，法律上認められた義務である以上，その違反が著しい場合には不法行為として損害賠償義務を負うと解すべきである。事業者が行うべき義務を怠ったことについて合理的な理由を説明できない場合，事業者が故意に努力しなかった場合，努力すらせず放置している場合には，信義則上の義務（民法1条2項）を怠った過失があるといえ，情報提供努力義務違反として不法行為が成立すると解されるべきである。例えば，解除するための電話番号が記載されているものの全く繋がらない電話番号である場合や，解除手続のための画面に全くログインできない状態であるような情報提供努力義務違反が著しい場合には不法行為に基づく損害賠償請求が認められ，結果として解除と同等の効果を持たせられると解すべきである。

　裁判例でも，消費者契約法施行前の事案であるが，消費者契約法1条，3

（注49）　大津地判平15・10・3（前掲注18）は，1条，3条，4条2項の規定をあげ消費者契約法の趣旨からは事業者は消費者に対して契約交渉段階において意思決定するにつき重要な意義をもつ事実については信義則（民法1条2項）により適切な告知・説明義務を負い，これに反した場合は，損害賠償責任を負うとしている。なお，名古屋地判平19・1・29（前掲注18）は，3条は「事業者及び消費者双方の努力義務を規定したものに過ぎず，同法3条に規定する努力義務違反を理由として，契約の取消の可否や損害賠償責任の有無といった私法的効果には影響を及ぼすものではないと解するのが相当」とし，消費者の努力義務違反を理由とし消費者契約法の保護を受けることができないとする事業者の主張を退けている。

（注50）　大村・前掲（注8）126頁は，公序良俗違反については，「契約内容だけでなく，契約締結過程における当事者の行為態様までも公序良俗の一要素とされるに至っている」とされている。なお，同書127頁も参照。また，松本恒雄教授は，升田純ほか「座談会・新しい消費者保護法制と取引約款」金法1596号34頁で，「たとえば信義則といったような一般規定を経由して，情報提供努力義務を怠った事業者に総合的評価のなかで少し不利に働く可能性があると思います」と発言されている。

条，4条2項を引用し，「消費者契約法の趣旨（事業者の情報の質及び量の絶対的な多さを考慮し，これに対する消費者の利益の擁護による健全な取引の発展を目的とする趣旨）からは，事業者が，一般消費者と契約を締結する際には，契約交渉段階において，相手方が意思決定をするにつき重要な意義をもつ事実について，事業者として取引上の信義則により適切な告知・説明義務を負い，故意又は過失により，これに反するような不適切な告知・説明を行い，相手方を契約関係に入らしめ，その結果，相手方に損害を被らせた場合には，その損害を賠償すべき義務があると解する。」として不法行為に基づき事業者の義務違反を認めて損害の賠償を認めた（大津地判平15・10・3（判例秘書L05850883））。

また，別荘地の売買契約に関して，別荘地の隣接地に産業廃棄物の最終処分場及び中間処理施設の建設計画があることを説明しなかったことは消費者契約法4条2項所定の不利益事実の不告知に該当し，上記売買は動機の錯誤により無効であり，さらに，上記の事実を説明しなかったことは不法行為を構成するとして，不当利得返還請求権に基づく土地代金等の返還及び不法行為に基づく損害賠償を求めた事案で，上記建設計画は，「売買契約当時において，その実現性が客観的に具体化・現実化していたわけではなかったということができるが，法1条及び3条の趣旨を考慮すれば，本件各計画の存在は，たとえその実現性が客観的に具体化・現実化していなかったとしてもなお，被告らにおいて原告らに対する説明義務を負うべき不利益事実に当たるものと解するのが相当である。」と判示して，消費者契約法1条及び3条の趣旨を引用して，消費者契約法4条2項に基づき，売買を取消し不当利得の返還及び不法行為に基づく損害賠償責任を認めた（東京地判平20・10・15（判例秘書L06332487））[51][52]。

さらに，名古屋地判平28・1・21判時2304号83頁は，平成30年改正前

（注51）　前掲(3)(V)。

（注52）　消費者庁解説24頁は，努力義務（3条1項）を考慮して信義則上（民法1条2項）の説明義務を導いた上で，当該説明義務に違反したことが不法行為を構成するとして，事業者に損害賠償責任を認めた裁判例（名古屋地判平28・1・21判時2304号83頁）を紹介する。

の法3条1項の規定に基づく努力義務を考慮して信義則上（民法1条2項）の説明義務を導いた上で，当該説明義務に違反したことが不法行為を構成するとして事業者に損害賠償責任を認めている。本規定の義務違反が他の規定の解釈や適用に影響を与えることはありえるものと考えられる。

2　2項について

本条2項では，消費者に対して，事業者から必要な情報が提供されれば消費者側においてもこれを活用し，消費者契約の内容を理解するよう努めることを求めている。

本項については，弊害が生じることはあっても，何らの有益性も認められないとする批判や指摘が多くみられる[53]。

本項が設けられたのは，先に述べた事業者側の主張に配慮した調整によるもので，そのため立法として不適切なものとなっており，これらの批判や指摘は正当である。

それ故，本項の趣旨は，事業者からの必要な情報の提供がない状態で，消費者において不十分な情報を「活用」すれば，消費者が誤った判断をすることは必至であるから，1項によって，事業者から消費者契約に必要な情報が提供されることが重要であり，その場合の消費者の対応を定めたものと理解すべきである。

消費者に対しては，情報を活用し，理解するよう努めるものとされているが，1項と2項の規定の仕方の差異（「努めなければならない」，「努めるものとする」）及び事業者と消費者との間における情報の質，量，交渉力の差を考えると，消費者に努力義務が課されたものと考えるべきではなく，消費者としては情報を活用し，理解するよう対応することが望ましいとされていると解すべきである。

消費者契約において，事業者と消費者との情報格差や交渉力格差を是正し，より対等な関係に近付けるためには，事業者側の必要な情報の提供が不可欠であり，その意味ではあくまで1項が原則である。

(注53)　例えば，山本豊「消費者契約法(2)」法教242号88頁参照。

本条2項を理由に，これを怠ったからといって消費者側の過失が存在するとして，安易に過失相殺が認められたり取消権が否定されたり，損害賠償請求が認められたりするなど消費者の権利が制限されるべきものではない[54][55]。

(注54) 同旨＝山本・前掲（注53）88頁参照。升田ほか・前掲（注50）34頁の松本恒雄発言。これに対し，消費者庁解説34頁は，「理解するよう努める」ことで消費者に求められているのは，「自己責任を問い得る程度のレベルまで契約内容を理解し，本法で取消しとされるようなトラブルに至らないようにすることである」とする。この解説は，トラブルになった場合は，この努力をしなかったことになり，「その責任を果たさなければならないこと」になるのが前提であるが，消費者と事業者との間の情報，交渉力の格差にかんがみて消費者に求められる努力のニュアンスを若干弱めたものであるとしているが，かかる解釈によれば，消費者の権利を本項を理由に制限することにつながりかねず，すこぶる疑問である。

(注55) これに対し，大津地判平15・10・3（前掲注18）は3条2項の趣旨及び公平の見地から過失相殺するのが相当であるとし，具体的事案での説明義務の内容，損害の回避可能性等から消費者の損害について2割の過失相殺をしている。

第2章　消費者契約

第1節　消費者契約の申込み又はその承諾の意思表示の取消し

第4条　（消費者契約の申込み又はその承諾の意思表示の取消し）

第4条　消費者は，事業者が消費者契約の締結について勧誘をするに際し，当該消費者に対して次の各号に掲げる行為をしたことにより当該各号に定める誤認をし，それによって当該消費者契約の申込み又はその承諾の意思表示をしたときは，これを取り消すことができる。
一　重要事項について事実と異なることを告げること。当該告げられた内容が事実であるとの誤認
二　物品，権利，役務その他の当該消費者契約の目的となるものに関し，将来におけるその価額，将来において当該消費者が受け取るべき金額その他の将来における変動が不確実な事項につき断定的判断を提供すること。当該提供された断定的判断の内容が確実であるとの誤認
2　消費者は，事業者が消費者契約の締結について勧誘をするに際し，当該消費者に対してある重要事項又は当該重要事項に関連する事項について当該消費者の利益となる旨を告げ，かつ，当該重要事項について当該消費者の不利益となる事実（当該告知により当該事実が存在しないと消費者が通常考えるべきものに限る。）を故意又は重大な過失によって告げなかったことにより，当該事実が存在しないとの誤認をし，それによって当該消費者契約の申込み又はその承諾の意思表示をしたときは，これを取り消すことができる。ただし，当該事業者が当該消費者に対し当該事実を告げようとしたにもかかわらず，当該消費

者がこれを拒んだときは，この限りでない。
3　消費者は，事業者が消費者契約の締結について勧誘をするに際し，当該消費者に対して次に掲げる行為をしたことにより困惑し，それによって当該消費者契約の申込み又はその承諾の意思表示をしたときは，これを取り消すことができる。
一　当該事業者に対し，当該消費者が，その住居又はその業務を行っている場所から退去すべき旨の意思を示したにもかかわらず，それらの場所から退去しないこと。
二　当該事業者が当該消費者契約の締結について勧誘をしている場所から当該消費者が退去する旨の意思を示したにもかかわらず，その場所から当該消費者を退去させないこと。
三　当該消費者に対し，当該消費者契約の締結について勧誘をすることを告げずに，当該消費者が任意に退去することが困難な場所であることを知りながら，当該消費者をその場所に同行し，その場所において当該消費者契約の締結について勧誘をすること。
四　当該消費者が当該消費者契約の締結について勧誘を受けている場所において，当該消費者が当該消費者契約を締結するか否かについて相談を行うために電話その他の内閣府令で定める方法によって当該事業者以外の者と連絡する旨の意思を示したにもかかわらず，威迫する言動を交えて，当該消費者が当該方法によって連絡することを妨げること。
五　当該消費者が，社会生活上の経験が乏しいことから，次に掲げる事項に対する願望の実現に過大な不安を抱いていることを知りながら，その不安をあおり，裏付けとなる合理的な根拠がある場合その他の正当な理由がある場合でないのに，物品，権利，役務その他の当該消費者契約の目的となるものが当該願望を実現するために必要である旨を告げること。
　　イ　進学，就職，結婚，生計その他の社会生活上の重要な事項
　　ロ　容姿，体型その他の身体の特徴又は状況に関する重要な事項
六　当該消費者が，社会生活上の経験が乏しいことから，当該消費

者契約の締結について勧誘を行う者に対して恋愛感情その他の好意の感情を抱き，かつ，当該勧誘を行う者も当該消費者に対して同様の感情を抱いているものと誤信していることを知りながら，これに乗じ，当該消費者契約を締結しなければ当該勧誘を行う者との関係が破綻することになる旨を告げること。

七　当該消費者が，加齢又は心身の故障によりその判断力が著しく低下していることから，生計，健康その他の事項に関しその現在の生活の維持に過大な不安を抱いていることを知りながら，その不安をあおり，裏付けとなる合理的な根拠がある場合その他の正当な理由がある場合でないのに，当該消費者契約を締結しなければその現在の生活の維持が困難となる旨を告げること。

八　当該消費者に対し，霊感その他の合理的に実証することが困難な特別な能力による知見として，当該消費者又はその親族の生命，身体，財産その他の重要な事項について，そのままでは現在生じ，若しくは将来生じ得る重大な不利益を回避することができないとの不安をあおり，又はそのような不安を抱いていることに乗じて，その重大な不利益を回避するためには，当該消費者契約を締結することが必要不可欠である旨を告げること。

九　当該消費者が当該消費者契約の申込み又はその承諾の意思表示をする前に，当該消費者契約を締結したならば負うこととなる義務の内容の全部若しくは一部を実施し，又は当該消費者契約の目的物の現状を変更し，その実施又は変更前の原状の回復を著しく困難にすること。

十　前号に掲げるもののほか，当該消費者が当該消費者契約の申込み又はその承諾の意思表示をする前に，当該事業者が調査，情報の提供，物品の調達その他の当該消費者契約の締結を目指した事業活動を実施した場合において，当該事業活動が当該消費者からの特別の求めに応じたものであったことその他の取引上の社会通念に照らして正当な理由がある場合でないのに，当該事業活動が当該消費者のために特に実施したものである旨及び当該事業活動の実施により

生じた損失の補償を請求する旨を告げること。

4 　消費者は，事業者が消費者契約の締結について勧誘をするに際し，物品，権利，役務その他の当該消費者契約の目的となるものの分量，回数又は期間（以下この項において「分量等」という。）が当該消費者にとっての通常の分量等（消費者契約の目的となるものの内容及び取引条件並びに事業者がその締結について勧誘をする際の消費者の生活の状況及びこれについての当該消費者の認識に照らして当該消費者契約の目的となるものの分量等として通常想定される分量等をいう。以下この項において同じ。）を著しく超えるものであることを知っていた場合において，その勧誘により当該消費者契約の申込み又はその承諾の意思表示をしたときは，これを取り消すことができる。事業者が消費者契約の締結について勧誘をするに際し，消費者が既に当該消費者契約の目的となるものと同種のものを目的とする消費者契約（以下この項において「同種契約」という。）を締結し，当該同種契約の目的となるものの分量等と当該消費者契約の目的となるものの分量等とを合算した分量等が当該消費者にとっての通常の分量等を著しく超えるものであることを知っていた場合において，その勧誘により当該消費者契約の申込み又はその承諾の意思表示をしたときも，同様とする。

5 　第1項第1号及び第2項の「重要事項」とは，消費者契約に係る次に掲げる事項（同項の場合にあっては，第3号に掲げるものを除く。）をいう。

一 　物品，権利，役務その他の当該消費者契約の目的となるものの質，用途その他の内容であって，消費者の当該消費者契約を締結するか否かについての判断に通常影響を及ぼすべきもの

二 　物品，権利，役務その他の当該消費者契約の目的となるものの対価その他の取引条件であって，消費者の当該消費者契約を締結するか否かについての判断に通常影響を及ぼすべきもの

三 　前2号に掲げるもののほか，物品，権利，役務その他の当該消費者契約の目的となるものが当該消費者の生命，身体，財産その他

の重要な利益についての損害又は危険を回避するために通常必要であると判断される事情
6 第1項から第4項までの規定による消費者契約の申込み又はその承諾の意思表示の取消しは，これをもって善意でかつ過失がない第三者に対抗することができない。

I 総 説

本条は，消費者と事業者との間に情報の質や量，交渉力に格段の差があることを前提に，事業者に誤認させる行為や困惑させる行為のような不適切な行為があったり，過量な契約であったときは，適切な自己決定を妨げられた消費者に意思表示の取消を認めることによって消費者契約の締結過程の適正化を図ることを目的とする。

1 取消に関する3つの類型

消費者契約法は，消費者が契約を取り消すことができる場合として，大きく「誤認」，「困惑」，「過量」の3つの類型を定めている。

これらのうち，誤認類型と困惑類型は，消費者の誤認や困惑といった心理状態を要件とするものであるのに対して，過量類型は消費者の心理状態を要件とはせず，不必要な物を大量に購入させるという客観的な契約内容の不当性を要件としている。

2 誤認類型の取消

(1) 概 要

事業者が，消費者が契約を締結するうえで必要な情報の提供を適切に行わないこと（事業者の不適切な情報提供）によって消費者が誤認して契約に至った場合には，民法の詐欺とまでは言えなくても，消費者が当該契約に拘束されることは妥当でない。

そこで，4条1項・2項において，事業者による不実告知（1項1号），断定的判断の提供（1項2号），不利益事実の不告知（2項）の3つのうちのい

ずれかによって消費者が誤認をして契約に至った場合は，消費者が，契約を取り消すことができるとしている。

(2) 誤認類型に関する制定当時の立法経緯

第16次国生審中間報告では，契約締結過程をめぐる問題を解決するための方策として，「情報提供義務違反・不実告知の場合の契約の取消」と題し，「消費者契約において，事業者が，契約の締結に際して，契約の基本的事項その他消費者の判断に必要な重要事項について，情報を提供しなかった場合又は不実のことを告げた場合であって，当該情報提供があった又は当該不実の告知がなかったならば消費者が契約締結の意思決定を行わなかった場合には，消費者は当該契約を取り消すことができる」としている[1][2]。

第16次国生審最終報告では，「十分な情報に基づく自発的な意思決定こそが，自己責任を正当化する条件」と前提し，「事業者から消費者への情報の適切な提供の確保に関する規定についての要件」と題して，「事業者の消費者に対する重要事項についての情報の不提供又は不実告知」の要件についてふれ，情報の不適切な提供の効果として取消を含めた契約関係からの離脱を示唆しているが，第16次国生審中間報告に比べトーンダウンしている感は否めない[3]。

そして，第17次国生審報告及び同内容の3条1項（平成30年改正前）においては，事業者に対し「必要な情報を提供するよう努めなければならな

(注1) 第16次国生審中間報告18頁。

(注2) 潮見佳男編著『消費者契約法・金融商品販売法と金融取引』35頁（経済法令研究会, 2001)は，（引用者注・審議過程では）重要事項についての情報提供義務は，詐欺の拡張形態としてとらえたもので，自己決定基盤の整備を目的とする理解（情報収集責任の転嫁）は当時それほど強調されていなかったとする。

　　しかし，意思決定に必要な情報は各当事者が自ら収集しなければならず，そのミスの責任は各当事者が負わなければならないというのが民法の基本原則ではあるが，事業者と消費者との間の構造的な情報格差から，多くの情報を持っている事業者に重要な情報を提供する義務を課すべきであるというのが，議論の根本であるべきであった。なお，「情報収集責任の転嫁」については，沖野眞已「契約締結過程の規律と意思表示理論」河上正二ほか『消費者契約法』別冊NBL54号23頁以下参照。

(注3) 第16次国生審最終報告27頁・32頁・29頁。

い」と情報提供を努力義務として掲げ、4条1項・2項で不実告知を含めた3種類の不適切な情報提供行為を定めていたにすぎない[4]。

このように、国生審が当初掲げた、消費者に自己責任を問うための前提として事業者に情報を提供する義務を課する必要があるという基本原則は途中から大きく後退してきている。そしてこの後退した内容がそのまま本条に引き継がれている[5]。

結局、取消等の効果を伴う法的義務としての情報提供義務は定められなかったものの、消費者と事業者間の情報格差がある現状を踏まえて、少なくとも事業者が上記のような不適切な情報提供を行ったことによって消費者が誤認により意思表示をなした場合には、これを取り消しうるものとすることによって消費者を不適切な契約の拘束から解放し、少しでも衡平を図ろうとしたものであると位置付けられよう。

(3) 不利益事実の不告知に関する要件の平成30年改正

4条2項の定める不利益事実の不告知について、平成30年改正前は法文上、主観的要件として、事業者が不利益事実を告げなかったことにつき「故意」が必要とされていたが、平成30年改正により「故意」に加え「重大な過失」が付加され、故意がない場合でも取り消すことが可能となった。

(4) 「重要事項」概念の創設および改正経緯

4条5項の定める「重要事項」は、第17次国生審消費者政策部会消費者契約法検討委員会において、情報提供義務違反による取消権が議論されていた際、違反に対し取消が認められる情報提供義務の内容は何かが問題とされ、「重要事項」に限るかどうかという形で議論されていた。前述のとおり、結局、情報提供義務違反による取消権の創設は見送られたが、不実告知(本条1項1号)、不利益事実の不告知(本条2項)の要件として、「重要事項」

(注4) 第16次国生審中間報告(国民生活審議会消費者政策部会消費者契約法検討委員会報告「消費者契約法(仮称)の具体的内容について」)4頁・5頁。

(注5) 加賀山茂「消費者契約法の実効性確保策と今後の展望」法セミ549号47頁は、「消費者契約法3条は、その条文の体系上、4条の消費者取消権の根拠規定の1つとしての事業者の情報提供義務を明らかにしたものと解すべきである」とし、解釈論で情報提供義務を認める。

がとり入れられることになった。

そして、制定当初の「重要事項」は、「当該消費者契約の目的となるもの」の「内容」又は「取引条件」であって、当該消費者契約締結の可否についての判断に「通常影響を及ぼすべきもの」と規定されていたことから（制定当初の4項）、当該消費者契約の目的となるものの内容・取引条件には当たらないが、契約を締結した動機等、契約締結時に消費者が契約締結の前提とした事項が「重要事項」に該当するのか否かについては争いがあった。

しかし、動機に関する事項について、消費者が事業者から事実と異なる内容の説明を受け、契約を締結したケースにおいて、当該不実告知がなければ消費者は契約を締結しなかったであろうと判断されるケースが多くあり、被害回復や被害の未然防止の観点から、契約締結を必要とする事項に関する事項を「重要事項」に含めることで、このような事項の不実告知により消費者がした意思表示を取り消すことができるようにする必要性は高いと考えられていた。そこで、平成28年改正において、不実告知を理由とする取消については、「物品、権利、役務その他の当該消費者契約の目的となるものが当該消費者の生命、身体、財産その他の重要な利益についての損害又は危険を回避するために通常必要であると判断される事情」（4条5項3号）も重要事項とされ、取消の対象となることが明確になった。

3 困惑類型の取消

(1) 概　要

事業者が、不適切な態様で勧誘をしたこと（事業者の不適切な勧誘態様）により、消費者が困惑して自由な判断ができない状況に陥って望まない契約をした場合には、民法の強迫（96条）とまでは言えなくても、消費者が当該契約に拘束されることは妥当でない。

そこで、4条3項において、消費者の困惑と結びつく不適切な勧誘態様として10類型を定め、これらのいずれかによって消費者が困惑をして契約に至った場合、消費者は契約を取り消すことができるとしている。

(2) 困惑類型に関する制定当時の立法経緯

消費者と事業者との間に交渉力において格差があることを踏まえて、本条

3項は契約締結過程において，事業者のいわゆる威迫・困惑行為によって消費者が瑕疵ある意思決定をした場合のルールを定めるものとして議論されてきた。

第16次国生審中間報告では，「消費者契約において，契約の勧誘に当たって事業者が消費者を威迫した又は困惑させた場合であって，当該威迫行為又は困惑行為がなかったならば消費者が契約締結の意思決定を行わなかった場合には，消費者は当該契約を取り消すことができる」という内容が提案されていた[6]。

そして，第16次国生審最終報告では特に明確性を意識して，「事業者が，消費者を威迫するような言動（脅迫まがいの威圧的な言動），消費者の私生活又は業務の平穏を害するような言動（例えば，長時間にわたり消費者を拘束する，夜間に消費者の居宅に上がり込む，消費者に不意打ち的に接近し考慮する時間を与えないなど，消費者の公私にわたる生活の安寧を乱すような言動）をした場合においては，消費者は契約を取り消すことができるとすることが適当である」という表現になっていた[7]。

このような国生審の立場に対し，事業者から消費者への不適切な勧誘行為は，説明や情報提供の不適切さ以外に，威迫・困惑だけで足りるかという指摘がなされ，欧州の消費者保護制度にみられるいわゆる「状況の濫用」をも，不当勧誘の一類型として立法化すべきだとの指摘があった[8]。ところが，制定された法は，産業界の強い反対により後退し，不適切な勧誘行為として従来議論されてきた行為態様のなかでも，最も極端な行為態様，すなわち消費者宅等からの不退去と，消費者の退去妨害という行為を限定的にとりあげたものとなってしまっていた。

その結果，消費者契約に関する実効的な包括的民事ルールをつくるという当初の立法目的からすると，不十分なものとなったといわざるを得ない。

(3) 改正による困惑類型の追加

(注6) 第16次国生審中間報告21頁。
(注7) 第16次国生審最終報告35頁。
(注8) 日弁連もこの趣旨に賛成するものとして提案していた。1999年日弁連試案参照。

平成30年改正により，契約締結について合理的な判断をすることができない消費者の事情を事業者が不当に利用して契約を締結させる消費者契約被害の事例（いわゆる「つけ込み型不当勧誘」の被害事案）のうち，「消費者の不安をあおるという行為態様で，合理的な判断ができない心理状態を作り出し，あるいは利用して，契約をさせる場合」（4条3項5号，7号，8号。改正当時の3号，5号，6号），及び，「消費者の好意の感情に乗じるという行為態様で，合理的な判断ができない心理状態を作り出し，あるいは利用して，契約をさせる場合」（4条3項6号。改正当時の4号）という2つの行為類型について，新たに困惑を理由とする取消権が追加された。

また，同じく平成30年改正により，強迫的な行為で消費者に強引に契約させる「困惑類型」の被害事案のうち，契約締結前に債務の内容を実施する類型（4条3項9号。改正当時の7号）と契約締結を目指した事業活動を実施した類型（4条3項10号。改正当時の8号）の2類型について，新たに取消権が追加された。

その後，令和4年5月改正では，勧誘することを告げずに退去困難な場所へ同行し勧誘する類型（4条3項3号），威迫する言動を交え相談の連絡を妨害する類型（4条3項4号）の2類型が追加されると共に，契約締結前に債務の内容を実施する類型に付け加える形で，契約前に目的物の現状を変更し原状回復を著しく困難にする類型も困惑を理由とする取消の対象となった[9]。

さらに，令和4年12月改正では，平成30年改正により追加されたいわゆる霊感商法を理由とする取消権の規定について，霊感等の特別な能力により，消費者又はその親族の生命，身体，財産その他の重要な事項について，そのままでは現在生じ，若しくは将来生じ得る重大な不利益を回避することができないとの不安をあおり，又はそのような不安を抱いていることに乗じて，契約を締結することが必要不可欠と告げることにより，困惑し，契約をした場合に取り消すことができるとする文言の変更（4条3項8号。改正当時の6号）が行われている。

4 過量類型の取消

消費者の経験の不足，知識の不足，判断力の不足などの諸事情によって消

費者が契約を締結するかどうかについて合理的な判断ができない事情があることを不当に利用して契約を締結させる深刻な被害が多発している。

特に社会の高齢化が進む近年は高齢者の被害相談が増えており，合理的な判断ができない消費者の事情を利用して契約を締結させる「つけ込み型不当勧誘」に関する被害事案のうち，「過量契約」の行為類型について取消権を認める規定が，平成28年改正により新たに導入された（4条4項）。

5 本条の効果

本条の効果に関しては，立法過程において，契約の取消を認めるか，それとも損害賠償請求権の付与にとどめるかが検討された。一部産業界からは，取消という効果を認めることが原状回復義務を伴うがゆえに取引に混乱をも

（注9）【令和4年5月改正時の問題点】

　　令和4年5月改正にかかる令和3年消費者契約に関する検討会報告書では，4条3項1号，2号，9号，10号は，「契約の内容や目的が合理的であるか否かを問わず，本当は契約を締結したくないと考えている一般的・平均的な消費者であっても，結局，契約を締結してしまう程度に消費者に心理的な負担をかける行為であり，この点に不当性の実質的な根拠があると考えられる」として，「上記4つの各号と実質的に同程度の不当性を有する行為について，脱法防止規定を設けることが考えられる。具体的には上記4つの各号の受皿であることを明確にすることにより，これらと同等の不当性が認められる行為を捉えることを明らかにしつつ，例えば，その場で勧誘から逃れようとする行動を消費者がとることを困難にする行為という形で類型化することで，事業者の威迫による（威力を用いた）言動や偽計を用いた言動，執拗な勧誘行為を捉えることが考えられる。その際は，対象となる行為をある程度具体化した上で，正当な理由がある場合を除くなど，評価を伴う要件も併せて設けることで，正常な事業活動については取消しの対象にならないよう調整することが可能な規定とすることが考えられる」と明確に包括的で汎用性のある脱法防止規定を設けるという改正の方向性を示している（5～6頁）。

　　この検討会報告書における考えられる対応に対して，改正法は脱法防止という観点から限定的であるといわざるを得ない（日本弁護士連合会「消費者契約に関する検討会報告書に対する意見書」2頁）。新設された3号及び4号は，困惑類型としては従来の1号及び2号の新たな類型として極めて適用場面が限定されたものであるという点で，また，検討会報告書の内容を反映していないという点で大きな問題がある改正である。

たらすとして，損害賠償にとどめることが唱えられた[10][11]。

　この点，損害賠償については既に主として不法行為の分野で判例法理が発展をみせており，消費者契約法で新たな規定を設ける以上，従来の損害賠償に付加する効果として，消費者が事業者からの不適切な動機付けによって瑕疵ある意思表示をした場合には，契約からの離脱を認めることによって原状回復を実現する途を開くべきである，とする原則的見地にたって，契約の取消という効果を採用したものである。

　ただし，契約の取消しは，善意でかつ過失がない第三者に対抗することができない（4条6項）。

（注10）　第16次国生審最終報告25頁。

（注11）　理論的には，損害賠償を効果として採用する考え方は，必ずしも契約の取消による原状回復を指向する考え方と対立するものではない。損害賠償を採用するアプローチは，民法の不法行為（709条）または債務不履行（415条）（契約締結過程における義務不履行）の規定の特則をもうける考え方であり，原状回復的な損害賠償を請求することを通じて，実質的に契約の取消による原状回復と同様の効果を得ることができる場合もある，との位置付けが与えられている（第16次国生審最終報告31頁）。従来の判例理論で発展をみせてきた取引行為型不法行為を消費者契約法にもとり込もうという発想である。そして，契約の取消を効果として採用すると，オール・オア・ナッシングの判断が要請されるためにどうしても要件が限定的になるのに対し，損害賠償を効果として採用した場合には，要件を緩やかなものにすることができるうえに，契約代金以外の不利益の填補をカバーするとともに，過失相殺等による割合的解決を通じた柔軟な解決が図れる，というメリットもある。沖野眞已「『消費者契約法（仮称）』の一検討(4)」NBL655号33頁は，この発想をさらに進めて，契約の取消に基づく原状回復の場面においても割合的解決を図る余地があるとしている。

Ⅱ 4条1項

1 趣 旨

4条1項の基本的な要件は，①事業者が勧誘の際，不実告知，断定的判断の提供という不適切な情報提供を行うことによって，消費者が誤認をし，②それによって当該消費者契約の申込み又はその承諾の意思表示をしたことである。その効果は，消費者に誤認に基づく意思表示の取消権が付与されることである。

事業者にこれら不適切な情報提供行為があれば制裁として取消を認めるという立法方法もありうるが，本法では，「誤認」という意思の瑕疵を必要とするとしており，民法の意思表示理論との整合性を重視したものと理解される[12]。したがって，①については不適切な情報提供行為と誤認との間の，②については誤認と意思表示との間の各因果関係の存在が，二重に要件に加わることになる。

2 解 説

(1) 要 件

(i) 事業者が「消費者契約の締結について勧誘をするに際し」

① 定 義

「勧誘」とは，消費者の消費者契約締結の意思の形成に影響を与える程度の勧め方をいう[13]。「○○を買いませんか」などと直接に契約の締結を勧める場合だけでなく，その商品を購入した場合の便利さを強調するなど，消費者の契約締結の意思形成に向けた働きかけがあると認められる場合も含まれる。

「際し」とは，勧誘をはじめてから契約を締結するまでの時間的経過の間

(注12) 沖野・前掲（注2）23頁。
(注13) 消費者庁解説47頁。

をいう(14)。

② 勧誘の手段

勧誘（誤認させた行為としても）(15)の手段については，口頭での説明に限らず，広告，チラシ，パンフレット，説明書，商品等に記された表示，インターネット広告，テレビコマーシャル等，事業者が用いる手段が広く対象とされるべきである。

この点について，平成28年改正に伴う改訂前の消費者庁解説(16)では，「特定の者に向けた勧誘方法は『勧誘』に含まれるが，不特定多数向けのもの等客観的にみて特定の消費者に働きかけ，個別の契約締結の意思の形成に直接に影響を与えているとは考えられない場合（例えば，広告，チラシの配布，商品の陳列，店頭に備え付けあるいは顧客の求めに応じて手交するパンフレット・説明書，約款の店頭掲示・交付・説明等や，事業者が単に消費者からの商品の機能等に関する質問に回答するにとどまる場合等）は，『勧誘』に含まれない」との記載がされていた。

しかしながら「勧誘」と言えるかどうかは，消費者の最終的な契約締結意思に実質的な影響を与えているかどうかで判断すべきであり，不特定多数向けのものであるという理由で一律に「勧誘」に含まれないとする解釈は，「勧誘」の概念をあまりにも狭く解したものといわざるを得ず，上記の消費者庁解説の記載には問題があった。

こうした中で，適格消費者団体が，健康食品の新聞折込みチラシの配布が不実告知等に該当するとして差止めを求めた事案において，最判平29・1・24民集71巻1号1頁は，「『勧誘』について法に定義規定は置かれていないところ，例えば，事業者が，その記載内容全体から判断して消費者が当該事業者の商品等の内容や取引条件その他これらの取引に関する事項を具体的に認識し得るような新聞広告により不特定多数の消費者に向けて働きかけを行

(注14) 消費者庁解説48頁，落合誠一『消費者契約法』73頁（有斐閣，2001）参照。

(注15) 国生審の審議では「勧誘」について議論されておらず，第17次国生審報告13頁では，不実告知および断定的判断の提供を行う手段，すなわち誤認させる手段としてこれらの行為をあげている。

(注16) 消費者庁解説〔第2版補訂版〕以前のもの。

うときは，当該働きかけが個別の消費者の意思形成に直接影響を与えることもあり得るから，事業者等が不特定多数の消費者に向けて働きかけを行う場合を上記各規定にいう『勧誘』に当たらないとしてその適用対象から一律に除外することは，上記の法の趣旨目的に照らし相当とはいい難い。したがって，事業者等による働きかけが不特定多数の消費者に向けられたものであったとしても，そのことから直ちにその働きかけが法12条1項及び2項にいう『勧誘』に当たらないということはできないというべきである。」と判示した。

なお，同判決は，「4条1項から3項まで，5条」と言及した上で，「各規定にいう『勧誘』について」上記のとおり判示していることからすれば，同判決の射程は，適格消費者団体による差止請求の事例はもちろん，誤認および困惑を理由とする個別の取消しの主張についても及ぶものである。この最高裁判決を踏まえ，平成28年改正に伴う改訂後の消費者庁解説[17]では，問題のあった従前の記載が削除され，「事業者等による働きかけが不特定多数の消費者に向けられたものであったとしても，そのことから直ちにその働きかけが『勧誘』に当たらないということはできないとした最高裁判決が存在する」との記載に改訂された。

③ 「勧誘」に該当するかどうかの具体的な判断基準

上記最判平29・1・24を踏まえた上で，「勧誘」に該当するかどうかの具体的な判断基準については，「広告等の不特定多数の消費者に向けた働きかけにおいては，因果関係の要件による絞り込みによってその適用範囲を適切な範囲に設定できないおそれがある。事業者からは，広告等の中には，たとえば，インターネット広告がそうであるように，消費者が自らリサーチして情報を集める一面もあることから，事業者からの働きかけは必ずしも強いものではないとの指摘もされており，このような働きかけを，消費者契約法の規律が適用される『勧誘』と捉えるべきかは，今後も議論があり得よう」とする見解も存在する[18]。

しかし，商品の仕様，価格，契約条件等を掲載したインターネット広告

(注17) 消費者庁解説〔第3版〕113頁。

や，商品の内容を説明し，価格，契約条件等をその場で解説するテレビショッピング等が最たる例であるが，消費者は，これらのインターネット画面やテレビの情報をもとに契約締結の意思形成をしていくものである。したがって，これらが「勧誘」に該当することは明らかである。

　また，上記最高裁判決において問題となった新聞折込みチラシのように広告上に商品の内容や取引条件などの記載がない場合についても，最高裁判決は，個別の消費者の意思形成に直接影響を与えるものかどうかに着目している。上記の点に鑑みても，チラシやインターネット広告の最初の表示から最終の申込みに至るまでの一連のプロセスを全体としてみて契約を誘引されているような場合は，「勧誘」に該当するものと解することが相当である[19]。

　実際上，不特定多数向けの広告等であっても，個別の契約締結の意思形成に影響を与えることは多く見られることから，上記最判平29・1・24の判示は，「勧誘」に関する当然の解釈を示したものである。

　今後は，どのような働きかけが「勧誘」に該当するかについて，裁判例等の状況を見定める必要があるが，最高裁判決のポイントは，広告媒体が何かを一切問うことなく，「消費者の意思形成に直接影響を与える」ものであれば，「勧誘」たり得るとしている点である。

　すなわち，勧誘手段としては，口頭での説明に限らず，広告，チラシ，パンフレット，説明書，商品等に記された表示，インターネット広告，テレビコマーシャル等，事業者が用いる手段が広く対象とされるべきであり，これらが，契約締結に至るまでの一連の流れにおいて消費者の意思形成に直接影響を与える形で用いられれば，「勧誘」に該当すると考える。

(ⅱ)　事業者の「行為」

①　不実告知（1項1号）[20]

ⓐ　定　義

不実告知とは，事業者が，「重要事項について事実と異なることを告げる

(注18)　松田知丈「消費者契約法の『勧誘』の意義—クロレラチラシ事件最高裁判決が投げかける課題」NBL1092号65頁。

(注19)　志部淳之介「クロレラ最高裁判決の意義」消費者法ニュース111号130頁も同旨。

こと」である。「重要事項」とは，当該消費者契約の目的となるものの質，用途，その他の内容並びに対価，その他の取引条件であって，消費者が当該消費者契約を締結するか否かについての判断に通常影響を及ぼすもののほか，当該消費者契約の目的となるものが当該消費者の生命，身体，財産その他の重要な利益についての損害又は危険を回避するために通常必要であると判断される事情をいう（詳しくは，本条5項の解説を参照）。

「事実と異なること」とは，真実又は真正ではないこと[21]，すなわち告知の内容が客観的に真実に反し又は真正でないことをいう。この点，福岡地判平18・2・2判タ1224号255頁は，「事実と異なること」とは，主観的な評価を含まない客観的な事実と異なることをいうと解すべきとした。

事実ではないことを主観的に事業者が認識している必要はない。また「不

（注20）　不実告知を認めた裁判例としては，川越簡判平13・7・18（平成13年（少コ）第30号），千葉地判平15・10・29（消費者法ニュース65号32頁），東京高判平16・2・26（消費者法ニュース65号35頁），大阪高判平16・4・22（消費者法ニュース60号156頁），神戸簡判平16・6・25（ウエストロー・ジャパン2004WLJPCA06256001），大阪簡判平16・10・7（ウエストロー・ジャパン2004WLJPCA10076001），東京簡判平16・11・29（最高裁HP），東京地判平17・1・31（ウエストロー・ジャパン2005WLJPCA01310007），東京地判平17・3・10（ウエストロー・ジャパン2005WLJPCA03100009），新潟地長岡支判平17・8・25（判例集未登載），東京地判平17・8・25（ウエストロー・ジャパン2005WLJPCA08250002），佐世保簡判平17・10・18（平成16年（ハ）第412号），名古屋簡判平17・10・28（国セン報道発表資料HP2006年10月6日），東京高判平18・1・31（平成17年（ネ）第4640号），神戸地姫路支判平18・12・28（ウェストロー・ジャパン2006WLJPCA12286006），高松地判平20・9・26（判例集未登載），大津地長浜支判平21・10・2（消費者法ニュース82号206頁），東京地判平21・11・16（消費者庁運用状況報告書179頁【61】），東京地判平22・2・18（平成26年運用状況検討会報告書173頁【56】），東京地判平23・3・23（平成26年運用状況検討会報告書153頁【39】），東京地判平24・5・15（ウェストロー・ジャパン2012WLJPCA05158008），東京地判平26・11・28（ウェストロー・ジャパン2014WLJPCA11288004），松山地西条支判平28・11・1（消費者法ニュース110号260頁），奈良簡判平30・3・16（消費者法ニュース116号335頁），東京高判平30・4・18判時2379号28頁，大阪地判令3・1・29（最高裁HP）などがある。

（注21）　消費者庁解説48頁。

実告知による取消し」は，制度の趣旨が，事業者の不適切な情報提供に対し契約の拘束力から消費者を解放し少しでも取引の適正化に近づけようというところにあるから，不適切な情報提供をなした事業者に過失がなくても成立する[22]。

「告げる」とは，誤認させる行為の一方法として，口頭による場合だけでなく書面等によって消費者が認識し得る方法であればよい[23]。

ⓑ 主観的評価

主観的な評価であって，客観的な事実により真実または真正であるか否かを判断することができない内容，例えば，「安い」とか「新鮮」という告知は，「事実と異なること」の告知の対象とならないとする考え方がある[24]。

しかし「安い」か否かについては，品質等からおのずから客観的な相場というものがありうるのであって，これに比べてほとんど値段が変わらないとか，かえって高いという場合には評価であっても客観的事実により真偽の判断ができるので対象となる[25]。また，「新鮮」か否かについても，その品物の収穫時期，その後の保存方法等から，評価ではあるが，客観的事実により「新鮮」かどうかについて判断できるので対象となる。

(注22) 同旨，四宮和夫＝能見善久『民法総則〔第9版〕』281～282頁（弘文堂，2018）。

(注23) 東京簡判平16・11・29前掲（注20）（最高裁HP）は，クレジット契約の締結に際し，契約書に引落し銀行口座等の記載及び被告の署名押印を求めた上で，口頭で説明した金額とは違う金額を販売員が勝手に記入して，控えを渡してさっと帰った事案において，東京簡判平20・1・17（ウエストロー・ジャパン2008WLJPCA01176003）は，ホームページ及び店舗内のプライスボードにおいて不実の表示をし，本件売買契約締結に際してもこれを明確に訂正したとは認められない事案において，それぞれ不実告知による取消しを認めた。

(注24) 消費者庁解説49頁，山本豊「消費者契約法(2)」法教242号89頁。これに対し，理由付けは異なるもの，本書と結論を同じくするのは，潮見編著・前掲（注2）38頁。落合・前掲（注14）75頁。

(注25) 大阪高判平16・4・22消費者法ニュース60号156頁は，414,000円と表示された値札がつけられ，一般市場価格としてもその程度と説明されたファッションリングを29万円で購入した購入者に対し，信販会社が立替金の支払を求めた事案で，一般市場価格としては12万円程度であることを認定し，一般的な小売価格は重要事項に該当するとして不実告知による取消を認めた。

真実又は真正であるか否かの判断の基準時は契約締結時である[26]。消費者は，契約締結時の事情を基準として契約を締結するかどうかを決めるのが通常だからである。

基準時を契約締結時と考えるので，契約締結の時点で事実に反する告知があれば，告知時点で事実に合致している場合でも取り消すことができる。また，告知の時点では事実に反していたが，契約締結時点では，事実に合致している場合は取消ができない[27]。

ⓒ 債務不履行との関係

事業者が告げた内容が，当該契約における事業者の履行すべき債務の内容となっている場合，契約締結後に実現できなくても，それは債務不履行の問題であって，不履行が遡って「事実と異なる」ことにはならない。「例えば，旅行契約において事業者が消費者の希望に基づき，『海側の部屋を用意する』旨説明していれば，通常はそれが債務内容となっていると考えられるため，事業者側が『海側の部屋』を用意できない場合は，債務不履行ということになって損害賠償を受けられる」（民法415条）ことになる[28]。債務不履行の場合でも，さらに要件を満たせば解除（民法541条・542条他）が認められ，不実告知による取消と同様，契約の拘束からの解放が認められる。

したがって，「重要事項」のうち債務の内容となっていないものについて不実告知を受けた場合に，本条の適用が問題となる[29]。

例えば，建売住宅の販売の場合，この住宅を売るというのが債務の内容であるが，販売勧誘の際に基礎材は米栂であるのに杉と不実告知した場合や，通信販売でカタログのこのスカーフを売るというのが債務の内容であるが，

(注26) 同旨，消費者庁解説51頁。潮見編著・前掲（注2）38頁，落合・前掲（注14）74頁は告知時を基準時とする。

(注27) 落合・前掲（注14）75頁は，基準時を告知時点としながら，告知時は事実に反しておらず，契約締結時に事実に反する場合には不実告知と扱うべきとするが，根拠が明らかでない。

(注28) 第17次国生審（平成11年9月17日付）「消費者契約法検討委員会における検討状況」6頁，消費者庁解説51〜52頁。

(注29) 落合・前掲（注14）74頁以下は，本書と異なる基準で債務不履行と不実告知の違いを論じている。

カタログにこのスカーフはエルメス製ですと不実告知したような場合が考えられる[30]。

ただし，実際には契約の内容となっているかどうか明らかでない場合が多いから，債務不履行に基づく請求と，不実告知に基づく取消を競合的に主張できる場合も多いであろう。

② 断定的判断の提供（1項2号）[31]

ⓐ 意 義

将来の変動の見込みについて，不確実なものを確実だと断定的な判断を提供することは，契約を締結するのが有利か，危険性があるかについての消費者の判断を誤らせるおそれがある。不実告知が事実の表示であるのに対し，断定的判断の提供は評価の表示という違いはあるものの，どちらも消費者の

（注30） 松本恒雄「消費者契約法と契約締結過程に関する民事ルール」ひろば53巻11号13頁では，消費者庁解説51頁が，建築請負契約において，基礎材は杉であるとして契約したのに，できあがったものは米栂（べいつが）であったという事例について，契約締結後の債務不履行の問題であり，『事実と異なること』を告げる行為には当たらないとしていることに関し，「しかし，これが建売住宅についてのケースであれば，まさに，『事実と異なること』を告げる行為である。また，通信販売でエルメスのスカーフと書いてあるので注文したところ，送付してきたものは偽エルメスであった場合，債務不履行として本物のエルメスの引渡しを請求することも，誤認させられたとして取り消すこともともに許されてよいものと思われる。これは，瑕疵担保責任と錯誤とが競合する場合に，いずれかの法理が優先適用されるのか，それともいずれでも主張できるのかという問題と類似の問題である。」とされる。

（注31） 断定的判断の提供を認めた裁判例としては，神戸地尼崎支判平15・10・24（消費者法ニュース60号58頁・214頁），東京簡判平16・11・15（最高裁HP），名古屋地判平17・1・26（判時1939号85頁），東京地判平17・11・8（判時1941号98頁），名古屋地判平19・1・29（ウェストロー・ジャパン2007WLJPCA012960001），福岡地判平19・2・20（国セン報道発表資料（2008年10月16日公表）），大阪高判平19・4・27（判時1987号18頁），東京地判平21・5・25（平成26年運用状況検討会報告書200頁【74】），名古屋地判平21・12・22（消費者法ニュース83号223頁），東京地判平22・12・15（平成26年運用状況検討会報告書155頁【41】），静岡簡判令3・7・20（判例集未登載），東京地判令3・9・8（ウェストロー・ジャパン2021WLJPCA09088013），東京地判令3・11・25（ウェストロー・ジャパン2021WLJPCA11258012）などがある。

意思形成過程に不当な影響を与える積極的な作為という点で同質であるために同じ1項のなかで規定され，不作為の不利益事実の不告知（2項）と対をなしている[32]。断定的判断の提供については，事業者の故意・過失は必要ない。

ⓑ 定　義

「物品，権利，役務その他の当該消費契約の目的となるものに関し，将来におけるその価額，将来において当該消費者が受け取るべき金額その他の将来における変動が不確実な事項につき断定的判断を提供すること」

「物品，権利，役務その他の当該消費者契約の目的となるものに関し」とは，物品，権利，役務，その他左の例示の概念に含まれない当該消費者契約の対象となるものに関し，という意味である[33]。

「将来におけるその〔＝物品，権利，役務その他の当該消費契約の目的となるものの〕価額」とは，例えば，株式取引における将来の株価や不動産取引における将来の不動産価格のように，将来における契約目的物自体の価額をいう。同じく「将来において当該消費者が受け取るべき金額」とは，例えば，投資信託取引において，運用により将来受け取ることができる金額や変額保険取引における将来受け取ることができる保険金額等をいう。この2つは，「将来における変動が不確実な事項」の例示としてあげられている。

ⓒ 「その他の将来における変動が不確実な事項」とは，他にどのようなものがあるか

例示にあげられた将来の契約目的物の価格や受け取るべき金額には必ずしもあたらないが，消費者の財産上の利得に影響するもので，その変動が不確実で利得を得るか否か将来を見通すことが難しい事項，例えば証券取引でいえば，将来における各種の指数・数値，金利，通貨の価格等が含まれることは争いがない[34]。

ところで，このような消費者の財産上の利得に影響するものだけに限られるか否かについては争いがあるが，これに限られず，例えば，「この塾に入

（注32）　潮見編著・前掲（注2）37頁。
（注33）　落合・前掲（注14）78頁参照。
（注34）　消費者庁解説53頁。

れば成績があがります」、「この健康食品を使えば体重が減ります」、「このドライバーを使えばシングルになります」、「この資格取得講座を受ければ資格がとれます」、「このエステの美顔術を受ければ美しくなります」などというような、財産上の利得と直接関係のないものについても、将来の変動の見込みが不確実なものを確実であると告げるような場合はこれにあたると解すべきである。なぜならば、本号の趣旨は、本来、専門家が不確実な事項について断定的判断を提供して勧誘した場合、素人は信じ込みやすく、適切な判断による自己決定ができないから不適切な勧誘行為として取消を認めようというところにあるが、このようなものは財産上の利得に限られるわけではないからである。それに、「将来における変動が不確実な事項」という文言には財産上の利得に限定するような意味はなく、「将来におけるその価額」とか「将来において当該消費者が受け取るべき金額」とかは単なる例示にすぎないから、財産上の利得に関するものに限るとする解釈上の必然性がないからである[35][36]。神戸地尼崎支判平15・10・24前掲（注31）は、易学受講契約及びこれに付随する契約（改名・ペンネーム作成、印鑑購入）について、勧誘

(注35) 同旨＝池本誠司「不実の告知と断定的判断の提供」法セミ549号22頁、潮見編著・前掲（注2）39頁、落合・前掲（注14）79頁。反対＝消費者庁解説55頁、松本・前掲（注30）14頁、山本豊・前掲（注24）92頁。第17次国生審報告12頁では、消費者が当該契約を締結する判断に影響を及ぼすと認められる重要なものにつき将来の見込みについて断定的判断を示すこととするだけで、財産上の利益に関するというような限定をつけていない。神戸地尼崎支判平15・10・24前掲（注31）は、運勢や将来の生活状態という変動が不確実な事項につき断定的判断の提供を認めた。

(注36) 債権法改正の基本方針34～35頁は、消費者契約法4条1項2号を改正民法典に取り込むことを前提に、その要件である「断定的判断」の内容から「将来における変動が確実な事項」という部分を削除し、「不確実な事項につき断定的判断を提供したことにより」消費者が誤認した場合には取消権を認めるとしている。そして、その理由について、同書は「消費者契約法の基礎にあるのは、事業者が積極的な行為によって消費者を誤認させた以上、契約を取り消されてもやむを得ないという考え方であり、これによると、将来における変動が不確実な事項かどうかは、重要性を持たないはずであるという考慮に基づく」としている。

方法が違法・不当であることを理由として契約の取消を主張し、既払金の返還を求めた事案において、消費者の運勢や将来の生活状態は、4条1項2号にいう「将来における変動が不確実な事項」にあたるとした。なお、同地判の控訴審である大阪高判平16・7・30（ウエストロー・ジャパン 2004WLJPCA07306001）は、4条1項2号にいう「その他〔の〕将来における変動が不確実な事項」とは消費者の財産上の利得に影響するものであって将来を見通すことがそもそも困難であるものをいうと解すべきであり、漠然とした運勢、運命といったものはこれに含まれないとして、取消を認めなかった（ただし、当該契約自体は公序良俗に反し無効とした。）。上記の本項の趣旨からすれば、地裁の判断が正しいといえよう。この点、東京地判平27・10・29（ウエストロー・ジャパン 2015WLJPCA10298008）では、行政書士である被告が、中国国籍を有する原告に対し、在留資格を定住者へ変更することが許可される可能性がないのに、同変更が可能であると断定的判断を提供し、在留資格変更許可申請書類作成契約を締結したという事案について、原告は、定住者の在留資格に変更できるとの助言を受け、同変更は大丈夫であるとの断定的な判断を受けたことにより、同変更が可能であると誤認して本件契約を締結しており、4条1項2号の要件を充足するとしている。

ⓓ 「断定的判断を提供すること」

「断定的判断」とは、将来における変動が不確実なもの（確実でないもの）を確実であるかのように決めつけた判断をいう。例えば、投資信託や土地の取引において、利益を生ずることが確実でないのに「将来必ず利益が得られる」などと明言するような場合をいう。

「絶対に」とか「必ず」という文言を伴うか否かは問わないから、「この取引をすれば100万円もうかる」と告知するのも断定的判断の提供である[37]。

「予想する」とか「絶対ではない」という趣旨の言葉が挿入されている場合は、一応、断定的判断ではないといえるが、言葉の表面だけをみるのではなく、「説明全体の趣旨」をとらえる必要がある。

本号については、保険、証券取引、先物取引、不動産取引、連鎖販売取引

（注37） 消費者庁解説 54～55 頁。

の分野における契約において問題となることが多いといわれているが[38]，エステ・健康食品等の分野でも問題となりうる。

　(iii)　消費者の「誤認」

　事業者に不適切な情報提供行為があれば，消費者の「誤認」を問題とせず違反への制裁として取消を認める方法もありうるが，本条では，民法の意思表示に関する規定との整合性から，「誤認」，すなわち意思表示の瑕疵の1つである錯誤を必要とした。なお，事業者の「不適切な情報提供行為」からの解放という趣旨から，誤認について表意者たる消費者に過失があっても消費者は取り消すことができる。

　①　「当該告げられた内容が事実であるとの誤認」（1項1号）

　事業者の不実告知（事実と異なることを告げる行為）により，消費者が当該告げられた内容が事実であるという認識を抱けば「誤認」である。例えば，中古車販売業者が消費者に「この車は，事故車ではない」と不実告知して販売したが，実は事故車であったという場合において，消費者は「事故車ではない」と「誤認」し購入したときは取り消すことができる[39]。

　②　「当該提供された断定的判断の内容が確実であるとの誤認」（1項2号）

　「確実である」とは必ずしも「絶対に間違いない」という趣旨ではなく，「可能性が高い」という程度で足りる。この程度でも十分に契約を締結するのが有利か，危険があるかについての判断を誤るからである。したがって，事業者の断定的判断の提供により，消費者が当該提供された断定的判断の内容が実現される可能性が高いという認識を抱けば「誤認」といえる[40]。

　(iv)　消費者の「当該消費者契約についての意思表示」

　消費者が，自分の方から当該消費者契約の申込みをするか，又は事業者の申込みに対しその承諾の意思表示をしたこと。本条の効果として，消費者はこの申込み又は承諾の意思表示を取り消すことができる。

　(v)　二重の因果関係

　本条に該当する事業者の各行為によって消費者に本条記載の各誤認を生じさせ，この「誤認」によって消費者が「当該消費者契約の申込み又はその承

　(注38)　消費者庁解説 54 頁。

諾の意思表示」をなした，という二重の因果関係が必要である。

消費者がもともと雑誌記事等により誤認しているところに事業者の誤認惹起行為が加わり，このためその誤認状態が是正されなかったような場合も取り消すことができる[41]。しかし，告知された内容が事実に反することを知りながら，あえて別な動機から契約したような場合は，誤認もなく因果関係もないから，取り消すことができない[42]。

(注39) これに対し，京都簡判平 14・10・30（消費者法ニュース 60 号 212 頁）は，仲裁センター発行のパンフレットには当事者双方と仲介人の三者が同席して仲裁手続が行われるものと誤信させる絵が描いてあるが，事実と異なり不実告知に該当するとして取消しを求めた事案において，当該パンフレットが「勧誘」にあたることを前提に同パンフレットが仲裁手続の全般にわたり三者同席のうえで行われることを一般人に誤認させるものとは認められないとした。

また，東京地判平 30・9・18（ウェストロー・ジャパン 2018WLJPCA 09188014）は，スマートフォン向けに提供しているアプリの利用者である消費者らが，本件ゲームを提供している事業者に対し，ゲーム内で使用できる期間限定アイテムが極めて低確率でしか出現しないことについて，その表示が契約の目的となるものの質について誤認させる表示をしているとして，不実告知による取消し等を求めた事案において，消費者らの主張は，本件表示が，当該期間限定アイテムが高い確率で排出されるという事実を表示していることを前提としているところ，一般通常人をして，本件表示を，消費者らの主張のとおりに認識するとは認められず，本件表示の意味は，当該期間限定アイテム以外のアイテムも排出される場合があると指摘するにとどまり，それ自体は事実であることからしても，本件表示をもって，「契約の目的となるものの質」に関し，事実と異なることを告げたとは認められないと判示した。

(注40) 消費者庁解説 63 頁が例示として，「事業者が消費者に対して『この取引をすれば，100 万円もうかる』と告知した場合には，消費者は通常『100 万円もうかるだろう』という認識を抱くことになるが，これは必ずしも実現されないので『誤認』であるといえる」という例をあげて，「確実であること」にこだわっていないのは，消費者庁も同旨の解釈をとっているものと理解される。

(注41) 沖野眞已「消費者契約法（仮称）における『契約締結過程の規律』」NBL685 号 18 頁。

(注42) 池本・前掲（注35）21 頁。

(2) 効　果

取消の効果については本書233頁以下を参照。

なお，東京地判平21・12・9（平成26年運用状況検討会報告書178頁【60】）は，消費者に対し，将来における変動が不確実な事項につき，断定的判断を提供して契約の締結に関して勧誘を行うことは，単に，消費者契約の取消事由となるにとどまらず，不法行為をも構成するとしている。

Ⅲ　4条2項（不利益事実の不告知）

1　趣旨・改正経緯

(1)　趣　旨

本項は，事業者が消費者に有利な事実を告げた場合に，それに関連する，消費者に不利益な事実を故意又は重大な過失によって告げない場合に，消費者に取消権を付与するものである[43]。例えば，業者がリゾートマンションの景観のよさを宣伝しながら，実は，数か月後にその景観を台無しにするような建物の建設計画があることを知って，顧客に当該リゾートマンションの購入を勧める場合等がこれにあたる。

(2)　改正経緯

（ⅰ）平成30年改正の内容

平成30年改正前は法文上，事業者の主観的要件として，事業者が不利益事実を告げなかったことにつき「故意」が必要とされていたが（いわゆる「故意要件」），平成30年改正により「故意」に加え「重大な過失」が付加された。主観的要件を緩和することにより，救済範囲を拡大するとともに，

(注43)　潮見編著・前掲（注2）40頁は，2項の適用範囲は当該重要事項について一切の言及をしなかったという限られた範囲にとどまるものであり，何らかの言及があれば1項の対象となる場合が多いとしている。しかも，一切の言及がない場合には当該重要事項と評価される事柄について事業者ともあろう者が一切の言及をしなかったという点が取引倫理・企業倫理にもとるものと評価されることを通じて，不作為の詐欺の認定，さらに公序良俗違反との評価を導く方向に傾くだろうとしている。

「故意」の立証の困難さに起因する問題への対処を図ろうとするものである。

なお，後述のとおり，本規定の立法趣旨等に照らせば，平成30年改正前の旧法でも事業者に「重大な過失」がある場合も解釈上本規定の適用があるとされるべきものであり，本改正はこれを確認するものともいえよう。

(ⅱ) 平成30年改正の経緯

① 問題の所在

そもそも，不利益事実の不告知は，事業者が消費者の利益となることを告げながら（先行行為），それと表裏一体をなす不利益な事実を告げないことによって，不利益事実は存在しないと誤認させる行為であり，黙示による詐欺が認められるのと同様に，不作為による不実告知（本条1項1号）ともいえるのであって，事業者と消費者との情報の格差があることも踏まえれば，本来は，不実告知と同じく，事業者の主観的要件を問うことなく取消しを認めるべきと考えられるところである[44]。

また，実務上も，事業者の「故意」はその認定判断や立証が容易ではないことから，特に消費生活相談の現場においては利用しにくく，十分に活用されていない実情がある[45]。

そのため，先行行為要件の在り方と併せて，主観的要件（故意要件）の見直しが課題となっていた。

② 改正までの経緯

ⓐ 消費者契約法制定過程における議論

不利益事実の不告知における事業者の主観的要件（故意要件）については，消費者契約法の制定過程における議論においても，その要否を含め相当の議論があった[46]。第16次国生審中間報告[47]では不実告知と同様に事業者

(注44) 2014年日弁連改正試案解説15頁等。

(注45) 第8回専門調査会・資料2・29頁，第34回専門調査会・資料1・9頁。

(注46) 日弁連は，法制定過程で公表した1999年日弁連試案において，事業者の情報提供義務を規定した上で（4条），事業者が「当該消費者が契約の締結を決定するにあたり必要な事項について，消費者が理解できる方法で情報を提供しなかった」（5条1項1号）場合に取消権を認めるものとする立法提案をしていた。情報提供義務違反の効果として位置付けるものであり，先行行為や故意は要件としていない。

の主観的要件を付さない提案がなされたこともあったが，その後の議論を経て，最終的に取りまとめられた第17次国生審報告[48]では故意要件を付加する提案がなされ，これを受ける形で立法化された。

ⓑ 専門調査会以前の議論

消費者契約法制定後も，不利益事実の不告知については，主観的要件の要否・内容や先行行為要件の要否等につき，次のとおり，様々な改正提案がなされていた。

> 改正提案① 不告知の事実それ自体から故意を推認したと考えられる裁判例[49]が存在すること，特定商取引法の故意による事実不告知（同法9条の2第1項2号等。2004年改正により新設）では利益となる事実の告知（先行行為）は要件とされていないことなどを指摘し，要件の緩和は相応に図られるべきとするもの[50]。
>
> 改正提案② 不利益事実の不告知を「不実表示型」（利益となる旨の告知が具体的であり，告知しなかった不利益事実との関連性が強く，表裏一体をなす度合いが高い場合）と「不告知型」（利益となる旨の告知が具体性を欠き，不利益事実との関連性が弱く，表裏一体をなす度合いが低い場合）に2分類し，前者については，1つの表裏一体をなす事実のうち一面のみを告げる行為は全体として「事実と異なることを表示した」と評価でき，実質的に不実告知（法4条1項1号）と同視できることなどから，不実告知を不実表示へと拡充することでカバーし（つまり「故意要件」を不要とする方向性）[51]，後者については，先行行為要件を削除

(注47)　落合・前掲（注14）228頁。
(注48)　落合・前掲（注14）202頁。
(注49)　神戸簡判平14・3・12ウエストロー・ジャパン2002WLJPCA03126002。
(注50)　国民生活審議会消費者政策部会消費者契約法評価検討委員会「消費者契約法の評価及び論点の検討等について」（2007年8月）14頁。

して，特定商取引法と同様，端的に「故意の不告知」による取消しを認める規定に改めること，事業者の情報提供義務・説明義務を消費者契約法に明文化した上で，情報提供義務・説明義務違反による取消しを認める規定を定める[52]。

改正提案③　不告知の内容に着目し，法4条4項1号・2号（平成28年改正前）の列挙事由に該当する事項の情報不提供がある場合には，事業者の故意・過失を要件とした上で先行行為要件を不要とすること，先行行為と故意を要件とする場合は，重要事項を列挙事由に限定せず「消費者の当該契約を締結するか否かについての判断に通常影響を及ぼすべきもの」とする[53]。

改正提案④　故意要件の削除，本項〔法4条2項〕ただし書の削除及び先行行為要件の削除[54]。

ⓒ　平成28年改正前の専門調査会における議論

平成28年改正前の専門調査会（平成26年11月～平成27年8月）では，不利益事実の不告知につき，不実告知型（利益となる旨の告知が具体的で不利益事実との関連性が強いと考えられる類型）と不告知型（先行行為が具体性を欠

（注51）　なお，民法（債権関係）改正の議論においても，最終的に改正法案には盛り込まれなかったものの，「一定の事実について，相手方が事実と異なることを表示したために表意者が表示された内容が事実であると誤認し，それによって意思表示をした場合は，その意思表示を取り消すことができる」旨のいわゆる不実表示規定の議論において，消費者契約法の規定する不利益事実の不告知については，消費者にとって利益となることと不利益事実が表裏一体をなすにもかかわらず，利益となる旨を告げて，不利益事実は存在しないと思わせる行為であり，それ自体1つの不実表示と評価できるなどと説明されていた（債権法改正の基本方針126頁，131～132頁，法制審議会民法（債権関係）部会第31回会議・部会資料29「民法（債権関係）の改正に関する論点の検討(2)」12頁，法務省民事局参事官室「民法（債権関係）の改正に関する中間試案の補足説明」21頁）。
（注52）　平成23年度運用状況調査結果報告。
（注53）　平成25年論点整理の報告。
（注54）　2012年日弁連改正試案など。

き，不利益事実との関連性が弱いと考えられる類型）の２類型に分けて考察し，前者につき，先行行為要件を維持した上で，不告知の故意要件を削除又は過失による場合も含むものとし，後者につき，故意要件を維持した上で，先行行為要件を別途検討する事業者の情報提供義務が認められる場合とする又は削除するとの考え方（いわゆる二分論）が提案された[55]。

　この提案に対し，不告知型については先行行為要件を削除する場合の故意の不告知の対象となる事項の範囲等を巡り議論があった一方で，不実告知型については，故意要件の単純な削除に賛成する意見が多く出されたことを反映し，平成27年8月に公表された平成27年専門調査会中間取りまとめにおいては，不実告知型につき，「先行行為として告げた利益と告げなかった不利益事実とは表裏一体で１つの事実と見ることができることからすると，利益となる旨だけを告げることは，不利益事実が存在しないと告げることと同じであると考えることができる。」として，不実告知（法4条1項1号）と同視して扱うこととし，不実告知において事業者の主観的要件を要求していないこととの均衡から，故意要件を削除するのが適当とされた（13～14頁）[56]。

　しかし，この平成27年専門調査会中間取りまとめに対して実施された意見募集（パブコメ）やその後の専門調査会での関係団体ヒアリングにおいて，日弁連や消費者団体から賛成意見[57]が表明される一方で，業界団体を中心に不実告知型と不告知型の二分論について「不利益事実との関連性の強弱」という基準が不明確である等の懸念や慎重意見が表明されたことなどか

（注55）　第8回専門調査会・資料2・28頁。

（注56）　なお，平成27年専門調査会中間取りまとめにおいては，不実告知型について事業者の免責事由（法4条2項ただし書）に相当する規定を設けるかどうかについては引き続きの検討事項とされ，不告知型については，「裁判例や特定商取引法の類例を踏まえ，事業者の予測可能性を確保するため，不告知が許されない事実の範囲を適切に画した上で，先行行為要件を削除することが考えられる。この場合，仮に不実告知及び不実告知型の不利益事実の不告知との関係で『重要事項』の概念（法第4条第4項）を拡張するとしても，不告知型との関係ではこれを拡張しないこととする等，不告知が許されない事実の範囲について，引き続き実例を踏まえ検討すべきである」（同書15頁）と課題と検討の方向性が示されるにとどまった。

ら，その後の議論[58]を経て 2015 年 12 月に公表された専門調査会報告書（平成 27 年専門調査会報告書）では，「不利益事実の不告知に関する規律の在り方については引き続き検討を行う必要があり，具体的には，不実告知の適用範囲との関係の整理を含めた類型化，事業者の主観的要件の削除又は拡張，先行行為要件の削除又は緩和等について，裁判例や消費生活相談事例を収集・分析し，事業活動に対する影響等も踏まえた上で検討を行うべきである。」として，引き続き検討を要する論点として整理されるにとどまった。

　ⓓ　平成 28 年改正後の専門調査会における議論

　平成 28 年改正を受けて再開された専門調査会（平成 28 年 9 月～平成 29 年 8 月）では，消費者庁において実施した消費生活相談員に対するアンケート調査において，不利益事実の不告知の規定について，多くの相談員が「『故意』の要件の認定判断が困難であること」を理由に「利用しにくい」と回答していること[59]，また，裁判例でも，先行行為が具体的な告知として認定されることを前提として，故意の認定に際しては，具体的な事実を摘示せずに結論として故意があるとする裁判例[60]や，事業者が消費者の誤認を認識し得たことから，故意を認定（推認）した裁判例[61]など，故意要件を事案に即して柔軟に解釈しているものがあることを踏まえ，取消しを認めてもよいはずの場合に故意の立証が困難であるために必ずしも実現できないという立証の困難に起因する問題に対処でき，また，先行行為と不利益事実の不告知

（注57）　日本弁護士連合会「内閣府消費者委員会消費者契約法専門調査会『中間取りまとめ』に対する意見書」（2015 年 9 月 10 日），日本司法書士会連合会「『中間取りまとめ』に対する意見」（2015 年 9 月 17 日），公益社団法人日本消費生活アドバイザー・コンサルタント・相談員協会（通称 NACS）消費者相談室消費者提言特別委員会「消費者委員会 消費者契約法専門調査会『中間取りまとめ』に対する意見」（2015 年 9 月 30 日），主婦連合会「消費者契約法専門調査会『中間取りまとめ』に対する意見」（2015 年 10 月 27 日）。

（注58）　第 22 回専門調査会。

（注59）　第 34 回専門調査会・資料 1・9 頁。

（注60）　神戸地姫路支判平 18・12・28（第 8 回専門調査会参考資料 1 掲載事例 3-1）。

（注61）　東京地判平 22・2・25（第 8 回専門調査会参考資料 1 掲載事例 3-2），東京地判平 20・10・15（第 8 回専門調査会参考資料 1 掲載事例 3-4）。

の認定に関する従来の実務の取扱いをより容易に実現できるとして，不利益事実の不告知の主観的要件に「重大な過失」を追加する考え方が提案された[62]。

この提案に対しては，十分とはいえないまでも一歩前進との立場も含め多くの賛成が示され，平成29年専門調査会報告書では，「措置すべき内容を含む論点」として，不利益事実の不告知の主観的要件に「重大な過失」を追加することが提案され，そのまま平成30年消費者契約法改正法案に盛り込まれるに至った。

なお，平成30年改正前の専門調査会で議論されてきた類型化，主観的要件の削除又は拡張，先行行為要件の削除又は緩和等については，平成29年専門調査会報告書では，今後の課題とされ，また，平成30年消費者契約法改正法案を審議した衆参両院消費者問題に関する特別委員会においても引き続き検討を行うことを政府に求める附帯決議がなされている。

2 解　説

(1) 要　件

4条2項の基本的な要件は，①事業者が勧誘の際，不利益事実の不告知という不適切な情報提供を行うことによって，消費者が条文記載の誤認をし，②それによって当該消費者契約の申込み又はその承諾の意思表示をしたことである。

(i) 事業者が「消費者契約の締結について勧誘をするに際し」

「勧誘」の要件については，4条1項（本書99頁以下）を参照。

(ii) 事業者の「行為」──不利益事実の不告知（2項）[63]

① 定　義

「当該消費者に対してある重要事項又は当該重要事項に関連する事項について当該消費者の利益となる旨を告げ，かつ，当該重要事項について当該消費者の不利益となる事実（当該告知により当該事実が存在しないと消費者が通常考えるべきものに限る。）を故意又は重大な過失によって告げなかった

(注62)　第34回専門調査会・資料1・10頁。

こと」

　注意すべきは，この有利な事実の範囲は5項に規定する「重要事項」にかぎらず，「当該重要事項に関連する事項」をも広く含む点である[64]。例えば，若干品質がよくないが故に価格が安い商品について，価格が安いことは告げたが品質がよくないことを告げなかった場合，告げられなかった当該重

(注63)　不利益事実の不告知を認めた裁判例としては，神戸簡判平 14・3・12（ウエストロー・ジャパン 2002WLJPCA03126002），大津地判平 15・10・3（消費者法ニュース 58 号 129 頁），大阪簡判平 16・1・9（国民生活 2007 年 1 月号 64 頁），小林簡判平 18・3・22（消費者法ニュース 69 号 188 頁），東京地判平 18・8・30（ウエストロー・ジャパン 2006WLJPCA08308005），神戸地姫路支判平 18・12・28（ウエストロー・ジャパン 2006WLJPCA12286006），札幌高判平 20・1・25（判時 2017 号 85 頁，金商 1285 号 44 頁，ウエストロー・ジャパン 2008WLJPCA01256001），東京地判平 21・6・19（判時 2058 号 69 頁，消費者法ニュース 83 号 220 頁），東京地判平 22・2・25（ウエストロー・ジャパン 2010WLJPCA02258009），大阪地判平 23・3・4（判時 2114 号 87 頁），東京地判平 23・4・20（ウエストロー・ジャパン 2011WLJPCA04208008），東京地判平 24・3・27（ウエストロー・ジャパン 2012WLJPCA03278001），奈良簡判平 30・3・16（消費者法ニュース 116 号 335 頁，ウエストロー・ジャパン 2018WLJPCA03166011），東京地判平 30・4・20（ウエストロー・ジャパン 2018WLJPCA04208006），名古屋高判平 30・5・30（判時 2409 号 54 頁，ウエストロー・ジャパン 2018WLJPCA05306025），静岡簡判令 3・7・20（判例集未登載）などがある。なお，適格消費者団体による差止請求訴訟で不利益事実の不告知による不当勧誘行為の差止めが認められた裁判例として，京都地判平 23・12・20（京都消費者契約ネットワーク HP，ウエストロー・ジャパン 2011WLJPCA12206002）がある。

　逆に，不利益事実の不告知を認めなかった裁判例としては，福岡地判平 16・9・22（最高裁 HP），福岡地判平 18・2・2 判タ 1224 号 255 頁がある。

(注64)　消費者庁解説 57 頁。松本・前掲（注30）14 頁は，「『重要事項に関連する事項』についてはあまり明確ではない。『関連性』の解釈によってかなり広げられる余地があり，商品・サービスの内容や契約条件には属さない事項についても含めうる可能性がある。……関連事項を広く解することによって，牽強付会気味ではあるが，例えば恋人商法・デート商法のケースにおいて，最初のデートの間は恋人のようないい気分にさせておいて，実際は高額の宝石や着物を購入させるつもりであることを故意に伏せている場合に，その後の宝石や物の購入の意思表示を取り消すことができるという解釈を展開できるかもしれない」とする。

要事項は品質であり，告げられた有利な事実は価格である。品質と価格は相互に関連するものであるから，この場合，告げられなかった「当該重要事項」（品質）に関連する事項である価格について有利な事実の告知があったことになり，消費者は本項により取り消すことができる[65]。

「当該消費者の利益となる旨を告げ」とは，当該消費者契約を締結することにより，当該消費者にとって，消費者契約を締結する前の状態ないし他の同種の消費者契約を締結する場合に比べてより利益が多いことを告げることをいう。ここで問題とされる「当該消費者の利益」は「当該消費者」にとっての「利益」であるから，経済的利益に限られず，広く，当該消費者が望む状態を含むと解される[66]。また，「当該消費者」にとっての利益であるから，その判断基準は，一般的平均的消費者を基準とするのではなく，具体的な契約当事者である当該消費者を基準とすべきである[67]。なお，この先行

（注65）　他方で，最判平22・3・30判タ1321号88頁は，消費者が，商品取引員に金の商品先物取引を委託して被った損害につき，外務員の違法な勧誘行為を理由に消費者契約法に基づいて取消を主張した事案において，原判決（札幌高判平20・1・25判時2017号85頁）が将来における金の価格は平成28年改正前法4条4項1号にいう「目的となるものの質」に当たるとしたのに対し，最高裁は4条1項2号の断定的判断の提供の対象が将来における変動が不確実な事項と明示されているのとは異なり，4条2項，4項では将来における変動が不確実な事項を含意するような文言は用いられていないことを理由として，金の商品先物取引の委託契約において，将来の金の価格は消費者契約法4条2項本文にいう「重要事項」に当たらないと解するのが相当であり，将来における金の価格が暴落する可能性を告げなかったからといって，4条2項により本件契約の申込みの意思表示を取り消すことはできないと判示した。しかし，4条1項2号の断定的判断の提供と4条2項の不利益事実の不実告知の適用を択一的なものと理解する必然性はないことに照らせば，4条1項2号の文言との比較から文言解釈を導くのは形式的に過ぎる。投資商品において，将来の価格の変動に関する事項は，対象商品の種類によって大きく異なるのであって，投資判断にあたって最も重要な性質そのものである。これについて不利益な事項を提供しない行為が，契約を締結するか否かの判断に重要な影響を与えることは，断定的判断を提供する行為と何ら変わるところはないのであるから，投資商品における将来の価格変動に関する事項は「目的となるものの質」として4条2項本文にいう重要事項に当たるというべきである。

（注66）　消費者庁解説57頁。落合・前掲（注14）82頁。

行為要件については，前述のとおり，改正議論において，一定の類型については削除又は緩和すべきとする提案があり，平成29年専門調査会報告や平成30年改正法案を審議した衆参両院消費者問題に関する特別委員会の各附帯決議においても引き続きの検討課題とされている。

　故意又は重大な過失によって告げられない「当該重要事項について当該消費者の不利益となる事実」の「当該重要事項」は，その前の「ある重要事項」のことを指す。「当該消費者の不利益となる事実」とは，当該消費者が当該消費者契約を締結する前ないし他の同種の消費者契約を締結することに比べてより不利益となる事実をいう。ここでも，当該消費者にとっての不利益が問題とされるべきであるから，「不利益」は経済的不利益に限られず[68]，広く，消費者が望まない状態をいい，その判断基準は，当該消費者[69]の主観である。例えば，自然環境のよさをアピールした住宅の売買において，当該消費者が杉花粉のアレルギーをもっていた場合，杉花粉アレルギーをもたない一般人にとっては，自然環境のよさは有利な事実であるが，当該杉花粉アレルギーをもつ消費者にとっては不利益な事実であり，この場合，自然環境がよく杉花粉が多く舞っている事実は，当該消費者の主観を基準とするため，本項の不利益な事実にあたる。

　告げられない「当該消費者の不利益となる事実」とは，「当該告知により当該事実が存在しないと消費者が通常考えるべきものに限る」とされている。すなわち，利益となる事実を告げられたことによって，消費者が通常存在しないであろうと認識する不利益な事実である。ここでは，「当該消費者」とされず「消費者」とされているので，その判断基準は一般的消費者の認識が基準となる[70]。しかし，一般的消費者が存在しないと考える不利益をあまりに狭く解すると，本項の適用場面が極端に狭くなるおそれがある。法は，1条において，「消費者と事業者との間の情報の質及び量並びに交渉力の格差」を前提として「消費者の利益の擁護」を目的としており，このよう

（注67）　消費者庁解説57頁。落合・前掲（注14）82頁。
（注68）　消費者庁解説57頁。
（注69）　消費者庁解説58頁。落合・前掲（注14）83頁。
（注70）　落合・前掲（注14）83頁。

な事業者と消費者の格差が構造的に存在している以上，このかっこ書は制限的に解されるべきであろう。

②　事業者の「故意」

「故意」が要件とされたのは，積極的な作為による不実表示を行った場合と消極的な不告知とを同等に扱うのはバランスを失するとの理由による[71]。事業者の「故意」については，㋐当該消費者に不利益な事実が存在することの認識，㋑当該消費者が不利益な事実の存在を知らないことの認識，㋒当該消費者が不利益事実の存在を知らないことによって当該消費者に意思表示させようとする認識等が考えられる。

この点について，「当該事実が当該消費者の不利益となるものであることを知っており，かつ，当該消費者が当該事実を認識していないことを知っていながら，あえて」という意味であるとする見解もある[72]。しかし，これでは㋒まで要求しているに等しく，そうだとすれば詐欺の故意と変わりがないことになってしまう。これでは新たな立法の意味がなくなり，また，消費者側の立証が困難となる可能性があるので，この見解はとりえない。

また，㋑の意味で解しても，事業者は，「『当該』消費者が知っていると思っていた」などと主張して適用を免れようとするであろうが，それでは不利益事実の不告知による取消権の適用範囲を不当に狭めることになる。事業者は，消費者に対し有利な事実を告げた以上，不利益な事実を告知する義務を負うと解すべきである。本項で取り消すためには不利益事実の存在についての当該消費者の誤認が必要であり，消費者が実際に不利益事実の存在を知っていた場合には取り消すことができないのであるから，わざわざ㋑を要件と

(注71)　潮見編著・前掲（注2）40頁は，「故意」を要件とした点については，立法論として問題を感じる，とする。そして，同書35頁以下では，「故意」が要件とされるに至った経緯として，立法化へ向けた最終段階で不作為による不実表示（不告知）につき契約取消のリスクを事業者に負わせるのでは事業者（とりわけ零細事業者）に過大の負担を強いることになる，との指摘があったのに対し，このような主張は規制緩和下での自己責任の考え方に矛盾するとの指摘があったことを紹介されている。

(注72)　消費者庁解説58頁。

しなくとも事業者に不利益はない。消費者に契約に向けた動機付けを与えるために，利益となる事実を告げた事業者は，それに関連する不利益な事実の情報も提供すべきであるという本項の趣旨からは，「故意」は(ア)の認識で足りると解すべきである。それに，不利益事実の不告知は，よいところだけを告げて悪いところは意図的に隠して，全体として誤った印象を与えるという不正確な情報提供行為であって，「故意」を要件としない不実告知の一類型とも考えられるのであり，また，立法論的にも「故意」を要件とするのは問題であるから，「故意」を要件とするにしても最少限の(ア)で足りる[73]。

さらに，本規定の立法趣旨等に照らせば，平成30年改正前の旧法における「故意」の解釈として，「重過失」の場合も含まれると解すべきであり[74]，平成30年改正はこれを確認したものといえよう。

③ 事業者の「重大な過失」
ⓐ 「重大な過失」の意義

一般に「重大な過失」とは過失の程度が著しいことをいい，本規定における「重大な過失」とは，当該事業者が消費者の不利益となる事実を告げなかったことについて，当該事業者に一般に要求される程度の注意を著しく欠いている場合をいう。

なお，本規定における「重大な過失」の意義に関し，「僅かの注意をすれば容易に有害な結果を予見することができるのに，漫然と看過したというような，ほとんど故意に近い著しい注意欠如の状態」とされているとして，失火責任法にかかる従来の裁判例[75]を引用する見解[76]もある。

しかし，「重大な過失」は，消費者被害の救済の観点から個別案件ごとに

(注73) 落合・前掲（注14）84頁等。

(注74) 落合・前掲（注14）84頁は，消費者契約法検討部会の審議において，事業者サイドの委員は重過失の文言を入れることに賛成しなかったが，だからといって故意だけの文言にした場合の解釈について委員会としての統一的な見解がまとめられたわけではないとして，「故意」の解釈として重過失も含むとする。

(注75) 最判昭32・7・9民集11巻7号1203頁，大判大2・12・20民録19輯1036頁。

(注76) 消費者庁解説58頁，上野一郎＝福島成洋＝志部淳之介「消費者契約法改正の概要」NBL1128号60頁。

検討されるべきところ[77]，この見解は限定的にすぎ[78]，本来救済されるべき事案に本規定を適用するとともに立証の困難さへの対処を図ろうとした改正の趣旨が損なわれかねない。

そもそも，私法上，様々な局面で用いられる重過失をすべて同一の意味内容として把握することは必然的ではなく[79]，個々の具体的規定の趣旨に即した解釈がなされるべきである。

この点，失火責任法は，木造建築物の多い日本の現状に鑑みて，民法の不法行為責任の要件を修正して失火者の賠償責任を軽減させることにあるのに対し，消費者契約法は，消費者と事業者との間に情報・交渉力の格差に鑑み，消費者の利益擁護を図ることを目的とし（法1条），民法では取消しが困難な事業者の一定の行為について消費者の取消権を認めようとするもの，すなわち，事業者の責任を加重しようとするものである。

このように立法趣旨を全く異にするどころか，責任要件の修正の方向についていえば正反対ともいえる失火責任法において重過失につき極めて限定的に解しているからといって，消費者契約法でも同様に解さなければならない理由はない。

前述のとおり，不利益事実の不告知においては，その本来的な規定の趣旨に照らせば主観的要件の必要性それ自体に疑問があり，要件を削除することも検討されていることなどからすれば，本規定における重過失は厳格に解すべきではなく，むしろ，消費者保護の観点から緩やかに解されるべきである。

なお，錯誤（民法95条）における重過失についても，錯誤に陥ったことにつき，当該事情のもとで普通人に期待される注意を著しく欠いていること，

（注77）　平成25年論点整理の報告11頁［丸山絵美子］は，重過失の内容そのものについて述べたものではないものの，不告知の内容（事業者が提供する商品の性能・内容や取引条件という基本事項（狭義の重要事項）なのか否か）によって規律の在り方が変わってくるのではないかとする。

（注78）　日本弁護士連合会「内閣府消費者委員会消費者契約法専門調査会『報告書』に対する意見書」（2017年8月24日）。

（注79）　道垣内弘人「『重過失』概念についての覚書」能見善久＝瀬川信久＝佐藤岩昭＝森田修編『民法学における法と政策』540頁（有斐閣，2007）。

と解されており，必ずしも故意に準ずるとの考え方はとられていない（大判大6・11・8民録23輯1758頁，最判昭50・11・14判時804号31頁）と解されており，必ずしも故意に準ずるとの考え方はとられていない。

以上からすれば，本規定の「重大な過失」については，個々の事案に即し，当該事業者の立場において要求される注意を著しく欠いたといえるかを問題とすれば足り，必ずしも故意に準ずるものである必要はない[80]と解すべきである。

ⓑ 「重大な過失」の対象

本規定は，「当該重要事項について当該消費者の不利益となる事実（当該告知により当該事実が存在しないと消費者が通常考えるべきものに限る。）を故意又は重大な過失によって告げなかったこと」と規定している。

すなわち，事業者が当該消費者の利益となる旨を告げた重要事項（法4条5項）又は当該重要事項に関連する事項について当該消費者の利益となる旨を告げたことにより，消費者が存在しないと消費者が通常考えるべき当該重

（注80） 第34回専門調査会において沖野委員も，「故意とリンクさせて故意に準じる。故意の要件とともに規定されて，故意に準ずるような場合をいうとされ，その中には立証の困難に対処するという面もあったということがありますけれども，ただ，重過失がそれに尽きるのかというと，やはりそうではなくて，他方でそれは，過失というか注意義務違反の程度が著しいという場合で，故意と切り離される場合もあると思います。典型的には錯誤の場合に錯誤者が重大な過失で錯誤に陥るというのは，これは意図的に錯誤に陥ることは考えられないわけですので，故意とは切り離されて重過失が問われます。いずれにしてもそれは甚だしいというか，著しいということで，今回の意味合いとしては，したがいまして，一方ではとりわけ相談の現場で，正に故意要件ゆえに問題となってくる立証の困難ということに対して，故意に準じるような形でこれに対応するという観点があります。」「もう1つはもともとがここにも書かれているような漫然と看過したとか，当然調べてしかるべきだとか，そのようなところですので，長谷川委員も先ほどおっしゃいましたが，取消しということが言われても仕方がないだろうというようなものを，故意と言わなくても取り入れるというような面と両方が入ってくるということではないかと思っておりまして，これらの両面において1つの考え方であり，重過失を入れるということには積極的に考えたいと思っております。」として，取消しを認めるべき「重過失」には，故意とは切り離される場合もあることを指摘している。

要事項について当該消費者の不利益となる事実を「告げなかったこと」（不告知）についての事業者の故意又は重過失が要件とされている。

重過失により事業者が不利益な事実を告げなかった場合としては，事業者も重過失によって不利益な事実を知らなかったケースだけでなく，事業者は不利益な事実を知っていたが，消費者も不利益な事実を認識している，あるいは，消費者に告げる必要がない，などと判断したことに重過失があるケースなども考えられよう。

ⓒ 「重大な過失」の立証責任と立証すべき事実

「重大な過失」は，消費者の取消権が発生するための要件であることから，不利益な事実を告知しなかったことにつき事業者に重過失があることの立証責任は消費者が負担することになり，具体的には，事業者の重過失を基礎付ける客観的な状況について消費者が立証する必要があるものと解される。

もっとも，本規定において不告知の対象となる不利益な事実については，事業者が消費者に対し，利益となる事実を告げることによって，消費者が存在しないと通常考えるべきものに限定されている（本項本文かっこ書）。

すなわち，事業者としては，当該利益となる事実だけを告げることにより，消費者がこれに関連する不利益な事実が存在しないと誤認することを容易に予見できることが前提とされているといえる。

そして，法3条1項2号が消費者に対する情報提供努力義務を事業者に課していること，消費者契約法の立法目的である消費者と事業者との間の情報・交渉力の格差（法1条）の是正の要請は，訴訟その他の紛争解決の場面においても妥当することも併せ鑑みれば，実務上は，事業者が告げた利益となる事実が具体的で不利益事実との関連性が強い場合などには，先行行為の立証それ自体が重過失を基礎付けるものとして評価されうると考えられよう[81]。

ⓓ 具体的な事例による「重大な過失」の検討

（注81）　なお，別の要件事実に該当する事実の存在それ自体から故意・過失などの主観的要件について一応の推定が働くものとした裁判例も参考になる。例えば，「他人ノ所有山林ニ於テ恣ニ樹木ヲ伐採シタル場合ニ於テハ一應其伐採行為カ故意若クハ過失ニ出テタリトノ推定ヲ受クヘキ」とした大判大7・2・25民録24輯282頁などがある。

平成30年改正により事業者の主観的要件に「重大な過失」が追加されたことを受け，消費者庁解説61頁には次の事例と考え方が示されている。

[事例4-24]
「（例えば，隣接地が空き地であって）眺望が良い」という宅地建物取引業者の説明を受けてマンションの一室を購入した。ところが，購入半年後に隣接地にマンションが建ち，眺望がほとんど遮られてしまった。隣接地にマンションが建つことが分かっているのであれば，契約はしなかった。なお，当該業者は，当該マンション開発計画を容易に知り得た状況にあったにもかかわらず，消費者に告げなかった。
[考え方]
本事例では，例えば，隣地のマンションの建設計画の説明会が当該事業者も参加可能な形で実施されていたという状況や，当該マンション建設計画は少なくとも近隣の不動産事業者において共有されていたという状況など，隣の空き地にマンションが建つことについて当該事業者が容易に知り得た状況にあったといえるような場合には，当該事業者に重大な過失が認められ得る。その場合，本件の当該事業者の行為は本条第2項の要件に該当し，取消しが認められる(注)。
（注）単に不動産会社がマンション販売を取り扱う専門業者であることのみを理由として重大な過失が認められ得るというものではない。

上記消費者庁の考え方において「重大な過失」が認められる状況として示されている，①説明会が当該事業者も参加可能な形で実施されていたという状況や，②当該マンション建設計画は少なくとも近隣の不動産事業者において共有されていたという状況があれば，当該事業者は特段の調査を行わなくともマンション建設計画を知り得たといえることから，「重大な過失」が認められることは当然であるが，ここまでの状況がなければ「重大な過失」が認められないというわけではない点に留意が必要である。
例えば，隣地マンションの建設計画の説明会は，一般的には近隣の住民に対して実施されるものであるため，「当該事業者も参加可能な形」とすると，

説明会開催時に当該事業者が販売対象のマンションを所有している場合に限定されるが、中古マンションの販売でよく行われる不動産業者が中古マンションを取得してリフォームを実施して転売する場合などでは、説明会が実施された当時は所有者でなかったとしても、説明会が実施されてさえいれば、通常、マンション販売を扱う業者として自身が取得する際の調査の過程で容易に知り得るものと考えられるのであって、必ずしも「当該事業者も参加可能な形」であったことまでは必要ないはずである。

また、そもそも、不動産業者であれば、隣地に空き地があるという状況がある以上、将来眺望を遮る建築物が計画される可能性があることを容易に予見しうるのであって、それにもかかわらず、その可能性を説明しないで「眺望が良い」との説明だけを行ったのであれば、そのこと自体に「重大な過失」があると評価されるべきである。

④ 取消権の不発生

「当該事業者が当該消費者に対し当該事実を告げようとしたにもかかわらず、当該消費者がこれを拒んだとき」には、不利益事実の不告知による取消権は発生しない。事業者において適切な情報提供をしようとしたにもかかわらず、消費者がその情報提供を拒んだ場合には、消費者が情報提供されないことの危険を自分で引き受けたのであるから、その危険は消費者に負担させる趣旨である。このような趣旨からは、「当該事実を告げようとした」とは、消費者に当該事実が告げられないことの危険性がわかる程度の行為であることが必要であるから、単に事業者が説明をしようとしたら消費者がこれを遮ったにすぎないときはこれにあたらず、少なくとも抽象的にでも消費者に不利益な事実が存在することを告げる必要がある。例えば、有利な事実を告げた後、「それでは次に……」といいかけた際に、消費者が「もういい」といっただけでは本項ただし書にはあたらないが、事業者が「先ほどの点に関連してお客様に不都合な点もあるのですが……」といったにもかかわらず、消費者が説明を拒んだときには本項ただし書に該当する。

(iii) 消費者の「誤認」

「当該事実が存在しないとの誤認」とは、当該消費者が、当該消費者の不利益な事実が実際には存在するのにこれを知らないこと、または、まさか存

在しないであろうという認識をいう。元本割れの危険性のある商品について，過去の有利な実績のみ説明を受けて元本割れの危険性の説明を受けなかった場合，消費者は，元本割れの危険性について認識していない（＝知らない）であろうが，これは事実でないので「誤認」があるといえる。また，見晴らしのよさを宣伝したリゾートマンションの近隣で眺望を台無しにするような建物の建築計画がある場合，消費者は，「近隣に建物ができて眺望が遮られることはないだろう」という認識を抱くことになるので，これも「誤認」である[82]。

なお，事業者の「不適切な情報提供行為」からの解放という趣旨から，誤認について表意者たる消費者に過失があっても消費者は取り消すことができる。

(iv)　消費者の「当該消費者契約についての意思表示」

消費者が，自分の方から当該消費者契約の申込みをするか，又は事業者の申込みに対しその承諾の意思表示をしたこと。本項の効果として，消費者はこの申込み又は承諾の意思表示を取り消すことができる。

(v)　二重の因果関係

本項に該当する事業者の行為によって消費者に本項記載の誤認を生じさせ，この「誤認」によって消費者が「当該消費者契約の申込み又はその承諾の意思表示」をなした，という二重の因果関係が必要である。

消費者がもともと雑誌記事等により誤認しているところに事業者の誤認惹起行為が加わり，このためその誤認状態が是正されなかったような場合も取り消すことができる[83]。

(2)　効　果

取消の効果については本書233頁以下を参照。

(注82)　消費者庁解説63頁。
(注83)　沖野・前掲（注41）19頁。

Ⅳ　4条3項

　事業者から消費者に対し，消費者の意思決定に瑕疵をもたらすような不適切な勧誘行為が行われ，その結果，消費者が困惑して契約締結の意思表示をした場合，消費者から，その意思表示を取り消すことができる旨を定めたものである。そして，不適切な勧誘行為のうち1号から4号及び9号，10号は困惑類型とその脱法防止規定であり，契約の内容や目的が合理的であるか否かを問わず消費者に心理的な負担をかけることにより消費者の自由な意思決定による契約締結が妨げられたことに不当性の根拠がある。これに対し，5号から8号は不安をあおる告知類型及び人間関係の濫用類型であり，消費者の合理的な判断をすることができない事情を利用して契約を締結させられていることに不当性の根拠がある。

　4条3項は，事業者の一定の行為により消費者が困惑し，契約を締結した場合における取消権を定めている（困惑類型）。事業者の行為として，立法時には不退去（1号）と退去妨害（2号）の2つのみが規定されていた。当初の取消権は，立法当時に想定されていた事案に即した形で規定されてきたため，消費者被害の多様化に合わせて既存の規定で捉えきれない，かつ，同等の不当性が認められる勧誘行為について，改めて検討する必要がある。この点，近年，超高齢化社会がますます進展し，高齢者である消費者の保護がより重要な課題となっている一方で，若年者である消費者が巻き込まれる被害も多様化しており，現行法では被害救済が困難な事案も生じている。これらは，消費者を困惑させることで，消費者に契約を締結させているため，困惑類型を追加・拡充することで消費者被害の救済を図る必要がある。そこで，平成30年の改正により6つの行為が追加され計8つとなった。そして，令和4年5月改正により，現に生じている消費者被害の実態に照らし，4条3項に不退去及び退去妨害と同程度の不当性を有する，退去困難場所に同行する勧誘行為として3号を，相談妨害として4号が新設され計10行為となるとともに，9号を改正することとなった[84]。

　消費者契約法制定過程の議論においても「威迫・困惑」行為は，民法の

「強迫」（同法96条1項）の延長線上のものとして理解されている[85]。3項は，事業者が消費者に心理的な負担をかけて，あるいは，消費者の合理的な判断をすることができない事情を利用して，消費者が契約を締結させられることに不当性の根拠がある。そのため，困惑とは単なる脅迫の延長線上のものと形式的にとらえるのではなく，当該状況下において一般的・平均的消費者であれば契約を締結しなかったであろうと考えられる状況を広くとらえるべきである。

● 4条3項1号～4号

1 総論

法4条3項1号から同項4号は，不適切な勧誘行為のうちいわゆる困惑類型を規定したものであり，契約の内容や目的が合理的であるか否かを問わず消費者に心理的な負担をかけることにより消費者の自由な意思決定による契約締結が妨げられたことに不当性の根拠がある。

2 解説

(1) 要件

(i)「事業者が消費者契約の締結について勧誘をするに際し」

事業者の消費者に向けての行為はほとんどすべて，その契約締結を目的とする行為であり，消費者契約法が機能する場面は，現実に契約締結がなされている場合である。しかも本項において定める事業者の不適切な行為は，前記のとおり限定された行為であるから，勧誘行為を本項において特に狭く解釈する必要はなく，例えば，広告，チラシの配布等の不特定多数向けのものによる場合も，「勧誘」にあたるものとみてよい（詳細は，4条1項の解説を参照）。

(ii) 事業者の「行為」

(注84) 消費者庁解説72～73頁。
(注85) 星野英一「「『消費者契約法（仮称）の具体的内容について』を読んで」NBL 683号11頁。

① 不退去（3項1号）

「当該事業者に対し，当該消費者が，その住居又はその業務を行っている場所から退去すべき旨の意思を示したにもかかわらず，それらの場所から退去しないこと」。

ⓐ 「当該事業者に対し」

「当該事業者」とは，契約締結を勧誘している事業者を指すと考えられるが，契約当事者たる事業者と，勧誘行為を行っている者とが同一でない場合も考えられる。この場合，両者を含めてよい。要は，私生活，業務の平穏を消費者が回復したいと思っていることが重要なのであって，事業者「側」にその意思が伝わればよいと解される。

ⓑ 「その住居又はその業務を行っている場所」

「住居」とは，私生活が平穏に営まれている場所であって，狭い意味での住所や居所に限られない。「業務」とは，社会生活上の地位に基づいて反復継続して行う意思をもって行われる事務であり，このような事務がなされている場所が業務を行っている場所である。消費者が労働を行っている場所に限られない。

消費者の私生活，業務が平穏に行われている場所に勧誘する者が入り込んでいる場合は，本号の場所に該当する。友人の家や，宿泊中のホテルであっても，住居概念に含まれる場合がある。また教室に押しかけてきて大学生を勧誘するなどの場合の教室も，業務を行っている場所に該当する。

ⓒ 「退去すべき旨の意思を示した」

消費者が，「帰ってくれ」，「お引きとり下さい」などと明示的に告知した場合がこれに該当することはもちろんであるが，黙示的であっても，社会通念上，退去してほしいという意思が示された場合を含むと解すべきである。業として勧誘行為を行う者に対し，交渉力等において消費者が劣っているという現実的な意味は，消費者が明確な退去の要求をすることが心理的に困難な状況におかれてしまうということである。このことから，消費者の行為が，「退去を望んだもの」と社会的に評価できる行為であれば，「退去すべき旨の意思を示した」とみるべきである。契約をしない旨（例えば，「結構です」，「不要です」など），時間的余裕がない旨（例えば，「時間がありませんの

で」、「とり込み中です」、「用事がありますので」など）を告げた場合、あるいは身振り手振りでこれらの趣旨の動作をした場合が、これに該当する[86]。

　同旨の裁判例に大分簡判平16・2・19（判例集未登載。平成15年（ハ）第267号原状回復等請求事件。ただし、要旨のみ消費者法ニュース60号59頁）がある。同判例は、「消費者契約法4条3項1号にいう消費者が『退去すべき旨の意思を示した』とは、退去すべき旨の意見を明示的に表示した場合、例えば、『帰ってくれ』『お引き取りください』と告知した場合は勿論のこと、たとえ黙示的であっても、社会通念上、退去して欲しいという意思が表示された場合を含むと解するのが相当である。けだし、業として勧誘行為を行うものに対し、消費者は劣っているのが一般的であり、消費者が明確な退去の要求をすることが心理的に困難な状況に置かれることは容易に推測できる行為であれば、これを『退去すべき旨の意思を示した』ものとして消費者を保護すべきであるし、また相手方である事業者にも明確にその意思が伝わるのであるから、以上のように解釈しても事業者にとって不利益はないからである。そして、『退去を望んだもの』と社会的に評価できる行為としては、時間的な余裕がない旨を消費者が告知した場合、例えば『時間がありませんので』『いま取り込み中です』『これから出かけます』と消費者が告知した場合、また消費者契約を締結しない旨を消費者が明確に告知した場合、例えば『いらない』『結構です』『お断りします』と消費者が告知した場合、さらには口頭以外の手段により消費者が意思を表示した場合、例えば消費者が身振り手振りで『帰ってくれ』『契約を締結しない』という動作をした場合などがこれに該当すると解すべきである」と判示している[87]。

　また、東京簡判平19・7・26（最高裁HP）も、「これ以上はいらない」「除湿剤はいらないし、これ以上銀行からの引き落としはしたくないので、いりません。」「除湿剤は十分にあります。これ以上は置き場所もないので購入できません。」などと断っていた行為について「社会通念上、……自宅から退去して欲しいという意思を黙示に示したものと評価することができるから、

（注86）　消費者庁解説74頁以下、村千鶴子「消費者契約における『困惑』」法セミ549号28頁、松本・前掲（注30）16頁、山本豊・前掲（注24）93頁。

……『退去すべき旨の意思を示した』と認めるのが相当である」と判示している。

　ⓓ　「それらの場所から退去しないこと」

　「それらの場所」とは，ⓑの「その住居又はその業務を行っている場所」である。「退去しないこと」とは，滞留時間が長いことを要しない。すみやかに退去しなかった事実で足りる。

　②　退去妨害（3項2号）

　「当該事業者が当該消費者契約の締結について勧誘をしている場所から当該消費者が退去する旨の意思を示したにもかかわらず，その場所から当該消費者を退去させないこと」。

　ⓐ　「勧誘をしている場所」

　勧誘を狭く解釈する必要はない点は，(i)で説明したとおりである。本号の場所は，勧誘の場所であればどのような場所でもよい。路上であっても該当しうる。

　ⓑ　「退去する旨の意思を示した」

　1号の「退去すべき旨の意思を示した」と同趣旨に解される。すなわち，「帰ります」などと直接表示した場合に限らず，社会通念上，「退去する旨の意思を示した」と評価できるものであれば該当する。契約を締結しない旨の表示（例えば，「要らない」，「結構です」，「お断りします」など），時間的余裕がない旨の表示（例えば，「時間がありませんので」，「別の用事がある」など），あるいは身振り手振りでこれらの趣旨の動作をした場合（例えば，出口に向かうとか，手を振りながら椅子から立ち上がるなど）が含まれる。

　ⓒ　「退去させないこと」

（注87）　消費者庁解説の事例4-27は，健康器具の販売で，販売員が自宅で3時間も勧誘を行い，勧誘を受けた消費者が，途中でもう帰ってほしいというそぶりを示したが，結局困惑して購入してしまったという事例である。消費者庁解説によれば，帰ってほしいというそぶりが，事業者にも伝わるレベルのものでなければ退去すべき旨の意思を示したとはいえず，取消しは認められないとしている。しかし，前掲大分簡判平16・2・19の考え方からすると，もう帰ってほしいというそぶりを示したのであるから，「退去すべき旨の意思を示した」といえる事案と考えるべきである。

消費者を一定の場所から退去，脱出することを困難にする行為をいい，その時間の長短を問わない。退去させないという行為は物理的な方法であるか，心理的な方法であるかは問わない[88]。

さいたま地判平23・6・22（最高裁HP）は，「77歳という高齢の女性」が「夜の9時30分ころまで2時間30分ないし3時間もの間，〔事業者の〕事務所に留まって」いたことは不自然であり，消費者が退去の意思を示したものの，事業者が「今まで説明させて帰る気か」と怒鳴って事務所に引き留めたことを退去妨害と認定している。

神戸地尼崎支判平15・10・24（ウエストロー・ジャパン2003WLJPCA10246007）は，「『当該消費者を退去させないこと』とは，物理的なものであると，心理的なものであるとを問わず，当該消費者の退去を困難にさせた場合を意味すると解される」と判示している[89]。

東京簡判平15・5・14（最高裁HP）は，「担当者は『退去させない』旨被告に告げたわけではないが，担当者の一連の言動はその意思を十分推測させるものであり，……4条3項2号に該当するというべきである。」と判示している。

上記3裁判例はいずれも，「不可能もしくは著しく困難にする行為」を要求していない。

これに対して，退去，脱出を「不可能もしくは著しく困難にする行為」であることを要求する見解もあるが[90]，適切ではない。「不可能もしくは著しく困難にする行為」まで要求することは，およそ刑事事件の逮捕・監禁罪に

(注88) 松本・前掲（注30）16頁は，「『心理的困難』を拡張解釈していくことによって，SF商法やホームパーティ商法，招待旅行での即売商法などがここに含まれると解される余地がある」とする。

(注89) 上記神戸地尼崎支判平15・10・24の控訴審である大阪高判平16・7・30（ウエストロー・ジャパン2004WLJPCA07306001）は，法定追認を認めて消費者契約法の取消権の行使は否定した。しかし，取消権の周知性が低い消費者被害事案において安易に法定追認を肯定することは，悉く消費者被害の救済の道を閉ざすことに繋がりかねず不当である。なお，法定追認については本書7条・Ⅳ・1・(2)以下を参照。

(注90) 消費者庁解説77頁。

も比肩しうるような強度の違法性を要件とすることになる。これは，公序良俗違反の行為であるから，そのような契約は本法を待つまでもなく，無効あるいは強迫による取消が認められる。したがって，この見解は，民法の「強迫」の延長線上に，威迫・困惑行為の制限ルールをつくるという本法の趣旨，つまり，強迫よりゆるやかな威迫・困惑行為を対象にするという元来の発想[91]から逸脱するものである。

③ 消費者を任意に退去困難な場所に同行し勧誘（3項3号）

「当該消費者に対し，当該消費者契約の締結について勧誘をすることを告げずに，当該消費者が任意に退去することが困難な場所であることを知りながら，当該消費者をその場所に同行し，その場所において当該消費者契約の締結について勧誘をすること」。

ⓐ 「当該消費者契約の締結について勧誘をすることを告げず」

当該消費者契約の締結についての勧誘目的を告げないことであり，契約目的を告げずに消費者を退去困難な場所に連れて行った上で勧誘することは特定商取引法における訪問販売（3条），電話勧誘販売（16条）における「販売目的の告知」と同趣旨である。

この要件の趣旨は，不意打ち的な事態の解消にあるため，契約類型毎にみて，事前に（移動前に）不意打ち的な事態が解消される程度に勧誘を受ける契約の内容の詳細が明らかにされていることが必要である。

そのため，例えば，「知人から観光に誘われ，その知人が勤める店の車に乗ったところ，観光目的地の途中で，知人が勤める店の展示会場に連れていかれた」というようないわゆるキャッチセールスやアポイントメントセールスによる場合は広く勧誘目的を告げない場合に該当する。また，当該消費者契約の締結について勧誘なので，単に「見学会がある。」「説明会がある。」「セミナーがある。」といったように，契約締結の勧誘意図が明示されていない場合も，同様に告げたことにはならない。

なお，勧誘目的が告げられていた場合や事業者による同行がなかった場合において本条項は適用されないが，そのような場合において当該勧誘を受け

（注91） 山本豊・前掲（注24）93頁。

ている場所において退去妨害があれば退去妨害（3項2号）による取消しが可能であることは当然である。

ⓑ 「当該消費者が任意に退去することが困難な場所」

消費者の任意の退去が困難であるか否かは，当該場所の客観的な状況のみならず消費者の主観的な負担等諸般の事情（当該消費者の事情を含む。）から客観的に判断されることになる。また，当該消費者の事情を含んで判断されるため，当該消費者について身体的な障害等の特段の事情があったため退去することが困難だったという場合，勧誘場所は，「当該消費者が任意に退去することが困難な場所」に該当するものと考えられる[92]。

例えば，「消費者が車で人里離れた勧誘場所に連れて行かれた場合」などは，誰でもその場から退去することは難しい退去困難な場所であり，帰宅する交通手段の有無にかかわらず消費者が任意に退去することは困難な場所であると考えられる。消費者庁解説では「帰宅する交通手段がないのであれば，消費者が任意に退去することは困難であると考えられる」と記載されているが（78頁），仮に，スマートフォンの位置情報等により勧誘場所近くに帰宅する交通手段があることを認識できたとしても，心理的な負担なく当該交通手段に到達できるかは別問題であり，土地勘のない消費者にとっては困惑して契約を締結してしまう状況にあるといえる。そのため，帰宅する交通手段があることが当該消費者に容易に認識でき，かつ，不安なく当該交通手段に到達できるような状況になければ，当該消費者にとって任意に退去することが困難な場所に該当すると広く解釈すべきである。また，当該場所にいた人物が事業者の関係者や既存会員等であり心理的に任意に退去することが困難と感じる場所は任意に退去することが困難な場所に該当すると考えられる。

ⓒ 「知りながら」

当該消費者が任意に退去することが困難な場所であることを当該事業者が認識していることである。任意に退去することが困難な場所に該当するかは，当該消費者の事情を含んで判断されるため，当該消費者について身体的

（注92） 消費者庁解説78頁。

な障害等の特段の事情があったため退去することが困難だったという場合，勧誘場所は，「当該消費者が任意に退去することが困難な場所」に該当するものと考えられる。しかし，事業者が当該消費者に関する特段の事情を把握しておらず，任意に退去することが困難であることを知らなかったときは，勧誘行為には取消しに値する程の不当性はないものと考えられることから，当該消費者が任意に退去することが困難であることについての事業者の主観的認識も要件とされたものである[93]。

このように事業者の主観的要件は消費者側の特段の事情に対するものであるため，一般的に誰でも任意に退去することが困難な場所であれば事業者は当該場所が任意に退去することが困難であることを認識していないということは考えられない。そのため，先の例のような「消費者が車で人里離れた勧誘場所に連れて行かれた場合」などでは事業者の主観的要件が問題となることは想定されない。

ⓓ 「当該消費者をその場所に同行し」

事業者が消費者を退去困難な場所に同行したことである。この「同行し」は特定商取引法2条1項2号の「同行させ」の解釈が参考になる。「同行し」とは，一定の場所から「任意に退去することが困難な場所」まで事業者が消費者を案内することを意味する[94]。そのため，例えば，飛行機に搭乗した消費者にキャビンアテンダントが物品販売の勧誘を行う場合，機内は「任意に退去することが困難な場所」に該当するものの，事業者が「その場所に同行し」たわけではないため，本規定により契約を取り消すことはできないものと考えられる。もっとも，事業者が付き添って飛行機に同乗し，飛行機の中で勧誘がされた場合には，本規定により取り消しうる。事業者が「任意に退去することが困難な場所」まで案内する方法としては，消費者の横に付いて併歩するという文字通りの同行のみならず，消費者を携帯電話や電子メール，SNS等で話し続けたり，指示，案内する方法も含まれると考えられる。

また，移動距離については，案内行為を伴って移動させたという距離があ

(注93) 消費者庁解説78～79頁。
(注94) 消費者庁取引対策課＝経済産業省商務・サービスグループ消費経済企画室編「特定商取引に関する法律の解説 令和3年版」54頁（商事法務，2024）。

れば足りる。そのため，例えば，オープンな店頭スペースから，退去困難な奥の一室へ同行して移動させる場合も，該当すると考えられる。

④　契約締結の相談を行うための連絡を威迫する言動を交えて妨害（3項4号）

「当該消費者が当該消費者契約の締結について勧誘を受けている場所において，当該消費者が当該消費者契約を締結するか否かについて相談を行うために電話その他の内閣府令で定める方法によって当該事業者以外の者と連絡する旨の意思を示したにもかかわらず，威迫する言動を交えて，当該消費者が当該方法によって連絡することを妨げること」。

4号は，店舗等において勧誘を受けた消費者が，事業者に対し，高額である等の理由から，その場で電話等の方法で「親に相談したい」等と告げたにもかかわらず，事業者は「自分の意思で決めるように」等と消費者を威迫し，消費者が親等の第三者に相談することを妨害し，契約を締結させるというものである。このような消費者被害については，消費者が退去する旨の意思等を示していないため既存の困惑類型によって取り消すことはできないものの，これらと同程度の不当性があるといえる。そこで，消費者が勧誘を受けている場所において，消費者契約を締結するか否かを相談するために電話その他の内閣府令で定める方法によって当該事業者以外の者と連絡する旨の意思を示したにもかかわらず，威迫する言動を交えて，消費者が当該方法によって連絡することを妨げることが追加されたものである[95]。

ⓐ　「当該消費者が当該消費者契約の締結について勧誘を受けている場所において」

消費者が当該消費者契約の締結について勧誘を受けている場所である。本条項による取消権の根拠，不当性の実質的根拠は事業者が消費者に対して契約を締結してしまう程度に消費者に心理的な負担をかける行為が行われているという点にある。そのため，ここでいう「場所」とは物理的な場所に限定する必要はなく，消費者が消費者契約の締結について勧誘を受けている状況下においてという意味と解すべきある。例えば，事業者と消費者が同一場所

（注95）　消費者庁解説 72〜73 頁。

にいない場合において消費者が事業者から電話等で勧誘を受けている状況，SNS 上のチャット等で勧誘を受けている状況，インターネット上のサイバー空間で勧誘を受けている状況等も本条項における「場所」に該当すると考えられる。

ⓑ 「当該消費者契約を締結するか否かについて相談を行うために電話その他の内閣府令で定める方法によって当該事業者以外の者と連絡する旨の意思を示した」

勧誘を受けている消費者が契約するか否かについて相談するために電話等の方法で，当該事業者以外の誰かと連絡すること，連絡したいという意思を当該事業者に示したことである。消費者の相談行為を妨害することにより心理的な負担をかけることに不当性の根拠があるため，相談する意思を示す方法は明示的に示された場合のみならず黙示的に示された場合も含まれる。例えば「親に相談したい」と明示に伝えた場合はもとより，勧誘を受けている際に困惑した状態でスマートフォンを取り出して電話をかけようとしたところ当該事業者から「自分の意思で決めるべきだ」等と威迫された場合のように客観的状況から黙示的に相談意思を示したといえる場合なども該当する。

なお，「当該事業者以外の者」とは，親族，知人，懇意にしている者が想定されるが，それに限らない。「当該事業者以外の者」であれば広く該当する。

ⓒ 相談を行うための方法（「電話その他の内閣府令で定める方法」）

相談するための手段（「内閣府令で定める方法」）として消費者契約法施行規則 1 条の 2 では，電話，電子メール，その他のその受信をする者を特定して情報を伝達するために用いられる電気通信を送信する方法及び「その他」の消費者が消費者契約を締結するか否かについて相談を行うために事業者が以外の者と連絡する方法として「通常想定されるもの」と規定された。

相談手段として電話及び電子メールを例示した上で，「その他の」「相談を行うために事業者以外の者と連絡する方法として通常想定されるもの」という文言により，相談方法を広く捉えられる形で規定を設けたことには妥当である。消費者庁解説においても，インターネット回線を使って通話する IP 電話等も電話に含まれるとされ，また，いわゆる SNS のメッセージ機能を

用いる場合，技術の進展に伴い新たな連絡の方法が用いられる場合も 4 号の要件を満たすとされているとおり，現在消費者が多く使用している SNS によるメッセージやスマートフォンのアプリケーションを利用した通話等や，将来，情報通信手段の進展により消費者が新たなアプリケーション等を利用した通信手段を用いて相談するようになった場合であっても適用が除外とされることはない[96]。

　このように取消権の要件を内閣府令で規定することは，消費者契約法の役割と本質を変質化することに繋がるものであり問題である。消費者契約は，その内容や取引形態が多岐にわたる上，不当勧誘の媒体や態様は日々変化している。消費者関連法における消費者契約法の役割は，様々な不当勧誘等に十分かつ効果的に対処できることであり，法の本質は，抽象的な要件を想定した包括的な民事ルールである。ところが，令和 4 年 5 月の消費者契約法の改正においては，取消権の要件について特定商取引法の規定であるかのような極めて限定的な場面を対象とした厳格な規定が設けられた上で，その詳細が内閣府令に委任されることとなった。なお，委任事項とされた消費者契約法施行規則 1 条の 2 の内容は，消費者が事業者以外の者と相談を行うための方法であるところ，相談手段ではなく威迫的言動を用いて相談をさせないようにすることが問題であり，このような相談方法の具体化や限定の必要性がない。

　このように包括的な民事ルールである消費者契約法の役割を鑑みるならば，そもそも消費者契約法上の取消権の要件を定めるにあたり詳細を内閣府令等に委任することを含め厳格化すべきではない。

　ⓓ　「威迫する言動を交えて妨害」

　消費者が当該事業者以外の者と相談することを威迫する言動を交えて妨害することである。本条項は消費者が相談することを妨害することで消費者の自由な意思決定による契約締結を妨げることに不当性の根拠がある。そのため，「威迫する言動」とは，他人に対して言語挙動をもって気勢を示し，不安の感を生ぜしめることであり，相手方に畏怖（恐怖心）を生じさせる「強

(注96)　消費者庁解説 80 頁。

迫」よりも弱く畏怖（恐怖心）を生じさせない程度の行為も含まれることは当然であるが，不当性の根拠に鑑みるならば，事業者の言動により一般的平均的消費者であれば相談できない状況が作出された場合，当該事業者の言動は「威迫する言動」に該当すると考えられる。また，「威迫する言動」は，契約締結の意思表示にではなく消費者が連絡することを妨げることに向けられているものである[97]。

(iii) 消費者の「困惑」

「困惑」とは，精神的に自由な判断がしにくくなる心理状態であって，畏怖をも含む広い概念と考えてよい。事業者により，3項1号ないし4号の行為がなされたことにより，消費者が「困惑」したことが要件である。本来，1号ないし4号の行為は消費者を威迫し困惑させる行為を類型化したものであり，通常人であれば，困惑するのが一般的である。したがって，1号ないし4号の行為があれば，消費者は困惑したと事実上推定されると考えてよい。

札幌地判平17・3・17（消費者法ニュース64号209頁）は，消費者が帰宅したい旨を告げても約1時間にわたり商品の説明等を繰り返し続けた事案で「本件場所から退去する旨の意思を示したにもかかわらず……退去させなかったため，被告が困惑してこれを結んだものであるということができる。」と判示している。

(iv) 二重の因果関係

本項は「事業者による1号ないし4号の行為」と「困惑」，さらに「困惑」と「消費者契約の申込み又はその承諾の意思表示」との間に，それぞれ因果関係の存在を要する。消費者に契約の取消権を与える根拠が意思表示の瑕疵にあると考える以上，このような因果関係は必要である。

しかし，前述のとおり，1号ないし4号の行為は，通常人を困惑させるものとして類型化されたものである以上，ここでいう因果関係は，1号ないし4号に該当する行為の存在が明らかであれば，事実上推認されると考えてよい。

最終的に納得したうえで購入したのであれば，困惑したために契約したと

(注97) 消費者庁解説80頁。

はいえないから取消は認められないと解される[98]。最終的に納得した場合は，困惑行為と意思表示との因果関係がないからである。ただし，「『(購入は) 考えていません』と伝えた」にもかかわらず，「販売員が説明を続けた」という事案であれば，「『考えていません』と伝えた」事実が立証される以上，それにもかかわらず勧誘を続ける行為は困惑を生ぜしめる行為と評価できるのであって，「最終的に納得した」との事実については，事実上事業者が立証すべきである。

先の大分簡判平 16・2・19（判例集未登載。平成 15 年（ハ）第 267 号原状回復等請求事件）も，「最終的に納得した」事実は事業者が立証すべきとしている[99]。

(2) 効 果

取消の効果については本書 233 頁以下を参照。

●4条3項5号，7号，8号

◆合理的な判断ができない事情を利用して契約を締結させる類型（平成 30 年改正によって規定された 4 条 3 項 5 号〜8 号（改正当時は 3 号〜6 号）。なお，令和 4 年 12 月改正によって同項 8 号（改正当時は 6 号）の条文がさらに改正されている。）

(注 98) 消費者庁解説 76 頁。山本豊・前掲（注 24）90 頁は，不実告知についてではあるが同旨。

(注 99) 消費者庁解説 76 頁の事例 4-29 で，「来訪した販売員から勧誘を受け，最初はあまり興味がなかったので『(購入は) 考えていません』と伝えたが，販売員がなお勧誘を続けるのを聞いているうちに興味が強まり，最終的に納得したうえで購入した」という事例について，「最終的に納得した上で購入したのであれば，困惑したために契約したとはいえず」として取消は認められないとする。ただし，「『(購入は) 考えていません』と伝えた」にもかかわらず，販売員が説明を続けたという事案であるから，「『考えていません』と伝えた」事実が立証される以上，それにもかかわらず勧誘を続ける行為は困惑を生ぜしめる行為と評価できるのであって，「最終的に納得した」との事実については，事実上事業者が立証すべきことになる。

1 総 論

法4条3項5号〜8号は、契約締結について合理的な判断をすることができない消費者の事情を事業者が不当に利用して契約を締結させる消費者契約被害の事例（いわゆる「つけ込み型不当勧誘」の被害事案）のうち、「消費者の不安をあおるという行為態様で、合理的な判断ができない心理状態を作り出し、あるいは利用して、契約をさせる場合」（5号、7号、8号）、及び、「消費者の好意の感情に乗じるという行為態様で、合理的な判断ができない心理状態を作り出し、あるいは利用して、契約をさせる場合」（6号）という2つの行為類型について、消費者取消権を認める規定である[100]。

(1) 制定の経緯

(i) 「つけ込み型不当勧誘」による消費者被害と立法の必要性

今日の社会では、消費者の困窮、経験の不足、知識の不足、判断力の不足などの諸事情によって消費者が契約を締結するかどうかについて合理的な判断ができない事情にあることを不当に利用して契約を締結させる深刻な被害が多発している。特に社会の高齢化が進む近年は高齢者の被害相談が増えている[101]。

裁判例においても、認知症等による高齢者の判断能力の低下を利用して高額な商品を継続的に購入させた事案について公序良俗違反として救済したもの[102]、知識や経験の不足を利用して高額な商品を購入させた事案について不法行為や公序良俗違反として救済したもの[103]、大きな不安や悩みを持っている不安定な精神状態を利用して高額な祈祷料などを取得した事案について公序良俗違反や不法行為として救済したもの[104]、疾病を利用して高額な

(注100) 「不安をあおる告知」「人間関係の濫用」は、困惑取消（4条3項）の1類型（同項5号〜8号）として位置付けられてはいるが、「過量契約」（4条4項）と同じく、本来的に「合理的な判断をすることができない事情を利用して契約を締結させる類型」に消費者取消権を肯定した規定である。その点、威迫的な事業者の行動に対して消費者取消権を肯定している4条3項1〜4号・9号〜10号の規定とは、問題の状況や被害者の心理状態に差異がある。

(注101) 国民生活センター「2017年度のPIO-NETにみる消費生活相談の概要」（2018年8月8日）など。

商品を購入させた事案について公序良俗違反や不法行為として救済したもの[105]，従属関係を利用して従業員に高額な商品を購入させた事案について公序良俗違反として救済したもの[106]など，消費者の合理的に判断することができない事情を不当に利用して契約を締結させる消費者被害が多数存在する。

2007年8月に国民生活審議会が取りまとめた報告書でも「消費生活相談事例においては（中略）高齢者や認知症の傾向が見られる者等に対し，その弱みにつけ込むようにして不必要とも思える量及び性質の商品を購入させていると見られるいわゆるつけ込み型の勧誘事例等が見受けられる」と指摘されていた[107][108]。

しかしながら，このような消費者の合理的に判断することができない事情を不当に利用して契約を締結させる「つけ込み型不当勧誘」については，これに十分に対応できる救済規定が平成28年改正以前の消費者契約法には存在しなかったため，公序良俗違反や不法行為といった民法の一般規定の適用

(注102) 奈良地判平22・7・9消費者法ニュース86号129頁，大阪高判平21・8・25判時2073号36頁等。

(注103) 東京地判平18・11・28平成26年運用状況検討会報告書247頁【106】，大阪地判平18・4・26判タ1220号217頁，仙台地判平16・10・14判時1873号143頁等。

(注104) 東京地判平23・11・18消費者法ニュース92号344頁，大阪高判平20・6・5消費者法ニュース76号281頁等。

(注105) 徳島地判平19・2・28平成26年運用状況検討会報告書240頁【102】，名古屋地判平22・9・8金法1914号123頁。

(注106) 大阪地判平20・1・30判タ1269号203頁，大阪地判平20・4・23判時2019号39頁等。

(注107) 国民生活審議会消費者政策部会消費者契約法評価検討委員会「消費者契約法の評価及び論点の検討等について」（2007年）15頁。

(注108) いわゆる「つけ込み型」あるいは「状況の濫用」といった不当勧誘行為があった場合に契約を解消するための民事ルールに関する立法当時の論稿として，沖野眞已「契約締結過程の規律と意思表示理論」河上正二ほか『消費者契約法──立法への課題』別冊NBL54号54頁以下，沖野眞已「消費者契約法（仮称）の一検討(4)」NBL655号30頁以下など。施行10年時の論稿として後藤巻則「契約締結過程の規律の進展と消費者契約法」『日本私法学会シンポジウム資料・消費者契約法の10年』NBL958号30頁以下。

が可能な限度での限定的な救済しかできなかった。判断能力に問題があると思われる高齢者の被害相談が増加している状況を踏まえれば,「つけ込み型不当勧誘」に十分に対応できる新たな救済規定が必要であった[109]。

そのような状況のもと,日弁連では,2014年7月,このような高齢者等に対する「つけ込み型不当勧誘」による被害事例を救済できるよう,次のような「つけ込み型不当勧誘取消権」を定める新たな規定の導入を提案した[110]。

（つけ込み型不当勧誘）

第6条　消費者は,事業者が,当該消費者の困窮,経験の不足,知識の不足,判断力の不足その他の当該消費者が消費者契約を締結するかどうかを合理的に判断することができない事情があることを不当に利用して,当該消費者に消費者契約の申込み又は承諾の意思表示をさせたときは,これを取り消すことができる。

2　（省略）

(ⅱ)　専門調査会における議論経緯と報告書の内容

①　議論経緯

2014年11月に審議が始まった専門調査会では,「合理的な判断をすることができない事情を利用して契約を締結させる類型」への対応策として,包括的な「つけ込み型不当勧誘取消権」を定める規定の導入が重要な論点の1つとして議論された。しかし,適用範囲の明確性や要件の具体性に問題があ

（注109）　内閣府消費者委員会の平成25年論点整理の報告では「事業者が消費者の判断力の低下,心理的な不安,誤解状況,立場の弱さなどにつけ込んで勧誘することにより消費者が本来であれば不要とするような契約を締結したといった状況濫用を要件とするような取消規定の導入」や「不当勧誘行為に関する一般規定（受け皿規定）」の立法の検討を提案している。消費者庁の平成23年度運用状況調査結果報告（後藤巻則執筆部分）では,状況の濫用が問題となる場面において,勧誘行為の不当性や契約内容の対価的不均衡を総合的に判断して契約の拘束力を否定する不当勧誘行為規制の一般条項の導入を提案している（61頁）。

（注110）　2014年日弁連改正試案。

るという事業者の反対意見もあったことから，議論の取りまとめに向けた審議は難航した。

そのような議論状況のもと，2015年12月に取りまとめられた平成27年専門調査会報告書では，まず，「つけ込み型不当勧誘事案」の典型事案である「過量契約」事案に新たな消費者取消権を認める規定を導入することが決まり[111]，平成28年改正法により法文化された[112]。

また，2016年9月に再開された専門調査会では，「過量契約」事案以外にも適用される包括的な「つけ込み型不当勧誘取消権」の導入について，引き続き議論がなされた。特に再開後の専門調査会では，政府が民法が規定する成年年齢の引下げに向けた準備を進めつつある社会情勢のもと，「つけ込み型不当勧誘取消権」制度の導入は，高齢者被害の救済手段として必要かつ有用であるという従来からの意見に加えて，成年年齢を引き下げた場合に増加が予想される若年者の消費者被害の救済手段としても必要かつ有用であるという意見も強く述べられるようになった[113]。しかし，適用範囲の明確化・要件の具体化を求める事業者の反対意見も強かったことから，取りまとめに向けた審議は難航した。

第29回〜第31回の専門調査会において，事務局から，「殊更に不安をあおる」「断り切れない人間関係を濫用する」という事業者の不当勧誘行為によって消費者の合理的な判断ができない心理状態が作出・増幅された2つの被害類型に「困惑」取消を認めるという考え方が示された。

これに対し，専門調査会で問題としている「人間関係の濫用」の被害事案に「困惑」取消を適用しようとする場合には，その典型例である恋人商法・デート商法や親切商法[114]における被害者の心理状態（＝不退去・退去妨害のように威迫的な行動で困り果てて契約するわけではなく，勧誘者との人間関係を維持・向上させたい等と思って契約する心情）についても「困惑」という概念

(注111) 平成27年専門調査会報告書5〜6頁。
(注112) 平成28年改正法で制定された過量契約取消権に関する詳細は本書における4条4項の解説部分（201頁）で後述。
(注113) 内閣府消費者委員会「成年年齢引下げ対応検討ワーキング・グループ報告書」（2017年1月）9〜11頁など。

に包含する解釈が前提となる，「幻惑」といった別の要件による規律も考えられるが「困惑」はもともと広い概念なので上記のような心情を包含した解釈も可能である等といった議論のもと，上記のような取消制度をさらに検討する方向で議論が進められることとなった。その一方で，包括的な「つけ込み型不当勧誘取消権」も併せ規定すべきであるという意見も委員らから強く述べられた[115]。

最終的に 2017 年 8 月に取りまとめられた平成 29 年専門調査会報告書では，「つけ込み型不当勧誘」のうち，下記のような「消費者の不安をあおる告知」と「人間関係の濫用」の事案に消費者取消権を認める規定を導入することが提言された。一方，包括的な「つけ込み型不当勧誘取消権」については，平成 30 年の法改正で導入すべき重要な制度であるという意見が最後まで述べられたが，全会一致の意見とはならなかったことから，継続審議とする旨の取りまとめ内容となった[116]。

【平成 29 年専門調査会報告書】（抜粋）
2. 合理的な判断をすることができない事情を利用して契約を締結させる類型
　　事業者の一定の行為によって消費者が困惑して意思表示をしたときの取消権を規定した法第 4 条第 3 項において，下記①及び②のような趣旨の規定を追加して列挙することとする。
① 当該消費者がその生命，身体，財産その他の重要な利益についての損害又は危険に関する不安を抱いていることを知りながら，物品，

（注114）　例えば，高齢者の話し相手になるなどして近づき，「親切にしてくれていい人だから」などと相手を信用させて，本来購入する必要のないものの契約を締結させるといった商法。
（注115）　第 30 回専門調査会・第 31 回専門調査会の配布資料及び議事録を参照。
（注116）　平成 29 年専門調査会報告書 5～6 頁。第 47 回専門調査会議事録。専門調査会における審議経緯の詳細については，同専門調査会のホームページに掲載された配布資料及び議事録のほか，山本敬三ほか「座談会・消費者契約法の改正と課題」ジュリ 1527 号 14 頁以下を参照。

権利，役務その他の当該消費者契約の目的となるものが当該損害又は危険を回避するために必要である旨を正当な理由がないのに強調して告げること
② 当該消費者を勧誘に応じさせることを目的として，当該消費者と当該事業者又は当該勧誘を行わせる者との間に緊密な関係を新たに築き，それによってこれらの者が当該消費者の意思決定に重要な影響を与えることができる状態となったときにおいて，当該消費者契約を締結しなければ当該関係を維持することができない旨を告げること

② 平成29年専門調査会報告書における「消費者の不安をあおる告知」の具体的内容

　平成29年専門調査会報告書における上記「①」の規定は，「消費者の不安をあおる告知」という行為類型を取消対象としたものである。これは，重要な利益についての損害又は危険に関する不安を抱いている消費者に対し，それを知っている事業者が，当該消費者契約の目的となるものが当該損害又は危険を回避するために必要である旨を強調して告げる行為によって，合理的な判断ができない心理状態に陥った消費者に必要のない契約をさせる行為を新たな取消対象とするものである[117]。かかる行為類型の事例として専門調査会で想定されていた具体的事案は，下記のような事例である[118]。

【事例①－1】
　大学や就職セミナーの会場周辺で，「就活生の意識調査」「学生生活のアンケート」などと学生に声をかけて連絡先を聞き出し，無料の説明会や就活セミナーに参加するように誘って事務所に来訪させた学生に対して，「あんたは一生成功しない」などと不安をあおり，就職活動支援や人材育成をかかげる有料講座の受講契約について勧誘を行った。

(注117) 平成29年専門調査会報告書6頁。

【事例①-2】
　突然，携帯電話にヘアーケアサロンから頭髪のアンケートの電話があり，回答後，このままでは髪によくないと言われ無料の頭髪チェックを勧められた。ヘアーケアサロンに出向き，サロンで無料の頭髪チェックを受けた後，店員からこのまま放置すれば，毛髪が生えなくなると言われ，自宅でヘアケアするための育毛機器，育毛剤，シャンプーを勧められ契約した。

【事例①-3】
　娘が過食症で診療内科に通院していたものの目立った効果がなく，息子が家族の制止を振り切って自宅3階から飛び降りてしまったという出来事以来，子どもらの行く末に大きな不安，悩みを抱えていた男性が，除霊しなければ家族全員はだめになる等を告げられて御祓い代等に総額62万円を支払わされ，さらに，男性自身も重度の食物アレルギーに苦しんでいたところ，狐の除霊をしなければアレルギーが出る等を告げられて除霊に総額250万円を支払わされた。

　上記の事例内容から明らかであるように，平成29年専門調査会報告書が「消費者の不安をあおる告知」という取消類型で想定している被害事例は，若年者を被害者とした事例に対象を限定してはいない。むしろ，事例①-2のような中高年も被害者に含む頭髪問題の事案や，事例①-3のような娘の健康を心配する親の不安をあおったといった事案なども，典型的な対象事例として想定していた。
　③　平成29年専門調査会報告書における「人間関係の濫用」の具体的内容
　平成29年専門調査会報告書における上記「②」の規定は，「人間関係の濫

(注118)　第31回専門調査会・資料2・2～3頁。事例①-1は平成29年専門調査会報告書にも参考資料5「参考事例②」として掲載されている事例。

用」という行為類型を取消対象としたものである。これは，事業者が消費者の意思決定に重要な影響を与えることができる緊密な人間関係を築いたうえで，当該消費者契約を締結しなければ当該関係を維持することができない旨を告げる行為によって，合理的な判断ができない心理状態に陥った消費者に必要のない契約をさせる行為を新たな取消対象とするものである[119]。かかる行為類型の事例として専門調査会で想定されていた具体的事案は，下記のような事例である[120]。

【事例②】
　SNSの婚活サイトで知り合ったファイナンシャルプランナーの男性と交流を始め，数回食事をした。お金の管理の話題になり，投資信託をしていると告げると，ファイナンシャルプランナーの立場として源泉徴収票や投資信託の報告書を見せてほしいと言われたので見せて相談した。その後，男性はコンサルティング会社勤務であることがわかり，投資用マンション購入の見積書を見せられて，ローンは家賃から支払っていけるなどと言われて勧誘を受けた。契約をする前に「契約をやめたい」と男性に伝えたが，二人の将来のことを言われたため，やめられなかった。ところが，契約後，男性から連絡が来なくなった。

　上記の事例内容から明らかであるように，平成29年専門調査会報告書が「人間関係の濫用」という取消類型で想定している事案も，若年者を被害者とした事例に対象を限定してはいない。むしろ「人間関係の濫用」という取消類型は，事例②のような「婚活サイトを悪用した投資用マンション販売事案」を典型的な被害事例として想定していたところ，国民生活センターの公表資料では，上記のような婚活サイト事案では被害者の中心が30〜40代の女性に集中しているとされている[121]。また，専門調査会における議論でも，

(注119) 平成29年専門調査会報告書6頁。
(注120) 事例②は平成29年専門調査会報告書に参考資料5「参考事例③」として掲載されている事例。

「人間関係の濫用」という取消類型は，婚活サイト事案のほか，高齢者に対する依存関係の濫用事案（いわゆる親切事案など）についても救済対象とする旨が確認されていた[122]。

(ⅲ) 平成29年専門調査会報告書の取りまとめから国会審議までの経緯

① 内閣府消費者委員会の答申書における付言

上記のとおり，平成29年専門調査会報告書では，「消費者の不安をあおる告知」と「人間関係の濫用」という2つのつけ込み型不当勧誘の行為類型に消費者取消権を認める規定の導入を提言する一方，包括的な「つけ込み型不当勧誘取消権」の導入については重要な問題であるとしつつも，具体的な要件等を継続審議するという取りまとめ内容となった。

しかし，専門委員会の上記報告を受けて内閣府消費者委員会が2017年8月8日に取りまとめた内閣総理大臣に対する答申書では，脆弱な消費者の保護の必要性等現下の消費者問題における社会的情勢，民法改正及び成年年齢の引下げ等にかかる立法の動向等を総合的に考慮した結果として，平成29年専門調査会報告書が提言する2つの取消規定の制定に加えて，包括的な「つけ込み型不当勧誘取消権」の導入を喫緊の課題として付言された[123]。

② 改正法案の策定と「社会生活上の経験が乏しいことから」という文言の付加

ところが，その後，消費者庁が策定して2018年3月2日に閣議決定された「消費者契約法の一部を改正する法律案」では，「消費者の不安をあおる告知」と「人間関係の濫用」に消費者取消権を認める規定（改正法案4条3項3号・4号。現在の4条3項5号・6号）について，平成29年専門調査会報

（注121） 国民生活センター「婚活サイトなどで知り合った相手から勧誘される投資用マンション販売に注意！！」（2014年1月23日報道発表資料）では，PIO-NETにおける相談事例において，被害者は「女性・30〜40歳代」に集中し，平均年齢は35.1歳とされている。

（注122） 第44回専門調査会議事録11頁，13頁。

（注123） 内閣府消費者委員会の答申は，具体的には「高齢者・若年成人・障害者等の知識・経験・判断力の不足を不当に利用し過大な不利益をもたらす契約の勧誘が行われた場合における消費者の取消権」の導入を喫緊の課題として付言している。

告書には存在しなかった「社会生活上の経験が乏しいことから」という文言が付加されていた。

そこで，消費者団体や弁護士会は，「消費者の不安をあおる告知」と「人間関係の濫用」の救済対象が若年者に限定されかねない不必要かつ有害な文言であるとして，その削除を強く求めた[124]。

また，内閣府消費者委員会も，2018 年 3 月 8 日，「社会生活上の経験が乏しいことから」という文言の付加によって若年者の被害対応に重点が置かれたものとなっている，答申の趣旨を実現するためには高齢者等の被害対応が必要である等とする法律案に対する意見を公表した[125]。

(iv) 国会における審議経過

① 2018 年 5 月 11 日の衆議院本会議と大臣答弁

2018 年 5 月から始まった国会における法案審議では，「消費者の不安をあおる告知」と「人間関係の濫用」に関する取消規定（現在の 4 条 3 項 5 号・6 号。平成 30 年改正当時の 4 条 3 項 3 号・4 号）に「社会生活上の経験が乏しいことから」という文言が付加されたことの是非や当該文言の意味内容について，国会議員から疑問や質問が多く寄せられた。

この問題につき，消費者担当大臣は，2018 年 5 月 11 日の衆議院本会議において，下記のように答弁した[126]。

---

① 社会生活上の経験が乏しいとは，社会生活上の経験の積み重ねが，契約を締結するか否かの判断を適切に行うために必要な程度に至っていないことを意味する。

② 高齢者であっても，契約の目的となるものや勧誘の態様との関係

(注 124) 日本弁護士連合会「『消費者契約法の一部を改正する法律案の骨子』についての会長声明」（2018 年 2 月 22 日），一般社団法人全国消費者団体連絡会「『消費者契約法の一部を改正する法律案』に対する意見」（2018 年 3 月 20 日）など。

(注 125) 内閣府消費者委員会「消費者契約法の一部を改正する法律案に対する意見」（2018 年 3 月 8 日）。

(注 126) ①②は濱村進議員の質問に対する福井照消費者担当大臣の答弁（第 196 回国会衆議院本会議会議録第 25 号（2018 年 5 月 11 日）7 頁），③④はもとむら賢太郎議員の質問に対する福井消費者担当大臣の答弁（同 8 頁）。

> で，本要件に該当しうる。
> ③ 例えば，霊感商法等の悪徳事業者による消費者被害については，勧誘の態様に特殊性があり，通常の社会生活上の経験を積んできた消費者であっても，一般的には本要件に該当する。
> ④ 本要件を設けたとしても，消費者委員会において検討されていた具体的な被害事例は，高齢者の被害事例も含めて，基本的に救済される。

　問題の「社会生活上の経験が乏しいことから」という要件が，上記①〜③の答弁のような意味内容であるならば，通常の社会生活上の経験を積んできた中高年の消費者も，悪徳商法に対しては一般的に保護の対象ということになる。

　また，上記④の答弁のように専門調査会において問題とされていた被害事例が救済される規定ならば，4条3項5号・6号（平成30年改正当時の4条3項3号・4号）は，専門調査会で「消費者の不安をあおる告知」と「人間関係の濫用」の典型事例とされた「事例①-2」「事例①-3」「事例②」のような中高年を被害者とした消費者被害事案に適用されるような解釈と運用がなされるべき規定ということになる。

　そこで，消費者団体等は，上記①〜④のような意味内容ならば，「社会生活上の経験が乏しいことから」といった誤解を招きかねない字句は，ますます削除が相当であるとの意見を強めた。

　かかる情勢のもと，衆議院の与野党間において，高齢者等への不安をあおる告知や霊感商法等における不安をあおる告知について取消権が認められることを明定する法案の修正に向けた協議が始められた。

　② 2018年5月17日及び同月21日の委員会審議と答弁の修正

　かかる国会情勢のもと，同年5月17日及び同月21日に行われた衆議院消費者問題に関する特別委員会における審議において，消費者担当大臣及び政府参考人は，「社会生活上の経験が乏しいことから」という文言に関する答弁内容を，下記のような内容に修正・変更した[127]。

> ①　社会生活上の経験が乏しいとの要件は，主として若年者層を消費者契約による被害から保護することを念頭に，保護すべき対象者の属性として規定したものであり，一般に，社会生活上の経験の積み重ねが，契約を締結するか否かの判断を適切に行うために必要な社会生活上の経験が乏しいことを意味する。
> ②　総じて社会生活上の経験の積み重ねが少ない若年者への適用には支障はない。高齢者であっても，就労経験等がなく，外出することもめったになく，他者との交流がほとんどないなど，社会生活上の経験が乏しいと認められる者については，救済され得る。
> ③　霊感商法の被害者となった消費者でも，その者が若年者でない場合には，総じて社会生活上の経験の積み重ねが少ないとは言えないことから，一般的には本要件に該当しないと考えられる。勧誘態様が悪質な事例においては，民法上の不法行為等により救済される場合があり得る。

　もし「社会生活上の経験が乏しいことから」という文言が上記①～③のような意味内容ならば，中高年の消費者は，「就労経験等がなく，外出することもめったになく，他者との交流がほとんどない」といった極めて例外的な場合でなければ，「消費者の不安をあおる告知」及び「人間関係の濫用」という取消規定の保護の対象から外れてしまうことになる。

　このような同月17日及び同月21日の委員会審議における消費者担当大臣及び政府参考人の答弁は，同月11日の衆議院本会議における前述のような消費者担当大臣の答弁とは明らかに矛盾する答弁内容であった。

　また，かかる答弁は，専門調査会において「消費者の不安をあおる告知」

(注127)　①は衆議院消費者問題に関する特別委員会における穴見陽一議員の質問に対する井内正敏政府参考人の答弁（第196回国会衆議院消費者問題に関する特別委員会議録第6号（2018年5月17日）4頁）。②③は同委員会における篠原豪議員，尾辻かな子議員の質問に対する福井照消費者担当大臣の答弁（第196回国会衆議院消費者問題に関する特別委員会議録第7号（2018年5月21日）2頁，6頁）。

及び「人間関係の濫用」の取消規定が「事例①-2」「事例①-3」「事例②」のような中高年の消費者被害事案をも救済するものとして立案されたという立法経緯にも背馳する，極めて問題のある解釈論であった。

加えて，国会に上程のうえ本会議で趣旨説明がなされた法案の重要な部分の解釈論を，委員会審議の途中で担当官庁が一方的かつ大幅に修正・変更するといったことは，立法手続の適正性という面でも極めて問題のある対応であった。

③　2018年5月21日の委員会審議と答弁修正に関する大臣の謝罪・撤回

同年5月21日に行われた衆議院消費者問題に関する特別委員会における審議の過程において，消費者庁作成の「大臣本会議答弁の修正について」と題された書面の存在が明らかになった。また，上記書面には，「社会生活上の経験が乏しいことから」の要件について，消費者庁は元来高齢者の消費者被害等も事案によっては救済されうるものとなるよう柔軟な解釈を随時示していたところ，内閣法制局とも相談した解釈の整理の結果として，消費者庁が中高年の消費者に対する本要件の適用範囲を狭めた解釈を行うこと，及び，国会における与野党の法案修正によって概ね元の消費者庁の柔軟な解釈の範囲で消費者被害の救済が図られることになる旨の記載が存在することが明らかになった[128]。

同時に，消費者庁が，「社会生活上の経験が乏しいことから」の解釈に関する同月11日の衆議院本会議における答弁内容を，上記書面に記載されたような経緯・理由から，同月17日及び同月21日の委員会において意図的に

（注128）「大臣本会議答弁の修正について」と題された書面については，第196回国会の衆議院消費者問題に関する特別委員会（2018年5月23日）において畑野君枝議員により「このペーパー，経緯というのが下に書いてありまして，『内閣法制局とも相談し，解釈の整理を行い，』とか，『中高年の消費者を対象とした霊感商法について，本要件の適用範囲が狭まることとなった。』というふうに書かれております。また，その下には，『解釈の明確化により適用範囲が狭まる部分を概ねカバーするものとして修正案が立案された』というふうにも書かれているんです。」と指摘され，その内容が明らかにされている（第196回国会衆議院消費者問題に関する特別委員会議録第8号（2018年5月23日）12頁）。

狭く修正して答弁していた事実が明らかとなった。上記のような書面の存在と答弁修正の事実の発覚により，同月21日の委員会は，審議途中で紛糾・中断し，そのまま散会となった[129]。

　上記の混乱の後，同月23日に再開された委員会において，消費者担当大臣が上記のような答弁修正を謝罪・撤回すると共に，「社会生活上の経験が乏しいことから」の解釈について同月11日の衆議院本会議における答弁内容を維持する旨を明言した[130]。

　④　衆議院におけるその後の審議と法案の修正（4条3項7号・8号（平成30年改正当時の4条3項5号・6号）の付加）

　同月23日の委員会及び同月24日の本会議において，消費者担当大臣及び政府参考人は，「社会生活上の経験が乏しいことから」という要件の解釈について，総論においては，同月11日の本会議における大臣答弁を維持する旨を繰り返した。

　しかし，その一方において，各論においては，「若年者でない場合であっても，社会生活上の経験の積み重ねにおいて若年者と同視すべき者は本要件に該当し得る」等といった，撤回前の修正答弁の内容に影響を受けたと思われる内容の答弁も併行して行ったことから，「社会生活上の経験が乏しいことから」の要件の意味内容や具体的な適用範囲について明確さに欠ける議論状況となった。

　最終的に，衆議院は，同月23日の委員会及び24日の本会議において，「消費者の不安をあおる告知」（4条3項5号（平成30年改正当時の4条3項3号））について，高齢者等の判断力の不足を知りながら不安をあおる告知が行われた場合の被害者に消費者取消権を行使できる旨を定める規定（同項7

(注129)　衆議院消費者問題に関する特別委員会における黒岩宇洋議員と福井消費者担当大臣との質疑応答部分（第196回国会衆議院消費者問題に関する特別委員会議録第7号（2018年5月21日）10頁）。

(注130)　衆議院消費者問題に関する特別委員会における福井照消費者担当大臣の冒頭発言，尾辻かな子議員の質問に対する福井消費者担当大臣の答弁（第196回国会衆議院消費者問題に関する特別委員会議録第8号（2018年5月23日）1〜4頁）。

号（平成30年改正当時の同項5号）），いわゆる霊感商法等で不安をあおる告知が行われた場合の被害者に消費者取消権を行使できる旨を定める規定（同項8号（平成30年改正当時の同項6号））を追加する法案修正と，「社会生活上の経験が乏しいことから」の解釈については同月11日の衆議院本会議における大臣答弁の内容が妥当する旨を附帯決議で明確化して，改正法案を可決した[131]。

⑤　参議院における審議の概要と法案の成立

2018年5月25日から始まった参議院の本会議及び消費者問題に関する特別委員会の法案審議においても，「社会生活上の経験が乏しいことから」の要件の解釈と具体的な適用範囲に関する質疑に多くの時間が割かれた。

参議院における審議においても，消費者担当大臣及び政府参考人は，総論においては，「社会生活上の経験が乏しいことから」という要件の解釈については，同年5月11日の衆議院本会議における大臣答弁を維持する旨を繰り返した。

一方，消費者担当大臣及び政府参考人は，各論においては，ときに撤回前の修正答弁の内容に影響を受けたと思われる内容の答弁も行いつつ，具体的な事例における最終的な法適用の有無は裁判所の司法判断に委ねられる旨の答弁を重ねた。

さらに，参議院では，衆議院で追加された7号・8号（平成30年改正当時の5号・6号）の要件や5号（平成30年改正当時の3号）との関係について，質疑や確認がなされた。

上記のような経緯のもと，参議院では，同年6月6日の消費者問題に関する特別委員会において，4条3項5号・6号（平成30年改正当時の3号・4号）における「社会生活上の経験が乏しいことから」の解釈については同月11日の衆議院本会議における大臣答弁の内容が妥当することや解釈内容の明確化等を内容とした下記の附帯決議のもと，衆議院から回付された修正後の改正法案が可決・承認され[132]，同月8日の本会議における可決・承認をもっ

（注131）　第196回国会衆議院消費者問題に関する特別委員会議録第8号（2018年5月23日）12頁，19〜20頁。

て，平成30年改正法が成立した[133]。

> 【参議院・附帯決議】（抜粋）
> 　政府は，本法の施行に当たり，次の事項について適切な措置を講ずべきである。
> 一　本法第4条第3項第3号及び第4号〔注：現在の同項5号及び6号〕における「社会生活上の経験が乏しい」とは，社会生活上の経験の積み重ねが契約を締結するか否かの判断を適切に行うために必要な程度に至っていないことを意味するものであること，社会生活上の経験が乏しいことから，過大な不安を抱いていること等の要件の解釈については，契約の目的となるもの，勧誘の態様などの事情を総合的に考慮して，契約を締結するか否かに当たって適切な判断を行うための経験が乏しいことにより，消費者が過大な不安を抱くことなどをいうものであること，高齢者であっても，本要件に該当する場合があること，霊感商法のように勧誘の態様に特殊性があり，その社会生活上の経験の積み重ねによる判断が困難な事案では高齢者でも本要件に該当し，救済され得ることを明確にするとともに，かかる法解釈について消費者，事業者及び消費生活センター等の関係機関に対し十分に周知すること。また，本法施行後3年を目途として，本規定の実効性について検証を行い，必要な措置を講ずること。
> 二　本法第4条第3項第5号〔注：現在の同項7号〕における「その判断力が著しく低下している」とは，本号が不安をあおる事業者の不当な勧誘行為によって契約を締結するかどうかの合理的な判断をすることができない状態に陥った消費者を救済する規定であることを踏まえ，本号による救済範囲が不当に狭いものとならないよう，各要件の解釈を明確にするとともに，かかる法解釈について消費者，事業者及

(注132)　第196回国会参議院消費者問題に関する特別委員会会議録第6号（2018年6月6日）。

(注133)　第196回国会参議院本会議会議録第27号（2018年6月8日）12頁。

> び消費生活センター等の関係機関に対し十分に周知すること。また，本法施行後3年を目途として，本規定の実効性について検証を行い，必要な措置を講ずること。
> 四　高齢者，若年成人，障害者等の知識・経験・判断力の不足など消費者が合理的な判断をすることができない事情を不当に利用して，事業者が消費者を勧誘し契約を締結させた場合における消費者の取消権（いわゆるつけ込み型不当勧誘取消権）の創設について，消費者委員会の答申書において喫緊の課題として付言されていたことを踏まえて早急に検討を行い，本法成立後2年以内に必要な措置を講ずること。

(2) 平成30年改正で規定された4条3項5号～8号（平成30年改正当時の3号～6号）とそれらの位置付け

上記のとおり，平成30年改正法では，平成29年専門調査会報告書で立法提言された「消費者の不安をあおる告知」及び「人間関係の濫用」という「つけ込み型勧誘」の2つの行為類型に消費者取消権を認める制度を成文化した規定として4条3項5号及び同項6号（平成30年改正当時の3号，4号，以下同）が立案され，閣議決定のうえ，国会に上程された。上記の2つの法文については，法制化の過程で付加された「社会生活上の経験が乏しいことから」という文言の要否や解釈において国会で大きな問題となり，これらの法文の適用範囲は若年者に限定されない，専門調査会の審議過程で救済すべきとされた事例は基本的にこれらの法文で救済されることが確認されている。

また，国会における法案審議の過程において，高齢者等に対する不安をあおる告知及び霊感商法の手法で不安をあおる告知の事案に消費者取消権が認められる旨の4条3項7号（平成30年改正当時の5号及び6号。以下同）及び同項8号が法案修正により追加された。これらの法文については，「消費者の不安をあおる告知」の事案に消費者取消権を肯定する一般規定である4条3項5号に「社会生活上の経験が乏しいことから」といった適用範囲に疑義を生じさせる文言が存在することを踏まえて，不安をあおられた高齢者や霊感商法の被害者にも消費者取消権が認められる旨の明示規定を確認的に追加

した規定と位置付けるべきものである。

　したがって，不安をあおられた高齢者や霊感商法の被害者には，同項5号の規定と同項7号及び同項8号の規定が重畳的に適用されることになる。また，同項6号に同項7号のような規定が存在しないことをもって，同項6号が若年者以外の消費者に適用されないといった解釈をしてはならない。上述のとおり，そもそも同項6号の規定は，30〜40代の消費者を中心的な被害者とする「婚活サイト事案」や高齢者を中心的な被害者とする親切商法を典型的な救済対象として規定された法文なのである。

【4条3項5号〜8号の救済対象と適用される法文】

不当勧誘の類型	若年者	中高年・心身の故障	霊感商法の被害者
不安をあおる告知	5号	5号，7号	5号，8号
人間関係の濫用	6号	6号	―

　(3)　令和4年12月改正による4条3項8号（改正当時の6号）等の改正

　2022年8月，旧統一教会問題等のいわゆる霊感商法への対応の強化を求める社会的な要請の高まりを受けて消費者庁に「霊感商法等の悪質商法への対策検討会」が設置され，同年10月，同検討会により，霊感商法等による消費者被害の救済の実効化を図るため，消費者取消権の対象範囲の拡大や行使期間の延長等を行うべきであると提言する報告書が取りまとめられた[134]。

　そして，上記の報告書を受けて，同年12月10日，「消費者契約法及び独立行政法人国民生活センター法の一部を改正する法律」（令和4年法律第99号）が成立し，霊感商法等について消費者取消権を認めた4条3項8号の取消要件が改正（緩和）されると共に，上記取消権の行使期間が追認することができるときから3年（改正前1年），契約締結時から10年（改正前5年）に延長された（7条）[135]。また，同日に成立した「法人等による寄附の不当な

(注134)　消費者庁「『霊感商法等の悪質商法への対策検討会』報告書」（令和4年10月17日）（https://www.caa.go.jp/policies/policy/consumer_policy/meeting_materials/review_meeting_007/assets/consumer_policy_cms104_221014_09.pdf）。

(注135)　「消費者契約法及び独立行政法人国民生活センター法の一部を改正する法律」（令和4年法律第99号）。

勧誘の防止等に関する法律」（令和4年法律第105号）によって，消費者契約にあたらない寄附（単独行為の寄附）に関する取消権や，被害者の家族による消費者取消権の代位行使の制度（債権者代位権の行使に関する特例）などが導入された[136]。上記2つの改正法は2023年1月5日から施行されている。

2　消費者の不安をあおる告知・その1（4条3項5号）

(1)　趣　旨

4条3項5号は，契約締結について合理的な判断をすることができない消費者の事情を事業者が不当に利用して契約を締結させる消費者被害（いわゆる「つけ込み型不当勧誘」事案）のうち，典型的な被害事例の1つである「消費者の不安をあおるという行為態様で，合理的な判断ができない心理状態を作り出し，あるいは利用して，契約をさせる場合」について消費者取消権を認める規定である。

なお，4条3項5号には，「社会生活上の経験が乏しいことから」という文言が存在することから，一見すると適用対象を若年者に限定している法文のようにも見える。しかし，本規定は，適用範囲を若年者に限定してはおらず，高齢者や通常の社会生活上の経験を積んできた消費者にも適用されうる。また，専門調査会において問題とされた被害事例[137]は，高齢者の被害事例を含めて，基本的に救済される。これらの点は，国会における大臣の答弁でも確認されており[138]，本規定の適用範囲や条文の解釈を考えるうえで重要である。

(2)　解　説

本規定の基本構造は，社会生活上の経験が乏しいことから社会生活上の重要事項について過大な不安を抱いている消費者に対し，事業者が，その事実

(注136)　「法人等による寄附の不当な勧誘の防止等に関する法律」（令和4年法律第105号）。

(注137)　平成29年専門調査会報告書・参考資料5，第44回専門調査会・資料1等を参照。

(注138)　2018年5月11日の衆議院本会議における福井照消費者担当大臣の答弁。

を知りつつ不安をあおり，不安の解消に当該消費者契約が必要であると告げ，合理的な判断ができない心情（困惑）に陥った消費者に当該消費者契約を締結させた場合には，当該消費者は当該契約を取り消すことができるというものである。

したがって，本規定の適用において，重要な要件は，①当該消費者が，社会生活上の経験が乏しいことから，社会生活上の重要事項に過大な不安を抱いていること，②事業者が，上記の事実を知りつつ，正当な理由がないのに，当該消費者の不安をあおり，不安を解消するためには当該契約の締結が必要であると告げること，③消費者が困惑して，当該契約を締結することである。

(i) 要件①：「当該消費者が，社会生活上の経験が乏しいことから，社会生活上の重要事項（イ・ロの列挙事由）に対する願望の実現に過大な不安を抱いていること」

① 「当該消費者が，社会生活上の経験が乏しいことから」

ⓐ 意　義

「社会生活上の経験」とは，社会生活上の出来事を，実際に見たり，聞いたり，行ったりすることで積み重ねられる経験全般をいう。また，「社会生活上の経験が乏しい」とは，抽象的には，上記のような社会生活上の経験の積み重ねが当該消費者契約を締結するか否かの判断を適切に行うために必要な程度に至っていないことを意味する[139]。

ⓑ 具体的な判断方法

「社会生活上の経験が乏しいことから」という要件の存否は，個々の事案において，契約の目的となるもの，勧誘の態様などの事情を総合的に考慮して，当該消費者の社会生活上の経験の積み重ねが当該消費者契約を締結する

(注139) この点，消費者庁解説81頁では，「社会生活上の経験が乏しいとは，社会生活上の経験の積み重ねが消費者契約を締結するか否かの判断を適切に行うために必要な程度に至っていないことを意味する。」と記載されているが，いわゆる「つけ込み型不当勧誘」について定めた本規定の趣旨からすれば，ここで適切な判断を行えるか否かが問題となるのは一般的・抽象的な消費者契約についてではなく，「当該」消費者契約についてであると解されるべきであろう。

か否かの判断を適切に行うために必要な程度に至っていなかったか否かを，個別具体的に検討して決する(140)。

　個別具体的な事案において，当該消費者がそれまでの人生において当該消費者契約や当該勧誘方法に関する経験の積み重ねが少なかったため，当該事業者の消費者の不安をあおる不当勧誘行為に対して，それまでの社会生活上の経験では対応できず，合理的な判断ができない心理状況に陥り，当該消費者契約を締結してしまったという事案では，当該消費者は社会生活上の経験の積み重ねが当該消費者契約を締結するか否かの判断を適切に行うために必要な程度には至っていなかったものと認められる。

　当該消費者が若年者の場合には，一般的に本要件を満たす。しかし，本要件の存否は，当該消費者の年齢によって形式的に定まるものではない。中高年であっても，問題の事案において当該消費者の社会生活上の経験の積み重ねが当該消費者契約を締結するか否かの判断を適切に行うために必要な程度に至っていなかったと認められる場合には該当する。また，霊感商法など勧誘の態様に特殊性がある消費者被害については，通常の社会生活上の経験を積んできた消費者では通常は対応困難であるから，一般的に本要件に該当する(141)。

　この点，本要件の実務上の運用については，社会生活上の重要な事項に対して過大な不安を抱いていた消費者が，その不安を知る事業者から当該不安をあおる告知をされて困惑し，当該契約の締結に至ったという事案であれば，当該契約を締結するか否かの判断において当該消費者が積み重ねてきた社会生活上の経験による対応は困難であったものと事実上推認する解釈・運用が適切かつ合理的である(142)。

　なお，消費者庁解説には，「中高年のように消費者が若年者でない場合であっても，社会生活上の経験の積み重ねにおいてこれと同様に評価すべき者は，本要件に該当し得る」と表記している部分がある(143)。

(注140)　参議院附帯決議（平成30年6月6日）1項。
(注141)　衆議院本会議における福井照消費者担当大臣の答弁（第196回国会衆議院会議録第25号（2018年5月11日）7頁）。

しかし，本規定の原則的な適用対象を若年者と考えたうえで，「若年者と同様に評価すべき中高年」という法文に無い新たな概念を立てる考え方は，もともと平成29年専門調査会報告書が提言していた「不安をあおる告知」の制度内容に合致しない。また，個別事案において契約の目的や勧誘の態様なども考慮して決すべき要件であるという国会の大臣答弁や附帯決議の考え方にも合致していない。さらに，本規定の適用範囲を不当に狭くしてしまうおそれがある。これらの諸点において，上記の表記部分には大きな問題がある。

ⓒ　具体的事例

専門調査会において救済すべき対象として議論されていた被害事例は，基本的にすべて「社会生活上の経験が乏しいことから（中略）過大な不安を抱いてい」たという要件を満たす[144]。したがって，専門調査会において救済すべき対象として議論されていた下記のような被害事例①－1～①－3は，すべて本規定の救済対象となると運用されなければならない。

【事例①－1】
　大学や就職セミナーの会場周辺で，「就活生の意識調査」「学生生活のアンケート」などと学生に声をかけて連絡先を聞き出し，無料の説明会や就活セミナーに参加するように誘って事務所に来訪させた学生に対して，「あんたは一生成功しない」などと不安をあおり，就職活動支援や人材育成をかかげる有料講座の受講契約について勧誘を行った。

(注142)　近畿弁護士連合会消費者保護委員会夏期研修会「近時の主要消費者法3法改正における消費者被害の予防・救済の到達点」（2018年8月25日）では，「社会生活上の経験が乏しいことから」という記載部分は「過大な不安」の発生要因の1つを例示したものにすぎないと解すべきであるという解釈論を提案している。

(注143)　消費者庁解説81頁。

(注144)　衆議院本会議における福井照消費者担当大臣の答弁（第196回国会衆議院会議録第25号（2018年5月11日）1頁）。

> 【事例①-2】
> 　突然，携帯電話にヘアーケアサロンから頭髪のアンケートの電話があり，回答後，このままでは髪によくないと言われ無料の頭髪チェックを勧められた。ヘアーケアサロンに出向き，サロンで無料の頭髪チェックを受けた後，店員からこのまま放置すれば，毛髪が生えなくなると言われ，自宅でヘアケアするための育毛機器，育毛剤，シャンプーを勧められ契約した。

> 【事例①-3】
> 　娘が過食症で診療内科に通院していたものの目立った効果がなく，息子が家族の制止を振り切って自宅3階から飛び降りてしまったという出来事以来，子どもらの行く末に大きな不安，悩みを抱えていた男性が，除霊しなければ家族全員はだめになる等を告げられて御祓い代等に総額62万円を支払わされ，さらに，男性自身も重度の食物アレルギーに苦しんでいたところ，狐の除霊をしなければアレルギーが出る等を告げられて除霊に総額250万円を支払わされた。

②　「当該消費者が，社会生活上の重要事項（イ・ロの列挙事由）に対する願望の実現に過大な不安を抱いていること」
ⓐ　「イ　進学，就職，結婚，生計その他の社会生活上の重要な事項」
「社会生活上の重要な事項」とは，一般的・平均的な消費者にとって社会生活を送る上で重要な事項をいう[145]。

「進学，就職，結婚，生計」は，「その他の」という字句で明確にされているとおり，あくまで例示であり，「社会生活上の重要な事項」はこれらの列挙事由に限定されない。例えば，育児に関する事項や，家族の健康に関する事項，人間関係などが考えられる[146]。

(注145)　消費者庁解説82頁。
(注146)　消費者庁解説82頁。

なお，後述するように，「過大な不安」の主体は，契約当事者となった消費者である必要があるが，不安の対象である「社会生活上の重要な事項」は契約当事者自身のものである必要はない。例えば，子供の進学に対する親の不安や，親の健康に不安を抱いている子の不安をあおって契約をさせたという事案も本規定の適用対象となる[147]。

ⓑ 「ロ　容姿，体型その他の身体の特徴又は状況に関する重要な事項」

「身体の特徴又は状況に関する重要な事項」とは，一般的・平均的な消費者にとって，身体に関わる重要な事項と考えられるものをいう[148]。

「容姿，体型」は，「その他の」という字句で明確にされているとおり，あくまで例示であり，「身体の特徴又は状況に関する重要な事項」はこれらの列挙事由に限定されない。例えば，健康状態や視力の低下のように外部からは見えない身体の特徴，状況なども含まれる[149]。

ⓒ　願望の実現

「願望の実現」とは，将来の状況を現在より良い状態にしたい，将来の状況を現在より悪い状態にしたくない等といった希望や心情を意味する。上記ⓐⓑの諸事由に関する消費者の希望や心情を広く包含する。

ⓓ　「過大な不安を抱いていること」

「過大な不安」とは，社会生活上の重要事項について，消費者の誰もが抱くような漠然とした不安ではなく，一般的・平均的な消費者に比べて大きな不安を抱いていることをいう。当該消費者が，通常よりは大きい心配をしている心理状態であればこれに該当する。

なお，前述のとおり，「過大な不安」の主体は，契約当事者となった消費者である必要があるが，不安の対象である「社会生活上の重要な事項」は契約当事者自身のものである必要はない。例えば，子供の進学に不安を抱いている親や，親の健康に不安を抱いている子の不安を知りながら，その不安を

(注147)　衆議院消費者問題に関する特別委員会質疑における尾辻かな子議員の質問に対する川口康裕政府参考人答弁（第196回国会衆議院消費者問題に関する特別委員会議録第7号（2018年5月21日）8頁）。

(注148)　消費者庁解説82頁。

(注149)　消費者庁解説82頁。

あおって契約をさせたという事案も本規定の適用対象となる。

　(ii)　要件②：「事業者が，消費者の過大な不安を知りながら，その不安をあおり，正当な理由がある場合でないのに，当該消費者契約の目的となるものが当該願望を実現するために必要である旨を告げること」

①　「知りながら」

「知りながら」とは，当該消費者が過大な不安を抱いていることを事業者が認識していることを意味する。

　本号はいわゆる「つけ込み型不当勧誘」の１類型であることから，事業者が，消費者の過大な不安を認識しつつ，その不安につけ込んだと評価できることが必要である。そこで，上記のような客観状況に関する事業者の認識が要件とされている。

　上記要件の存否は，契約に至る事実経緯や契約時の事実関係から，客観的に認定される。事業者が「知らなかった」と言えばそれで否定されるわけではない。

　本規定の事業者の認識は，消費者の不安をあおり，契約をさせる時点で存在すれば足り，勧誘行為の当初から存在していることを要しない。したがって，もともと不安を抱いていなかった消費者に対し，事業者が不安をあおって不安を惹起させて契約させた事案でも，上記要件は肯定される。

　なお，「社会生活上の経験が乏しいことから」という要件は，前述のとおり，消費者が，「不安をあおる告知」という不当勧誘行為によって合理的な判断ができない心理状況（困惑）に陥り，不必要な契約の締結に至ったという事案であれば，当該契約を締結するか否かの判断において当該消費者が積み重ねてきた社会生活上の経験による対応は困難であったものと事実上推認する解釈・運用が適切かつ合理的である。また，「社会生活上の経験が乏しいことから」という要件はもともと評価の問題である。上記要件に関する事業者の認識は不要と考えるべきである。

　「知りながら」の立証については，消費者が事業者の認識を立証することになることから運用上の留意が必要である。具体的には，まず，事業者が消費者の「過大な不安」を作出したような事案では，当然に事業者の認識を認めてよいであろう。また，事業者が，当該消費者契約を締結すれば不安を解

消できる旨を告げて勧誘行為を行った事実が認められる場合には，事業者はそのような勧誘行為の前提となる消費者の「過大な不安」を認識していたものと推認してよいであろう。さらに，消費生活センターなどに当該事業者について同様の勧誘手法の消費生活相談が複数ある場合等にも事業者の認識が推認されると考えられる。

② 「その不安をあおり」

「不安をあおり」とは，消費者に将来生じ得る不利益を強調して告げる場合等をいう。当該契約が願望を実現するために必要である旨を告げるという事業者の告知について，その態様を示すものである[150]。

不安をあおる行為と当該契約が願望を実現するために必要である旨を告げる行為が別々に必要であるということではない。

例えば，就職について過大な不安を抱く学生に対して，そのことを知りながら，このセミナーを受講すればあなたでも就職できますなどと繰り返し告げる行為は，不安をあおるものとして取消しの対象となる[151]。

不安をあおるような内容を直接的に告げなくとも，契約の目的となるものが必要である旨を繰り返し告げたり，強い口調で告げたりして強調する態様でも足りる。

本規定は，その法文から，事業者の勧誘行為とは無関係に消費者が過大な不安を抱いていた場合において，事業者がそのような消費者の不安を認識したうえで，その不安をあおる行為を適用対象としていることは明瞭である。

しかし，もともと消費者が過大な不安を抱いていなかったにもかかわらず，事業者が将来生じうる不利益を強調して告げるなどして消費者に過大な不安を惹起させて，合理的な判断ができない心理状態にさせて契約させた事案の方が，行為態様としてより悪質である。また，そのような事案においては，少なくとも勧誘行為の途中からは「消費者の不安を知りつつ，不安をあおる行為を行った」という評価が可能である。したがって，本号にいう「不安をあお」る行為には，勧誘行為の当初には存在しなかった消費者の不安を

(注150) 消費者庁解説 84 頁。
(注151) 前掲（注 147）参照。

惹起する行為も含むと解することが相当である[152]。

③　「裏付けとなる合理的な根拠がある場合その他の正当な理由がある場合でないのに」

「正当な理由がある場合」とは，消費者を自由な判断ができない状況に陥らせるおそれが類型的に無い場合であることを意味する[153]。

「その他の」という字句で明確にされているとおり，「裏付けとなる合理的な根拠がある場合」はあくまで例示である。

統計資料など客観的な裏付資料に基づく数字の告知である場合，科学的根拠に基づく事実の告知である場合，客観的に合理的な経験則に基づく事実の告知である場合，社会通念に照らして客観的に相当と思われる事実の告知である場合などは，本号には該当しない。

例えば，消費者に将来生じうる経済的リスクを客観的なデータに基づく予測と共に説明して保険契約等を勧誘する行為などは，裏付けとなる合理的な根拠がある告知であり，正当な理由が認められる。

この要件については，消費者が「正当な理由がある場合でないこと」の立証責任を負うのか，あるいは，事業者が「正当な理由がある場合であること」の立証責任を負うのかが問題になり得るが，過大な不安を有している消費者の不安をあおって合理的な判断ができない状態にして契約を締結させる行為はそれ自体が原則として違法性が基礎付けられる行為内容であること，本来的に無いことの立証は困難であること，告知内容に関する正当な理由の存否は本来的に事業者でないと判り難いことを踏まえると，事業者が立証責任を負担する要件（違法性阻却要件）と位置付けることが公平かつ相当と考えられる。

④　「当該消費者契約の目的となるものが当該願望を実現するために必要である旨を告げること」

事業者が，過大な不安を抱いている消費者に対し，「当該消費者契約の目

(注152)　消費者庁解説84頁も，「不安はあらかじめ消費者が持っていたものも，事業者が新たに作り出したものも含まれる」としている。

(注153)　消費者庁解説84頁。

的となるものが当該願望を実現するために必要である旨を告げること」が必要である。

「告げる」とは，口頭で直接的に伝える場合に限らず，書面で知悉させる場合もありえる。また，黙示に告げることも含まれ，動作やしぐさで暗に伝える場合も含まれる。

「旨」という字句で明確にされているとおり，「当該契約が当該願望を実現するために必要である」と明確に発言している場合でなくとも，「不安を解消するためには当該契約が必要である」「有効である」といった趣旨を明示・黙示に示していると評価できれば足りる。

したがって，上記のような趣旨の発言をする，書面に記載して消費者に知悉させる，暗に態度で示すといった場合などが広く含まれる。

なお，事業者の告知の内容が事実に反するものであった場合などには，不実告知などの誤認取消しが別途に問題となり得ることはもちろんである。

(iii) 要件③：「消費者が，事業者の行為により困惑し，それによって当該消費者契約の申込み又は承諾の意思表示をしたこと」

① 消費者が「困惑」したこと

「困惑」とは，精神的に自由な判断ができない状況，換言すれば，合理的な判断ができない心理状態をいう。困り戸惑う心理状態，どうして良いか分からない心理状態，畏怖している心理状態を含むが，これらに限られない広い概念である。換言すれば，「事業者の行為で困ってしまう」という心理状態であることを要しない。

「不退去」「退去妨害」等といった強迫的な事業者の行動に対して消費者取消権を肯定している4条3項1号～4号とは異なり，5号～8号の「不安をあおる告知」「人間関係の濫用」という取消類型は，本来的に「合理的な判断をすることができない事情を利用して契約を締結させる類型」である。これらの類型では，必ずしも消費者に「事業者の強迫的な行為で困ってしまう」という心理状態は惹起されない。

例えば，恋人商法・デート商法の事案では，「契約を締結することで異性との関係をより良くできる（かもしれない）」といった錯覚ないし幻惑とも言えるような「合理的な判断ができない心理状態」が消費者に惹起されてい

る事案も存在し，かかる「合理的な判断ができない心理状態」も「困惑」に包含して解さなければ，専門調査会で「人間関係の濫用」制度の救済対象と位置付けていた問題事例のすべてを「困惑取消」で救済することができない。このように「不安をあおる告知」「人間関係の濫用」という新たな取消類型が困惑取消に付加された平成30年改正以後の「困惑」の概念については，特に上記の点に関する留意が必要である(154)(155)。

② 「それによって消費者が当該消費者契約の申込み又は承諾の意思表示をした」

当該消費者が，事業者の不安をあおる行為による困惑した心理状態のもとで，当該消費者契約の申込み又は承諾の意思表示を行ったことをいう。また，事業者の行為，困惑，意思表示の間には，上記のような因果関係が必要である。

(iv) 裁判例

東京地判令4・1・17LLI/DB判例秘書L07730209は，3年程度の社会経験のある26歳前後の消費者が，転職活動における採用面接の際に就職に対する不安をあおられ，就職の実現のためにマンションの購入が必要であると告げられて申し込んだマンション購入契約について，消費者契約法4条3項5

(注154) 第31回専門調査会における後藤巻則委員の「困惑は消費者庁の注釈表を見ても，精神的に自由な判断ができない状況をいうとされておりまして，広い概念だとされております」「困惑取消しの範囲を〔筆者注：従前の「不退去」「退去妨害」から「不安をあおる告知」「人間関係の濫用」をも含んだ規定に〕拡張しますと，消費者契約法4条3項は強迫を拡張したものという伝統的な理解に反し，強迫の枠組みで捉え切れないものも取り上げることになります」「消費者の心理状態に拘泥するということより，むしろ事業者の行為態様の悪質性を重視し，事業者の不当な勧誘行為に影響されて，消費者が合理的な選択ができない状況に追い込まれたという点に着目して，両者を同列に扱ってもよいのではないかと思います」「幻惑が強迫の枠組みで捉えられないということでありましても，ここで問題としているのは解釈論ではなくて立法論でありますので，立法をもってすれば，4条3項の中にこの4号の内容のもの〔筆者注：「人間関係の濫用」に関する困惑取消規定〕を付け加えることは可能ではないかと考えます」という発言を参照（第31回専門調査会議事録29〜30頁）。

(注155) 後述するように，9号・10号は「強迫的な事業者の行動」を問題視した困惑取消の類型である。

号イ（判決当時は同項3号イ）に基づく契約の取消しを認めている。

3 消費者の不安をあおる告知・その2（4条3項7号）

(1) 趣　旨

4条3項7号は，加齢やうつ病，認知症等の心身の故障による判断力の低下で不安な心理状態にある消費者（以下「高齢者等」という）の不安をあおるという行為態様で，合理的な判断ができない心理状態を作り出し，あるいは利用して，契約をさせる場合について消費者取消権を認める規定である。

上述のとおり，本規定は，国会における法案審議の結果，「消費者の不安をあおる告知」の事案に消費者取消権を肯定する一般規定である4条3項5号に「社会生活上の経験が乏しいことから」という適用範囲に疑義を生じさせる文言が存在することを踏まえて，高齢者等に対する不安をあおる告知という事案にも消費者取消権が認められることを明言する規定として，衆議院における法案修正により追加されたものである。

したがって，この法文は，不安をあおられた高齢者等にも消費者取消権が認められる旨の明示規定を確認的に追加したと位置付けるべきものであり，不安をあおられた高齢者等には同項5号の規定と同項7号の規定の要件を両方みたす場合には，両規定が重畳的に適用されることになる[156]。

(2) 解　説

本規定の基本構造は，加齢又は心身の故障による判断力の低下により生活の維持に過大な不安を抱いている消費者に対し，事業者が，その事実を知りつつ不安をあおり，不安の解消に当該消費者契約が必要であると告げ，合理的な判断ができない心情（困惑）に陥った消費者に当該消費者契約を締結させた場合には，当該消費者は当該契約を取り消すことができるというものである。

（注156）　参議院消費者問題に関する特別委員会における大河原雅子衆議院議員の「4条3項3号〔注・現在の同項5号〕と同項5号〔注・現在の同項7号〕の双方に該当する消費者がいる場合，その消費者はいずれの規定でも救済されることになります」との答弁を参照（第196回国会参議院消費者問題に関する特別委員会会議録第6号（2018年6月6日）13頁）。

したがって，本規定の適用において，重要な要件は，①当該消費者が，加齢又は心身の故障による判断力の低下により生活の維持に過大な不安を抱いていること，②事業者が，上記の事実を知りつつ，正当な理由がないのに，当該消費者の不安をあおり，不安を解消するためには当該契約が必要であると告げること，③消費者が困惑して当該契約を締結することである。

(ⅰ) 要件①：「当該消費者が，加齢又は心身の故障によりその判断力が著しく低下していることから，生計，健康その他の事項に関しその現在の生活の維持に過大な不安を抱いていることを知りながら」

① 「加齢又は心身の故障によりその判断力が著しく低下していることから」

「加齢」とは，年齢の増加をいう。「心身の故障」とは，精神的または身体的な疾病や故障をいい，具体的には，うつ病，認知症などが考えられる。

消費者が年齢の増加や精神的・身体的な疾病によって判断力が低下している場合を想定した規定である。

「判断力」とは，消費者契約の締結を適切に行うために必要な判断力をいう。「著しく低下している」とは，加齢又は心身の故障によって上記のような判断力が一般的・平均的な消費者に比べて大きく低下している状況をいう。

上記のような状況であるか否かは，問題となる消費者契約の締結について事業者が勧誘をする時点の消費者の事情に基づき判断される。消費者が認知症を発症している場合は，一般的には判断力が著しく低下している場合に該当すると考えられる[157]。

本号における「著しく」という要件は，判断力が僅かしか低下していない場合にまで取消権を付与することは不適切であるという観点から付与されているものにすぎず，過度に厳格に解釈されてはならない[158]。

実質的に考えても，本号は事業者の不安をあおる告知という不当勧誘行為によって消費者が合理的な判断ができない心理状態に陥って不必要な契約を締結してしまった事案を救済する規定なのであるから，事業者による勧誘行

(注157) 消費者庁解説91頁。

為がなされる前の段階で，消費者が合理的な判断ができないほど判断力の低下した状態である必要性は全くない。

参議院の附帯決議も「本法第4条第3項第5号における『その判断力が著しく低下している』とは，本号が不安をあおる事業者の不当な勧誘行為によって契約を締結するかどうかの合理的な判断をすることができない状態に陥った消費者を救済する規定であることを踏まえ，本号による救済範囲が不当に狭いものとならないよう，各要件の解釈を明確にするとともに，かかる法解釈について消費者，事業者及び消費生活センター等の関係機関に対し十分に周知すること」としている。

また，上記からも明らかであるように，本号の「判断力が著しく低下」という要件は，民法における成年後見等の要件や議論とは無関係である。民法上，「精神上の障害により事理を弁識する能力が著しく不十分である者」（11条）が保佐開始の審判の対象となっている。しかし，保佐制度は，民法13条所定の財産行為を制限する場合を定める趣旨であり，個別契約の取消しの規定である本号とは趣旨を異にするから，本号の要件を保佐に関する上記要件と同様に判断すべきではない。保佐開始の審判の対象とならないような者についても，本号の上記要件に該当しうる。また，補助開始の審判の対象とならないような者であっても，同様に制度趣旨を異にするものであるから，本号の上記要件に該当しうる。

② 「生計，健康その他の事項に関しその現在の生活の維持に過大な不安を抱いていること」

「生計」とは，暮らしを立てるための手当てをいい，生活上の費用を得るための方法に関する事項を想定したものである。「健康」とは，身体が良好な状態であることをいい，身体の状態を維持・向上させる方法に関する事項を想定したものである。

また，「その他の」という字句で明確にされているとおり，「生計」「健康」

（注158） 参議院消費者問題に関する特別委員会における永岡桂子衆議院議員の答弁（第196回国会参議院消費者問題に関する特別委員会議録第6号（2018年6月6日）28頁）。

はあくまで例示である。例えば，人間関係など，生活を維持するために必要な事項はすべて「その他の事項」に含まれうる[159]。

「過大な不安」とは，4条3項5号と同じく，消費者の誰もが抱くような漠然とした不安ではなく，一般的・平均的な消費者に比べて過大に受け止められている不安を抱いていることをいう。通常より大きな心配をしている心理状態であればこれに該当しうる。

また，「現在の生活の維持」に関する不安については，本号が制定された趣旨・経緯に鑑みて，「現在の生活が維持できないのではないか，悪くなるのではないかという不安」に限定されず，「将来の生活が思い描いているような良いものにならないのではないかという不安」も広く含まれると解すべきである。

　(ii)　要件②：「事業者が，消費者の過大な不安を知りながら，その不安をあおり，正当な理由がある場合でないのに，当該消費者契約を締結しなければその現在の生活の維持が困難となる旨を告げること」

　①　「知りながら」「その不安をあおり」「正当な理由がある場合でないのに」

これらの要件の意義については4条3項5号と同旨である。

　②　「当該消費者契約を締結しなければその現在の生活の維持が困難となる旨を告げること」

事業者が，過大な不安を抱いている消費者に対し，「当該消費者契約を締結しなければその現在の生活の維持が困難となる旨を告げること」が必要である。

「告げる」とは，口頭で直接的に伝える場合に限らず，書面で知悉させる場合もありえる。また，黙示に告げることも含まれ，動作やしぐさで暗に伝える場合も含まれる。

「旨」という字句で明確にされているとおり，「現在の生活を維持するためには当該契約が必要である」と明確に発言している場合でなくともよい。

また，上述のとおり，本号における不安の対象は，経済的な問題のみなら

(注159)　消費者庁解説91頁。

ず，健康，容姿，人間関係などを広く含んでいる。また，不安の内容は「現在よりも将来が悪くなるのではないかという不安」に限定されず，「将来の生活が思い描いているような良いものにならないのではないかという不安」をも包含する。

したがって，「現在の不安を解消するためには当該契約が必要である」「有効である」といった趣旨を明示・黙示に示していると評価できれば，上記の要件を満たす。具体的には，そのような趣旨の発言をする，書面に記載して消費者に知悉させる，暗に態度で示すといった場合などである。

(iii) 要件③：「消費者が，事業者の行為により困惑し，それによって当該消費者契約の申込み又は承諾の意思表示をしたこと」

① 消費者が「困惑」したこと

「困惑」は，4条3項5号部分で述べたとおり，広い概念である。

本号の適用場面においても，例えば，将来の生活を危惧している高齢者の不安をあおって不必要な投資契約を急ぎ締結するよう勧誘した場合などは，高齢者の心理状態が「事業者の強迫的な言動で困り果てた」といったものでなくとも（例えば「すぐに契約しないと儲ける機会を喪失してしまう」といった心情であった場合でも），事業者の不安をあおる告知によって合理的な判断ができない心理状態に陥っていたと評価できる場合には，「困惑」を肯定してよい。なお，事業者の告知の内容が事実に反するものであった場合には，不実告知など誤認取消が別途に問題となり得ることはもちろんである。

② 「それによって消費者が当該消費者契約の申込み又は承諾の意思表示をした」

4条3項5号と同旨である。

4　消費者の不安をあおる告知・その3（4条3項8号）

(1)　改正の趣旨

4条3項8号は，霊感その他の合理的に実証することが困難な特別な能力による知見として，そのままでは消費者に重大な不利益を与える事態が生ずる旨を示して消費者の不安をあおるという行為態様で，合理的な判断ができ

ない心理状態を作り出し、あるいは利用して、契約をさせる場合について消費者取消権を認める規定である。

上述のとおり、本規定は、2018年の第196回国会における法案審議の結果、「消費者の不安をあおる告知」の事案に消費者取消権を肯定する一般規定である4条3項5号（改正時の3号）に「社会生活上の経験が乏しいことから」という適用範囲に疑義を生じさせる文言が存在することを踏まえて、霊感商法といった悪徳商法で不安をあおられた被害者には一般的に消費者取消権が認められることを明言する規定として、衆議院における法案修正により追加されたものである。この法文は、霊感商法の被害者に消費者取消権が認められる旨の明示規定を確認的に追加したと位置付けるべきものである。したがって、霊感商法の被害者には同項5号の規定と同項8号の規定が重畳的に適用されることになる。

また、同項8号が規定する消費者取消権については、旧統一教会問題等の霊感商法への対応の強化を求める社会的な要請が高まりを受けて、令和4年12月改正法（令和4年法律第99号）によって、不安をあおる告知の対象に当該消費者だけでなく親族も含むなど、取消要件が改正（緩和）されると共に、一部規定に追認をすることができるときから3年になる（7条）等、行使期間が延長された。

(2) 解　説

本規定の基本構造は、事業者が、消費者に対し、霊感その他の合理的に実証することが困難な特別な能力による知見として、そのままでは重大な不利益を回避できない旨を示して消費者の不安をあおり、または、消費者がそのような不安を抱いていることに乗じて、合理的な判断ができない心情（困惑）にある消費者に当該消費者契約を締結させた場合には、当該消費者は当該契約を取り消すことができるというものである。

したがって、本号の適用において、重要な要件は、①事業者が、霊感その他の合理的に実証することが困難な特別な能力による知見として、そのままでは重大な不利益を回避することができないとの不安をあおり、又はそのような不安を抱いていることに乗じて、その重大な不利益を回避するためには当該契約が必要である旨を告げること、②消費者が困惑して当該契約を締結

(i) 要件①：事業者が，「当該消費者に対し，霊感その他の合理的に実証することが困難な特別な能力による知見として，当該消費者又はその親族の生命，身体，財産その他の重要な事項について，そのままでは現在生じ，若しくは将来生じ得る重大な不利益を回避することができないとの不安をあおり，又はそのような不安を抱いていることに乗じて，その重大な不利益を回避するためには，当該消費者契約を締結することが必要不可欠である旨を告げること」

① 「霊感その他の合理的に実証することが困難な特別な能力」

「霊感」とは，除霊，災いの除去や運勢の改善など，超自然的な現象を実現する能力である。霊感以外の「合理的に実証することが困難な特別な能力」には，いわゆる超能力などがこれにあたる[160]。

外形上，事業者がそのような特別な能力による知見を標榜すれば，それで本要件を満たす。

② 「当該消費者又はその親族の生命，身体，財産その他の重要な事項について，そのままでは現在生じ，若しくは将来生じ得る重大な不利益を回避することができないとの不安をあおり，又はそのような不安を抱いていることに乗じて」

本号にいう「不利益」とは，消費者やその親族の生命，身体，財産その他の重要な事項に損害・損失が生じることをいう。積極損害のみならず，消極損害も含み，現に生じている不利益も，将来において生じる可能性のある不利益も含まれる。また，「不利益」の内容は，生命，身体，財産，その他の重要な事項とされており，限定されていない。このままでは不幸になるといった漠然としたものであっても，個別具体的な事情によって含まれうる[161]。

また，消費者本人のみならず，親族の生命，身体，財産等も該当する。「親族」については，その範囲に特段の限定はなく，本人が不安を抱く親族や家族であれば，内縁の妻なども含めて考えるべきであろう。

「重大な」という要件は，消費者の要保護性や事業者の不当性を基礎付け

(注160) 消費者庁解説 93 頁。

るために規定されているものであり，当該消費者に合理的な判断ができない心情をもたらしうるような軽視できない不利益であれば「重大な」という要件を満たすと解すべきであろう。

「不安をあおり」とは，消費者に対し，消費者又はその親族の重要な事項について，このままでは重大な不利益を回避できない旨を強調して告げる場合等をいう。例えば，契約の目的となるものが重大な不利益の回避のために必要である旨の告知を繰り返したり，強い口調で告げたりして強調する場合が該当する[162]。

「そのような不安を抱いていることに乗じて」とは，消費者が不安を抱いている心理状態を事業者が利用したことをいう。その性格上，事業者の認識が要件となる。もっとも，事業者の認識の存否については，不当な弁明を許さないよう，事業者が置かれた具体的な状況から客観的に認定する必要がある。事業者が過去に不安をあおる行為を行っており，それによる不安を当該消費者がその後も（＝勧誘時や消費者契約時にも）抱き続けている場合などは，上記の「乗じて」という要件や「勧誘をするに際し」という要件を満たす。霊感商法で消費者がマインドコントロールされて寄附をしているような事例については，多くの場合，不安を抱いていることに乗じて勧誘されたものと考えられる。

③ 「その重大な不利益を回避するためには，当該消費者契約を締結することが必要不可欠である旨を告げること」

本号では，事業者が消費者に対し「重大な不利益を回避するためには，当該消費者契約を締結することが必要不可欠である旨を告げること」が必要とされている。

「必要である旨を告げること」ではなく，「必要不可欠である旨を告げること」という要件とされているのは，厄年を心配している人に厄払いを勧めるといった一般的に許容されている不当性の無い宗教活動等まで含まれることがないようにするためであるから[163]，「必要不可欠」という要件は厳格に解

(注161) 消費者庁解説 93〜94 頁。
(注162) 消費者庁解説 94 頁。

すべき要件ではない。また，「旨」という字句で明確にされているとおり，必要不可欠という言葉をそのまま告げる必要などはなく，勧誘行為全体として強い必要性や切迫性が示されていれば足りる。

もともと霊感商法は合理的に実証することが困難な能力を標榜して契約を勧誘する事案であり，そのような霊感等の能力を標榜する者が消費者に対して「不利益を回避するためにはこの契約が必要である」「有効である」等といった言動のもと多額の寄附や契約の締結を求めて消費者を困惑させたような勧誘事例については，上記のような強い必要性や切迫性が示されていると解することができる場合が多いものと考えられる。

「告げる」とは，口頭で直接的に伝える場合に限らず，書面で知悉させる場合もありえる。また，黙示に告げることも含まれ，しぐさで暗に伝える場合も含まれる。したがって，「特別な能力による知見として，重大な不利益を回避するためには当該契約が必要である」「有効である」といった趣旨を明示・黙示に示していると評価できれば，上記の要件を満たす。具体的には，そのような趣旨の発言をする，書面に記載して消費者に知悉させる，暗に態度で示すといった場合などである。

(ⅱ) 要件②：「消費者が，事業者の行為により困惑し，それによって当該消費者契約の申込み又は承諾の意思表示をしたこと」

① 消費者が「困惑」したこと

「困惑」は，4条3項5号部分で述べたとおり，広い概念である。

本号の適用場面においても，例えば，将来を予知できる特別な能力による知見として，いま契約しなければ儲ける機会を喪失する等と述べて不必要な投資契約を締結するよう勧誘した場合などは，被害者の心理状態が「事業者の強迫的な言動で困り果てた」といったものでなくとも（例えば「すぐに契約しないと儲ける機会を喪失してしまう」といった心情であった場合でも），事業者の不安をあおる告知によって合理的な判断ができない心理状態に陥ってい

(注163) 衆議院消費者問題に関する特別委員会における牧原秀樹議員の質問に対する植田広信政府参考人の答弁（第210回国会衆議院消費者問題に関する特別委員会会議録第4号（2022年12月6日）5頁）。

たと評価できる場合には,「困惑」を肯定してよい。いわゆるマインドコントロールによる寄附については,多くの場合,不安を抱いていることに乗じて勧誘されたものと言え,また,「困惑」状態において寄附をしたものとして,消費者取消権を行使できる。なお,事業者の告知の内容が事実に反するものであった場合には,不実告知など誤認取消が別途に問題となり得ることはもちろんである。

　② 「それによって消費者が当該消費者契約の申込み又は承諾の意思表示をした」

4条3項5号と同旨である。

　いわゆる霊感商法においては,消費者が事業者の行為による困惑状態のもと事業者に多額の金品を寄附するといった被害類型が少なくない。上記のような「寄附」は多くの場合は消費者契約(贈与契約など)に該当すると思われるため,消費者は上記契約の申込みや承諾の意思表示を本号に基づいて取り消すことで被害回復を図ることができる。

　なお,令和4年12月改正法と同じ令和4年12月10日に成立した「法人等による寄附の不当な勧誘の防止等に関する法律」(令和4年法律第105号,以下「不当寄附勧誘防止法」という)によって,もし万一消費者契約に基づかない寄附(遺贈など単独行為での寄附)であっても上記の法律によって消費者が寄附の意思表示を取り消すことができる旨が規定された(同法8条)。

　また,寄附行為に関する同法及び消費者契約法に基づく取消権について家族が代位行使できる制度(債権者代位権の行使に関する特例)などが定められた(不当寄附勧誘防止法10条)。

●恋愛感情等に乗じた人間関係の濫用(4条3項6号)

1　趣　旨

　4条3項6号は,契約締結について合理的な判断をすることができない消費者の事情を事業者が不当に利用して契約を締結させる消費者被害(いわゆる「つけ込み型不当勧誘」事案)のうち,典型的な被害事例の1つである「人間関係の濫用」という行為態様(典型例は恋人商法・デート商法や親切商法)

で，合理的な判断ができない心理状態を作り出し，あるいは利用して，契約をさせる場合について消費者取消権を認める規定である[(164)]。この規定は，平成30年改正で追加されたものである（改正当時は，4条3項4号であったが，令和4年5月改正により，4条3項6号となった。）。

なお，4条3項6号には，「社会生活上の経験が乏しいことから」という文言が存在することから，一見すると適用対象を若年者に限定している法文のようにも見える。しかし，本規定は，適用範囲を若年者に限定してはおらず，高齢者や通常の社会生活上の経験を積んできた消費者にも適用されうる。また，専門調査会において問題とされた被害事例[(165)]は，高齢者の被害事例を含めて，基本的に救済される。これらの点は，国会における大臣の答弁でも確認されており[(166)]，本号の適用範囲や条文の解釈を考えるうえで重要である。

2 解　説

(1) 取消しの要件

（ⅰ）本号の適用において，重要な要件は，①当該消費者が，社会生活上の経験が乏しいことから，当該消費者契約の締結について勧誘を行う者に対して恋愛感情その他の好意の感情を抱き，かつ，当該勧誘を行う者も当該消費者に対して同様の感情を抱いているものと誤信していること，②事業者が，上記の事実を知りつつ，これに乗じ，当該契約を締結しなければ勧誘者との

(注164)　「人間関係の濫用」も，「不安をあおる告知」と同じく，困惑取消（4条3項）の1類型（6号）として位置付けられてはいるが，「過量契約」（4条4項）と同じく，本来的に「合理的な判断をすることができない事情を利用して契約を締結させる類型」に消費者取消権を肯定した規定である。その点，威迫的な事業者の行動に対して消費者取消権を肯定している4条3項1号から4号・9号・10号とは，問題の状況や被害者の心理状態に差異がある。

(注165)　平成29年専門調査会報告書・参考資料5「参考事例③」，第44回専門調査会・資料1，7頁等を参照。

(注166)　衆議院本会議における西岡秀子議員，もとむら賢太郎議員の質問に対する福井照消費者担当大臣の答弁（第196回国会衆議院本会議議事録第25号（2018年5月11日）5，8頁）。

関係が破綻することになる旨を告げること，③当該消費者が困惑して，当該契約を締結することである。

（ii） 要件①：「当該消費者が，社会生活上の経験が乏しいことから，当該消費者契約の締結について勧誘を行う者に対して恋愛感情その他の好意の感情を抱き，かつ，当該勧誘を行う者も当該消費者に対して同様の感情を抱いているものと誤信していること」

① 「社会生活上の経験が乏しいことから」

本要件の詳細は，4条3項5号の解説で既述のとおりである。

本号の運用においても，個別具体的な事案において，当該事業者の「人間関係の濫用」という不当勧誘行為に対して，当該消費者がそれまでの社会生活上の経験では対応できず，合理的な判断ができない心理状況に陥り，当該消費者契約を締結してしまったという事案では，当該消費者は社会生活上の経験の積み重ねが当該消費者契約を締結するか否かの判断を適切に行うために必要な程度には至っていなかったものと認められる。

この点，本要件の実務上の運用については，消費者が，「人間関係の濫用」という不当勧誘行為によって合理的な判断ができない心理状況（困惑）に陥り，不必要な契約の締結に至ったという事案であれば，当該契約を締結するか否かの判断において当該消費者が積み重ねてきた社会生活上の経験による対応は困難であったものと事実上推認する解釈・運用が適切かつ合理的である。

専門調査会において救済すべき対象として議論されていた被害事例は，基本的にすべて「社会生活上の経験が乏しいことから（中略）好意の感情を抱き，かつ，当該勧誘を行う者も当該消費者に対して同様の感情を抱いているものと誤信」していたという要件を満たす[167]。したがって，専門調査会において救済すべき対象として議論されていた被害事例は，本規定の救済対象となると運用されなければならない[168]。

② 「当該消費者契約の締結について勧誘を行う者に対して恋愛感情その

（注167） 前掲（注166）参照。
（注168） 前掲（注165）参照。

他の好意の感情を抱き，かつ，当該勧誘を行う者も当該消費者に対して同様の感情を抱いているものと誤信していること」

ⓐ 「勧誘を行う者に対して恋愛感情その他の好意の感情を抱き」

「勧誘を行う者」とは，消費者と事業者との間に当該消費者契約が成立するように，事業者のために，消費者に対し勧誘行為を実施する者をいう。事業者から対価を得ている必要はない[169]。

「恋愛感情」とは，他者を恋愛の対象とする感情をいう。「好意の感情」とは，他者に対する親密な感情をいう。「その他の」という字句で明確にされているとおり，「恋愛感情」はあくまで例示である。恋愛感情のように，勧誘者への感情が一般的な他者への感情を越えた親密なものであれば足り，例えば，親しい友人，同じ寮やサークルの先輩・後輩，実の親子・兄弟のように付き合っている関係など，あらゆる人間関係における上記のような親密な感情を広く含む[170]。

この点，独居老人が自宅にしばしば訪問して世話を焼いてくれる販売員を実の子供のように信頼しているといった人間関係（いわゆる「親切商法」の事案における被害者の勧誘者に対する親密な感情）も，本号の「好意の感情」に含まれる[171]。

また，本号の文理や人間関係において断り切れない等の状況を利用して契約を締結させる事案について取消権を認めた制度趣旨からも，「好意の感情」は当該事業者や当該勧誘者が作出させたものであることを要しない[172]。

ⓑ 「当該勧誘を行う者も当該消費者に対して同様の感情を抱いているものと誤信していること」

本号は，消費者が勧誘者に対して好意の感情を抱くだけでなく，勧誘者も

(注169) 消費者庁解説87頁。
(注170) 消費者庁解説87頁は，恋愛感情と同程度に特別な好意であることが必要とする。しかし，「恋愛感情と同程度」といっても様々な程度・態様があり得るところである。また，文言上も「特別な」といった特段の限定もない。本号の趣旨に照らしても，合理的な判断ができない心理状況をもたらし得る好意の感情であれば足りると解すべきである。
(注171) 第44回専門調査会議事録13頁。
(注172) 消費者庁解説89頁。

「同様の感情」を抱いているものと消費者が誤信していることを要件としている。

上記にいう勧誘者の「同様の感情」は，消費者の好意の感情と同一である必要はなく，消費者の好意の感情に相応する感情であれば足りる。例えば，親子の関係における親の子に対する感情と子の親に対する感情や，先輩・後輩の関係における後輩の先輩に対する感情と後輩の先輩に対する感情は同一の好意の感情ではないが，相互に対応する感情であり，「同様の感情」に当たる[173]。

また，もともと「人間関係の濫用」という制度が典型的な救済対象として想定しているのは，いわゆる「恋人商法」「デート商法」「親切商法」といった被害事例であるところ，それらの事例では，消費者は勧誘者に対して「好意の感情」を抱いているが，勧誘者の方は消費者に対して外観上「好意の感情」を見せかけているだけで，実際には勧誘行為の一環として消費者に接近しているにすぎない。

したがって，本号における「同様の感情を抱いているものと誤信して」という要件は，消費者の勧誘者に対する上記のような人間関係に関する誤信の存在が認められれば足りる。すなわち，消費者の好意の感情に対応する感情の存在が勧誘者によって外観上表示されること等により，消費者が，そのような外観を信頼して，勧誘者はそのような感情を真に抱いているものと信じたという状況があれば，「同様の感情を抱いているものと誤信して」という要件を満たす。

例えば，いわゆる「恋人商法」「デート商法」の事案において，勧誘者が今後の交際の実現や交際の進展を匂わせるような思わせぶりな言動を行い，消費者が勧誘者との今後の交際の実現や交際の進展を期待したという状況があれば，「同様の感情を抱いているものと誤信して」という要件を満たす。

このように本規定で問題となるのは，好意を抱いていると見せかけながら，真実は勧誘行為の一環として消費者に接近するという片面的な人間関係が利用されることであるから，そのような片面的な関係が認められる場合に

(注173) 消費者庁解説88頁。

おいて，この点と別個に，消費者の好意の感情と事業者の見せかけの感情の程度の同質性や，人間関係の緊密さの程度などは本規定の要件となるものではないと考えられる。

なお，勧誘者が上記のような親密な感情の存在を消費者に表示していた事実の立証方法としては，メール，LINE，日記，Facebookの内容等から，勧誘者の消費者に対する言動内容を示すことが考えられる。また，これらの内容等から直接感情が読み取れないとしても，会ったり，一緒に食事をしたりしていた事実（その場所，時間帯，一緒に行った活動の内容などを含む。）を示し，それらの事実から推認するといった方法などが考えられる。

　③　要件②：「事業者が，上記の事実を知りながら，これに乗じ，当該消費者契約を締結しなければ当該勧誘を行う者との関係が破綻することになる旨を告げること」

　　ⓐ　「知りながら」

「知りながら」とは，消費者が勧誘者に好意の感情を抱き，勧誘者も同様の感情を抱いていると誤信していることについて，事業者が認識していたことを意味する。

本号は，いわゆる「つけ込み型不当勧誘」の１類型に消費者取消権を認めた規定であることから，消費者が合理的な判断ができない状況にあることを事業者が不当に利用して勧誘行為を行ったと評価する前提として，上記のような客観状況に関する事業者の認識を要件としたものである。

なお，「社会生活上の経験が乏しいことから」という要件については，前述のとおり，消費者が，「人間関係の濫用」という不当勧誘行為によって合理的な判断ができない心理状況（困惑）に陥り，不必要な契約の締結に至ったという事案であれば，当該契約を締結するか否かの判断において当該消費者が積み重ねてきた社会生活上の経験による対応は困難であったものと事実上推認する解釈・運用が適切かつ合理的である。また，社会生活上の経験が乏しいことからそのような誤信に至ったかは評価の問題である。したがって，「社会生活上の経験が乏しいこと」の事業者の認識は不要と考えるべきである。

「知りながら」の立証については，消費者が事業者の認識を立証すること

になることから運用上の留意が必要である。具体的には，まず，事業者が消費者の「好意の感情」や「誤信」を作出したような事案では，当然に事業者の認識を認めてよいであろう。また，事業者が，当該消費者契約を締結しなければ当該勧誘を行う者との関係が破綻することになる旨を告げて勧誘行為を行った事実が認められる場合には，事業者はそのような勧誘行為の前提となる消費者の「好意の感情」や「誤信」を認識していたものと推認してよいであろう。さらに，消費生活センターなどに当該事業者について同様の勧誘手法の消費生活相談が複数ある場合等にも事業者の認識が推認されると考えられる[174]。

ⓑ 「これに乗じ」

「これに乗じ」とは，そのような状態を利用するという意味である。

上述のとおり，本号は，いわゆる「つけ込み型不当勧誘」の1類型に消費者取消権を認めた規定であることから，消費者が合理的な判断ができない状況にあることを事業者が不当に利用して勧誘行為を行ったと評価する前提として，事業者が消費者の状態を利用する主観的な意図を明確にしたものとされる[175]。

この点，事業者が消費者の「好意の感情」や「誤信」を作出したような事案では，当然に消費者の状態を利用する事業者の意図を認めて良いであろう。また，事業者が，消費者の「好意の感情」や「誤信」を知りながら，当該消費者契約を締結しなければ当該勧誘を行う者との関係が破綻することになる旨を告げて勧誘行為を行ったような場合には，通常，事業者には消費者の状態を利用する意図があったと推認されることになる[176]。さらに，当該事業者について，同様の勧誘手法の消費生活相談が複数ある場合等にも事業者の認識が推認されると考えられる。

ⓒ 「当該消費者契約を締結しなければ当該勧誘を行う者との関係が破綻することになる旨を告げること」

「当該勧誘を行う者との関係」とは，消費者が誤信している勧誘者との人

(注174) 消費者庁解説88頁。
(注175) 消費者庁解説89頁。

間関係のことである。

　「破綻する」とは，勧誘者との上記のような人間関係が綻びる，悪化するということであり，当該人間関係が終了するということまでを要しない[177]。

　「告げる」とは，口頭で直接的に伝える場合に限らず，書面で知悉させる場合もありえる。また，黙示に告げることも含まれ，しぐさで暗に伝える場合も含まれる。

　「旨」という字句からも明確であるとおり，告知の内容は「契約をしなければ人間関係が終わる」「もう会わない」といった直接的な言い方をしたような場合に限定されてはいない。実質的に考えても，「人間関係の濫用」制度で主たる救済対象として位置付けられていた「デート商法」「恋人商法」といった行為類型の実際の被害事例において，勧誘者は上記のような直接的な物言いよりも，思わせぶりな言動や所作などで消費者に「当該契約を締結しないと人間関係が悪くなるかもしれない」「現在のような関係が崩れてしまうかもしれない」「むしろ当該契約を締結することで関係を良くしたい」と思わせ，もって合理的な判断ができない心理状態にする事案が少なくない。本制度の制定経緯において指摘した専門調査会で想定された事例でも，「二人の将来のことを言われたため，やめられなかった」という場合が救済すべき事案とされていたものである[178]。

　したがって，「勧誘を行う者との関係が破綻することになる旨を告げること」という要件については，本号の趣旨から実質的に考察することが必要かつ相当であり，必ずしも「関係が終了する」と直接的に告げられた場合だけでなく，思わせぶりな言動や表情や所作などから実質的に考えれば「契約しなかった場合には，今のような関係は継続できないかもしれない」旨を明示・黙示に示されたと評価できるような場合には，この要件を満たすものと解してよい。

　この点，本要件に該当しうる例としては，以下のような場合が考えられ

（注176）　消費者庁解説89頁。
（注177）　例えば，一般的に「夫婦関係の破綻」といった場合も，「夫婦関係の終了」を当然には意味しない。
（注178）　平成29年専門調査会報告書・参考資料5「参考事例③」を参照。

る。

　例1　消費者が当該消費者契約締結を躊躇した際に勧誘者がつれない素振りや暗い表情等（実質的に見て，契約しなかった場合には関係が終了してしまうかもしれない，勧誘者との現在のような人間関係の維持のためには当該契約の締結が必要であるとの認識を想起させる行動）をした場合

　例2　「買ってくれたら嬉しい。」「使ってくれたらもっと好きになる。」等と勧誘者の消費者に対する好意の感情と当該消費者契約とを結びつける発言（実質的に見て，契約しなかった場合には現在のような関係が継続できないかもしれない，現在の関係よりも悪化するかもしれない，勧誘者との現在のような人間関係の維持のためには当該契約の締結が必要であるとの認識を想起させる言動）をした場合

　例3　結婚や交際の進展といった2人の将来を匂わせたうえで，「あなたのことを思って契約することをすすめる。」「契約を締結することが出世につながる。」などといった発言（実質的に見て，契約しなかった場合には2人の幸せな将来が来ないかもしれないという認識を想起させる言動）をした場合

　(iii)　要件③：「消費者が，事業者の行為により困惑し，それによって当該消費者契約の申込み又は承諾の意思表示をしたこと」

　①　消費者が「困惑」したこと

「困惑」は，4条3項5号部分で述べたとおり，広い概念である。必ずしも消費者に「事業者の行為で困ってしまう」といった心理状態は必要ではない。

　この点，本号が問題となり得る「恋人商法」「デート商法」などの事案においては，消費者が販売員から「現在の関係を続けるため必要」等と言われ，そのような言動の結果，「契約すれば関係を維持できる」といった錯覚ないし幻惑とも言えるような「合理的な判断ができない心理状態」に陥り，当該契約を締結してしまったといった場合も，本項の「困惑」要件を満たしうる[179]。

　②　「それによって消費者が当該消費者契約の申込み又は承諾の意思表示

をした」

4条3項5号と同旨である。

(2) 不法行為との関係

なお，人間関係を濫用する事案は不法行為に該当することも考えられる。この際，本号の要件を満たさないから不法行為が成立しないと考えるべきではない。例えば，事案によっては，消費者が「当該勧誘を行う者も当該消費者に対して同様の感情を抱いているものと誤信していること」や「破綻することになる旨を告げること」は不要であることも考えられる。なお，デート商法による投資用マンションの勧誘事件について不法行為を認めたものとして東京高判令3・7・28判例集未登載がある。

● 4条3項9号・10号

◆契約締結前の債務の内容の実施・契約締結前に実施した活動に対する損失補償請求が，平成30年改正法によって4条3項7号・8号として規定された。その後，令和4年5月改正で，4条3項9号・10号となり，同9号には契約目的物の現状変更という内容が追加された。

1　趣　旨

(1)　意　義

4条3項9号は，事業者が契約締結に先立って履行に相当する行為を実施し，または目的物の現状を変更し，一定の既成事実を作出した状態で契約締結行為を求めた場合，消費者は，もはや契約を免れることはできないという心理的負担によって自由な判断ができない心理状態（困惑）に陥ってしまうことから，上記のような事業者の勧誘方法と消費者の心理状況のもとで締結

(注179)　参議院消費者問題に関する特別委員会における福島みずほ議員の質問に対する川口康裕政府参考人答弁（第196回国会参議院消費者問題に関する特別委員会会議録第6号（2018年6月6日）27頁）。

された契約につき，消費者取消権を付与する規定である（契約締結前の債務の内容の実施・契約目的物の現状変更）。

　また，10号は，事業者が契約締結に先立って消費者との契約の締結を目指した行為を実施し，消費者のために特に実施されたものである旨及び実施により生じた損害を求める旨を告げる行為態様のもとで契約締結行為を求めた場合，消費者は，もはや契約を免れることはできないという心理的負担によって自由な判断ができない心理状態（困惑）に陥ってしまうことから，上記のような事業者の勧誘方法と消費者の心理状況のもとで締結された契約につき，消費者取消権を付与する規定である（契約締結前に実施した活動に対する損失補償請求）。

(2)　改正経緯（平成30年改正）

　消費者が事業者から強迫的な行為態様を受けて本意ではない契約を強引に締結させられる被害は少なくない。

　この点，民法は，強迫取消（同法96条1項）の規定を置いているが，強迫取消が認められるためには，強迫行為（害悪を告知して畏怖を生じさせる行為）と二重の故意（表意者に畏怖を生じさせる故意と畏怖に基づいて意思表示させる故意）について主張立証することが必要であるところ，情報・交渉力に劣る消費者は「強迫」「畏怖」まで至っていない場合であっても事業者の強引な勧誘に負けて契約を締結してしまう場合も少なくない。また，二重の故意の立証は消費者にとって容易ではなく，強迫取消のみでは消費者の救済には不十分であった。

　上記のような問題状況のもと，1998年～1999年当時の消費者契約法の制定に向けた議論においては，事業者が消費者を「威迫」して勧誘した場合には消費者は契約を取り消すことができるとする立法提案が検討されたり[180]，研究者や弁護士会からも「威迫」による勧誘の条項を含む消費者契約法試案[181][182]が示されたりした。しかし，産業界の強い反対意見などもあり，2000年に制定された消費者契約法では，強迫的な行為態様で強引に消費者に契約を締結させる被害類型のうち，事業者が「不退去」「退去妨害」とい

（注180）　第16次国生審中間報告21頁，第16次国生審最終報告35頁。

った身体拘束行為をもって消費者を困惑させ，強引に契約を締結させる被害類型に関する消費者取消権が規定された（4条3項1号・2号）。一方，「威迫」など不退去・退去妨害以外の強迫的な行為態様の困惑惹起行為（非身体拘束型困惑惹起行為）によって消費者に強引に契約を締結させる被害類型に対する救済方法については将来の立法課題として残された。

　消費者契約法成立後に組織された国民生活審議会消費者契約法評価検討委員会や消費者委員会消費者契約法に関する調査作業チームにより，不退去・退去妨害以外の強迫的な行為態様の困惑惹起行為（非身体拘束型困惑惹起行為）に関する被害事例が多く存在することが確認され，上記のような被害類型に困惑取消を拡張する立法を制定すべきであるという報告が重ねられた[183][184]。また，日弁連は，威迫による勧誘が行われた場合に広く困惑取消権を認める改正試案を示した[185]。

　上記のような経緯のもと，2014年10月に内閣府消費者委員会に設置された専門調査会では，非身体拘束型困惑惹起行為のうち，①執拗な電話勧誘（ないし勧誘），②威迫による勧誘への「困惑類型の拡張」が議論されたが，①については，特定商取引法の運用・改正を踏まえる必要がある，②につい

（注181）　沖野眞已教授の立法試案は「事業者が，契約勧誘意図を秘匿して不意打ち的に接近し，執拗あるいは威迫的な勧誘を行い，不安心理や困惑をひきおこし，または消費者の知識・判断力の不足に乗じ，その他信義誠実に反する態様で，消費者に契約を締結せしめた場合，当該事情の下では消費者が当該契約締結を拒絶することが実質上期待できない状況であったとき，消費者は契約を取り消すことができる。」というものであった（「『消費者契約法（仮称）』の一検討(1)」NBL652号21頁）。

（注182）　1999年日弁連試案5条1項3号は「消費者を威迫する言動」を消費者取消権の対象とすることを提案していた。

（注183）　国民生活審議会消費者契約法評価検討委員会「消費者契約法の評価及び論点の検討等について」（2007年8月）15頁。

（注184）　平成25年論点整理の報告15頁。

（注185）　2012年日弁連改正試案5条1項3号は「当該事業者が，当該消費者に対して，威迫する言動，不安にさせる言動，迷惑を覚えさせるような仕方その他心理的な負担を与える方法で勧誘すること」を困惑取消の1類型とすることを提案している。

ては，事業活動への過度の制約にならないよう適用範囲や要件を明確にする必要があるといった消極意見もあり，平成27年専門調査会報告書では，「②威迫による勧誘」について要件の明確化の要否・内容を継続審議することとなった[186]。

その後，2016年に再開された専門調査会では，「威迫」という法文での立法を求める消費者団体等からの意見も強く主張される一方，要件が明確でない立法には反対するという経済界からの意見も強く述べられたことから，具体的な被害事例に類型的に認められる威迫行為の具体的な行為態様を抽出して要件化するという方向で議論と検討が重ねられた結果，平成29年専門調査会報告書では，事業者が①契約締結前に債務の内容を実施し，または②契約締結前に実施した活動に対する損失補償を請求したことによって消費者が困惑した場合に消費者取消権を認めるという立法提案が取りまとめられた[187]。

そして，2018年6月8日，上記の提案が改正法案4条3項7号及び同8号として規定された平成30年改正法が国会において成立した。

(3) 改正経緯（令和4年5月改正）

さらに，4条3項9号（平成30年改正当時の7号）は，事業者が当該消費者契約を締結したならば負うこととなる義務の内容の全部若しくは一部を実施した場合に取消権を生じさせるとしていたが，事業者が義務の内容を実施したといえない形で契約の目的物の現状を変更する場合も，消費者を義務の内容を実施された場合と同様に困惑させることから，令和4年5月改正法は，4条3項9号に，事業者が契約の目的物の現状を変更し，その実施前の原状の回復を著しく困難する場合を追加した。

2 解　説

(1) 契約締結前の債務の内容の実施（4条3項9号）

(ⅰ) 要件①：「当該消費者が当該消費者契約の申込み又はその承諾の意思表示をする前に，当該消費者契約を締結したならば負うこととなる義務

（注186）　平成27年専門調査会報告書12頁。
（注187）　平成29年専門調査会報告書6頁。

の内容の全部若しくは一部を実施し，又は当該消費者契約の目的物の現状を変更し」

「当該消費者が当該消費者契約の申込み又はその承諾の意思表示をする前に」とは，問題とされている消費者契約を消費者と事業者が締結する前の時点でという意味である。

「当該消費者契約を締結したならば負うこととなる義務の内容の全部若しくは一部を実施し」とは，通常の場合において，当該消費者契約を締結したならば当該事業者が当該契約に基づき実施するであろう行為の全部又は一部であれば足りる。

本号の想定する被害事例では，事業者の行為が契約締結に先行することや，事業者が勧誘を行っている時点では当該消費者契約の内容が必ずしも明らかとはなっていないことから，事業者の行為と事後に締結される契約上の義務内容が完全に一致しない場合もありえる。しかし，本号が制定された経緯に鑑みれば，実際に締結された消費者契約の義務内容と先行する事業者の行為との完全な一致を求める必要性も妥当性もない。先行する行為と契約内容との多少の不一致は本号の適用の妨げとはならず，「当該消費者契約を締結したならば負うこととなる義務の内容の全部若しくは一部を実施」したかどうかは，通常，当該消費者契約を締結したならば当該事業者が実施する行為であるか否かなどの事情を考慮して判断すれば足りる[188]。

なお，「当該消費者契約を締結したならば負うこととなる義務の内容の全部若しくは一部を実施し，又は当該消費者契約の目的物の現状を変更し」に該当しない場合には本号は適用されない。しかし，事業者の行為が10号の「その他の当該消費者契約の締結を目指した事業活動を実施した場合」に該当する場合には，他の要件を満たす場合には10号に基づく消費者取消権を行使できる[189]。

(ⅱ) 要件②:「その実施又は変更前の原状の回復を著しく困難にすること」

「その実施又は変更前の原状の回復を著しく困難にすること」とは，事業

(注188) 消費者庁解説95〜96頁。
(注189) 消費者庁解説99頁。

者が義務の全部若しくは一部を実施し，または契約の目的物の現状を変更することによって，実施前または現状変更前の状態の回復を物理的又は消費者にとって事実上不可能とすることをいう。これに当たるかどうかは，一般的・平均的な消費者を基準として社会通念を基に規範的に判断されることになる。

例えば，竿竹の売買契約において，事業者が売買契約締結前に竿竹を切ってしまったといった事案では，切断された竿竹を切断前の状態に回復することは物理的に不可能であるから，「原状の回復を著しく困難にすること」に該当する[190]。

また，物理的に原状回復することは可能であるが，原状回復に時間がかかる，専門的な知識や経験が要る，すぐに用意できない道具が要るといった事情があるために一般的・平均的な消費者を基準として社会通念を基に判断すれば事実上不可能と評価できる場合も，「原状の回復を著しく困難にすること」に該当する。例えば，ガソリンスタンドで頼んでいないのに先にエンジンオイルを交換されたといった事案では，エンジンオイルの再交換作業は，技術的にも，経験上も，道具の不所持という観点からも，一般的・平均的な消費者を基準として社会通念を基に判断すれば，消費者にとって事実上不可能と考えられるから，「原状の回復を著しく困難にすること」に該当する[191]。

さらに，客観的にも時間的にも原状回復が可能であるが，事業者が威圧的な態度をとるために，消費者が原状回復を求められなかったといった心理的に困難であった場合も「原状の回復を著しく困難にすること」に該当するかは解釈上問題となり得る。

この点，専門調査会の議論では，「当該消費者が当該消費者契約の申込み又はその承諾の意思表示をする前に当該消費者契約における義務の全部又は一部の履行に相当する行為を実施し，当該行為を実施したことを理由として当該消費者契約の締結を強引に求めること」とする条項案の提案がされた。

(注190)　消費者庁解説 97 頁。
(注191)　消費者庁解説 97 頁。

そして，その適用に関して，不用品回収業者に電話をし，まずは見積りに来てもらい，金額に納得したら回収を依頼することにしたが，当日強面の男性担当者が2名来て，不要品の場所を聞くと台車に乗せて庭先から車に運び込み，その後に回収費用を請求された事例のように，客観的には原状回復が可能であっても，事業者が威圧的態度を取ったり，消費者が怖いと感じる既成事実を作出した場合には同条項案の要件を満たすと考えられていた[192]。そして，これらの議論を受けて，平成29年専門調査会報告書では，「当該消費者が消費者契約の申込み又はその承諾の意思表示をする前に当該消費者契約における義務の全部又は一部の履行に相当する行為を実施し，当該行為を実施したことを理由として当該消費者契約の締結を強引に求めること」という趣旨の規定を4条3項に追加して列挙することが提案され，この提案を受けて，作成されたのが本規定の文言である[193]。

上記のような議論経緯や本号が本来的に強迫的な行為態様の非身体拘束型困惑惹起行為を立法化した規定であることに鑑みると，本号は，事業者が消費者に対して威圧的態度を取ったり，消費者に怖いと思わせた場合にも消費者に取消権を与えることを想定している規定であり，本号にいう「困難」には事業者が威圧的な態度を取るために，消費者が原状回復を求められないなど心理的に困難な場合も包含すると考えるのが相当である。

なお，「その実施又は変更前の原状の回復を著しく困難にすること」に該当しない場合には本号は適用されない。しかし，契約締結前に「義務の内容の全部若しくは一部を実施し，又は当該消費者契約の目的物の現状を変更」することは，10号の「その他の当該消費者契約の締結を目指した事業活動を実施した場合」に該当すると考えられるので，他の要件を満たす場合には10号に基づく消費者取消権を行使できる。

(iii) 要件③：「消費者が，事業者の行為により困惑し，それによって当該消費者契約の申込み又は承諾の意思表示をしたこと」

4条3項5号と同旨である。

(注192) 第44回専門調査会議事録，第44回専門調査会・資料1・16〜18頁。
(注193) 第44回専門調査会・資料1・17頁【事例2】参照。

(2) 契約締結前に実施した活動に対する損失補償請求（4条3項10号）

(i) 要件①：「前号に掲げるもののほか」

「前号に掲げるもののほか」とは，本号の適用対象には9号の適用対象となる行為が含まれないことをいう[194]。

したがって，①義務の内容の全部又は一部を実施したと言えない場合，若しくは②原状回復を著しく困難としたとは言えない場合は，9号の要件を満たさないため，本号の適用を検討することになる。

(ii) 要件②：「当該消費者が当該消費者契約の申込み又はその承諾の意思表示をする前に，当該事業者が調査，情報の提供，物品の調達その他の当該消費者契約の締結を目指した事業活動を実施した場合」

「当該消費者が当該消費者契約の申込み又はその承諾の意思表示をする前に」とは，問題とされている消費者契約を消費者と事業者が締結する前の時点でという意味である。

「当該消費者契約の締結を目指した事業活動」とは，事業者が特定の消費者との契約締結を目的として行う事業活動をいう。「その他の」という字句で明確にされているとおり，「調査，情報の提供，物品の調達」はあくまで例示であり，これらに限定されない。したがって，例えば，住居への来訪や債務の内容の先行的な実施といった事業活動も包含される。

(iii) 要件③：「当該事業活動が当該消費者からの特別の求めに応じたものであったことその他の取引上の社会通念に照らして正当な理由がある場合でないのに」

「特別の求め」とは，消費者の事業者に対する調査等の事業活動の求めが，消費者契約の締結に際して一般的にみられる程度を超え，信義に反する程度の要求に至ったことをいう[195]。

「取引上の社会通念に照らして正当な理由がある場合」とは，当該消費者からの特別の求めに応じた場合と同程度に，事業者による損失補償の請求に正当性が認められる場合をいう。

（注194） 消費者庁解説98頁。
（注195） 消費者庁解説99頁。

この「正当な理由がある場合」という例外要件は，専門調査会における「消費者に，例えば自ら事業者に対して特別な要求を行っていた場合など，信義に反する行為があったとすれば，事業者が消費者のために実施したことで生じた費用（損失）について告げること自体の不当性は必ずしも高いとまではいえないと考えられる。そこで，不当性が高い行為類型を捉えるために，損失が生じることを告げることについて，事業者に正当な理由がない場合に限定するとともに，当該消費者契約の締結を強引に求めることといった，事業者の不当性を示す適切な要件を加えた上で，取消事由とすることが適当であると考えられる」という観点から制定されたものである(196)。

したがって，上記の例外要件に該当するためには，消費者に何らかの落ち度があるといった程度では足りず，消費者が事業者からの補償請求を拒否することが信義に反する行為態様であること，換言すれば，事業者が違法な行為を行った消費者に対して法的権利として損害賠償請求ができる程度に至っている場合であることを要する。

例えば，不動産の購入や投資の勧誘の場合について，消費者が事業者に自宅での説明を求めることは一般的な求めであって，通常の営業活動として実際されていることであるから，上記の「特別の求め」にはあたらない。

なお，この要件については，消費者が「正当な理由がある場合でないこと」の立証責任を負うのか，事業者が「正当な理由がある場合であること」の立証責任を負うのか，争いになり得る。不当勧誘行為の例外要件であること，本来的に無いことの立証は困難であること，正当な理由の存否は事業者でないと判りがたい内容であることなどを踏まえると，この要件は事業者が立証責任を負担する要件（違法性阻却要件）と位置付けることが公平かつ相当と考える。

(iv) 要件④：「当該事業活動が当該消費者のために特に実施したものである旨及び当該事業活動の実施により生じた損失の補償を請求する旨を告げること」

「当該事業活動が当該消費者のために特に実施したものである旨」「を告げ

(注196) 平成29年専門調査会報告書8頁。

ること」とは，消費者契約の締結を目指した事業活動（例：商品説明など）を当該消費者のために特別に実施したものである旨を告げることをいう。口頭による場合のほか，書面で知悉させる場合などを含む。黙示の告知でもよく，「旨」という記載で明確であるとおり，実質的に見て上記のような意味の言動・行動であれば足りる。

「当該事業活動の実施により生じた損失の補償を請求する旨を告げること」とは，事業者が消費者に対して事業活動にかかる費用を請求する旨を告げることをいう[197]。

「損失」は交通費等の金銭的な損失に限られず，時間や労力の損失も含まれる。また，契約が締結されれば，先行した事業活動による「損失」は「補償」されることになるため，「損失の補償を請求」には契約の締結を求めることも含まれると解される。

また，本号は「損失の補償を請求すること」ではなく，「損失の補償を請求する旨を告げること」とされている。これは，必ずしも実際の請求行為に及ばなくても，請求することになると予告するような行為や請求の可能性を示唆するような行為も含める趣旨と解される。

さらに，「告げる」には，口頭による場合のほか，書面で知悉させる場合などを含む。黙示による場合も含まれ，「旨」という記載からも明確であるとおり，実質的に見て事業活動にかかる費用を請求する旨を告げる意味の言動・行動であれば足りる。

この点，専門調査会の資料では，事業者が「わざわざ時間を取ってやって来たのに契約しない気か。営業妨害だ。」と発言した事例，「わざわざ上の階まで来ているのにこのままでは帰れない。」と発言した事例，「早く契約しないと動けない。わざわざ遠方から説明に来ている。」と発言した事例などが適用されうる事例としてあげられている[198]。

(5) 要件⑤：「消費者が，事業者の行為により困惑し，それによって当該消費者契約の申込み又は承諾の意思表示をしたこと」

（注197）　消費者庁解説100頁。
（注198）　第44回専門調査会・資料1・20頁【事例1〜3】。

4条3項5号と同旨である。

V　4条4項

◆過量な内容の消費者契約の取消し

1　趣　旨

(1)　意　義

　4条3項5号の解説部分等で既述のとおり，今日の社会では，消費者の困窮，経験の不足，知識の不足，判断力の不足などの諸事情によって消費者が契約を締結するかどうかについて合理的な判断ができない事情にあることを不当に利用して契約を締結させる深刻な被害が多発している。特に社会の高齢化が進む近年は高齢者の被害相談が増えており，裁判例も少なからず存在する。

　しかしながら，このような「つけ込み型不当勧誘」については，これに十分に対応できる救済規定が本法に存在しなかったため，新たな救済規定を制定することが急務であった。

　そこで，つけ込み型不当勧誘事案の典型例であり，事業者が消費者の判断力の不足等を利用して不必要な契約を締結させる事例の典型といえる「過量な内容の契約」に対して取消権を付与したのが本規定である。

(2)　制定経緯

　そこで，2014年11月に審議を開始した専門調査会では，「合理的な判断をすることができない事情を利用して契約を締結させる類型」への対応策として，包括的な「つけ込み型不当勧誘取消権」を定める規定の導入が重要な論点の1つとして議論された。

　上記のような規定が必要であること自体は，2015年8月に取りまとめられた平成27年専門調査会中間取りまとめでも，「事業者が消費者の判断力の不足等を利用して不必要な契約を締結させるという事例について，一定の手当てを講ずる必要性があることについては特に異論は見られなかった。」と

されていたところであった[199]。

しかし，適用範囲の明確性や要件の具体性に欠ける立法には反対するという事業者の意見もあったことから，議論のとりまとめに向けた審議は難航した。「つけ込み型不当勧誘」の具体的な要件については，これまで判例で認められてきた伝統的な暴利行為準則（大判昭9・5・1民集13巻875頁）を，当事者間に情報・交渉力の構造的格差があるという消費者契約の特質も踏まえて修正のうえ要件化する試みなどが検討されたが，コンセンサスの形成は難航した。

そのような議論状況のもと，2015年12月に取りまとめられた平成27年専門調査会報告書では，包括的な「つけ込み型不当勧誘取消権」を定める規定の導入については審議を継続することとして，まずは，「つけ込み型不当勧誘事案」の典型事案である「過量契約」の被害類型について新たな消費者取消権を認める規定を導入することが提案され[200]，これを受けて平成28年改正により法文化された。それが平成28年改正後の法4条4項の規定である。

なお，専門調査会における継続審議を経て，2017年8月に取りまとめられた平成29年専門調査会報告書でも，包括的な「つけ込み型不当勧誘取消権」を定める規定の導入は継続審議となり，「つけ込み型不当勧誘事案」のうちやはり典型事例である「不安をあおる告知」と「人間関係の濫用」という2つの被害類型に関する消費者取消権を追加する法改正が提案され，平成30年改正により立法化されたことは前述のとおりである。

2 解　説

本項の基本構造は，①消費者が締結した消費者契約の目的となるものの分量等が，当該消費者にとっての通常の分量等を著しく超えるものであること（過大な内容の消費者契約であること），②事業者が消費者契約の締結について勧誘をするに際し，当該消費者契約が過大な内容の消費者契約であることを

（注199）　平成27年専門調査会中間とりまとめ22頁。
（注200）　平成27年専門調査会報告書5〜6頁。

知っていたこと，③消費者が当該消費者契約の申込み又は承諾の意思表示をすることという要件が満たされる場合には，消費者取消権を肯定するというものである。

(1) 要件①：過量な内容の消費者契約であること

第1の要件は，「物品，権利，役務その他の当該消費者契約の目的となるものの分量，回数又は期間（以下「分量等」という。）が，当該消費者にとっての通常の分量等（消費者契約の目的となるものの内容及び取引条件並びに事業者がその締結について勧誘をする際の消費者の生活の状況及びこれについての当該消費者の認識に照らして当該消費者契約の目的となるものの分量等として通常想定される分量等をいう。以下同じ。）を著しく超えるものであること」である。

なお，本項後段では，消費者が既に同種契約を締結していた場合（いわゆる次々販売の場合）に関する規定が，定められている。

(i) 「物品，権利，役務その他の当該消費者契約の目的となるもの」

① 「物品」とは，一般的には，有体物たる動産をいう。例えば，絵画，布団，健康食品，着物などである。

② 「権利」とは，一定の利益を請求し，主張し，享受することができる法律上正当に認められた力をいう。例えば，ゴルフ会員権，温泉利用権などである。

③ 「役務」とは，他人のために行う種々の労務又は便益の提供をいう。例えば，建築請負，レッスン役務の提供，情報サービス提供などである。

④ 上記①～③は，「その他の」という字句で明確にされているように，あくまで「当該消費者契約の目的となるもの」の例示であり，これらに限定されるわけではない。例えば，上記3つの概念に必ずしも含まれない不動産，無体物（電気等）も，「当該消費者契約の目的となるもの」に含まれる[201]。

(ii) 「分量，回数又は期間（以下この項において「分量等」という。）」

（注201） 消費者庁解説106頁。

本項の適用対象は、消費者契約の目的となるものの「分量、回数又は期間」が当該消費者にとって通常想定される範囲を著しく超える場合である。

例えば、問題となる消費者契約の目的となる物品が大量であるとか、役務の提供回数が多数であるとか、契約の期間が長期であるといった場合である。

問題は、契約の目的物が当該消費者にとって過度な性質や性能であったという場合には、上記の要件を一切満たさないのかという点である。

この点、消費者庁解説では、「例えば、消費者契約の目的となるものが、当該消費者契約を締結した消費者にとって過度な性質・性能を備えたものであったとしても、『分量、回数又は期間』が通常想定される範囲を著しく超えるものでなければ、本項の規定による取消しは認められない。」とする[202]。

しかし、性質・性能であるから一律に「分量」に該当しないというのは論理的・必然的な結論ではないように思われる。物体としては1つであっても、性質でみれば、当該消費者にとっては「過量」ということはありえる。例えば、健康食品等を例にとってみても、10包入りの箱が100箱である場合、1000包入りの箱が1箱である場合、1包に100包分の有効成分が入った10包入りの1箱である場合など、分量と性質の厳密な区分は困難であるし、それで適用の有無を区別するのも不合理である。

むしろ、本規定の立法趣旨からすると、「過量な内容の消費者契約」の各要件の解釈、検討にあたっては、合理的な判断ができない場合の1つの徴表が顕れており、かつ、適用範囲の明確性を害しない程度の判断基準の客観化が図れていれば足りると考えるべきであって、「過量」か否かの判断においても、分量の数値化が客観的に可能であれば、それが性質の数値であったとしても本項の適用対象となり得ると考える。したがって、1個・1回・短期間の契約であっても、当該消費者契約の目的物の性質、性能が過剰であると評価できる場合であれば過量に該当しうる[203]。

(iii) 「当該消費者にとっての通常の分量等」

① 基本的な考え方

「当該消費者にとっての通常の分量等」とは、「消費者契約の目的となるも

(注202) 消費者庁解説106〜107頁。

のの内容及び取引条件並びに事業者がその締結について勧誘をする際の消費者の生活の状況及びこれについての当該消費者の認識に照らして当該消費者契約の目的となるものの分量等として通常想定される分量等」をいう。

　この分量を「著しく超える」場合を，当該消費者が合理的な判断ができない心理状態において締結したと窺われる過量な給付内容である，当該消費者が通常締結しない程度の分量等であると評価することになる。

　その判断の基礎となる「当該消費者にとっての通常の分量等」がどの程度のものかは，下記①〜④の要素を総合的に考慮したうえで，一般的・平均的な消費者を基準として，社会通念を基に規範的に判断することになる[204]。

　【考慮要素①】「消費者契約の目的となるものの内容」
　【考慮要素②】「消費者契約の目的となるものの取引条件」
　【考慮要素③】「消費者の生活の状況」
　【考慮要素④】「当該消費者の認識」

②　考慮要素①「消費者契約の目的となるものの内容」

「消費者契約の目的となるものの内容」とは，消費者契約の目的となるものの性質，性能，機能，効能，重量，大きさ，用途，消費期限，耐用年数といったものを意味する。これら商品の性格によって，通常，消費者が同一機会に購入する分量は異なる。

（注203）　近畿弁護士連合会消費者保護委員会夏期研修会「近時の主要消費者法3法改正における消費者被害の予防・救済の到達点（第3部　消費者契約法の平成28年及び同30年改正内容について）」（2018年8月25日）においても，「過度の性質・性能を備えたものが目的物とされた場合に，本条項の適用があるのかということが問題となり得る。例えば，一般消費者がパソコンを100台購入させられたような場合には『分量』について過量となることは明かであるが，日本に5台しか存在しない事業用ハイスペックコンピューター1台を購入させられたというように性質・性能の過剰性が問題となるような場合に，本条項の対象となるのかという問題である。このような場合でも，その性質・性能が数値的に示されるような場合であれば，事業者にとって当該数値が消費者契約の目的物として通常想定されるものであるかどうかの判断の可否は，他の『分量等』の場合と異ならないものと考えられるから，『分量』に含まれるものとして本条項の適用対象として良いものと解される。」との報告がなされていた。

（注204）　消費者庁解説107頁。

例えば，同じ食品でも，消費期限が短いためすぐに消費しないと無価値になってしまう生鮮食品と，消費期限が長いため長期間の保存が可能な缶詰やレトルト食品では，一般的に考えて，一度に購入する「通常の分量」は前者の方が少ない。したがって，商品の性格上，同一機会に購入する分量が少ない前者の商品の方が，過量性が認められ易い。

　また，同じ衣類でも，用途，使用頻度を考慮すると，タキシードや訪問着のような礼装用の衣類のように使用頻度が限定される衣服と，通常の下着類のように毎日使用する衣類では，一般的に考えて，やはり同一機会に購入する「通常の分量」は前者の方が少ない。したがって，商品の性格上，前者の商品の方が，過量性が認められ易い。

　加えて，洗濯機，冷蔵庫などのように通常1家庭に1台程度あれば足りる家電製品と，消耗品であることからまとまった量を購入しておくことが通常である乾電池，トイレットペーパーなどの消耗品では，一般的に考えて，やはり同一機会に購入する「通常の分量」が前者の方が少ない。したがって，商品の性格上，前者の商品の方が，過量性が認められ易い。同様に，健康器具や布団類なども，商品の性格上，過量性が認められ易い。

　なお，消費者庁解説には，「金融商品のようにそれを保有すること自体を目的として購入されるものである場合等には，当該消費者にとっての通常の分量等が多くなるため，結果的に過量性が認められにくい」という記載部分がある[205]。しかし，「金融商品であれば，それを保有する通常の分量等は多くなる」といった経験則は存在しないように思われる。実際上も，金融商品については，事業者が消費者の資力等に適合しない過当取引を行わせている消費者被害も多く発生している分野であり，慎重に対応する必要もある。上記のような推定には問題がある。

　③　考慮要素②「消費者契約の目的となるものの取引条件」

　「消費者契約の目的となるものの取引条件」とは，価格，代金支払時期，景品類の提供の有無等の取引条件を意味する。これら取引条件によって，通常，消費者が一度に購入する分量は異なる。

（注205）　消費者庁解説107頁。

例えば，同種の商品が高額な価格で販売されている場合と，安価で販売されている場合であれば，一般的に考えて，一度に購入する「通常の分量」は前者の方が少ない。したがって，取引条件の性格上，前者の場合の方が，過量性が認められ易い。

一方，同じ物品でも，定価でそのまま販売する場合と，購入量に応じて定価より大幅な値引きがなされたり，消費者が欲しがる景品等が提供されるといった場合には，一般的に考えて，一度に購入する「通常の分量」は前者の方が少ない。したがって，取引条件の性格上，前者の場合の方が，過量性が認められ易い。

④　考慮要素③「消費者の生活の状況」

「消費者の生活の状況」とは，当該消費者の経済的な生活状況（経済的な余裕の大小）が典型であるが，他にも，世帯構成人数，職業，交友関係，趣味・嗜好，消費性向など日常的な生活状況も含まれる。さらに，友人や親戚が家に遊びに来る，多くの人にお礼の品物を配る必要があるといった一時的な生活状況も含まれる。これら個別具体的な消費者の生活の状況によって，通常，当該消費者が購入する分量は異なる。

例えば，生活資金にも事欠くような生活状態の消費者である場合と，経済的に余裕のある消費者である場合では，一般的に考えて，同一機会に購入する「通常の分量」は前者の方が少ない。したがって，消費者の生活状況の性格上，前者の場合の方が，過量性が認められ易い。

この点，高額な商品（例：貴金属，着物，羽毛布団など）の多数購入が問題となっている事案などでは，生活資金にも事欠くような生活状態の消費者である場合には，消費者の生活状況の性格との関係で，過量性が認められ易い[206]。

また，生活資金にも事欠くような生活状態の消費者である事案においては，通常の経済生活をしている消費者であれば「通常の分量」と評価できる場合であっても，当該消費者の生活状況を前提とすれば過量性が認められることもありえる。特に家族の人数が消費量に影響する商品（例：布団，食品など）の購入が問題となっている事案などでは，当該消費者の家族の人数という考慮要素は重要である。

また，一人暮らしの消費者の場合と，多くの家族と同居している消費者の場合では，一般的に考えて，同一機会に購入する「通常の分量」は前者の方が少ない。したがって，消費者の生活状況の性格上，前者の場合の方が，過量性が認められ易い。特に家族の人数が消費量に影響する商品（例：布団，食品など）の購入が問題となっている事案などでは，当該消費者の家族の人数という考慮要素は重要である。

　もっとも，高齢者の一人暮しといった場合であっても，夏休みに孫たちが大勢帰省してくる予定のため，布団が足りず複数組購入するという場合もある。そのような個別事情がある場合には，過量性が否定されることになる。個別事案における上記のような一時的な生活状況の存否も，過量性の判断においては重要な要素である。

　上記のとおり，一般的・平均的な消費者を基準とした場合には「過量」に該当しないような分量等の契約であっても，一般的・平均的な消費者よりも経済的に苦しい生活をしているといった「当該消費者の生活の状況」に鑑みた場合には「過量」に該当する分量等の契約であると評価できる場合がありえる。この点は，本項の適用範囲を考えるうえで極めて重要である[207]。

　なお，ここで考慮要素となるのは「消費者の生活の状況」であり，これはあくまでも当該消費者が自らの意思で営む生活の状況を指している。「した

（注206）　この点，須藤希祥「改正消費者契約法4条4項の解釈について」NBL1086号22〜23頁は，「当該消費者の収入は，当該消費者の生活状況に含まれる要素の1つではあると考えられるが，自らの収入に不相応な金額の契約を締結したからといって，それだけで安易に過量性が認められるべきではない。本規定は，収入に見合った生活を保障する規定ではないからである。」とする。しかし，本文でも記載したとおり，収入の要素は，他の考慮要素（目的となるものの内容，取引条件）との相関関係の下で判断されるものであって，それ単体で判断されるものでなく，過量性判断における重要な考慮要素の1つとなることは間違い無い。

（注207）　事業者の取引の安全は，事業者が過量性を認識しながら勧誘することが要件とされていることによって図られる。すなわち，本文の事例で消費者取消権が認められるためには，「当該消費者は一般的・平均的な消費者よりも経済的に苦しい生活をしている」といった「当該消費者の生活の状況」を当該事業者が認識していることが要件となる。

がって，例えば，次々販売の被害に遭っていることが当該消費者の生活の状況に含まれる結果，新たな被害が過量な内容の消費者契約に当たらないという結論になるわけではない」[208]。

⑤ 考慮要素④「当該消費者の認識」

「〔これについての〕当該消費者の認識」とは，「消費者の生活の状況」（考慮要素③）についての当該消費者の認識を意味する[209]。

例えば，高齢者の一人暮しでも，夏休みに孫たちが大勢帰省してくる予定のため，布団が足りず複数組購入する必要があるという客観的状況があり，その客観的状況を当該消費者が正しく認識している場合は，過量性は否定されることとなる。

上記の認識は，実際に客観的に存在する生活の状況についての認識であることを意味する[210]。

例えば，夏休みに孫たちが大勢帰省してくる予定がないにもかかわらず，そのような予定があると思い込んで，これに見合った大量の食材を購入したといった事例の場合には，当該消費者に，その食材が必要となる「消費者の生活の状況」が客観的に存在しない以上，「これについての消費者の認識」を観念することもできない。そのため，当該消費者の上記のような思い込みは，過量性の考慮要素には含まれない[211][212]。

(iv) 「著しく超える」

本項の規定が適用されるためには，消費者契約の目的となるものの分量等が，当該消費者にとっての通常の分量等を単に超えるだけでなく，「著しく超える」ことが必要とされている。

（注208） 消費者庁解説108頁。
（注209） 消費者庁解説108頁。
（注210） 消費者庁解説109頁。
（注211） 消費者の生活の状況についての勘違いに関しては，「生活の状況」が客観的に存在しているかどうかにより判断される。消費者が客観的には約束はないにもかかわらず，友人が10人遊びに来ると勘違いしていた場合も同様に，消費者の認識は考慮されないこととなる。谷本圭子「消費者の判断力不足への法的対応―改正消費者契約法における過量契約規定を契機として」立命館法学369・370号（上）448頁を参照。

上記の「著しく超える」というのは，通常の分量等を少しばかり超えている程度では立法趣旨に照らして消費者取消権を認めることができないということであるから，そのような規定の趣旨に照らして「明らかに超えている」という意味と解するのが相当である。

この点，「著しく超える」という要件を満たすためのハードルは相応に高いとする見解もある[213]。

しかし，本規定は「合理的な判断をすることができない事情を利用して契約締結させる類型（いわゆるつけ込み型勧誘）」に消費者取消権を認めるものであり，かかる立法趣旨からすると，各要件の解釈にあたっては，合理的な判断ができない場合の1つの徴表が顕れており，かつ，適用範囲の明確性を害しない程度の判断基準の客観化が図れていれば足りるはずであって，過度に適用範囲を限定的に解釈することは合理性に欠ける。

(ⅴ) 既に同種契約を締結していた場合

本規定の後段は，消費者が既に当該消費者契約の目的となるものと同種のものを目的とする消費者契約（＝同種契約）を締結していた場合には，消費者が新たに契約した契約の分量等だけでなく，締結済みの同種契約の分量等

(注212) この点，消費者庁解説109頁は，「例えば，認知症の高齢者が，友人が10人自宅に遊びに来る予定がないにもかかわらず，これがあると思い込んで，これに見合った分量の食材を購入したという事例では，当該高齢者に，その食材が必要となる生活の状況が客観的に存在しない以上，これについての当該消費者の認識も観念できない。そのため，当該高齢者が，友人が自宅に遊びに来ると思い込んでいたとしても，そのことは，当該消費者にとっての通常の分量等を判断する上での考慮要素には含まれない」としつつ，「ただし，後述のとおり，取消しが認められるのは，事業者が過量性を認識していた場合であり，この事例でいえば，当該事業者に，友人が自宅に遊びに来る予定などないことを知っていた場合に限られる」とする。しかし，高齢者が大量の食材を購入しているという客観的事実が存在し，事業者が上記の客観的事実を認識しながら当該契約を高齢者に勧誘したという事情があるのであれば，事業者の過量性の認識は肯定されるはずである。事業者が消費者の主観的状況についてまで知っていなければ過量性を認識することができない場合は極めて限定的であるから，消費者庁解説の上記記載部分には問題がある。

(注213) 須藤・前掲注206) 23頁。

も考慮に入れ、それらを合算した分量等で過量性の有無を判断するとしている。いわゆる次々販売の被害事例を視野に入れた規定である。ここでの同種契約は、別事業者との間で締結されていた場合をも含むものである。

　消費者契約の目的となるものが「同種」であるか別の種類であるかは、事業者が設定した区分によるのではなく、過量性の判断対象となる分量等に合算されるべきかどうかという観点から判断すべきものである。具体的には、消費者契約の目的となるものの種類、性質、用途等に照らして、別の種類のものとして並行して給付を受けることが通常行われているかどうかによって判断することになる[214]が、過量契約の被害事案を救済するために規定された本項の立法趣旨、及び、消費者取消権が認められるためには同種契約と合算した分量等が過量であると評価できることや事業者の主観的要件も認められることが必要である点に鑑みれば、個別事案ごとに実質的かつ柔軟に考えることが相当な要件である。

　例えば、ネックレスとブレスレットは、厳密には異なる物品であるが、その種類、性質、用途等に照らして実質的に考えると、いずれも身を飾るための装身具という点においては同じ種類に属する物品であるから、それらが大量に販売されているような事案においては、「同種」性を肯定してよい[215][216]。

　これに対し、同じシャツでも色違い、デザイン違いで複数買い揃える場合もあるので「同種」ではないと厳格に解する見解もある[217]。しかし、例えば、高齢者の認知症等に乗じて通常の生活ではおよそ必要のない分量の衣服（呉服等）を次々に販売しているといった事案において、それらの衣服のデザイン違いを理由に「同種」性を否定し、ひいては過量契約取消権の成立を否定するといった解釈は、本項の立法趣旨に適合しない形式に過ぎる考え方である[218]。上記のような事案では、「種類、性質、用途等に照らせば、カジュアル、フォーマル、夏物、冬物、色違い、デザイン違い等があっても、いずれも『衣類』として『同種』である」と「同種」性は柔軟に肯定したうえで、過量性の存否や事業者の認識を併せ考慮することによって、個別事案

(注214)　消費者庁解説109頁。

ごとに妥当な結論を導く解釈が合理的である(219)(220)。

このように,「同種」性については柔軟に肯定することができることを,さらに明確にするため,令和3年消費者契約に関する検討会報告書では,「『同種』の範囲は,過度に細分化して解すべきではなく,過量性の判断対象となる分量等に合算されるべきかどうかという観点から,別の種類のものとして並行して給付を受けることが通常行われているかどうかのみならず,当該消費者が置かれた状況に照らして合理的に考えたときに別の種類のものと

(注215) 一問一答「問11」の(答)2においても「例えば,ネックレスとブレスレットは,いずれも身を飾るための装身具であり,具体的な種類,性質,用途等に照らしての判断とはなるものの,通常は同種であると判断されるものと考えられます。」とされている(一問一答14頁)。

(注216) 東京地判令2・6・30 ウエストロー・ジャパン2020WLJPCA06308002 もネックレス,イヤリング,ペンダント,リング等が目的物である取引において,「本件取引の対象物が装身具として同一の性質を有することは明らかであり」と同種性を肯定し本項の適用を認めた。

(注217) 松田知丈「事業者視点からみた改正法のポイントと実務対応」NBL1076号25頁は,「たとえば,衣服などは,消費者の利用形態の違いを踏まえ,種類,サイズ,流行の形などが異なるのであれば,『同種』ではないと解すべきであろう。さらに,当該消費者が特定のブランドや銘柄,生地の素材や柄などを重視している事情がある場合には,こうしたブランド等が異なるものも,『同種』ではないと解すべきであろう」とする。また,上記の例における衣服の「種類」について「ワイシャツか,ポロシャツか,Tシャツかという区別は必要であろう。ワイシャツについても,長袖か半袖,フォーマルかカジュアルかなどの区別もあり得る」とする。しかし,このような限定的な解釈では,そもそも本規定が救済すべき対象と位置付けていた呉服の次々販売の事例(例えば,高松高判平20・1・29判時2012号79頁,大阪地判平20・1・30判時2013号94頁,大阪地判平20・4・23判時2019号39頁など)をも適用対象外としてしまう可能性があり,妥当とは思われない。

(注218) 例えば,ダイヤモンドとエメラルドとルビーは種類が異なるから「同種」ではない,過量契約には該当しないといった解釈は,それらが「貴金属」という点では「同種」であることを考えると,あまりに形式的な解釈であって,結論としても不合理である。また,「健康食品」も多様な成分,機能,効用の商品があり得るところ,認知症の高齢者に次々と異なる種類の健康食品を購入させている事例で,効用が違う商品だから「同種」ではない,過量契約に該当しないという結論も不合理である。

見ることが適用かどうかについても，社会通念に照らして判断すべきである旨を逐条解説等によって明らかにすることが考えられる」とされた（11頁）。

なお，同時1回の契約で過量な内容が締結された場合に，過量か否かを判断する際の対象範囲は，ここで述べる複数の契約がなされた場合とは異なり，広く考えることができ，必ずしも「同種」か否かに限定されない。

すなわち，複数の契約に分けて異時的に締結される場合には，分量を合算する対象となるか否かを判断するにあたって，対象となる契約が同種か否かを決する必要が出てくるが，対して，同時1回の契約ではそのような判断は不要であるし，前段の文言上も，「同種」という要件は課されていない。

例えば，高齢者に，同時1回の契約で，健康食品や健康器具，高価な寝具，装飾品などを購入させるような場合には，前述の考慮要素①〜④を踏まえ，全体として「通常契約しないといえる程度の不必要な量や程度の給付内容」（＝過量）となる場合が考えられる[221]。

また，仮に既に締結した契約の目的物と新たに締結した契約の目的物の「同種」性が肯定できない場合（本項後段が適用できない場合）であっても，当該消費者が既に別の契約を締結しているという事実は，新たに締結した契約の過量性を考慮する際に，前述の考慮要素③の「消費者の生活の状況」の1要素となり得る。したがって，既に締結した契約の存在という事実を「消費者の生活の状況」として併せ考慮した場合には，新たに締結した契約それ

(注219) 宮下修一「【誌上法学講座　新時代の消費者契約法を学ぶ】第6回　契約取消権（4条）(4)」国民生活2018年3月号39頁。

(注220) 特定商取引法において過量販売解除権の導入の契機ともなった「呉服」の過量販売をみても，呉服の中にも，振袖，留袖，訪問着，あるいは小紋，紬，浴衣と，様々な種類がある。これらを，種類・用途が異なるから，過量販売に該当しないとすると，立法趣旨にも反する不当な結論となるであろう。商品等の種類や用途の違いは，一般消費者の契約行動も勘案しながら，判断していくことが必要である。

(注221) 厳密には，これは契約内容の確定の問題といえる。結局，考慮要素①②③④と同じような要素で，1つの契約ということができるか，別々の契約とみるかを解釈によって確定していくことになろう。この場合，契約書が1つか別々かという外形も考慮要素の1つとなるが，販売が同時セット購入に向けられていた等の勧誘方法，販売方法なども考慮要素の1つとなる。

自体に過量性を肯定できる場合（本項前段が適用できる場合）がありえることは重要である。

例えば，既に締結した契約によって支払余力が無くなっている消費者に，新たに多大な支払義務を負担させる契約を勧誘したという場合には，仮に同種性が肯定できる事案でなくとも，既存の契約で当該消費者の支払余力が無くなっているという事実が「消費者の生活の状況」となり，新たに勧誘した契約の過量性と本項前段の適用を肯定しうる。

(2) 要件②：「事業者が過量性を認識しながら勧誘すること」

(i) 総論

本項の規定で取消権が認められる趣旨は，消費者に当該消費者契約を締結するか否かについて合理的な判断をすることができない事情がある場合において，事業者がそのような事情を利用し，つけ込んで契約を締結させたという点に求められる。

このような立法趣旨から，本規定では，事業者が消費者契約の締結について勧誘をするに際し，当該消費者契約が過量な内容の消費者契約に該当することを知っていたこと（事業者の認識）が要件とされている。

(ii) 「事業者が消費者契約の締結について勧誘をするに際し」

本条1項ないし3項に規定された誤認取消・困惑取消と同様に，「事業者が消費者契約の締結について勧誘をするに際し」が要件となる。この要件の解釈は，本条1項において述べたとおりである。

本規定の適用場面では，例えば，商品棚に陳列されている商品を消費者が自らレジに持参して購入するような場合には，通常の場合には，事業者の勧誘行為が存在しないため，本規定は適用されない。

また，本規定における事業者の勧誘は，過量な内容の消費者契約の勧誘を意味する。そのため，事業者にそのような勧誘が存在せず，消費者が自由意思で過量な契約を締結した場合には本規定の適用はない。しかし，もともと過量契約は経済的合理性に欠ける内容の契約であり，一般的な判断能力を持った消費者が真に自由意思でそのような不合理な契約を締結することは通常ありえない。したがって，個々の事案を検討する際には，一見すると消費者が自由意思で過量契約を締結したように見える事案でも，実際には事業者の

勧誘行為によって過量契約が招来されていないかを，事実経緯から慎重に判断する必要がある。

　この点，消費者庁解説では，「例えば，呉服店で，事業者が1着ずつ着物を示して当該着物の購入について勧誘し，消費者の好みに合う着物を探しながら最終的に合計10着を示したところ，当該消費者が，1着に決められないから10着全部を購入すると言った場合」は本規定の勧誘にあたらないとする[222]。しかし，極めて大きな経済力を有しているといった特殊事情がある場合ならばともかく，勧められた高額な呉服をすべて買うといった判断をすることなど，一般的な消費者ならば通常はありえない。また，現実には，当該消費者が1着に決められない状況にある場合で，事業者が次々と着物を示していった場合，全体で見れば，事業者の勧誘は過量な内容の契約に向けられていると評価できる場合もある。したがって，上記のように形式的に認定するのではなく，実際には事業者の勧誘行為によって過量契約が招来されていないかを事実経緯から実質的かつ慎重に判断する必要がある。

(ⅲ)　「知っていた」

　上述のとおり，本規定では，事業者が，当該消費者契約が過量な内容の消費者契約に該当することを知っていたことが要件として必要である。

　ここで「知っていた」とは，事業者が，過量な内容の消費者契約にあたるという評価の基礎となる客観的な事実を認識していたことを意味し，それで足りる。事業者が，基礎となる事実はすべて認識したうえで，過量性の評価を誤ったとしても，「知らなかった」ことにはならない[223]。

(3)　要件③：消費者の当該消費者契約の申込み又はその承諾の意思表示

　消費者による当該消費者契約の申込み又はその承諾の意思表示が存在することが要件となる。

(4)　要件④：因果関係

　事業者の行為（過量性を認識しながら勧誘をすること）と，消費者の当該消費者契約の申込み又はその承諾の意思表示との間に因果関係が存在すること

(注222)　消費者庁解説111頁。
(注223)　消費者庁解説112頁。

が要件となる。

　(5)　特定商取引法の過量販売規定と本規定の過量契約規定との異同
　(i)　規定の趣旨の相違
　過量な内容の契約が締結された場合については，特定商取引法においても過量販売解除の規定が置かれている（同法9条の2，24条の2）。これらの規定と消費者契約法における本規定とは，法文上の類似がみられるが，規定の趣旨を異にするものであることに留意する必要がある。

　すなわち，消費者契約法における本規定は上記のとおり「つけ込み型不当勧誘取消権」の典型例の1つとして規定されたものであり，過量という結果の不当性よりも，そのような結果に至ったのは，合理的な判断をすることができない事情のある消費者に対して事業者がつけ込む形で勧誘をしたという，勧誘の不当性及び消費者の意思表示の瑕疵の問題に重点が置かれた規定であるといえる。

　このような観点から特定商取引法における過量販売解除の規定と消費者契約法における本規定とは下記のような異同が存在している。

　(ii)　対　　象
　特定商取引法の過量販売規定は，対象取引が訪問販売，電話勧誘販売とされている。これに対し，消費者契約法の過量契約規定は，消費者契約に適用される。

　(iii)　過量性等の要件
　特定商取引法の過量販売規定は，「日常生活において通常必要とされる分量を著しく超える」取引を過量性のある取引として効力否定を肯定しつつ，「申込者等に当該契約の締結を必要とする特別の事情」が存在する場合を例外とする。また，過量性の立証責任は消費者が負担しなければならない一方で，例外事由の立証責任は事業者が負担するとされている[224][225]。さらに，事業者の過量性に関する認識は，原則として不要であるが，次々販売のときは要件とされている。加えて，勧誘と意思表示との因果関係は不要とされる。

　これに対し，消費者契約法の過量契約規定は，上述のとおり「消費者契約の目的となるものの分量等が当該消費者にとっての通常の分量等を著しく超

える」契約を過量性のある取引として効力否定を肯定し，上記の「通常の分量等」は，「①消費者契約の目的となるものの内容」「②消費者契約の目的となるものの取引条件」「③消費者の生活の状況」「④当該消費者の認識」という4つの考慮要素で決するとされる。また，過量性の立証責任は消費者が負うものとされ，事業者の過量性に関する認識，及び，勧誘と意思表示との因果関係が要件として必要である。

特定商取引法の「当該契約の締結を必要とする特別の事情」は問題の取引の過量性を否定する要素である。これに対し，消費者契約法における過量性の考慮要素である「③消費者の生活の状況」は，過量性を否定する方向にも働くのみならず，過量性を肯定する方向にも働く広い考慮要素である。

例えば，呉服の過量販売において，2，3着の訪問着であっても，勧誘をする際の消費者の生活の状況に鑑みると，一切利用することが考えられない，という場合には，過量性が肯定されることがありえる。近年問題となっている，高齢者に対する複数の携帯電話，タブレット回線の契約という事例も，勧誘をする際の消費者の生活の状況という個別事情を考慮すると，過量契約に該当することが考えられる。

この点，特定商取引法における過量販売規定における「特別の事情」と本規定の「③消費者の生活の状況」は，重なり合う部分もあるものの，同義で

（注224）　特定商取引法の過量販売解除権の「その日常生活において通常必要とされる分量」を超えるかどうかの目安（通常，過量には当たらないと考えられる分量の目安）を2009年10月8日に公益社団法人日本訪問販売協会が公表しているところであるが，これもあくまで目安にすぎない。

（注225）　消費者庁取引対策課＝経済産業省商務・サービスグループ消費経済企画室編『令和3年版特定商取引に関する法律の解説』113頁（商事法務，2024）では，過量販売解除権の規定が「社会通念上通常必要とされる分量を著しく超えた契約という外形的要件を消費者が立証した場合に契約の解除を可能とするものであるため，販売業者等の取引安全とのバランスを図り，販売業者等にとって過度な負担とならないよう，一定の場合（消費者がその通常必要とされる分量等を著しく超える分量等の契約を締結する特別な事情がある場合）において，販売業者等に抗弁を認めることとしたものである。そのような場合としては，例えば，親戚に配る目的や一時的に居宅における生活者の人数が増える事情等といったものが考えられる。」としている。

はない。

(iv) 効果，行使期間

特定商取引法の過量販売規定の効果は，申込みの撤回又は契約の解除であり，行使期間は契約締結時から1年である。

これに対し，消費者契約法の過量契約規定の効果は，契約の取消しであり，行使期間は追認可能時から1年ないし契約締結時から5年である（7条）。

Ⅵ　4条5項

1　趣　旨

(1)　意　義

本項は，不実告知（4条1項1号），不利益事実の不告知（4条2項）の「重要事項」の定義規定であり，平成28年改正により「重要事項」の列挙事由として新たに3号が追加された。

(2)　制定経緯

国生審では，「重要事項」は事業者が負う情報提供義務の範囲を画するために議論されていたが，一般的な情報提供義務違反が取消原因からはずされた後も不実告知と不利益事実の不告知の範囲を画するものとして議論され，かなり限定的に規定された[226]。とりわけ，不実告知類型については，消費者は虚偽の事実告知をされるのであるから，その対象を限定するのは不当であること，消費者の契約動機は本項に規定された事項に限らないため不当であること等の批判は受け入れられなかった。しかし，現実に消費者が契約を締結しようとする動機は様々であり，「事業者と消費者との間の情報の質及び量……の格差」を是正し，消費者の利益擁護を図るという本法の目的（1条）からは，不実告知，不利益事実の不告知の対象となる「重要事項」は，

(注226)　山本豊・前掲（注24）89頁は，「意思表示の取消という重大な効果を発生させる以上，このような限定が必要だという理由による」とする。

本来本項各号に限られず，広く，「消費者の当該消費者契約を締結するか否かについての判断に通常影響を及ぼすべきもの」とされるべきであった。実際には，文言上，本項各号が規定されているが，前記のような本法の目的にかんがみると，本項各号の規定はできるかぎり広く解されるべきである。

(3) 改正経緯

(i) 問題の所在

不実告知（法4条1項1号）や不利益事実の不告知（法4条2項）による取消しは，それが「重要事項」についてなされた場合にのみ認められるが，平成28年改正前法4条4項においては，当該消費者契約の目的となるものの内容・取引条件には当たらないが，契約を締結した動機等，契約締結時に消費者が契約締結の前提とした事項が「重要事項」に該当するのか否かについては争いがあった。

この点，平成28年改正前法4条4項各号について，「消費者の当該消費者契約を締結するか否かについての判断に通常影響を及ぼすべきもの」（平成28年改正前法4条4項柱書）の例示であるとする見解（例示列挙説）によると，元々，契約の動機にかかる事項も重要事項に含まれていると解することになるのに対し，本項各号は，重要事項にあたるものを限定的に列挙したものにとどまるとする見解（限定列挙説）によると，契約の動機に関する事項は重要事項に含まれないことになる。もっとも，限定列挙説に立ちつつ，平成28年改正前法4条4項1号の解釈においても動機の錯誤に関する判例理論とパラレルに考え，動機が表示されれば，その動機も重要事項に含まれると解した場合，契約の動機にかかる事項も表示がされている限りにおいて重要事項に含まれることになる。

(ii) 改正に至る経緯

上記のように，契約の動機に関する事項が「重要事項」に含まれるか否かについて争いがあるところ，これを厳格に解し，動機に関する事項は「重要事項」に該当しないとの解釈がある一方で，「重要事項」を柔軟に解釈することによって，「重要事項」に動機に関する事実を取り込んで取消しを認めた裁判例もあった（床下換気扇等の設置契約につき，契約の必要性・相当性が重要事項に当たるとして，不実告知取消権を認めた事例[227]，NTTの回線がアナロ

グからデジタルに変わるので今までの電話機は使えなくなるなどと述べて，通信機器のリース契約を締結させた事例[228]，光ファイバー敷設のためにはデジタル回線に替える必要があり，電話機を交換しなければならないと告げて電話機のリース契約を締結させた事例[229]など)。

このような状況の下，第22回専門調査会では，①平成28年改正前法4条4項が例示であることを明示する案，②同項各号に「消費者が当該消費者契約の締結を必要とする事情に関する事項」を加えた上で，同項各号が例示であることを明示する案，③同項各号に加え，「消費者が当該消費者契約の締結を必要とする事情に関する事項」を「重要事項」に含める案などが検討された。

①案については，どのような事項が「消費者の当該消費者契約を締結するか否かについての判断に通常影響を及ぼす事情」に当たるかを事業者が予見することが困難であるとの意見があり，②案についても取消権の範囲が明確でなくなるとの意見があった。また，③案についても，追加する事項の文言によっては，現行法により対処可能であり，その場合については平成28年改正前法4条4項各号に新たな事項を追加することは不要ではないかとの意見があった。

しかし，動機に関する事項について，消費者が事業者から事実と異なる内容の説明を受け，契約を締結したケースにおいて，当該不実告知がなければ消費者は契約を締結しなかったであろうと判断されるケースが多くあり，被害回復や被害の未然防止の観点から，契約締結を必要とする事項に関する事項を「重要事項」に含めることで，このような事項の不実告知により消費者がした意思表示を取り消すことができるようにする必要性は高いと考えられた。また，特定商取引法では，既に訪問販売等において，契約の締結を必要とする事情に関する不実告知も取消しの対象とする旨の規定が設けられていた（9条の3第1項1号・6条1項6号等）ことから，消費者契約法上の不実告知の対象である「重要事項」について，契約の締結を必要とする事情を除

(注227)　東京地判平17・3・10（ウエストロー・ジャパン 2005 WLJPCA 03100009)。
(注228)　神戸簡判平16・6・25（ウエストロー・ジャパン 2004 WLJPCA 06256001)。
(注229)　大阪簡判平16・10・7（ウエストロー・ジャパン 2004 WLJPCA 10076001)。

外する理由を特に見いだすことはできなかった。

そこで専門調査会では，平成27年専門調査会報告書において，特定商取引法6条1項6号等に類似する「消費者が当該消費者契約の締結を必要とする事情に関する事項」を重要事項に追加列挙する旨の提案を行い，消費者委員会も平成28年1月7日付答申において，上記報告書を添付の上，答申を行った。

しかし，法文化の過程において，業種や取引類型等に関わらず幅広く消費者契約一般に適用される法律であるという消費者契約法の性格に照らし，より具体的かつ明確な要件とするとの趣旨から，「必要」の意味を具体化する，「当該消費者の生命，身体，財産その他の重要な利益についての損害又は危険を回避するために」との文言を加えるという修正がなされ，平成28年の改正に至った[230]。

なお，「重要事項」は，不実告知，不利益事実の不告知のいずれにも関わる要件であるが，不利益事実の不告知については，契約締結の必要性に関する事項に関し，不利益事実の不告知により誤認が生じたと考えられる明確な被害事例が検討過程において認められなかったことから，平成28年の改正では明確化されるまでには至らなかった。そのため，不利益事実の不告知による取消権についてはなお従前の解釈論に委ねられることとなったが，動機に関する事項について不利益事実の不告知があった場合，当然に取消権の対象外となるわけではない。

2 解 説

(1) 総 説

(i) 4条5項1号・2号の趣旨

平成28年改正前法4条4項は，取消原因となる不実告知，不利益事実の不告知の対象となる重要事項の範囲につき，文言上，①消費者の当該消費者契約を締結するか否かについての判断に通常影響を及ぼすべきものであること，②本項1号または2号にあたるものであることを要件としていた。

(注230) 須藤希祥「消費者契約法の一部を改正する法律の概説」NBL1076号7～8頁。

前記趣旨のとおり，本法の目的は，消費者と事業者との間に情報の質，量（情報力）に格差があることにかんがみ，消費者の利益の擁護を図ることにあること，不実告知や不利益事実の不告知による取消は，事業者が消費者を誤認させる行為をし，消費者が当該行為によって誤認すれば取消を認めるという趣旨であることからすれば，②の本項1号・2号は①の例示であり，①の要件があれば重要事項にあたると解する考え方もありえよう。また，②本項1号・2号は「重要事項」の例示であるとする有力な見解もある[231]。

しかし，本項が取消対象を限定するものとして規定されたことからすれば，本項1号・2号を例示にすぎない（例示列挙説）と解することは困難であると解され，重要事項は，上記①のみならず，②本項1号・2号も要件である（限定列挙説）と解さざるをえず[232]，この点は現行法4条5項1号・2号においても同様であると考えられる。

(ii) 4条5項3号の位置付け

4条5項1号・2号（平成28年改正前法4条4項）について，例示列挙説をとるか，限定列挙説をとるかによって，基本的には同項3号の位置付けは異なることになる。

すなわち，例示列挙説によると，元々，契約の動機にかかる事項も重要事項に含まれていると解することになるところ，従来，この点についての解釈に争いがあったため，契約の動機に関する事項も重要事項に含まれることを明らかにしたものと位置付けられる（契約の動機に関する事項も重要事項に含まれることを確認した。）。他方，限定列挙説によると，元々，契約の動機に関する事項は重要事項に含まれないことから，重要事項の範囲を拡張して，契約の動機に関する事項も含まれるとしたものと位置付けられるが[233]，限定列挙説に立ちつつ，動機が表示されれば重要事項に含まれると解するべきで

(注231) 池本誠司「不実の告知と断定的判断の提供」法セミ549号20頁，山本敬三「消費者契約法と情報提供法理の展開」金法1596号6頁。

(注232) 消費者庁解説119頁以下，落合・前掲（注14）92頁も同趣旨であると解される。

(注233) 限定列挙説を厳格に解すると，不利益事実の不告知については，契約の動機に関する事項は「重要事項」に含まれなくなる。

あるとする見解によると，限定列挙説ではあるが例示説と同様に，改正法は，契約の動機に関する事項も重要事項に含まれることを明らかにしたものと位置付けられる。

(iii) 「重要事項」要件のあり方

本法1条が定める消費者と事業者との間の情報力および交渉力格差にかんがみ消費者利益を擁護するという法目的および契約動機に関する不実告知等の被害事例の多いこと等から，本項各号は可能な限り広く解されるべきである。

本項各号の要件の限定は，消費者と事業者との間の情報の質及び量並びに交渉力の格差を是正し，取消事由を民法よりも広げようとする本法の法目的からは過度な限定であり，法改正によって，本項各号は本項本文の例示であるとされるべきである[234]。

(2) 本項1号・2号[235]

(i) 「消費者の当該消費者契約を締結するか否かについての判断に通常影響を及ぼすべきもの」(本項1号・2号に共通の要件)

(注234) 後藤巻則=齋藤雅弘=池本誠司『条解消費者三法─消費者契約法・特定商取引法・割賦販売法〔第2版〕』83頁(弘文堂，2021)は，「契約締結をするか否かについての判断に通常影響を及ぼすべきもの」という要件が取消しを認めるための本質的要件であることから，2016年改正による重要事項の拡張からさらに進んで，「重要事項」の定義から「物品等その他の内容」の要件を削除することが考えられるとする。

(注235) 山本豊・前掲(注24)89頁は，この限定は消費者契約法の重要事項に特徴的な限定で，あえていえば業法的センスが発露した部分とする。また第17次国生審の検討委員会の審議では，本項各号のような限定を加えることに対して異論も有力に唱えられた。沖野・前掲(注41)21頁も同様の意見を述べる。債権法改正の基本方針30～32頁は，消費者契約法4条1項1号(不実告知)を改正民法典に取り込んで一般法化することを前提に不実表示取消権を提案すると共に，その要件について消費者契約法4条4項(現5項)の「重要事項」の定義のうち，①「当該消費者契約の目的となるものの質，用途その他の内容」と②「当該消費者契約の目的となるものの対価その他の取引条件」という限定を外している。そして，その理由について，同書は「表意者の判断に通常影響を及ぼすべき事項について相手方が不実表示をしたと評価されるかぎり，取消しを認めてもよいはずであり，①②はその例示にすぎないという考慮に基づく」としている。

「消費者の当該消費者契約を締結するか否かについての判断に通常影響を及ぼすべきもの」は，錯誤理論における「錯誤の重要性」（民法95条1項柱書）に当たり得る要件であり，消費者が契約を締結するか否かを決定する際に通常その判断に影響を及ぼすべき事項をいう。その判断においては，①原則として，契約当時の一般的消費者を基準として決すべきである。ただし，この基準にはあたらない場合でも，②当該消費者が契約を締結するか否かについて特に重要と考えている事項について，当該事業者がそのことを知りまたは知りうべきときには，事業者が当該事項について不実告知や不利益事実の不告知をなすことが許されるべきではなく，当該事項もこれにあたると解すべきである。

①の例としては，携帯用カセットテープ再生機について録音機能があるかどうかは，一般消費者にとって価格や用途の面で重要と考えられ，契約を締結するか否かを決定する際に影響を及ぼすと考えられるから，「消費者の当該消費者契約を締結するか否かについての判断に通常影響を及ぼすべきもの」といえる。②の例としては，電化製品に外国での電圧対応機能がついているかどうかについては，国内での使用をするだけの一般的消費者にとっては契約を締結するか否かについて通常影響を及ぼさないと考えられるが，当該消費者がこの点について説明を求めた場合等，事業者が当該消費者にとって契約を締結するか否かについて重要と考えていることを知りうべき場合には，「消費者の当該消費者契約を締結するか否かについての判断に通常影響を及ぼすべきもの」にあたる。

クレジット契約において，加盟店と消費者との間の役務の内容がクレジット契約の重要事項にあたるかについては，小林簡判平18・3・22（消費者法ニュース67号188頁）は加盟店が消費者と行った床下補強工事契約について，信販会社が消費者と立替払契約を締結した事案で，床下補強工事の内容について不利益事実の不告知があったことを理由に，立替払契約の取消しを認めた。これは加盟店の役務提供内容がクレジット契約の「重要事項」にあたるとしたものである。クレジット契約は加盟店と消費者との間の契約を前提とし，当該契約の代金を立替払いするというクレジット契約と加盟店・消費者間の契約の密接関連性からすれば，加盟店と消費者の間の契約の役務内容や

商品内容はクレジット契約の「重要事項」にあたるというべきである。
　(ⅱ)　「物品，権利，役務その他の当該消費者契約の目的となるものの質，用途その他の内容」(本項1号)
　本号は，①物品，②権利，③役務，④その他の当該消費者契約の目的となるものの，ⓐ質，ⓑ用途，ⓒその他の内容である。
　①　物　　品
　有体物である動産のことである。机等の器具類，電化製品，自動車，書籍，気体（ガス等）等である。有価証券もこれに該当する。
　②　権　　利
　一定の利益の実現を相手方に請求し，その利益を享受しうる法律上の地位のことである。具体的には，ゴルフ会員権，リゾートクラブ等の会員権，無体財産権（特許，著作権等）等がこれにあたる。オプション，預金，保険などもこれに該当する。
　③　役　　務
　一定の労務やサービスの提供のことである。塾で講義を受けること，エステティックサロンでエステティックサービスを受けること，建築請負契約における請負内容等である。
　④　その他の消費者契約の目的となるもの
　①②③を除く消費者契約の給付内容であり，不動産，無体物（電気等）等がこれに当たる。
　ⓐ　質
　品質，性質及びこれらの程度のことである。具体的に，物品の質としては，性能，機能，効能，構造，成分，品位，デザイン，重量，大きさ，耐用性，安全性，衛生度，鮮度，原産地等である。役務の質としては，効果，効能，機能，安全性，事業者・担当者の資格・能力，使用器具の種類・性質，回数・期間・時期，場所等である。不動産の質としては，立地条件，景観，構造，耐震性，機能等である[236]。金融商品の「質，用途その他の内容」とは，金融商品の種類，構造，期限，金利，リスクの種類と程度等である[237]。

(注236)　消費者庁解説119頁参照。

信用リスクの程度や格付けは質に該当すると考えられる。

　ⓑ　用　途

　用いられるべき場面，消費者が給付を受ける目的のことである。なお，金融商品が個人投資家向けか機関投資家向けかという事実は用途に該当する。

　また，用途は具体的な場面の前提事実との関係で問題となる場面がある。例えば，点検商法で，シロアリがいないのにシロアリがいると消費者に告げてシロアリ駆除の薬品を散布する契約を締結させた場合，実際にはシロアリがいないのであるからシロアリ駆除の薬品を散布する必要はなく契約の給付対象の用いられるべき場面ではない。にもかかわらず，契約を勧める行為は給付対象の用いられるべき場面，すなわち用途の不実告知であるといえる。また，事業者が，実際には黒電話が使えるのに「黒電話は使えなくなります」といって，消費者に対し新たに電話機を販売する場合には，事業者は，消費者が販売対象の電話機を用いる必要がないのに用いる必要があると述べていると評価できるので，給付対象たる電話機の用いられるべき場面ないし消費者が当該電話機を購入する目的，すなわち用途に不実告知があるといえる。

　ⓒ　その他の内容

　ⓐⓑを除く消費者契約の目的となるものの実質，属性，給付の個数等である。ⓐⓑはⓒの例示である。

(ⅲ)　「物品，権利，役務その他の当該消費者契約の目的となるものの対価その他の取引条件」（本項2号）

　本号は，①物品，②権利，③役務，④その他の当該消費者契約の目的となるものの，ⓐ対価，ⓑその他の取引条件である。

　①物品，②権利，③役務，④その他の当該消費者契約の目的となるものについては(ⅱ)参照。

　ⓐ　対　価

　給付を受けることの代償として支払われるべき金銭の額，すなわち価格の

（注237）　日本弁護士連合会消費者問題対策委員会編『金融商品取引被害救済の手引〔六訂版〕』71頁（民事法研究会，2015）。

ことである。本体価格に付随する役務や物品の価格（配送費，取付工事費，付属部品の価格）を含む。

　ⓑ　その他の取引条件

　取引条件は，当該消費者契約における対価以外の約定，条件をいう。具体的には，給付の時期，代金の支払時期・支払回数，解除に関する事項，違約金，損害賠償の予定，保証・修理等の条件，付随的な備品・器具・サービスの有無・内容，景品の有無・内容等である[238]。

　(ⅳ)　動　機

　前述のとおり，平成28年改正前法4条4項において，当該消費者契約の目的となるものの内容・取引条件等には当たらないが，契約を締結した動機等，契約締結時に消費者が契約締結の前提とした事項が「重要事項」に該当するか否かについては争いがあった。しかし，そもそも，消費者が当該消費者契約を締結するか否かについての判断に影響を及ぼすべきものは本項1号・2号が示すものに限られるかは疑問である。特に，動機に関する事項の不実告知や不利益事実の不告知による消費者被害も多くみられる[239]ことから，不実告知や不利益事実の不告知についても救済されるべき必要性は高い。例えば，事業者がシロアリの無料点検をすることをもちかけ，実際にはシロアリはいないのに，点検の結果駆除の必要性があると消費者に告げて契約を締結させた場合（点検商法）等である。

　前述のとおり，本項1号・2号に列挙された事由は，「消費者の当該消費者契約を締結するか否かについての判断に通常影響を及ぼすべきもの」の例示にすぎないという考え方もありうるが，文言上本項1号・2号は「……であって，消費者の……通常影響を及ぼすべきもの」とされていることから，本項1号・2号の列挙事由は単なる例示ではなく重要事項の独立の要件であ

(注238)　川越簡判平13・7・18（前掲（注20）入会金請求事件）も「入会金等の支払方法が一括払か分割払かは重要事項であることは明らか」とする。

(注239)　ペット飼育の可否について尋ねた上でマンションの購入契約をした件について，本件ではペット飼育の可否は重要事項に当たるが，不利益事実の不告知があったとまでは言えないとした裁判例がある（福岡地判平16・9・22 ウエストロー・ジャパン 2004WLJPCA09229009）。

ると解さざるをえない。ただし,「契約の目的となるものの質,用途その他の内容」(本項1号)と「契約の目的となるものの対価その他の取引条件」(本項2号)を厳格に解すると,これまで動機に関する事項ととらえられてきた事項について,民法の詐欺取消や動機の錯誤無効(改正前民法95条。現行民法95条は錯誤無効ではなく錯誤取消しとしている。)に関する適用範囲よりも,本条1項1号,同条2項の適用範囲が狭くなってしまう[240]。

しかし,このような解釈は民法の各規定では消費者の救済が不十分であるという本法の立法趣旨に真っ向から反する結果となる[241]。したがって,本項各号は厳格に解するのではなく,可能なかぎり広く解釈されるべきであるから,動機も本項各号の拡張解釈によって各号に該当する場合が多いであろう[242][243]。具体的には「質,用途,その他の内容」を抽象的に判断するのではなく,具体的場面との関係において判断されるべきである(後述(3))。また,民法上は動機も表示されれば意思表示の内容となり得るとされていることから(民法95条2項・1項2号),これとパラレルに,本項1号「契約の目的となるものの質,用途その他の内容」の解釈においても,動機が表示されれば,これに含まれると解すべきである[244]。

(注240) 山本豊・前掲(注24)87頁以下は,動機に関する不実告知につき重要事項にはあたらず,民法の詐欺・錯誤等を主張するしかないとする。

(注241) 第17次国生審報告は,「3 消費者契約法の目指すところ」において,民法が消費者契約にかかる紛争の解決のためのルールとして限界があることを指摘し,消費者契約法を「契約の取消し,契約条項の無効という効果を消費者自らが主張できる場合を民法よりも拡大する民事ルールである」としている。

(注242) 道垣内弘人「消費者契約と情報提供義務」ジュリ1200号49頁以下も本項各号を柔軟に解して該当するとする。該当しないとするのは,落合・前掲(注14)92頁,松本・前掲(注30)13頁,山本豊・前掲(注24)90頁。

(注243) 契約の動機に関する事項を重要事項に該当するとした裁判例としては,千葉地判平15・10・29消費者法ニュース65号32頁,大阪高判平16・4・22消費者法ニュース60号156頁,神戸簡判平16・6・25(ウエストロー・ジャパン2004 WLJPCA 06256001),大阪簡判平16・10・7(ウエストロー・ジャパン2004 WLJPCA 10076001),東京地判平17・3・10(ウエストロー・ジャパン2005WLJPCA03100009。平成15年(ワ)第18148号事件),名古屋地判平21・12・22消費者法ニュース83号223頁などがある。

もっとも，下記のとおり，平成28年改正で本項3号が新設されたことにより，この点は広くカバーされることとなった。

(3) 本項3号

(ⅰ) 「物品，権利，役務その他の当該消費者契約の目的となるもの」

物品，権利，役務その他の当該消費者契約の目的となるものについては(2)(ⅱ)参照。

(ⅱ) 「当該消費者の生命，身体，財産その他の重要な利益」

「その他の重要な利益」とは，法益としての重要性が，一般的・平均的な消費者を基準として，例示としてあげられている「生命，身体，財産」と同程度に認められるものをいい，例えば，名誉・プライバシーの利益，生活上の利益などがこれに当たる[245]。また，容貌[246]や，平穏な生活，あるいは快適な環境などもこれに当たる。

「重要な利益」という限定が付されたのは，「生命，身体，財産」についての損害又は危険に限定するのは消費者被害の実態から妥当ではない反面，取消しの対象を適切な範囲に限定する必要性から，法益としての重要性が必ずしも高くないものをその対象から排除するためであるとする[247]。

しかし，法改正の趣旨や，「消費者が当該消費者契約の締結を必要とする

(注244) 池本・前掲（注231）20頁。なお，特定商取引法9条の3第1項1号，6条1項6号は，「顧客が当該売買契約又は当該役務提供契約の締結を必要とする事情に関する事項」に関する不実告知がなされた場合の取消権を規定しており，この「事項」は明らかに動機も含むものであり，法改正によって，消費者契約法の「重要事項」でも，動機を含むことが明確にされるべきである。

(注245) 電話を使用して通話をするなどの日常生活において不可欠なものであれば，「重要な利益」に当たり得るのであり，その例として，消費者庁は，真実に反して「今使っている電話機が使えなくなる。」と言われ，新しい電話機を購入させられた事例などが考えられるとしている（一問一答20頁）。

(注246) 第22回専門調査会・資料1・15頁では，事業者の店頭で「毛根が死んでいるので自分の毛が生えるということは望めない。」と言われかつらを購入した事案について，かつらを購入しなければ頭部に関する容貌の改善不能を生じさせるという客観的な事実関係に関する事項であり，「必要とする事項」として適用範囲に含まれうるとされている。

(注247) 消費者庁解説122頁。

事情に関する事項」を重要事項に追加列挙する旨の専門調査会の提案を受けて改正が行われたが，法文化の過程で，「契約の締結を必要とする事情」という文言では，取消しが広く認められすぎるのではないかという懸念に対し，実際に生じている事例に対応する形で文言選択が行われた結果，現行の規定になったのであろうという経緯[248][249]に加え，法4条5項3号の文言は，特定商取引法6条1項6号等とは異なっているが，これは業法である特定商取引法と異なり，消費者契約法が消費者契約一般に適用される法律であること等によるものに過ぎず，想定される被害事例への適用という点では，特定商取引法6条1項6号と異なるものではないとされていること[250]からすると，その対象は可能な限り広く認められるべきである。

また「当該消費者」の「重要な利益」とされていることから，重要な利益は，当該消費者にとって重要なものであることが必要であり，その判断は，一般的・平均的な消費者を基準に判断される。

したがって，当該消費者以外の者の生命等は，3号の要件に該当しないことになる。もっとも，当該消費者以外の者の重要な利益であっても，「当該消費者の重要な利益」に該当すると判断される場合には，3号の要件に該当することになる。家族の生命・身体や将来などは，当該家族のみならず，家族の一員である当該消費者にとっても重要な利益に当たる[251]。例えば，学習教材の勧誘目的で学力診断テストを行い，実際には3000人程度しか受けていないにもかかわらず，4000人中3500番台であるとの虚偽の診断結果を示し，このままでは行ける学校はないと告げ，学習教材の購入契約を締結さ

(注248) 丸山絵美子「消費者契約法の改正と消費者取消権」ジュリ1527号57頁。

(注249) 須藤・前掲（注230）9頁も，専門調査会で対象に含めることを前提として検討された事例は，すべて対象に含まれると考えられるため，立法事実として想定していた事例が対象から漏れるものではないと考えられるとする。

(注250) 消費者庁取引対策課＝経済産業省商務・サービスグループ消費経済企画室編『平成28年版 特定商取引に関する法律の解説』110～111頁（商事法務，2018）。

(注251) 消費者庁も，当該消費者の子供の生命は，その子供のみならず，親である当該消費者にとっても重要な利益といえるので，3号の要件に該当するとする（消費者庁解説122頁）。

せた場合(252)，子供が進学できるかどうかは当該子供のみならず，当該消費者である親にとっても重要であるから，「当該消費者の重要な利益」に当たる。

(iii) 「損害又は危険を回避するため」

「損害又は危険」とは，生命等の重要な利益が侵害されることにより消費者に生ずる不利益を意味するところ，「損害」とは，現に生ずる不利益を，「危険」とは，不利益が生ずる蓋然性が想定されている。

「損害」には，既に保有している利益を失うことを意味する積極損害と，得られるはずの利益を得られないことを意味する消極損害とがあるところ，改正の経緯等からすると消極損害を排除する理由は特にないので，「損害又は危険」には積極損害のみならず，消極損害も含まれる。例えば，床下無料点検で，消費者が事業者からシロアリが存在しないのに存在し，このままでは家が倒壊するとの説明を受け，シロアリ駆除契約を締結した場合，消費者は，家の倒壊という「損害」あるいは，家の倒壊による生命・身体への「危険」を回避するために，シロアリ駆除契約をしたものといえる。他方，消費者が事業者から山林の売却可能性がないにもかかわらず，可能であるとの説明を受け，当該山林の測量契約を締結した場合，消費者は，当該山林の売却益（「財産」）を得られなくなるという損害（消極損害）を回避するために測量契約をしたものといえる。そして，山林の売却のためには測量が必要なところ，このような財産上の損害回避のためには測量契約が通常必要であると判断される(253)(254)。また，光ファイバーを敷設するためには今あるアナログ電話（黒電話）をデジタル電話に替える必要があると言われ，電話機の交換

(注252) 2005年12月13日東京都の行政処分事案，秋田県生活センター「苦情相談　保護者の不安をウソであおって高額な学習教材を販売」月刊国民生活2009年12月号32・33頁等参照。

(注253) 一問一答21頁。

(注254) 名古屋地判平21・12・22消費者法ニュース83号223頁は，山林の売却可能性に関する事実は，2016年改正前法4条4項1号の「用途その他の内容」についての「重要事項」に当たるとして，取消しを認めたが，改正により，同条5項3号による取消しが認められ得る。

契約をした場合，消費者は，光ファイバー回線の利用という「生活上の利益」を享受できなくなるという損害（消極損害）を回避するために電話機の交換契約をしたものといえる[255]。

法4条5項3号は，「損害又は危険を回避するため」と規定し，危険回避やリスク回避型に限定するかのような規定をしている。しかし，専門調査会での議論等も踏まえると，これは，契約締結が必要であるかどうかを判断する上での重要な事情，動機に当たる部分を，消極損害や非財産的なものも含めて把握しようとするものと考えるべきであることから，決して危険回避やリスク回避型に限定する趣旨ではないというべきである。

(iv) 「通常必要であると判断される事情」

「消費者の当該消費者契約を締結するか否かについての判断に通常影響を及ぼすべきもの」という本項1号・2号の要件と同様，錯誤理論における「錯誤の重要性」（民法95条1項柱書）に当たり得る要件であり，重要な利益に関する損害又は危険を回避するために，消費者が契約を締結するか否かを決定する際の判断に影響を及ぼすべきものと通常考えられる事項をいう。

損害又は危険の回避のために必要と判断される事情といえるか否かについては，「通常」との文言があることから，原則として，契約締結時点における社会通念に照らし，当該消費者契約を締結しようとする一般的・平均的な消費者を基準として判断すべきである。

しかし，例外的に，一般的・平均的な消費者を基準とした場合には必要であるとは判断されない事情であったとしても，当該消費者が当該消費者契約締結に際し特に重要と考えている事項について，当該事業者がそのことを知り又は知り得べき場合にまで，不実告知が許されるとは考えられないことから，その場合は「通常必要であると判断される事情」の要件を満たすと解するべきである。

例えば，リフォーム業者が，Aという著名な風水師に心酔している消費

(注255) 同様の事案において，大阪簡判平16・10・7（ウエストロー・ジャパン2004 WLJPCA 10076001）は，特段の理由を示すことなく，本法4条1項1号により取り消すことができるとしている。

者甲に対し,「Aがこの家の間取りは風水によると縁起が悪く,このままでは甲の身に良くないことが起きるので,リフォームをした方が良い,と言っている。」などと告げて,リフォーム契約を締結させたが,実際にはAがそのようなことを言った事実はなかったという場合,Aがそのようなことを述べたという事実は甲に特有の事情にすぎない以上,一般的・平均的消費者を基準とすると,「通常必要であると判断される事情」には当たらないと考えられる。しかし,リフォーム業者は,甲がリフォーム契約をした動機,すなわち自身が心酔するAが甲の身に危険が及ぶことを回避するためにはリフォームをした方が良いと言っているという事情を知っている(少なくとも知り得た。)ことから,「通常必要であると判断される事情」の要件を満たすというべきである。

また,特に眺望を重視して居住している消費者に対し,不動産業者が「今住んでいるマンションの前に高層マンションが建つ予定である。」などと告げて,別のマンションの購入契約をさせたが,実際にはそのような事実はなかった場合,現在居住しているマンションの前に高層マンションが建築されるという事実は一般的・平均的消費者を基準とするとマンション購入契約を締結するか否かについて「通常必要であると判断される事情」には当たらないとも考えられる。しかし,不動産業者は,消費者がマンション購入契約をした動機,すなわち,現在の住居は眺望を害されることから眺望の良いマンションを購入するという事情を知っている(少なくとも知り得た。)ことから,この場合も「通常必要であると判断される事情」の要件を満たすというべきである。

Ⅶ 取消の効果

1 取消権の行使方法

詐欺・強迫による取消の場合と同様,民法の一般原則どおりであり,取消は口頭で行ってもよいし,書面で行ってもよい。

2　取消の遡及効

　取消の効果についても，詐欺・強迫による取消の場合と同様，民法121条の遡及効を生じる取消であり，将来に向けての解約告知等とは異なる。

　この点については，制定過程において，第17次国民生活審議会消費者政策部会消費者契約法検討委員会での議論のなかでも，一部産業界から，遡及効を認めると，悪質消費者が事業者から既に商品を受け取って費消したりサービスを受けたりしていても，受け取った代金の全額返済に応じなければならず悪質消費者を利するといった意見や，原状回復をめぐって無用の混乱を生じるといった意見が唱えられ，これを回避するために将来効のみを認めるべきであるとの主張や，そもそも取消を認めずに損害賠償にとどめるべきであるとの主張がなされた[256]。しかし，やはり瑕疵のある意思表示である以上原則的な遡及的取消を認めるべきであるとされ，本条のように規定された。

　なお，以上について，第17次国民生活審議会消費者政策部会に提出された「消費者契約法検討委員会における検討状況」（平成11年9月17日）においては，次のとおり議論のとりまとめがなされている。

　「継続的契約については遡及効を認めるべきではないとの意見も一部見られたが，契約が遡って無効となっても，消費者にも原状回復義務があり，消費者は民法第703条（不当利得）の『其利益の存する限度に於て』当該契約によって得た利益を返還する義務を負うこととなる。このため，遡及効を認

（注256）　例えば，主だった議論としては，①証券業や銀行業等からの，契約取消と原状回復を認めると取引の安全性を損なうので，損害賠償にとどめるべきであるとの論，②建築請負・自動車販売・リース業等からの取消と原状回復義務を認めると，社会経済的にみても大きな損失になるとの論，③警備業・運輸業・旅行業・電気通信業その他の役務・サービス提供契約について，遡及的取消を認めると，既に提供された役務やサービスの原状回復をめぐって混乱を生じるので，将来に向けての解約告知にとどめるべきであるとの論等がなされたが，①は取消の第三者効によって取引の安全を図ればよい問題である，②は取り消されても仕方がないのかどうかの要件の問題である，③は原状回復義務の範囲の問題として議論すれば足りる，としてしりぞけられたものである。

めても事業者にとってそれほど不都合は生じないのではないかとの見解が示された。

　転々流通する取引の安全を確保する等の観点から，契約法アプローチではなく，損害賠償アプローチをとるべきとする考え方が，一部の業界から表明された。しかしながら，契約法アプローチをとっても善意取得や第三者への対抗問題として捉えて適切に対処すれば，取引の安全は確保できるのではないかとの意見が示された」。

3　契約取消の場合の原状回復義務に関して

(1)　民法の原則と本法6条の2

　取消の効果について，民法121条の2は，行為時に制限行為能力者であった場合などの一定の例外を除いて，契約当事者双方に原状回復義務を課している。しかし，本法は，民法の原則の特例として6条の2を設け，消費者の返還義務の範囲を現存利益に限定している[257]。

　もっとも，消費者が返還すべき現存利益の存否・範囲については依然として解釈に委ねられており，この点については，民法の不当利得論において展開されてきた従前の解釈論が妥当するものと解される。

(2)　学説の概観

　民法の不当利得の法理により，双方の給付が履行済みであれば，受領した物は原物で返還し，金銭的対価は全額返還する。また役務取引の場合には，現物返還が不可能なので，消費者は享受した役務の客観的価値を金銭で返還すると一般に解されている[258]。

　契約が取り消された場合の原状回復義務については，「契約当事者は互いに原状回復義務を負うことになり，具体的には，当事者の一方は，他方に対して，既履行の債務につき給付利得の返還義務を負うことになる（未履行の債務については，履行の必要がなくなる。）。この義務について，判例及び近

（注257）　本書6条の2（取消権を行使した消費者の返還義務）で後述。
（注258）　山本豊・前掲（注24）93頁等。なお，契約代金以外の不利益の塡補は，取消の効果としては出てこない。もしその部分の塡補を求めるとすれば，別途損害との間の因果関係を立証して，損害賠償請求を行うほかない。

時の通説は，当初の受益の返還を原則としている（受益返還の原則）。したがって，消費者契約が取り消された場合においては，典型的には，消費者は事業者に対して当初給付されたもの自体（原物）を返還し，一方，事業者は消費者に対して支払済みの対価を返還することになる。また，事業者から消費者に給付されたものが原物返還が不可能であるもの（役務など）である場合には，消費者は事業者に対して，その客観的価値を金銭で返還することになるが，消費者の事業者に対する支払済みの対価が社会的に相当な額である限り，両者は相殺されるので，清算の必要はなくなると考えられる」（第16次国生審最終報告30頁）とされている。また，学説においても，「取消権が行使されると，清算の問題が生じる。既履行のあるとき各当事者は自己の受益を返還する義務を負う。たとえば，売買契約において消費者に目的物が引き渡されているとき，消費者は当該目的物を返還するとともにその間の使用利益相当額の金銭を支払うことになる。代金を受領した事業者は代金および利息を返還することになる」と一般論が述べられている[259]。この点については，不当利得返還請求権の一般的解釈の問題であるとされるが，売買契約のような双務契約が無効・取消等によって清算が必要になった場合に，双方の利得返還請求権を切り離して考えずに，同時履行，目的物滅失の場合の危険負担等について，契約が有効な場合の相互的給付の対価的牽連関係を確保するための民法上の諸規定によって不当利得関係をも規律する考え方が有力に提唱されている[260]ことをふまえて考察する必要がある。以下これらの点をふまえて，具体的場合毎に解説する。

(3) 原物返還の場合

原物返還の場合に，もし一部を費消したり使用したりした場合に，残存する物だけをそのまま返還すればよいのか，という問題がある。

消費者は利益の存する限度で返還すればよいのであるが，一般論としては，消費者が目的物を利益に費消した場合は，現存利益が存するのであるか

(注259) 沖野・前掲（注41) 62頁。
(注260) 谷口知平＝甲斐道太郎編『新版　注釈民法 (18)』368頁［加藤雅信］（有斐閣，1991)。

ら，取得したときの客観的価格（時価相当額）を返還すべきであり，客観的価格に相応する利益を上げえなかったとしてもこの点はかわらないとされている[261]。したがって，消費者が目的物を利益に費消したといえるかどうかに帰する問題であるが，重要事項について不実告知を受けた結果，契約を締結して受領した物の一部を費消したり使用したりした場合であっても，当該消費者にとって利益は全く存しないと評価される場合が多いと思われる。例えば，健康食品の品質や効用について，重要な部分について不実告知を受けて購入した場合に，その一部を飲食した後に不実告知を知って契約を取り消したような場合は，利益に費消したとはいえないであろう[262]。

(4) 目的物が返還される前に，買主のもとで滅失・毀損[263]した場合

消費者は利益の存する限度で返還すればよいのであるから，消費者たる買主が善意であれば目的物を返還しなくともよく，また物の価格を返還することも要しないこととなり，他方で売主は代金を返還しなければならないこととなるが，このような結果は不当であるとして，様々な見解が唱えられている。主な見解としては，(i)買主側の返還義務は消滅するとしても，売買が無効・取消となった原因についての売主の関与の程度と態様を斟酌して，売主側の返還義務を減縮するとの見解[264]，(ii)買主の責めに帰すべき事由によらない履行不能の場合には買主の返還義務は消滅し，双務契約の履行として給付が交換されたことを考慮し，不当利得返還債務相互間についても民法536

(注261) 谷口＝甲斐編・前掲（注260）456頁〔田中整爾〕。

(注262) 松本・前掲（注30）16頁は，「消費者が受け取った商品を既に消費してしまっている場合や，事業者からサービスが提供されてしまっている場合には，不当利得を相当な対価に換算して金銭で返還するのが原則であるが，この原則を貫くと，相当な価額ではあっても，誤認させての販売や困惑させての押しつけ販売がなされた場合に，事業者に『やり得』を許す結果になる。訪問販売法6条〔現行の特定商取引法9条〕のクーリングオフの場合には，たとえサービスが履行済みであっても，消費者は一切代金を支払う義務がなく，むしろ逆に，サービスがなされる前の状態に戻すことまで要求することができる（同条5項・7項）。消費者契約法の取消の場合についても，事案に応じて，このような訪問販売法の扱いを参考にして処理すべきである」とする。

(注263) 目的物自体が一部滅失した場合を意味する。

(注264) 我妻榮『債権各論（民法講義下巻Ⅰ）』1090頁（岩波書店，1972）。

条の趣旨を推及し，消滅上の牽連関係を認めて売主側の返還義務もその限度で消滅するとする見解[265]，(iii)売主の責めに帰すべき事由による場合には買主側の返還義務は制限され，売主側は本来の返還義務を負い（民法536条2項），両当事者の責めに帰すべからざる場合には返還義務の減縮に応じて相手方の返還義務も減縮する（民法536条1項類推）とする見解[266]等がある。

消費者被害が生じる典型的場面，つまり，事業者の不適切な勧誘によって消費者が契約を締結した場合には，消費者の給付物に対する実質的支配が自己の意思に基づくものでなく押しつけられたものでもありうること，取消原因を事業者が与えた点についての評価をふまえた上で，なお利得の消滅を主張しうるかどうかを考える必要がある，との趣旨の見解もみられる[267]。このような見解を前提に，前記(i)の見解によれば，多くの場合には，買主である消費者の返還義務は消滅するとともに事業者の返還義務は減縮しない，と考えることができよう。

(5) 目的物の毀損[268]・変質等で価値が減少した場合

通説によれば，善意であるかぎり，現物の価値の減少がいかなる事由によるにせよ，損傷した状態において利得しているだけであるから，所有権が利得者に移転した場合には，目的物の毀損・変質が利得者の責めに帰すべき事由によったか否かを問うことなく，常に現状のままで返還すれば足りるし，所有権を取得しないときには，占有者は目的物の価値を減じたことについて責任を負わない（民法191条本文後段），とされている[269]。したがって，例えば不退去による威迫を受けて新聞の購読契約をしたような場合に，契約を取り消すまでの間に配布された新聞がたとえ古新聞状になっていたとしても，現物をそのまま返還することで足りることとなろう。また，重要事項について不実告知を受けて自動車の購入をした場合に，契約を取り消すまでの

(注265) 磯村保「法律関係の清算と不当利得＜シンポジウム＞」私法48号51頁参照。
(注266) 四宮和夫『事務管理・不当利得・不法行為（上巻）』133〜134頁（青林書院新社，1981），広中俊雄『債権各論講義〔第6版〕』408頁（有斐閣，1994）
(注267) 河上正二「契約の無効・取消と解除（その2）」法教160号70頁。
(注268) 一部減失までいかず，単に損傷を生じた程度の場合を意味する。
(注269) 田中・前掲（注261）446〜447頁。

間に自動車の使用によって評価落ちしていたとしても，現物をそのまま返還することで足りる。

(6) 目的物から生じた果実・使用利益，金銭に対する利息

不当利得の一般論からすれば，果実および使用収益を含めて返還すべきということになるが，学説・判例ともに双務契約の対価的給付の牽連性を考慮している。主な見解として，(i)民法189条を適用して善意占有者である買主の果実・使用収益に関し返還義務を否定する見解[270]，(ii)売買等双務契約の無効・取消による清算にあたって，果実・使用収益と代金の利息とは相互依存的に清算されるのが妥当であるとして，民法575条を準用ないし類推適用する見解[271]，(iii)民法575条は有効な契約を前提としており，等価的でないから無効・取消・解除される場合には解除の民法545条2項と同様それぞれ返還義務を負い，せいぜいその対価額で相殺するという処理が妥当であるとする見解[272]等がある。

また，(iii)の修正として，「押しつけられた給付」論の立場から，事業者の悪性が高いときには，消費者は目的物を返還すればそれで義務を尽くしたといえ，使用利益の返還義務はない（逆に事業者側は受領した金銭に利息をつけて返還する義務がある）とする見解もある[273]。実際問題として，消費者契約が取り消されたときに消費者が目的物から果実や使用収益を得ていたとされる場合は稀であろうと思われるから，この点は消費者契約に関してはあまり実益はない。もっとも，実益のあるケースとしては，不動産を購入した場合に得た賃料等の場合が考えられるが，代金の利息相当分と対価的牽連性を有する面は否定できないので，(iii)の見解により双方の返還をともに認めて相殺する処理を行うこととし，ただし，事業者の悪性が高い場合には消費者の賃

(注270) 我妻・前掲（注264）1072頁，最判昭35・11・29判時244号47頁。

(注271) 四宮・前掲（注266）132頁，鈴木禄弥『債権法講義〔4訂版〕』738頁（創文社，2001），広中・前掲（注266）408～410頁。

(注272) 好美清光「いま民法学は［課題と接近］」法セミ373号68～69頁，磯村・前掲（注265）55頁。

(注273) 沖野・前掲（注41）64頁。丸山絵美子「消費者契約における取消権と不当利得法理(1)(2・完)」筑波ロー・ジャーナル創刊号109頁，同2号85頁。

料等の返還義務が減縮されるとすべきであろう。

　また，金融商品の投資的取引において，消費者が当該金融商品から配当を受け取った後に購入契約を取り消した場合には，(iii)の見解により，事業者から購入代金に利息を付して返還させるとともに，その際当該配当利益は相殺により差し引く処理を行うこととし，ただし，事業者の悪性が高い場合には消費者の配当利益として差し引く額が減縮される，とするのが妥当であろう。

(7)　原物返還が不可能な役務やサービスの場合等

　(i)事業者から消費者に給付されたものが原物返還が不可能な役務やサービスであった場合や，(ii)建築請負のように建築中途の建物を撤去するのに多額の費用を伴うといった困難を伴う場合に，消費者は事業者に対して，その客観的価値を金銭で返還する義務を負うことになるのであろうか。

　(i)　そもそも役務やサービスの提供が内容となっている契約の多くはいわゆる継続的債権契約であり，我妻説等は，継続的契約関係の取消については遡及効を認めることに疑問を呈するが[274]，解除の場合に比して，無効・取消の場合は原状復帰への要請が強いことから，遡及効を認めつつ清算において双務契約の対価的牽連性等を考慮した処理を行うべきである。

　したがって，この場合も，不当利得返還請求の一般的解釈の問題であり，利益の存する限度をどうとらえるか，すなわち消費者が受けた利得の客観的価値をどう評価するかに帰着する問題であるといえよう。この点は，やはり(2)の場合と同様に，重要事項について不実告知を受けたり威迫・困惑に陥って契約した消費者が事業者から仮に役務やサービスを受けたとしても，多くの場合客観的価値はなかったと評価されるであろう[275]。

　例えば，学習塾について，実績や講義内容・講師スタッフ等に関する重要部分について不実告知があった場合に，そのことを知って契約の取消をするまでの間に受けた授業には客観的価値はなかったと評価されるから，消費者はその分を返還する必要はなく，事業者側は既に受領した対価がある場合は

(注274)　加藤・前掲（注260）366頁。
(注275)　前掲（注262），前掲（注273）。

全額を返還しなければならない。また，威迫されて何らかのサービスを受ける契約を締結したとしても，消費者にとってそのようなサービスは強いられた必要性のないサービスであって，客観的価値はなかったと評価される場合が大半であろうと思われる。また，このように解釈するのでなければ，取消の遡及効を認めた意義がなくなってしまうともいえよう。

なお，欠陥住宅に関し，解除ないし建替費用相当額の損害賠償請求を認めた事案で，居住していた期間の居住利益を認めてその控除をするか否かについては，肯定裁判例と否定裁判例がある[276]。しかし，欠陥住宅への居住は，「利益」ではなく，むしろ「不利益」を継続的に被ったと評価すべきであり，居住利益の控除は認めるべきではない[277]。

一部産業界が制定過程において危惧していたのは，消費者が事業者から役務やサービスの提供を長きにわたって受けた後に，契約を取り消して代金の全額返還を求めることが許容されるような事態である。しかし，そもそも消費者が不適切な勧誘行為を受けて契約を締結したといういきさつがあったにもかかわらず，その後長きにわたって消費者が事業者から役務の提供を受けて利得を得るということ自体，考えにくいわけであるし，もしそのようなケースがあったとすれば，利得が相当程度存したと客観的に評価されることともなろう。また，そのようなケースにおいては，消費者が不適切な勧誘行為を受けたことに気づきながらこれを追認したとして，もはや取消が許されない，と解釈される余地もあろう。

(注276) 肯定判例＝東京高判平 6・5・25 判タ 874 号 204 頁，東京高判平 14・1・23（判例集等未登載。平成 13 年（ネ）第 4584 号）等。否定判例＝神戸地判昭 61・9・3 判時 1238 号 118 頁，大阪地判平 10・12・18 消費者のための欠陥住宅判例集第 1 集 84 頁，大阪地判平 11・6・30 消費者のための欠陥住宅判例集第 1 集 62 頁等。なお，最判平 22・6・17 判時 2082 号 55 頁は，売買の目的物である新築建物に重大な瑕疵がありこれを建て替えざるを得ない場合に，社会通念上，建物自体が社会経済的な価値を有しないと評価すべきものであるときは，居住利益を損害額から控除できないとした。

(注277) 同旨＝日本弁護士連合会消費者問題対策委員会編『欠陥住宅被害救済の手引（全訂四版）』160 頁（民事法研究会，2018），松本克美「欠陥住宅訴訟における損害調整論・慰謝料論」立命館法学 2898 号 64 頁。

このように，ケース・バイ・ケースで利得の有無・価値を認定すればよいと考えられるのであって，いずれにせよ，原状回復をめぐって悪質消費者が利得だけをとり込むといった弊害が生ずる結果にはならない。受益返還の原則は従来の詐欺・強迫による取消の場合でも効果として採用されており，特に問題とはされていないことに注意すべきである。

(ⅱ) 建築請負の場合は，役務やサービスの提供と物の提供とが一体となった契約であり，物の給付の部分については現物返還が可能であって，建築途上の建物を事業者が撤去すれば済むという点で，純粋の役務提供契約とは異なるのであるが，撤去費用が多くかかることと，労務提供の価値の部分が失われるということから，建築途上の建物をそのまま撤去せずに消費者が取得し，金銭的清算を行うという余地のある点が特色であり，その点で役務・サービス提供契約の場合と連続した問題がある。

しかし，まず原則論としては，事業者が重要事項について不実告知を行ったり，威迫・困惑行為を行って消費者に契約を締結させたことが原因で契約の全部を取り消されたのであれば，原状回復義務の一般論からいえば，消費者が中途建物の撤去を求めるかぎり，事業者はこれに応じる義務があるというべきである。

ただし，消費者が中途建物の撤去を求めず，今後の工事請負部分のみにかぎっての契約取消をする（すなわち，契約の一部取消ということになろう）のであれば，このような一部取消を否定する理由はなく，消費者と事業者との間で，建物の出来高に応じて，取り消された部分だけの清算を行えばよいこととなろう。すなわち，建物の出来高以上の代金を消費者が支払済みであれば，事業者は受け取りすぎの代金部分の返還をする義務があり，逆に消費者が建物の出来高以下の代金しか支払っていないのであれば，消費者は今後の工事部分については取り消されているので支払を要しないものの，出来高に満つるまでの部分は取り消されていないので代金を支払う義務があることとなろう。この点では，将来に向けての解約と事実上は異ならないこととなる。

Ⅷ　4条6項

1　趣　旨

　消費者が，4条1項から4項の規定によって消費者契約の申込み又はその承諾の意思表示を取り消したとき，この消費者契約の締結を前提として利害関係を有するにいたった善意かつ過失がない第三者を保護するため，本項によって，第三者が善意かつ過失がない場合は，この者に消費者契約の取消を対抗できないとする。

　例えば，消費者が事業者に物品を売却し，その事業者からさらに同物品を転得した第三者が存在する場合に，消費者が事業者との間の売買契約を取り消したとしても，この消費者は善意・無過失の第三者に対して取消を主張できないことになる。

　本項は従前明文上は第三者の善意のみを保護要件としていたが，民法改正により，詐欺による意思表示の取消の場合は善意・無過失の第三者に対抗できないと明文で規定された（96条3項）ことに伴い，同様に本項も改正された（2020年4月1日施行）。なお，強迫による取消の場合は，第三者が善意であっても対抗できる。

2　解　説

（1）　第三者は善意に加えて無過失が必要か（改正前規定）

　前記の改正により，本項の改正後の契約については第三者保護要件として善意・無過失が要求されることが確定したが，第三者の「善意」のみを明文上の保護要件とする上記の改正前規定が適用される場合，本条項は善意に加えて，無過失を必要とするのか，あるいは，善意のみで足りるのかが問題となる。

　この点，民法94条2項の善意について，判例は，善意だけを要求し，無過失までは要求していない[278]。そして，通説も，いわゆる外形理論から同様に解釈している[279]。他方で改正前の民法96条3項の詐欺については法文

上の記載はなかったが，学説ではこれらの場合に無過失を要求するものもあり[280]，民法改正において同解釈を採用した上で，法文上無過失を要する旨明記された。したがって，法文上善意とされていても，これを善意・無過失とする解釈はありうる。

また，本条項の立法趣旨が取引の安全にあると解される一方で，消費者契約法自体の目的は消費者利益の擁護にあり，本条項においてもこのような目的を基礎として解釈をすることが必要である。したがって，このような視点から，前記改正前の本条項の善意についても無過失を要求すべきである。

本条項の善意を善意・無過失と解釈する場合，取引の安全を害する事態は考えられないか。消費者契約において第三者が出現する場合は，消費者から物品を譲渡された事業者が，さらに，転得者たる事業者に譲渡した場合と，転得者たる消費者に譲渡した場合が考えられる。このとき，転得者たる事業者については，相応の注意義務を要求しても特に不利益とはいえないだろう。そこで，消費者の保護のため転得者たる事業者に無過失を要求することは可能である。これに対し，転得者たる消費者については，相応の注意義務を要求したとしても，事業者と消費者に要求される注意義務の程度・内容は異なると解され，通常は消費者に過失は認められないであろうから，無過失を要求したことで特に不利益をこうむる場合は想定しにくい。なお，いずれも，動産の場合であれば，取引を介して善意・無過失で動産の占有をはじめた第三者は即時取得の制度により保護されることになる。以上のことから，本条項の善意に加えて，無過失までを要件としても，取引の安全を害することはない。

(2) クレジットの信販会社は第三者か

なお，本条項にいう第三者とは，4条1項から4項の規定によって取消の対象となる消費者契約を前提として，新たに法律上の利害関係を生ずるにいたった第三者を指す。クレジット契約の場合に本条項がどのような意味をも

(注278) 大判昭12・8・10新聞4181号9頁。

(注279) 我妻榮『新訂民法総則（民法講義Ⅰ）』292頁（岩波書店，1965）。

(注280) 四宮和夫＝能見善久『民法総則〔第9版〕』234頁（弘文堂，2018）。

つかについて，信販会社が第三者にあたるという見解がある[281]。しかし，クレジット契約においては売買契約とクレジット契約とが同時に成立し，クレジット会社が新たに利害関係を有するにいたったとはいえないから，本条項にいう第三者にはあたらないと解される（クレジット契約と消費者契約法上の取消との関係については，5条1項の解説を参照されたい）。

第5条 （媒介の委託を受けた第三者及び代理人）

> 第5条　前条の規定は，事業者が第三者に対し，当該事業者と消費者との間における消費者契約の締結について媒介をすることの委託（以下この項において単に「委託」という。）をし，当該委託を受けた第三者（その第三者から委託（2以上の段階にわたる委託を含む。）を受けた者を含む。以下「受託者等」という。）が消費者に対して同条第1項から第4項までに規定する行為をした場合について準用する。この場合において，同条第2項ただし書中「当該事業者」とあるのは，「当該事業者又は次条第1項に規定する受託者等」と読み替えるものとする。
> 2　消費者契約の締結に係る消費者の代理人（復代理人（2以上の段階にわたり復代理人として選任された者を含む。）を含む。以下同じ。），事業者の代理人及び受託者等の代理人は，前条第1項から第4項まで（前項において準用する場合を含む。次条から第7条までにおいて同じ。）の規定の適用については，それぞれ消費者，事業者及び受託者等とみなす。

(注281)　消費者庁解説127頁以下。

I 5条1項

1 趣旨

(1) 意義

　消費者と事業者との間に第三者が介在し，この第三者が消費者に対して不実告知，断定的判断の提供，不利益事実の不告知（本項では，以下あわせて「不実告知等」という），困惑行為，過量契約を行った場合にも，消費者の自由な意思決定が妨げられたという状況は4条に規定する場合と異なるところはないから，消費者に取消権を与える必要性が認められる。

　しかし，この取消権をどのような場合に認めるかについては，様々な考え方がある。まず，第三者の範囲を事業者が第三者に代理権を付与している場合に限るという考え方がある。しかし，事業者が第三者に対して，代理権ではないものの取引の勧誘を行うにあたり何らかの対外的権限を与えていたような場合や，事実上の委任をしていたような場合は，事業者がその者の不適切な行為によって不利益をこうむってもやむをえないであろうし，逆に消費者側からすれば保護されてしかるべきである。そこで，事業者が第三者に消費者契約の締結の媒介を委託した場合をも対象とすることとされている。

(2) 民法の原則

　第三者が消費者に対して詐欺を行ったために消費者が消費者契約の申込みまたは承認の意思表示を行った場合は，事業者がその詐欺の事実を知っていたとき，または知ることができたときに限り意思表示を取り消すことができる（民法96条2項）。また，第三者が消費者に対して強迫を行ったために消費者が消費者契約の申込みまたは承認の意思表示を行った場合は，事業者における強迫の事実の知・不知にかかわりなく，消費者は意思表示を取り消せる。

　しかし，事業者が詐欺の事実を注意しても気付けなかった場合，不実告知等があっても詐欺の立証が困難な場合，また，困惑行為が強迫とまではいえない場合については，民法では取消が認められない。そこで，例えば，会社

が不動産を売る際に，不動産業者に仲介をさせたところ，この不動産業者が消費者に不動産に関する重要事項について誤った情報を告知したために消費者が購入したような場合は，民法上は当然には取消ができない。

2　解　説

(1)　媒介することの委託を受けた第三者とは
(i)　概　要

5条1項では，事業者が消費者契約の締結について媒介をすることの委託をした第三者（受託者）が消費者に対して，4条1項ないし4項に規定する行為を行った場合には，4条の準用があり，消費者は取消ができるものとした。この場合，4条に該当する行為があったことについての事業者の善意・悪意は問題とならない[1]。したがって，上記の不動産購入の場合については，4条所定の要件を満たせば，消費者は取消ができることになる。

また，この第三者からさらに消費者契約の締結についての媒介の委託を受けた者（二次受託者，その委託が数次にわたり繰り返されている場合も含む）が消費者に対して，4条1項ないし4項に規定する行為を行った場合にも，4条の準用があり，消費者は取消ができるものとした。

このように，消費者契約法では，①第三者のうち一定の者が4条1項ないし4項に規定する行為を行った場合にも，4条の規定に従って消費者において取消ができる旨定めたこと，また，②これらの一定の者の範囲を，事業者が消費者契約の締結について媒介をすることの委託をし，この委託を受けた第三者（受託者），その第三者から委託を受けた者（二次受託者，二以上の段階にわたる委託を受けた者を含む）としている点に特徴がある。

(ii)　媒介とは

媒介とは，一般に，他人間の法律行為すなわち契約の成立に尽力する事実行為をいう。

この点，消費者庁は，「媒介」について，かつては，「通常，契約締結の直前までの必要な段取り等を第三者が行っており，事業者が契約締結をさえ済

(注1)　山本豊「消費者契約法(2)」法教242号94頁。

ませれば良いような状況と考えられる。」としていた。しかしながら，専門調査会において，契約主体と勧誘主体である第三者との間に委託関係が無い場合でも，契約主体である事業者が当該第三者の不適切な勧誘行為を知り，または知り得べき場合にも法4条の準用を認めて，不適切な勧誘を受けた消費者が取消しをできるようにすべきとの問題提起がされ，検討がなされた。

具体的には，①事業者から委託を受けていない第三者（又は事業者と委託関係があるか不明な第三者）による不当勧誘行為について，事業者が悪意又は有過失の場合に取消しを認めるよう法5条1項を改正する方向性，②法5条1項は改正せずに，「媒介」を柔軟に解釈することによって適用対象を拡張する方向性の2つの方向性が検討された[2]。議論の結果，2015年専門調査会報告書においては，①の法改正の方向性は採用されず，②の解釈による対応の方向性が提言されることとなり，その後，消費者庁は，「媒介」の解釈の記述を「本条の趣旨を考慮すれば，両者の間に立って尽力することには，必ずしも契約締結の直前までの必要な段取り等を第三者が行っていなくても，これに該当する可能性があるものと考えられる」と改め，「媒介」の適用範囲に関する解釈を広げた[3]。また，「媒介の委託」の解釈についても，「消費者契約の勧誘行為の委託」は「当然に媒介の委託とはならない」としていた記述を削除して，「消費者との間における『消費者契約の締結の媒介』を委託すること」であるとしている[4]。

このような消費者庁解説の改訂自体は評価できるが，本来，不当な勧誘行為から消費者の契約の離脱を広く認めようとしている本条の趣旨からは，事業者が第三者に委託する契約成立に向けた尽力の対象が，消費者契約の締結に至る一連の過程の一部分であっても「媒介」に該当し得るとの解釈の方が合理的である[5]。

また，「消費者契約の締結について媒介をすることの委託」についても，同様の趣旨から，契約の締結を直接委託する場合だけでなく，契約締結に向

（注2）　第13回専門調査会。
（注3）　消費者庁解説132頁。
（注4）　消費者庁解説132頁。

けた勧誘を委託する場合も含まれると解すべきである。

　もっとも，上記のような「媒介」の解釈だけでは，契約主体と勧誘主体の関係が不明であったり，媒介の事実の立証が困難であったりする場合において，消費者の適切な救済に限界があることは否めない。匿名のネットの書き込みによる不実告知など，事業者において全くコントロールができない場合にも消費者に取消しが認められてしまう可能性があることが，専門調査会において前記①の方向性での法改正を見送った大きな理由であったが，このような事業者に何らの責任がない場合にのみ例外的に取消しを認めないこととすれば足り，本来であれば前記①の方向性の法改正をすべきであろう。

　(iii)　第三者の具体例

　第三者の具体例としては，不動産の売買・賃貸を仲介した宅地建物取引業者[6]，クレジット契約やリース契約の仲介をした販売店[7]，住宅ローンの設定に際し信用保証契約や火災保険契約を媒介した銀行，変額保険の勧誘を行った銀行，旅行サービスを手配した旅行業者等があげられる。保険，証券の外交員の場合は，事業者の履行補助者として4条の適用が認められる場合もあろうが，事業者とそれらの者との契約関係によっては，媒介を依頼された者として本条項の適用が認められる場合もあろう。

　(iv)　媒介の委託とクレジット契約

　①　個別信用購入あっせん（個別クレジット）における販売店の役割

(注5)　落合誠一『消費者契約法』98頁（有斐閣，2001）も，現行法の「媒介」の委託という要件について，「当事者の間にたって，それらの者の間に法律行為を締結させることに尽力する活動（事実行為）」としつつ，「事業者が第三者に委託する尽力の対象が，消費者契約締結に至る一連の過程の一部に限定される場合があるが，かかる場合も本要件の『媒介』に該当し得る」とする。

(注6)　東京地判平17・8・25（ウエストロー・ジャパン2005WLJPCA08250002）。

(注7)　5条1項の適用を明示しないが4条に基づく取消を肯定したものとして東京簡判平15・5・14（最高裁HP），神戸簡判平16・6・25（ウエストロー・ジャパン2004WLJPCA06256001）及び，大阪簡判平16・10・7（ウエストロー・ジャパン2004WLJPCA10076001）がある。また，クレジット加盟店の（クレジット会社の承認を得ていない）代理店につき5条1項の「その第三者から委託を受けた者」（二次受託者）にあたるとしたものとして大津地長浜支判平21・10・2（消費者法ニュース82号206頁）がある。

個別信用購入あっせんにおいては，商品購入代金について，消費者と信販会社との間で立替払契約（クレジット契約）が成立することになるが，実務上は，信販会社の加盟店である販売店が，この立替払契約に関して，クレジット申込書の作成などの事務手続を代行している。つまり，消費者と信販会社との立替払契約について，販売店は，媒介の委託を受けた第三者（受託者）と位置付けられることから，販売店が4条所定の勧誘を行ったことによって立替払契約が成立したと言えれば，消費者は，信販会社との立替払契約の取消しができることになる。

　② 販売店が「誤認」類型に該当する勧誘を行った場合

　販売店が，誤認類型に該当する勧誘を行った場合に，立替払契約（クレジット契約）を取り消すことができるかどうかについては，誤認類型のうち，不実告知および不利益事実の不告知による取消の対象が「重要事項」（4条5項）に限定されていることに留意しなければならない。

　まず，販売店が，「立替払契約」の重要な事柄に関して，媒介の委託を受けた第三者として不実告知等を行った場合には，当然，消費者は立替払契約を取り消すことができる。

　これに対して，実際上は，販売店が，「売買契約」に関して不実告知等を行うケースが多いことから，このような場合にも，「立替払契約の重要事項」に関する不実告知等があったと評価できるかどうかが問題になる。この点，小林簡判平18・3・22（消費者法ニュース69号188頁）は，販売店が消費者と行った床下補強工事契約について，信販会社が消費者と立替払契約を締結した事案で，床下補強工事の内容について不利益事実の不告知があったことを理由に，立替払契約の取消を認めており，販売店の役務提供内容が立替払契約の「重要事項」にあたるとしたものである。立替払契約は，販売店と信販会社との間の加盟店契約に基づく密接な関係を前提に，販売店と消費者との間の販売契約の代金を支払うための手段として締結されるものであり，販売契約と立替払契約には密接な関連性があることからすれば，販売店と消費者との間の販売契約に関する内容も，立替払契約の「用途」として「重要事項」にあたり，取り消すことができるというべきである。

　③ 販売店が「困惑」類型に該当する勧誘を行った場合

販売店が，不退去等の困惑類型に該当する勧誘を行い，その結果，消費者が困惑して売買契約とその支払のための立替払契約を締結した場合には，困惑状態下で2つの契約が行われたと評価できることから，4条3項各号と5条によって，消費者は，信販会社との立替払契約を取り消すことができる。この点，東京簡判平19・7・26（最高裁HP）も，4条3項1号（不退去）に該当する販売店の行為によって締結された立替払契約について，販売店と信販会社間には立替払契約の締結について媒介をすることの委託関係があるとして本条項の規定により取消しを認めている。

④　割賦販売法の活用

クレジット契約に関しては，割賦販売法も適用されるところ，販売契約について取消事由が存在する場合には抗弁の接続（抗弁対抗，支払停止の抗弁）が認められていることから，販売契約の取消を信販会社に対抗することによって，クレジット未払金の支払拒絶が可能である（包括信用購入あっせんについて同法30条の4，個別信用購入あっせんについて同法35条の3の19）。

また，割賦販売法の平成20年改正によって，個別信用購入あっせんについては，特定商取引法の訪問販売などの取引類型において，販売店の不実告知や故意の事実不告知を理由としてクレジット契約を取り消すことができ，信販会社からの既払金の返還も可能となっている（35条の3の13〜35条の3の16）。

(2)　読み替え規定

5条1項では，4条2項ただし書中，「当該事業者」とあるのは，「当該事業者又は次条第1項に規定する受託者等」と読み替えるものとした。

これは，消費者契約の締結についての媒介の委託を受けた第三者，あるいは，この第三者からさらに消費者契約の締結についての媒介の委託を受けた者（その委託が数次にわたり繰り返されている場合も含む）が4条2項に規定する不利益事実の不告知を行ったものの，事業者自体は不利益事実の告知を行おうとしたが消費者がこれを拒んだ場合に，この読み替えがないと消費者において取消ができるようにも解釈できることから，これでは当該事業者にとって酷であるという理由に基づいて設けられたものである。

Ⅱ　5条2項

1　趣　旨

　消費者契約の締結において，消費者，事業者，事業者から消費者契約の締結について媒介をすることの委託をしこの委託を受けた第三者（受託者），その第三者から委託を受けた者（二次受託者，二以上の段階にわたる委託を受けた者を含む）について，それらの者に代理人がいる場合は，4条1項ないし4項の規定の適用および5条1項における準用につき，代理人は本人とみなされる。

　したがって，不実告知等，困惑行為，過量契約が，事業者の代理人，又は事業者から消費者契約の締結について媒介をすることについて委託を受けた第三者（受託者）の代理人，その第三者（受託者）から委託を受けた者（二次受託者，二以上の段階にわたる委託を受けた者を含む）の代理人によってなされた場合は，消費者は取消ができる[8]。また，不実告知等や困惑行為を受け，または過量契約の意思表示を行ったのが消費者の代理人であった場合にも，消費者は取消ができる。

2　解　説

　民法101条1項では，「代理人が相手方に対してした意思表示の効力が意思の不存在，錯誤，詐欺，強迫又はある事情を知っていたこと若しくは知らなかったことにつき過失があったことによって影響を受けるべき場合には，その事実の有無は，代理人について決するものとする。」とされている。また，例えば，事業者の代理人が消費者に対して詐欺を行った場合は，事業者が詐欺をしたのと同視され，消費者は意思表示を取り消せることになろう。

（注8）　松本恒雄「消費者契約法と契約締結過程に関する民事ルール」ひろば53巻11号15頁は，代理人とみなされ，その代理人によって誤認・困惑させられた意思表示を取り消すことができるのは，民法101条1項を誤認困惑にも横滑りさせたものとする。

本条項では，さらに，詐欺の立証が困難な不実告知等の場合，強迫にはいたらない困惑行為の場合，過量契約の場合，事業者から契約締結の媒介を依頼された第三者がいる場合等にも，代理人を本人とみなした点で民法の法理を拡張するものと考えられる。

なお，この代理人が無権代理人の場合には，民法の規定に従った処理がなされることになる。

第6条 （解釈規定）

> 第6条　第4条第1項から第4項までの規定は，これらの項に規定する消費者契約の申込み又はその承諾の意思表示に対する民法第96条の規定の適用を妨げるものと解してはならない。

I　趣　旨

1　意　義

6条は，消費者契約上の意思表示で4条1項から4項に該当して取り消しうる意思表示であって，同時に民法96条の詐欺，強迫の要件にも該当するものであるときは，本法によらず，民法96条によって取り消すこともできる旨を定める。

2　制定経緯

消費者契約法制定時には，民法と消費者契約法の一般法・特別法の関係から，従来民法で守られていた消費者の利益が消費者契約法の成立によりかえって不利益に変更されることはないのか，あるいは従前民法の規定で取消の対象であった事業者の行為であっても，消費者契約法の規定から漏れることにより，反対解釈として今後民法による取消はできないと解される余地があるのではないか，との懸念が主として消費者側から出されていた。本条は，このような懸念を考慮し，消費者が消費者契約法による取消権と民法による

取消権を重畳的に行使できることを明確にしたものである。

II　解　説

1　「これらの項に規定する消費者契約の申込み又はその承諾の意思表示」

「これらの項に規定する消費者契約の申込み又はその承諾の意思表示」とは，文字通り，4条1項から4項までの各条項の要件にあてはまる消費者契約の申込みまたは承諾の意思表示をいう。

2　「民法第96条の規定の適用を妨げるものと解してはならない」

(1)　「民法第96条の規定の適用を妨げるものと解してはならない」とは，4条1項ないし4項により，消費者が取消権を行使できる場合であっても，同時に民法96条（詐欺，強迫）による取消も可能であるときには，同条により取り消すこともできるという意味である。すなわち，消費者契約法による取消と民法による取消の両方を主張できる。なお，民法96条による場合には本法によるよりも，取消権の行使期間が長いことや困惑行為であると同時に強迫行為である場合に善意無過失の第三者に対して取消の効果を主張できるなどの点で消費者に有利なところもある。

(2)　消費者契約法と民法との関係については，原則的には民法を一般法，消費者契約法を特別法ととらえ，要件が競合する範囲では消費者契約法が優先して適用され，競合がない範囲では民法が補充的に適用されるとされている（11条1項）。このような一般法と特例法の関係を前提とすると，4条1項ないし4項の規定は，もともと民法96条の規定を明確化あるいは拡張したものといえることから，両方の要件が競合する場合が考えられ，そのような場合には，民法の取消権に関する規定は適用されないのではないかと解されたり，消費者契約法の適用のない事業者の行為については反対解釈として民法による取消はできないのではないかと解される懸念もあった。

しかし，4条1項ないし4項は，消費者と事業者との間の契約に関して取消できる新たな法律要件を定めたものであり，民法とは異なる意思表示の瑕

疵類型を定めたとみることができ，同条の定める意思表示の瑕疵類型と民法上の意思表示の瑕疵類型に同時にあたる場合には，当然重畳的に主張することができるものと解される。また，従前消費者が当然主張できた民法上の権利（あるいは本法によるよりも有利な利益）を奪うのは本法立法の趣旨に反するともいえる。

このような立場からは，消費者契約法上の取消権を行使できる場合でも，民法上の取消権を行使できることは当然で，本条は当然のことを確認したものである[1]。また学説でも，「民法と消費者契約法の関係については，両者が基本的に親和性を有するものであって，民法上の包括ルールの具体化・明確化，信義則を介しての欠缺補充的な意味合いを持つものと考えられ，その適用関係は重畳適用として差しつかえない」[2]とされており，この立場からも本条は当然の規定ということになろう。

(3) 本条は民法96条のみをあげて「適用を妨げるものと解してはならない」としているが，錯誤（民法95条），その他の民法上の意思表示の瑕疵を，4条1項ないし4項と重畳的に主張することができるのはいうまでもない。

第6条の2（取消権を行使した消費者の返還義務）

> 第6条の2　民法第121条の2第1項の規定にかかわらず，消費者契約に基づく債務の履行として給付を受けた消費者は，第4条第1項から第4項までの規定により当該消費者契約の申込み又はその承諾の意思表示を取り消した場合において，給付を受けた当時その意思表示が取り消すことができるものであることを知らなかったときは，当該消費者契約によって現に利益を受けている限度において，返還の義務を負う。

(注1)　消費者庁解説141頁。
(注2)　河上正二「シンポジウム・『消費者契約法』をめぐる立法的課題」私法62号24頁。

I　趣　旨

1　意　義

　本条は，消費者が取消権を行使した場合の返還義務の範囲を現存利益に限定するものである。

2　改正経緯

　本条は，民法改正により同法121条の2が設けられ，取消しの効果が原則として原状回復とされることになったことから，それに対する手当として，平成28年改正により新設されたものである（2020年4月1日より施行）。

　すなわち，従来，消費者が本法の取消権を行使した場合の返還義務の範囲については，民法703条により，消費者は現存利益を返還すれば足りると解されてきた。ところが，民法改正によって，「無効な行為に基づく債務の履行として給付を受けた者は，相手方を原状に復させる義務を負う。」（民法121条の2第1項）として，取消しの効果は原状回復が原則と変更される。そこで，消費者が売買契約により事業者から商品（例えばダイエットサプリ）を受領したが，後に不実告知を理由に当該契約を取り消したような場合でも，特別の規定がない限り，消費者は，未だ費消していないダイエットサプリの原物（現存利益）に加え，既に費消してしまった分の客観的価値に相当する金銭を返還することが必要との解釈となる可能性がある。

　しかしながら，これでは費消した分の代金を消費者が支払うのと変わらないことになり，消費者に取消権を認めた意義が没却される。いわば不実告知等の不当勧誘行為を行った事業者の「やり得」を許すことにもなる。

　そこで本条は，民法121条の2第3項と同様に，民法改正後も消費者の返還義務の範囲を現存利益に限定する従来の規律を維持するものである。

　なお，専門調査会における議論においては，取消しの効果について，商品の使用利益等の返還まで不要とする特定商取引法のクーリングオフの清算規定（同法9条5項等）を参考にした規定を設けるべきとの考え方も示された

（専門調査会における議論状況については，平成27年専門調査会中間取りまとめ27頁以下参照）。しかしながら，消費者契約一般にそのような規律を設けることへの異論などから，上記のとおり，民法改正後も従来の規律を維持する規定を設けるにとどまる結果となった。

II 解説

1 要件（「給付を受けた当時その意思表示が取り消すことができるものであることを知らなかったとき」）

「給付を受けた当時その意思表示が取り消すことができるものであることを知らなかったとき」が本条適用の要件とされているが，民法703条においても善意の受益者であることが要件として必要と解されているので，従前と比べて要件が加重されたわけではない。

2 効果（「当該消費者契約によって現に利益を受けている限度において，返還の義務を負う」）

本規定により，消費者の返還義務の範囲は現存利益に限定されるが，現存利益の存否については，民法における従前の解釈論が妥当するものである[1]。

前記のダイエットサプリの例では，消費者がダイエットサプリを摂取するなどして費消しても，それによって他の出費が節約されるなどということは通常ないだろうから，費消分についての現存利益はなく，消費者は，費消していないダイエットサプリの原物のみを返還すれば足りると解される。

他方，商品の使用利益（例えば商品である自動車を使用した利益）や，消費者が役務（サービス）を受けた場合の客観的価値相当額については，それが残っている以上，現存利益として返還が必要となる。

もっとも，この点については，従前から議論されてきたように（いわゆる「押し付けられた給付論」），取消しが認められるべき事業者の不当勧誘行為に

(注1) 本書4条の「取消の効果」参照。

よっていわば押し付けられた給付については,「客観的価値がない」と評価できる場合がほとんどであろう。このような場合には,使用利益やサービスの客観的価値についても現存利益は存在せず,それらに相当する金銭の返還は不要である。

また,客観的価値が全くないとまでは評価できない場合であっても,勧誘態様の悪質性等に照らし,事業者の消費者に対する金銭の返還請求が制限されることもあると解される[2]。

第7条　（取消権の行使期間等）

> 第7条　第4条第1項から第4項までの規定による取消権は,追認をすることができる時から1年間（同条第3項第8号に係る取消権については,3年間）行わないときは,時効によって消滅する。当該消費者契約の締結の時から5年（同号に係る取消権については,10年）を経過したときも,同様とする。
> 2　会社法（平成17年法律第86号）その他の法律により詐欺又は強迫を理由として取消しをすることができないものとされている株式若しくは出資の引受け又は基金の拠出が消費者契約としてされた場合には,当該株式若しくは出資の引受け又は基金の拠出に係る意思表示については,第4条第1項から第4項までの規定によりその取消しをすることができない。

I　趣　旨

本条1項は,消費者が取消権を行使することができる期間について定める。

このように,取消権の存続期間を定めるのは,法律関係を不確定なままに永くとどめおくことは,相手方や第三者の立場を不安定にするからである。

本条2項は,消費者が消費者契約として株式や新株を引き受けた場合に

（注2）　2014年日弁連改正試案21条参照。

も，4条1項から4項の規定の適用があり，取り消すことができるが，その場合の取消権を行使する際の制約について定める。

Ⅱ　制定の経緯

本条は消費者契約法制定時には，追認をすることができる時から6か月，契約締結から5年で消滅すると定めていた。民法上の詐欺・強迫による取消権が追認することができる時から5年，契約締結から20年で消滅すると定めている（126条）ことと比較すると著しく短い。この理由としては，①民法の詐欺・強迫の要件を緩和することとのバランス論，②取消権の行使は裁判外で簡単に行えること等が理由となっていたようである。しかしこれに対しては，①本法で新設された取消を認められる範囲は，このような調整を正当化するほど広がっているとは思えない[1]，②取消権の行使自体は簡単にできるが，問題は消費者にそのような行使が期待できるかである，申入をしているうちに半年ぐらいが経過することは十分考えられる[2]などの反対論があり，民法と同じか，少なくとも短期3年の行使期間を認めるべきであるとする意見も強かった。

2003年6月から同年9月にかけて，全国の消費者センターの相談員にアンケートを実施したところ，消費者契約法において改善してほしい点として，取消権の行使期間を延長すべきであるという意見も数多く寄せられた[3]。

また，近畿弁護士連合会が消費生活センターを対象として行った消費者契約法に関するアンケート調査においても，相談事例で現行法の短期消滅時効のため取消権が行使できなかったとする回答が約23％寄せられた[4]。

(注1)　沖野眞已「消費者契約法（仮称）における『契約締結過程の規律』」NBL685号22頁。

(注2)　沖野・前掲（注1）22頁，日本弁護士連合会「消費者契約法案に対する意見書」（2000年4月）3頁。

(注3)　山本健司「消費者契約アンケートの実施結果について」消費者問題ニュース97号8頁。

さらに、独立行政法人国民生活センターの調査においても、73.1％の相談員が「騙されて契約していたことに気づいてから（誤認に気づいた時から）6ヶ月以上経っていた」相談を受けたことがあると回答し、24.7％の相談員が「不退去・退去妨害から解放されてから（困惑から脱した時から）6ヶ月以上経っていた」相談を受けた事があると回答し、51.9％の相談員が「契約してから5年以上経っていた」相談を受けたことがあると回答した等と報告されている[5]。

　このような状況を受け、2014年日弁連改正試案11条1項では、少なくとも短期3年、長期10年の行使期間を認めるべきであるという立法提言をしている。

III　改正経緯

　上記のとおり、2016年改正前の7条1項では、取消権は、追認をすることができる時から6か月（短期の行使期間）、契約締結の時から5年（長期の行使期間）の経過により時効によって消滅すると定められていたが、不当な勧誘を受けて契約を締結したものの、この行使期間を経過してしまうことにより取消権を行使できなくなるケースが生じ、被害救済が不十分となっているのではないか、したがって、行使期間を伸長する必要があるのではないかという問題が指摘されていた。

　そこで、専門調査会においては、取消権の行使期間について、短期及び長期それぞれにつき、伸長すべきか否か、伸長するとしてその期間につき、議論がされた。

　消費者被害の相談現場においては「騙されて恥ずかしい等々と思い悩むうちに6か月以上経ってしまった」等取消権の行使期間が経過してしまう事案が少なからずあるとして、取消権の行使期間の伸長を支持する意見、その一

（注4）　第27回近畿弁護士会連合会大会シンポジウム第1分科会「消費者契約法の改正〜もっと使える消費者契約法を目指して〜」報告書184頁（2005年11月）。

（注5）　独立行政法人国民生活センター「消費生活相談の視点からみた消費者契約法のあり方」（2007年11月）122頁。

方，取引の安定性を著しく損なうとして反対する意見があった。また，短期の行使期間を最低でも1年に伸長すべきであるという意見や，短期の行使期間を3年，長期の行使期間を10年とすべきであるという意見もあった（2015年中間取りまとめ25頁）。このような議論を受けて，2015年中間取りまとめでは，「消費生活相談事例では消費者が相談に来た時点で既に取消権の行使期間を経過しているケースが多数存在することに鑑み，取消権の実効性を確保する観点からは行使期間を適切に伸長することが考えられるが，相手方事業者の取引の安全を図る必要性もあることを踏まえ，引き続き，実例を調査した上で検討すべきである。」（同25頁）とされた。

この2015年中間取りまとめを受けて，消費者庁は，取消権の行使期間の在り方の検討を目的とした「消費生活相談員に対するアンケート調査」（調査時期・2015年9月28日～10月13日）を実施した。この調査の結果，不当な勧誘を受けて契約を締結し，取消権の行使期間を経過してしまう消費者は一定数存在していることが示された（2015年専門調査会報告書6頁脚注5・参考資料5）[6]。

その後の専門調査会において，上記「消費生活相談員に対するアンケート調査」の結果も踏まえて引き続き議論がなされた。その結果，2015年専門調査会報告書では「不当な勧誘を受けて契約を締結し，取消権の行使期間を経過してしまう消費者は一定数存在しており，不当な勧誘行為を受けて契約を締結した消費者ができる限り救済されるよう，取消権の行使期間を適切に伸長する必要がある。」とされ，「他方で，法は，民法の定める場合よりも取消しを広く認めるものであり，契約の一方当事者である事業者の負担を考慮すれば早期に法律関係を確定させる要請もあることに鑑みると，伸長をするとしても最低限度とすることが望まし」いとして，「短期の行使期間を1年

（注6）「『消費生活相談員に対するアンケート調査』において，アンケートに回答した消費生活相談員の約40％が『契約してから5年以上経っていた』相談を，約35％が『騙されて契約していたことに気づいたときから6か月以上経っていた』相談を，約12％が『不退去・監禁（退去妨害）から解放されてから6か月以上経っていた』相談を，それぞれ受けた経験があるという結果となっている。」（2015年専門調査会報告書6頁脚注5）。

間に伸長すべきである。」と提言され（2015年専門調査会報告書6頁），短期の行使期間を1年に伸長する2016年改正に至った。

一方，長期の行使期間の伸長については，「長期の行使期間を伸長した場合には資料保管といった事業者の負担も大きくなると見込まれることを踏まえ，現時点では，長期の行使期間は変更せず，短期の行使期間を伸長することが適当である。」（2015年専門調査会報告書6頁）として見送られた。

その後，2022年8月，旧統一教会問題等のいわゆる霊感商法への対応の強化を求める社会的な要請の高まりを受けて消費者庁に「霊感商法等の悪質商法への対策検討会」が設置され，同年10月，同検討会により，霊感商法等による消費者被害の救済の実効化を図るため，消費者取消権の対象範囲の拡大や行使期間の延長等を行うべきであると提言する報告書が取りまとめられた[7]。

そして，上記の報告書を受けて，同年12月10日，「消費者契約法及び独立行政法人国民生活センター法の一部を改正する法律」（令和4年法律第99号）が成立し，霊感商法等について消費者取消権を認めた4条3項8号の取消要件が改正（緩和）されると共に，上記取消権の行使期間が追認することができるときから3年（改正前1年），契約締結時から10年（改正前5年）に延長された[8]。この改正については2023年1月5日から施行されている。

長期の行使期間の伸長や，短期の行使期間のさらなる伸長については，引き続き今後の課題である[9]。

(注7) 消費者庁「『霊感商法等の悪質商法への対策検討会』報告書」（https://www.caa.go.jp/policies/policy/consumer_policy/meeting_materials/review_meeting_007/assets/consumer_policy_cms104_221014_09.pdf）。

(注8) 「消費者契約法及び独立行政法人国民生活センター法の一部を改正する法律」（令和4年法律第99号）。

(注9) 2014年日弁連改正試案11条参照。

Ⅳ 解　説

1　本条1項の要件

(1)　取消権の消滅

本項は，消費者が取消権を行使できる期間について定める。取消権の行使期間には短期と長期がある。4条1項から4項までの規定により定められた取消権は，消費者が追認することができる時から1年間（同条3項8号に係る取消権については，3年間）行使しないときは時効により消滅し（短期），また当該消費者契約締結の時から取消権を行使しないまま5年（同号に係る取消権については，10年間）を経過したとき（長期）も時効により消滅する。

(2)　「追認をすることができる時から」

消滅時効の期間の起算点を定めたものである。短期消滅時効では，取消権の行使期間は「追認をすることができる時から1年間」とする。起算点である「追認をすることができる時」とは，取消の原因である状況が止んだ時である。「追認」とは取り消しうる行為を有効に確定する意思表示をいい，「法定追認」とは一定の事由があると，追認があったものと法律上みなされる場合をいう。法定追認の具体的事由としては，履行（民法125条1号），請求（同条2号），更改（同条3号），担保の供与（同条4号），取得した権利の譲渡（同条5号），強制執行（同条6号）がある。

（i）誤認類型（4条1項，2項）における「追認をすることができる時」とは，それぞれ事業者の行為によって誤認させられていたことが判明した時である。

不実告知（4条1項1号）では，消費者が告げられた重要事項が事実と違うことに気がついた時となる。例えば，新車と説明されて中古車を売りつけられた場合には，購入した自動車が中古であると知った時である。

断定的判断の提供（4条1項2号）の場合には，事業者の提供する断定的判断が事実と異なることを消費者が知った時である。例えば，商品先物取引において事業者が消費者に対して「いま大豆を買えば必ず100万円もうか

る」と説明して契約させた場合には，消費者がそのような説明が事実と異なること（必ずしもその説明どおり利益が実現されないこと）を知った時である。単に相場が事業者の説明と反対に動いたことを知っただけでは足りない。その場合にはなお消費者が事業者の提供した断定的判断を信頼している場合があり，そのようなときには消費者が取消権を行使することが期待できないからである。

不利益事実の不告知（4条2項）の場合には，告知されなかった不利益事実の存在を消費者が知った時である。例えば，電話一本で簡単にリゾートホテルを利用できる会員権であると説明しながら，実際にはシーズン・オフ以外には，予約をとることが困難であることを故意に告げなかった場合には，消費者が会員であってもリゾートホテルの予約をとることが困難である事実を認識した時である。この場合，消費者は何度も予約を試みた結果，そのような認識にいたるのが普通であろうから，その時点が不利益事実の不告知を知った時となる。

(ⅱ) 困惑類型（4条3項）おける「追認をすることができる時」とは，事業者の行為により困惑させられていた状況から離脱できた時である。

不退去による困惑（同条3項1号）の場合には，相手が住居や勤務先等から退去し，困惑状態から解放された時である。消費者の心理的な困惑状態が事業者の退去後も継続している場合にはなお解放されているとはいえないから「追認をすることができる時」にはあたらない。例えば，一人暮らしの高齢者の家に夜分あがりこんで，「改めて昼にきてくれ」といっているにもかかわらず，居座って浄水器を購入させたような場合には，物理的に事業者が高齢者宅を退去しただけでは足りず，高齢者が，例えば弁護士や消費生活センター等安心できる第三者に相談するなどして，心理的な困惑状態から解放された時が「追認をすることができる時」となる。このような場合に「追認をすることができる時」を「当該事業者が退去した時」と解する見解もあるが[10]，それでは早すぎることになろう。

退去妨害による困惑（同条3項2号）の場合には，意に反して脱出できな

(注10) 消費者庁解説148頁。

かった契約場所から離脱できて，心理的な困惑状態が解消された時である。通常は監禁状態から離脱するとともに心理的な困惑状態からも解放されることが多いであろうが，消費者の心理的な困惑状態が継続している場合には，なお「追認をすることができる時」にはあたらない。例えば，事業者の事務所で数人に囲まれ，帰りたいといってもとりあってもらえず，宝石を購入させられた場合に，なお業者が家までやってくるような危惧感を抱いている場合や様子を探るような電話がかかってきたりするような場合には，困惑状態から解放されたとはいえない。東京簡判平 15・5・14（最高裁 HP）は，退去妨害を理由に絵画の購入についてのローン契約の取消を主張する事案で，消費者が，契約書にサインをした平成 14 年 7 月 15 日から 6 か月以上経過した平成 15 年 1 月 23 日に取消の意思表示をした例につき，納品確認書にサインをした平成 14 年 8 月 10 日の時点でも，困惑が続いていたこと，引渡の手続は販売店の債務履行のためになされたもので，申込時における契約と一体をなすものであると考えられることを理由に，時効期間は納品確認書へのサイン時から進行するとして取消権行使を認めた。大阪高判平 16・7・30（兵庫県弁護士会 HP）は，「法 11 条の規定によれば，消費者契約法の適用を受ける契約についても，民法 125 条（法定追認）の規定が適用されることとなっている。……もとより，法定追認の要件に該当する行為は，『追認を為すことを得るときより後』にしたものであることを要するが，法 4 条 3 項 2 号により取消権が生ずる場合は，当該消費者が退去する旨の意思表示をした場所から，当該消費者が退去した時をもって，追認することができる時と解するのが相当であり……」として，易学受講契約の授業料等の一部を支払った本件では「一部の履行」（民法 125 条 1 号）があったとして，法定追認を認めたが，消費者が困惑状態から脱していたかどうかはより慎重に判断すべきであったといえよう。なお，同判決は，公序良俗違反を理由に契約を無効とし，結論的には消費者を勝訴させている。このような状況を受け，2014 年日弁連改正試案 11 条 1 項では，行使期間の起算点につき，「取消しの原因となっていた状況（心理的な影響を含む。）が消滅した時」という立法提言をしている。

　消費者を任意に退去困難な場所に同行し勧誘したことによる困惑（同条 3

項3号)の場合には、契約をした場所(任意に退去困難な場所)から物理的に離脱できて、心理的な困惑状態から解放された時である。契約をした場所(任意に退去困難な場所)から離脱できたとしても、当該消費者の心理的な困惑状態が継続している場合には、「追認をすることができる時」には当たらない。当該消費者が、弁護士や消費生活センター等の第三者に相談するなどして、心理的な困惑状態から解放された時に初めて「追認をすることができる時」となる。

　契約締結の相談を行うための連絡を威迫する言動を交えて妨害されたことによる困惑(同条3項4号)の場合には、契約をした状況から離脱できて、心理的な困惑状態から解放された時である。契約をした状況から離脱ができたとしても、当該消費者の心理的な困惑状態が継続している場合には、「追認をすることができる時」には当たらない。当該消費者が、弁護士や消費生活センター等の第三者に相談するなどして、心理的な困惑状態から解放された時が「追認をすることができる時」となる。

　経験不足に乗じた不安をあおる告知による困惑(同条3項5号)の場合には、当該消費者が心理的な困惑状態から解放された時である。当該消費者が、当該消費者契約の目的となるものが当該消費者の願望を実現するために必要であると誤信している場合など、当該消費者の心理的な困惑状態が継続している場合には、「追認をすることができる時」には当たらない。当該消費者が、第三者に相談するなどして、事業者からの勧誘が、自身の社会経験が乏しいことによる不安につけ込まれ、その不安をあおられ、その裏付けとなる合理的な根拠がないことを認識するに至って初めて心理的な困惑状態から解放されたといえ、「追認をすることができる時」となる。

　人間関係の濫用による困惑(同条3項6号)の場合には、当該消費者が心理的な困惑状態から解放された時である。例えば、当該消費者が、勧誘を行った者が当該消費者に好意の感情を抱いていると誤信し、当該消費者契約を締結しなければ当該勧誘を行った者との関係が破綻していたと誤信している場合には、当該消費者の心理的な困惑状態が継続しているといえ、「追認をすることができる時」に当たらない。当該消費者が、勧誘を行った者に対する好意の感情がなくなり、かつ、勧誘を行った者が当該消費者に対する好意

の感情を抱いていないことを認識するに至って初めて心理的な困惑状態から解放されたといえるので,「追認をすることができる時」となる。

判断力低下に乗じた不安をあおる告知による困惑(同条3項7号)の場合には,当該消費者が心理的な困惑状態から解放された時である。当該消費者が,当該消費者契約を締結しなければ現在の生活の維持が困難となると誤信している場合には,消費者の心理的な困惑状態が継続しているといえ,「追認をすることができる時」には当たらない。当該消費者が,第三者に相談するなどして,事業者からの勧誘が,自身の判断力低下による不安につけ込まれ,その不安をあおられ,その裏付けとなる合理的な根拠がないことを認識するに至って初めて心理的な困惑状態から解放されたといえ,「追認をすることができる時」となる。

霊感等の知見を用いた告知による困惑(同条3項8号)の場合には,当該消費者が心理的な困惑状態から解放された時である。当該消費者が,霊感その他の合理的に実証困難な特別な能力による知見として契約を締結しなければ重大な不利益が生じ不利益を回避するためには契約を締結することが必要不可欠であると誤信している場合には,「追認をすることができる時」には当たらない。当該消費者が,第三者に相談するなどして,当該消費者が,契約を締結しなくても重大な不利益を被ることはなく,重大な不利益を回避するために契約を締結することが必要不可欠ではないと認識するに至って初めて心理的な困惑状態から解放されたといえ,「追認をすることができる時」といえる。例えば,当該消費者が特定の宗教の会員となっており,当該宗教の他の会員から,当該宗教の教義として,契約を締結しなければ重大な不利益が生じ不利益を回避するためには契約を締結することが必要不可欠である旨を告げられた場合には,当該消費者が,当該宗教の会員を脱退するなどして心理的な困惑状態からの解放が外形的に表示されていることが重要な考慮要素の1つとなろう。

契約前の義務実施による困惑(同条3項9号)の場合には,当該消費者が心理的な困惑状態から解放された時である。当該消費者の心理的な困惑状態が継続している場合には,「追認をすることができる時」には当たらない。当該消費者が,第三者に相談するなどして,事業者の契約締結前の義務実施

があっても，当該消費者が消費者契約の申込み又は承諾の意思表示をする必要がないことを認識するに至って初めて心理的な困惑状態から解放されたといえ，「追認をすることができる時」となる。

　契約前活動の損失補償請求による困惑（同条3項10号）の場合には，当該消費者が心理的な困惑状態から解放された時である。当該消費者の心理的な困惑状態が継続している場合には，「追認をすることができる時」には当たらない。当該消費者が，第三者に相談するなどして，事業者による契約締結前の活動に関しての損失補償に応じる義務がないこと及び当該消費者が消費者契約の申込み又は承諾の意思表示をする必要がないことを認識するに至って初めて心理的な困惑状態から解放されたといえ，「追認をすることができる時」となる。

　(iii)　4条4項の過量な内容の消費者契約の取消しにおける「追認をすることができる時」とは，同項の趣旨が合理的な判断をすることができない事情を利用して契約締結させる場合の1類型として取消権を付与するものであることを踏まえると，消費者において当該消費者契約を締結するか否かについて合理的な判断をすることができない事情が消滅した時と解するべきである。消費者が過量な内容の契約であることを認識できなかったために当該契約を締結してしまった場合であれば，消費者が過量な内容のものであることを認識した時である。消費者が過量な内容のものであることを認識できない間は，消費者において当該消費者契約を締結するか否かについて合理的な判断をすることができない事情が消滅したとは考えられないからである。

　また，消費者が過量な内容の契約を断りたくても断り難い心理状態であったために締結してしまった場合では，そのような心理状態を脱し，かつ，当該契約が過量な内容のものであることを認識した時である。消費者がそのような状態となって初めて，当該消費者契約を締結するか否かについて合理的な判断をすることができない事情が消滅したということができるからである。

　この消費者が過量な内容の契約を断り難い心理状態で契約したという場合には，消費者が過量な内容の契約であること自体は認識しながらも断れずに契約してしまった場合と，消費者に過量な内容の契約であるとの認識のない

まま断れずに契約してしまった場合とがありうる。前者の場合には，断り難い心理状態を脱した時が「合理的判断をすることができない事情が消滅した時」と言ってよいが，後者の場合には，断り難い心理状態を脱したことと，過量な内容の契約であるとの認識との両方を満たした時に合理的判断をすることができない事情が消滅したといえるのであり，両方を満たすことが必要である。

この点，消費者庁解説（148〜149頁）では，過量な内容の契約であることの認識の有無についての断りを入れずに，「消費者が，事業者による過量な内容の消費者契約の勧誘に対して，断りたくても断り難い心理状態にあったために，当該消費者契約を締結してしまった場合であれば，そのような心理状態を脱した時」とあるが，上記のとおり，断りがたい心理状態からの離脱だけでなく，過量な内容の契約であることの認識が要件として必要である。

なお，認知症などを患ったために合理的判断ができない状態となり，そのために契約してしまったという場合には，消費者の状態の回復がみられない限り，短期の行使期間の起算点である「合理的判断をすることができない事情が消滅」とはならない。消費者の状態の回復がないままその間に，長期の行使期間の定めである「当該消費者契約の締結の時から5年……を経過」（7条1項）となれば，取消権は消滅となる。

(3) 「当該消費者契約の締結の時から」

長期の消滅時効の起算点は「契約の締結の時」である。消費者が意思表示をした時ではなく，「契約の締結の時」としたのは，申込みの日時等は明確な証拠が残っていないことが多く，その点契約締結日は契約書等ではっきり記載されていることが多いからと解される[11]。しかし，クレジット契約等では，消費者がクレジット契約の申込みをした日は法定書面上はっきりして

(注11) 消費者庁解説150頁は，起算点を民法で定める「行為ノ時」とせず「契約締結の時」とする理由は，隔地者間契約の場合は，「行為ノ時」とすると到達主義になり事業者に意思表示が到達した時点ということになるが，消費者にとって自らの意思表示がいつ到達したかが明確ではなく，「契約の締結の時」とすると，事業者の発する諾否の通知等に記載された日付等によってより客観的に明確となるからとする。

いることが多いが，契約の成立はクレジット会社が承認した日となるのが通常であるため，消費者にはわかりにくいことが多いので注意が必要である。

(4) 取消後の請求権の時効

4条1項から4項の取消権は裁判外で行使すればよく，いったん所定の期間内に取消権が行使されれば（例えば，内容証明郵便等で取消を相手側に通知しておけば），支払った代金の返還を求める不当利得返還請求権等は，取消の時からさらに10年の消滅時効期間の満了するまで行使が可能である（二段階説）(12)。

2 本条2項の要件

2007年6月改正前は，株式の引受け，新株の引受けに際して錯誤，詐欺，強迫等の事由があった場合でも，株式の引受けにあっては設立総会に出席して権利を行使した場合，新株の引受けにあっては新株発行による変更登記の日から1年経過後，またはその株式について株主の権利を行使したときには，それらの事由を主張することができないとしていた。

会社法成立を受けて，2007年6月改正にて，条項の内容が整理されるとともに，株式の引受けに加えて，出資の引受け，基金の拠出が消費者契約としてなされた場合についても，取消権の行使について制約が設けられた。

すなわち，会社法その他の法律により，詐欺又は強迫を理由として取消しをすることができないと規定されている株式の引受け，出資の引受け，基金の拠出が消費者契約としてなされた場合には，本法の取消権の行使についても，同様に制限を受けるものである。

かかる取消権の制限がおかれたのは，民法96条の詐欺，強迫による取消

(注12) 松本恒雄「消費者契約法と契約締結過程に関する民事ルール」ひろば53巻11号14頁は，「5年の期間内に取消権を行使し，かつ取消の効果としての不当利得の返還請求権まで行使しなければならないとする説（一段階説）」をとるべきではなく，「取消権の行使を6カ月以内に裁判外で行っておけば，返還請求権については，取消時から10年間は行使できるとする説（二段階説）か，または，取り消し得る時点から10年間行使できるとする説（一部期間併存説）をとる必要がある」とする。

権の行使が，多数人が関係する法律関係の法的安定性確保のため，会社法その他の法律によって制限を受けているのに，民法96条よりも要件が緩やかで取消権を行使しうる範囲の広い本法の取消権について，その行使を認めるわけにはいかないと考えられたからである。

具体的には，会社法51条2項（発起人に対する取消しの制限），同211条2項（募集株式の引受人に対する取消しの制限），資産の流動化に関する法律25条1項，同36条5項，保険業法30条の5第3項，同96条の3第2項，協同組織金融機関の優先出資に関する法律14条1項等が，その制限条項にあたる。

第2節　消費者契約の条項の無効

I　前　注

消費者契約法第2章第2節は，消費者契約の条項について「無効とする」と規定した5つの条文（8条〜10条）によって構成されている。同章第1節の規定が消費者契約の成立する過程に対する規制であるのに対して，本節におかれた規定は，締結後の成立した消費者契約の内容に対する規制，いわゆる不当条項規制に関する規定である。

民法では，契約の内容については，公序良俗違反や強行法規違反となる場合以外は，契約当事者間で自由に決めることができるのが原則である（民法91条）。成立した契約の内容に対する介入は，契約自由の原則に反するものとして，できるかぎり排除されている。しかし，契約の内容についても，「消費者と事業者との間の情報の質及び量並びに交渉力の格差」（1条）が存在するため，「事業者が適切なバランスを失し，自己に一方的に有利な結果を来す可能性も否定できない」[1]。第2章第2節は，「消費者と事業者との間

(注1)　消費者庁解説153頁。

の情報の質及び量並びに交渉力の格差」があるという状況にかんがみて、「消費者の利益を不当に害することとなる条項の全部又は一部を無効とする」（1条）という立法目的の具体化である。

　事業者と消費者との間の消費者契約のほとんどは、当該契約の目的となる商品やサービスだけでなく、付随的な取引条件についても、事業者が一律に一方的に定めた条件に従っている。消費者契約のなかには、不動産取引のように契約の目的が個性のある特定物である場合もあるが、このような取引でも、付随的な取引条件は事業者が定めた画一的な内容で行われることがほとんどである。

　このような事業者によって画一的に作成された付随的な取引条件は、約款と呼ばれ、事業者と消費者との間における消費者契約の中心をなしている。消費者契約における不当条項規制は、もともとこのような約款の拘束力や内容に対する規制の問題として、学説や判例等で様々な議論がなされてきたものである。現行の消費者契約法における不当条項規制は、その適用対象を消費者契約における約款だけに限定はしていないが、このような背景については理解しておくべきであろう。

II　諸外国の条項規制と消費者契約法

　1　EU諸国では、1970年代から、各国毎に約款規制ないし消費者契約条項の適正化に関する法律が制定されていった。大きく分けると、これらEU各国の法制度には、約款という法形式に着目したアプローチと、消費者という契約主体に着目したアプローチがある。例えば、ドイツ法は約款に着目しているが[2]、フランス法は消費者に着目している[3]。

　その後、上記のような各国毎の不当条項規制の蓄積を経て、EU域内の消費者保護水準の統一を図る観点から、1993年に「消費者契約における不公

（注2）　ドイツ民法（2002年）307条。
（注3）　1978年1月10日「製品及び役務の消費者の保護及び情報に関する法律（Scrivener法）」35条。

正条項に関するEC指令(93年EC指令)」[4]が制定され,各国で不公正条項規制の導入と統一が図られた。この93年EC指令は,消費者という契約主体に着目したアプローチをとりつつ,約款の問題点にも配慮した内容となっている[5]。また,同指令は,一般条項の他には,当然に無効とすべきいわゆるブラックリスト規定は設けていないものの,「不公正とみなすことのできる例示的かつ非網羅的リスト」として無効が推定される多数のグレイリストを掲げているほか,解釈方法(消費者有利解釈)についての詳細な規定がおかれている。

2 これに対して,消費者契約法の不当条項規制は,一般条項こそ設けられたものの詳細な不当条項類型や解釈方法等に関する規定等は全く設けられず,一般条項等の解釈如何に委ねられることとなった。この一般条項等の解釈にあたっては,これらEUにおける不当条項規制のあり方が,その手がかりとなりうるであろう。

III 制定の経緯等

1 第16次国生審中間報告まで

昭和50年代から国生審では,約款の適正化に関する調査が行われ,その結果や結果に基づく提言が発表されている[6]。これらは,いずれも,個別業種毎の約款の適正化の具体策を示しており,事業者団体によるモデル約款の作成,担当官庁による行政指導等という方法でその内容が具体化されたもの

(注4) Council Directive of 5 April 1993 on Unfair Terms in Consumer Contracts, OJ No. L 95/29.

(注5) 93年EC指令3条においては,「あらかじめ作成された標準契約が使用されたという状況」についての規定を置いている。ただ,同指令の適用はこれに限られるものではない。

(注6) 第8次国生審消費者政策部会報告(昭和56年11月),第9次国生審消費者政策部会報告(昭和59年3月),第11次国生審消費者政策部会報告(昭和63年9月)等。

の，民事関係諸法の改正を含めた約款適正化のための立法への取組みまでには至らなかった。

不当条項に関する包括的な民事ルール制定の議論は，第14次国生審（平成4年12月〜平成6年12月）以降において本格化し，いくつかの報告がなされた後[7]，平成10年1月に第16次国生審中間報告が公表された。

この中間報告では，不当条項に対する規制は，一般条項をもって行うことが明確に記載され，さらに，不当条項リストを，ブラックリストとグレイリストをそれぞれ列挙して定めるべきことが提言されている。すなわち，以下のような内容である。

(1) 消費者契約において，不当条項は，その全部又は一部について効力を生じない[8]。

(2) 不当条項とは，信義誠実の要請に反して，消費者に不当に不利益な契約条項をいう[9]。

(3) 不当条項リストを作成し，当然に無効とされる条項をブラックリストとして，不相当と評価された場合にのみ無効とされる条項をグレイリストとして，それぞれ列挙する[10]。

このほか，契約条項は，常に明確かつ平易な言葉で表現すべきであるとされ[11]，契約条項の解釈基準についても「契約条項の解釈は合理的解釈によるが，それによっても契約条項の意味について疑義が生じた場合は，消費者にとって有利な解釈を優先させなければならない」としている[12]。また，不当条項の評価については，契約時点での事情を考慮すべきこととされてい

(注7) 第14次国生審消費者政策部会消費者行政問題検討委員会報告「今後の消費者行政の在り方について」（平成6年11月），第15次国生審消費者政策部会報告「消費者取引の適正化に向けて」（平成8年12月），落合誠一教授（当時消費者政策部会長）を中心とする検討グループによる報告・経済企画庁国民生活局「消費者契約適正化法（仮称）の論点」（1997年10月）。

(注8) 第16次国生審中間報告27頁。

(注9) 第16次国生審中間報告28頁。

(注10) 第16次国生審中間報告31頁以下。

(注11) 第16次国生審中間報告35頁。

(注12) 第16次国生審中間報告36頁。

る(13)。

　これに対して，契約条項の開示については明確な提言はなく，不意打ち条項については，契約の締結過程に対する規制の部分で，事業者の情報公開義務等と併せて提言されている(14)。

　このように中間報告は，当時の諸外国（特に EU 諸国）の不公正条項規制の流れを踏まえ，かなり包括的かつ踏み込んだ内容のものとなっており，学者や消費者関係者より高く評価される内容となっていた(15)。

2　第 16 次国生審最終報告から第 17 次国生審報告

　前記中間報告からさらに検討を加えられ，平成 11 年 1 月に第 16 次国生審最終報告が，平成 11 年 11 月に第 17 次国生審報告がとりまとめられた。

　この議論及び検討の中で，ブラックリストやグレイリストといった詳細な不当条項類型や消費者有利解釈の原則，不意打ち条項等，中間報告で見られた先進的な内容の多くが排除され，現行の消費者契約法における不当条項規制の枠組みが形づくられていった。もっとも，一般条項などいくつかの重要な点が維持されたことは評価されよう。

3　消費者契約法の制定とその後の改正経緯

　このような経緯を経て，平成 12 年に消費者契約法が制定され，不当条項規制が盛り込まれた。

　その後，平成 28 年改正では，消費者の解除権を放棄させる条項が不当条項として追加された。

　平成 30 年改正では，消費者の後見開始の審判等による解除権を付与する

(注 13)　第 16 次国生審中間報告 29 頁。
(注 14)　第 16 次国生審中間報告 22 頁。
(注 15)　落合誠一ほか「座談会・消費者契約法の役割と展望」ジュリ 1200 号 8 頁以下，研究者の論評や日本弁護士連合会「消費者契約法（仮称）の具体的内容についての国民生活審議会消費者政策部会中間報告に対する意見」（平成 10 年 9 月 11 日），全国消費者団体連絡会「消費者契約法（仮称）に対する提言」（1998 年 8 月 31 日）等。

条項及び事業者の責任の有無・限度や消費者の解除権の有無についての決定権限が事業者に付与されている条項がいずれも不当条項として追加された。

令和4年5月改正では，免責の範囲が不明確な条項が不当条項として追加された。

Ⅳ　第2節（8条〜10条）の適用対象

消費者契約法は，消費者と事業者との間の契約（消費者契約）に適用されると規定するのみで，労働契約（48条）を除くほか特段の適用除外規定はない。このように，消費者契約法の適用対象は極めてシンプルな形で規定されてはいるものの，本法制定に至るまでの経緯を踏まえた場合，その適用対象の範囲につき，いくつかの議論があり得るところである。

1　個別に交渉された条項

Ⅲ制定の経緯等1で触れたとおり，我が国における不当条項規制に関する議論は，当初，約款規制のアプローチをとっていた。ドイツなどの約款規制のアプローチを基本としている国においては，適用対象を明らかにするため約款の定義を明確にする一方，特に個別に交渉された条項については適用対象から排除する旨が併せて規定されていることから[16]，消費者契約法の不当条項規制においても，個別に交渉された条項については適用対象とはならないのではないかとの議論があり得る。

しかし，消費者契約法は，このような約款規制のアプローチをとらず，消費者に着目したアプローチをとっている上，明確な除外規定を置いていないのであるから，あらかじめ作成された約款のみならず，あらゆる消費者契約の条項が対象であると解する他はないであろう[17]。

（注16）　旧ドイツ約款規制法1条2項，現ドイツ民法305b条。

（注17）　第16次国生審最終報告でも，意識的にこの点は論じられており，個別交渉の条項かどうかを判断したり証明するのは困難であること，不公正条項を無効とする規定は強行法規的な性格のもので当事者の合意によって排除できるものではないこと等を理由に個別交渉された条項も対象とすべきであるとされている。

2　事業者間の契約

　約款規制のアプローチをとった場合，その適用対象は必ずしも消費者と事業者との間の契約だけにとどまらず，事業者同士の間の契約であっても適用対象となりうる。この点から，事業者間契約であっても本法適用の余地がないかは，問題となりうる。

　しかしながら，消費者契約法は，消費者と事業者との間の，個別の契約および約款による契約（消費者契約）が適用対象であると明確に規定している以上，基本的には，事業者間取引で使われる約款等の契約に対しては適用されないというべきであろう[18]。

　もっとも，消費者契約法が消費者・事業者間取引に関する規定であるからといって，事業者間取引においては，全面的に反対解釈が導かれると解するのは妥当ではない。むしろ，消費者契約以外の取引であっても，消費者・事業者間取引と同視することができるような情報の質及び量並びに交渉力に格差がある場合も多々あるのであり，そのような場合の取引については，消費者契約法が類推適用される場合もあると考えるべきである。

3　契約の主たる目的等を定める条項

　契約の主たる目的や価格を定める条項が，消費者契約法の不当条項規制の適用対象となるかという問題がある。例えば，前記93年EC指令3条2項は，これらの条項について不公正性の評価の対象とはならないと明記しており，第17次国生審報告にも「契約の主要な目的及び価格に関する条項」等は対象外であるような記載がある[19]。

　しかし，これらの点を除外するのであれば，その旨の明確な規定が必要で

（注18）　第17次国生審報告でも，「上記に掲げられた無効とすべき条項は，消費者契約についてのみ妥当するものであり，消費者契約のみならず契約一般に共通して無効とされるべき条項の取扱いについては，消費者契約法とは別に検討すべきものである」としている（同報告16頁）。なお，2014年日弁連改正試案では，事業者間契約に関する消費者契約法の準用規定を提案している。

（注19）　検討委員会報告15頁。

あるというべきであり，消費者契約法において明確な規定がない以上，安易に適用範囲を制限するような解釈は許されないと言うべきであろう。この点については，後述の10条の解釈のなかで再度論じる。

4 認可約款等

約款等のなかには，銀行取引約款や保険約款等，他の法律によって要件が定められたり，官公庁に提出してその認可を受けることを求められているものも存する。

しかし，消費者契約法は，あらゆる消費者契約が適用対象とされるのであり，官公庁による許認可の有無による適用除外はない。したがって，認可約款であっても，消費者契約法第2章第2節によって無効とされる場合が，当然に存する[20]。

V その他の不当条項規制に関する諸問題

1 消費者有利解釈の原則

消費者有利解釈の原則とは，ある契約条項につき，平均的顧客の合理的理解によってもなお多義的であるような場合において，顧客にとって最も有利な内容で合意されたものと解釈する原則のことである[21]。Ⅲ1制定の経緯等で指摘したように，消費者契約の契約文言に対する消費者有利解釈の原則については，第16次国生審中間報告では明記されていたものの，第17次国生審報告では，「消費者有利解釈の原則については，『作成者不利の原則』からいっても，法的ルールとして消費者に最も有利な解釈が優先されることは，公平の要請の当然の帰結であると考えられる」とされて[22]，現行法に

(注20) 消費者契約法の制定前においても，認可約款であっても民事上無効と判断されうる場合があるとした裁判例がある（大阪地判昭42・6・12判時484号21頁，熊本地判昭50・5・12判タ327号250頁等）。

(注21) 93年EC指令5条，ドイツ民法305c条(2)，内閣府消費者契約法に関する調査作業チーム報告（2013年8月）47頁参照。

おいては明確に規定されなかった。

このような制定の経緯を踏まえれば、消費者有利解釈の原則については、明文の規定が設けられていないからといって、同原則を排除する趣旨ではないことはもちろん、当然の法理としていることが明らかであろう。また、消費者契約法施行前の裁判例のなかにも、曖昧な契約条項はこれを利用する企業の不利に解釈すべしという判断をした例も少なくない[23]。

そして、後に、専門調査会において、「条項使用者不利の原則」を定めた規定を設けることが審議事項とされた。「消費者有利解釈の原則」・「条項使用者不利の原則」について、本書3条1項1号の解説参照。

なお、最判令4・12・12民集76巻7号1696頁は「法12条3項本文に基づく差止請求の制度は、消費者と事業者との間の取引における同種の紛争の発生又は拡散を未然に防止し、もって消費者の利益を擁護することを目的とするものであるところ、上記差止請求の訴訟において、信義則、条理等を考慮して規範的な観点から契約の条項の文言を補う限定解釈をした場合には、解釈について疑義の生ずる不明確な条項が有効なものとして引き続き使用され、かえって消費者の利益を損なうおそれがあることに鑑みると、本件訴訟において、無催告で原契約を解除できる場合につき（中略）何ら限定を加えていない本件契約書13条1項前段について上記の限定解釈をすることは相当でない。」と判示しており、差止請求の場面において限定解釈が許されないことを明確にしている。

2　不意打ち条項

不意打ち条項とは、「交渉の経緯等からは消費者が予測することができないような契約条項」[24]のことをいう。

(注22)　第17次国生審報告11頁。2014年日弁連改正試案参照。

(注23)　平成26年運用状況検討会報告書16頁。福井簡判平元・3・8消費者法ニュース3号22頁、豊中簡判平6・3・22消費者法ニュース20号180頁、東京簡判平17・2・14平成26年運用状況検討会報告書276頁【123】、東京地判平16・9・15同報告書285頁【129】、秋田地判平9・3・18判タ971号224頁。

(注24)　第16次国生審中間報告22頁。平成25年論点整理の報告46頁。

消費者契約の締結にあたって，事業者は，消費者に対して，「消費者の権利義務その他の消費者契約の内容についての必要な情報」を提供するよう努めなければならないが（3条1項2号），これは付随的条項も含めてすべての契約条項につきあらかじめ説明することを求めるものではない（また，現実的でもない）。もちろん，通常，多くの契約条項は予想できる範囲のものであり，開示がされていない条項も含めて，消費者は当該内容により契約するという意思があったと推定できるであろう。しかし，当該契約の交渉経緯等から予測もできないような条項の場合，消費者が当該内容により契約するという意思があったという推定は働くとはいえない。

このような不意打ち条項について，例えばドイツ法は，これを契約内容には含まれないとする規定をおいている[25]。我が国では，民法改正により，定型約款については，不当条項規制と不意打ち条項規制を内容とする[26]みなし合意除外規定が設けられた（民法548条の2第2項）。前述のように消費者が同意していると推定することもできないような条項であれば，消費者はこのような条項に拘束されないと解するべきである。

VI　不当条項かどうかの判断時点

不当条項であるかどうかを判断するのは，いつの時点の事情を対象とすべきであるかという問題がある。この点について，契約の拘束力を認めるかどうかが問題になるのであるから，契約条項の効力が問題になった時点であるという説と，契約締結時の事情を基準とすべきであるという説と両説が存する[27]。契約の効力の問題であるから，当該契約が締結された時を基準とすべきであろう。

(注25)　ドイツ民法305c条(1)。2014年日弁連改正試案参照。

(注26)　鹿野菜穂子監修，日本弁護士連合会消費者問題対策委員会編『改正民法と消費者関連法の実務―消費者に関する民事ルールの到達点と活用方法』221頁（民事法研究会，2020）参照。

(注27)　沖野眞已「『消費者契約法（仮称）』の一検討(6)」NBL657号57頁。

Ⅶ 不当条項の効力

8条ないし10条では,効果については「無効とする」と規定するだけで,その無効となった条項がどう扱われるのか,さらに,契約全体に対する影響がどうなるのかという点については全く言及されていない。この無効の意味について,平成9年10月に公表された「消費者契約適正化法(仮称)の論点」では,全部無効,一部無効,さらに,契約全体の無効を区別して考えるべきだとしている[28][29]。

一部無効というのは,当該不当条項を限定的に解釈することである。例えば,「責任は10万円の範囲でしか負いません」などという条項は,素直に読めば故意・重過失の場合を含めて事業者のすべての責任を限定した条項であり,8条に違反すると考えられる。一部無効の考え方は,このような場合でも無効となるのは故意・重過失の場合と限定し,軽過失の場合に限ってこの条項を有効と解釈し,有効と認められる範囲で条項の効力を認めようとするものである。

これに対して,全部無効とは,当該不当条項が有効になるように限定的に解釈することを許さず,明確な限定がなされていない限り条項そのものを無効とする考え方である。先の例では,事業者と消費者との間の免責に関するとりきめは何ら存在しなかったこととなる。そして,事業者の責任については,民法等の一般法規が適用されて解決されるのである。

8条,8条の2,8条の3及び10条における無効については,全部無効と解釈すべきである。なぜならば,一部無効と取り扱うべき条項(9条)についてはその旨が明記されているが,8条,8条の2,8条の3及び10条は,そのような規定とはなっていないからである。また,一部無効の考え方を認

(注28) 野々山宏「免責条項はどう扱われているか」法セミ549号33頁。
(注29) 山本豊「消費者契約法(3)―不当条項規制をめぐる諸問題」法教243号63頁。2014年日弁連改正試案では,条項全体の無効を原則とする提案や,消費者契約法の規定に基づく取消・無効の効果について,消費者の返還義務を限定する提案を行っている。

めると、契約条項を作成する事業者は、自己に過大に有利な条項を作成しても、一部については有効として救済されうることをよいことにして、いきおい自己に有利な契約条項を作成しがちになることが想定されうる。しかしこれでは、本法の不当条項規制の実効性を著しく阻害することになろう。8条3項が、免責の範囲が不明確な条項を無効としていることも、8条、8条の2、8条の3及び10条において一部無効の考え方をとらないことを示しているといえる。

一方、9条については、一部無効の考え方が条文上明確にされている。すなわち、条文に記載された数量等を超える部分が無効とされるのであるから、同条違反の条項は、同条に規定した範囲内において有効と取り扱われる。

そして、当該不当条項が無効となる結果、契約の目的を達せられない結果が生ずることもある。このような場合は、契約自体が無効になると解すべきである。なお、契約条項が不当条項と判断された場合の取扱いや契約全体に及ぼす影響については、10条の解釈において、再度論じる。

Ⅷ 「みなし合意の除外規定」と本法10条の適用関係

民法改正により、定型約款に関する規定が新設された（民法548条の2〜548条の4）。民法548条の2第2項において、みなし合意の除外規定があるが、消費者契約において定型約款が使用された場合、消費者は、定型約款準備者である事業者に対し、民法548条の2第2項に基づく不当条項のみなし合意除外規定の主張と、消費者契約法10条に基づく不当条項の効力否定の主張を選択的に行使できる。なお、消費者からの消費者契約法10条に基づく不当条項の無効主張に対し、事業者がみなし合意除外規定（民法548条の2第2項）に基づく組入除外を抗弁として主張することは許されない[30]。

（注30） 詳細は、日本弁護士連合会編『実務解説・改正債権法〔第2版〕』366頁（弘文堂、2020）、鹿野監修、日本弁護士連合会消費者問題対策委員会編・前掲（注26）234頁及び同235頁参照。

第8条 （事業者の損害賠償の責任を免除する条項の無効）

第8条　次に掲げる消費者契約の条項は，無効とする。
　一　事業者の債務不履行により消費者に生じた損害を賠償する責任の全部を免除し，又は当該事業者にその責任の有無を決定する権限を付与する条項
　二　事業者の債務不履行（当該事業者，その代表者又はその使用する者の故意又は重大な過失によるものに限る。）により消費者に生じた損害を賠償する責任の一部を免除し，又は当該事業者にその責任の限度を決定する権限を付与する条項
　三　消費者契約における事業者の債務の履行に際してされた当該事業者の不法行為により消費者に生じた損害を賠償する責任の全部を免除し，又は当該事業者にその責任の有無を決定する権限を付与する条項
　四　消費者契約における事業者の債務の履行に際してされた当該事業者の不法行為（当該事業者，その代表者又はその使用する者の故意又は重大な過失によるものに限る。）により消費者に生じた損害を賠償する責任の一部を免除し，又は当該事業者にその責任の限度を決定する権限を付与する条項
2　前項第1号又は第2号に掲げる条項のうち，消費者契約が有償契約である場合において，引き渡された目的物が種類又は品質に関して契約の内容に適合しないとき（当該消費者契約が請負契約である場合には，請負人が種類又は品質に関して契約の内容に適合しない仕事の目的物を注文者に引き渡したとき（その引渡しを要しない場合には，仕事が終了した時に仕事の目的物が種類又は品質に関して契約の内容に適合しないとき。）。以下この項において同じ。）に，これにより消費者に生じた損害を賠償する事業者の責任を免除し，又は当該事業者にその責任の有無若しくは限度を決定する権限を付与するものについては，次に掲げる場合に該当するときは，前項の規定は，適用しない。
　一　当該消費者契約において，引き渡された目的物が種類又は品質に

> 関して契約の内容に適合しないときに，当該事業者が履行の追完をする責任又は不適合の程度に応じた代金若しくは報酬の減額をする責任を負うこととされている場合
> 二　当該消費者と当該事業者の委託を受けた他の事業者との間の契約又は当該事業者と他の事業者との間の当該消費者のためにする契約で，当該消費者契約の締結に先立って又はこれと同時に締結されたものにおいて，引き渡された目的物が種類又は品質に関して契約の内容に適合しないときに，当該他の事業者が，その目的物が種類又は品質に関して契約の内容に適合しないことにより当該消費者に生じた損害を賠償する責任の全部若しくは一部を負い，又は履行の追完をする責任を負うこととされている場合
> 3　事業者の債務不履行（当該事業者，その代表者又はその使用する者の故意又は重大な過失によるものを除く。）又は消費者契約における事業者の債務の履行に際してされた当該事業者の不法行為（当該事業者，その代表者又はその使用する者の故意又は重大な過失によるものを除く。）により消費者に生じた損害を賠償する責任の一部を免除する消費者契約の条項であって，当該条項において事業者，その代表者又はその使用する者の重大な過失を除く過失による行為にのみ適用されることを明らかにしていないものは，無効とする。

I　趣　旨

1　意　義

(1)　総　論

　現代社会の消費者取引は，大量，迅速かつ画一的に行われており，そのほとんどの取引において，契約内容はあらかじめ事業者によって「約款」等で定められており，消費者が個別に契約内容を交渉して決める余地はなくなっているのが現実である。この約款は，大量迅速な取引については便利である反面，事業者が一方的に作成しているため，その内容が事業者に一方的に有

利になっていることも多く，そのため消費者に不測の事態を生じさせることがある。特に，本来事業者が損害賠償責任を負わなくてはならないときでも，これを免れる「免責条項」や事業者の責任の有無を決定する権限を付与する「決定権限付与条項」がよく見受けられるが，消費者はこのような条項があることを知らずに契約をしてしまったり，あるいは，たとえこれらの条項の存在を知っていても，これを削除することができないまま契約をしてしまっているのが現状である。

　消費者契約法では，このような消費者と事業者との間の情報や交渉力の格差を背景に，消費者の権利が契約条項により不当に制限されていることに着目し，消費者が一方的に不利益な契約条項により本来の権利が制限される場合に，消費者の正当な利益を保護するため当該不当な契約条項の全部又は一部を無効とした。このうち，8条1項は，事業者の損害賠償責任を免除し，または当該事業者にその責任の有無もしくは責任の限度を決定する権限を付与する条項を無効とするもので，具体的には，①債務不履行責任の免除又は制限（1項1号・2号），②不法行為責任の免除又は制限（1項3号・4号），③契約不適合責任の免除（2項），④これら①ないし③につき，当該事業者にその責任の有無もしくは責任の限度を決定する権限を付与する条項の効力が否定されている。

　(2)　8条1項1号
　民法では，当事者に故意又は重過失がある場合に，その債務不履行責任を免除することは公序良俗に反して無効と考えられているが，他方，軽過失にとどまる場合には免責特約も一応有効と考えられている[1]。

　しかし，現実の消費者契約においては，契約内容は事業者によって「約款」等の形で一方的に作成されているのが通常であり，また，事業者は当該商品やサービスの内容について専門的知識を有していることから，あらかじめ自らが負う可能性のある危険を回避すべく免責条項を設けていることが多い。他方，消費者はそのような危険を通常知りえないので，そのような免責条項が設けられると消費者にとって予期しえない不利益を不当に課されるこ

(注1)　山本豊「消費者契約法（3・完）－不当条項規制をめぐる諸問題」法教243号57頁。

とになる。

このような消費者と事業者との間の情報や交渉力の格差に着目し，8条1項1号では事業者が本来負うべき債務不履行責任について，それを全面的に免除する条項は無効としたものである[(2)(3)]。

そして，平成30年改正により，当該事業者に債務不履行責任の有無を決定する権限を付与する条項も無効とされることとなった。

(3) 8条1項2号

事業者が提供する商品やサービスの内容によっては，事業者に義務履行上の危険が大きなものや，債務不履行の損害額が通常予想されるものより過大になることもある。そのような場合に事業者がある程度免責されたり，賠償額を通常予想される範囲に限定することが合理的な場合もある。

しかし，債務不履行について事業者に故意又は重過失がある場合は，事業者の帰責性が大きく，そのような場合にまで免責するのは，そもそもの契約の趣旨に反し，また，消費者の不利益のもとに事業者を保護する合理性はないので，たとえ一部であっても免責を認めるような条項は無効としたものである。

そして，平成30年改正により，当該事業者に債務不履行責任の限度を決定する権限を付与する条項も無効とされることとなった。

(4) 8条1項3号

事業者の債務の履行に際して発生した不法行為についても，1号・2号の債務不履行の場合と同様，一般に情報量や交渉力等の点において優位にたつ事業者が，事前に一方的に有利な免責条項を定めておく場合が多いため，消費者に不測の損害が発生するおそれが大きい。また，同一の事実関係に基づ

（注2） 一般に軽過失の場合の免責が問題となるが，無過失責任の免責についても，本条が適用される。消費者庁解説159頁，落合誠一『消費者契約法』118頁（有斐閣，2001）。

（注3） なお，本法制定後の判例であるが，最判平14・9・11民集56巻7号1439頁は，郵便法68条及び73条のうち，書留郵便物について，業務従事者の故意又は重大な過失によって生じた損害について不法行為責任や国の国家賠償法に基づく損害賠償責任を制限または免除している部分は，憲法17条に違反するとした。

いて事業者の債務不履行責任と不法行為責任が競合的に発生する場合もありうるが，債務不履行責任の全部免責条項が無効とされていることとのバランスからしても，事業者の債務の履行に際してなされた不法行為による損害賠償責任を全面的に排除する条項は無効としたものである。

そして，平成30年改正により，当該事業者に不法行為責任の有無を決定する権限を付与する条項も無効とされることとなった。

(5) 8条1項4号

消費者契約における事業者の債務の履行の際の不法行為についても，被害者の損害額が通常予想されるものより過大になることもある。そこで，そのような場合に事業者の不法行為責任を一部免責し，賠償額を通常予想される範囲に限定することも合理性がある場合があると考えられる。

しかし，不法行為について事業者に故意または重過失がある場合は，事業者の帰責性が大きく，そのような場合にまで消費者の不利益のもとに事業者を保護する合理性はないので，たとえ一部であっても免責を認めるような条項は無効としたものである。

そして，平成30年改正により，当該事業者に不法行為責任の限度を決定する権限を付与する条項も無効とされることとなった。

2 制定の経緯

消費者契約法の立法にいたる国民生活審議会（以下「国生審」という）の報告としては，①第16次国生審中間報告（1998年1月），②第16次国生審最終報告（1999年1月），③第17次国生審報告（1999年12月）があるが，その概要は次のとおりである。

まず，第16次国生審中間報告では，「契約内容の適正化のためのルール」として不当条項規制を位置付け，「消費者契約において，不当条項は，その全部又は一部について効力を生じない」として不当条項の無効を規定するとともに，「不当条項とは，信義誠実の要請に反して，消費者に不当に不利益な契約条項をいう」と不当条項を定義している。そのうえで，不当条項リストを作成し，「当然に無効とされる条項をブラック・リストとして，不相当と評価された場合にのみ無効とされる条項をグレイ・リスト」とし，それら

にあたる可能性のある条項として、9種類35項目の条項があげられていた。

次に、第16次国生審最終報告では、「契約条項の適正化のためのルール」として不当条項規制を位置付け、不当条項の定義や効果については第16次国生審中間報告とほぼ同様であるが、不当条項リストは列挙されず、「不当条項の判断基準」として4つの基準を示すにとどまっている。また、不当条項の証明責任について、民事訴訟法の一般原則によるという立場を明確化したこととの関係で、ブラックリストとグレイリストの区別の必要はないとされた。

さらに、第17次国生審報告では、第16次国生審最終報告をふまえて、「無効とすべき不当条項」として8つがあげられた。ただ、第16次国生審中間報告における不当条項リストや第16次国生審最終報告の「不当条項の判断基準」と対比すると、不当条項の内容は著しく限定されている[4]。

以上のような審議の経過を経て、消費者契約法において不当条項（8条ないし10条）が規定されたわけであるが、その内容は第17次国生審報告におけるものよりさらに限定されている。

ただ、制定時の8条は、①債務不履行責任の免除又は制限（1項1号・2号）、②不法行為責任の免除又は制限（1項3号・4号）、③瑕疵担保責任の免除（1項5号（民法改正による瑕疵担保責任の契約不適合責任への移行に伴い削除）・2項）の効力のみを否定するものであったところ、後述のように、これまで軽過失による債務不履行責任の排除は一応有効と考えられていたし、瑕疵担保責任の排除も認められていた（改正前民法572条）ことからすれば、これらを全面的に排除する条項を一律に無効とする8条の規定は、従来の民法による契約条項の無効という効果を拡大したものと考えられる。

3 改正経緯（平成28年改正）

平成28年改正前の本条1項3号及び同4号は、「当該事業者の不法行為により消費者に生じた損害を賠償する民法の規定による責任」の全部又は一部を免除する条項を不当条項として規定していた。

（注4） 山本敬三「消費者契約立法と不当条項規制」NBL686号14頁。

しかし，消費者契約法の制定当初から，ここでいう「民法」とは実質的意義の民法に属する法律と解釈すべきであるとされるなど[5]，事業者の不法行為に基づく損害賠償責任を免除することの不当性は，事業者の不法行為の責任が民法の規定に基づくものか否かで異なるものではないことが指摘されていた[6]。

また，消費者契約法の施行後に，民法44条1項等で規定されていた法人代表者の行為による法人の不法行為責任の規定が，一般社団法人及び一般財団法人に関する法律等に規定されるようになったところ，消費者庁解説〔第2版補訂版〕では，民法に規定されている不法行為責任の条項だけが本条1項3号及び同4号の対象になると記述されていた[7]。つまり，消費者契約法の施行当初は対象であった不当条項が，形式的には本条1項3号及び同4号の対象とならなくなっているのではないかとの疑問が生じていた。

専門調査会の議論では，この規定の適用対象を「民法の規定による」不法行為責任に限定すべき合理的理由はないとの考えに特に異論はなく[8]，「民法の規定による責任」という文言は，単に「責任」と改正されることになった[9]。

4 改正経緯（平成30年改正）

(1) 問題の所在

契約当事者間において，責任の有無，契約内容，契約適合性等の解釈に疑義が生じた場合には，その判断を裁判所に委ねるのが本来の姿である。

しかしながら，実際には，次に例示するような条項，すなわち事業者に契

（注5） 落合・前掲（注2）122頁。
（注6） 後藤巻則＝齋藤雅弘＝池本誠司『条解消費者三法―消費者契約法・特定商取引法・割賦販売法〔第2版〕』115頁（弘文堂，2021）では民法の規定による責任のみを問題とする趣旨は不明とされている。
（注7） 消費者庁解説〔第2版補訂版〕185頁，189頁。
（注8） 平成27年専門調査会中間取りまとめ31頁。
（注9） 現在の消費者庁解説157～158頁では，事業者の損害賠償責任を免除することの不当性は，その責任が民法の規定に基づくかどうかという法形式で異なるものではないと見解を改めている。

約条項の一方的な解釈権限あるいは決定権限を付与する条項が散見される[10]。

> 条項例1　本規約の解釈等に疑義が生じた場合，当社が解釈等を決めることとし，会員はその決定に従うものとします。
> 条項例2　当社において，会員の責めに帰すべき事由により専用機器が正常に動作しないと判断した場合には，当社においてかかった全ての費用につき会員が負担するものとします。

　こうした条項は，契約の一方当事者が，他方当事者に対して，自らの法的責任の存否，契約内容，契約適合性等の解釈を自らの意思で決定できることになる点において類型的に不当性の高いものであり，比較法的にも不当条項とされることが珍しくない。

　そのため，本法にもそのような解釈権限付与条項・決定権限付与条項を不当条項リストに加えることについて検討が行われた結果，平成30年改正において，その一部として既存の不当条項規制（平成30年改正前法8条1項1号～5号，法8条の2）の潜脱となるような権限を事業者に付与する条項が不当条項として追加されることになった。

(2)　これまでの検討経緯

　事業者に一方的な契約の解釈権限・決定権限を与える条項を不当条項として明示すべきではないかという問題は，本法の制定時から指摘され[11]，以後継続的に検討課題として議論されてきた[12][13][14]。

　平成26年11月から審議が開始された専門調査会では，①契約の文言を解

（注10）　第41回専門調査会・資料1・17頁，第45回専門調査会・資料1・8頁。
（注11）　第16次国生審中間報告。具体的には，①事業者に契約内容の一方的決定権限を与える条項，②事業者に契約内容の一方的変更権限を与える条項，③事業者に給付期間についての一方的決定権限を与える条項，④消費者の利益に重大な影響を及ぼす事業者の意思表示に，不相当に長期の期限又は不確実な期限を定める条項，⑤商品が契約に適合しているか否かを一方的に決定する権利を事業者が留保する，又は契約の文言を解釈する排他的権利を事業者に与える条項，⑥事業者が業務上知るに至った客の秘密を正当な理由なしに漏泄することを許す条項があげられていた。

釈する権限を事業者のみに付与する条項(解釈権限付与条項)と,②契約に基づく事業者又は消費者の権利又は義務の発生要件該当性又はその内容についての決定権限を事業者のみに付与する条項(決定権限付与条項)について不当条項とする規定の新設が議論されたが,事業者側の反対意見を踏まえ,平成27年専門調査会報告書では,引き続き検討すべき事項とされるに留まった[15]。

　平成28年9月から再開された専門調査会では,法10条第一要件に該当する条項例として,「条項の解釈や当事者の権利・義務の発生要件該当性の決定は事業者のみが行うものとする旨を定めた条項」という趣旨の規定を設ける考え方が検討されたが,コンセンサスを得るには至らなかった[16]。

(注12)　平成19年度不当条項研究会報告書では,立法化に向けた検討を要する不当条項の類型の1つに「契約適合性の判定権」を事業者に付与する契約条項をあげ,具体的には①「事業者の責任規定や免責規定に関する要件該当性の終局的な判断権限を事業者に与えるという契約条項」,②「消費者に対する事業者の権利の発生要件や行使要件に関する要件該当性の終局的な判断権限を事業者に与えるという契約条項」,③「契約条款で明確な規定が無い部分や解釈上の疑義がある部分に関する終局的な決定権限や解釈権限を事業者に与えるという契約条項」,④「消費者が事業者に対して行使できる複数の法的権利の選択権限ないし決定権限を,消費者から事業者に転換する契約条項」が考えられるとしている。

(注13)　平成25年論点整理の報告においても,「事業者に一方的な権限を与える条項」として,具体的には,「事業者に契約内容・条項の一方的な変更権限を与える条項」,「事業者に契約内容・条項の一方的な決定権限を与える条項」,「契約文言の排他的解釈権限を事業者に認める条項」,「事業者は,正当な理由なしに自己の債務の履行をしないことができるとする条項」,「事業者が第三者と入れ替わることを許す条項」を不当条項リストに加えることを検討すべき契約条項の1つとしてあげている。

(注14)　平成26年運用状況検討会報告書70頁では,「事業者に一方的な権限を認める規定」を,裁判例や相談事例をもとに,不当条項リストへの追加を検討すべき契約条項の1つとしてあげている。

(注15)　2015年10月から再開された専門調査会では,解釈権限付与条項について不当条項リスト化することへの賛同意見が多く述べられたものの,事業者側より,旅客船の標準運送約款の規定等を例に,事業者のみに解釈権限・決定権限を付与することが不当とはいえない場合があることや,解釈権限付与条項と決定権限付与条項の区別が困難であるとの反対意見が出された。

もっとも，解釈権限付与条項・決定権限付与条項のうち，既存の不当条項規制（法8条及び法8条の2）の潜脱になりかねない条項については，類型的に不当性が高いことから，その点を抽出して不当条項として明示することが事務局より提案され，平成29年専門調査会報告書において法改正の対象とすべき旨が取りまとめられ，平成30年改正へとつながった[17]。

なお，その余の類型にあたる解釈権限付与条項・決定権限付与条項については今後の検討課題とされた。もっとも，それらの条項が法10条で無効となり得ることや，事業者においてより適切な条項作成が行われるよう促す旨を消費者庁解説に記載することが相当とされた[18]。

なお，平成30年改正に至る改正論議の際には，事業者等の軽過失により消費者の生命又は身体に生じた損害を賠償する責任の一部を免除する条項について，生命・身体という法益の重要性に鑑みて無効とする旨の不当条項リストの追加が検討されたが，最終的に今後の検討課題とされた[19][20]。

(注16) 事業者側からは，反社会的勢力排除条項等を例に，実務上必要であって，法10条後段要件で判断されるとはいえ，前段要件に該当する旨明文化されると，法的安定性に欠けることになるとの懸念が示された。もっとも，反社会的勢力排除条項等を，解釈権限・決定権限付与条項の問題として位置付けることへの疑問も示されている（第47回専門調査会議事録）。

(注17) 法改正が実現した場合の留意事項等について，大髙友一「事業者への解釈権限（決定権限）付与条項」NBL1106号15頁。

(注18) 平成29年専門調査会報告書12頁。

(注19) 平成29年専門調査会報告書12〜13頁。なお，事業者等の通常の過失による損害賠償責任（消費者の生命又は身体に生じたもの）の一部を免除する条項は，法10条により無効となりうる旨が消費者庁解説〔第4版〕に明記されることとなり，消費者庁解説216頁「事例10-5」部分にその旨の記載がある。なお，旅客運送契約については，商法及び国際海上物品運送法の一部を改正する法律（平成30年法律第29号）による商法改正により，旅客の生命又は身体の侵害による運送人の損害賠償責任を免除又は軽減する特約は無効とする旨の規定が設けられている（上記法律による改正後の商法591条1項）。

(注20) 札幌高判平28・5・20判時2314号40頁は，プロ野球の試合観戦約款における人身損害について賠償の範囲を限定する条項について，消費者契約法10条により無効である疑いがあると指摘している。

II 解 説

1 8条1項1号

(1) 「事業者の債務不履行により消費者に生じた損害を賠償する責任」

一般に，消費者契約において事業者の債務不履行により消費者に損害が発生した場合には，事業者は民法415条により消費者に対して損害賠償責任を負うが，本条項の適用があるのは事業者に債務不履行に基づく損害賠償責任が発生する場合である[21]。その要件としては，①債務不履行の事実，②事業者の帰責性（故意又は過失），③消費者の損害の発生，④債務不履行と損害との間の因果関係が必要とされている。

なお，本号は，文理上，債務不履行による損害賠償責任の排除条項を対象としており，義務（例えば保管義務や原状回復義務など）そのものの排除条項は対象としていない。しかし，そのような契約条項は10条の対象となる[22]。また，8条の類推適用も検討されてよい。

(2) 「全部を免除する」

「全部を免除する」とは，事業者が，損害賠償責任を一切負わないとすることである。例えば，「事業者に故意又は重過失があっても，一切損害賠償責任を負わない」とする条項は本号にあたる。また，「事業者に故意又は無過失があるときを除き一切損害賠償責任を負わない」などとする条項（＝いわゆる軽過失全部免責条項）も，本号にあたると解される。反対に，全部免除ではなく，「事業者の損害賠償責任を一定の限度に制限し，一部のみ損害賠償責任を負う」という一部免除の条項，例えば，「通常損害のみ損害賠償責任を負い，特別損害については負わない」などという条項は，本号にはあたらない（ただし，事業者に故意又は重過失がある場合は，1項2号にあたる）[23]。

(注21) 金銭債務の不履行の場合，同要件は不要である（民法419条2項）。なお，前掲（注2）参照。
(注22) 山本豊・前掲（注1）57頁。
(注23) もっとも，脱法的に損害のごく一部以外についての免責を規定しているような場合，本条の適用が問題となろう（落合・前掲（注2）118頁）。

具体的な事例をあげてみると，①駐車場賃貸借契約における「当社の駐車場内での事故については一切責任を負わない」という条項[24]，②スポーツクラブ契約における「当クラブ内で発生した人的・物的損害について，当クラブは一切の責任を負わないものとする」という条項，③インターネット上のモール（仮想商店街）の会員登録規約における「当社のモール内の各サービスの中断・遅滞・中止等によって発生する損害について，当社は一切の責任を負わない」という条項，④プロバイダ（インターネット接続業者）の会員規約における「当社は，当社が提供するデータ等，他者が登録するデータ等について，その完全性，正確性，適用性，有用性等に関し，いかなる責任も負わない」という条項等は，本号にあたると考えられる。さらに，⑤電話サービス契約約款における「当社の責めに帰すべき事由により電話サービスの提供をしなかったときは，その電話サービスがまったく利用できない状態あるいはそれと同程度の状態にあることを当社が知ったときから24時間以上その状態が連続したときにかぎり，損害賠償をする」という条項は，これが電話サービスが全く利用できないのが24時間未満であれば，事業者に帰責性があっても一切の損害賠償責任を負わないという趣旨と解されれば，本号にあたることになる。

(3) 「その責任の有無を決定する権限を付与する条項」

「その責任」とは，事業者の債務不履行に基づく損害賠償責任（1号）を指す。

一方，損害賠償以外の責任（例：契約不適合における履行の追完や代金の減額等）の有無や義務そのもの（例：目的物給付義務，作為義務等）の在否に関する決定権限付与条項は上記の規定の適用対象とはならない。しかし，そのような契約条項については一般条項である法10条により無効となり得る。

法8条1項1号における「責任の有無を決定する権限」とは，民法上の原則的な権利義務関係では事業者が債務不履行に基づく損害賠償責任を負うにもかかわらず，当該事業者の決定により，当該事業者が当該責任の全部を負

(注24) 契約条項において，「責任を免除する」との文言が使用されている必要はない（落合・前掲（注2）119頁）。

わないことを可能とする権限をいう[25]。

　具体的には，債務不履行責任自体の有無，その要件である事業者の債務不履行の事実の有無，帰責事由の有無，損害の有無などを事業者が決定できる権限などがこれにあたる。

　例えば，損害賠償責任の要件である主たる債務や付随義務について，「第○条に定める弊社の義務違反に基づく損害賠償責任について，ユーザーからクレームがあった場合には弊社における調査により弊社の義務違反の有無を判断いたします。弊社において義務違反が無いと判断した場合には，ユーザーもこれに異議を述べないものとします。」という条項の場合，「債務不履行の事実」の有無に関する決定権限を事業者に付与する条項であり，かつ，損害賠償責任を全部免れることとなるから，「（損害賠償）責任の有無を決定する権限」を定めた条項として，法8条1項1号により無効となる。

　また，事業者の債務不履行に基づく損害賠償責任の前提として「当社の定める基準により，当社の過失の有無を判断するものとします。」という条項が存在する場合，過失の有無の判断を一方的に決定できる権限を事業者に付与する条項であり，かつ，損害賠償責任を全部免れることとなるから，「（損害賠償）責任の有無を決定する権限」を定めた条項として，法8条1項1号により無効となる[26]。

　さらに，「甲（事業者）の債務不履行により乙（消費者）に対して損害が発生した場合，甲が損害賠償責任を負う金額は甲が通知した金額とします。」という条項に基づき事業者が損害賠償責任を否定した場合，損害の有無を一方的に決定できる権限を事業者に付与する条項であり，かつ，損害賠償責任の全部を免れているから，法8条1項1号により無効となる（なお，上記のような条項を根拠に損害賠償責任の一部を否定した場合には，故意または重大な過失に基づく損害賠償責任の免責主張の場合には法8条1項2号により無効となる。また，軽過失に基づく損害賠償責任の免責主張の場合には一般条項である法10条によって無効となり得る。）。

（注25）　消費者庁解説160頁。
（注26）　消費者庁解説170〜171頁「事例8-11」「事例8-12」を参照。

他方で,「ご利用者様に損害が生じた場合,弊社相談室宛てに損害が生じた日から30日以内にお申し出をいただいた場合,又は,弊社が損害の発生を認めた場合でない限り,弊社は損害の賠償をいたしません。」という条項が存在する場合,当該事業者が「損害の発生」を認めない決定をすることで,30日以内に申し出た限度においてのみ責任を負うことを可能とするものであり,「当該事業者にその責任の限度を決定する権限を付与する条項」であるから,法8条1項1号の適用対象とはならないが,法8条1項2号及び同4号により,故意または重大な過失に基づく損害賠償責任の免責主張に関しては無効となる[27]。また,別途に一般条項である法10条によって無効となり得る。

(4) 効　果

本号にあたる免責条項は,無効となる。条項が無効となるということは,もともと当該条項がなかったものとされることであるから,事業者は損害賠償責任を免除されなくなる。そこで,事業者は,民法等の規定に基づき,原則どおりの債務不履行責任を負うことになる[28]。

(5) 裁判例

東京地判平20・7・16(金法1871号51頁,消費者法ニュース78号203頁)は,外国為替証拠金取引(FX取引)の事業者が定めたコンピューターシステムの故障や誤作動等によって生じた損害からは免責されるという約款条項につき,8条1項1号に照らして,コンピューターシステムや通信機器の障害により顧客に生じた損害のうち,真に予測不可能な障害や事業者の影響力の及ぶ範囲の外で発生した障害といった事業者に帰責性の認められない事態によって顧客に生じた損害について事業者が損害賠償の責任を負わない旨を規定したものである,事業者とヘッジ先とのカバー取引が事業者の責めに帰すべき事由により成立しない場合にまで事業者を免責する規定ではないと判示し,8条1項1号の趣旨を踏まえて免責条項を限定解釈している。

(注27)　消費者庁解説171頁「事例8-13」を参照。
(注28)　野々山宏「免責条項はどう扱われているか」法セミ549号33頁。

2 8条1項2号

(1) 「当該事業者，その代表者又はその使用する者」

「当該事業者」とは，事業者が法人その他の団体であれば当該団体であり，個人事業者であれば当該個人のことである。

「その代表者」とは，事業者が法人その他の団体である場合の代表者のことであり，株式会社における代表取締役，財団・社団法人の代表理事，宗教法人の代表役員等がこれにあたる。

「その使用する者」とは，法人や個人商店の従業員のような事業者の履行補助者のことである。履行補助者とは，報酬の有無，期間の長短を問わず，事業者の選任によりその指揮監督のもとに事業者の行う事業に従事する者をいう。

(2) 「一部を免除する」

「一部を免除する」とは，事業者の損害賠償責任を制限し，本来の損害賠償額の一部しか賠償しないとすることである。例えば，「損害賠償額は○○万円を限度とする」，「損害賠償額は次の基準による」などのように，損害賠償額の上限を定めたり，基準額を定めたりする条項がこれにあたる。なお，たとえ事業者に故意又は重過失ある場合でも，損害賠償責任を一部免責するのではなく全部免責する条項は，本号ではなく1号が適用される。

具体的な事例としては，①標準旅行業約款における「当社は，手荷物について生じた損害については，旅行者1名につき15万円を限度として賠償する」という条項，②航空運送約款における「当社が賠償の責任を負う場合の賠償額は，旅客1名につき600万円を限度とし，手荷物，装着品について生じた滅失毀損等に対し，当社が賠償の責を負う場合の賠償額は，旅客1名につき15万円を限度とする」という条項（東京地判昭53・9・20判時911号14頁参照），③宅配便運送約款において「当社は，荷物の滅失・毀損による損害については，故意又は過失の有無にかかわらず，荷物の価格を送り状に記載された責任限度額の範囲内で賠償する」との条項，④「当ホテルは，宿泊客が持ち込んだ物品又は現金ならびに貴重品であってフロントに預けなかったものについて，滅失・毀損等の損害が生じたときは，宿泊客からあらかじ

め種類および価格の申告のなかった場合には，30万円を限度としてその損害を賠償する」という条項（最判平15・2・28判時1829号151頁を参照）等は，本号にあたりうる。

　(3)　「その責任の限度を決定する権限を付与する条項」

　「その責任」とは，事業者の故意または重大な過失による債務不履行に基づき事業者に発生する損害賠償責任を指す。

　そのため，損害賠償以外の責任の限度や義務そのものの範囲を決定する権限を事業者のみに付与する条項は法8条1項各号の対象とされていない。しかし，そのような契約条項は一般条項である法10条によって無効となり得る。

　「責任の限度を決定する権限」とは，事業者の債務不履行又は債務の履行に際してされた不法行為に基づく損害賠償責任について，原則的な権利義務関係においては当該責任の一部を免除することは許容されないにもかかわらず，当該事業者の決定により，一定の限度においてのみ責任を負うことを可能とする権限をいう[29]。

　具体例としては，「事業者の損害賠償責任は，事業者が相当と決定した額を限度とする」といった契約条項は無効となる。他方，債務不履行（又は不法行為）が事業者等の通常の過失によるものである場合に，事業者が上記規定に基づき一部免責を主張したとしても，当該条項は無効であるため，そのような主張は認められない。

　また，「当社が損害賠償責任を負う場合，上限額は金5万円とします。ただし，当社に故意又は重過失があると当社が認めたときは，全額を賠償します」という契約条項は，損害賠償責任が事業者の故意又は重過失であっても，当該事業者が故意又は重過失ではないという決定をすることで，上限金5万円の限度でのみ責任を負うことを可能とするものであるから，「当該事業者にその責任の限度を決定する権限を付与する条項」に該当し，法8条1項2号及び同4号により無効となると考えられる[30]。

（注29）　消費者庁解説163頁。
（注30）　消費者庁解説170〜171頁「事例8-12」を参照。

(4) 効果

本号に該当する一部免責条項は，無効となる。条項が無効となれば，事業者は損害賠償責任を制限することはできなくなり，民法等の債務不履行の規定が適用され，債務不履行責任を負うことになる。故意・過失を区別することなく一部免除を規定している場合に，故意・重過失に限って無効とするか，条項全部が無効となるかが問題となるが，条項全部が無効となると解すべきである。9条は一部無効を明確に規定するが，8条には無効に対する限定がないことや，できるだけ適正な条項の作成を業者にうながすには，条項全部が無効となると解すべきである[31][32][33]。なお，形式上は本号に該当しない一部免責条項であっても，免責の程度が信義則に反する程度に著しい場合には，10条によって無効となりうる[34]。

また，約款中に「免責条項が法令により無効となった場合に，当該条項は法律上最大限認められる限度で適用される」旨の特約条項（いわゆるサルベージ条項）をおいている例があるが，かかる特約条項は，8条等における当該条項の全部無効の効果を潜脱する趣旨のものであるから，消費者に一方的に不利益な条項として，10条により無効と解される。よって，上記のような特約条項の存在は全部無効という上記結論に影響を与えないものと解する。

(5) 裁判例

東京簡判平17・4・27（最高裁HP）は，クリーニング組合の定めた賠償基準が法8条1項2号により無効となるか否かが争われた事案において，原告の事業者に対する損害賠償請求の法的根拠は瑕疵担保責任（改正前民法634条2項）であって債務不履行責任ではないという理由のもと当該事案では本号の適用は問題とならないと判示し，約款の有効無効を真正面から判断しなかった。

(注31) 野々山・前掲（注28）33頁。
(注32) 反対＝山本豊・前掲（注1）63頁。
(注33) 同旨＝落合・前掲（法2）121頁。
(注34) 消費者庁解説168～169頁。

3　8条1項3号

(1)　「消費者契約における事業者の債務の履行に際してされた当該事業者の不法行為により消費者に生じた損害を賠償する責任」

「民法の規定による」という文言が削除されたことにより，不法行為に基づく損害賠償責任であれば，民法上の規定（民法709条，同715条，同717条，同718条）に基づく損害賠償責任のほか，特別法の規定（一般社団法人及び一般財団法人に関する法律，商法，失火責任法，製造物責任法など）に基づく損害賠償責任についても，この規定にいう「責任」に含まれることが明確になった。

例えば，一般法人法78条（法人代表者の行為による法人の損害賠償責任の規定），商法690条（船舶所有者の船長等に関する損害賠償責任の規定），製造物責任法3条（いわゆる製造物責任に関する規定）に基づく損害賠償責任などである。

(2)　「全部を免除する」

「全部を免除する」とは，1号の場合と同様，損害賠償責任を一切負わないとすることである。

(3)　「当該事業者にその責任の有無を決定する権限を付与する条項」

「その責任」とは，事業者の債務の履行に際しての不法行為に基づく損害賠償責任を指す。

(4)　効　果

本号にあたる全部免責条項は，無効である。条項が無効となれば，民法等の一般原則が適用され，不法行為の規定にしたがい責任を負う。

(5)　裁判例

東京地判平24・3・5（判例集未登載。平成22年（ワ）第47338号事件，ウエストロー・ジャパン2012WLJPCA03058004）は，原告と被告は原告が所有する建物及び借地権を被告に譲渡する条件について合意書を作成したが，譲渡が実現しなかったことから，原告が被告に対して契約締結上の過失を主張して損害賠償を求め，被告が，マンション計画地の権利者との間の権利調整が不調に終わったときは原告は損害賠償請求をしない旨の上記合意書の条項に該

当するとして争った事案において，当該条項は，事業者の債務不履行又は不法行為により消費者に生じた損害を賠償する責任の全部を免除する条項であるから，本号に該当する条項に当たると認められると判示した。

4　8条1項4号

(1)　「当該事業者，その代表者又はその使用する者」

2号の解説と同様である。

(2)　「消費者契約における事業者の債務の履行に際してされた当該事業者の不法行為（当該事業者，その代表者又はその使用する者の故意又は重大な過失によるものに限る。）により消費者に生じた損害を賠償する責任」

「民法の規定による」という文言が削除されたことにより，故意または重大な過失による不法行為を観念できる損害賠償責任であれば，民法上の規定（民法709条及び同715条）に基づく損害賠償責任のほか，特別法の規定（一般法人法，失火責任法など）に基づく損害賠償責任も，この規定にいう「責任」に含まれることが明確になった。

なお，3号の適用対象となる規定のうち，民法717条（土地工作物責任），同718条（動物占有者責任），製造物責任法3条（製造物責任）などは，事業者，その代表者又はその使用する者の「故意又は重大な過失」という加害行為の主観的態様の程度を問題とした不法行為の規定ではないため，本号の「責任」には含まれないとされる[35]。もっとも，これらの責任の一部を不当に免責する契約条項は，法10条により無効となり得る。

(3)　「一部を免除する」

「一部を免除する」とは，事業者の損害賠償責任を一定の限度に制限することをいう。

(4)　「当該事業者にその責任の限度を決定する権限を付与する条項」

「その責任」とは，事業者の債務の履行に際してされた故意または重大な過失による不法行為に基づき事業者に発生する損害賠償責任を指す。

(注35)　消費者庁解説166頁。

(5) 効　果

本号の一部免責条項は無効であり，無効となれば民法等の不法行為の規定（民法709条等）が適用され，事業者は不法行為責任を負うことになる。

〈8条1項1号ないし4号の過失責任に関する適用関係表〉

	軽過失	重過失
一部免責条項	8条に規定なし	無効（2号・4号）
全部免責条項	無効（1号・3号）	無効（1号・3号）

5　8条2項

(1)　趣　旨

(i)　意　義

「本項は，第1項第1号又は第2号に該当する契約条項であっても，一定の場合には，当該契約条項を無効とはしない旨を定めたものである。実際の契約においては，事業者が，契約不適合による損害賠償責任の全部を免除する契約条項はあるが，一方で，当該事業者が契約不適合のない物と取り換える責任又は目的物を修補する責任を負う旨定めている場合がある。このような場合には，消費者には救済の手段が残されており，消費者の正当な利益が侵害されているとはいえないため，損害賠償責任の全部を免除する契約条項を無効とはしない旨を規定している。」[36]

1項1号2号の例外規定であり，一律に不当条項と断定することができない場合について定めたものである。具体的には，①債務不履行により消費者に生じた損害を賠償する責任を免責する一方で事業者に履行の追完をする責任又は契約内容との不適合の程度に応じた代金若しくは報酬の減額をする責任を負うことと定めている場合（1号）と②他の事業者が損害を賠償する責任の全部若しくは一部を負い，又は履行の追完をする責任を負うこととされている場合（2号）である。

(ii)　比較法と制定の経緯

(注36)　消費者庁解説172頁。

2020年施行（平成29年法律第45号改正前）の民法改正前は，8条2項は以下のような規定であった。

> 2　前項第5号に掲げる条項については，次に掲げる場合に該当するときは，同項の規定は，適用しない。
> 一　当該消費者契約において，当該消費者契約の目的物に隠れた瑕疵があるときに，当該事業者が瑕疵のない物をもってこれに代える責任又は当該瑕疵を修補する責任を負うこととされている場合
> 二　当該消費者と当該事業者の委託を受けた他の事業者との間の契約又は当該事業者と他の事業者との間の当該消費者のためにする契約で，当該消費者契約の締結に先立って又はこれと同時に締結されたものにおいて，当該消費者契約の目的物に隠れた瑕疵があるときに，当該他の事業者が，当該瑕疵により当該消費者に生じた損害を賠償する責任の全部若しくは一部を負い，瑕疵のない物をもってこれに代える責任を負い，又は当該瑕疵を修補する責任を負うこととされている場合

①　ドイツ民法においては，法定の瑕疵担保責任を修補または代物給付に限定する規定を，原則として，評価の余地なく無効としている（309条8号b）。

②　第16次以降の国生審報告において，本項の例外規定について言及があったのは，第17次国生審報告が最初で，同報告において，無効となる瑕疵担保責任の免除条項について，本項各号の場合が除外されることが示されている[37]。

本項1号がいかなる経緯で加えられたかは必ずしも明らかではないが，2号については，第17次国生審において，リース事業協会，日本自動車リース協会連合会から提出された「リース会社はリース物件の性能・品質等の瑕疵の責任を負わないのはリース契約の特質である」との意見（「論点別の審議

(注37)　第17次国生審報告15頁。

③　もっとも，リース会社に8条1項5号が適用されるとしても，リース会社は消費者との関係で免責されないだけで，リース会社とサプライヤーの内部関係において責任割合を定めることは可能である。とすれば，リース会社の全面的免責条項が実質的に問題となるのは，サプライヤーが倒産等して賠償または修補の現実的な能力がない場合である。

また，経済的に類似性が認められる割賦販売において，抗弁の接続（割賦販売法30条の4）が認められていることとの均衡を考えれば，なぜ本項2号の場合を適用除外するのかについては立法論的には疑問の余地がある。

④　本項2号の想定する免責条項の有効性については，過去，信義則違反による免責条項の主張排斥が認められるかといった形で裁判上問題とされている[38]。

(iii)　改正の経緯

① 　平成28年改正・平成30年改正

本規定についての平成28年改正・平成30年改正による改正事項は無い。

② 　整備法による改正

民法改正法により瑕疵担保責任に関する規定が改正されることを受けて，同改正法の施行日（2020年4月1日）に，本規定も改正されることとなった。ただし，改正民法施行前に締結された消費者契約については，改正民法施行後も従前の例による（整備法99条2項）。

ⓐ　「前項第1号又は第2号に掲げる条項」

2020年の民法改正により，民法570条に定める隠れた瑕疵の概念がなくなり，引き渡された目的物が種類・品質又は数量に関して契約の内容に適合しないときの損害賠償請求は，債務不履行の規定に基づいて行われるものと

(注38)　信義則違反による免責条項の主張の排斥を認めた例として，盛岡地遠野支判昭63・5・18判時1305号109頁，名古屋簡判平10・7・3判タ1013号151頁。信義則違反の主張を認めなかった例として，大阪地判昭51・3・26判タ341号205頁がある。信義則上瑕疵担保免責特約の主張が制限される場合の評価根拠事実については，滝澤孝臣編『消費者取引関係訴訟の実務』333頁以下（新日本法規出版，2004）に詳しい。

される（改正民法 564 条参照）。そのため，改正前の法 8 条 1 項 5 号は存在意義を失い削除された。

そこで，本項も，事業者の債務不履行責任に基づく損害賠償請求を免除する条項（民法改正後の消費者契約法 8 条 1 項 1 号又は同 2 号）に関する例外規定として定められることになった。

ⓑ 「目的物が種類又は品質に関して契約の内容に適合しない」

民法改正後の 566 条の規定に合わせ，「消費者契約の目的物に隠れた瑕疵」との用語を「引き渡された目的物が種類又は品質に関して契約の内容に適合しない」との用語に改めることとされた。

ⓒ 法 8 条 2 項 1 号

民法では，引き渡された目的物が契約の内容に適合しない場合には，目的物の修補，代替物の引渡し若しくは不足分の引渡しによる「履行の追完」（民法 562 条）又は不適合の程度に応じた代金の減額を請求することができるものとされている（請負契約においては，注文者は報酬の減額を請求することができる。民法 563 条，同 636 条参照）。

そこで，契約不適合責任に関する債務不履行による損害賠償請求を全部または一部免除する条項について，事業者が履行の追完をする責任又は不適合の程度に応じた代金若しくは報酬の減額をする責任を負うこととされている場合には，法 8 条 1 項 1 号又は 2 号を適用しないこととされた。

ⓓ 法 8 条 2 項 2 号

改正民法では，「瑕疵のない物をもってこれに代える責任又は当該瑕疵を修補する責任」は，いずれも「履行の追完」の一内容として整理された。同改正に伴い，上記文言を「履行の追完をする責任」に改めることとされた。

③ 令和 4 年 5 月改正

「同項」が「前項」に変更された。文言の形式的な変更であって，法 8 条 2 項の意味内容は従前と変わらない。

(2) 解　説

(i) 要　件

① 各号共通

ⓐ 「瑕疵のない物をもってこれに代える」「履行の追完」

「履行の追完」とは，目的物の修補，代替物の引渡し又は不足分の引渡しをすることを言う（民法562条1項）。

② 2号

ⓐ 「当該消費者と当該事業者の委託を受けた他の事業者との間の契約」

㋐ 「当該事業者」とは，当該消費者契約の当事者であって，消費者に対する債務不履行による損害賠償責任を全部若しくは一部免除される事業者又はその責任の有無を決定する権限が付与される事業者である。

㋑ 「委託を受けた」とは，当該事業者との間で委託契約を締結することをいう。

㋒ 当該事業者から委託を受ける者は「事業者」に限定されている。事業者でない者が当該事業者の代わりに損害賠償又は履行の追完をする責任を負担したとしても，消費者の権利救済としては不十分となる可能性があることから，受託者を「事業者」に限定する趣旨である。

㋓ 当該消費者と他の事業者が当事者として本号所定の責任を負担する契約を締結した場合が本号にあたる[39]。

ⓑ 「当該事業者と他の事業者との間の当該消費者のためにする契約」

当該消費者と他の事業者が直接契約せず，当該事業者と他の事業者が契約当事者として締結する，当該消費者のために本号所定の責任を負担する契約をいう。

個々の文言についてはⓐと同様である。

③ 「当該消費者契約の締結に先立って又はこれと同時に締結されたものにおいて」

当該消費者契約締結後に本号所定の契約を締結しても，消費者は契約時に当該事業者でなく他の事業者が本号所定の責任を負担することを予測できないから，事後の契約の場合には適用除外を否定する趣旨である[40]。

(ⅱ) 効　果

本項各号に該当する場合には，8条1項1号2号の適用がない。しかし，本項に該当する場合にも当然，一般条項である10条の適用の余地は残る。

(注39)　消費者庁解説174頁。

また，従来の裁判例のように，民法上の信義則の適用により免責の主張が認められない場合もありうる。したがって，本項各号に該当するからといって，「消費者の正当な利益が侵害されているとはいえない」とまでの断定[41]をすることは許されない。

(ⅲ) 問題点

① 1 号

ⓐ 履行の追完限定条項があるときに事業者が任意に履行をしない場合

事業者が履行の追完義務を遅滞した結果，消費者がやむにやまれず自ら履行の追完を行った場合に，損害賠償責任を免除する条項があるからといって，損害賠償請求できないとする結論は明らかに不当である。

信義則上相当期間内に履行の追完が行われない場合，もはや社会通念上履行不能となったと理解しうる場合には同義務が履行不能により損害賠償責任に転化したと理解すべきである[42]。

ⓑ 一歩進めて，事業者による履行の追完義務の履行期限の制限のない履行の追完条項が10条違反となるかが問題となるが，この点は事例の集積を待つべきであろう。

なお，ドイツ民法309条8号ｂは，損害賠償責任を制限する履行の追完条項に関する不当性判断の1つの参考となろう。

ⓒ 代金等減額請求条項

法8条2項1号により，問題となる契約条項について，例外的に法8条1項1号又は2号を適用しないものとされていることに鑑みると，「不適合の程度に応じた」代金等減額請求条項にあたるか否かの解釈は，消費者契約法の趣旨，目的等に照らして，慎重になされるべきだろう[43]。

(注40) 反対＝落合・前掲（注2）133頁。
(注41) 消費者庁解説172頁。
(注42) 山本豊・前掲（注1）59頁。結論同旨＝落合・前掲（注2）128頁。
(注43) 履行追完責任や代金等減額責任に関する条項が，事業者にその責任の有無を決定する権限が付与されている条項である場合には，法8条2項1号に定める条項が存在しないものと解釈し，原則通り，法8条1項1号又は2号の適用を認めるべきだろう。

② 2 号

前述のとおり，受託者を「事業者」に限定したのは，「事業者」でない者が当該事業者の代わりに本号所定の責任を負担したとしても，消費者の権利救済としては不十分となる可能性があるからである。そもそも，本号は，不当条項として無効とすべき条項の例外を定めたものであるが，本法の目的である消費者契約の適正化の観点からは，例外とされるべき条項は必要最小限であるべきであり，形式的解釈により不当条項の適用除外の範囲を拡大すべきではない。

したがって，本号にいう「他の事業者」とは，事業内容として本号所定の責任を負担しうるに値する内実を備えている者と解すべきであり，そのような内実を欠く者は形式的に法人や事業を行う個人であってもここでいう「事業者」にはあたらないと解釈すべきである。

少なくとも，例えば，修理の技術を有しない会社に修補義務を負担することを委託した場合等，およそ前記責任の負担能力を欠く者に本号所定の責任の負担を委託したり，消費者の責任追及を困難にするために，第三者に本号所定の責任の負担を委託した場合には，信義則上本号の適用を主張しえないと解すべきである[44]。

6　8条3項（一部免責条項における無効類型の追加）

(1) 趣　旨

(i) 意　義

サルベージ条項とは，ある条項が強行法規に反し全部無効となる場合に，その条項の効力を強行法規によって無効とされない範囲に限定する趣旨の条項をいう[45][46]。例えば，「関連法令に反しない限り，本規約に別途定める場

(注44)　山本豊・前掲（注1）59頁。

(注45)　平成29年専門調査会報告書12頁。令和3年消費者契約に関する検討会報告書18頁も同義。

(注46)　平成27年専門調査会中間取りまとめ42頁では，「本来であれば全部無効となるべき条項に，その効力を強行法によって無効とされない範囲に限定する趣旨の文言を加えたもの」と説明されている。

合を除いて，いかなる場合においても，弊社がユーザーに負う責任は，ユーザーから実際に支払われた金額を超えないものとします」という条項のような使用例が見られる。

このようなサルベージ条項は，「関連法令に反しない限り」や「法律上許される限り」等の留保文言が付される結果，契約条項のうち有効とされる範囲が一見不明確となるため，消費者の権利行使に萎縮効果が生じるという問題等[47]がある[48]。なお，「関連法令に反しない限り」や「法律上許される限り」という留保文言は，有効な範囲が不明確となる文言の一例に過ぎず，このような留保文言以外の文言例であっても，有効な範囲が不明確となる文言が付されていれば，サルベージ条項に該当する。

そこで，具体的な不当条項として，損害賠償責任の一部を免除する契約条項に関し，事業者が軽過失の場合に限り有効であることを明確に記載していない条項については，無効とする定めを設けることとした。サルベージ条項の一部の立法化である。

(ii) 改正経緯

サルベージ条項が消費者の権利利益を侵害する不当条項であるという問題点は広く認識されているところであり[49]，日弁連等から不当条項リストに追加されるべきことが提言され[50]，専門調査会においても立法化の是非が議論された。

(注47) サルベージ条項には，①事業者が消費者に対して当該条項のどこからが無効なのかを示すよう迫り，何も言わない消費者には不当条項がそのまま適用される，②事業者に適正な内容での契約条項の策定へのインセンティブが働かない，③本来であれば全部無効となるはずの不当条項がそうならないという点で脱法的効果を有している，④消費者にとって条項の内容が不明確である等の問題がある（平成27年専門調査会中間取りまとめ42頁。）。

(注48) 消費者庁が2020年3月に実施したアンケート調査では，「法律により許される限り，明示・黙示を問わず，あらゆる責任について否認します」という形式の契約条項について，約2割の消費者が契約条項の意味が分からないと回答し，約3割の消費者が事業者に訴えても責任が認められないと思うと回答した（第4回消費者契約に関する検討会・資料1・25頁）。

(注49) 平成19年度不当条項研究会報告書14頁，平成25年論点整理の報告76頁。

(注50) 2014年日弁連改正試案17条13号参照。

もっとも，専門調査会の議論では，サルベージ条項を不当条項として立法すべきであるという意見が強く述べられる一方，事業者側からは判例や法令の変更に対する即時の約款変更の難しさ等が指摘されるなどしたため，法改正に向けたコンセンサスが形成できず，平成28年改正での立法化は見送られ，継続して審議されることとなった[51]。

平成28年改正後に再開された専門調査会の議論においても，サルベージ条項が用いられた場合，本来は無効となるべき条項であるにもかかわらず，裁判所が無効の判断をしない限り，どの範囲で無効なのかが不明確なままとなることから，その結果，損害を受けた消費者が，条項の文言から，損害賠償を請求することは一切できないと誤解したり，事業者が本来行うべき損害賠償を拒むという結論を押し付けるなど，消費者が不利益を受けるおそれがあるといった問題点の指摘がなされた[52]。

しかし，事業者側からも，サルベージ条項の業務上の有用性や，弊害は社会問題と言えるほど顕著ではない等の反対意見が述べられたことから[53]，立法化に向けたコンセンサスは形成できず，平成30年改正でもサルベージ条項の不当条項への追加については見送られ，さらに検討を継続することとなった[54]。

もっとも，サルベージ条項に関しては，事業者は消費者に対して「明確かつ平易な」条項を作成するよう配慮する努力義務を負っていることに鑑み，サルベージ条項を使用せずに具体的な条項を作成するよう努めるべき事業者の努力義務が，消費者庁の逐条解説に記載されることになった[55]。

平成30年改正の際の衆参両議院の附帯決議を受けて，令和元年12月24日から開催された消費者契約に関する検討会では，上記のとおり平成29年専門調査会報告書を受けて法3条1項1号の消費者庁解説に，事業者は「サルベージ条項を使用せずに具体的に条項を作成するよう努めるべきである」

(注51) 平成27年専門調査会報告書8頁（脚注8）参照。
(注52) 第32回専門調査会・資料1・13頁参照。
(注53) 第41回専門調査会・資料1・22頁参照。
(注54) 平成30年改正の際の，衆議院附帯決議第5号・参議院附帯決議第7号。
(注55) 平成29年専門調査会報告書12頁。

(〔第4版〕119頁）との記載が追加されたにもかかわらず，未だにサルベージ条項の使用例が見られるのが現状であるとの指摘がなされた。また，サルベージ条項は，消費者契約の適用により無効とされる条項について本来は任意規定により補充されることに比べて，消費者の権利行使に対する萎縮効果を生み，消費者に不利益を与え，いわゆる「デフォルト・ルール」から乖離する点でも消費者契約法10条と同様の不当性が存在するとの指摘がされている[56]。さらに，海外の法制において「法律上許される限りで」や「as far as law permits」との表現が不明確，不公正であるとされている例も指摘された[57]。

こうした検討を経て，令和3年消費者契約に関する検討会報告書では，サルベージ条項のうち，特に使用例が多く見られる事業者の損害賠償責任の一部免責条項に限って立法化することが提案され，8条3項がサルベージ条項の一部立法化として新設されるに至った

令和4年5月の改正により，明確かつ平易の原則から，内容不明確な契約条項のうち一部のサルベージ条項については，不当条項として無効となる旨定められたものである。なお，事業者の損害賠償責任の一部免責条項以外のサルベージ条項については，明文化されなかったとはいえ，そのようなサルベージ条項は，一般条項である法10条の対象となることは，後記(2)(iii)のとおりである。

(2) 解　説
(i) 要件及び効果

本条項の前段かっこ書が定める「重大な過失によるものを除く」とは，軽過失のことを指す。よって，本条項に定める債務不履行及び不法行為は，いずれも軽過失による債務不履行及び不法行為のことである。また，本条項後段に定める「重大な過失を除く過失」も，軽過失のことを指す。

したがって，本条項は，軽過失による債務不履行及び不法行為に関して，一部免責条項を定める場合には，事業者の「軽過失」による行為のみに適用

(注56) 第4回消費者契約に関する検討会（2020年5月13日）・資料1・24頁。
(注57) 第4回消費者契約に関する検討会（2020年5月13日）・資料1・26頁。

されることを明らかにして定めなければ，その効力を生じないとする規定である。

消費者庁の説明[58]では，「法令に反しない限り，1万円を上限として賠償します」[59]という条項は本項により無効となり，「軽過失の場合は1万円を上限として賠償します」という条項は有効となるとされている。

(ii) 本規定の持つ意味

① 本条項には2つの重要な意味がある。すなわち，本条項は，㋐サルベージ条項を無効とすることを初めて定めた条項であること，㋑限定解釈を許さないことを明確に規定した条項であることである。

② ㋐サルベージ条項を無効とする規定

日本弁護士連合会では，「法律上無効とされない限りで当該条項は有効とされる」[60]とか，「法律で許容される範囲において一切の責任を負いません」[61]等のサルベージ条項について，かねてより，消費者の利益を不当に害する契約条項として無効とすべきである旨の提言を行ってきた[62]。サルベージ条項は，事業者が強行法規に違反しない限界まで権利を拡張し，義務を免れうることを内容としているものであり，どこまでが有効な契約条項なのか判然としないために，結果的に消費者が法律上請求可能な権利行使を諦

(注58) 消費者庁「消費者契約法及び消費者の財産的被害の回復のための民事の裁判手続の特例に関する法律の一部を改正する法律（令和4年法律第59号）（消費者裁判手続特例法関係）等について・概要」(https://www.caa.go.jp/policies/policy/consumer_system/consumer_contract_act/amendment/2022/assets/consumer_system_cms101_220613_01.pdf)。

(注59) この例は，一部免責におけるサルベージ条項である。

(注60) この例は，適用場面を限定しないサルベージ条項である。

(注61) この例は，全部免責におけるサルベージ条項である。

(注62) これまで日本弁護士連合会が発出してきたサルベージ条項に関する意見書等は次の通り。

2012年日弁連改正試案。

2014年日弁連改正試案。

日本弁護士連合会「内閣府消費者委員会消費者契約法専門調査会『中間取りまとめ』に対する意見書」(2015年9月10日) (https://www.nichibenren.or.jp/document/opinion/year/2015/150910.html)。

め，泣き寝入りしかねない点において，現実的な弊害があり，又はその危険性が高い。

　もっとも，本条項は，一部免責条項に限ってサルベージ条項を無効とする規定である。サルベージ条項の不当性は，一部免責の場面に限られないことは明らかであるから，サルベージ条項一般について，例外なく無効である旨の規定を設けるべきである。今後も継続的にサルベージ条項の不当性について検討が加えられなければならない[63]。

　③　㋑限定解釈を許さない規定（適用場面について解釈の余地のある不明確条項の無効化）

　上記のように，サルベージ条項には問題があるが，実務上多く見られるのは，適用場面について言及のない不明確な規定である。例えば「損害賠償額は○○万円を限度とする」（以下「本例」という）というような条項である。

　本例は，事業者の一部免責を定めた条項であるが，いかなる場合に一部免責されるかについて，具体的な適用場面を定めているわけではない。

　従前は，本例のような一部免責条項が定められている場合に，事業者から，「（本例は）当社に過失がある場合を想定しており，実際にも当社に過失がある場合にしか適用していないので問題はない」という主張がなされることがあった。これは，契約条項の実際の適用に当たって，その解釈又は運用の限定が行われるので，契約条項の有効性に問題はないとする主張である。しかし，ある契約条項について，限定解釈が可能であるから有効である，又は，運用において問題がないから有効であるとすると，強行法規によって無効とされない範囲に限定する趣旨の文言が付されたサルベージ条項と同様の問題，すなわち，適用場面が不明確であるため，消費者が法律上請求可能な権利行使を諦め，泣き寝入りするという問題が生じうる。

　本条項は，一部免責条項においては，軽過失がある場合に適用されることを明示的に定めなければ無効とするものである。適用場面が明示的に定めら

(注63)　日本弁護士連合会「内閣府消費者委員会消費者契約法専門調査会『報告書』に対する意見書について」（2017年8月24日）（https://www.nichibenren.or.jp/document/opinion/year/2017/170824_2.html）。

れていない場合としては，強行法規によって無効とされない範囲に限定する趣旨の文言が付された場合だけでなく，限定解釈の余地のある場合もあるが，本条項は，限定解釈の余地のある不明確条項も一切許さないとするものである。したがって，本例も本条項によって無効となる。

(iii) 本条項の適用がない内容不明確な条項の効力について

法3条1項1号は，事業者に対し，契約条項の解釈について疑義が生じない明確かつ平易なものとする配慮を求めるが，本条項は一部免責条項について，それを具体化したものである。

一部免責条項以外にも，適用場面について内容不明確な条項は存在する。このような条項は，一部免責条項でないため本条項の適用はないものの，法10条により無効となる余地がある（法10条の不当条項例のサルベージ条項の解説参照）。また，法3条1項1号の趣旨に照らし，信義則違反又は不法行為を根拠にして，法的効果が生ずる余地もある。

第8条の2（消費者の解除権を放棄させる条項等の無効）

> 第8条の2　事業者の債務不履行により生じた消費者の解除権を放棄させ，又は当該事業者にその解除権の有無を決定する権限を付与する消費者契約の条項は，無効とする。
>
> （2020年3月31日以前に締結された消費者契約については以下の規定による。）
> 第8条の2　次に掲げる消費者契約の条項は，無効とする。
> 一　事業者の債務不履行により生じた消費者の解除権を放棄させ，又は当該事業者にその解除権の有無を決定する権限を付与する条項
> 二　消費者契約が有償契約である場合において，当該消費者契約の目的物に隠れた瑕疵があること（当該消費者契約が請負契約である場合には，当該消費者契約の仕事の目的物に瑕疵があること）により生じた消費者の解除権を放棄させ，又は当該事業者にその解除権の有無を決定する権限を付与する条項

I 趣　旨

1　意　義

　契約当事者の一方に債務不履行があった場合，民法上，他方当事者は契約を解除することができる（民法541条，542条）。本条前段は，事業者の債務不履行に基づく消費者の解除権を予め放棄させる条項が無効であることを定めるものである。

　本条後段は，債務不履行に基づく消費者の解除権の有無の決定権限を事業者に与えることで，本条前段の潜脱を可能とするような条項が無効であることを定めるものである。

◆整備法による改正

　改正前民法では，債務不履行責任とは別に瑕疵担保責任（改正前民法570条）が規定されていたため，本条も1号（債務不履行責任に関する規定）と2号（瑕疵担保責任に関する規定）に分けて規定されていた。しかし，民法改正によって隠れた瑕疵（改正前民法570条）の概念がなくなり，いわゆる契約不適合責任として債務不履行の規定に基づいて処理されることとなった（改正民法564条参照）。

　そのため，改正民法施行（2020年4月1日施行）に伴い，本条は「債務不履行により生じた消費者の解除権」を放棄させる条項等の無効を定める現在の規定に統一された（整備法98条）。

　ただし，前記施行日前に締結された消費者契約については，同施行日後も従前の例による（整備法99条2項）。

2　改正経緯

(1)　平成28年改正

　債務不履行に伴う解除権，瑕疵担保責任に伴う解除権，任意解除権（民法651条1項など）あるいは事情変更法理による解除権等の解釈上認められる

解除権など特定の契約による拘束力から解放される手段として解除権が存在する。

しかし，事業者は，自らの債務不履行等があった場合でも，消費者による解除権行使をあらかじめ放棄させる条項を用いる実情が見られた。

例えば，携帯電話端末の売買契約に「ご契約後のキャンセル・返品，返金，交換は一切できません」という条項がある例，大学医学部専門の進学塾と消費者との間の冬期講習受講契約において，代金払込後の解除を一切許さない旨の特約条項がある例などである[1]。

また，裁判例としては，東京地判平15・11・10判タ1164号153頁は，大学医学部専門の進学塾と消費者との冬期講習受講契約に関し，受講手続完了後の受講の取消しや授業料等の返金を一切許さないとする特約について，法10条により無効であると判断したものがある[2]。

このように消費者の解除権行使を一切認めないこととする条項については，消費者が既に不要となった契約に拘束され続けるとともに，新たな取引先を求める機会をも失わせることになり類型的に不当性が高いものと指摘され，新たな不当条項規定を設けるべきことが議論されてきた[3]。

2015年5月29日第11回専門調査会において，新たな不当条項の追加に関する議論がなされ，そのなかで消費者の解除権行使をあらかじめ放棄させる条項のほか，消費者の解除権に関しての解除の要件や行使方法を制限する条項[4]が用いられている実情が指摘され，不当条項規定として新設するか否かの議論の対象とされた。

(注1) 第11回専門調査会・資料1・9頁参照。

(注2) 平成26年運用状況検討会報告書の裁判例【139】。この裁判例が第11回専門調査会における参考資料1のなかで挙示されている。

(注3) 第16次国生審最終報告は，不当条項の判断基準として「消費者の法律上の権利を合理的な理由なくして制限するもの」，「消費者にとって過酷な要求となるもの」との基準をあげていた。また，1999年日弁連試案は，ブラックリストに「消費者の解除権を一切認めない条項」をあげるとともに（13条8号），グレイリストに「消費者の法定解除権を制限する条項」をあげていた（14条14号）。加えて，平成19年度不当条項研究会報告書は，不当条項リストの見直し作業において検討を要する契約条項類型の1つとして「消費者の解除権制限条項」をあげていた。

そして 2015 年 7 月 17 日第 15 回専門調査会において，解除権放棄条項については，債務不履行解除権，任意解除権を問わず無効とする旨の規定の新設をする提案があり，また，解除権制限条項については法 10 条にならった規定の新設をする提案がされた[5]。

しかし，平成 27 年専門調査会報告書では，任意解除権（民法 651 条 1 項等）を区別して検討すべきであるという事業者側の意見や，解除権制限条項の有用性を論じる事業者側の意見を踏まえ，特に類型的に不当性が顕著である債務不履行による解除権及び瑕疵担保責任による解除権を放棄させる条項について，新たな不当条項として新設することが提示された[6]。

このような経過を経て，平成 28 年改正により法 8 条の 2 が新設された。なお，任意解除権等他の類型の解除権を放棄させる条項は，法 10 条により無効となり得ることに変わりはない。

(2) 平成 30 年改正（事業者に消費者の解除権の有無を決定する権限を付与する条項）

平成 27 年専門調査会報告書は，不当条項の追加に関し類型的に不当性が高いといえるものを抽出し継続的な検討を求めていたところ，2017 年 2 月 6 日第 32 回専門調査会において，事業者に解釈権限や決定権限を付与する条項の不当性が指摘された。その後，同年 6 月 23 日第 41 回専門調査会では，解釈権限・決定権限付与条項そのものを法 10 条の第一要件に該当する条項

(注4) 第 11 回専門調査会参考資料 1・3 頁には，「本人死亡若しくは重大な疾病又はクーリングオフによる場合を除き，受講契約締結後の解約・返金を認めない」とする旨の条項例，葬儀サービスの契約について県外への移転でなければ解約できないという条項例が挙げられている。

(注5) 第 15 回専門調査会・資料 1・34 頁以下では，解除権放棄条項について「当該条項がなければ消費者に認められる解除権・解約権をあらかじめ放棄させる条項は，無効とする。」等の立法提案がなされ，解除権制限条項については「当該条項がなければ消費者に認められる解除権・解約権を制限する条項であって，民法第 1 条第 2 項に規定する基本原則に反して消費者の利益を一方的に害するものは，無効とする。」等の立法提案がなされた。

(注6) 他の類型の解除権放棄条項や，解除権制限条項については，更なる事例の収集や分析が必要であるとされた（平成 27 年専門調査会報告書 10 頁）。

として例示することが提案された。

しかしながら，他の法令の遵守や消費者利益の保護等のため実務上必要なものがあるという意見もあり，この提案はコンセンサスを得るには至らなかったが，同年7月21日第45回専門調査会では，不当条項規制の潜脱を可能とするような決定権限を事業者に付与する条項を無効とする規定を設ける必要性が指摘された。そして，法8条1項1～4号の潜脱及び法8条の2の潜脱を可能とするような決定権限付与条項を無効とする旨の規定を設けることが提案された。

このような経過を経て，平成30年改正により法8条の2は現在のかたちとなった。

その他，解釈権限付与条項・決定権限付与条項に関する経緯については，法8条1項を参照されたい。

3 比較法

ドイツ民法は，評価の余地のない禁止事項（いわゆるブラックリスト）として，「8（義務違反の場合のその他の責任の排除）（a）（契約を解消する権利の排除）約款使用者の責に帰すべき事由による，売買目的物または仕事の瑕疵には存しない義務違反の場合に，契約を解消する相手方の権利を排除しまたは制限する規定」を無効としている（309条8号）。また，評価の余地を伴う禁止事項（いわゆるグレイリスト）として，「7（契約の解消）約款使用者が，相手方が契約を解消し，または契約を告知する場合のために，（a）物または権利の使用または利用のために不相当に高い報酬を要求し，または，（b）不相当に高い費用の賠償を請求しうるものとする規定」を無効としている（308条7号）。

また，93年EC指令は，「売主または提供者には，自由に契約を解消することが認められているのに，同様の権利が消費者には認められていない」契約条項を，不公正とみなすことができる契約条項として規定している（3条3項・付表1（f））。

さらに，韓国約款規制法は，「法律の規定に基づく顧客の解除権もしくは解約権を排除し，又はその行使を制限する条項」を無効とする旨規定してい

る（9条1号）。

Ⅱ 解　説

1　「事業者の債務不履行により生じた消費者の解除権」

(1)　意　義

事業者に債務不履行があった場合に認められる解除権（民法541条及び542条が典型例）である[7]。

本規定では，任意解除権（委任契約に関する解除権（民法651条1項））等は対象とならない。もっとも，消費者の任意解除権等を放棄させる条項は，一般条項である法10条によって無効となり得る[8][9]。

(2)　「放棄させ」

事業者に債務不履行があり，民法541条等の規定による解除の要件を満たす場合であっても，消費者に一切解除を認めないものとすることである。

そのため，消費者の債務不履行解除権を制限する条項（解除権の行使期間を限定する条項，解除要件を加重する条項，解除権行使方法を限定する条項等）は，本条には該当しない[10]。ただし，一般条項である法10条により無効となり得る。

また，形式的には解除権制限条項であっても，解除権行使期間が極めて短期間に設定されており事実上解除権を放棄させたことに等しい条項や，解除権行使方法の限定等が消費者の解除権行使を著しく困難なものとする条項は，本条の「放棄させる」条項にあたり得る。

（注7）　消費者庁解説182頁。

（注8）　消費者庁解説184頁。

（注9）　福井地判平29・9・20（判例集未登載）は，解除権を放棄する旨の合意について，民法651条の適用による場合に比して，原告らの権利を著しく制限する条項であって，信義則に反して原告らの利益を一方的に害するものであることは明らかであるから，法10条により無効であると判断した（国民生活センター報道発表資料「消費者契約法に関連する消費生活相談の概要と主な裁判例等」（平成31年1月24日）参照）。

（注10）　消費者庁解説182頁。

なお,「いかなる場合でも契約後のキャンセルは一切受け付けられません」とする条項が,進学塾の受講契約,美容エステ入会契約,健康食品の購入契約等においてしばしば見受けられるが,かかる契約条項は,事業者に債務不履行がある場合も含めて消費者による解除を許さない条項であるから,本条により無効である。

この点に関し,消費者庁逐条解説では,当該条項以外の条項において,事業者の債務不履行につき消費者が解除権を行使できる旨が明記されていた場合などの事情があれば,前記条項が本条に該当しない場合があるという[11]。

確かに,「いかなる場合でも契約後のキャンセルは一切受け付けられません」とする条項(以下「解除権放棄条項」という。)に続けて,ただし書において「ただし,弊社の債務不履行の場合を除きます。」等の条項(以下「債務不履行による解除権許容条項」という。)が規定されている場合には,本文の解除権放棄条項には,債務不履行解除が含まれていないことを明示して書き分けたものであるから,法3条1項1号の趣旨に照らしても,解除権放棄条項部分は本条により無効とならないと考えて良いであろう。

しかしながら,事業者があらかじめ作成した条項群のなかで,解除権放棄条項と債務不履行による解除権許容条項が全く別異の場所に規定されている場合も考えられる。その場合消費者において契約を解除しうるか否か不明瞭であることに変わりはないから,法3条1項1号の趣旨に照らしても,基本的には,解除権放棄条項は本規定により無効となると解すべきである(なお,その場合,解除権許容条項は単なる確認規定となる。)。

2 「その解除権」

「その解除権」とは,事業者の債務不履行に基づく解除権をいう。

3 「当該事業者にその解除権の有無を決定する権限を付与する」

「当該事業者にその解除権の有無を決定する権限を付与する」とは,任意規定によれば消費者に債務不履行に基づく解除権が生じるにもかかわらず,

---

(注11) 消費者庁解説182~183頁。

当該事業者の決定により，当該消費者の解除権を放棄させることを可能とすることをいう。

例えば，「当社の商品の購入申込み後は，当社が債務不履行の存在を認めた場合を除き，申込みの取消しやキャンセルはできないものとします。」といった条項は，消費者の債務不履行解除権の有無を決定する権限を事業者に付与した条項にあたることから，本条により無効となる。

また，「弊社の提供する物品について，弊社の調査基準による欠陥があると認められた場合に限り，契約を解除できるものとします。」といった条項も，同様に本条により無効となる。

さらに，「お客様から契約解除のお申し出をいただく場合には，所定用紙に所定事項をご記入いただくことで受付させていただき，弊社において解除の可否を判断いたします。弊社が解除事由があると認めた場合に限り，契約を解除できるものとします。」といった条項も，債務不履行に基づく解除権の有無を決定する権限を事業者に付与した条項にあたることから，本条によって無効となる。

4 効 果

本条により，解除権放棄条項が無効となる。また事業者の債務不履行に基づく消費者の解除権の発生要件該当性を決定する権限を事業者に付与する条項は無効となる。その結果，消費者は，債務不履行責任に関する規定に基づき契約を解除することができる。

第8条の3（事業者に対し後見開始の審判等による解除権を付与する条項の無効）

> 第8条の3 事業者に対し，消費者が後見開始，保佐開始又は補助開始の審判を受けたことのみを理由とする解除権を付与する消費者契約（消費者が事業者に対し物品，権利，役務その他の消費者契約の目的となるものを提供することとされているものを除く。）の条項は，無効とする。

I　趣　旨

1　問題の所在

「事業者に不相当な解除権・解約権を付与する規定」については，原則的な権利義務状態に比べて消費者を著しく不利な立場にする契約条項であることから，新たな不当条項として追加すべきではないかが問題とされた(1)。

そこで，かかる事業者に不相当な解除権・解約権を付与する規定を不当条項リストに加えることの当否について検討が行われた結果，上記のような解除権付与条項の1類型である「事業者に対し後見等開始の審判による解除権を付与する条項」を不当条項として追加することが平成29年専門調査会報告書において取りまとめられ(2)，平成30年改正において本規定が新設された。

2　経　緯

専門調査会では，「事業者に当該条項がなければ認められない解除権を付与し又は当該条項がない場合に比し事業者の解除権の要件を緩和する条項」についても新たな不当条項規定を設けることが検討されたが(3)，平成27年専門調査会報告書では，さらに事例の収集・分析を経る必要性が指摘されるに留まった(4)。

その後に再開された専門調査会においては，「事業者に当該条項がなければ認められない解除権・解約権を付与し又は当該条項がない場合に比し事業者の解除権・解約権の要件を緩和する条項」のうち，その1類型である「事

(注1)　平成25年論点整理の報告67頁以下，平成26年運用状況検討会報告書64頁以下など。

(注2)　裁判例としては，大阪高判平25・10・17消費者法ニュース98号283頁が本件解除条項の中にある，成年被後見人，被保佐人の審判開始または申立てを受けたときについては，およそ賃借人の経済的破綻とは無関係な事由であって，選任された成年後見人や保佐人が財産管理を行うことになり，むしろ賃料債務の履行が確保されるということもできるから，これらの事由が発生した場合に賃貸人に一方的に解除を認める条項も，信義則に反しており，法10条後段に該当し消費者の利益を一方的に害しているというべきであると判示している。

業者に対し後見等開始の審判による解除権を付与する条項」，具体的には，下記のような契約条項を不当条項として追加することが提案された[(5)(6)]。

> 条項例① （建物賃貸借の契約書において用いられている条項）
>
> 　　乙（賃借人）に，次の各号のいずれかの事由が該当するときは，甲（賃貸人）は，直ちに本契約を解除できる。（中略）
>
> 　　⑹解散，破産，民事再生，会社整理，会社更生，競売，仮差押，仮処分，強制執行，成年被後見人，被保佐人の宣告や申し立てを受けたとき。
>
> 条項例② （インターネット接続サービスの会員規約において用いられている条項）
>
> 　　会員が以下のいずれかの項目に該当する場合，弊社は当該会員に事前に何等通知または催告することなく，本サービスの提供の停止及び会員資絡の取消をすることができます。（中略）
>
> 　6．　個人の会員，もしくは法人及びその他の団体の代表者である会員について，破産の申立があった場合または後見開始の審

（注3）　平成27年専門調査会報告書8頁（脚注8）には，引き続き新たな不当条項規定を設けるべきか検討すべき条項類型として，「ⓐ消費者の解除権・解約権をあらかじめ放棄させ又は制限する条項，ⓑ事業者に当該条項がなければ認められない解除権・解約権を付与し又は当該条項がない場合に比し事業者の解除権・解約権の要件を緩和する条項，ⓒ消費者の一定の作為又は不作為をもって消費者の意思表示があったものと擬制する条項，ⓓ契約文言の解釈権限を事業者のみに付与する条項，及び，法律若しくは契約に基づく当事者の権利・義務の発生要件該当性若しくはその権利・義務の内容についての決定権限を事業者のみに付与する条項，ⓔ本来であれば全部無効となるべき条項に，その効力を強行法規によって無効とされない範囲に限定する趣旨の文言を加えたもの（サルベージ条項）及びⓕ事業者の軽過失により消費者の生命又は身体に生じた損害を賠償する責任の一部を免除する条項等が挙げられる。」と指摘されている。

（注4）　平成29年専門調査会報告書10頁以下。

（注5）　第32回専門調査会・資料1・3頁。

（注6）　第41回専門調査会・資料1・10〜11頁には，さらに5つの条項例が収集されて報告されている。

324 第2章 消費者契約

> 判を受けた場合（後略）
>
> 条項例③（宅配クリーニングの利用規約において用いられている条項）
>
> 当社は，会員が，以下の各号のいずれの事項に該当する場合，事前に通知又は催告することなく，当該会員について本サービスの利用を一時的に停止し，又は会員としての登録を取り消すことができます。（中略）
>
> (9)死亡した場合又は後見開始，保佐開始若しくは補助開始の審判を受けた場合（後略）

　上記のような契約条項は，いずれも，成年後見制度の趣旨に反する点で，類型的に不当性が高い旨の指摘がなされたが，これに関して，高リスクの金融商品を取り扱う事業者からは，後見人選任による契約解除条項を無効とすることは，かえって消費者保護にならない等の反対意見が寄せられた。しかし，後見人が選任されたのであれば当該後見人が高リスク取引継続の是非を消費者本人の代理人として判断するべきであることが指摘された[7]。

　上記のような議論を経て，平成29年専門調査会報告書では，高リスクの金融商品に関する適合性原則の観点からの事実調査を踏まえた契約解除までを制限する趣旨でないことを明確化するため，「当該消費者が後見開始，保佐開始又は補助開始の審判を受けたことのみを理由として」（波線筆者）事業者に解除権を付与する条項を無効対象とする旨が取りまとめられ[8]，平成30年改正に至った。

II　解　説

1　「後見開始，保佐開始又は補助開始の審判を受けたことのみを理由として」

(注7)　第41回専門調査会・資料1・7〜8頁。
(注8)　平成29年専門調査会報告書10頁。

成年後見開始，保佐開始，補助開始のいずれかの審判を消費者が受けたことだけを理由として，事業者に解除権限を付与する条項を対象とすることを明確にしたものである。

そのため，後見等開始を契機に，個別に消費者への適合性の有無の確認等が行われ，客観的に合理的な理由があるときに契約解除に至ることを定めた規定まで一律に無効とすることを想定した規定ではない[9]。

他方，形式的には後見等開始とは別の理由による解除権付与条項であるとしても，実質的には後見等開始のみを理由とする解除権付与条項にあたると評価される場合には，本条によって無効となると考えられる。また，かかる規定は法10条によっても無効となり得る。

2 かっこ書による除外規定

本条のかっこ書は，「消費者が事業者に対し物品，権利，役務その他の消費者契約の目的となるものを提供することとされているものを除く。」と規定し，本条により無効となる契約条項の対象から，消費者が事業者に消費者契約の目的となるものを提供することとされている消費者契約の条項を除くとしている。

これは，民法の準委任契約では受任者の後見開始の審判を受けたことを契約の終了事由としていることから（民法656条，同653条3号），消費者が役務を提供する消費者契約においては，消費者が後見開始の審判を受けた場合に契約解除を認める条項も，一律に民法上の原則よりも消費者の権利を制限し，義務を加重するものとは言えないのではないかという点に鑑みた規定である。

このかっこ書の規定は，消費者の後見等開始のみを理由に事業者へ解除権を付与する条項について例外的に有効となる場面を定めたものであるから，あくまで例外場面として限定的に解されるべきである。この点，ここにいう

（注9）　例えば，証券会社が，その顧客に後見等開始の審判がなされたことを認識した場合に，高リスク取引に係る適合性の有無の確認等を行ったうえで，取引の継続が適合性原則に反する等の場合に当該顧客との契約を解除することについては，本条の対象とするところではない。

「提供」に該当するためには，消費者が，消費者契約の目的となるものを事業者が利用し得る状態に置くことが必要と解すべきである[10]。また，上記の適用除外に該当する契約条項であっても，一般条項である10条によって無効となり得る[11]。

3　効　果

事業者に対し後見等開始の審判のみを理由とする解除権を付与する条項は無効となる。したがって，事業者は，消費者が後見等開始の審判を受けたことのみを理由として消費者契約を解除することができない。

第9条　（消費者が支払う損害賠償の額を予定する条項等の無効等）

第9条　次の各号に掲げる消費者契約の条項は，当該各号に定める部分について，無効とする。
　一　当該消費者契約の解除に伴う損害賠償の額を予定し，又は違約金を定める条項であって，これらを合算した額が，当該条項において設定された解除の事由，時期等の区分に応じ，当該消費者契約と同種の消費者契約の解除に伴い当該事業者に生ずべき平均的な損害の額を超えるもの　当該超える部分
　二　当該消費者契約に基づき支払うべき金銭の全部又は一部を消費者が支払期日（支払回数が2以上である場合には，それぞれの支払期日。以下この号において同じ。）までに支払わない場合における損害賠償の額を予定し，又は違約金を定める条項であって，これらを合算した額が，支払期日の翌日からその支払をする日までの期間について，その日数に応じ，当該支払期日に支払うべき額から当該支払期日に支払うべき額のうち既に支払われた額を控除した額に年14.6パーセントの割合を乗じて計算した額を超えるもの　当該超える部分

（注10）　消費者庁解説189頁（注）部分。
（注11）　消費者庁解説188頁。

> 2　事業者は，消費者に対し，消費者契約の解除に伴う損害賠償の額を予定し，又は違約金を定める条項に基づき損害賠償又は違約金の支払を請求する場合において，当該消費者から説明を求められたときは，損害賠償の額の予定又は違約金の算定の根拠（第12条の4において「算定根拠」という。）の概要を説明するよう努めなければならない。

Ⅰ　総　論

　9条1項1号は解除に伴う損害賠償額の予定の制限，2号は金銭支払義務の不履行に対する損害賠償額の予定の制限についてそれぞれ規定している。本条は，制定当初は2項が存在しなかったため9条1号，2号のみの規定であったが，令和4年5月改正により2項が追加されたことにより，1号，2号がそれぞれ1項1号，1項2号とされ，9条1項1号，1項2号及び2項という規定となった。

　消費者契約では，消費者が契約を解約した場合や消費者の債務不履行を理由に事業者が契約を解除した場合に事業者が消費者に対し損害賠償金，違約金，解約料，キャンセル料などといった名称のもと高額な金員の支払を求め得る旨を約款で定めている場合が少なくないことから，トラブルとなる事例は多い。例えば，①英会話教室やエステの解約に際して前納を受けた受講料を一切返金しない，②1か月7,000円の駐車代を11か月未納にしたことで賃貸借契約を解除された際に，未納駐車代金7万7,000円に加えて損害金33万円（1日1,000円）を請求されたといった事例等である。特に苦情事例が多かったエステティック，外国語会話教室等の特定継続的役務提供取引については，既に特定商取引法49条によって消費者に中途解約権が認められるとともに損害賠償額の上限が定められていたが，本条はすべての消費者契約について過大な損害賠償の予定や違約金の定めを無効としたものである。

　「被害者は，相手方の不法行為，債務不履行から利得を得てはならない」（民事損害賠償法の世界における利得禁止原則）と同様の要請を消費者取引における事業者に対して貫徹する見地から，民法の一般理論を修正して賠償額の予定・違約金条項の原則的自由に制限を加えるものである[1]。

9条1項各号の要件に該当すれば，その契約条項は無効となる。「不相当な」「不合理な」との評価要件を定めていないという意味において，いわゆるブラックリストである。

Ⅱ 9条1項1号

1 趣　旨

(1) 意　義

(ⅰ) 上述のとおり，消費者契約においては，消費者が契約を解約した場合や消費者の債務不履行を理由として事業者が契約を解除した場合に事業者が消費者に対し損害賠償金，違約金，解約料，キャンセル料などといった名称のもと高額な金員の支払を求め得る旨を規定した契約条項が，事業者によって定められている場合が少なくない。

(ⅱ) 民法上の原則では，仮に債務者に帰責事由のある債務不履行が存在する場合であっても，債権者は債務者に対し，債務者の債務不履行と相当因果関係のある実損害額しか賠償請求できないとされている（民法416条）。しかるに，社会的弱者を一方当事者とする消費者契約において，事業者が消費者に対し実際にこうむった損害額を上回るような金員を請求できることを認める必要はない。むしろ，そのような賠償を認めるならば，事業者は不当に利益を得ることになる[2]。

また，消費者が法定解除権や約定解除権を行使して消費者契約を解除した場合や事業者と消費者が消費者契約を合意解除した場合のように，消費者に帰責事由が無い場合や稀薄な場合においては，上述のような消費者に債務不履行が存する場合にもまして，事業者が消費者契約の解消を契機として利益を得ることを肯定するのは不合理である。

(ⅲ) そこで，本号は，消費者の債務不履行を理由として事業者が消費者契約を解除した場合はもちろん，その他の理由によって契約が解除された場合

(注1)　潮見佳男＝角田美穂子「不当条項リストをめぐる諸問題」別冊NBL54号184頁。
(注2)　山本敬三「消費者契約立法と不当条項規制」NBL686号26頁。

であっても，消費者契約の解除によって事業者が被った損害を上回る高額な損害賠償金，違約金，解約料，キャンセル料といった金員の支払義務を定める契約条項について，民法420条の規定にかかわらず，事業者の損害を上回る部分について無効とする旨を規定したものである[3]。

(iv) なお，最判平18・11・27判時1958号61頁（平成17年（オ）第886号事件）は，本号の記載が憲法29条に反するものではない旨を判示している。

(2) 制定経緯

本号は，後段において「これらを合算した額が，当該条項において設定された解除の事由，時期等の区分に応じ，当該消費者契約と同種の消費者契約の解除に伴い当該事業者に生ずべき平均的な損害の額を超えるもの」という要件を定めている。

上記の条文は難解であるが，このような条文が定められるに至った立法経緯は下記のとおりである。

(i) 第17次国民生活審議会消費者政策部会の条文案とその問題点

(ｱ) 前述のとおり，本号の立法趣旨は，消費者契約の解除時において事業者が消費者に対し実際に被った損害額を上回るような金員を請求できることを認める必要はない，「むしろ，そのような賠償を認めるならば，事業者は不当に利益を得ることになる」という観点から，事業者が消費者契約の解除を契機として不当な利得を得ることを許容しない，事業者に生じる損害を上回る高額なキャンセル料等を定める契約条項は無効とするという点にあった。

(ｲ) 消費者契約法の制定を審議していた旧経済企画庁第17次国民生活審議会消費者政策部会は，平成11年12月，上記のような立法趣旨を具現化する法文として，「契約の解除に伴う消費者の損害賠償の額を予定し，又は違約金を定める場合に，これらを合算した額が，事業者に通常生ずべき損害を

(注3) 山本豊「消費者契約法 (3) ―不当条項規制をめぐる諸問題」法教243号60頁は，このような本号の性格について，「本号は，理論的位置づけを少しずつ異にする複数の場面を適用対象とする複雑な規定である」としている。落合誠一『消費者契約法』136～137頁（有斐閣，2001）。

超えることとなる条項」という条文案を提案した[4]。

(ウ) 上記の条文案は，事業者に発生する損害を上回る損害賠償額予定条項等を無効とするという立法趣旨には素直な表現であった。

しかしながら，「通常生ずべき損害」という文言が民法416条1項における「通常生ずべき損害」という文言と同一であることから，両文言の概念を同一に解するとすれば，事業者の内情など知り得ない消費者に酷ではないかという問題があった。

そこで，仮に「事業者に通常生ずべき損害」という文言のまま立法化されたとしても，民法416条1項の解釈論において最も緩和された，債権者の具体的事情を捨象して客観的に算定する方法（抽象的損害計算）という意味で理解すべきであろうといった解釈論が既に提唱されていた[5]。

(ⅱ) 消費者契約法案の立案段階における修正

(ア) その後，旧経済企画庁国民生活局は，平成12年2月，第17次国生審報告における「事業者に通常生ずべき損害を超えることとなる条項」という表現を，「当該条項において設定された解除の事由，時期等の区分に応じ，当該消費者契約と同種の消費者契約の解除に伴い当該事業者に生ずべき平均的な損害の額を超えるもの」という表現（現在の本号後段の表現）に修正のうえ「消費者契約法案」として公表し，同年3月7日に閣議決定を受けた。

(イ) 上記の修正によって，本号後段における「事業者の損害」が民法416条1項における「通常生ずべき損害」とは異なる概念であること，厳密な意味での事業者の実損害額の算定は必要でなく抽象的な損害計算で足りることが文理上明らかとなった[6]。他方，新たな概念である「平均的な損害の額」の意義を明らかにしておくことが必要となった。（この文言の意義については，後述の通り。）

(3) 改正の検討経緯

本号については，主として次のような問題があり，これらの事項等につい

(注4) 山本敬三・前掲（注2）18頁。
(注5) 山本敬三・前掲（注2）26頁。
(注6) 山本敬三・前掲（注2）34〜35頁「後記」部分。

て，下記「(ⅱ)これまでの検討経緯」に記載のような経緯で検討がされた。
  (ⅰ) 問題の所在
  (ア) 「平均的な損害の額」の解釈を巡る問題
  本号は，消費者契約の解除に伴う損害賠償の額を予定した条項又は違約金を定める条項について，これらを合算した額が，当該条項において設定された解除の事由，時期等の区分に応じ，「当該消費者契約と同種の消費者契約の解除に伴い当該事業者に生ずべき平均的な損害の額」（以下「平均的な損害の額」と略称することがある。）を超える場合には，当該超過部分が無効になる旨を定めている。

  もっとも，「平均的な損害の額」の意義については，近時の裁判例の解釈においても一様でなく，また，もし仮に解除に伴う事業者の逸失利益を広く含むとすれば本条の趣旨が没却されることになるため，その意義や算出方法の具体化，当然に逸失利益を含む概念ではないことの明確化が求められている。

  (イ) 「平均的な損害の額」の立証の問題
  本号における「当該事業者に生ずべき平均的な損害の額」及びこれを超える部分について，最高裁判決は，事実上の推定が働く余地があることは認めつつ，基本的には，消費者が立証責任を負うものと判断した[7]。しかし，「当該事業者に生ずべき平均的な損害の額」はその事業者に固有の事情であり，立証のために必要な資料は主として当該事業者が保有していることから，裁判や消費生活相談において，消費者による「平均的な損害の額」の立証が困難な場合がある[8]。

  このため，立証責任の転換規定あるいは推定規定の新設や，事業者による主張・立証を制度的に促す等の立法的対応が求められている。
  (ウ) 「解除に伴う」要件の問題
  本号は「当該消費者契約の解除に伴う」場面に限定して損害賠償額の予定・違約金条項を規律している。もっとも，損害賠償額の予定や違約金条項を定めることによって事業者が不当な利得を得るべきではないという本号の

(注7) 最判平18・11・27判時1958号12頁（学納金返還請求訴訟）。

趣旨は，契約の解除に伴わない場合においても同様にあてはまるものと考えられる。

そこで，契約の解除に伴うかどうかに関係なく，損害賠償額の予定・違約金条項について「平均的な損害の額」を超える部分は無効とすべきことが求められている。

(ii) これまでの検討経緯

(ア) 専門調査会における検討経緯

(a) 本号に関して検討された論点

専門調査会では，本号に関して，当初，①「平均的な損害の額」の意義，②「平均的な損害の額」の立証に関する規律の在り方，③「解除に伴う」要件の要否の各論点について，これまでの議論が整理された[9]。

もっとも，その後の専門調査会で本号に関して検討されたのは，②「平均

(注8) 例えば，平成26年運用状況検討会報告書においては，学納金の返還請求訴訟において，原告（消費者）の求めや裁判所の求釈明にもかかわらず，被告である大学（事業者）が会計書類等の内部資料を提出しなかったという事例が報告されており，「訴訟実務において，事業者から内部資料が証拠提出されないことはよくある」との意見も示されていた。

また，裁判官から見た実態としても，司法研修所編『現代型民事紛争に関する実証的研究―現代型契約紛争(1)消費者紛争』75頁（法曹会，2011）によれば，東京と大阪の各地裁・簡裁の裁判官に行ったアンケートの結果として，「裁判官アンケートでも，具体的な主張立証が困難なため，どちらも十分な主張立証を行わないことがあり，苦労したという意見があった」とされている。

さらに，朝倉佳秀「消費者契約法9条1号の規定する『平均的損害』の主張・立証責任に関する一考察」佐々木茂美編『民事実務研究Ⅰ』154頁（判例タイムズ社，2005）において，「裁判例を見ると，事業者が全く証拠を提出しない等の訴訟活動をすることがままあるようである。現に筆者も，民事訴訟において，代理人が，『立証責任は相手方にある』と述べて何ら反証活動をしないという行動をとることをしばしば体験する」と述べている。

加えて，適格消費者団体や訴訟手続を行う弁護士の立場から見た本号の運用実態や実務上の問題点については，第38回専門調査会（2017年5月12日）における五條操弁護士提出の資料4及び同弁護士の意見陳述を参照。

(注9) 第1回専門調査会・資料2-3「消費者契約法（実体法部分）に関する各論点についてのこれまでの審議会等における議論状況の整理」参照。

的な損害の額」の立証に関する規律の在り方に関する論点が中心であった[10]。①「平均的な損害の額」の意義の論点についてはほとんど検討が行われず，③「解除に伴う」要件の要否の論点に関しては，契約の終了場面全般に関する損害賠償額の予定等の議論ではなく，「期限前の弁済に伴う損害賠償の額を予定する条項」（いわゆる早期完済条項）への対応が主として議論された[11]。そして早期完済条項への対応策として本号を改正して「解除に伴う」要件を削除する方向性などが検討された[12]。

(b) 平成27年専門調査会報告書

2015年12月，平成27年専門調査会報告書が取りまとめられたが，前記(ii)(ｱ)(a)の①「平均的な損害の額」の意義については報告書に盛り込まれなかった。

また，②「平均的な損害の額」の立証に関する規律の在り方についても，「『平均的な損害の額』が争われた裁判例について，事実上の推定に関する議論を踏まえつつ，最高裁判決の趣旨と射程を分析するのはもとより，当事者の攻撃防御や裁判所の訴訟指揮の実情・実態を把握することが必要であり，そのためにヒアリング等を実施することが適当である。また，消費生活相談事例の調査・分析も十分に行うことで，裁判実務のみならず消費生活相談においても使い易いものにするための検討が必要である。」（14頁）として，やはり法改正事項には盛り込まれず，「今後の検討課題」とされた。

(注10) 第10回専門調査会・資料1・11頁以下，第14回専門調査会・資料1・56頁以下参照。

(注11) 関連する裁判例として，大阪高判平21・10・23ウエストロー・ジャパン2009WLJPCA10236001。適格消費者団体が，貸金業者と消費者との間で金銭消費貸借契約を締結する際に使用する早期完済違約金条項は無効であると主張した事案である。判決は，民法136条2項ただし書は，貸主に利息制限法の利率を超える金員の収受を認めたものではなく，その範囲でただし書の適用は排除されるなどとした上で，早期完済違約金条項は信義則に反して消費者の利益を一方的に害するものであり，法10条に反するとした。最決平23・11・30（（平成22年（受）第224号）上告受理申立不受理）により確定した。

(注12) 第12回専門調査会・資料1・26頁以下，第14回専門調査会・資料1・64頁以下参照。

③「解除に伴う」要件の要否についても,「実質的に契約が終了する場合に要件を拡張することで,早期完済条項や明渡遅延損害金を定める条項を法第9条第1号によって規律することの適否を中心としつつ,違約罰についても『平均的な損害の額』という概念で規律することの適否も含め,引き続き検討を行うべきである。」(同14頁)として法改正に向けた具体的提案には至らなかった。

　もっとも,平成27年専門調査会報告書においては,法3条1項の定める事業者の努力義務規定に着目し,その趣旨が事業者と消費者との間に情報・交渉力の格差があることを踏まえ,本号の「平均的な損害の額」が問題となった場合にも,事業者は,消費者に対して必要な情報を提供するよう努めなければならず,このことは事業者,消費者そして消費生活相談員等に周知することが適当であると明示された[13]。

　これを受けて,消費者庁解説においても,「『当該事業者に生ずべき平均的な損害の額』はその事業者に固有の事情であり,立証のために必要な資料は主として事業者が保有している」として,消費者による立証の困難性を指摘したうえで,法3条1項2号の趣旨に照らし,「平均的な損害の額」が問題となった場合に,事業者が消費者に対して,必要な情報を提供するよう努めなければならないと解される旨が書き加えられた[14]。

　(c)　平成29年専門調査会報告書

　平成28年改正後に再開された専門調査会では,本号に関しては,「平均的

(注13)　平成27年専門調査会報告書14～15頁。

(注14)　消費者庁解説〔第4版〕279頁は,「『当該事業者に生ずべき平均的な損害の額』はその事業者に固有の事情であり,立証のために必要な資料は主として事業者が保有していることから,裁判や消費生活相談において,消費者による『平均的な損害の額』の立証が困難な場合もあると考えられる。この点に関し,法第3条第1項第2号は,事業者と消費者との間に情報・交渉力の格差があることを踏まえ,消費者の理解を深めるため,事業者の努力義務として,消費者契約の締結について勧誘をするに際して,消費者の権利義務その他の消費者契約の内容についての必要な情報を消費者に提供することを定めている。その趣旨に照らすと,事業者と消費者との間で『平均的な損害の額』が問題となった場合にも,事業者は消費者に対して必要な情報を提供するよう努めなければならないと解される」としている。

な損害の額」の立証に関する規律の在り方が優先的論点とされた。

その結果，平成29年専門調査会報告書では，「法第9条第1号の『平均的な損害の額』に関し，消費者が『事業の内容が類似する同種の事業者に生ずべき平均的な損害の額』を立証した場合には，その額が『当該事業者に生ずべき平均的な損害の額』と推定される旨の規定を設けることとする。」(8頁)との結論が取りまとめられた。

また，平成29年専門調査会報告書では，事業者による根拠資料の提出を制度的に促す考え方も検討され，「このような考え方については，一般的な文書提出義務を定める民事訴訟法第220条と異なる特別の規定を設ける必要性・合理性があるかという課題が存在」(9頁)しているとされ，引き続き検討されることとなった[15]。

なお，「解除に伴う」要件の要否や「平均的な損害の額」の意義など本号に関する他の論点については，今後の課題として残された。

ところが，「平均的な損害の額」に関する法律上の推定規定については，上記のとおり平成29年専門調査会報告書で規定を設けるべきとの結論で取りまとめられたにもかかわらず，平成30年改正には盛り込まれなかった。政府はその理由を「平均的な損害の額の推定規定を設けるに当たり，消費者契約一般に通ずる事業の内容の類似性判断の基礎となる要因を見出すことが困難であったことなどから，更に精査が必要であったため」[16]と説明している。

また，平成29年専門調査会報告書では，「『当該事業者に生ずべき平均的な損害の額』に関しては，事業者が，損害賠償の額を予定し又は違約金を定める条項を定める際に，あらかじめ『平均的な損害の額』を十分算定していれば，紛争が生じた場合でも，算定根拠を示した説明も容易となり，損害賠償の額の予定又は違約金を巡るトラブルも回避できるものと考えられる」とし，立証の困難を緩和することとは別に，消費者庁その他の政府として，損

(注15) 特許法において類似の規定が存在しており(105条1項)，検討に値するものと考えられる。

(注16) 第196国会衆議院本会議(2018年5月11日)における福井照消費者担当大臣の答弁(会議録第25号3頁)。

害賠償の額の予定又は違約金の運用実態を把握しつつ，改めて本号の意義を周知することの必要性が確認され[17]，それだけでなく，事業者に対しても，損害賠償の額又は違約金を定めるに際しては，合理的な根拠をもって「平均的な損害の額」を算定しておくことが期待されている旨の指摘も明記された[18]。そして，その指摘が逐条解説にも明記された[19][20]。

　(イ)　消費者契約法改正に向けた専門技術的側面の研究会報告書

　同研究会では，「平均的な損害の額」の立証に関する規律の在り方が議論され，令和元年9月，消費者契約法改正に向けた専門技術的側面の研究会報告書が取りまとめられた。

　同報告書では，消費者の立証負担軽減のための規律を設けるにあたり，多数の裁判例の分析，標準約款の分析，業界団体に対するヒアリング調査等に基づき，以下の考え方が示された。

　①　「現行法第9条第1号に規定する『平均的な損害の額』に関し，消費者が，消費者契約の目的となるものの内容及び取引条件が類似する同種の事業者に生ずべき平均的な損害の額を立証した場合には，その額が，当該事業者に生ずべき平均的な損害の額と推定される旨の規定を設ける」考え方（推定規定の創設），

　②　「法第9条第1号の規定の適用に係る訴訟において，消費者又は適格消費者団体が同号の平均的な損害の額を超えるものとして主張する金額を否認するときは，相手方事業者は，自己の主張する金額の算定根拠を明らかにしなければならない。ただし，相手方において明らかにすることができない相当の理由があるときは，この限りでないという規定を設ける」考え方（積極否認の特則），

(注17)　平成29年専門調査会報告書9頁。
(注18)　平成29年専門調査会報告書9頁。
(注19)　消費者庁解説〔第4版〕279頁，消費者庁解説207～208頁。
(注20)　本号の趣旨に照らせば，事業者が損害賠償の額の予定又は違約金を定めるに際しては，合理的な根拠をもって「平均的な損害の額」を算定しておくことが求められるという指摘はごく当然の要請であるが，その点が逐条解説に明記された意義は大きい。

③「裁判所は，適格消費者団体の申立てにより，『平均的な損害の額』を判断するため，相手方事業者が保有する書類その他の物について，消費者契約の解除に伴う損害賠償の額を予定し又は違約金を定める条項であってこれらを合算した額が当該事業者の『平均的な損害の額』を超える蓋然性が相当程度高いと認められるときは，事業者に対し，平均的な損害の額について立証するため必要な書類等の提出を命ずることができる」との規律を設ける考え方（文書提出命令の特則），

④「適格消費者団体が，消費者が支払う損害賠償の額を予定する条項等の差止請求権を行使する場合に，『平均的な損害の額』を判断するため，相手方が保有する書類その他の物について，消費者契約の解除に伴う損害賠償の額を予定し又は違約金を定める条項であってこれらを合算した額が当該事業者の『平均的な損害の額』を超える蓋然性が相当程度高いと認められるときは，当該適格消費者団体は，事業者に対し，平均的な損害の額の算定に必要な情報の開示を請求することができる旨の規定を設ける」考え方（適格消費者団体による実体法上の資料提出請求権）
である。

　これらについては，具体的な制度設計につき引き続き検討を進めていくべきとされた[21]。

　このほか，「解除に伴う」要件の在り方，「平均的な損害の額」の意義についても議論されたが，引き続きの課題として，関係者の意見も聞きながら検討することが適当とされた[22]。

　㈦　令和3年消費者契約に関する検討会報告書

　2021年9月，令和3年消費者契約に関する検討会報告書が取りまとめられた。

　報告書では，2018年の法改正時においても，消費者の「平均的な損害」に関する立証責任の負担軽減に向けた検討を行い必要な措置を講ずることが政府に求められていたことを受け，対応が必要とされた（12頁）。具体的対

（注21）　消費者契約法改正に向けた専門技術的側面の研究会報告書35頁。
（注22）　消費者契約法改正に向けた専門技術的側面の研究会報告書42頁。

応として,「平均的な損害」を算定する際の主要な考慮要素として, 当該消費者契約における商品, 権利, 役務等の対価, 解除の時期, 当該消費者契約の性質, 当該消費者契約の代替可能性, 費用の回復可能性などを列挙することにより「平均的な損害」の明確化を図るという案が示された (13頁)。ところが, 令和4年5月改正では, 同案は採用されず改正には至らなかった[23]。

また, 報告書では, 解約時の説明に関する努力義務の導入が提案されたが (13頁), こちらは令和4年5月改正において, 事業者の損害賠償の額の予定又は違約金の算定の根拠の概要を説明する義務という形で規定が置かれた (9条2項)。

消費者契約に関する検討会における議論経過, 同項新設の経緯やその内容等については, 本書9条2項の解説(iv)参照。

2 解説

(1) 要件

本号は, 消費者契約に契約の解除に伴う損害賠償額の予定等の定めがある場合において, 事業者は契約が解除されたときに当該事業者に生ずべき平均的損害の額を超える額の支払を消費者に請求することができず, その超過部分を無効とするものである。

(i)「当該消費者契約の解除に伴う」

(ア) 前述のとおり, 本号は, 消費者の債務不履行を理由とした事業者からの契約解除時はもちろん, その他の理由によって契約が解除された場合であっても, 消費者契約の解除によって事業者に生じた損害を上回る高額な損害賠償金, 違約金, 解約料, キャンセル料といった金員の支払義務を定める契約条項について, 事業者の損害を上回る部分について無効とする旨を規定したものである。

(イ) したがって, 本条号にいう「解除」には, 事業者からの債務不履行解除はもちろん, 消費者による法定解除権や約定解除権の行使による契約解除

(注23) 令和4年5月改正では明文化こそされていないものの, 考慮要素として重要であることに変わりはない。

や解約告知，事業者・消費者間の合意解除，契約解除の意思表示と見なされる事由の発生，解除条件の成就などが広く含まれる。すなわち，およそ消費者契約が解消された場合における消費者の金員支払義務を定める契約条項は，すべて本条号にいう「消費者契約の解除に伴う」に該当する[24][25]。

㋒ この点，いわゆる学納金返還訴訟における最判平18・11・27民集60巻9号3597頁（平成17年（オ）第1437号事件）も，入学手続要項に入学式を無断欠席した場合には入学を辞退したものとみなす旨の記載があるだけの場合，すなわち，厳密には消費者から事業者に対する入学辞退（＝在学契約の解約告知）の意思表示が存在せず，在学契約の解除条件が客観的に成就しているだけの事案についても，本号の適用を肯定している。

㋓ なお，契約の解除そのものを認めない契約条項については，本号の適用はない。しかし，上記のような契約条項は一般規定である10条によって無効となりうる[26]。

また，契約解除を伴わない高額な違約金等を定める契約条項についても，本号の適用はない。しかし，上記のような契約条項も10条の適用によって

(注24) 山本豊・前掲（注3）60頁，落合・前掲（注3）136頁。

(注25) 落合・前掲（注3）136頁は，消費者が契約を解除する場合としては，例えば，消費者に解約権を付与するが，その際に実損をはるかに上回る高額な損害賠償予定条項または違約金条項を定めることにより消費者が契約から離脱することを事実上阻止することをねらった条項のような場合が考えられ，事業者が解除する場合としては，例えば，消費者に債務不履行があったときの解除による損害につき実損をはるかに上回る高額な損害賠償予定条項または違約金条項を定めて不当な利得を図ることをねらった条項のような場合が考えられるとする。

(注26) 東京地判平15・11・10判時1845号78頁は，学習塾の受講契約を取り消すことができないとの合意は，実質的に受講料の全額を違約金として没収するに等しく信義則に反する等として，10条により無効であると判示している。また，東大阪簡判平17・1・27消費者法ニュース63号137頁及び大阪地判平17・9・30消費者法ニュース66号209頁は，子供英会話講師養成講座の受講契約につき，申込要綱確認書中に「一度ご入金頂いた費用はご自身のご都合によるご返金はできません」との条項があることを理由に事業者が中途解約と受講料返還の請求を拒否した事案において，上記契約条項は民法651条1項の解除権を排除するもので消費者契約法10条に反すると判示して事業者に受講料全額の返還を命じている。

無効となりうる[27]。

　(ⅱ)　「損害賠償の額を予定し，又は違約金を定める条項」の意義

　(ア)　前述のとおり，本号は，消費者の債務不履行を理由として事業者が契約を解除した場合はもちろん，その他の理由によって契約が解除された場合であっても，消費者契約の解除によって事業者がこうむった損害を上回る高額な損害賠償金，違約金，解約料，キャンセル料といった金員の支払義務を定める契約条項について，事業者の損害を上回る部分について無効とする旨を規定したものである。

　(イ)　したがって，「損害賠償の額を予定し，又は違約金を定める条項」という要件は，もともと本号の適用範囲を厳格に「消費者が債務不履行をした場合の損害賠償額予定条項」と「消費者が何らかの違約をした場合の違約金条項」に限定する趣旨の法文ではない。

　(ウ)　本号に規定された「損害賠償の額を予定し，又は違約金を定める条項」かどうかは，その文言によるのではなく，その条項の意図する実質から判断されなければならない。すなわち，本号の立法趣旨に照らして，実質的に損害賠償額の予定等と解釈される約定であれば，違約罰，解約料，キャンセル料といった名目の如何を問わず，本号の「損害賠償の額を予定し，又は違約金を定める条項」に該当する[28][29]。

　(注27)　大阪地判平17・1・12（判例集等未登載。平成15年（ワ）第10259号事件）は，有効期限切れのJR定期券の不正利用について乗車区間の往復運賃に有効期限の翌日から不正使用発覚日までの全期間を乗じた金額の2倍の違約金を定めた旅客営業規則に基づき，上記規定自体が10条違反とはいえないが，同規定は不正利用の蓋然性が高いことが前提となっているから不正利用の蓋然性が認められない期間についてまで機械的に適用することは10条の法意に照らし許されないとして，上記規定の適用を制限して違約金請求の一部のみを認容している。

　(注28)　落合・前掲（注3）137頁および138頁。なお，学納金の返還が争われた京都地判平15・7・16判時1825号46頁は，「消費者契約中のある条項が消費者契約の解除に伴う損害賠償の額を予定し，又は違約金を定める条項であるかどうかは，その条項の文言のみではなく，実質的に見て損害賠償額の予定又は違約金を定めたものとして機能する条項かどうかによって判断すべきである」とする。同旨の裁判例として，同じく学納金の返還が争われた大阪地判平15・11・7（最高裁HP），大阪地判平15・12・26（最高裁HP）等。

(エ) 上記の意味で，本号の「損害賠償の額を予定し，又は違約金を定める条項」とは，厳密には損害賠償請求権や違約金請求権とは異なる，事業者から消費者に対する費用償還請求権，目的物の使用利益償還請求権，減価賠償請求（目的物を消費者が使用したことによる減価分の賠償を求める事業者の請求権）などを定めた契約条項や，事業者の消費者に対する原状回復義務等の減免を定めた契約条項（前払報酬の不返還を定める契約条項など）をも包含する概念である[30][31]。

(オ) この点，いわゆる学納金返還訴訟における最判平18・11・27判時1958号12頁も，有償双務契約である在学契約の前払対価返還義務（原状回復義務）の免責を定めた授業料不返還特約について，本号に規定された「損害賠償の額を予定し，又は違約金を定める条項」に該当するとして，本号の適用を肯定している。

(カ) なお，保守契約，リース契約等継続的な契約であるため中途で解約の可能性のある場合に解約したら既払金を一部または全部返還しないとする条項も，実質的に解除に伴う損害賠償ないし違約金と解される[32]。

(iii) 「これらを合算した額が，当該条項において設定された解除の事由，時期等の区分に応じ，当該消費者契約と同種の消費者契約の解除に伴い当該事業者に生ずべき平均的な損害の額を超えるもの」

(ア) 基本的な考え方

(a) 消費者庁は，「平均的な損害の額」の意義について「同一事業者が締

(注29) 落合・前掲（注3）137頁。
(注30) 山本豊・前掲（注3）61頁は，本号にいう違約金は，損害賠償額の予定の別称であるとし，本来の違約罰条項は10条の問題とする。落合・前掲（注3）137頁。
(注31) 潮見佳男編著『消費者契約法・金融商品販売法と金融取引』79頁（経済法令研究会，2001），谷本圭子「損害賠償額・違約金の予定」法セミ549号35頁。なお，山本豊・前掲（注3）61頁は，費用償還請求権（契約時の手続費用等），目的物の使用利得償還請求権，減価賠償請求権（目的物を消費者が使用したことによる減価分の賠償を求める事業者の請求権）も，本号にいう損害賠償請求権に含まれるものと解すべきとする。
(注32) 潮見編著・前掲（注31）79頁。

結する多数の同種契約事案について類型的に考察した場合に算定される平均的な損害の額という趣旨である。具体的には，解除の事由，時期等により同一の区分に分類される複数の同種の契約の解除に伴い，当該事業者に生ずべき損害の額の平均値を意味するものである」「事業者には多数の事案について実際に生ずべき平均的な損害の賠償を受けさせれば足り，それ以上の賠償の請求を認める必要はないためである」と説明している[33]。

(b) 上記の意味については，要するに，「ある消費者契約の解除が問題となる場合には，同じ事業者の同種類の契約が解除された場合を想定し，その場合にその事業者に生ずる平均的な損害額」すなわち「損害額算定に合理性があり，かつ社会常識にも合致した通常の損害額」という意味と解説されている[34]。

(イ) 判断材料

(a) まず，「平均的な損害の額」を算定する際の考慮事項について，「当該条項において設定された解除の事由，時期等の区分に応じ」と規定されているが，法文にも「時期等」と規定されているとおり，解除の事由，時期以外の事項についても総合的に考慮されることになる[35]。

(b) この点，裁判例では，パーティを内容とするサービス契約の解約の際の営業保証料の支払が争われた事案において，「当該消費者契約の当事者たる個々の事業者に生じる損害の額について，契約の類型ごとに合理的な算定根拠に基づき算定された平均値であり，解除の事由，時期の他，当該契約の特殊性，逸失利益・準備費用・利益率等損害の内容，契約の代替可能性・変更ないし転用可能性等の損害の生じる蓋然性等の事情に照らし，判断するのが相当である」とし，具体的な金額について，民訴法248条の趣旨に従って算定したものがある（東京地判平14・3・25判タ1117号289頁）。なお，民訴

(注33) 消費者庁解説193頁。
(注34) 松本恒雄ほか『Q&A 消費者契約法解説』134頁（三省堂，2000）。
(注35) 落合・前掲（注3）139頁。なお，山本豊「消費者契約法9条1号にいう『平均的な損害の額』」判タ1114号76頁は，考慮事項の1つとして規定されている解除事由について，そもそも，消費者からの解除事由のいかんにより事業者に生ずべき平均的損害の額が左右されるという理論的関係があるのか，疑問であるとする。

法248条は「損害が生じたことが認められる場合において，損害の性質上その額を立証することが極めて困難であるとき」に相当な損害額を裁判所が認定できるとした規定である。上記判決が「平均的な損害の額」を算定する場面で同条の趣旨を援用した理由は必ずしも定かでないが，消費者にとって不当に高額な損害額が算定される可能性もあるため，同条によって安易に「平均的な損害の額」が算定されることは避けられなければならないと解される[36]。

(ｳ)　判断方法

(a)　前述のように，「平均的な損害の額」の意義については，同一事業者が締結する多数の同種契約事案について類型的に考察した場合に算定される平均的な損害の額とされている[37]。

(b)　この点に関しては，まず，当該消費者契約の解除に伴い当該事業者に生ずべき損害ではなく，当該消費者契約と「同種の」消費者契約の解除に伴い当該事業者に生ずべき平均的な損害と規定されていることに留意されるべきであろう。すなわち，「平均的な損害」とは，もともと民法416条1項にいう「通常生ずべき損害」とは異なる概念として規定されているものであるから[38]，個々の事案における具体的な損害ではなく，一般的かつ客観的な平均損害をいうものと解される[39]。

(c)　他方，算定される平均的な損害は，あくまでも「当該事業者」において生じるものとして規定されている。この点については，当該事業者が同種の通常の事業者に比較して経営努力が不十分であるために，その平均的損害が，同種の通常の事業者よりも大きくなる場合は，結果として平均以下の事業者を有利に扱うことになる（これを避けるためには，「当該事業者」ではなく

(注36)　この点に関し，山本豊・前掲（注35）76頁は，本号が当該事業者における平均的損害額の証明を当事者に要求しているなかで，民訴法248条の趣旨を援用した解決は，証明責任を負う当事者が証明に失敗したとして，一刀両断的に事案の解決を図るのではなく，裁判所の裁量的解決を可能ならしめる機能を果たすものとする。

(注37)　消費者庁解説193頁。

(注38)　谷本・前掲（注31）35頁，山本敬三・前掲（注2）26頁及び35頁。

(注39)　落合・前掲（注3）139頁。

「通常の事業者」とする必要がある）という立法上の問題点が指摘されているところである[40]。このような「当該事業者」の同種契約事案についての平均的損害を一般消費者に厳密に主張・立証させるのは，不可能を強いるのに近い。というのも，事業者自身の平均的損害は，事業者は主張・立証が可能といえるが，相手方事業者の他の契約事例や解除事例等の営業秘密に属する事項を消費者が知ることは通常ありえないからである。この点は，後述する「平均的な損害」の立証責任の所在について検討する際に考慮されるべきである。

(d) 逸失利益

① 「平均的な損害の額」の意義を巡って問題となるのは，逸失利益が「平均的な損害」に含まれるか否かという点である。いわゆる逸失利益が「平均的な損害」に含まれるかについては，登録済未使用車（いわゆる新古車）の売買契約，消費者の都合で解約された場合の損害賠償金の支払が争われた事案において，「その販売によって得られたであろう粗利益（得べかりし利益）が消費者契約法9条の予定する事業者に生ずべき平均的な損害に当たるとはいえない」とした裁判例がある（大阪地判平14・7・19金判1162号32頁）。消費者が，消費者契約の解除に伴い，事業者から不当に損害賠償や違約金の出損を強いられることのないように設けられたという本号の趣旨からして，事業者に認められるべき「平均的な損害」に逸失利益が含まれるのは，当該消費者契約の目的が他の契約において代替ないし転用される可能性のない場合にかぎられるというべきである。

② 裁判例[41]

裁判例では，「平均的な損害」の範囲について，契約の締結や履行のために通常要する平均的な費用の賠償に限られ，逸失利益を含むものではないとするものがある一方で[42]，逸失利益を含む解釈を示すものもある[43]。

(注40) 落合・前掲（注3）139頁。
(注41) 改正前の9条1号により判示された裁判例について「9条1号」と記載している。
(注42) 大阪高判平25・1・25判時2187号30頁，京都地判平24・3・28判時2150号60頁等。

もっとも,「平均的な損害」に逸失利益が含まれることを許容する裁判例においても,①解除後において新たな契約を締結することによって逸失利益を補填することのできる蓋然性（いわゆる「再販可能性」）が高い場合には逸失利益は生じない[44],②解除された契約の締結によって他の収入機会を失った場合など,解除が事業者に不利益な時期であったことから生じる逸失利益に限定される[45],③在学契約の解除につき,収益を目的としない学校法人は,学納金を得て反対給付を行っても収益が生じることはなく,逸失利益は生じない[46],④受任者の責めに帰することのできない事由によらない弁護士委任契約の解除につき,約定報酬額は「平均的な損害」にあたらない[47],⑤契約締結後2日で解約された中古車販売契約につき,目的物が他に販売できない特注品ではないとして,販売によって得られたであろう粗利益（逸失利益）は「平均的な損害」にあたらない[48]とするなど,逸失利益が「平均的な損害」に含まれる場合や程度は限定されている[49]。

横浜地判平成21・7・10判時2074号97頁は,弁護士である原告が,委任契約を解約されたことに関し,いわゆるみなし成功報酬特約に基づくみなし条件成就を主張したため,当該弁護士に生ずべき損害として考えられる各損害を「平均的な損害」に加えることができるかが争点になった事案である。裁判所は,本件委任契約の定める報酬を得ることができなかった逸失利益につき,「これをそのまま平均的損害に加えてしまうと,中途解除に係る損害賠償額の予定又は違約金を適正な限度まで制限することを意図する消費者契約法9条1号の趣旨が没却されてしまうことは明らかである。」として,当

(注43) 大阪高判平25・3・29判時2219号64頁,京都地判平24・7・19判時2158号95頁等。
(注44) 東京地判平17・9・9判時1948号96頁。
(注45) 大阪地判平15・10・6判時1838号104頁。
(注46) 横浜地判平17・4・28判時1903号111頁。
(注47) 横浜地判平21・7・10判時2074号97頁。
(注48) 大阪地判平14・7・19金判1162号32頁。
(注49) 鹿野菜穂子監修,日本弁護士連合会消費者問題対策委員会編『改正民法と消費者関連法の実務―消費者に関する民事ルールの到達点と活用方法』420頁（民事法研究会,2020）。

該事案において逸失利益が平均的な損害に含まれないことを明らかにしている。

東京地判平成24・5・29（消費者庁消費者契約法改正に向けた専門的技術的側面の研究会第1回参考資料7 裁判例56）は，行政書士との委任契約を解除した際の料金の不返還特約に定めた損害額が「平均的な損害の額」を超えるかが争点となった事案である。裁判所は，「損害として，当該事務処理のために要した費用や労力が想定される（報酬を得ることができない逸失利益については，これを平均的な損害に加えると，損害賠償額の予定又は違約金を適正な限度で制限するために設けられた上記規定の趣旨に反することになり，これに含まれないというべきである。）」として，逸失利益は含まれないことを明らかにしている。

大阪高判平24・12・7判時2176号33頁は，携帯電話の利用サービス契約の約款中，2年の定期契約における中途解約の解約金を定めた条項が9条1号に違反するかが争点となった事案である。解除料の額が「平均的な損害」を超えるか否かの判断にあたり，基本使用料金の中途解約時から契約期間満了時までの累積額（逸失利益）については，これを「平均的な損害」の算定の基礎とすることはできないと判示している。

大阪高判平25・1・25判時2187号30頁は，冠婚葬祭事業者が会員との間で締結している冠婚葬祭互助契約中，途中解約における解約払戻金を制限する条項が，9条1号により無効となるかが争点となった事案である。裁判所は，本件解約料条項について，具体的な冠婚葬祭の施行の請求がされる前に事業者との間の各互助会契約が解約された本件においては，「損害賠償の範囲は原状回復を内容とするものに限定されるべきであり，具体的には契約の締結及び履行のために通常要する平均的な費用の額が，『平均的な損害』となる」として，逸失利益は含まれないことを前提としている。

他方で，逸失利益が「平均的な損害」に含まれると判示した裁判例として，携帯電話の利用サービスの中途解約金条項が問題となった大阪高判平25・3・29判時2219号64頁，挙式披露宴実施契約の解約料条項が問題となった京都地判平25・4・26判例秘書L06850272等がある。

㈡　立証責任

(a) 裁判例[50]

① 事業者が立証責任を負うとした裁判例

平均的損害の立証責任については，前掲大阪地判平14・7・19は「消費者契約法9条1号に定める『当該事業者に生ずべき平均的な損害の額』は，同法が消費者を保護することを目的とする法律であること，消費者側からは事業者にどのような損害が生じ得るのか容易には把握しがたいこと，損害が生じていないという消極的事実の立証は困難であることなどに照らし，損害賠償額の予定を定める条項の有効性を主張する側，すなわち事業者側にその立証責任があると解すべきである」と判示している（同旨のものとして，京都地判平15・7・16判時1825号46頁，さいたま地判平15・3・26金判1179号58頁，東京地判平15・10・23判時1846号29頁等。）[51]。

② 消費者が立証責任を負うとした裁判例

一方，「平均的な損害の額を超える部分に限って損害賠償額の予定等を無効とするという同条の構造や，いったんは双方に合意が成立している以上，合意の効力を否定する者がその効果発生障害事実の立証責任を負うと解するのが法の原則であることなどに照らせば，消費者において損害賠償予定額が平均的な損害の額を超えることの立証責任を負うと解すべきである」と判示した裁判例もある（大阪地判平15・10・6判時第1838号104頁。同旨のものとして，大阪地判平15・10・16平成14年（ワ）第6377号（裁判所HP），大阪地判平15・11・7（平成14年（ワ）第6370号，平成14年（ワ）第9633号）（最高裁HP），京都地判平15・12・24（最高裁HP），大阪地判平15・12・26（最高裁HP）等。）。

③ 事実上の推定の活用等によって消費者の立証責任を軽減した裁判例

さらに，消費者が立証責任を負うとしつつも，事実上の推定の活用等によって消費者の立証の困難の程度を軽減する旨判示した裁判例もある[52]。

(注50) 改正前の9条1号により判示された裁判例について「9条1号」と記載している。

(注51) いわゆる学納金返還事件に関する京都地判平15・7・16判時1825号46頁は，平均的損害の立証責任は事業者が負うとしたうえで，事業者による損害の立証がないとして，前納学納金の返還を肯定している。

④　最判平 18・11・27 判時 1958 号 12 頁

　上記のような種々の裁判例が存在していた状況のもと、最判平 18・11・27 判時 1958 号 12 頁（平成 17 年（受）第 1158 号事件等）は、「平均的な損害及びこれを超える部分については、事実上の推定が働く余地があるとしても、基本的には、違約金等条項である不返還特約の全部又は一部が平均的な損害を超えて無効であると主張する学生において主張立証責任を負うものと解すべきである」と判示した。同判例に沿った判断をしたものとして、東京地判平 24・9・24 平成 26 年運用状況検討会報告書 115 頁【16】、東京地判平 23・11・17 判タ 1380 号 235 頁がある。

⒝　消費者による立証の難しさと事実上の推定の活用の必要性

　確かに、契約条項の無効を主張する消費者において無効要件の該当性を立証すべきであるとする上記最判の考え方は理論的である。

　しかしながら、本号に規定された「平均的な損害の額」の立証については、立法過程において要件が一定程度緩和されたとはいえ、元来事業者の事業内容の詳細など知り得ない消費者にとって、もともと立証が極めて酷な法律要件である。

　これに対し、事業者の事業内容は事業者こそが最も良く知る所であり、証拠も事業者が最も近い立場にいる。さらに、自らが定めた契約条項の合理性を事業者に主張立証させることは、合理性こそあれ酷ではない。

　特に、「平均的損害」の立証責任を消費者に厳格に課する場合には、事業者が自らの情報開示や証拠提出を拒絶するという訴訟対応によって本条号の適用を免れることが可能となりかねない、本号の趣旨が没却されかねないと

（注52）　例えば、いわゆる学納金返還事件に関する大阪地判平 16・2・13（判例集等未登載。平成 14 年（ワ）第 9614 号事件及び平成 15 年（ワ）第 1533 号事件）は「事実上の推定を用いることによって、消費者の負担を軽減することができ」ると判示している。また、京都地判平 15・11・27（最高裁 HP）も、実際の運用として、被告大学が平均的損害につき何ら反論・反証をしない場合について「本件においては、被告自身が、平均的損害は存在しない旨自認しているというべきであり、本件不返還条項が定める前期授業料及び前期施設設備費の 80 万円は、その全額が平均的な損害を超えるものであり、本件不返還条項は、そのすべてが消費者契約法 9 条 1 号により無効となるというべきである」と判示している。

いう大きな弊害が危惧される(53)。

したがって,「平均的損害の額」という法律要件に関しては,法的な立証責任は消費者が負うと解さざるを得ないとしても,現実問題としての消費者による立証の難しさを十分考慮して,不合理な結論とならないよう,事実上の推定等が裁判所によって積極的に活用されなければならない。

(c) 事業者による説明義務

消費者庁解説でも,「『当該事業者に生ずべき平均的な損害の額』はその事業者に固有の事情であり,立証のために必要な資料は主として事業者が保有している」として,消費者による立証の困難性を指摘したうえで,法3条1項2号の趣旨に照らし,「平均的な損害の額」が問題となった場合に,事業者が消費者に対して,必要な情報を提供するよう努めなければならないと解されるとしている(54)とおり,事業者には法3条1項2号により要請される説明義務がある。

さらに,令和4年5月改正により,事業者は,消費者に対し,消費者から説明を求められたときは,損害賠償の額の予定又は違約金の算定の根拠の概

(注53) 我が国の有名私立大学を被告とする訴訟事件として一般の事業者に比して事業者側に良識的な対応が期待できた学納金返還訴訟ですら,少なからぬ被告大学において,実際に平均的損害に関する情報(入試年度における正確な合格者数,入学手続を経由した学生数,納付された前納学納金の合計,入学辞退者数,最終的な入学者数,定員超過の程度,追加合格の発生の有無や人数等)の開示や証拠提出が拒絶されるといった訴訟対応が行われた。そして,かかる事業者側の訴訟対応による弊害を目の当たりにした裁判所が,現実的な要請を踏まえ,「事業者が立証責任を負う」といった法律構成や,「事実上の推定の活用」によって,初めて合理的な内容の判決を導いたことは,(注51),(注52)で紹介した裁判例のとおりである。また,LPガス販売供給契約の解除時における違約金特約に関するさいたま地判平15・3・26金商1179号58頁でも,建築工事請負契約の解除時における違約金特約に関する千葉地判平16・7・28消費者法ニュース65号170頁でも,事業者が本号違反の有無が問題となっている契約条項の合理性を具体的に主張立証しようとしないという状況のもと,裁判所は,「事業者が立証責任を負う」といった法律構成で事業者に平均的損害が認めがたいという判決を導いている。上記のような訴訟手続における実態は,本号の運用や解釈を考える際に極めて重要である。

(注54) 前掲(注14)参照。

要を説明するよう努めなければならない旨の規定が設けられ（法9条2項。消費者団体に対しては，算定根拠の概要ではなく，算定の根拠の説明義務が課せられた。法12条の4），法3条1項2号により要請される事業者の説明義務が明確化された。

こうした規定の活用により，「平均的な損害の額」が明確化されることが望まれる。

(d) 情報公開の必要性

なお，今後は，事業者は，解除に伴う平均的損害を消費者が認識できるよう，できるだけ情報公開に努めることが要請される。

例えば，標準旅行業約款16条1項の旅行者の解除権行使の際に発生する取消料は，例えば国内旅行については，旅行開始前20日以降は旅行代金の20パーセント以内，7日以降は30パーセント以内，前日は40パーセント以内，開始当日開始前は50パーセント以内，開始後または無連絡不参加の場合は100パーセントとなっているが（同別表第1），この内容が旅行業者に生じる損害の額の平均値として合理性をもっているのか否かは検討されるべきであり，旅行業界においても積極的に実際の平均的な損害を調査し，公開していくべきである。そうでなければ，この約款の合理性が認められたとはいいえない。

ちなみに，特定継続的役務の提供に関して，特定商取引法49条2項の施行にあたっての通達（平成11年10月21日生衛発第1531号，平成11年10月13日産局第5号。なお，同項は，割賦販売法6条1項4号ないし6号も準用しており，割賦販売にも適用される）によれば，エステティックサロンの契約解除によって通常生じる損害として規定されている上限は，2万円または当該提供役務の対価の総額から実際に提供された役務の対価に相当する額を控除した額（以下，「契約残額」という）の100分の10に相当する額のいずれか低い額であり（政令別表第4第1欄），英会話学校については，5万円または契約残額の100分の20に相当する額のいずれか低い額である（政令別表第4第3欄）。また，家庭教師は，5万円または1か月分の役務の対価に相当する額のいずれか低い額（政令別表第4第4欄），学習塾は，2万円または1か月分の役務の対価に相当する額のいずれか低い額である（政令別表第4第5欄）。

しかし，この政令で定める額はあくまでも上限であり，個別ケースにおいて生じている損害または費用の額がこれを下回っている場合にまで当該上限額を請求できることを容認するものではないことを徹底されたいとされており（上記通達第 3 章の 2・8（2）（ハ）），消費者契約法の解釈においても参考とすべきである。

(2) 効　果

本号に反する規定は，全部が無効になるのではなく，本号に定める金額を超える部分が無効となり，その範囲でしか消費者に損害賠償することができない。既に受け取っている金額がある場合には，平均的損害を差し引いて返還することになる。

(3) 裁判例[55]

(i) 在学契約の解除時における前納授業料等不返還特約

最判平 18・11・27 判時 1958 号 12 頁は，学生が入学手続後に入学を辞退（在学契約を解除）した場合には前納授業料等を一切返還しないとする特約の法的効力につき「当該大学が合格者を決定するに当たって織り込み済みのものと解される在学契約の解除，すなわち，学生が当該大学に入学する（学生として当該大学の教育を受ける）ことが客観的にも高い蓋然性をもって予測される時点よりも前の時期における解除については，原則として，当該大学に生ずべき平均的な損害は存在しない」「一般に，4 月 1 日には，学生が特定の大学に入学することが客観的にも高い蓋然性をもって予測されるものというべきである。そうすると，在学契約の解除の意思表示がその前日である 3 月 31 日までにされた場合には，原則として，大学に生ずべき平均的な損害は存しないものであって，不返還特約は全て無効となり，在学契約の解除の意思表示が同日よりも後にされた場合には，原則として，学生が納付した授業料等及び諸会費等は，それが初年度に納付すべき範囲内のものに止まる限り，大学に生ずべき平均的な損害を超えず，不返還特約はすべて有効となるというべきである」と判示し，原則として 3 月 31 日までに入学辞退した

（注55）　改正前の 9 条 1 号により判示された裁判例について「9 条 1 号」と記載している。

学生について前納授業料等（前納学納金のうち入学金を除く残額）の返還請求を肯定している。

　(ⅱ)　パーティー契約の解除時における営業保証料特約

　東京地判平 14・3・25 金判 1152 号 36 頁は，消費者がパーティーの予約を解約した場合には一律に 1 人当たり金 5,229 円の営業保証料を支払わねばならないという特約の法的効力について，解約日が開催日から 2 週間前で開催予定日には他の客からの予約が入る可能性が高いこと，解約により事業者は材料費や人件費等の支出を免れていること，他方で，解約がなければ事業者は営業利益を獲得できたこと，開催予定日は仏滅で結婚式 2 次会などは行われにくいこと，解約は自己都合であることなど，当事者双方にそれぞれ有利な事情があること，旅行業界における標準約款のようなものがなく本件予約と同種の消費者契約の解約に伴う事業者に生ずべき平均的な損害額を算定する証拠資料に乏しいこと等を総合考慮のうえ，民訴法 248 条の趣旨に従って，予定コース料金 4,500 円の 3 割の金額を 1 人当たりの平均的損害と認定し，それを超える営業保証料の請求を 9 条 1 号を根拠に棄却している。

　(ⅲ)　中古車売買契約の解除時における損害賠償金特約

　前掲大阪地判平 14・7・19 金判 1162 号 32 頁は，消費者が中古自動車の売買契約を解約した場合には車両代金額の 15% の損害賠償金を支払わねばならないとする特約の法的効力について，当該事案では解約日が契約日の翌々日であること，事業者は契約時に代金半額の支払を受けてから車両を探すと言っており事業者において車両を確保したことを認定できる証拠はないこと，仮に車両を確保していたとしても消費者の注文車両は他の顧客に販売できない特注品でもないこと等から，事業者が中古事業者の販売によって得られたであろう粗利益（得べかりし利益）を平均的損害ということはできないとして，上記損害賠償金特約を 9 条 1 号により無効と判示し，事業者の損害賠償請求を棄却している。

　(ⅳ)　LP ガス販売供給契約の解除時における違約金特約

　さいたま地判平 15・3・26 金商 1179 号 58 頁は，消費者がボンベ交換後 1 年未満で LP ガス販売業者を変更した場合には金 8 万 8,000 円の違約金を支払わねばならないとする特約の法的効力について，平均的損害の立証責任は

事業者にあるところ事業者が何ら具体的な主張立証をしようとしないこと，ガス切り替え工事のための工事費用や通信費等の事務費用はいずれも高額なものではなく，約5か月間の契約継続中に事業者はガス料金により一定限度これら費用を回収していると考えられること等から，当該事案では平均的損害を認定することはできないとして，上記違約金特約を9条1号により無効と判示し，事業者の違約金請求を棄却している。

　このほか，ガス供給契約の解除に伴う損害賠償の額の予定又は違約金を定める条項の有効性が争われた事例において，平均的な損害の存在を否定した裁判例として，東京地判平成30年3月20日ウエストロー・ジャパン2018WLJPCA03208019等がある。

　(v)　建築工事請負契約の解除時における違約金特約・損害賠償特約
　　(ア)　千葉地判平16・7・28消費者法ニュース65号170頁は，消費者が事業者との建物建築工事請負契約を工事着工前に解除した場合には事業者が解除前に支出した費用のほか請負代金の20パーセントに相当する違約金を支払わねばならないとする特約の法的効力について，平均的損害の立証責任は事業者にあるところ事業者が何ら具体的な主張立証をしようとしない，材料の発注の有無，具体的な建築計画の立案状況等を捨象して定められた金額が契約解除により事業者に生じる平均的損害とは認めがたいとして，上記違約金特約を9条1号により無効と判示している。

　　(イ)　東京地判平18・6・12（判例集未登載。平成17年（ワ）第22799号事件）は，消費者が事業者とのログホームの建築工事請負契約を解除した場合には建築請負代金の3分の1の金額もしくは解除により事業者の損害金額のいずれかのうち大なる金額を賠償しなければならないとする特約の法的効力について，同条項は解除がいかなる事由・時期であろうとも少なくとも建築請負金額総額の3分の1の金額の賠償を予定しており，逆にいえば同条項を有効というためには解除の事由・時期等がいかなるものであろうとも平均的な損害として建築請負金額総額の3分の1の金額の損害があることを事業者において立証する必要があると解するのが相当である，本件契約が解除された時期は事業者が公図取得や敷地等の調査を行ったことが認められるのみの段階（時期）であり，本件契約の解除の具体的事由いかんにより事業者の損

害額が異なることを窺わせるような事情は見あたらない，そうすると本件契約と同種の契約（ログホーム建築請負契約）がこのような時期で解除された場合に事業者に生じる平均的な損害として認め得るのは，写真数枚の費用，土地登記簿謄本1通の取得費用のみで，これらの費用を合計しても金10万円を超えないことが明らかであるとして，上記損害賠償金特約を9条1号により10万円を超える限度で無効と判示している．

　(vi)　結婚式場利用契約の解除時における予約取消料特約

　東京地判平17・9・9判時1948号96頁は，消費者が結婚式及び披露宴の申込みを挙式から90日前までに取り消した場合には事業者が負担した実費総額に加え取消料として申込金10万円を支払わねばならないという予約取消料特約の法的効力について，本件予約取消しは挙式予定日の1年以上前になされている，挙式予定日の1年以上前から挙式等を予定する者は予約者全体の2割にも満たないのであるから事業者においても予約日から1年以上先の日に挙式が行われることによって利益が見込まれることは確率として少ない，予約取消後1年以上の間に新たな予約が入ることも十分期待し得る時期にある，その後新たな予約が入らないことにより結果的に得べかりし利益を喪失する可能性が絶無ではないとしてもそのような事態はこの時期に平均的なものとして想定しうるものとは認めがたい，当該事案では平均的損害を認めがたいとして，上記予約取消料を9条1号により無効と判示している．

　(vii)　冠婚葬祭互助契約の解約時における解約払戻金

　大阪高判平25・1・25判時2187号30頁は，適格消費者団体が会員制の冠婚葬祭業者に対して，冠婚葬祭事業者が会員との間で締結している冠婚葬祭互助契約中，途中解約における解約払戻金を制限する条項が，9条1号及び10条に反して無効であるとして同条項の差止めを求めた事案である．裁判所は，本件解約料条項について，具体的な冠婚葬祭の施行の請求がされる前に事業者との間の各互助会契約が解約された本件においては，「損害賠償の範囲は原状回復を内容とするものに限定されるべきであり，具体的には契約の締結及び履行のために通常要する平均的な費用の額が，『平均的な損害』となる」とした．そのうえで，会員の募集・管理に関する人件費は「平均的な損害」に含まれないとした．他方，月掛金を1回振り替えるたびに事業者

が負担する振替費用60円，年2回の刊行物及び年1回の入金状況通知の作成・送付費用14.27円が「平均的な損害」に含まれるとしたうえで，解約金条項中，これらの金額を超えて解約払戻金を制限する部分については9条1号により無効であると判示している。

(ⅷ) 携帯電話の利用サービス契約の中途解約の解約金条項

大阪高判平25・7・11平成26年運用状況検討会報告書92頁【1】は，携帯電話を利用する3G通信サービスに関する契約約款中，2年の定期契約期間中に解約した場合に解除料を支払う旨の条項の法的効力につき，「平均的な損害」の範囲内といえるかどうかの判断は，事業者が設定した，契約期間である2年間の中途における解除という時期の区分を前提に，本件契約の解除に伴い，事業者に生じる損害の額の平均値を求め，これと本件解除料の額の比較を行えば足りるとした。そして，9条1号の平均的な損害には逸失利益が含まれるとしたうえで，本件解約料条項に基づく解除料は，本件において事業者に生じる逸失利益（事業者の月当たりの平均通信料収入から変動コストを控除した金額に解除後の平均残存期間を乗じた金額）を下回るため，本件解除料条項は9条1号により無効とはならない旨判示している。

また，大阪高判平25・3・29判時2219号64頁は，携帯電話を利用する通信サービス契約締結時に使用している約款中，2年間の定期契約を中途解約する際に解約金を支払う旨の条項の法的効力につき，9条1号は，「債務不履行の際の損害賠償請求権の範囲を定める民法416条を前提とし，その内容を定型化するという意義を有するから，同号の損害は，民法416条にいう『通常生ずべき損害』であり，逸失利益を含む」としたうえで，「平均的な損害」の算定の基礎となる損害額については，中途解約されることなく契約が期間満了時まで継続していれば事業者が得られたであろう通信料収入等を基礎としたうえで，本件解約料条項に基づく解除料は，上記通信料収入等の金額を下回るため，本件解除料条項は9条1号により無効とはならない旨判示している。

これに対し，大阪高判平24・12・7判時2176号33頁は，携帯電話の利用サービス契約の中途解約の解約金条項の法的効力につき，「平均的な損害」の範囲内といえるかどうかの判断にあたり，基本使用料金の中途解約時から

契約期間満了時までの累積額（逸失利益）については，これを「平均的な損害」の算定の基礎とすることができないとした。そのうえで，基本使用料金の割引分の契約期間開始時から中途解約時までの累積額が「平均的な損害」の算定の基礎となるものとし，本件解約料条項に基づく解除料は，上記割引分の累積額を下回るため，本件解除料条項は9条1号により無効とはならない旨判示している。

(ix) インターネット接続サービスに関する契約の中途解約の解約料条項

京都地判平28・12・9ウエストロー・ジャパン2016WLJPCA12096010は，適格消費者団体である原告が，インターネット接続サービス等を行う業者である被告に対し，インターネット接続サービスに関する契約の約款（本件約款）中にある，有料利用開始日から起算して2年の最低利用期間を定め，その期間内に消費者が本件契約を解約したときは2年の残余期間分にかかる利用料金全額を一括して支払う旨の解約料条項（本件解約料条項）が，法9条1号，10条により無効であるとして，本件約款を用いた意思表示をすることの差止め等を求めた事案である。

裁判所は，解約に伴って生ずべき「平均的な損害」とは，月額利用料から支出を免れた費用を差し引いた額であるが，本件解約料条項は，残余期間分の月額利用料全額の支払を請求できるとしており「平均的な損害」を超える損害賠償額の予定等をするものであるから，その超過部分は無効であるとして，本件解約料条項のうち，「平均的な損害」を超える部分は法9条1号により無効であるとして，法12条3項に基づく差止め等を認めた。

(x) 芸能人養成スクールの入学時諸費用の不返還特約

東京地判令3・6・10判時2513号24頁は，適格消費者団体が，芸能人養成スクールを経営する被告に対し，被告の定めた学則中の「退学又は除籍処分の際，既に納入している入学時諸費用については返還しない」旨の条項が，消費者契約法9条1号所定の平均的な損害を超える損害賠償額の予定又は違約金の定めに該当するとして，意思表示の差止め等を求めた事案である。

スクールに入学する受講生の大半は，事業と評価できるほどの芸能活動を行っておらず消費者と認められるとしたうえで，本件不返還条項のうち，①

本件権利金部分（12万円）に関する部分は，「消費者契約の解除に伴う損害賠償額を予定し，又は違約金を定める条項」に当たらず，②本件費用等部分に関する部分（入学時諸費用38万円中，上記①の12万円を超える部分）は，消費者契約法9条1号の規定により1万円を超える部分が無効であるから，消費者契約法12条3項に基づき，退学等の際に既に納入している入学時諸費用を13万円を超えて返還しない旨の条項を内容とする限度で理由があるとした。

同裁判例の控訴審に当たる，東京高判令5・4・18消費者機構日本ウェブサイト掲載，判タ1522号94頁は，入学時諸費用の不返還条項については，芸能人養成スクールについて法令上の規制等や所轄官庁による監督もなく大学と同列に論じることはできず，当該スクールに入学しうる地位を維持しつつ他の芸能人養成スクールを併願するといった状況も認められないことから，入学時諸費用を入学しうる地位の対価とみることはできないとしたうえで，当該スクールに生ずべき平均的損害は，講師派遣の業務委託費として1万5000円，入校対応指導の業務委託費用2万円，入学に伴う人件費2万4556円，宣材写真撮影委託費用2516円，教材費595円の合計6万2667円であると判断し，入学時諸費用38万円のうち7万円を超えて返還しないとの部分は9条1号により無効であるとした。

Ⅲ　9条1項2号

1　趣旨

本条は，制定当時は2項が存在しなかったため9条1号，2号のみの規定であったが，令和4年5月改正により2項が追加されたことにより，9条1項1号，2号及び2項という規定となったことは本書本条の冒頭において記したとおりである。

1項2号も，事業者に実損害を上回る不当な利得を得させないという点において1号と趣旨を共通にし，消費者が不当に支出を強いられないよう債務不履行に対する損害賠償額の予定についてその上限を定めたものである。

損害賠償額の予定について，特定の契約では従来から利息制限法4条や割賦販売法6条2項，特定商取引法10条2項によって上限が定められていたところ，このような要請は消費者契約一般について求められるものであるため，9条1項2号では，金銭支払義務の不履行に対する損害賠償額の予定について年14.6パーセントを上限とすることを定めたものである。

2 解　説

(1) 要　件

本号は，消費者契約においては，消費者が当該消費者契約に基づく金銭の支払を遅延した場合における損害賠償額の予定等を定めたときは，遅延損害金の率の上限を14.6パーセントとし，これより高率の遅延損害金が定められている場合には，民法420条の規定にかかわらず，年14.6パーセントを超える額の支払を消費者に請求することができず，その超過部分を無効とするものである。

(i) 「当該消費者契約に基づき支払うべき金銭」

本号は，商品の売買代金，役務提供契約の役務の対価，立替払契約における支払等，消費者契約から生じる金銭債務の支払遅延が発生する場合を対象とするものである。

この点，問題となる場合として，レンタルビデオの延滞料金がある。これを物品の賃借の追加料金とみる考え方もある。この考え方によれば，延滞料金は金銭債務の履行遅滞に伴う遅延損害金ではないため，本号の適用はないことになる。この問題は，本号の考え方を尊重しつつ，以下のとおり10条の適用によって解決されるべき問題と考えられる[56]。すなわち，レンタルビデオの延滞料金の性質は賃借の追加料金ではなく（通常延滞料金は割高となっている），目的物の返還債務の不履行に伴う賃料相当損害金であると解される。ただし，このように解しても，契約解除の局面ではないため，本項1号の適用はなく，金銭債務の履行遅延ではないので本項2号の適用場面でもない。しかしながら，当該ビデオの再調達費用以上に事業者に利得を付与

(注56) 山本豊・前掲（注3）61頁。

する必要はないと解される。その際，事業者に不当な利得を得させないという本条の趣旨を斟酌し，当該レンタルビデオが他に貸出できなかったことによる平均的損害を超える部分は無効となると考え，具体的には当該ビデオを再調達するのに必要な購入価格を損害賠償額の上限と解釈すべきである。

(ⅱ)　「消費者が支払期日までに支払わない場合における」

本号は，金銭債務の支払遅延の場合の損害賠償（遅延損害金）を対象とするものである。キセル等不正乗車（運送約款）や電気窃盗等の不正受給（電気供給約款）のような詐欺行為に対して正規料金の数倍の割増金の支払を定めている場合があるが，これは不正行為の懲罰的規定であり，支払遅延とは場面を異にしており，本号の対象とはならない。ただし，懲罰的規定の合理性は10条の適用問題として別途判断されることになる。

(ⅲ)　「損害賠償の額を予定し，又は違約金を定める条項であって，これらを合算した額が」

1号と同様，違約罰，解約料，キャンセル料といった名目のいかんを問わず，また，1回的契約，継続的契約といった契約の種類にかかわらず，実質的に金銭債務の支払遅延の損害賠償（遅延損害金）の予定と解釈される約定はすべて本号の規制の対象となる。

(ⅳ)　「年14.6パーセント」

本号は，市場取引の実情，民事上の債権にかかる遅延損害金の上限を定めた他の立法例（賃金の支払の確保等に関する法律6条1項等）をふまえ，金銭債務の支払遅延の損害賠償（遅延損害金）により事業者に不当な利得を得させない趣旨を満たすには，その上限を年14.6パーセントに定めることが適切であるとされたものである[57]。年14.6パーセントという利率については，（改正前の）民法（5パーセント），（改正前の）商法（6パーセント，514条）の遅延損害金の規定や金利情勢等から合理性に疑問を呈する考えもあったが，少なくともこれで消費者に不当な賠償責任を課すことを防止しようとしたものである。この点，民法改正により，法定利率は年5パーセントから年3パーセントに引き下げられ（民法404条2項），3年ごとに見直されることとな

(注57)　消費者庁解説196頁。

り（民法404条3項から5項）[58]，商事法定利率は廃止された。このように民法が定める法定利率が年3パーセントに引き下げられたことからすれば，本号が定める年14.6パーセントという利率も引き下げられるのが相当ではないかと考えられる（なお，2014年日弁連改正試案では，現行法の年14.6パーセントを「民法が定める法定利率の2倍」とする改正提案を行っている。）。

　金銭消費貸借における金銭債務の支払遅延に伴う損害賠償額の予定については，利息制限法4条が規定しており，同法が消費者契約法の特別法となるため，本号ではなく同条が適用されると一般的に解されている（11条2項）。もっとも，貸金業者との和解契約における金銭債務の支払遅延に伴う損害賠償額の予定については，本号が適用され，遅延損害金の利率は年14.6パーセントに制限される[59]。利息制限法の適用のない，クレジット契約の手数料等は，本号により，遅延損害金の利率は年14.6パーセントが限度となる。

（2）効　果

　本号に反する条項は全部が無効になるわけではない。年14.6パーセントを超える部分のみ無効となる。事業者は年14.6パーセントの範囲で遅延損害金を請求することになる。

（3）裁判例[60]

　東京地判平16・2・5及びその控訴審判決である東京高判平16・5・26（ともに判タ1153号275頁）は，金銭消費貸借契約に付随する信用保証委託契約に基づく信用保証会社から消費者への求償権に関する約定遅延損害金利率につき，9条2号を根拠に年利14.6パーセントを超える部分は無効であるとして，上記利率を超える遅延損害金請求を理由がないと判示している。

（注58）　2023年4月1日から2026年3月31日までの法定利率も年3パーセント。

（注59）　札幌簡判平13・11・29消費者法ニュース60号211頁は，貸付金の残元金15万円の返済に関し遅延損害金の利率を年26.28パーセント（利息制限法4条が適用された場合の利率に該当する）とする和解契約の条項について，本号を適用し，年14.6パーセントに制限されるものとした。

（注60）　改正前の9条2号により判示された裁判例について「9条2号」と記載している。

Ⅳ 9条2項

1 趣　旨

(1) 意　義

9条1項1号は，契約の解除に伴う損害賠償又は違約金を定める条項（以下「違約金条項」という。）であって，当該条項において設定された解除の事由，時期等の区分に応じ，当該消費者契約と同種の契約の解除に伴い当該事業者に生ずべき「平均的な損害」の額を超える部分を無効とすることを定めている。

本項は，事業者が，違約金条項を定め，消費者に対し，当該違約金条項に基づく違約金の支払を求める場合，消費者は，当該事業者に対して，当該違約金条項に係る算定根拠の概要を説明するよう求めることができるとした規定である。

(2) 改正経緯

(ⅰ) 消費者契約に関する検討会における議論状況

(ア) 2018年の消費者契約法改正の際，衆参両議院の附帯決議において，法9条1号における「当該事業者に生ずべき平均的な損害の額」の立証に必要な資料は主として事業者が保有しており，消費者にとって当該損害額の立証が困難となっている場合が多いと考えられることから，「平均的な損害の額」の意義，「解除に伴う」などの同号の他の要件についても必要に応じて検討を加えつつ，当該損害額を法律上推定する規定の創設など消費者の立証責任の負担軽減に向け早急に検討を行い，本法成立後2年以内に必要な措置を講ずることが，政府に対して求められた[61]。

(イ) かかる附帯決議を受けて，令和元年12月24日から消費者契約に関する検討会が開催された。当初は，これに先立つ「消費者契約法改正に向けた専門技術的側面の研究会報告書」（令和元年9月）で示された考え方である①同種の事業者に生ずべき「平均的な損害」の額を，当該事業者に生ずべき

(注61) 衆議院（平成30年5月23日）及び参議院（平成30年6月6日）。

「平均的な損害」の額と推定する規定を設けること，②特許法104条の2の規定等を参考として，「平均的な損害」の額に関する違約金条項の効力に係る訴訟において，事業者が，その相手方が主張する「平均的な損害」の額を否認するときは，その事業者は自己の主張する「平均的な損害」の額とその算定根拠を明らかにしなければならないこととする規定（積極否認の特則）を設けること[62]，③特許法105条の規定等を参考として，訴訟上において，裁判所が事業者に対して，平均的な損害の額の算定根拠に用いた資料の提出を命じることができる規定（文書提出命令の特則）を設けること，④適格消費者団体から事業者に対する，訴訟手続外における，資料提出請求権を設けること等を主なテーマとして検討がされた。

このうち，①の推定規定については，同種の事業といえるかどうかの判断基準の困難性，事業規模の大小，コスト構造やビジネスモデルの違い等がある中，推定の基礎となる経験則を見出すことができるかの疑問，業界内の標準約款自体が，消費者の利益を適正に反映して作成されたものか不明であること等の理由から，検討対象から外れ[63]，主に，事業者に平均的な損害の額の算定根拠を明らかにさせるという観点からの規定を中心にして検討が重ねられた。

(ｳ)　また，検討会を重ねるなかで，消費者の立証負担を軽減する規律を検討する前提問題として，そもそも，事業者には，平均的な損害の額の算定根拠に関する説明責任があることを明確にすることの重要性が確認された[64]。

(注62)　現行の民事訴訟規則79条3項でも，相手方の主張する事実を否認する場合には，その理由を明らかにしなければならないとされているが，積極否認の特則の規定は，単に理由を明らかにするだけにとどまらず，自己の主張する「平均的な損害」の額とその算定根拠まで明らかにしなければならないこととし，同項を一歩進めた特則と位置付けられる。

(注63)　第6回消費者契約に関する検討会事務局資料1。

(注64)　第9回消費者契約に関する検討会事務局資料1「『平均的な損害の額』に関する消費者の立証負担を軽減する訴訟上の規律を検討する前提問題として，事業者が『平均的な損害の額』の算定根拠に関する説明や根拠資料を事前に準備する必要が存在することについて事業者が認識する重要性について意見が出された。」。

すなわち，算定根拠無く違約金条項を定めることは本来論外であって，違約金条項を定める以上は，その算定根拠を考えておくとともに根拠資料を整えておかなければならないことを明確にしておくことが重要である旨の指摘である。

さらに，立証の負担が生じている原因は，立証の対象となる平均的な損害の額の定義や考慮要素が不明瞭であることにも原因があることから，立証の対象となる平均的な損害が何であるのかその意義，考慮要素を明確にすることも重要であることも確認された[65]。

(エ)　その結果，令和3年消費者契約に関する検討会報告書では，平均的な損害に関する立証責任の軽減策として，必ずしも訴訟上の制度という枠にとらわれず，「『平均的な損害』の考慮要素の列挙」，「解約時の説明に関する努力義務の導入」，あるいは「違約金条項についての在り方に関する検討」なども含めた幅広い視点からの提案がされた。

(ii)　令和3年消費者契約に関する検討会報告書の概要

(ア)　平均的な損害の考慮要素の列挙

平均的な損害を算定する際の主要な考慮要素として，当該消費者契約における商品，権利，役務等の対価，解除の時期，当該消費者契約の性質，当該消費者契約の代替可能性，費用の回復可能性などを列挙することにより平均的な損害の明確化を図ることが考えられる。これにより，消費者が具体的に主張立証すべき対象が明確化されるとともに，事業者が違約金条項を定める際の参考となるため，事業者にとっても有益と考えられる。その際，平均的な損害の考慮要素については，法9条1項1号に網羅的かつ一律に定めることが困難な部分もあり，また事業者による新しい商品・サービスの開発等のイノベーションを阻害しないよう，あくまで例示列挙であることを明確にすべきと考えられる[66]。

(注65)　第15回消費者契約に関する検討会事務局作成資料1「『平均的な損害』が何であるかが，事業者，消費者の双方にとって共通認識ができていない。」〔消費者は〕「『平均的な損害』として主張・立証すべき内容が特定できず，十分な訴訟活動ができていないのではないか。」〔事業者は〕「『平均的な損害』の基準が明確でないため，どのように解約料を定めればよいのか悩んでいるのではないか」。

(イ) 解約時の説明に関する努力義務の導入

　事業者に違約金条項について不当でないことを説明する努力義務を課すことが考えられる。説明の内容については，どのような考慮要素及び算定基準に従って平均的な損害を算定し，違約金が当該平均的な損害の額を下回っていると考えたのかについて，その概要を説明することが考えられる[67]。

(ウ) 積極否認の特則の導入

　特許法104条の2の規定等を参考として，「平均的な損害」の額に関する違約金条項の効力に係る訴訟において，事業者が，その相手方が主張する「平均的な損害」の額を否認するときは，その事業者は自己の主張する「平均的な損害」の額とその算定根拠を明らかにしなければならないこととする規定（積極否認の特則）を設けることが考えられる[68]。

(iii) 新設された規律の概要

(ア) こうした検討，提案を経た上で，①利用場面を訴訟上の場面に限定せず（その意味では「積極否認の特則」そのものではない）[69]，②利用主体を適格消費者団体と一般消費者に分け，適格消費者団体には，「第9条第1項第1号に規定する平均的な損害の額を超えると疑うに足りる相当な理由があるとき」には，当該事業者に対して解約料の算定根拠そのものの説明を求めるこ

(注66)　令和3年消費者契約に関する検討会報告書13頁。
(注67)　同報告書13～14頁。
(注68)　報告書15頁。なお，第6回消費者契約に関する検討会事務局作成資料1で，積極否認の特則違反については「研究会報告書では，積極否認の特則の義務違反に対する制裁規定を設けず，当該規律に従わない不誠実な訴訟対応について弁論の全趣旨として裁判官の心証に影響を与えることがあるという事実上の効果を予定したものであると提案されている。」「また，特許法104条の2においても，義務違反に対する制裁規定は設けられておらず，消費者契約法においても制裁規定を設けない規律が考えられる。」とされている（14頁）。この点について，制裁規定を定めるべきとの議論もあったが，最終的には制裁規定（サンクション）は予定されなかった。
(注69)　令和3年消費者契約に関する検討会報告書で提案された積極否認の特則は最終的にはサンクションの無い制度に留まったことと，事業者の説明責任は訴訟の場でも訴訟の外でも共通であることから，このような制度設計になったものと推察される。

とができるという法12条の4の規定が新設された。

(イ) そして、一般消費者に対する規定は、一般消費者には適格消費者団体ほどの専門性が乏しく秘密保持義務等もないことを考慮し、別の規定が新設されることとなった。一般消費者は、前記「解約時の説明に関する努力義務の導入」の提案を受け「第9条第1項第1号に規定する平均的な損害の額を超えると疑うに足りる相当な理由があるとき」といった限定を付することなく、事業者から違約金条項に基づく違約金の支払を求められた場合、当該事業者に対して「算定根拠の概要」の説明を求めることができることとしたのが本規定である。

(ウ) なお、特許法105条の規定等を参考として、訴訟上において、裁判所が事業者に対して、平均的な損害の額の算定根拠に用いた資料の提出を命じることができる規定（文書提出命令の特則）を設けることについては、秘密保持の観点についての調整ができず、令和4年5月の改正では見送られることとなった。

しかし、算定根拠無く違約金条項を定めることは論外であって、違約金条項を定める以上は、その算定根拠を考えておくとともに根拠資料を整えておかなければならないことが本来あるべき姿であること、少なくとも訴訟においては、主張する以上はその立証資料の証拠提出が必要と考えられること等から、引き続き、重要な検討課題として検討されるべきである。

令和3年消費者契約に関する検討会報告書でも、「『平均的な損害』に係る立証責任の負担を軽減するために、文書提出命令の特則及び『平均的な損害』の額の立証責任の転換等については、法第9条〔第1項〕第1号に考慮要素を列挙することの効果、『平均的な損害』の説明に努める義務及び積極否認の特則の運用実態を踏まえて、それでも平均的な損害に係る〔立証責任の〕負担の軽減が不十分であると判明した場合に、将来改めて検討することが考えられる。」(16頁)とされている。

2 解説

(1) 「当該消費者から説明を求められたとき」

そもそも事業者には、法3条1項2号で、勧誘をするに際しては、消費者

の権利義務その他の消費者契約の内容についての必要な情報を消費者に提供することが求められている。

本規定は，法3条1項2号に加えて，契約締結後の違約金の支払請求場面においても，あらためて，当該消費者から説明を求められた場合には，事業者からの説明が必要であることを明らかにした規定である。

なお，従前から，勧誘の場面に限らず，訴訟や消費生活相談等の場面等においても，消費者側から説明を求められたときには事業者は説明をする必要があると解されており[70]，本規定は，このことを再確認したものといえる。

(2)　「損害賠償の額の予定又は違約金の算定の根拠……の概要」

(i)　違約金等の算定の根拠とは，事業者が算定に際して，①考慮した事項・要素，②これらを考慮したことの合理的根拠，③使用した算定式，④その算定式の合理的根拠，⑤金額が適正と考えた合理的理由等を意味する。

(ii)　①の考慮した事項・要素としては，当該消費者契約における商品・権利・役務等の性質，解除の時期，解除の事由・事情，消費者契約の代替可能性，費用の回復可能性等がある[71]。

(iii)　①の考慮した事項・要素あるいは③の使用した算定式の内容や④の合理的根拠の説明に際して，具体的数字を用いた説明がどこまで必要かについては，一般消費者が主体の場合は，適格消費者団体等が主体となる場合と比較して，秘密保持義務の有無，具体的数字を理解する相応の専門性等の相違

(注70)　消費者庁解説〔第4版〕279頁は，「法第3条第1項第2号は，事業者と消費者との間に情報・交渉力の格差があることを踏まえ，消費者の理解を深めるため，事業者の努力義務として，消費者契約の締結について勧誘をするに際して，消費者の権利義務その他の消費者契約の内容についての必要な情報を消費者に提供することを定めている。その趣旨に照らすと，事業者と消費者との間で『平均的な損害の額』が問題となった場合にも，事業者は消費者に対して必要な情報を提供するよう努めなければならないと解される。」としている。

(注71)　令和3年消費者契約に関する検討会報告書では，平均的な損額の額を算定する際の主要な考慮要素として，当該消費者契約における商品，権利，役務等の対価，解除の時期，当該消費者契約の性質，当該消費者契約の代替可能性，費用の回復可能性などを明文上列挙することが提案された（13頁）。令和4年5月の改正では明文化こそされていないものの，考慮要素として重要であることに変わりはない。

があることから必ずしも必須とはしていない。その意味で，本規定では，法12条の4とは異なり，「算定根拠の概要」とされている。

しかし，算定根拠の説明は率等の数字を抜きにしてはなし得ない場合もあり，その場合には，概要とはいえ数字の説明が必要になると考えるべきである。

(3) 「説明するよう努めなければならない」

(i) 努力義務規定の位置付けについて

消費者契約法が明文で定める法的効果は，「取消」と「条項の無効」という比較的，影響力が大きいものであるため，これまでの消費者契約法改正の過程では，「要件」の明確性が求められてきた。そして，「取消権」や「条項の無効」という法的効果に直接に結びつけることはできないが，法的原理，規範として重要なものは，法3条の努力義務という形で条文化されてきた。

令和4年5月の改正では，法3条1項だけではなく，9条2項（本規定），12条の3，12条の4，12条の5といった多くの努力義務が条文化されたが，これは，これらの内容が消費者契約における法的原理，規範として重要なものであることが，改めて確認されたものと理解することができる。

(ii) 本規定の効果

本規定は，いわゆる努力義務規定となる。しかし，前述のとおり，本規定は，消費者契約における法的原理，規範として重要なものが確認されたものであることからすると，努力すらせずに放置された場合には，明文上の義務違反となり，民法の信義則（1条2項）あるいは709条の不法行為を媒介し，損害賠償や原状回復等の請求といった権利主張の法的根拠となるという効果が考えられる。

第10条　（消費者の利益を一方的に害する条項の無効）

第10条　消費者の不作為をもって当該消費者が新たな消費者契約の申込み又はその承諾の意思表示をしたものとみなす条項その他の法令中の公の秩序に関しない規定の適用による場合に比して消費者の権利を制限し又は消費者の義務を加重する消費者契約の条項であって，民法

第1条第2項に規定する基本原則に反して消費者の利益を一方的に害するものは，無効とする。

I　趣　旨

1　意　義

(1)　消費者契約において消費者に不当に不利益な契約条項を無効とする一般条項である。8条〜9条に該当しない契約条項であっても，消費者に不当に不利益な契約条項は本条によって無効となる。

(2)　消費者契約における契約条項の適正化のためには，無効とされるべき不当条項をリストとして列挙することが有用である。しかしながら，具体的なリストであらゆる不当条項を網羅することは立法技術上困難を伴う。また，時代の変化に伴って生じる新たな不当条項に対応する必要性もある。

このような点に鑑みれば，消費者に不当に不利益を課す不当条項を規制するためには，かかる不当条項の効力を否定する一般条項を消費者契約法に定めることが不可欠である。消費者契約法が契約条項に関する包括的民事ルールとしての役割を十分に果たすために，今後本条が十分に活用されることが期待されている[1]。

2　制定経緯

(1)　第16次国生審中間報告

第16次国生審中間報告では，「消費者契約において，不当条項は，その全

(注1)　潮見佳男「消費者契約法と民法理論」法セミ549号14頁では，「中間報告と比ベリスト化の方向が縮小した結果，不当条項の内容規制にあたり，10条の一般条項に与えられた役割は大きい」とされている。また，落合誠一『消費者契約法』144〜146頁（有斐閣，2001）では，「本条のカバーする範囲は，消費者契約の条項全体に及ぶものであり，本条は，不当条項の一般規定として重要な役割を有する強行規定である」「特にわが国の民法・商法の民事ルールにおける不当条項そのものをターゲットとする規定が誠に乏しいことそれ自体に大きな問題があるのであり，本条は，その点を改善するものとしても重要な意義が認められる」とされている。

部又は一部について効力を生じない」との基本原則が採用されていた。また，不当条項の意義については，「不当条項とは，信義誠実の要請に反して，消費者に不当に不利益な契約条項をいう」とされていた。さらに，不当条項リストにあげるべき不当条項として9種35項目の契約条項があげられていた。

(2) 第16次国生審最終報告

第16次国生審最終報告では，「事業者の定める契約条項が，消費者取引の信義則に照らして，消費者に不当に不利益なものであると判断される場合には，その効力は否定される」との基本的な立場が確認されていた。しかし，他方で「不当条項を信義則を要件とした抽象的なものとした場合，個別案件における結論についての予見可能性が低く，必ずしも安定した法の適用ができない」，「消費者契約法においては，無効とされるべき不当条項を具体的に定めるとともに，その要件をできる限り明確にする必要がある」といった指摘がなされていた。なお，具体的な不当条項リスト案や一般条項案は示されていなかった。

(3) 第17次国生審報告

第17次国生審報告では，「無効とすべき不当条項」として8項目の不当条項リストがあげられるとともに，「⑨その他，正当な理由なく，民法，商法その他の法令中の公の秩序に関しない規定の適用による場合よりも，消費者の権利を制限することによって又は消費者に義務を課すことによって，消費者の正当な利益を著しく害する条項」との一般条項案が提案された。

前述のように，(1)や(2)の段階では，不当条項は「信義誠実の要請に反して，消費者に不当に不利益な契約条項」もしくは「消費者取引の信義則に照らして，消費者に不当に不利益なもの」と表現されていた。また，ドイツ民法，EU指令及び韓国約款規制法においても「信義誠実の原則違反」という判断基準が条文として採用されていることは前記の通りである。

これに対し，第17次国生審報告では，不当条項一般を規制する一般条項を定めるにつき「正当な理由なく，民法，商法その他の法令中の公の秩序に関しない規定の適用による場合よりも（中略）消費者の正当な利益を著しく害する条項」という判断基準が提案された。この条文案は，第17次国生審報告のとりまとめ作業の最終段階で旧経済企画庁の事務局から提案されたも

のであり，予見可能性が低い抽象的な規定を定めるべきではないという事業者の意見に配慮して，法的評価を伴う「信義誠実の原則違反」といった判断基準を避け，他の判断基準とすることを試みたものと考えられる。

しかし，上記の判断基準は，民商法等の任意規定から逸脱した契約条項のみが消費者契約における不当条項であるかのような理解につながるおそれがある条文案であった。

(4) 第17次国生審報告後の経緯

第17次国生審報告後，消費者契約法案作成作業の過程において，第17次国生審報告において避けられた「信義誠実の原則違反」という判断基準が「民法第1条第2項に規定する基本原則に反して消費者の利益を一方的に害するもの」という表現で復活し，最終的に採用された。さらに，第17次国生審報告における「その他，正当な理由なく」「消費者の正当な利益を著しく害する条項」といった表現が削除され，「民法，商法（明治32年法律第48号）その他の法律の公の秩序に関しない規定の適用による場合に比し，消費者の権利を制限し，又は消費者の義務を加重する消費者契約の条項であって，民法第1条第2項に規定する基本原則に反して消費者の利益を一方的に害するものは，無効とする。」という条文となった。

もっとも，第17次国生審報告における「民法，商法その他の法令中の公の秩序に関しない規定の適用による場合よりも」という条文案の表現が残存した結果，韓国約款規制法における「信義誠実の原則に反して公正さを欠く約款条項は無効である」といった法文等に比してすっきりとしない法文となったのみならず，この部分の解釈について問題を残した。

3 改正経緯

法10条の第一要件は，問題となる消費者契約の条項が，「法令中の公の秩序に関しない規定」と比べて，消費者の権利を制限し又は消費者の義務を加重する条項であるということである。

ここでいう「法令中の公の秩序に関しない規定」の意義については，本法の制定時から，明文の任意規定に限るという見解[2]と，明文の任意規定に限られず，不文の任意法規や契約に関する一般法理も含まれるという見解[3]が

存在していた。

　このような議論状況の中で，いわゆる更新料訴訟に関する最高裁平成 23 年 7 月 15 日判決（民集 65 巻 5 号 2269 頁，判タ 1361 号 89 頁）は，「明文の規定のみならず，一般的な法理等も含まれると解するのが相当である。」と判示した。具体的には，「消費者契約法 10 条は，消費者契約の条項を無効とする要件として，当該条項が，民法等の法律の公の秩序に関しない規定，すなわち任意規定の適用による場合に比し，消費者の権利を制限し，又は消費者の義務を加重するものであることを定めるところ，ここにいう任意規定には，明文の規定のみならず，一般的な法理等も含まれると解するのが相当である。そして，賃貸借契約は，賃貸人が物件を賃借人に使用させることを約し，賃借人がこれに対して賃料を支払うことを約することによって効力を生ずる（民法 601 条）のであるから，更新料条項は，一般的には賃貸借契約の要素を構成しない債務を特約により賃借人に負わせるという意味において，任意規定の適用による場合に比し，消費者である賃借人の義務を加重するものに当たるというべきである。」と判示した。

　上記最判によって，本条第一要件の「法令中の公の秩序に関しない規定」の解釈については，「明文の任意規定に限られず，不文の任意法規や契約に関する一般法理も含まれる」という解釈論に依拠すべきことが明らかとなっ

（注2）　松本恒雄「規制緩和時代と消費者契約法」法セミ 549 号 7 頁。また消費者庁解説〔第 2 版補訂版〕225 頁では，本条第一要件の解説において「民法，商法等の法律中の任意規定によれば」と記述していた。

（注3）　山本敬三「消費者契約立法と不当条項規制」NBL686 号 22 頁は，第 17 次国生審報告における一般条項案の問題点として，「任意規定にかぎらず，不文の任意法規や契約に関する一般法理をふくめて，現行法上消費者に認められる権利義務を消費者の不利に変更しているかどうかが基準になるというべきだろう」としている。また，中田邦博「消費者契約法 10 条の意義──一般条項は，どのような場合に活用できるか，その限界は」法セミ 549 号 39 頁では，本条前段の解釈として，「(明文の) 任意規定のみならず，判例法や，契約類型における目的やリスク分配，契約類型に即して信義則や慣行から導かれる一定のルールも考慮されてしかるべきであろう」とされている。山本豊「消費者契約法（3・完）──不当条項規制をめぐる諸問題」法教 243 号 62 頁，後藤巻則「ひな型廃止と消費者契約法」銀行法務 21・583 号 12 頁も同旨である。

た。

そこで，上記最高裁判例の判示内容を踏まえて，本条の第一要件の法文を「民法，商法……その他の法律の公の秩序に関しない規定の適用による場合に比し」という文言から「当該条項が存在しない場合と比較して」といった文言に改正する立法提案などがなされ[4]，専門調査会でも上記の問題が議論された。

しかし，最終的に，平成27年専門調査会報告書において，「民法，商法……その他の法律の公の秩序に関しない規定」という従来の第一要件の文言を「その他公の秩序に関しない規定」としたうえで，これを満たす契約条項の例示として，民法その他の法令に比較対象となる明文の任意規定が存在しない「消費者の不作為をもって当該消費者が新たな消費者契約の申込み又はその承諾の意思表示をしたものとみなす条項」を付加することで，「公の秩序に関しない規定」は明文の任意規定に限られない旨を明らかにするという法改正の方向性が取りまとめられ，平成28年改正において，上記内容の法改正がなされた。また，専門調査会の議論結果を受けて，消費者庁解説の記載が上記最判の判示内容に合致した記載内容に書き改められた。

4　比較法

ドイツでは，旧普通取引約款規制法（以下「旧ドイツ約款規制法」という）が統合されたドイツ民法において，合計26項目に及ぶ詳細な不当条項リスト（308条，309条）とともに「約款中の条項が信義誠実の命ずるところに反して約款使用者の契約相手方に不当に不利益を与える場合には，その条項は無効である」との一般条項が規定されている（307条1項。旧ドイツ約款規制法9条1項）[5]。

また，EUでも，消費者契約における不公正条項に関する1993年4月5

(注4)　日弁連改正試案16条1項。

(注5)　旧ドイツ約款規制法統合後のドイツ民法の内容については，半田吉信『ドイツ債務法現代化法概説』376～389頁，452～458頁（信山社出版，2003）など。なお，旧ドイツ約款規制法の詳細については，石田喜久夫編『注釈ドイツ約款規制法〔改訂普及版〕』（同文舘出版，1999）など。

日付け閣僚理事会指令（以下「93 年 EC 指令」という）において，合計 17 項目に及ぶ詳細な不当条項リストとともに「個別に交渉されなかった契約条項は，信義誠実の要請に反して，契約から生じる当事者の権利義務に著しい不均衡を生じさせ，消費者に不利益をもたらす場合には不公正なものとみなされる」（3 条 1 項）「加盟国は，消費者と売り主又は提供者との間で締結された契約において使用された不公正な条項が，その国内法の定めるところに従って，消費者を拘束しないこと（中略）を定めなければならない」（6 条 1 項）としている。

さらに，韓国でも，約款の規制に関する法律（以下「韓国約款規制法」という）において，合計 8 条に及ぶ不当条項リストとともに「信義誠実の原則に反して公正さを欠く約款条項は無効である」との一般条項が規定されている（6 条 1 項）[6]。

II 解 説

1　第一要件──「消費者の不作為をもって当該消費者が新たな消費者契約の申込み又はその承諾の意思表示をしたものとみなす条項その他の法令中の公の秩序に関しない規定の適用による場合に比して消費者の権利を制限し又は消費者の義務を加重する消費者契約の条項」

(1)　「法令中の公の秩序に関しない規定」

「法令中の公の秩序に関しない規定」とは，強行規定を除く規定，いわゆる任意規定の意味である。強行規定違反の契約条項については，本法の適用を待つまでもなく無効である（民法 91 条）。

本条第一要件の趣旨は，問題とされる契約条項が不当条項か否かを判断する際に，当該契約条項がある場合とそれが無い場合（当該契約条項が無いと仮定して任意規定等によって契約内容を補充した場合）を比較して，前者の場合が後者の場合よりも消費者にとって不利益となっているか否かを不当条項

(注6)　諸外国の法制については，第 16 次国生審最終報告 106 頁ないし 127 頁。

判断の重要な一要素とする点にある。当該契約条項がなければ消費者に認められていたであろう権利義務関係と比較して消費者に不利益な権利義務関係を定めている契約条項は、不当条項である蓋然性が高いからである。

そして、当該契約条項がなければ消費者に認められていたであろう権利義務関係というものは、明文の任意規定のみならず、裁判例の蓄積などによって一般に承認されている不文の任意法規や契約に関する一般的な法理等を併せ考慮することによって初めて確定できるものである。

したがって、ここにいう「法令中の公の秩序に関しない規定」には、明文の任意規定のみならず、裁判例の蓄積などによって一般に承認されている不文の任意法規や契約に関する一般的な法理等が広く含まれる。前掲最判平23・7・15は、上記の事理を明らかにしたものである。

不文の任意法規や一般的な法理等の具体例としては、請負人が自己の材料で建物を建築する場合には、請負人が所有権を取得し、請負人が注文者に引き渡したときに建物の所有権が移転するという法理、賃貸借契約において原則として賃借人は更新料を支払う義務を負わないという法理、所有権者の意思によらず所有権を放棄することが認められないという法理等が考えられる[7]。

(2)　「消費者の不作為をもって当該消費者が新たな消費者契約の申込み又はその承諾の意思表示をしたものとみなす条項」

第一要件の例示として付加された契約条項であり、具体的には、消費者の不作為を新たな消費者契約の申込み又は承諾の意思表示と擬制する契約条項である。

明文の規定は無いが、一般的な法理として、当事者の意思表示が存在しなければ契約は成立しない。この点、消費者の不作為をもって意思表示の存在を擬制する契約条項は、上記のような一般的な法理と比較して「消費者の権利を制限し又は消費者の義務を加重する」契約条項であり、本条第一要件を満たす。そこで、平成28年改正法において、本条第一要件を満たす契約条

（注7）　消費者庁解説〔第3版〕では、消費者庁解説〔第2版補訂版〕までの条文解釈を改めて、「法令中の公の秩序に関しない規定」には、明文の規定のみならず、一般的な法理等も含まれるという解釈論を記載している（163頁）。

項の例示として，かかる契約条項が付加されたものである。

　上記の例示記載が付加された直接の経緯は，「公の秩序に関しない規定」は明文の任意規定と比較できる契約条項に限られない旨を明らかにするためである。しかし，上記のような例示規定の付加には，第二要件という評価要素を伴う不当条項の法文化として，いわゆるグレーリストのスタートという意味合いを持つ点で重要な意義がある[8]。

　なお，例示された契約条項の具体例としては，ウォーターサーバーのレンタルと水の宅配の契約に関する無料お試しキャンペーン中の規約に，「無料お試し期間中に，貸出しを受けた全てのレンタル商品が返却されなかった場合は，新たな有料契約に移行する。」旨の契約条項が存在する場合などが考えられる[9]。

　また，雑誌の定期購読契約に関し，購読期間が定められている場合において，「当該期間終了までに連絡がない限り，ご契約の申込みがあったものとして当該契約は更新されます。」という条項などもこれに当たる。

(3) 「適用による場合に比して消費者の権利を制限し又は消費者の義務を加重する消費者契約の条項であって」

(i) 本条は，問題とされる契約条項が「法令中の公の秩序に関しない規定」と比較できない場合には適用されないのか。

　この問題については，本条の適用があるためには，民法や商法等に比較の対象とできる何らかの規定が存在することが前提であると狭く解釈する見解もある[10]。この見解は「適用による場合に比して消費者の権利を制限し又は消費者の義務を加重する消費者契約の条項であって」という文言を厳格に解する見解と位置付けることができる。

　しかしながら，任意規定等との比較という視点は，元来不当条項性判断の一要素にすぎないはずである[11]。したがって，かかる視点だけで不当条項

(注8)　山本敬三ほか「座談会・消費者契約法の改正と課題」ジュリ1527号14頁以下における河上正二教授，沖野眞已教授，山本健司弁護士からも同趣旨の発言がなされている（同22〜23頁部分）。

(注9)　第23回専門調査会・資料1・41頁 事例3−1。

(注10)　松本・前掲（注2）7頁。

性を決することは不可能であり，また不相当である。

　また，そもそも本条前段は，第17次国生審報告において「信義誠実の原則違反」という判断基準を避けて「民法，商法その他の法令中の公の秩序に関しない規定の適用による場合よりも（中略）消費者の正当な利益を著しく害する条項」という代替基準が提案された名残として残存しているものである。しかし，「民法第1条第2項に規定する基本原則に反して消費者の利益を一方的に害するもの」という包括的な基準の採用に伴い，任意規定からの逸脱という視点はこれに包含されたものと理解すべきである[12]。

　さらに，実際問題としても，本条前段を本条後段と並列関係に立つ法律要件と解釈した場合には，「民法第1条第2項に規定する基本原則に反して消費者の利益を一方的に害する」と評価できるような契約条項が，「公の秩序に関しない規定との比較ができない」といった形式的な理由によって法的効力を維持されるという極めて不合理な事態を招来してしまう[13]。

　以上の理由から，本条前段については，問題とされる契約条項がなければ

(注11)　旧ドイツ約款規制法における一般条項（同法9条）においても，信義誠実の命令に反して約款使用者の契約相手方に不当に不利益を与える条項と認められるか否かの一判断要素として任意規定との比較が位置付けられているにすぎない。石田編・前掲（注5）130頁以下。

(注12)　山本敬三「消費者契約立法と不当条項規制」NBL686号35頁では，「むしろ重要なのは，信義誠実の要請が基準になることが明示された結果，任意規定からの逸脱という限定が意味をもたなくなることである。明文の任意規定がないところでも，信義誠実の要請に反して消費者の利益を一方的に害しているならば，やはり無効とすべきだろう。この修正によって，本規定は，名実ともに一般規定になったといっていいだろう」とされている。

(注13)　松本・前掲（注2）7頁では，「新種の契約の場合には何らの規定が存在しないことが多く，たとえ不当であっても契約条項の無効を主張することは困難である」とされている。しかし，「民法第1条第2項に規定する基本原則に反して消費者の利益を一方的に害する」ような契約条項の法的効力が否定されるべきことは当然である。まして，「民法，商法その他の法律の公の秩序に関しない規定」について実定法上の任意規定に限定して解釈した場合には，結論の不合理性は著しいものとなる。かかる観点からも，「民法，商法その他の法律の公の秩序に関しない規定」との比較は本条適用の不可欠の要件と考えるべきではない。

消費者に認められていたであろう権利義務関係と，問題の契約条項が規定する権利義務関係とを比較して，後者が消費者の利益を制限し，または消費者の義務を加重するとはいえない場合には本条は適用されないという，当然のことを述べているに過ぎないと解釈すべきものと考える[14]。したがって，本条の適用は，問題とされる契約条項が「法令中の公の秩序に関しない規定」と比較できる場合に限られないものと考える[15]。

(ii) 本条は，契約の目的や対価など契約の中心部分を定める条項（中心条項）の不当性が問題となっている場合にも適用されるのか。

まず，上記(i)の論点において，本条の適用範囲について，問題とされる契約条項が「公の秩序に関しない規定」と比較できる場合に限定されると解釈する見解に立つ場合には，この問題についても否定的な見解に立つことになろう。

これに対し，上記(i)の論点において，本書のように「公の秩序に関しない規定」と比較できる場合に限定されないと広く解釈する見解に立つ場合には，この問題はさらに解釈に委ねられた問題であるということになる。

この問題については，第1に契約の主要な目的や価格に関する事項は市場に委ねられるべき事柄である，第2に契約締結過程で消費者に十分な情報提供が行われるようにすれば弊害はない，第3に著しい対価の不均衡について

(注14) 山本豊・前掲（注3）62頁。なお，中田・前掲（注3）39〜40頁では，「第10条要件の構造の理解において注意すべきは，信義則の要請から導かれる均衡性の要件の存在によって，①任意性の逸脱という要件が相対的に意味を喪失することである。むしろ，①の要件は，②の均衡性を欠くとの要件の存在を推定する一つの重要なファクターとして考えられる。かくして，第10条は，当該契約条項が信義誠実の要請に反して消費者の利益を一方的に害するもので有れば無効とすべきことを規定したものと解することができる」とされている。

(注15) なお，落合・前掲（注1）149頁は，任意規定との比較は必要であるとしつつも，そこにいう任意規定は合理的に解釈された任意規定が基準となるものであって，問題とされる契約条項が当該任意規定の前提とする利害状況と相当に異なる利害状況を前提とする場合には当該利害状況の差異を反映させて当該任意規定を解釈しなおす必要があり，この意味で本条は旧ドイツ約款規制法9条2項1号の「その法規定の本質的基本理念」とそれほど異なることを規定しているわけではないとしている。

は公序良俗違反（民法90条）で救済できるといった理由から，中心条項は本条の適用対象外であるとする見解が有力である[16]。

しかしながら，第1の点については，そもそも契約の中心部分と付随的部分とが判然と区別できるか否か自体が疑問である。

また，第2の点については，現在の消費者被害の実状に照らせば，契約の中心部分についても消費者が合理的に意思決定できるだけの情報を事業者から提供されている現状にあるとは考えがたい。

さらに，消費者契約法の制定過程においても事業者の情報提供義務の明文化が見送られるなど，我が国においては契約締結過程における情報提供の基盤が依然整備されていない。このような状況のもとではこの問題を市場に委ねる基礎自体が整っていないと考えられる。

加えて，第3の点については，公序良俗規範（民法90条）は，元来が国家秩序や人倫に反する行為を極めて例外的に無効としてきた法文であって，伝統的な理解や実際の裁判例を見る限り，否定説が主張するように公序良俗規範によって現実の消費者被害が適切に救済されるとみることには疑問が残る[17]。

このように考えると，むしろ契約の目的や対価に関する中心条項についても本条の不当条項規制は及ぶと解釈したうえで，消費者の自発的意思の存在等については「民法第1条第2項に規定する基本原則に反して消費者の利益を一方的に害する」と評価できるか否かの一事情として考慮すべきものと考える。

(注16) 沖野眞已「『消費者契約法（仮称）』の一検討(6)」NBL657号56～57頁，山本敬三・前掲（注3）28頁，山本豊・前掲（注3）62頁，落合・前掲（注1）152～153頁。なお，93年EC指令では，契約の主たる対象や対価の妥当性を契約条項の不公正性の評価対象から除外している（4条2項）。旧ドイツ約款規制法も同じである。石田編・前掲（注5）91頁以下，潮見・前掲（注1）14頁。

(注17) いわゆる学納金訴訟における最判平18・11・27判時1958号12頁は，前納授業料不返還特約が消費者契約法9条1号（現行法では9条1項1号）に違反する不当条項であることを肯定したものの，民法上の公序良俗違反とまで言えないと判示している。なお，大阪高判平16・9・10判時1882号44頁や大阪高判平16・10・22（判例集等未登載。同年（ネ）第295号事件）は，上記特約は暴利行為の要件を満たし公序良俗違反であると判示していた。

したがって，契約の目的や対価に関する契約条項についても，本条の適用はあると考える。

(iii) 本条は個別交渉を経た契約についても適用されるのか。

この問題についても，個別交渉条項は不当条項判断の対象にならないとする見解とこれを対象に含める見解とがある(18)。

個別交渉条項は不当条項判断の対象にならないとする見解の理由としては，第1に個別交渉があるときにまで不当条項規制を行うのは自己決定に基づく自己責任という基本原理と相容れないこと，第2に契約締結過程で消費者に十分な情報提供が行われるようにすれば弊害はないこと，第3に個別交渉を経た契約についても公序良俗違反（民法90条）による救済は可能であることなどがあげられている。

しかしながら，第1の点については，事業者と消費者との間に情報及び交渉力の大きな格差のある状況では，個別の交渉の存在をもって評価対象から除外するのは，形式的交渉をもって不当条項規制を免れることにつながりかねず，適切ではないと思われる。また，第2の点については，我が国では未だ情報提供の基盤が整備されているとは言い難いことは前述のとおりである。さらに，第3の点については，公序良俗規範に関する伝統的な理解や実際の裁判例を見る限り，公序良俗規範によって現実の消費者被害が適切に救済されるとみることには疑問が残ることも前述のとおりである。

したがって，個別交渉を経た契約条項であっても本条の不当条項規制は及ぶと解釈したうえで，交渉の有無・程度等については「民法第1条第2項に規定する基本原則に反して消費者の利益を一方的に害する」と評価できるか否かの判断の一事情として考慮すべきものと考える(19)。

(注18) 潮見佳男「不当条項の内容規制—総論」別冊 NBL54号139頁以下，沖野・前掲（注16）57頁，山本敬三・前掲（注3）28〜29頁，潮見・前掲（注1）14頁。なお，第16次国生審中間報告（30頁）および第16次国生審最終報告（41頁）には個別交渉条項も対象に含める見解にたつ旨が明記されていたが，第17次国生審報告では明記されていない。

(注19) 沖野・前掲（注16）57頁，山本豊・前掲（注3）63頁，落合・前掲（注1）152頁。

2 第二要件――「民法第1条第2項に規定する基本原則に反して消費者の利益を一方的に害するもの」

(1)「民法第1条第2項に規定する基本原則に反して」

(i) 意　義

「民法第1条第2項」とは，いわゆる信義誠実の原則を定める法文である。信義誠実の原則とは，民法上，社会共同生活の一員として互いに相手の信頼を裏切らないように誠意をもって行動することを要求するルールを意味するとされている[20]。

事業者が契約内容を形成する過程において不利な立場にある消費者の利益について適切に配慮すべき義務を負うことは信義誠実の原則の要請するところと考えられる。かかる見地より，消費者契約における不当条項性判断の基準が信義誠実の原則に求められたものである。

(ii) 民法の一般条項（民法1条2項及び民法90条）との関係

本条で無効とされる契約条項については，現行民法のもとにおいても民法1条2項によって無効とされるという見解（確認説）と，現行民法では必ずしも無効とされないという見解（創造説）とがある[21]。

この点，確認説の立場に立てば，民法1条2項に反しない契約条項は本条によっても無効とはならないことになる。なお，消費者庁解説（214頁）は「法文上，『民法第1条第2項に規定する基本原則に反し』と明記していることから，本条に該当し無効とされる条項は，民法第1条第2項の基本原則に反するものとして当該条項に基づく権利の主張が認められないものである。」としていることから，この立場に立っているものと判断できる。

しかしながら，元来，民法は，契約当事者が自らの責任で必要な情報を収集し，それをもとに自発的に意思決定をするものであるという古典的市民法原理に立脚しており，かかる原理に反する極めて悪質な行為のみを一般条項によって例外的に無効とするものである。これに対し，消費者契約法は，消

(注20) 我妻榮『新訂民法総則（民法講義Ⅰ）』34頁（岩波書店，1965）。

(注21) 山本敬三・前掲（注3）19頁，中田・前掲（注3）38～39頁。なお，本書における確認説および創造説という整理は山本敬三教授の論文によったものである。

費者と事業者という契約当事者間に情報の質及び量並びに交渉力の格差があることを前提に，消費者の利益を不当に害する条項を無効とすることによって消費者の利益の擁護を図る法律である（1条）。消費者契約法と民法とは，予定する契約当事者像も立法目的も全く異なる。

また，8条～9条は，現行民法上は必ずしも同法1条2項や90条に反するとは言えない契約条項について消費者契約法の立法目的に照らしてこれを無効とする規定である。そして，10条は全体的な位置付けから示されるように，8条～9条を包含する一般条項である。したがって，本条の解釈において民法1条2項や90条に反しないものは本条によっても無効とならないと解することは，8条～9条との関係においてあまりにも整合性に欠ける解釈である。

さらに，確認説を前提とするのであれば，消費者契約法が本条をわざわざ規定した意味が無くなる。民法上の信義則や公序良俗に反する契約条項ならば，本条の制定を待つまでもなく，その効力は制限又は否定されるはずである[22]。

加えて，本条は「民法第1条第2項に規定する基本原則に反して」と規定しており，「民法第1条第2条に反して」とは規定していない。本条と民法1条2項とは，文理上も要件が異なる。

したがって，本条は，現行民法では必ずしも無効とされない契約条項についても，これを無効とする旨規定した条項であると理解すべきである[23]。

実際の裁判例においても，大津地判平18・6・28（判例集等未登載。平成17年（ワ）第701号事件）は「消費者契約法は，事業者と消費者という契約当事者間に情報の量及び質並びに交渉力の格差があることを前提とし，当該

(注22) 落合・前掲（注1）145～146頁では，「消費者契約における様々な不当条項に対して現行民法のこれら一般原則規定で十分な対応が可能と考えること自体にそもそも問題がある。十分な対応が可能であったならば，わが国の消費者契約関連紛争がこれほどまでに深刻化しなかったはずである」，「対応が可能であるとする主張は，あくまでも論者自身がそれぞれ主張する解釈レベルの話であって，その主張する解釈が裁判所に広く受け入れられて現実にも規範として機能しているから十分対応可能と主張するわけではないように思われる」とされている。

格差を是正することにより消費者の利益の擁護を図ることを目的とする法律であり（消費者契約法1条），その限りにおいて，民法が前提とする対等な当事者像に修正を加えるものといえる。しかも，消費者契約法10条は，法文の位置付けからみて，同法8条及び9条を包含する一般条項と解されるところ，同法8条及び9条が列挙する無効事由には，現行法の解釈上，必ずしも公序良俗（民法90条）や信義則（民法1条2項）に反しないものも含まれている。そうすると，消費者契約法10条は，民法上の一般条項によっては必ずしも無効とならず，あるいは権利行使に制約を受けない条項でも，事業者と消費者との情報力・交渉力の格差によって，消費者の利益が不当に侵害されているものと評価される場合には，これを無効とすることによって消費者の利益を擁護する趣旨の規定であると解するのが相当である」と判示している。

　また，東京簡判平16・7・5（最高裁HP）は，建物賃貸借契約の事案について，賃借人が解約日の3か月前に解約届を提出しなかった場合には賃料と共益費の合計額の6か月分を貸主に保証する旨の約定や賃借人が賃貸人に一旦支払った礼金や家賃又は共益費は一切返還しない旨の約定について，公の秩序に関するものではないが，著しく賃借人の権利を制限し，又は，賃借人の義務を加重する条項であるので，10条の趣旨に照らして無効であると判示している。

　さらに，いわゆる学納金返還訴訟に関する最判平18・11・27判時1958号12頁は，前納授業料不返還特約が消費者契約法（9条1項）に違反する無効な契約条項であることを肯定しつつ，民法上の一般条項（90条）に違反する無効な契約条項とまでは言えないと判示している。

　上記のような裁判例や判例の論旨からも，消費者契約法における不当条項

（注23）　山本敬三・前掲（注3）20～21頁。山本健司「契約適合性判定権条項など4類型の契約条項について」別冊NBL128号20～22頁。なお，山本豊・前掲（注3）61～62頁では，「民法では，信義則は権利の行使・義務の履行の場面において働く原則であって，法律行為の有効・無効の場面で働くものとはされていないから，本条は信義則に新たな境地を開く規定であるといいうる」とされている。

規制と民法の一般条項における不当条項規制とにレベルの違いがあることは明瞭なところである。

そして，前掲最判平成23年7月15日は，「当該条項が信義則に反して消費者の利益を一方的に害するものであるか否かは，消費者契約法の趣旨，目的（同法1条参照）に照らし，当該条項の性質，契約が成立するに至った経緯，消費者と事業者との間に存する情報の質及び量並びに交渉力の格差その他諸般の事情を総合考量して判断されるべきである。」旨を判示した。

上記最判によって，本条第二要件は，消費者契約法の趣旨，目的を考慮して判断されるべき要件であることが明らかとなった。

そこで，上記最高裁判決の判示内容を踏まえて，本条の第二要件を上記最判の判示内容に沿った文言に改正する立法提案などがなされ[24]，専門調査会でも議論された。

しかし平成27年専門調査会報告書において，上記の点について最終的な法文の改正は見送られる一方，消費者庁解説を上記最判の判示内容に合致した記載内容に抜本的に書き改めることになった。

上記の議論経過のもと，消費者庁解説〔第3版〕では，従前の解釈を改め，前記最判を引用したうえで，「当該条項によって消費者が受ける不利益がどの程度のものか，契約締結時に当該条項の内容を十分に説明していたか等の事情も考慮し，消費者契約法の趣旨，目的に照らして判断される」旨が明記された[25]。

(2) 「消費者の利益を一方的に害するもの」

(i) 意　義

問題とされる契約条項によって消費者の利益が事業者に不当に侵害されていると認められることの意である。

(ii) 内　容

本条の趣旨は，消費者契約法の立法目的である消費者の利益保護のため「民法第1条第2項に規定する基本原則」に反する契約条項を無効とする点

(注24)　2014年日弁連改正試案16条1項，2項参照。
(注25)　消費者庁解説〔第3版〕239頁。

にある。

　したがって，「民法第1条第2項に規定する基本原則」に反するか否かの判断にあたっては，消費者の利益を不当に害する契約条項であるか否かという見地が最も重要となる。「消費者の利益を一方的に害するもの」とはこの点を明らかにしたものである。

　(3)　「民法第1条第2項に規定する基本原則に反して消費者の利益を一方的に害する」か否かの判断について
　(i)　判断基準について
　①　判断基準の具体化の必要性

　10条の要件は一般条項という本条の性格上抽象的なものとなっている。また，「民法第1条第2項に規定する基本原則」を民法上の信義則とは異なる意義のものと解すべきことは前述のとおりである。

　具体的にいかなる契約条項が本条に反して無効となるのかという点については，最終的には今後の裁判例の蓄積を待たざるを得ない問題である。

　しかしながら，本条の判断基準に関する見通しが立たなければ，本条による消費者保護という立法目的が達成されない可能性があるのみならず，事業者の正当な経済活動に無用な萎縮的効果を招く可能性もある。この意味で，本条の判断基準は実務上重要な問題である。

　②　基本的な考え方

　消費者契約法の立法目的は，消費者と事業者との間の情報の質及び量並びに交渉力の格差を是正し消費者の利益を擁護することにある（1条）。

　かかる立法趣旨に鑑みると，「民法第1条第2項に規定する基本原則に反して消費者の利益を一方的に害する」場合とは，事業者の反対利益を考慮してもなお，消費者と事業者の情報格差・交渉力格差の是正を図ることが必要であると認められる場合を意味すると解される。

　具体的には，当該契約条項によって消費者が受ける不利益とその条項を無効にすることによって事業者が受ける不利益とを衡量し，両者が均衡を失していると認められる場合を意味すると解される。問題とされる契約条項によって害されている消費者の不利益が重大であればあるほど，当該契約条項が無効となった場合の事業者の不利益も重大でなければならない。かかる視点

から両者が均衡していないと評価できる場合に，事業者による消費者の利益の不当な侵害として当該契約条項は無効となるのである[26][27][28]。

　この点，いわゆる更新料訴訟に関する前掲最判平23・7・15は，「消費者契約法の趣旨，目的（同法1条参照）に照らし，当該条項の性質，契約が成立するに至った経緯，消費者と事業者との間に存する情報の質及び量並びに交渉力の格差その他諸般の事情を総合考量して判断されるべきである」と判示している。

③　立証責任

(注26)　山本敬三・前掲（注3）23頁。なお，同論文31頁では「その基礎にあるのは，いわゆる比例原則である」とされる。比例原則については，山本敬三『公序良俗論の再構成』218頁（有斐閣，2000）以下に詳述されている。また，中田・前掲（注3）39頁では，「消費者契約法における信義則は，10条に民法典の条項があげられているものの，民法上の信義則とは異なる性格を持つことに留意すべきである。すなわち，消費者契約法における信義則の要請とは，立法趣旨からして消費者と事業者の情報格差・交渉力格差を是正する原理としての均衡性原理に基づくものと理解すべきである。すなわち，②の要件においては，契約条項が『一方的に』，いいかえれば『正当な理由がなく』消費者の利益を害することが要件とされ，この正当の理由の有無が信義則の要請に基づく均衡性による判断によって決まると解するのである。それは，消費者が受ける不利益と，その条項を無効にすることによって事業者が受ける不利益とを衡量することで判断される。消費者の不利益が重大であればあるほど，事業者の不利益も重大でなければならない。この意味で両者が均衡すれば，正当な理由があるとされ，それがなければ正当な理由がないことになる」とされる。さらに，中田・前掲（注3）39頁は，「本条において重要なことは，日本の場合においても，ドイツをはじめとしたEU諸国と同様に，消費者契約における不当条項を無効にする権限が明文で裁判官に与えられた点にある。裁判官は，消費者契約においては，契約内容の形成を単に当事者に委ねて事足りるとするのではなく，積極的に契約正義の実現に役割を果たさねばならない」としている。山本健司・前掲（注23）22～24頁も本文と同旨。

(注27)　山本敬三・前掲（注3）31頁注（41）では，「その条項を有効とすることによって消費者が受ける不利益の大きさは，次の2つの基準によって判断される。第1は，その条項がなければ現行法上消費者に認められたはずの権利義務からどれだけ乖離しているかである」，「第2は，他の契約条件もあわせて考えたときに，その契約全体によって消費者がどれだけの利益を受けるかである」とされている。

「民法第1条第2項に規定する基本原則に反して消費者の利益を一方的に害する」という要件はいわゆる規範的要件であるため、消費者と事業者はそれぞれ評価根拠事実と評価障害事実を主張立証すべきことになる。上記のように、この要件の判断を当該契約条項によって消費者が受ける不利益と当該契約条項を無効とすることによって事業者が受ける不利益との利益衡量で決すると考える場合、消費者と事業者は各々が受ける不利益を主張立証することを要すると解するのが公平かつ合理的である。

すなわち、消費者としては、当該契約条項によって受ける不利益を主張立証すべきことになる。具体的には、問題とされる契約条項がなければ消費者に認められていたであろう権利義務関係、あるいは、当事者が交渉力の不均衡のない理想的な状況におかれたときに消費者が合意したであろう権利義務関係と比較して、当該契約条項が規定する権利義務関係が消費者にとって不利益な内容となっていること及び不利益の程度を主張立証すべきことになる。この点、民商法等に任意規定がある場合には、上記の主張立証は比較的容易であると思われる。

一方、事業者としては、当該契約条項が無効となることによって受ける不利益を主張立証すべきことになる。具体的には、問題とされる契約条項がなかった場合において事業者が受ける不利益の内容及び程度並びにこの不利益を回避する手段として当該契約条項を設ける必要性及び相当性を主張立証すべきことになる。

(注28) 消費者庁解説（213頁）は、過去の裁判例が民法1条2項によって契約条項の権利主張を制限してきたのは、「当該事案における一切の個別事情を考慮した上で、契約条項の内容が一方当事者に不当に不利である場合」であるとして、「本条においては、信義則に違反する権利の行使や義務の履行を設定する契約条項については、それに基づく事業者の権利の行使を認めないこととするにとどまらず、当該契約条項を無効とし、当該契約条項において意図された法的効果を初めからなかったことにしようとするものである」としている。

また、「消費者の利益を一方的に害する」の意義については、「消費者と事業者との間にある情報・交渉力の格差を背景として、当該契約条項により、任意規定によって消費者が本来有しているはずの利益を、信義則に反する程度に両当事者の衡平を損なう形で侵害することを指す。」としている（同書214頁）。

実際の裁判例においても，前掲の大津地判平 18・6・28 は，いわゆる敷引特約の有効性が問題となった事案において，「消費者契約法が，事業者と消費者の間の情報力・交渉力の格差を前提としていることに鑑みれば，消費者契約において，消費者に対し民・商法上の任意規定に基づく給付義務と比べて過大な負担を負わせる条項が設けられている場合には，消費者が事業者よりも情報力・交渉力の面で劣位にあるがゆえ，事業者が提供するサービスの対価として均衡を失する過大な給付を強いられたと一応推定されるから，事業者の側において，①消費者が当該契約条項により負担する給付が，実際は，消費者が法的に負担すべき義務の対価たる性格を有することに加え，②契約締結時までに事業者から消費者に上記①の情報が提供されることにより，事業者と消費者との情報量・交渉力の格差が是正され，消費者が契約締結後になって初めて契約締結時に予定していたよりも不利益な状態に陥ったとはいえないことを立証すれば，事業者には反対給付を保持するに足りる正当な理由があり，当該契約条項も消費者契約法 10 条に違反するとはいえないことになるが，上記①②の事実が認められないときは，当該契約条項は，消費者契約法 10 条に反するものとして無効になると解するのが相当である」と判示している。

④　条項の限定的解釈について

契約条項が法 10 条に違反するか否かを判断するに際しては，先立って当該条項がいかなる内容を規定したものであるかという条項自体の解釈が必要となる。この点，事業者は条項を定めるにあたっては，その解釈について疑義が生じない明確なものとすべき努力義務を負っているから（法 3 条 1 項 1 号），条項の解釈について疑義が生じるような場合には作成者たる事業者に不利に解釈すべきである。

したがって，当該条項の内容に疑義のあるような場合には，個々の消費者との関係においては，法 10 条に違反するか否かを問うまでもなく，当該条項の解釈として，消費者の権利を制限し，又は義務を加重するような内容を含まないものと解釈されることとなる。

もっとも，法 12 条 3 項に基づく差止請求の場面においては，このように解釈に疑義のある条項を，不当な内容を含まない条項であると限定的な解釈

を取ると，法10条に違反するものではないとされて，差止請求が認められないという結果になり，かえって不当な条項を定めた事業者を利する結果となる。

この点に関しては，最判令4・12・12民集76巻7号1696頁は「法12条3項本文に基づく差止請求の制度は，消費者と事業者との間の取引における同種の紛争の発生又は拡散を未然に防止し，もって消費者の利益を擁護することを目的とするものであるところ，上記差止請求の訴訟において，信義則，条理等を考慮して規範的な観点から契約の条項の文言を補う限定解釈をした場合には，解釈について疑義の生ずる不明確な条項が有効なものとして引き続き使用され，かえって消費者の利益を損なうおそれがあることに鑑みると，本件訴訟において，無催告で原契約を解除できる場合につき（中略）何ら限定を加えていない本件契約書13条1項前段について上記の限定解釈をすることは相当でない。」と判示しており，差止請求の場面における限定解釈が許されないことを明確にしている。

(ii) 判断の基準時及び判断要素について

① 判断の基準時

原則として，契約が締結された時点を基準としたすべての事情を考慮して判断する[29]。もっとも，必要な場合には契約締結後の事情を考慮することも認められて良いと考える[30]。

② 判断要素

契約の目的とされた物品・権利・役務の性質，契約締結に伴う状況，当該契約の他の条項，その契約と依存関係にある他の契約の全条項等を考慮して総合判断する[31][32]。

(iii) 本条によって無効となる可能性がある契約条項の具体例

Ⅲで詳述する。

3 効 果

(注29) 落合・前掲（注1）150〜151頁。
(注30) 沖野・前掲（注16）57頁以下。

(1) 「無効とする」

問題とされる契約条項が本条の不当条項に該当する場合，当該契約条項は無効となる。すなわち，当該契約条項の法律効果は発生しない。

(2) 無効の範囲

問題とされる契約条項が本条の不当条項に該当する場合，当該契約条項は全部無効になると考えるべきか，一部無効になると考えるべきか。

(注31) 落合・前掲（注1）151～152頁は，特に留意する必要がある事情として，①当事者の情報力・交渉力の格差の程度・状況，②消費者が当該条項に合意するよう勧誘されたかどうか，③当該物品・権利・役務が，当該消費者のほうから特別に求めたものかどうか，④当該条項が消費者にとって理解しやすいものであるかどうか，⑤消費者に当該条項の基本的内容を知る機会が与えられていたかどうかをあげている。

　もっとも，上記の②～⑤といった個々の消費者契約の締結過程に関係する事情については，本条の不当条項審査において注意が必要な判断要素である。少なくとも個々の消費者契約の締結過程に関する具体的当事者間の個別事情が一般的にみておよそ合理性を有しないと評価できるような普通契約約款の契約条項を有効視する方向で重視されるようなことがあってはならない。

(注32) 最判平24・3・16（最高裁HP，民集66巻5号2216頁）は，保険契約の約款における，猶予期間内に保険料の払い込みがない場合に無催告で保険契約が失効する旨を定める条項（無催告失効条項）の10条該当性について判示したものであるが，本件約款において，保険契約者が保険料の不払いをした場合にも，その権利保護を図るために一定の配慮をした定めが置かれていることに加え，保険会社が，保険契約の締結当時，保険料支払債務の不履行があった場合に契約失効前に保険契約者に対して保険料払込みの督促を行う態勢を整え，そのような実務上の運用を確実にした上で本件約款を適用していることが認められるのであれば，本件失効条項は信義則に反して消費者の利益を一方的に害するものに当たらない旨判示したもので，約款外の実務上の運用を一判断要素とした。

　しかし，実務上の運用は，本条の不当条項審査において注意が必要な判断要素である。

　上記最高裁判決があげた実務上の運用のほか，前掲（注31）で指摘した個々の消費者契約の締結過程に関係する事情など，約款外の事情については，少なくとも一般的にみておよそ合理性を有しないと評価できるような普通契約約款の契約条項を有効視する方向で重視されるようなことがあってはならない。

　なお，保険契約における無催告失効条項に関する裁判例について，本書10条「Ⅲ　本条の適用が問題となりうる不当条項例」「12　事業者からの解約・解除の要件を緩和する条項」において紹介している。

この点については，一部無効を原則とすべきとの考え方もある[33]。しかしながら，消費者契約においては事業者が一方的に契約条項を作成しており，自ら不当条項を作成した者が不利益を被っても酷とは言えない。また，事業者が包括的な不当条項を定めておいても裁判所がぎりぎり有効な範囲で効力を維持してくれるというのであれば，不当条項の流布が止まず，不当条項に異議を唱えない消費者に不利益をもたらす危険性がある。消費者契約の内容の適正化を進める見地から，全部無効になると考えるべきである[34]。

(3) 無効部分の補充

問題とされる契約条項が本条で無効となった場合，その部分は任意規定，判例・解釈上一般に承認されているルール，契約に関する基本原則・一般法理，慣習，条理によって補充されることになる[35]。

(4) 契約全体の効力

本条により不当条項として問題とされるのは個々の契約条項であり，当該契約条項が無効となった後に任意規定等で補充されれば，不当条項による消費者の不利益は除去される。したがって，原則として契約全体の効力までは否定されない。

もっとも，無効部分の補充による契約の維持が当事者にとって耐え難い不利益をもたらすような場合には，例外的に契約の全部無効が認められることになる[36]。

(5) 民法548条の2第2項との適用関係

民法548条の2第2項は，定型約款の条項が，相手方の権利を制限し，または相手方の義務を加重する条項で，民法1条2項に規定する基本原則に反して相手方の利益を一方的に害すると認められる場合には，「合意をしなか

(注33) 山本豊・前掲（注3）63頁。

(注34) 山本敬三・前掲（注3）29～30頁，落合・前掲（注1）153～154頁も，原則として全部無効とするべきであるとされている。

(注35) 消費者庁解説（214頁）は，本条の効果について「本条は，信義則に反する程度に任意規定から乖離する契約条項を，その限りにおいて無効とするものである。契約条項が無効となれば，当該契約条項は最初からなかったこととなり，任意規定に則った取扱いがなされることとなる。」としている。

ったものとみなす」と規定している。そこで，消費者契約における不当条項を「無効とする」と規定している本条等との適用関係が問題となりうる。

　まず，消費者契約において定型約款が使用された場合，相手方である消費者は，定型約款準備者である事業者に対し，民法548条の2第2項に基づく不当条項の効力否定という法律主張と本条等に基づく不当条項の効力否定という法律主張を選択的に行使できると考えて良い[37]。両規定は趣旨・目的を異にしており，包含関係や先後関係にはない。

　また，消費者や適格消費者団体からの本条等に基づく不当条項の無効主張や差止請求に対し，事業者から「民法548条の2第2項に違反する定型約款条項なので同条項によってもともと契約内容となっていない」といった抗弁主張を行うことは許されない[38]。民法548条の2第2項は，定型約款の相手方保護を趣旨とする規定であり，定型約款準備者による上記のような抗弁主張は規定の趣旨に反する。

　本条等と民法548条の2第2項とは，消費者契約約款に対する不当条項規制という部分においては適用範囲が重なり合う。ただし，両規定の不当性判断基準は，規定の趣旨・目的の違いを反映して，必ずしも同一ではない[39]。

(注36)　山本敬三・前掲（注3）30頁。なお，潮見・前掲（注18）162頁は，契約全体（あるいは，契約全体ではないにしても関連する一群の条項）が無効となる場合として，①当該契約条項が無効とされる結果として，契約上の給付と反対給付との間に不均衡がもたらされる場合（あるいは，契約中の重要な部分が無効となっている場合），②無効とされた条項が補充できないために，契約内容が不確定な状態におかれている（あるいは，補充の後にも契約内容が不確定な状態におかれている）結果として，契約内容を実現することが不可能な場合，③補充された契約内容を維持することが契約目的に照らして期待できない場合をあげている。

(注37)　日本弁護士連合会編『実務解説・改正債権法〔第2版〕』388〜389頁（弘文堂，2020），村松秀樹＝松尾博憲『定型約款の実務Q&A〔補訂版〕』110頁（商事法務，2023）。2017年5月23日参議院法務委員会における小川政府参考人発言も同旨（同委員会議事録第13号34頁）。

(注38)　日本弁護士連合会・前掲（注37）388〜389頁，村松＝松尾・前掲（注37）110頁。第6回消費者契約法専門調査会（2015年3月6日）における筒井参考人発言も同旨（同専門調査会議事録7頁）。

また、民法548条の2第2項は、事業者間契約にも当然に適用されうる。さらに、民法548条の2第2項は、「不当条項」のみならず、いわゆる「不意打ち条項」の効力否定をも射程に含んだ規定である[40]。それらの点で本条等の不当条項規制とは異なる点がある。

Ⅲ 本条の適用が問題となりうる不当条項例

以下では、本条の適用に関する具体的考察として、本条の適用が問題となりうる具体的な契約条項例を、国生審報告、日弁連試案、各種検討会等報告書、債権法改正の基本方針及び諸外国の立法例を参考として例示列挙するとともに、不当条項性判断について若干の検討を加えることとする。

1 事業者に契約内容の一方的変更権を認める条項[41]

(1) 問題となりうる契約条項例

(具体例)

・金銭消費貸借契約において事業者が約定金利を一方的に変更できるとする条項
・賃貸借契約において事業者が賃料や更新料を一方的に変更できるとする条項
・英会話学校等において、事業者が消費者の通うべき教室を一方的に遠隔地等にでも変更できるとする条項
・募集型企画旅行契約において事業者がホテルや飛行機をいかなる内容にでも一方的に変更できるとする条項

(2) 国生審報告、日弁連試案、検討会等における議論、諸外国の法制等

(i) 国生審報告

(注39) 村松＝松尾・前掲（注37）109〜110頁。

(注40) 日本弁護士連合会・前掲（注37）388〜389頁、村松＝松尾・前掲（注37）97〜98頁。山本敬三＝深山雅也＝山本健司「債権法改正と実務上の課題11・定型約款」ジュリ1525号95頁以下も参照。

(注41) 事業者に契約内容の一方的決定権や解釈権を認める条項については、次項「2 事業者に契約内容の一方的決定権を認める条項」を参照。

第16次国生審中間報告は，不当条項リストに掲げるべき不当条項として「事業者に契約内容の一方的変更権限を与える条項」をあげている。
　また，第16次国生審最終報告は，不当条項の判断基準として「事業者が合理的な理由なくして一方的に法律関係を変動させることを可能とするもの」との基準をあげている。
　(ⅱ)　1999年日弁連試案
　グレイリストに「事業者が契約上の給付の内容又は契約条件を一方的に決定し，又は変更できるとする条項」をあげている（14条2号）[42]。
　(ⅲ)　検討会等における議論
　平成19年度不当条項研究会報告書は，不当条項リストの見直し作業において検討を要する契約条項類型の1つとして「契約内容変更権条項，価格変更権条項」をあげている[43]。
　また，債権法改正の基本方針も，約款および消費者契約に関して不当条項と推定される条項の例として「条項使用者に契約内容を一方的に変更する権限を与える条項」をあげ[44]，平成23年度運用状況調査結果報告でも，今後リスト化を検討すべき条項の種類の1つとして「事業者に一方的な権限を与える条項（契約内容の一方的な変更権限を与える条項など）」があげられている[45]。そして，平成25年論点整理の報告も，不当条項リストに掲げる条項の候補として「事業者に契約内容・条項の一方的な変更権限を与える条項」をあげている[46]。さらに，平成26年運用状況検討会報告書でも，追加が考えられる不当条項リストの1つとして「事業者に一方的な権限を認める規定」があげられている[47]。
　(ⅳ)　諸外国の法制

（注42）　2012年日弁連改正試案では14条9号（グレイリスト。事業者に対し，契約上の給付内容又は契約条件を一方的に決定又は変更する権限を付与する条項），2014年日弁連改正試案では18条3号（グレイリスト。2012年日弁連改正試案と同じ）。
（注43）　詳細は，山本健司・前掲（注23）24〜37頁。
（注44）　債権法改正の基本方針111〜120頁。
（注45）　平成23年度運用状況調査結果報告90〜91頁。

ドイツ民法は，評価の余地を伴う禁止条項（いわゆるグレイリスト）として，「約款における条項で，とりわけ，次のようなものは無効とする」「4（変更権の留保）約束された給付を変更し，または，これと異なる給付をなす権利を約款使用者に認める旨の合意。ただし，給付の変更や異なる給付をなす合意が，約款使用者の利益状況に照らし，契約の相手方に期待し得るものであるときはこの限りではない」と規定している（308条4号）。

また，93年EC指令は，「売主または提供者は，契約で特定された正当な理由なしに，契約の条項を一方的に変更しうるとする」契約条項，「売主または提供者は，正当な理由なしに供給されるべき物品またはサービスの性質を一方的に変更することができるとする」契約条項，「物の価格を引渡時に定めるものとし，または物の売主もしくはサービスの提供者は価格を引き上げることができるとしながら，いずれの場合についても，最終的な価格が契約締結時に合意した価格に比して不当に高額であるとき，そのことを理由に契約を解約する権利を消費者には与えていない」契約条項を，各々不公正とみなすことができる契約条項として規定している（3条3項・付表1(j)(k)(l)）。

さらに，韓国約款規制法は，「相当な理由なしに給付の内容を事業者が一方的に決定し，または変更できるような権限を与える条項」を無効とする旨規定している（10条1号）[48]。

(3) 不当条項性の検討

(注46) 詳細は，平成25年論点整理の報告72〜77頁。変更に「正当な理由」があることを事業者が反証することが許されるグレイリストとして設けることが考えられるとされている。また，契約内容自体の変更権限と契約条項（付随条項）の変更権限を分け，前者（目的物の特徴や代価に関する条項等）についてはブラックリストとし，それ以外はグレイリストとする可能性もありうるとされている。

(注47) 平成26年運用状況検討会報告書64〜71頁。

(注48) 諸外国の法制としては他に，フランス消費者法典R132-1条第3号，R132-2条第6号，イギリス不公正条項法第3条第2項b(i)，オランダ民法第6編第236条i，同第237条cがある（法制審議会民法（債権関係）部会第11回会議・部会資料13-2）。

(i) 消費者の不利益の存在

契約当事者は，当事者間で合意した契約内容に拘束される反面，合意していない事項については法的な拘束を受けない。すなわち，契約内容を改訂する旨の新たな合意をしない限り，契約締結当時の契約内容のみに拘束される。これは私的自治の原則から現行法上当然に消費者に認められる権利義務状態である。

ところが，事業者に契約の給付内容及び契約条件の一方的な変更権を認めると，消費者は契約締結時に予想していなかったような給付内容しか受けられないといった不利益をこうむることになる。

したがって，このような事業者の一方的変更権を定める条項は，当該契約条項がなければ消費者に認められていたであろう権利義務関係と比較して，消費者に不利益な権利義務関係を定めている契約条項であると位置付けられる。

(ii) 事業者の不利益との均衡性

前述のとおり，問題とされる契約条項によって消費者がこうむる不利益と当該契約条項が存在しない場合に事業者がこうむる不利益との間に均衡性が認められない場合には，本条第二要件の「民法第1条第2項に規定する基本原則に反して消費者の利益を一方的に害する」ものとして，当該契約条項は無効となる。

(iii) 具体的考察

具体的な契約条項の有効性については，問題とされる消費者契約の契約類型や事業者の事業内容に照らした変更条項の必要性，変更条項によって消費者がこうむる不利益の内容や程度等から個別的に判断せざるを得ない。

例えば，事業者が不慮の事態の発生等によって本来予定した給付を消費者に履行できなくなった場合に代替給付をすれば足りる旨の変更条項をあらかじめ契約条項として定めていることがある。しかしながら，給付の個性が契約の動機となっているような契約形態では消費者が代替給付よりも契約関係からの離脱を希望する場合も多い。

したがって，かかる契約条項の有効性については，事業者の事業内容等に照らした変更条項の必要性の程度や，変更理由がやむを得ない場合に限定さ

れているかといった事情，当該変更条項により消費者がこうむる不利益の内容や程度，具体的には，変更前後の給付に対価的均衡が認められるか，契約締結時に変更後の給付内容が特定されていたか（少なくとも変更後の給付内容の決定基準が明記されていたか），消費者に契約関係から離脱する機会が確保されているかといったこと等から，個別具体的に検討されざるを得ないと考える。

　この点，民法548条の4は，定型約款について，定型約款準備者が，一定の要件のもとで，個別に相手方と合意をすることなく定型約款の内容を変更できるとしている。具体的には，(1) 実体要件として，①定型約款の変更が，相手方の一般の利益に適合するとき（第1項1号），または，②定型約款の変更が，契約をした目的に反せず，かつ，変更の必要性，変更後の内容の相当性，この条の規定により定型約款の変更をすることがある旨の定めの有無及びその内容その他の変更に係る事情に照らして合理的なものであるとき（第1項2号）という要件を満たしたうえで，(2) 手続要件として，効力発生時期を定め，かつ，定型約款を変更する旨及び変更後の定型約款の内容並びにその効力発生時期をインターネットの利用その他の適切な方法により周知しなければならず（同条第2項），上記 (1) ②の規定による定型約款の変更をするときには，効力発生時期の到来までに上記 (2) の周知をしなければ約款変更の効力は生じないとしている（同条第3項）。そして，定型約款準備者は，上記 (1) (2) の要件を満たすときに限り，相手方の個別同意なく，定型約款を変更することによって契約内容を変更でき，上記 (1) (2) の変更要件を緩和する特約は無効と解されている（強行規定）[49]。

　したがって，定型約款に該当する消費者契約において事業者の一方的変更権限を定めた契約条項については，民法548条の4の規定に適合したような「事業活動上の合理的な変更の必要性がある場合に，当該必要性に照らして相当な範囲・内容での約款変更を，事前開示など適正な手続のもとで実施で

（注49）　村松＝松尾・前掲（注37）146頁，日本弁護士連合会編・前掲（注37）397頁，鹿野菜穂子監修，日本弁護士連合会消費者問題対策委員会編『改正民法と消費者関連法の実務』247頁（民事法研究会，2020）。

きる」旨の規定内容でなければ，強行規定である同条に照らして無効となる（消費者契約法 10 条の不当条項審査でも同様の結論となる）。また，もし仮に契約条項が民法 548 条の 4 の規定に適合した有効な条文であったとしても，実際に事業者が同条の要件（＝契約条項の要件）を満たす約款変更を履践していない場合には，適法な約款変更とは認められない（給付内容の有効な変更とは認められない）。

　一方，定型約款に該当しない消費者契約において事業者の一方的変更権限を定めた契約条項については，消費者契約法 10 条の不当条項審査（第二要件該当性の判断）において上述のような個別具体的な検討が必要となるところ，消費者がこうむる不利益の重大性や，民法において不特定多数要件や画一性要件が必要な定型約款（定型取引）においてすら上記のような厳格な実体要件と手続要件のもとでなければ一方的な契約内容の変更が認められていないことに鑑みれば，上記のような一方的変更権条項の有効性及び給付内容変更の有効性が共に肯定される事案は極めて限定されるものと考えられる。

　⑷　変更条項の不当条項性と給付内容変更の有効性について

　変更条項の不当条項性の問題と，当該変更条項を理由とした事業者の給付内容変更が許されるか（従前の契約どおりの給付を履行しないことが債務不履行とならないか）という問題とは次元の異なる問題である。

　例えば，将来における不慮の事態の発生等によって契約上の給付が履行できなくなった場合に備えて事業者が契約条項（約款など）で事前に変更条項を定めている場合を考えると，かかる変更条項は将来起こりうる種々の事象に対応できるように，表現が抽象的な規定とされていることが一般的である（不慮の事態の内容や代替給付の内容を具体的網羅的に列挙することは不可能である）。したがって，本条の不当条項審査は，かかる抽象的な変更条項を対象として行われることになる。その結果，事業者の業務内容に照らしてそもそもかかる変更条項を定めておく必要性がないと評価できる場合には，不当条項と判断されうることになる。また，仮に必要性が認められるとしても，変更理由が何ら限定されていなかったり，変更後の給付内容に何ら限定がなされていないといった場合には，契約条項の定め方（手段）が過度に広汎に消費者の利益を制限しているものとして，やはり不当条項と判断されうること

になる。この点，安易な限定解釈等の手法によって，過度に広範に消費者の利益を制限している不当条項の存続を許容することは許されるべきではないと考える（特に適用範囲の広い約款においてその弊害は甚大である）。

一方，仮に本条の不当条項審査によって変更条項自体が有効であると判断できる場合でも，具体的事案において，事業者が当該変更条項の存在を理由として不当に契約内容どおりの給付を履行しない場合がおこりうる。例えば，変更要件が満たされていないにもかかわらず事業者が給付内容を変更する場合や，変更後の給付内容が変更前の給付内容と対価的均衡を欠くような場合である。このような事業者の対応は消費者に対する債務不履行となる。したがって，消費者は事業者に対し債務不履行によって生じた損害の賠償を求めうる。これは契約条項の有効無効の問題とは別次元の問題である。

なお，パック海外旅行における宿泊施設の一方的変更の是非が問題となった事例において，旅行業約款の規定（事業者は，天変地異等やむ得ないときは，旅行者にあらかじめ理由を説明して，旅行サービスの内容を変更しうるという条項）の有効を前提としつつ，当該事案においては事業者が上記条項に定められた説明を尽くしたとはいえない点で債務不履行があるとして，旅行者から事業者に対する慰謝料請求を一部認容した裁判例が存する（神戸地判平5・1・22判タ839号239頁）。

(v) 裁判例

通信サービス契約における「当社は，この約款を変更することがあります。この場合には，料金その他の提供条件は，変更後の約款によります。」との変更条項の有効性が争われた差止請求訴訟の裁判例がある。

第一審の東京地判平30・4・19判時2425号26頁は，契約当事者は，当事者間で合意した契約内容に拘束される一方で，合意していない事項については法的に拘束されず，契約内容を変更する場合にはその旨の合意をしてはじめて変更後の契約内容に拘束されると解釈するのが私的自治の原則からの帰結であり，上記変更条項は，かかる一般法理等に該当する解釈に比して消費者の義務を加重するものであるとして，10条第1要件該当性を認めた[50]（ただし，10条第2要件該当性を否定し，条項自体は有効と判断した）。

しかしながら，控訴審である東京高判平30・11・28判時2425号20頁は，

上記変更条項は、「当社はこの約款を変更することがあります。この場合、料金その他の提供条件は、変更が客観的に合理的なものである場合に限り、変更後の約款によります。」との趣旨と解するのが相当であると限定解釈したうえで、10条第1要件該当性を否定し、上記変更条項を有効と判断した。もっとも、限定解釈と併せて、「ただし、条項自体からは、無限定の変更が許されるように読める点からすれば、文言の明確性の観点からも、変更が許される一定の合理的な範囲について、できる限り明確な文言により定めておくことが将来の紛争を防止するためにも望ましいものと思料する」と判示しており、契約条項の明確化の努力（3条1項1号）を怠った条項であるとの評価をしている。

2 事業者に契約内容の一方的決定権を認める条項[51][52]

(1) 問題となりうる契約条項例

（具体例）[53][54]

・消費者に対し事業者が適当と認める内容や方法で債務を履行するといっ

(注50) この判断を支持するものとして、大澤彩「携帯電話利用契約における変更条項および契約内容変更をめぐる若干の考察」NBL1151号4頁。

(注51) 事業者に契約内容の一方的変更権を認める条項については、前項「1 事業者に契約内容の一方的変更権を認める条項」を参照。

(注52) 本条項例については、本法8条及び8条の2において一部立法化がされたが、これらの条項の本書での解説においては、立法化に至る議論過程で用いられた、「解釈権限付与条項・決定権限付与条項」という名称を用いている。

(注53) 具体的な条項例について、第41回専門調査会・資料1・17頁、第45回専門調査会・資料1・8頁。

(注54) 相談事例としては、委任契約において弁護士に対して和解内容を一任する旨の規定のほか、「本規約に定めのない規定については、法律・条例などの定によるほか、その都度当寺によって定める事とします」、「本規約の解釈等に疑義が生じた場合には、当社は……信義誠実の原則に基づいて決するよう努め、会員はその決定に従うものとします」、「買取自動車から生じる品質問題について……甲の理解度、協力不足により解決が遅れ難航する場合は乙が総合的判断をもって裁定し解決します。甲は、この結果に一切の異議を唱えないものとします」といった、事業者に一方的な契約解釈権限を与える規定が見受けられる（平成26年運用状況検討会報告書の裁判例【216】、【219】〜【221】）。

た条項
・消費者に対し事業者が適当と認める場合に債務を履行するといった条項
・規約の解釈等に疑義が生じた場合に事業者が解釈等を決めることとし，消費者はその決定に従うものとする条項[55]

(2) 国生審報告，日弁連試案，検討会等における議論，諸外国の法制等[56]

(i) 国生審報告

第16次国生審中間報告は，不当条項リストに掲げるべき不当条項として「事業者に契約内容の一方的決定権限を与える条項」，「事業者に給付期間についての一方的決定権限を与える事項」，「商品が契約に適合しているか否かを一方的に決定する権利を事業者が留保する，又は契約の文言を解釈する排他的権利を事業者に与える条項」をあげている。

また，第16次国生審最終報告は，不当条項の判断基準として「事業者が合理的な理由なくして一方的に法律関係を変動させることを可能とするもの」との基準をあげている。

(ii) 1999年日弁連試案

グレイリストに「事業者が契約上の給付の内容又は契約条件を一方的に決定し，又は変更できるとする条項」，「事業者又は消費者がその義務を履行したか否かの判断を事業者に委ねる条項」をあげている（14条2号，同条3号）[57]。

また，ブラックリストに「契約文言を解釈する排他的権利を事業者に認める条項」をあげている（13条1号）。

(注55) 第41回専門調査会・資料1・17頁において，「本規約の解釈等に疑義が生じた場合，当社が解釈等を決めることとし，会員はその決定に従うものとします。」との条項例が，「法第10条に該当し無効になる可能性があると考えられる。」としてあげられている。

(注56) 「事業者に一方的な権限を与える条項」を不当条項リストに掲げるべきとの議論は，消費者契約法制定時からなされてきた。この点に関する経過の詳細については，法8条の解説部分を参照。

(注57) 2012年日弁連改正試案では14条9号（グレイリスト。「事業者に対し，契約上の給付内容又は契約条件を一方的に決定又は変更する権限を付与する条項」），2014年日弁連改正試案では18条3号（グレイリスト。2012年日弁連改正試案と同じ）。

(iii) 検討会等における議論

平成19年度不当条項研究会報告書は，不当条項リストの見直し作業において検討を要する契約条項類型の1つとして「契約適合性判定権条項」をあげている[58]。

また，平成23年度運用状況調査結果報告でも，今後リスト化を検討すべき条項の種類の1つとして「事業者に一方的な権限を与える条項（契約内容の一方的な変更権限を与える条項など）」があげられている[59]。そして，平成25年論点整理の報告も，不当条項リストに掲げる条項の候補として「事業者に契約内容・条項の一方的な決定権限を与える条項」をあげている[60]。さらに，平成26年運用状況検討会報告書でも，追加が考えられる不当条項リストの1つとして「事業者に一方的な権限を認める規定」があげられている[61]。

平成27年専門調査会中間取りまとめも，規定の追加を検討すべき具体的な条項の類型として「①契約文言の解釈権限を事業者のみに付与する条項（以下「解釈権限付与条項」という。），及び，②契約に基づく当事者の権利・義務の発生要件該当性又はその権利・義務の内容についての決定権限を事業者のみに付与する条項（以下「決定権限付与条項」という。）」をあげ[62]，平成27年専門調査会報告書においても，規定を設けることを検討することが考えられる具体的な契約条項の類型としては「契約文言の解釈権限を事業者のみに付与する条項，及び，法律若しくは契約に基づく当事者の権利・義務の発生要件該当性若しくはその権利・義務の内容についての決定権限を事業者のみに付与する条項」等があげられるとしている[63]。

そして，平成28年9月から再開された専門調査会では，解釈権限付与条項・決定権限付与条項のいずれについても本条で無効となり得る場合がある

(注58) 詳細は，山本健司・前掲（注23）24～37頁。
(注59) 平成23年度運用状況調査結果報告90～91頁。
(注60) 平成25年論点整理の報告72～77頁。
(注61) 平成26年運用状況検討会報告書64～71頁。
(注62) 平成27年専門調査会中間取りまとめ41～42頁。
(注63) 平成27年専門調査会報告書8頁・脚注8。

こと自体には異論がなかった。そこで，本条第一要件に該当する条項例として，「条項の解釈や当事者の権利・義務の発生要件該当性の決定は事業者のみが行うものとする旨を定めた条項」という趣旨の規定を設ける考え方などが検討された。しかし，事業者側委員より，一定の場合における実務上の必要性などを理由とした反対意見が述べられたことから[64]，解釈権限付与条項や決定権限付与条項の1類型である既存の不当条項規制の潜脱となるような権限を事業者に付与する条項のみが法文化されることになり（8条及び8条の2の解説参照）[65]，その余の解釈権限付与条項・決定権限付与条項は今後の検討課題とされた[66]。一方，上記のような議論経緯を踏まえ，解釈権限付与条項・決定権限付与条項については，本条で無効となるものがあることを消費者庁解説に記載するなど，事業者においてよ適正な条項作成が行われるよう促すこととされた[67]。

(iv) 諸外国の法制

93年EC指令は，「消費者は拘束力される一方，売主または提供者によるサービスの提供の実現には，売主または提供者の意思のみに係る条件を付す」契約条項，「提供された物もしくはサービスが契約に適合しているか否かを判定する権利を売主もしくは提供者に与えること，または，契約の文言を解釈する権利を排他的に売主もしくは提供者に与える」契約条項を，各々不公正とみなすことができる契約条項として規定している（3条3項・付表1(c), (m)）。

(注64) 事業者側からは，反社会的勢力排除条項等を例に，実務上必要であって，法10条第二要件で判断されるとはいえ，第一要件に該当する旨明文化されると，法的安定性に欠けることになるとの懸念が示された。もっとも，反社会的勢力排除条項等を，解釈権限・決定権限付与条項の問題として位置付けることへの疑問も示されている（第47回専門調査会議事録）。

(注65) 既存の不当条項規制の潜脱という観点から，事業者の債務不履行・不法行為により消費者に生じた損害の賠償責任や，債務不履行に基づく解除権の要件該当性の決定権限を事業者に付与する条項を無効とする提案がなされ，平成30年改正へとつながった。

(注66) 平成29年専門調査会報告書11〜12頁。

(注67) 平成29年専門調査会報告書12頁。

さらに、韓国約款規制法は、「相当な理由なしに給付の内容を事業者が一方的に決定し、または変更できるような権限を与える条項」を無効とする旨規定している（10条1号）[68]。

(3) 不当条項性の検討

(i) 消費者の不利益の存在

契約当事者は、当事者間で合意した契約内容に拘束される反面、合意していない事項については法的な拘束を受けない。すなわち、契約内容を改訂する旨の新たな合意をしない限り、契約締結当時の契約内容のみに拘束される。これは私的自治の原則から現行法上当然に消費者に認められる権利義務状態である。

ところが、事業者に契約の給付内容及び契約条件の一方的な決定権を認めると、消費者は契約締結時に予想していなかったような給付内容しか受けられないといった不利益をこうむることになる。

他方、解釈権限付与の場合、事業者が有するのは給付内容等の決定権そのものではない。しかし、契約の解釈等に疑義が生じた場合、その判断を行うのは本来裁判所のはずである。その判断権限を契約の一方当事者である事業者が保持すれば、事業者は解釈の範囲内では自由に契約内容を決定できることとなり、やはり消費者には上記と同様の不利益が生じうる。

したがって、このような事業者の一方的決定権を定める条項は、当該契約条項がなければ消費者に認められていたであろう権利義務関係と比較して、消費者に不利益な権利義務関係を定めている契約条項であると位置付けられる[69]。

なお、平成30年改正では、既存の不当条項規制の潜脱となるような権限を事業者に付与する条項が、新たに不当条項として追加された（8条及び8

(注68) フランスやオランダなど諸外国の中には、既に不当条項として規定しているところもある。具体的には、第11回専門調査会・資料1・28頁参照。

(注69) 第41回専門調査会では、本条の第一要件に該当する条項例として「条項の解釈や当事者の権利・義務の発生要件該当性の決定は事業者のみが行うものとする旨を定めた条項」という趣旨の規定を設ける考え方が提案され、多くの賛同意見が述べられた。

条の2の解説参照)。

しかし,上記の規定に該当しない解釈権限付与条項や決定権限付与条項については,今後も本条の適用対象となる。

(ii) 事業者の不利益との均衡性

前述のとおり,問題とされる契約条項によって消費者がこうむる不利益と当該契約条項が存在しない場合に事業者が被る不利益との間に均衡性が認められない場合には,本条後段の「民法第1条第2項に規定する基本原則に反して消費者の利益を一方的に害する」ものとして,当該契約条項は無効となる。

(iii) 具体的考察

具体的な契約条項の有効性については,問題とされる消費者契約の契約類型や事業者の事業内容に照らした決定権条項の必要性,決定権条項によって消費者が被る不利益の内容や程度等から個別的に判断せざるを得ない。

もっとも,契約の一方当事者である事業者による一方的な解釈・決定が許される場合,消費者の契約上の地位が著しく不安定かつ不利益なものになることを踏まえると,かかる契約条項が均衡性あるものとして有効とされるためには,消費者が被る不利益を相当程度に上回る必要性・相当性が事業者に求められるものと考えられる。

契約文言を解釈する排他的権利を事業者に認める条項や事業者又は消費者がその義務を履行したか否かの判断を事業者に委ねる条項については,契約の一方当事者が契約内容や義務履行の成否を一方的に決められる契約と評価せざるをえないことから,均衡性は認められ難いものと考える。

(iv) 裁判例

さいたま地判令2・2・5(判時2458号84頁)は,ポータルサイト運営会社が会員規約にて一定の場合に会員資格取消し等の措置ができることを定めるとともに(規約7条1項),同3項にて同措置により損害が生じても一切損害を賠償しない旨を定めていた事案につき,規約7条3項の法8条1項1号及び3号の各前段該当性の有無に関する前提問題として,規約7条1項c号(他の会員に不当に迷惑をかけたと当社が判断した場合),e号(その他,会員として不適切であると当社が判断した場合)の『判断』の文言等について検討

し,「上記各号の文言から読み取ることができる意味内容は,著しく明確性を欠き,契約の履行などの場面においては複数の解釈の可能性が認められると言わざるを得ない」と判示したうえで,規約7条3項は,同条1項c号又はe号との関係において,その文言から読み取ることができる意味内容が,著しく明確性を欠き,契約の履行などの場面においては複数の解釈の可能性が認められるところ,被告(ポータルサイト運営会社)は,当該条項につき自己に有利な解釈に依拠して運用していることがうかがわれ,それにより,同条3項が,免責条項として機能することになると認められると判示して,規約7条3項は,法8条1項1号及び3号の各前段に該当するというべきであるとした。

同判決は法10条に関する直接的な判断を含むものではないが,事業者に契約内容の一方的決定権を認める契約条項の法10条該当性を検討する上で参考となる[70][71][72]。

3 意思表示の擬制を定める条項

(1) 問題となりうる契約条項例

(i) 消費者の一定の作為により消費者の意思表示がなされたものとみなす条項

(具体例)

・事業者から送付された物品の包装を消費者が開封した場合,消費者に購

(注70) 内山敏和『ポータルサイトのサービス利用規約の消費者契約法8条1項該当性(東京高判令2・11・5)』現代消費者法51号65頁は,規約7条1項c号およびe号について,事業者に違反行為の排他的判定権を付与する条項(決定権付与条項)であるとしたうえで,「本来,『合理的な判断』を通じてしかその契約上の権利を害されない消費者の権利が,相当の対価もなく,事業者による恣意的な,あるいは理由の明示されない一方的な『判断』に服することになるとすれば,それは,消費者の権利を信義則に反して一方的に害するものといってよい。」「また,そうでなくとも,消費者において,事業者側の『判断』に異議を差し挟む余地がないとの誤解を生じさせ,萎縮効果をもたらすことは十分に考えられる。」とし,「このような条項も,原則として,法10条にいう不当条項に該当するというべきである」としている。

入の意思表示があった（売買契約が成立した）ものとみなす条項
(ⅱ) 消費者の一定の不作為により消費者の意思表示がなされたものとみなす条項

（具体例）
・事業者から送付された物品を消費者が一定期間内に返送しなかった場合，消費者に購入の意思表示があった（売買契約が成立した）ものとみなす条項
・契約期間満了前の一定期間内に消費者が更新拒絶の意思表示をしない場合，消費者が契約関係の継続を承諾したものとみなす条項

(2) 国生審報告，日弁連試案，検討会等における議論，諸外国の法制等
(ⅰ) 国生審報告

第16次国生審中間報告は，リストに掲げるべき不当条項として「一定の作為又は不作為に表示としての意味を持たせる条項」をあげている。

また，第16次国生審最終報告は，不当条項の判断基準として「事業者が合理的な理由なくして一方的に法律関係を変動させることを可能とするもの」との基準をあげている。

(ⅱ) 1999年日弁連試案

グレイリストに「消費者の一定の作為又は不作為により，消費者の意思表示がなされたもの又はなされなかったものとみなす条項」をあげている（14

（注71） さいたま地判令2・2・5判時2458号84頁は，上記判断の前提として，「契約条項が不明確な場合と法12条3項における消費者契約の不当条項該当性の判断の在り方」について述べ，上記判断の結論においては，「法12条3項の適用上」，規約7条3項は，法8条1項1号及び3号の各前段に該当するというべきであるとしたものであるが，前掲（注70）の内山敏和『ポータルサイトのサービス利用規約の消費者契約法8条1項該当性（東京高判令2・11・5）』は，「あくまで消費者法における差止訴権の構造は，個別的にも無効であるもの（ありうるもの）の使用を事前的に差し止めるというように理解するのが素直である」，「一般的な消費者の理解に基づいて不当な免責約款として機能しうるのだとすれば，そのような約款はやはり無効であるというべきだろう」としている。

（注72） 控訴審判決である東京高判令2・11・5（最高裁HP，令和2年（ネ）第1093号）も，第一審の判決を支持し，ポータルサイト運営会社の控訴を棄却した。

条4号)(73)。

(iii) 検討会等における議論

平成19年度不当条項研究会報告書は，不当条項リストの見直し作業において検討を要する契約条項類型の1つとして「意思表示の擬制条項」をあげている。また平成25年論点整理の報告も，不当条項リストに掲げる条項の候補として「一定の作為又は不作為に表示としての意味を持たせる条項」をあげている(74)。

平成27年専門調査会中間取りまとめも，規定の追加を検討すべき具体的な条項の類型として「消費者の一定の作為又は不作為をもって消費者の意思表示があったものと擬制する条項」をあげ(75)，平成27年専門調査会報告書においても，規定を設けることを検討することが考えられる具体的な契約条項の類型としては「消費者の一定の作為又は不作為をもって消費者の意思表示があったものと擬制する条項」等があげられるとしている(76)。

そして，平成28年改正により，「消費者の不作為をもって当該消費者が新たな消費者契約の申込み又はその承諾の意思表示をしたものとみなす条項」が本法10条の第一要件の例示として法文中に付加された（本書10条のⅠ・3「改正経緯」等参照）。

令和3年消費者契約に関する検討会報告書では，不当条項の類型の追加について検討を行った条項として「所有権等を放棄するものとみなす条項」があげられている(77)。

(iv) 諸外国の法制

ドイツ民法は，評価の余地を伴う禁止条項（いわゆるグレイリスト）とし

(注73) 2012年日弁連改正試案では14条1号（グレイリスト。「消費者の一定の作為又は不作為により，消費者の意思表示がなされたもの又はなされなかったものとみなす条項」），2014年日弁連改正試案では18条1号（グレイリスト。2012年日弁連改正試案と同じ）。
(注74) 平成25年論点整理の報告72〜77頁。
(注75) 平成27年専門調査会中間取りまとめ40〜41頁。
(注76) 平成27年専門調査会報告書8頁・脚注8。
(注77) 令和3年消費者契約に関する検討会報告書20〜21頁。

て,「約款における条項で,とりわけ,次のようなものは無効とする」「5（表示の擬制）一定の行為をなすこと,またはなさないことにより,約款使用者の契約相手方が表示をなし,またはなさなかったものとみなす条項。ただし,次の事項をすべて満たす場合はこの限りではない。a）明示の表示をなすために相当の期間が契約相手方に与えられていること　b）約款使用者が,その期間の開始の際,所定の行為に付与される意味について契約相手方に対して特に明示する義務を負うこと」と規定している（308条5号）。

また,93年EC指令は,「期間の定めのある契約について,消費者が別段の意思を表明しない限り,自動的に契約が延長されるとされている場合において,消費者が契約の延長を望まない旨を表明するための期限が不当に早期に設定されている」契約条項,「契約締結前に内容を認識する機会が現実に与えられなかった条項について,消費者を拘束して,撤回不能とする」契約条項を,不公正とみなすことができる契約条項として規定している（3条3項・付表1（h）（i））。

さらに,韓国約款規制法は,「意思表示について定めている約款の内容中,次の各号の一に該当する内容を定めている条項は,これを無効とする」「一定の作為又は不作為があるとき,顧客の意思表示が表明されなかったものとみなす条項。ただし,顧客に相当な期間内に意思表示をしなければ,意思表示が表明され,または表明されなかったとみなすという旨を明確に,別途告知した場合,あるいは,やむを得ない事由により,そのような告知をすることができない場合においては,この限りではない。」と規定している（12条1号）。

(3) 不当条項性の検討

(i) 消費者の不利益の存在

契約当事者は,当事者間で合意した契約内容に拘束される反面,合意していない事項については法的な拘束を受けない。これは私的自治の原則から現行法上当然に消費者に認められる権利義務状態である。一定の場合に意思表示の擬制を認める民法527条（改正前民法526条2項）も,申込者の意思表示又は取引上の慣習によって承諾の通知を必要としない場合に限定して承諾の意思表示と認めるべき事実があったときに契約の成立を認めているにすぎ

ない。

　ところが，例えば承諾の意思があったとは必ずしも判断しがたい消費者の作為又は不作為をもって承諾の意思表示があったものとみなす契約条項がある場合，消費者は自らの意思に反する契約に拘束されるという不利益をこうむることになる。

　したがって，このような契約条項は，当該契約条項がなければ消費者に認められていたであろう権利義務関係と比較して，消費者に不利益な権利義務関係を定めている契約条項であると位置付けられる。

　この点，意思表示の擬制を定める条項のうち，「消費者の不作為をもって当該消費者が新たな消費者契約の申込み又はその承諾の意思表示をしたものとみなす条項」については，前記のとおり，法10条の第一要件の例示として法文中に明記され，第一要件を満たすことが法文上明確にされている（同条項については，本書10条のⅠ・3「改正経緯」，Ⅱ・1「第一要件」の解説参照）。

　(ⅱ)　事業者の不利益との均衡性

　前述のように，消費者の不利益と事業者の不利益との均衡性が認められない場合には，本条に該当する不当契約条項として無効となりうる。

　(ⅲ)　具体的考察

　具体的な契約条項の有効性については，事業者の業態や消費者取引の形態に鑑みた意思表示擬制の必要性の程度，消費者のこうむる不利益の内容や程度，消費者が擬制条項の存在，擬制の内容及び擬制の排除方法を容易に認識できるか否か，消費者に擬制を排除するための十分な機会が与えられているか否か等から，個別的に判断せざるを得ない。

　しかし，消費者にとって重要な意味を有する意思表示の擬制については，消費者に法律効果に関する考慮の機会と擬制排除のための十分な機会を与えることが大切である。特に，意思表示擬制に関する実際のトラブル事例では，消費者のこうむる不利益が大きい場合が多いことが考慮されなければならない（例えば，高額商品の購入意思の擬制，長期間の継続的商品購入契約の締結意思の擬制や更新意思の擬制，所有権の放棄意思の擬制等）。したがって，少なくとも消費者のこうむる不利益が大きい意思表示擬制条項が均衡性を認められるためには，事業者における高度の必要性に加え，意思表示擬制条項の

存在，擬制の内容及び擬制の排除方法について消費者が容易に認識可能なこと（消費者に交付された書面への平易な記載や説明等）や，消費者が実際に擬制を排除しようと思えば容易にできること（擬制排除のための時間が十分与えられており，排除の方法も容易であること）といった事情が必要であると考える[78]。

4　到達擬制を定める条項

(1)　問題となりうる契約条項例
（具体例）
・事業者が契約書記載の消費者の住所地に通知書を送付した場合には，通知書が不到達となっても消費者に到達したものとみなすといった条項
・事業者が契約書記載の消費者の住所地に通知書を送付した場合には，通知書が延着となっても消費者に通常到達すべき時に到達したものとみなすといった条項

(2)　国生審報告，日弁連試案，検討会等における議論，諸外国の法制等
(i)　国生審報告

第16次国生審中間報告は，リストに掲げるべき不当条項として「消費者にとって重要な事業者の意思表示が，仮に消費者に到達しなかった場合においても消費者に到達したとみなす条項」をあげている。

また，第16次国生審最終報告は，不当条項の判断基準として「事業者が合理的な理由なくして一方的に法律関係を変動させることを可能とするもの」との基準を掲げている。

(ii)　1999年日弁連試案

グレイリストに「消費者の利益に重大な影響を及ぼす事業者の意思表示が消費者に到達したものとみなす条項」をあげている（14条5号）[79]。

（注78）　消費者庁解説217頁においても，消費者の所有権等を放棄するものとみなす契約条項は，本条によって無効となり得るとされている。

（注79）　2012年日弁連改正試案では14条2号（グレイリスト。「一定の事実があるときは，事業者の意思表示が消費者に到達したものとみなす条項」），2014年日弁連改正試案では18条2号（グレイリスト。2012年日弁連改正試案と同じ）。

(iii) 検討会等における議論

平成25年論点整理の報告では，不当条項リストに掲げる条項の候補として「消費者にとって重要な事業者の意思表示が，仮に消費者に到達しなかった場合においても消費者に到達したものとみなす条項」をあげている[80]。

(iv) 諸外国の法制

ドイツ民法は，評価の余地を伴う禁止条項（いわゆるグレイリスト）として，「約款における条項で，とりわけ，次のようなものは無効とする」「6（到達の擬制）特段の意義を有する約款使用者の表示が，契約相手方に到達したものとみなす条項」と規定している（308条6号）。

また，韓国約款規制法は，「顧客の利益に重大な影響を及ぼす事業者の意思表示が相当な理由なしに顧客に到達したものとみなす条項」を無効とする旨規定している（12条3号）。

(3) 不当条項性の検討

(i) 消費者の不利益の存在

民法97条は，1項において，「意思表示は，その通知が相手方に到達した時からその効力を生ずる。」とし，2項において，「相手方が正当な理由なく意思表示の通知が到達することを妨げたときは，その通知は，通常到達すべきであった時に到達したものとみなす。」と規定している。

これについて，改正前民法97条1項では，「隔地者に対する意思表示は，その通知が相手方に到達した時からその効力を生ずる」と規定するのみであったが，民法改正により，相手方が到達を妨げたときには到達を擬制することとなった。

この点，事業者の通知が到達していない理由の如何にかかわらずこれを到達したものとみなす契約条項がある場合などには，民法97条2項の定める相手方が「妨げたとき」以外の場合においても，例えば催告通知や解除通知が消費者の責めに帰することができない事由によって未到達の場合でも債務

(注80) 詳細は，平成25年論点整理の報告72～77頁。意思表示に関する条項は常に不当であると言うことは困難であることから，グレイ・リストに掲げるのが妥当ではないだろうか，とされている。

不履行解除の効力が認められることになるなど，消費者に予期せぬ不利益を与えることになる。

したがって，このような契約条項も，当該契約条項がなければ消費者に認められていたであろう権利義務関係と比較して，消費者に不利益な権利義務関係を定めている契約条項であると位置付けられる。

(ii) 事業者の不利益との均衡性

前述のように，消費者の不利益と事業者の不利益との均衡性が認められない場合には，本条に該当する不当契約条項として無効となりうる。

(iii) 具体的考察

具体的な契約条項の有効性については，事業者の業態や取引形態に照らした必要性の程度，到達に至らなかった理由，通知内容の重要性や到達の効果など消費者のこうむる不利益の内容や程度等から，個別的に判断されざるを得ない。

しかしながら，少なくとも消費者に対する重要な効果をもたらす意思表示までをも含めた消費者に対する通知のすべてについて到達擬制を許容するような契約条項については，均衡性が認められ難いものと解される。

なお，到達要件自体を除外したり，掲示や陳列等の他の形式で代替するという契約条項も，到達擬制条項と共通の問題がある。かかる契約条項についても，事業者の義務を不相当に減免する条項として不当条項足りうるものと解する。

5 事業者の契約責任等を減免（消費者の権利を制限）する条項

(1) 問題となりうる契約条項例

(i) 事業者の給付義務を免除（消費者の完全履行請求権を排除）する条項

(具体例)

・「いかなる場合にも商品の返品や交換には応じません」といった条項

(ii) 事業者の給付義務や損害賠償義務の請求期間を制限する条項

(具体例)

・「商品の購入から3か月を経過した場合当社は責任を負いません」といった条項

(ⅲ) 事業者の給付義務や損害賠償義務の請求方法を制限する条項
(具体例)
・特定の病院の診断書等の添付書類がある場合にのみ，消費者に対する損害賠償責任を履行するといった条項
・事前の書類交付等の形式が満たされた場合にのみ，消費者に対する損害賠償責任を履行するといった条項
(2) 国生審報告，日弁連試案，検討会等における議論，諸外国の法制等
(ⅰ) 国生審報告

第16次国生審中間報告は，リストに掲げるべき不当条項として「人身損害についても事業者の責任を排除又は制限する条項」，「事業者の故意又は重過失による損害についても責任を排除又は制限する条項」，「事業者の債務不履行についての責任を排除又は制限する条項」，「給付目的物の適合性についての事業者の責任を排除又は制限する条項」，「消費者の損害賠償請求権を排除又は制限する条項」，「事業者の不完全履行の場合の消費者の権利を排除又は制限する条項」，「事業者の損害賠償請求権を排除又は制限する条項」，「消費者の意思表示の方式その他の要件について，不相当に厳しい制限を加える条項」をあげている。

また，第16次国生審最終報告は，不当条項の判断基準として「消費者の法律上の権利を合理的な理由なくして制限するもの」との基準をあげている。

(ⅱ) 1999年日弁連試案

ブラックリストに「事業者又は第三者が一切の過失行為の責任を負わないとする条項」をあげている (13条11号)[81]。

また，グレイリストに「消費者の権利行使又は意思表示の形式又は要件に対して制限を課する条項」，「事業者又は第三者の損害賠償責任を制限する条項」，「消費者の事業者又は第三者に対する損害賠償その他の法定の権利行使方法を制限する条項」，「消費者の契約に基づく給付請求について，権利行使方法を制限し，その行使方法違反を理由に消費者の給付請求を奪う条項」を

(注81) 2012年日弁連改正試案では13条1号から4号，2014年日弁連改正試案では17条1号から4号 (いずれもブラックリスト。平成28年改正前の8条1項1号から4号を継承したもの)。

あげている（14条6号，同条16号，同条17号，同条18号）[82]。

(iii) 検討会等における議論

平成19年度不当条項研究会報告書では，不当条項リストの見直し作業において検討を要する契約条項類型の1つとして「人身損害に関する責任制限条項」，「債務の履行責任の減免条項（瑕疵担保責任を含む）」，「履行補助者の行為についての免責条項」，「権利行使期間の制限条項」をあげている[83]。

（注82） 1999年日弁連試案14条6号，17号及び18号に関し，2012年日弁連改正試案では14条4号（グレイリスト。「消費者の権利行使又は意思表示について，事業者の同意を要件とする条項，事業者に対価を支払うべきことを定める条項，その他形式または要件を付加する条項」），2014年日弁連改正試案では18条9号（グレイリスト。「消費者の権利行使又は意思表示について，事業者の同意，対価の支払，その他要式又は要件を付加する条項」）。2012年日弁連改正試案及び2014年日弁連改正試案は，消費者の法定の権利行使又は意思表示について形式（要式）又は要件に関する制限を課す条項として，①「消費者が法律上の権利を行使するために事業者の同意を要件とし，又は事業者に対し対価を支払うべきことを定める条項」，②「事業者に対する給付請求権の行使方法を限定する条項」，③「事業者又は第三者に対する損害賠償その他法定の権利行使方法に制限を課す条項」を挙げている。

1999年日弁連試案14条16号につき，2012年日弁連改正試案では14条12号（グレイリスト。「事業者が契約の締結又は債務の履行のために使用する第三者の行為について事業者の責任を制限し又は免除する条項」）及び同条14号（グレイリスト。「事業者の消費者に対する債務の履行責任，債務不履行又は不法行為に基づく損害賠償責任，瑕疵担保責任その他の法令上の責任を制限する条項」），2014年日弁連改正試案では18条7号（グレイリスト。「事業者の消費者に対する消費者契約上の債務その他法令上の責任を制限する条項（第17条第1号から第5号までの規定に該当する場合を除く。）」）及び18条8号（グレイリスト。「事業者が契約の締結又は債務の履行のために使用する第三者の行為について事業者の責任を制限し又は免除する条項（第17条第1号から第5号までの規定に該当する場合を除く。）」）。

また，2012年日弁連改正試案では13条14号（ブラックリスト。「事業者が任意に債務を履行しないことを許容する条項」）及び同条15号（ブラックリスト。「事業者の債務不履行責任を制限し又は損害賠償額の上限を定めることにより，消費者が契約を締結した目的を達成することができないこととなる条項」），2014年日弁連改正試案では17条12号（ブラックリスト。「事業者が任意に債務を履行しないことを許容する条項」）も提案している。

債権法改正の基本方針では，約款および消費者契約に関して不当条項とみなされる条項の例として，「条項使用者が任意に債務を履行しないことを許容する条項」，「条項使用者の債務不履行責任を制限し，または，損害賠償額の上限を定めることにより，相手方が契約を締結した目的を達成不可能にする条項」，「条項使用者の債務不履行に基づく損害賠償責任を全部免除する条項」，「条項使用者の故意または重大な義務違反による債務不履行に基づく損害賠償責任を一部免除する条項」，「条項使用者の債務の履行に際してなされた条項使用者の不法行為に基づき条項使用者が相手方に負う損害賠償責任を全部免除する条項」，「条項使用者の債務の履行に際してなされた条項使用者の故意または重大な過失による不法行為に基づき条項使用者が相手方に負う損害賠償責任を一部を免除する条項」，「条項使用者の債務の履行に際して生じた人身損害について，契約の性質上，条項使用者が引き受けるのが相当な損害の賠償責任を全部または一部免除する条項 ただし，法令により損害賠償責任が制限されているときは，それをさらに制限する部分についてのみ，条項使用者の相手方の利益を信義則に反する程度に害するものとみなす。」を挙げ，約款および消費者契約に関して不当条項と推定される条項の例として「条項使用者が債務の履行のために使用する第三者の行為について条項使用者の責任を制限する条項」をあげ，消費者契約に関して不当条項とみなされる条項の例として「債権時効期間につき，債権時効の起算点または期間の長さに関して，法律の規定による場合よりも消費者に不利な内容とする条項」をあげ，消費者契約に関して不当条項と推定される条項の例として，「消費者が法律上の権利を行使するために事業者の同意を要件とし，または事業者に対価を支払うべきことを定める条項」，「条項使用者の債務不履行の場合に生じる相手方の権利を任意規定の適用による場合に比して制限する条項」をあげている[84]。

平成23年度運用状況調査結果報告では，今後リスト化を検討すべき条項

(注83) 詳細は，清水真希子「人身損害の免責条項，裁判管轄条項，仲裁条項，準拠法条項」別冊 NBL128 号 55 頁，圓山茂夫「権利行使期間の制限条項，履行期間の制限条項，長期拘束条項，脱法行為の禁止規定」同 91 頁，山本健司・前掲 (注23) 41 頁。

の種類の1つとして「事業者の責任を不相当に軽くする条項（事業者の債務不履行責任の免除・制限条項など）」をあげ，リストの充実に当たっての8条の見直しとして「事業者の軽過失による債務不履行・不法行為責任の責任制限条項（特に人身損害の場合）」，「瑕疵担保責任に基づく損害賠償責任の一部を免除する契約条項」，「消費者の権利行使期間を制限する条項」をあげている[85]。

　平成25年論点整理の報告は，不当条項リストに掲げる条項の候補として「事業者の債務不履行・不法行為により消費者に生じた損害を賠償する責任の全部を免除する条項」，「事業者の債務不履行・不法行為（その者の故意又は重大な過失によるものに限る）により消費者に生じた損害を賠償する責任の一部を免除する条項」，「瑕疵担保責任の全部または一部を排除する条項」，「事業者の被用者又は代理人による責任を免除ないし制限する条項」，「事業者は，正当な理由なしに自己の債務の履行をしないことができるとする条項」，「消費者の権利行使に対価を設ける条項」，「消費者の意思表示の方式その他の要件について，不相当に厳しい制限を加える条項」をあげている[86]。

　平成26年運用状況検討会報告書では，追加が考えられる不当条項リストの1つとして，「人身損害について事業者の責任を免除又は制限する規定」，「事業者が正当な理由なく自己の債務を履行しないことを許容する規定」，「事業者の負担を消費者に転嫁する条項」をあげている[87]。

　平成27年専門調査会中間取りまとめは，本法8条1項（2号及び4号）に関し検討すべき契約条項として「人身損害の軽過失一部免除条項」をあげ，平成27年専門調査会報告書では，規定を設けることを検討することが考えられる具体的な契約条項の類型としては，「事業者の軽過失により消費者の生命又は身体に生じた損害を賠償する責任の一部を免除する条項」等があげられるとし，平成29年専門調査会報告書においても，不当条項の類型の追加についてさらに検討を行った条項として「事業者の軽過失により消費者の生命

（注84）　債権法改正の基本方針111～120頁。
（注85）　平成23年度運用状況調査結果報告90～92頁。
（注86）　平成25年論点整理の報告72～77頁。
（注87）　平成26年運用状況検討会報告書64～71頁。

又は身体に生じた損害を賠償する責任の一部を免除する条項」をあげている[(88)(89)]。

(iv) 諸外国の法制

ドイツ民法は，評価の余地のない禁止事項（いわゆるブラックリスト）として，「7（生命，身体，健康の侵害があったとき，および重大な過失があったときについての免責）(a)（生命，身体，健康の侵害）約款使用者の過失，または約款使用者の法定代理人もしくは履行補助者の故意または過失によって，生命，身体，健康を侵害したことにより生じた損害に対する責任を排除し，または制限すること，(b)（重大な過失）その他の損害に対する責任について，約款使用者の重大な過失または約款使用者の法定代理人もしくは履行補助者の故意または重大な過失によって負うべき責任を排除し，または制限すること」，「13（通知及び表示の方式）約款使用者または第三者に対して行われる通知または表示について，書面方式よりも厳格な方式または特別の到達の要件を課す条項」を無効としている（309条7号，13号）。

また，93年EC指令は，「売主または提供者の作為または不作為により消費者が生命または身体を害された場合において，売主または提供者の責任を排除または制限する」契約条項，「売主または提供者による契約上の義務の全部もしくは一部の不履行または不完全な履行の場合において，消費者が売主または提供者に対して有する債権と売主または提供者に対して負っている債務とを相殺する選択権を含む，売主もしくは提供者またはその他の当事者に対して消費者が有している法的権利を不当に排除または制限する」契約条項を，不公正とみなすことができる契約条項として規定している（3条3項・付表1（a）及び（b））。

さらに，韓国約款規制法は，「事業者，履行補助者，若しくは被用者の故意又は重大な過失による法律上の責任を排除する条項」，「相当な理由なしに

(注88) 平成27年専門調査会中間取りまとめ30～31頁，平成27年専門調査会報告書8頁・脚注8，平成29年専門調査会報告書12～13頁。

(注89) 「事業者の軽過失により消費者の生命又は身体に生じた損害を賠償する責任の一部を免除する条項」の専門調査会における議論経過等については，本書8条1項の解説参照。

事業者の損害賠償の範囲を制限し，または事業者の負担すべき危険を顧客に移転させる条項」，「顧客の意思表示の形式または要件に対し，不当に厳格な制限を加える条項」を無効とする旨規定している（7条1号，同条2号，12条2号）[90]。

(3) 不当条項性の検討

(i) 消費者の不利益の存在

例えば，民法555条は売買契約における売主の目的物給付義務を規定している。また，民法415条及び民法416条は，仮に売主が債務を履行しなかった場合には買主に対して相当因果関係ある損害を賠償すべき責任を規定する一方，買主から売主に対する損害賠償請求の方法として特段の要式を規定していない。さらに，民法166条1項は，買主から売主に対する完全履行請求権や損害賠償請求権の時効期間について，債権者が権利を行使することができることを知った時から5年間，及び，権利を行使することができる時から10年間と定めている。

ところが，現実の契約では，事業者の目的物給付義務や損害賠償責任を排除する条項，損害賠償責任の金額を制限する条項，消費者から事業者に対する損害賠償請求権等の成立要件や権利行使要件を加重する条項，消費者から事業者に対する権利行使期間を短期に設定する条項等が存在している。これらは本来であれば事業者が消費者に対し負担すべき契約責任を減免する（換言すれば，消費者の事業者に対する権利を制限する）契約条項である。

したがって，当該契約条項がなければ消費者に認められていたであろう権利義務関係と比較して，消費者に不利益な権利義務関係を定めている契約条項であると位置付けられるものである。

(ii) 事業者の不利益との均衡性

前述のように，消費者の不利益と事業者の不利益との均衡性が認められない場合には，本条に該当する不当契約条項として無効となりうる。

(iii) 具体的考察

（注90）　諸外国の法制としては他に，イギリス不公正契約条項法第2条第1項などがある（法制審議会民法（債権関係）部会第11回会議・部会資料13-2）。

まず、「当社は理由の如何を問わず一切損害賠償責任を負いません」「当社の損害賠償責任は金〇〇円を上限とします」といった条項は8条1項1号及び同項2号が明文で無効としている不当条項である。

これに対し、事業者の損害賠償責任以外の契約責任（目的物給付義務、作為義務、附随的注意義務、保護義務など）を減免する契約条項は本条による無効判断の対象となる。また、損害賠償責任やそれ以外の契約責任の成立要件を加重する条項や、消費者の事業者に対する請求権の行使方法に一定の要式等を付加する条項や行使期間を短縮する条項も、本条の適用が問題となる。

具体的な契約条項の有効性については、事業者の事業内容等に照らした必要性や、消費者のこうむる不利益の程度から、個別的に判断せざるを得ない。しかし、例えば、消費者の完全履行請求権を完全に排除する「いかなる場合にも商品の返品や交換には応じません」といった条項が均衡性あるものとして有効とされるためには、事業者に極めて高度の必要性や相当性が要求されることになると考える。また、消費者から事業者に対する請求権の行使期間を極めて短く規定する条項や、請求権の行使に重い要件を加重する条項（例えば、損害賠償請求の添付書類として、遠隔地や公平な第三者としての診断が期待できないような病院の診断書を要求している場合など）が均衡性あるものとして有効とされるためにも、消費者の不利益の程度の大きさに鑑み、事業者に極めて高度の必要性や相当性が要求されることになると考える[91]。

6　事業者の契約不適合責任（瑕疵担保責任）を軽減する条項

(1)　問題となりうる契約条項例

(i)　損害賠償責任以外の事業者の契約不適合責任（追完義務等）（瑕疵担保責任（修補義務等））を免除する条項

（具体例）
・理由を問わず追完請求には応じないといった条項

(ii)　事業者の損害賠償責任の一部を免除する条項

(注91)　消費者庁解説215頁においても、消費者の権利の行使期間を制限する契約条項は、本条によって無効となりうるとする。

（具体例）
- 「当社は金〇〇円を限度として契約不適合責任（瑕疵担保責任）を負担します」といった条項

(iii) 事業者の契約不適合責任（瑕疵担保責任）の追及期間を制限する条項
（具体例）
- 「商品の購入から3か月を経過した場合当社は契約不適合責任（瑕疵担保責任）を負いません」といった条項

(iv) 事業者の契約不適合責任（瑕疵担保責任）の請求方法を制限する条項
（具体例）
- 特定の添付書類がある場合にのみ契約不適合責任（瑕疵担保責任）を履行するといった条項
- 特定の形式が満たされた場合にのみ契約不適合責任（瑕疵担保責任）を履行するといった条項

(2) 国生審報告，日弁連試案，検討会等における議論，諸外国の法制等
(i) 国生審報告

　第16次国生審中間報告は，リストに掲げるべき不当条項として「目的物に隠れたる瑕疵がある場合の事業者の責任を不相当に排除又は制限する条項」をあげている。

　また，第16次国生審最終報告は，不当条項の判断基準として「消費者の法律上の権利を合理的な理由なくして制限するもの」との基準をあげている。

(ii) 1999年日弁連試案

　ブラックリストに「事業者の権利の担保責任を全面的に排除する条項」をあげている（13条5号）[92]。また，グレイリストに「事業者の物の担保責任を全面的に排除する条項」，「事業者の権利又は物の担保責任について，担保

（注92）　2012年日弁連改正試案では13条5号，2014年日弁連改正試案では17条5号（いずれもブラックリスト。「民法の一部を改正する法律の施行に伴う関係法律の整備等に関する法律」（平成29年法律第45号）による改正前の8条1項5号及び同条2項を継承したもの。ただし，「当該責任に基づく義務が履行された場合」にのみ無効としないこととしている。）。

責任発生事由，担保責任の内容，権利行使期間，権利行使方法を制限する条項」をあげている（14条7号，同条8号）[93]。

(iii) 検討会等における議論

平成19年度不当条項研究会報告書は，不当条項リストの見直し作業において検討を要する契約条項類型の1つとして「債務の履行責任の減免条項（瑕疵担保責任を含む）」をあげている。

また，債権法改正の基本方針も，約款および消費者契約に関して不当条項とみなされる条項の例として「条項使用者の債務不履行責任を制限し，または，損害賠償額の上限を定めることにより，相手方が契約を締結した目的を達成不可能にする条項」，「条項使用者の債務不履行責任に基づく損害賠償責任を全部免除する条項」を，消費者契約に関して不当条項と推定される条項の例として「条項使用者の債務不履行責任の場合に生じる相手方の権利を任意規定の適用による場合に比して制限する条項」をあげている[94]。

さらに，平成23年度運用状況調査結果報告は，リストの充実に当たっての8条の見直しとして「瑕疵担保責任に基づく損害賠償責任の一部を免除する契約条項」をあげ[95]，平成25年論点整理の報告も，不当条項リストに掲げる条項の候補として「瑕疵担保責任の全部または一部を排除する条項」をあげている[96]。

(注93) 2012年日弁連改正試案では14条14号（グレイリスト。「事業者の消費者に対する債務の履行責任，債務不履行又は不法行為に基づく損害賠償責任，瑕疵担保責任その他の法令上の責任を制限する条項」），2014年日弁連改正試案では18条7号（グレイリスト。「事業者の消費者に対する消費者契約上の債務その他法令上の責任を制限する条項（第17条第1号から第5号までの規定に該当する場合を除く。）」）。

(注94) 債権法改正の基本方針111～120頁。なお，本書では瑕疵担保責任は債務不履行責任と構成される（同書114頁）。

(注95) 平成23年度運用状況調査結果報告92頁。

(注96) 詳細は，平成25年論点整理の報告72～77頁。「債務不履行・不法行為の全部免責の場合にはブラック・リスト，一部免責の場合にはそれが故意又は重大な過失による責任を制限するものであればブラック・リストという一応の区別が考えられる。この区別は瑕疵担保責任の全部免責条項・一部免責条項の区別にも妥当しうる。」としている。

(iv) 諸外国の法制

ドイツ民法は，評価の余地のない禁止事項（いわゆるブラックリスト）として，「8（義務違反におけるその他の免責）(b)（瑕疵）新しく製造された物の供給及び請負給付に関する契約において（aa）（排除及び第三者への問責）瑕疵を原因とする約款使用者に対する請求権の全部またはその一部を排除し，または，第三者に対する請求しか認めない，もしくは，事前に第三者に対する裁判上の請求をなすことを条件とすること。(bb)（追完への限定）約款使用者に対する請求権の全部またはその一部について，追完請求権に限定すること。ただし，追完が不首尾に終わった場合に対価の減額請求権，または建築工事給付が瑕疵担保の目的でないときに，他方の契約当事者の選択に従い解除を選択する権利が明示的に留保されている場合はこの限りではない。(cc)（追完費用）約款使用者が負うべき追完に必要な費用，とりわけ運送費，交通費，労賃，材料費を負担する義務を排除し，または制限すること。(dd)（追完の留保）約款使用者が追完をなすにあたり，対価の全額前払い，または，瑕疵に鑑み不均衡に高額な対価を条件とすること。(ee)（瑕疵通知の除斥期間）約款使用者が他方の契約当事者に対して明白でない瑕疵の通期について除斥期間を設定し，当該期間が(ff)の規定により許容される期間よりも短いこと。(ff)（時効消滅の容易化）ドイツ民法438条1項2号および634a条1項2号の適用を受ける場合において，瑕疵を原因とする約款使用者に対する請求権の時効消滅を容易にし，または，その他の場合につき，法律上の消滅時効期間の起算点から1年よりも短い消滅時効期間で時効が完成するとすること。ただし，ドイツ建設法の契約約款B部が総体として組み入れられている契約については，この限りではない。」を無効としている（309条8号）。

また，韓国約款規制法は，「相当な理由なしに事業者の担保責任による顧客の権利行使の要件を加重する条項，または契約目的物につき，見本が提示されるかまたは品質・性能などに関する標示がある場合，その保証された内容に対する責任を排除または制限する条項」を無効とする旨規定している（7条3号）。

(3) 不当条項性の検討

(ⅰ) 消費者の不利益の存在

　有償契約の目的物が種類，品質又は数量に関して契約の内容に適合しないものであった場合，売買契約における売主や請負契約における請負人等には，法律上契約不適合責任が定められている（民法562条～570条，民法559条，民法636条，637条など）。改正前民法では，有償契約の目的物に瑕疵があった場合，売買契約における売主や請負契約における請負人等には，法律上瑕疵担保責任が定められていた（改正前民法561条～570条，改正前民法634条～640条など）が，民法改正により，民法上瑕疵担保責任の概念がなくなり，契約不適合責任として債務不履行責任の一種に位置付けられることとなり，契約の内容に適合しないときの損害賠償請求等は，債務不履行の規定に基づいて行われるものとなった。

　ところが，事業者の契約不適合責任（瑕疵担保責任）を制限する契約条項がある場合には，消費者は本来であれば上記の各規定によって填補されるべき損害が填補されない不利益を被ることになりかねない。

　したがって，このような条項は，当該契約条項がなければ消費者に認められていたであろう権利義務関係と比較して，消費者に不利益な権利義務関係を定めている契約条項であると位置付けられるものである。

(ⅱ) 事業者の不利益との均衡性

　前述のように，消費者の不利益と事業者の不利益との均衡性が認められない場合には，本条に該当する不当契約条項として無効となりうる。

(ⅲ) 具体的考察

　まず，事業者の契約不適合責任（瑕疵担保責任）のうち，損害賠償責任の全部を免除する条項については，8条1項1号（民法改正法施行前に締結された消費者契約につき5号）が明文で無効としている不当条項である。

　これに対し，損害賠償責任の一部を免除する条項や，損害賠償責任の全部を免除する条項であって8条2項によって同条1項1号（民法改正法施行前に締結された消費者契約につき5号）の適用除外となる場合も，本条による無効判断の対象となる。また，損害賠償責任以外の契約不適合責任（瑕疵担保責任）の全部又は一部を免除する契約条項については，本条の適用が問題となる。さらに，契約不適合責任（瑕疵担保責任）の成立要件を加重する条項

や，消費者の事業者に対する請求権の行使方法に一定の要式等を付加する条項や，行使期間を短縮する条項も，本条の適用が問題となる。

具体的な契約条項の有効性については，事業者の業務内容に照らした必要性や，消費者のこうむる不利益の内容や程度から，個別的に判断せざるを得ない。しかし，例えば，消費者の追完請求権を完全に排除する，いかなる場合にも追完には応じないとする条項が均衡性あるものとして有効とされるためには，価額賠償による損害補填や商品の交換といった何らかの代替措置が講じられている等の事情が必要であると考える。

(iv) 裁判例

東京地判平22・6・29（ウエストロー・ジャパン2010WLJPCA06298001，平成26年運用状況検討会報告書167頁【50】）は，原告が被告から買い受けた土地について，鉛が検出されるとともに皮革等の燃え殻が埋設されており，瑕疵が存在するため，原告が被告に対して瑕疵担保責任に基づき売買契約を解除したとして売買代金返還等を求め，被告が瑕疵担保責任の行使期間を引渡日から3か月以内とするとの特約により瑕疵担保責任を負わないなどと主張して争った事案において，具体的事案に照らして，当該特約は，消費者契約法10条の規定により無効であると判断した。

7 事業者の担保保存義務を減免する条項

(1) 問題となりうる契約条項例

（具体例）

・事業者の保証人に対する担保保存義務を免除する条項

(2) 国生審報告，日弁連試案，検討会等における議論，諸外国の法制等

(i) 国生審報告

第16次国生審中間報告は，リストに掲げるべき不当条項として「事業者の故意又は重過失による損害についての責任を排除又は制限する条項」をあげている。

また，第16次国生審最終報告は，不当条項の判断基準として「消費者の法律上の権利を合理的な理由なくして制限するもの」との基準をあげている。

(ⅱ) 1999年日弁連試案

ブラックリストに「事業者の保証人に対する担保保存義務を免除する条項」をあげている（13条7号）[97]。

(ⅲ) 検討会等における議論

平成19年度不当条項研究会報告書は，不当条項リストの見直し作業において検討を要する契約条項類型の1つとして「債務の履行責任の減免条項（瑕疵担保責任を含む）」をあげている。

(ⅳ) 諸外国の法制

ドイツ民法は，評価の余地のない禁止事項（いわゆるブラックリスト）として，「7（生命，身体，健康の侵害があったとき，および重大な過失があったときについての免責）(b)（重大な過失）約款使用者の重大な過失または約款使用者の法定代理人もしくは履行補助者の故意または重大な過失によって負うべき責任を排除し，または制限すること」を無効としている（309条7号）。

また，韓国約款規制法は，「事業者，履行補助者，若しくは被用者の故意又は重大な過失による法律上の責任を排除する条項」，「相当な理由なしに事業者の損害賠償の範囲を制限し，または事業者の負担すべき危険を顧客に移転させる条項」を無効とする旨規定している（7条1号，同条2号）。

(3) 不当条項性の検討

(ⅰ) 消費者の不利益の存在

民法504条1項（改正前民法504条）は，債権者の担保保存義務を定めている。したがって，これを免除する旨を定めた契約条項は，当該契約条項がなければ消費者に認められていたであろう権利義務関係と比較して，消費者に不利益な権利義務関係を定めた契約条項であると位置付けられるものである。

(ⅱ) 事業者の不利益との均衡性

(注97) 2012年日弁連改正試案では14条7号（グレイリスト。「事業者の保証人に対する担保保存義務を免除する条項」），2014年日弁連改正試案では18条5号（グレイリスト。2012年日弁連改正試案と同じ）。

前述のように，消費者の不利益と事業者の不利益との均衡性が認められない場合には，本条に該当する不当契約条項として無効となりうる。

(iii) 具体的考察

具体的な契約条項の有効性は個別的に判断されるべき問題である。最判平2・4・12金法1255号6頁や最判平7・6・23民集49巻6号1737頁も，担保保存義務免除特約による免責を主張することが信義則に反しまたは権利の濫用となる場合があることを肯定している。この点，少なくとも担保権者が故意又は重過失によって担保価値を減少させたような場合にまで担保権者の担保保存義務を排除する契約条項については，有効性が認められがたいものと考える。

なお，民法改正によって新たに定められた民法504条2項は，債権者が担保を喪失・減少させたことについて取引上の社会通念に照らして合理的な理由があると認められる場合には，同条1項による免責は生じない旨を規定している。上記の民法改正は，担保保存義務の免除特約の効力やその限界に関する前掲最判平7・6・23の考え方を否定するものではない。担保保存義務の免除特約が締結されている場合には，従前どおり，代位権者が担保保存義務免除特約の法的効力を否定する法律主張を行うことになる[98]。

8　消費者の抗弁権等を排除・制限した条項

(1)　問題となりうる契約条項例

(i)　消費者の同時履行の抗弁権を排除する条項

（具体例）

・売主等がその義務を履行しない場合でも，消費者は義務を履行しなければならないとする条項

(ii)　消費者の事業者に対する相殺権を排除する条項

（具体例）

・顧客から銀行に対する逆相殺を制限する条項

(2)　国生審報告，日弁連試案，検討会等における議論，諸外国の法制等

(注98)　筒井健夫＝村松秀樹編著『一問一答 民法（債権関係）改正』198〜199頁（商事法務，2018）。

（ⅰ）　国生審報告

第16次国生審中間報告は，リストに掲げるべき不当条項として「消費者の同時履行の抗弁権（又は留置権）を排除又は制限する条項」，「消費者の有する相殺権限を奪う条項」をあげている。

また，第16次国生審最終報告は，不当条項の判断基準として「消費者の法律上の権利を合理的な理由なくして制限するもの」との基準をあげている。

（ⅱ）　1999年日弁連試案

ブラックリストに「法令上，消費者の有する同時履行の抗弁権，留置権，相殺権を排除又は制限する条項」をあげている（13条2号）[99]。

（ⅲ）　検討会等における議論

平成19年度不当条項研究会報告書は，不当条項リストの見直し作業において検討を要する契約条項類型の1つとして「先履行を強制する条項」をあげている[100]。

債権法改正の基本方針では，消費者契約に関して不当条項とみなされる条項の例として「消費者の事業者に対する抗弁権を排除または制限する条項」及び「消費者の事業者に対する相殺を排除する条項」をあげている[101]。

平成23年度運用状況調査結果報告では，今後リスト化を検討すべき条項の種類の1つとして「消費者の権利を不相当に制限する条項（消費者の同時履行の抗弁権を制限する条項など）」をあげている[102]。

平成25年論点整理の報告は，不当条項リストに掲げる条項の候補として

（注99）　2012年日弁連改正試案では13条10号（ブラックリスト。「民法第295条又は第505条に基づく消費者の権利を制限する条項。ただし，民法その他の法令の規定により制限される場合を除く。」），14条3号（グレイリスト。「消費者に対し，事業者の債務の履行に先立って対価の支払を義務づける条項」）。2014年日弁連改正試案では18条12号（グレイリスト。「民法第295条，第505条又は第533条に基づく消費者の権利を制限する条項。ただし，民法その他の法令の規定により制限される場合を除く。」）。

（注100）　詳細は，山本健司・前掲（注23）37頁。

（注101）　債権法改正の基本方針111～120頁。

（注102）　平成23年度運用状況調査結果報告90～91頁。

「消費者の同時履行の抗弁権（又は留置権）を排除又は制限する条項」及び「消費者の有する相殺権限を奪う条項」をあげている[103]。

平成 26 年運用状況検討会報告書では，追加が考えられる不当条項リストの 1 つとして「消費者に不相当な先履行を求める規定」をあげている[104]。

(iv) 諸外国の法制

ドイツ民法は，評価の余地のない禁止条項（いわゆるブラックリスト）として「約款における次のような条項は無効とする」「2（同時履行の抗弁権）(a) ドイツ民法第 320 条により約款使用者の契約相手方に成立する同時履行の抗弁権を排除または制限すること，(b) 約款使用者の契約相手方に成立する留置権が，同一の契約関係に基づくものである限りにおいて，これを排除し，または，とりわけ約款使用者による瑕疵の承認を要件とすることにより制限すること」，「3（相殺の禁止）約款使用者の契約相手方から，争いのない債権，または既判力をもって確定された債権によって相殺する権限を奪う条項」と規定している（309 条 2 号，3 号）。

また，93 年 EC 指令は，「売主または提供者による契約上の義務の全部もしくは一部の不履行または不完全な履行の場合において，消費者が売主または提供者に対して有する債権と売主または提供者に対して負っている債務とを相殺する選択権を含む，売主または提供者またはその他の当事者に対して消費者が有している法的権利を不当に排除または制限する」契約条項，「売主または提供者がその義務を履行しない場合においても，消費者はすべての義務を履行しなければならないとする」契約条項を，不公正とみなすことができる契約条項として規定している（3 条 3 項・付表 1 (b), (o)）。

さらに，韓国約款規制法は，「法律の規定による顧客の抗弁権，担保権などの権利を相当な理由なしに排除または制限する条項」を無効とする旨規定している（11 条 1 号）[105]。

（注 103） 平成 25 年論点整理の報告 72～77 頁。
（注 104） 平成 26 年運用状況検討会報告書 64 頁～71 頁。
（注 105） 諸外国の法制としては他に，オランダ民法第 6 編第 237 条 gh がある（法制審議会民法（債権関係）部会第 11 回会議・部会資料 13-2）。

(3) 不当条項性の検討

(i) 消費者の不利益の存在

民法533条では，双務契約において対価関係にある債権債務について，同時履行の抗弁権を定めている。また，民法505条は，当事者双方が互いに債権債務を有する場合について，相殺権を認めている。これらはいずれも契約当事者間の公平を確保するための重要な権利である。

ところが，消費者の上記各権利を排除又は制限する契約条項がある場合，消費者は，事業者から契約上の給付を受けられないにもかかわらず自らの債務の履行をしなければならない不利益をこうむることになる。

したがって，このような契約条項は，当該契約条項がなければ消費者に認められていたであろう権利義務関係と比較して，消費者に不利益な権利義務関係を定めている契約条項であると位置付けられるものである。

(ii) 事業者の不利益との均衡性

前述のように，消費者の不利益と事業者の不利益との均衡性が認められない場合には，本条に該当する不当契約条項として無効となりうる。

(iii) 具体的考察

具体的な契約条項の有効性については，事業者の事業内容等に照らした必要性や消費者のこうむる不利益の内容や程度等に鑑み，個別的に判断せざるを得ない。

この点，現代における契約類型の多様性に鑑みると，同時履行が技術的に困難である場合や簡潔な履行が求められている場合において，消費者の不利益の些少さから，それについて許容性が認められる場合も多いと思われる（例えば，電車の切符や入場券等）。

しかしながら，消費者が支払うべき契約金額が多額である場合（例えば，目的物の価額が高価であったり，継続的役務供給契約において契約期間が長期に設定されている場合等），消費者のこうむる不利益やリスクは甚大なものとなりうる。かかる場合には，均衡性が厳しく検討されなくてはならないものと考える。

9 消費者に対する過大な損害賠償金や違約金の支払義務を定めた条項

(1) 問題となりうる契約条項例

(i) 金銭債務の支払遅延を除く消費者の債務不履行に対し，多大な損害賠償金や違約金の支払を定める条項

（具体例）

- レンタルビデオやレンタカーの返還遅滞に対し，高額な違約金を定める条項
- 商品の受領遅滞に対し，高額な損害賠償金の支払を定める条項

(ii) 消費者による解除権の行使や解約告知に伴う契約関係の終了に際し，消費者に高額な金員の支払を定める条項

（具体例）

- 消費者が解除権を行使して契約関係が終了した場合，解約手数料，キャンセル料，違約金といった名目で消費者に高額な金員の支払を求める条項
- 消費者が解約告知して契約関係が終了した場合，解約手数料，キャンセル料，違約金といった名目で消費者に返還すべき金員から高額な控除を認める条項

(2) 国生審報告，日弁連試案，検討会等における議論，諸外国の法制等

(i) 国生審報告

第16次国生審中間報告は，リストに掲げるべき不当条項として「消費者にとって過大な損害賠償額の予定（違約罰）を定める条項」，「消費者の債務不履行に対して，消費者に過大な義務を課す又は事業者の責任を過度に制限する条項」「消費者の義務や責任を加重する条項」をあげている。

また，第16次国生審最終報告は，不当条項の判断基準として「消費者にとって過酷な要求となるもの」，「消費者の法律上の権利を合理的な理由なくして制限するもの」との基準をあげている。

(ii) 1999年日弁連試案

ブラックリストに「継続的契約において，消費者が正当な理由に基づき解約告知をする場合に，違約金を支払わねばならないとする条項」，「継続的契

約において，消費者が正当な理由がなく解約告知をする場合に，契約が期間満了まで継続していれば事業者が得られた対価から解約告知により事業者が免れた費用を控除した金額を超える違約金を定める条項」をあげている（13条9号，同条10号）。

また，グレイリストに「消費者の債務不履行があった場合に，事業者の損害として通常予想できる額を越える違約金を定める条項」をあげている（14条15号）[106]。

(iii) 検討会等における議論

平成19年度不当条項研究会報告書は，不当条項リストの見直し作業において検討を要する契約条項類型の1つとして「消費者の義務の加重条項」，「違約金条項」をあげている[107]。

また，債権法改正の基本方針も，消費者契約に関して不当条項と推定される条項の例として「消費者による債務不履行の場合に消費者が支払うべき損害賠償の予定または違約金を定める条項。ただし，当該契約につき契約締結時に両当事者が予見しまたは予見すべきであった損害が事業者に生じているときは，その損害額を定める部分については，消費者の利益を信義則に反する程度に害するものと推定されない。」をあげる[108]。平成23年度運用状況

(注106) 2012年日弁連改正試案では13条6号（ブラックリスト。「損害賠償の額を予定し，又は違約金を定める消費者契約の条項。ただし，これらを合算した額が，当該消費者契約と同種の消費者契約につき，当該事業者に生ずべき平均的な損害の額を超えない部分を除く。」9条1号（改正前）を継承したもの。ただし，「平均的な損害の額」の主張立証責任が事業者に存することを法文上明確にしている。），2014年日弁連改正試案では17条6号（ブラックリスト。「当該消費者契約の解除に伴う損害賠償の額を予定し，又は違約金を定める条項。ただし，これらを合算した額が，当該消費者契約と同種の消費者契約の解除に伴い当該事業者に生ずべき平均的な損害の額を超えない部分を除く。」9条1号（改正前）を継承したもの。ただし，「平均的な損害の額」の主張立証責任が事業者に存することを法文上明確にしている。）及び18条11号（グレイリスト。「消費者に債務不履行があった場合に，事業者に通常生ずべき損害の金額を超える損害賠償の予定又は違約金を定める条項」）。

(注107) 詳細は，丸山絵美子「損害賠償額の予定・違約金条項および契約解消時の清算に関する条項」別冊NBL128号138頁。

調査結果報告でも、今後リスト化を検討すべき条項の種類の1つとして「消費者にとって過大な損害賠償額の予定（違約罰）を定める条項」があげられており[109]、平成25年論点整理の報告も、不当条項リストに掲げる条項の候補として「消費者の債務不履行について過大な損害賠償額を定める条項」、「消費者の解除の場合に過大な損害賠償額を定める条項」、「対価の不返還を定める条項」をあげている[110][111]。平成26年運用状況検討会報告書でも、追加が考えられる不当条項リストの1つとして「消費者に高額な損害賠償をさせる規定」があげられている[112]。

(iv) 諸外国の法制

ドイツ民法は、評価の余地のない禁止条項（いわゆるブラックリスト）として「法規定と異なる合意が許容される場合においても、約款における次のような条項は無効とする。」「5（損害賠償請求権の包括的予定）約款使用者の損害賠償請求権または減価償還を包括的に請求する合意であって、次のいず

(注108) 債権法改正の基本方針111～120頁。

(注109) 平成23年度運用状況調査結果報告90～91頁。

(注110) 平成25年論点整理の報告72～77頁。

(注111) 平成25年論点整理の報告は、「対価の不返還を定める条項」を「消費者にとって過大な損害賠償額の予定（違約罰）を定める条項」の具体的条項の1つとしてあげている。そして、「対価の不返還を定める条項」に関し、「対価不返還条項など、解除時の清算条項の有効性判断をめぐる消費者契約法9条1号の射程が明らかではない。」(77頁)、「無効とする旨の規定を設けることを検討する必要がある。……対価不返還条項も実質的には損害賠償額の予定条項と同じ機能を果たすので別途リスト化する必要はないという声もあろうが、後述するように文言上、不当条項リストを潜脱する余地をなるべく減らすためには別途リスト化するのが望ましいのではないか。」(82頁)としている。

なお、「対価の不返還を定める条項については「16 契約終了時の消費者の清算義務や原状回復義務を加重（事業者の義務を減免）する条項」参照。

(注112) 平成26年運用状況検討会報告書64～71頁。「特に消費者契約においては、事業者が契約条項を一方的に作成している場合が多いことなどから、損害賠償額の予定ないし違約金条項によって事業者が消費者の犠牲の下、不正な利得を取得する危険性がより高い。契約終了に伴う過大な損害賠償の予定又は違約金条項は、法第9条第1号に規定があるが、契約終了に伴わない条項についても不当条項リストが必要である。」としている（71頁）。

れかの内容を定める条項。a）包括的予定額が，約款による規制の及ぶ場合において，事物の通常の経過に従って予期されるべき損害，または通常生ずべき減価を超える場合，または，b）明示的ではないが，損害もしくは減価が全く生じていなかった，または包括的予定額を著しく下回ることを証明する機会が，他方の契約当事者に与えられていない場合」，「6（違約罰）給付の不受領もしくは受領遅滞，または他方の契約当事者が契約を解消する場合について，約款使用者に対して違約罰を支払う旨を約する条項」と規定している（309条5号，6号）。

また，93年EC指令は，「(d) 消費者が契約の締結または履行をしないことに決めた場合においては，消費者が支払った金銭を売主または提供者が保持できるとしておきながら，売主または提供者が契約を解約した場合には，消費者は売主または提供者からそれと同等額の賠償金を受領できる旨を定めない」契約条項，「(e) 消費者の義務の不履行の場合に，不当に高額の賠償金の支払いを要求する」契約条項，「(f) 売主もしくは提供者には，自由に契約を解消することが認められているにもかかわらず，同様の権利は消費者には認められていないこと。または，売主もしくは提供者は，いまだ提供していないサービスについて支払われた金銭を保持しうるとする」契約条項を，各々不公正とみなすことができる契約条項として規定している（3条3項・付表1 (d) ないし (f)）。

さらに，韓国約款規制法は，「顧客に対し不当に過重な遅延損害金などの損害賠償義務を負担させる約款条項は，これを無効とする。」と規定している（8条）

(3) 不当条項性の検討

(i) 消費者の不利益の存在

民法416条は，債務者が債権者に対し債務の本旨に基づく履行をしなかった場合には，債権者に対し，原則として自らの債務不履行と相当因果関係ある損害を賠償すべき責任を規定している（例外として当事者の合意によって損害賠償額の予定又は違約金の定めをすることができるとされている（民法420条））。

また，民法651条1項及び同法656条は，委任契約や準委任契約において

契約当事者はいつでも契約を解約することができる旨を定めるとともに，民法651条2項は，相手方の不利な時期に委任を解除したとき等の損害賠償義務につき定めつつ，やむを得ない事由がある場合はこの限りではないと規定している。

ところが，高額な損害賠償の予約や違約金を定める契約条項が定められている場合には，消費者が事業者に対し民法上の原則よりも高額な損害賠償金を支払わねばならなくなったり，本来であれば支払う必要のないはずの金員を支払わねばならなくなるという不利益をこうむることになる。

したがって，このような条項は，当該契約条項がなければ消費者に認められていたであろう権利義務関係と比較して，消費者に不利益な権利義務関係を定めている契約条項であると位置付けられるものである。

(ⅱ) 事業者の不利益との均衡性

前述のように，消費者の不利益と事業者の不利益との均衡性が認められない場合には，本条に該当する不当契約条項として無効となりうる。

(ⅲ) 具体的考察

まず，9条1項2号は，金銭債務の支払遅延という消費者の債務不履行について，損害賠償請求権の上限を年14.6パーセントと規定している。したがって，これを上回る金員の支払を定める契約条項は9条1項2号によって無効となる。

これに対し，金銭債務の支払遅延を除く消費者の債務不履行（例えば，レンタルビデオやレンタカーの返還遅滞など）について高額な損害賠償金や違約金の支払を定める条項は本条による不当条項性判断の対象となる。

具体的な契約条項の有効性については，問題となっている契約の契約類型，事業者の事業内容，消費者が支払うべきとされる金員の金額等から個別的に判断せざるを得ない。もっとも，その判断においては，9条1項1号及び同項2号の規定内容とのバランスを考慮する必要があると考える。例えば，事業者に引き渡すべき物品の経済的価値をも大きく上回るような違約金を定める契約条項が均衡性を認められるためには，事業者の事業内容に照らした高度の必要性や相当性が必要であると考える。

次に，9条1項1号は，事業者から消費者に対して法定解除権が行使され

契約が終了した場合における損害賠償請求権の上限を明文で規定している。したがって，これを上回る金員の支払を定める契約条項は9条1項1号によって無効となる。

一方，9条1項1号は，消費者が事業者に対し法定解除権を行使した場合についても適用があると解されている。したがって，かかる場合に「平均的な損害の額」を上回る金員の支払を定める条項も9条1項1号によって無効となる。しかし，そもそも事業者が債務不履行をした場合に消費者に金員支払義務を定める契約条項に合理性が認められるかは疑問である。したがって，かかる規定は本条によって無効となる余地がある。

(ⅳ) 裁判例

この点，大阪地判平17・1・12（判例集等未登載。平成15年（ワ）第10259号事件）は，有効期限切れのJR定期券の不正利用について乗車区間の往復運賃に有効期限の翌日から不正使用発覚日までの全期間を乗じた金額の2倍の違約金を定めた旅客営業規則に基づき，JR西日本が不正利用者に上記規定通りの違約金を請求した事案について，上記規定自体が10条違反とはいえないが，同規定は不正利用の蓋然性が高いことが前提となっているから不正利用の蓋然性が認められない期間についてまで機械的に適用することは10条の法意に照らし許されないとして，上記規定の適用を制限して違約金請求の一部のみを認容している。

10　契約上の地位の移転について消費者の事前の承諾を定める条項

(1)　問題となりうる契約条項例

（具体例）

・建築請負契約において，請負業者が一方的に別の業者に請負人の地位を移転できる旨定める条項

(2)　国生審報告，日弁連試案，検討会等における議論，諸外国の法制等

(ⅰ)　国生審報告

第16次国生審中間報告は，リストに掲げるべき不当条項として「事業者が第三者と入れ替わることを許す条項」をあげている。

また，第16次国生審最終報告は，不当条項の判断基準として「事業者が

合理的理由なくして一方的に法律関係を変動させることを可能にするもの」，「消費者の法的地位を不安定な状態におくもの」との基準をあげている。

　(ⅱ)　1999 年日弁連試案

　ブラックリストに「事業者の作為義務を内容とする契約において，消費者の同意なく事業者が第三者に契約上の地位を移転できるとする条項」をあげている（13 条 3 号）[113]。

　(ⅲ)　検討会等における議論

　平成 25 年論点整理の報告は，不当条項リストに掲げる条項の候補として「事業者が第三者と入れ替わることを許す条項」をあげている[114]。

　(ⅳ)　諸外国の法制

　ドイツ民法は，評価の余地のない禁止条項（いわゆるブラックリスト）として，「法規定と異なる合意が許容される場合においても，約款における次のような条項は無効とする。」「10.（契約当事者の交替）売買契約，雇用契約または請負契約において，第三者が約款使用者に代わり契約上の権利および義務を承継し，または承継し得るとする条項。ただし，条項のなかで次の定めがあるときはこの限りではない。a）第三者が特に指定されていること b）他方の契約当事者に対して，契約解除権が与えられていること」と規定している（309 条 10 号）。

　また，1993 年 EC 指令は，「契約から生ずる権利および義務が譲渡されると消費者に保証の縮減をもたらすおそれがある場合に，売主または提供者は，消費者の同意なしに，その権利および義務を譲渡することができるとする」契約条項を，不公正とみなすことができる契約条項として規定している（3 条 3 項・付表 1（p））。

　さらに，韓国約款規制法は，「相当な理由なしに事業者が履行すべき給付

（注 113）　2012 年日弁連改正試案では 13 条 11 号（ブラックリスト。「事業者が消費者に対して役務の提供を約する契約において，当該消費者の事前の同意なく，事業者が第三者に当該契約上の地位を承継させることができるものとする条項」），2014 年日弁連改正試案では 17 条 10 号（ブラックリスト。2012 年日弁連改正試案と同じ）。

（注 114）　平成 25 年論点整理の報告 72～77 頁。

を一方的に中止できるようにし、または第三者に代行させることができるようにする条項」を無効とする旨規定している（10条2号）[115]。

(3) 検　討

(i) 消費者の不利益の存在

契約上の地位の譲渡は、債権のみならず債務の移転をも含むことから、原則として相手方の承諾が必要であるというのが判例法である（最判昭30・9・29民集9巻10号1472頁）。民法539条の2は、この判例・学説の考え方を明文化するもので[116]、契約上の地位の移転についてのルールの明確化を図った。なお、同条は、契約上の地位の移転に際し、契約の相手方の承諾が不要となる例外的な場合があることを否定する趣旨のものではなく、賃貸人の地位の譲渡に関し賃借人の承諾を不要とする例外規定が定められたほか（民法605条の3）、どのような場合が債務者の承諾を不要とする例外的な場合にあたるかについては引き続き解釈に委ねられる。ただし、上述のとおり、原則としては契約上の地位の譲渡には相手方の承諾が必要なのであって、事業者が消費者の同意なくして契約上の地位を譲渡できる契約条項がある場合には、消費者は欲しない相手方からの給付を受けなければならないことにもなりかねない。特に、建築請負契約といった債務者の個性が重要な契約類型において消費者のこうむる不利益は甚大である。

したがって、このような条項は、当該契約条項がなければ消費者に認められていたであろう権利義務関係と比較して、消費者に不利益な権利義務関係を定めている契約条項であると位置付けられるものである。

(ii) 事業者の不利益との均衡性

前述のように、消費者の不利益と事業者の不利益との均衡性が認められない場合には、本条に該当する不当契約条項として無効となりうる。

(注115) 諸外国の法制としては他に、フランス消費者法典R132-2条第5号、オランダ民法第6編第236条efがある（法制審議会民法（債権関係）部会第11回会議・部会資料13-2）。

(注116) 中田裕康『契約法〔新版〕』257頁（有斐閣、2021）。日本弁護士連合会編・前掲（注37）312頁も、民法539条の2について、従来の一般的な考え方を明文化するものとしている。

(iii) 具体的考察

一般に，事業者の作為を内容とする契約等については，その作為の内容，質などが事業者が誰であるかによって大きく異なる。また，契約当事者の交替という例外的な事態をあらかじめ契約条項で定めておくべき必要性も疑問である。仮に事業者から契約上の地位を譲り受ける第三者に十分な内容の債務の履行が期待できるならば事後的な消費者の同意を取得できるはずである。以上を考えると，かかる契約条項に均衡性が認められるためには，よほど例外的な事情が必要であると考える。

11 債権譲渡に関し事前の異議を留めない承諾を定める条項

(1) 問題となりうる契約条項例
(具体例)
・事業者から債権回収業者に対する将来の未払債権の譲渡について，消費者に対し事前に異議を留めない承諾をすることを定める条項

(2) 国生審報告，日弁連試案，検討会等における議論，諸外国の法制[117]等
(i) 国生審報告
第16次国生審中間報告は，リストに掲げるべき不当条項として「事業者が第三者と入れ替わることを許す条項」をあげている。

また，第16次国生審最終報告は，不当条項の判断基準として「事業者が合理的理由なくして一方的に法律関係を変動させることを可能にするもの」，「消費者の法的地位を不安定な状態におくもの」との基準をあげている。

(ii) 1999年日弁連試案
ブラックリストに「事業者が契約上消費者に対して有する債権を第三者に譲渡する場合に，消費者があらかじめ異議を留めない承諾をする旨の条項」をあげている（13条4号）[118]。

(iii) 検討会等における議論
平成25年論点整理の報告は，不当条項リストに掲げる条項の候補として

(注117) 諸外国の法制としては，オランダ民法第6編第236条 f がある（法制審議会民法（債権関係）部会第11回会議・部会資料13-2）。

「事業者が第三者と入れ替わることを許す条項」をあげている[119]。

(3) 不当条項性の検討

(i) 消費者の不利益の存在

債権譲渡がなされた場合でも，債務者は譲渡人に対して主張し得た抗弁事由を譲受人に対しても主張できる（改正前民法468条2項，民法468条1項）。ただし，改正前民法では，債務者が異議を留めずに債権譲渡を承諾した場合には，例外として債務者は譲渡人に対し主張し得た抗弁事由を譲受人に主張できないこととなる（改正前民法468条1項）。

ところが，債務者である消費者が将来の債権譲渡に対して事前に異議を留めない承諾をする旨の契約条項がある場合には，消費者は譲渡人に主張し得るいかなる抗弁事由も譲受人に対して主張できない不利益をこうむることになる。

したがって，このような条項は，当該契約条項がなければ消費者に認められていたであろう権利義務関係と比較して，消費者に不利益な権利義務関係を定めている契約条項であると位置付けられるものである。

(ii) 事業者の不利益との均衡性

前述のように，消費者の不利益と事業者の不利益との均衡性が認められない場合には，本条に該当する不当契約条項として無効となりうる。

(iii) 具体的考察

具体的な契約条項の有効性については，問題とされる消費者契約の契約類型，事業者の事業内容，消費者の不利益の程度等から個別的に判断せざるを得ない。

しかしながら，一般に，将来の債権譲渡に対する事前の包括的な異議を留めない承諾を認めてしまうと，消費者は本来事業者に対して主張できたはずの抗弁をもって自己の権利を守る機会をおよそ奪われてしまう。仮に事業者

(注118) 2012年日弁連改正試案では13条12号（ブラックリスト。「事業者が契約上，消費者に対して有する債権を第三者に譲渡する場合に，消費者があらかじめ異議を留めない承諾をするものとする条項」），2014年改正試案では17条11号（ブラックリスト。2012年日弁連改正試案と同じ）。

(注119) 平成25年論点整理の報告72〜77頁。

から正当な給付を受けられなくても，消費者は常に第三者に対して一方的に債務を履行しなければならないといった事態を招来することになる。かかる条項については均衡性が認められ難いものと考える。

(4) 民法改正と債務者の抗弁の放棄を定める条項

(i) 民法改正による，債権譲渡に関し債務者の異議を留めない承諾規定の削除

上記のように，改正前民法は，債権譲渡がされた場合に，債務者が異議を留めない承諾をした場合は，譲渡人に対抗し得た事由を譲受人に主張できないとしていた（改正前民法 468 条 1 項）。

しかし，債務者が債権譲渡の事実を認識した旨を表明しただけで抗弁の喪失という債務者にとって予期しない効果が生ずるのは債務者保護の観点から妥当でなく，同規定は民法改正により削除された。

もっとも，債権譲渡に伴い，譲受人が，債務者から譲渡人に対する抗弁を対抗されないようにするために，債務者から「抗弁の放棄」という積極的な意思表示を受けようとすることが考えられ，その結果，今後，債権譲渡について「債務者の抗弁の放棄を定める条項」が用いられることもありうる。その場合は 10 条該当性が問題となる。（抗弁権の排除条項一般については，10 条解説中のⅢ「8 消費者の抗弁権等を排除・制限した条項」の解説参照。）

(ii) 不当条項性の検討

債権譲渡がなされた場合でも，債務者は譲渡人に対して主張し得た抗弁事由を譲受人に対しても主張できる（民法 468 条 1 項）。

ところが，債務者である消費者が将来の債権譲渡に対して事前に抗弁の放棄の意思表示をする旨の契約条項がある場合には，消費者は譲渡人に主張し得るいかなる抗弁事由も譲受人に対して主張できない不利益をこうむることになる。したがって，このような条項は，当該契約条項がなければ消費者に認められていたであろう権利義務関係と比較して，消費者に不利益な権利義務関係を定めている契約条項であると位置付けられるものである。

そして，前述のように，消費者の不利益と事業者の不利益との均衡性が認められない場合には，本条に該当する不当条項として無効となりうる。

具体的な契約条項の有効性については，問題とされる消費者契約の契約類

型，事業者の事業内容，消費者の不利益の程度等から個別的に判断せざるを得ない。

しかしながら，一般に，将来の債権譲渡に対する事前の包括的な抗弁の放棄の意思表示を認めてしまうと，消費者は本来事業者に対して主張できたはずの抗弁をもって自己の権利を守る機会をおよそ奪われてしまう。仮に事業者から正当な給付を受けられなくても，消費者は常に第三者に対して一方的に債務を履行しなければならないといった事態を招来することになる。

このような結果が不当であることは，事前の異議を留めない承諾を認めた場合と同様である。かかる条項については均衡性が認められ難いものと考える。

12 事業者からの解約・解除の要件を緩和する条項

(1) 問題となりうる契約条項例

(i) 事業者に一方的解約権を認める条項

（具体例）

・「当社の都合によりいつでも解約できます」といった条項

(ii) 事業者の解除要件を緩和する条項

（具体例）

・「1回でも支払を遅滞した場合には，当社は何らの催告等なくしてこの契約を解除できるものとします」といった条項

(2) 国生審報告，日弁連試案，検討会等における議論，諸外国の法制等

(i) 国生審報告

第16次国生審中間報告は，リストに掲げるべき不当条項として「事業者に不相当な解除・解約の権限を与える条項」，「事業者からの解除・解約の要件を緩和する条項」をあげている。

また，第16次国生審最終報告は，不当条項の判断基準として「消費者の法律上の権利を合理的な理由なくして制限するもの」との基準をあげている。

(ii) 日弁連改正試案（2012版・2014版）

2012年日弁連改正試案ではグレイリストに「事業者のみが消費者契約の解除権を留保する条項」（14条16号），「期間の定めのない継続的な消費者契

約において，事業者に対し，解約申し入れにより直ちに消費者契約を終了させる権限を付与する条項」(14 条 18 号) をあげ，2014 年日弁連改正試案ではグレイリストに「期間の定めのない継続的な消費者契約において，事業者に対し，解約申し入れにより直ちに消費者契約を終了させる権限を付与する条項」(18 条 14 号) をあげている。

(ⅲ) 検討会等における議論

平成 19 年度不当条項研究会報告書は，不当条項リストの見直し作業において検討を要する契約条項類型の 1 つとして「事業者の解除権留保条項，無催告解除条項」をあげている[120]。

また，債権法改正の基本方針も，消費者契約に関して不当条項と推定される条項の例として「事業者のみが契約の解除権を留保する条項」をあげ[121]，平成 23 年度運用状況調査結果報告でも，リストの候補として「事業者に有利な解除を認める条項」があげられている[122]。平成 25 年論点整理の報告も，不当条項リストに掲げる条項の候補として「事業者に不相当な解除権・解約権を付与する条項」，「事業者の解除・解約要件を緩和する条項」をあげており[123]，平成 26 年運用状況検討会報告書でも，追加が考えられる不当条項リストの 1 つとして「事業者に不相当な解除権・解約権を付与する規定」があげられている[124]。

平成 27 年専門調査会中間取りまとめも，規定の追加を検討すべき具体的な条項の類型として「事業者に当該条項がなければ認められない解除権・解約権を付与し又は当該条項がない場合に比し事業者の法律に基づく解除権・解約権の要件を緩和する条項」をあげ[125]，平成 27 年専門調査会報告書にお

(注 120) 詳細は，鹿野菜穂子「消費者の解除権を制限しまたは事業者の解除権を留保する条項」別冊 NBL128 号 131 頁。
(注 121) 債権法改正の基本方針 111〜120 頁。
(注 122) 平成 23 年度運用状況調査結果報告 90〜91 頁。同調査結果報告 91 頁は，具体的には，裁判例でも問題となっている事業者に有利な解除を認める条項などをリストの候補としてあげることが考えられるとしている。
(注 123) 詳細は，平成 25 年論点整理の報告 72〜77 頁。
(注 124) 平成 26 年運用状況検討会報告書 64〜71 頁。
(注 125) 平成 27 年専門調査会中間取りまとめ 39 頁〜40 頁。

いても，規定を設けることを検討することが考えられる具体的な契約条項の類型としては「事業者に当該条項がなければ認められない解除権・解約権を付与し又は当該条項がない場合に比し事業者の解除権・解約権の要件を緩和する条項」等があげられるとしている[126]。

(iv) 諸外国の法制

ドイツ民法は，評価の余地のない禁止条項（いわゆるブラックリスト）として「法規定と異なる合意が許容される場合においても，約款における次のような条項は無効とする」「4（催告，猶予期間の設定）他方の契約当事者に催告し，または給付もしくは追完のための猶予期間を設定すべき旨の約款使用者の法律上の責務を免除する条項」と規定している（309条4号）。また，評価の余地を伴う禁止条項（いわゆるグレーリスト）として，「約款における条項で，とりわけ，次のようなものは無効とする」「3（解除権の留保）実質的に正当でなく，かつ，契約上の根拠がないにもかかわらず，約款使用者が自己の給付義務から解放される権利を認める旨の合意。ただし，継続的債務関係については，この限りではない」と規定している（308条3号）。

また，93年EC指令は，「期間の定めのない契約について，売主または提供者は，合理的な通知なしに終了させることができるとすること。ただし，重大な理由がある場合はこの限りではない」との契約条項を，不公正とみなすことができる契約条項として規定している（3条3項・付表1 (g)）。

さらに，韓国約款規制法は，「事業者のために法律において規定していない解除権・解約告知権を与え，または法律の規定による解除権・解約告知権の行使要件を緩和し，顧客に対し，不当に不利益を与える恐れのある条項」，「継続的な債権関係の発生を目的とする契約において，その存続期間を不当に短期または長期にし，あるいは黙示の期間延長または更新が可能であるように定め，顧客に不当に利益を与える恐れのある条項」を無効とする旨規定している（9条2号，同条5号）[127]。

(3) 不当条項性の検討

(i) 消費者の不利益の存在

(注126) 平成27年専門調査会報告書8頁・脚注8。

民法541条は、債務者に履行遅滞があった場合において、債権者は相当の期間を定めてその履行を催告しその期間内に履行がない場合に契約を解除できることを定める。また、民法540条は、契約を解除する場合には相手方に解除の意思表示をすることを要するとされている。

ところが、事業者に無催告解除や一方的な解除を認める契約条項などがある場合、消費者は弁済の機会が与えられないまま些細な債務不履行を理由に契約関係を解除されたり、事業者の都合で契約関係を解除されたりして、原状回復義務を負担することになるという不利益をこうむる。

したがって、このような条項は、当該契約条項がなければ消費者に認められていたであろう権利義務関係と比較して、消費者に不利益な権利義務関係を定めている契約条項であると位置付けられるものである。

(ii) 事業者の不利益との均衡性

前述のように、消費者の不利益と事業者の不利益との均衡性が認められない場合には、本条に該当する不当契約条項として無効となりうる。

(iii) 具体的考察

具体的な契約条項の有効性については、問題とされる消費者契約の契約類型、事業者の事業内容、消費者の不利益の程度等から個別的に判断せざるを得ない。

しかしながら、一般に、事業者による一方的な契約解除が認められるためには、事業者に契約を解除されてもやむを得ないといった帰責事由が消費者に認められることが必要である。その点、消費者の債務不履行の程度が軽微であったり、事業者からの催告があれば容易に債務不履行状態を解消できる用意がある状況であった場合にも一律に事業者に解除権を肯定するような契約条項について均衡性が認められるためには、それによって消費者に生じた損害の填補が別途考慮されている等の事情が必要であると考える[128]。

(注127) 諸外国の法制としては他に、フランス消費法典R132-2条第4号、オランダ民法第6編第237条dがある(法制審議会民法(債権関係)部会第11回会議・部会資料13-2)。

(注128) 消費者庁解説215頁においても、事業者からの解除・解約の要件を緩和する契約条項は本条で無効となるとする。

(ⅳ) 裁判例
① 右京簡判平18・3・10（ウエストロー・ジャパン 2006WLJPCA03106002）

中古車買取業者が消費者から買い受けた普通乗用車が後に接合車であったことが判明したとして，「本契約締結後，消費者の認識の有無に係わらず，契約車両に重大な瑕疵（盗難車，接合車，車台番号改ざん車等）の存在が判明した場合には，業者は契約を解除することができる」との特約に基づき買取契約の解除及び原状回復としての売買代金の返還を求めた事案について，上記特約は，業者において重大な瑕疵の存在を知らなかったことについて過失がある場合にも解除することができ，しかも解除権の行使期間に関する定めがないから解除権行使による原状回復請求権の消滅時効（10年）が完成するまで解除することができることになるという点において，消費者である売主の義務（瑕疵担保責任）を加重する条項であり，信義誠実の原則に反して消費者の利益を一方的に害するものであると認められるから，10条により無効であると判示している。

② 保険契約における無催告失効条項に関する裁判例

保険契約における，猶予期間内に保険料の払い込みがない場合に無催告で保険契約が失効する旨を定める条項（無催告失効条項）に関する裁判例として，次のようなものがある[129]。

ⓐ 最判平24・3・16民集66巻5号2216頁及び原審・東京高判平21・9・30判タ1317号72頁

保険契約者が，生命保険会社に対し，医療保険契約と生命保険契約が存在することの確認を求めた事案において，東京高判平21・9・30判タ1317号72頁は，「本件無催告失効条項は，消費者である保険契約者側に重大な不利益を与えるおそれがあるのに対し，その条項を無効にすることによって保険者である被控訴人が被る不利益はさしたるものではないのである（現状の実務の運用に比べて手間やコストが増大するという問題は約款の規定を整備することで十分回避できる。）から，民法1条2項に規定する基本原則である

（注129） 約款外の事情である実務上の運用が，法10条の不当条項審査において注意が必要な判断要素であることにつき，本書10条の（注32）参照。

信義誠実の原則に反して消費者の利益を一方的に害するものである消費者の利益を一方的に害するものであるといわざるを得ない。」として，10条の規定により無効になるとし，「抽象的に本件無催告失効条項の有効性を検討するのではなく，まずは，本件の具体的な事実関係に照らして，本件各保険契約の失効の有無を論ずるべきである」との被控訴人の主張については，「本件で問題となるのは，本件無催告失効条項が消費者契約法10条の規定により無効であるかどうかであり，この点は，個別の当事者間における事情を捨象して，当該条項を抽象的に検討して判断すべきであるから（同条に規定する消費者契約の条項を含む消費者契約の締結について，適格消費者団体による差止請求が可能であるのも（同法12条3項及び4項），条項を抽象的に判断することにより，当該条項の有効無効の判断が可能であるからである。），被控訴人の主張は，その主張自体が失当である。」としたが，同事件の上告審である最判平24・3・16民集66巻5号2216頁は，本件約款において，保険契約者が保険料の不払いをした場合にも，その権利保護を図るために一定の配慮をした定めが置かれていることに加え，保険会社（上告人）が，保険契約の締結当時，保険料支払債務の不履行があった場合に契約失効前に保険契約者に対して保険料払込みの督促を行う態勢を整え，そのような実務上の運用を確実にした上で本件約款を適用していることが認められるのであれば，本件失効条項は信義則に反して消費者の利益を一方的に害するものに当たらない旨判示して10条に反しないとした。

ⓑ 上記以外の裁判例

保険の無催告失効条項を巡っては，上記のもの以外に，次のようなものがある。

長崎地判平19・3・30（消費者法ニュース72号207頁）は，生命保険契約の保険金請求に対し，保険料の支払が猶予期間を2日過ぎてなされたとして，失効約款の適用により失効しているとして争われ，生命保険契約の失効約款の適用に関し，未払保険料の支払が猶予期間を2日も経過しないうちに行われている場合は，消費者契約法・消費者基本法等の消費者保護の理念に基づき，保険契約の失効を主張することは信義則上相当ではないとしている。上記最高裁判決以降のものとして，東京地判平27・3・26（判タ1421号

246頁）は，①本件失効条項は民法541条により求められる催告期間よりも長い猶予期間を定めており，②保険会社において，本件保険契約の更新及び契約者の変更当時，保険料支払債務の不履行があった場合に契約失効前に保険契約者に対して保険料払込みの督促を行う態勢を整え，そのような実務上の運用が確実にされていたといえることから，本件失効条項は，信義則に反して消費者の利益を一方的に害するものに当たらず，消費者契約法10条に違反しないとしており，東京地判令3・6・22金法2181号85頁は，「被告においては，保険料の支払が遅延している顧客がアラームリストに掲載され，顧客に対し，保険料払込期間満了日等を記載した失効予告通知を郵送する，また被告の営業職員は，アラームリストに基づいて自身が勧誘した顧客に連絡を取り，入金の催告をした上で，被告に報告するとの運用をしていたことが認められる」等とし，「以上の認定に鑑みると，被告において契約失効前に保険契約者に対して保険料払込の督促を行う実務上の運用を確実にしていたといえ，本件無催告失効条項は消費者契約法10条に違反し無効とはいえない（最高裁平成22年・第332号 同24年3月16日第二小法廷判決・民集66巻5号2216頁参照）としている。

13 消費者に与えられた期限の利益を不当に奪う条項

(1) 問題となりうる契約条項例
（具体例）
・「債務の一部でも履行を遅滞したときは何らの通知催告無くして当然に期限の利益を失い，直ちに残金全額を返済します」といった条項

(2) 国生審報告，日弁連試案，検討会等における議論，諸外国の法制等
(i) 国生審報告

第16次国生審中間報告は，不当条項リストに掲げるべき不当条項の1つとして「消費者に与えられた期限の利益を相当な理由なしに剥奪する条項」をあげている。

また，第16次国生審最終報告は，不当条項の判断基準として「消費者の法律上の権利を合理的な理由なくして制限するもの」，「消費者にとって過酷な要求となるもの」との基準をあげている。

(ii) 1999年日弁連試案

グレイリストに「消費者に与えられた期限の利益を奪う条項」をあげている（14条1号）[130]。

(iii) 検討会等における議論

平成25年論点整理の報告は、不当条項リストに掲げる条項の候補として「消費者に与えられた期限の利益を相当な理由なしに剥奪する条項」をあげている[131]。

(iv) 諸外国の法制

ドイツ民法は、評価の余地のない禁止条項（いわゆるブラックリスト）として「約款において、次のような条項は無効とする」「4（催告、猶予期間の設定）他方の契約当事者に催告し、または給付もしくは追完のための猶予期間を設定すべき旨の約款使用者の法律上の責務を免除する条項」と規定している（309条4号）。

また、韓国約款規制法は、「顧客に与えられた期限の利益を相当な理由なしに剥奪する条項」を無効とする旨規定している（11条2号）。

(3) 不当条項性の検討

(i) 消費者の不利益の存在

民法137条は、債務者が期限の利益を喪失するのは、①債務者が破産手続開始の決定を受けたとき、②債務者が担保を滅失させ、損傷させ、又は減少させたとき、③債務者が担保を供する義務を負う場合において、これを供しないとき、と規定している。

ところが、我が国で使用されている金銭消費貸借契約やリース契約等は、消費者が「債務の一部でも履行を遅滞したとき」など、上記以外の事実をも

(注130) 2012年日弁連改正試案では14条8号（グレイリスト。「消費者の利益のために定められた期限の利益を喪失させる事由（民法第137条各号所定の事由を除く。）を定めた条項」）。2014年日弁連改正試案では18条6号（グレイリスト。「消費者の利益のために定められた期限の利益を喪失させる事由（民法第137条各号に掲げる事由その他消費者に信用不安が生じたと客観的に認められるような事由を除く。）を定めた条項」）。

(注131) 平成25年論点整理の報告72〜77頁。

って期限の利益の当然喪失事由や請求喪失事由としている。かかる条項は，民法上期限の利益喪失事由とされていない事由をもって債務者に残債務の即時一括弁済義務を発生させる契約条項である。また，かかる期限の利益喪失条項の多くは，高利率の約定遅延損害金条項と相まって，期限の利益喪失事由発生後の消費者の総債務額を飛躍的に増加させるという効果をもたらしている。

したがって，このような期限の利益喪失条項は，当該契約条項がなければ消費者に認められていたであろう権利義務関係と比較して，消費者に不利益な権利義務関係を定めている契約条項であると位置付けられる。

(ⅱ) 事業者の不利益との均衡性

前述のように，消費者の不利益と事業者の不利益との均衡性が認められない場合には，本条に該当する不当契約条項として無効となりうる。

(ⅲ) 具体的考察

例えば，住宅ローンや多額の借入金債務において，期限の利益の喪失条項によって消費者がこうむる不利益は甚大である（消費者およびその家族の生活自体が脅かされることになる）。

しかるに，「債務の一部でも履行を遅滞したとき」を期限の利益の当然喪失事由と定める契約条項は，消費者の些少な債務不履行を根拠として，弁済の機会も与えないままに残債務の即時一括弁済を可能とするものである（実質的に契約解除と類似した結果をもたらす）。しかも，多くの契約では多額の約定遅延損害金まで発生させる過酷な結果をもたらす。さらに，消費者の些少な債務不履行は当然に消費者の信用不安を帰結するものではなく，債権者が残債務全額の債権回収に着手する必要性も低い。

以上から考えて，些少な債務不履行についても一律に期限の利益の当然喪失事由とする契約条項については，均衡性を認められがたいものと考える。

これに対し，例えば「消費者が弁済金の支払を遅滞しその金額が合計金〇〇円に及び，事業者が20日以上の相当な期間を定めてその支払を書面で催告したにもかかわらず，その期間内に延滞金の全額を支払わなかったとき」を期限の利益の喪失事由としたような契約条項（割賦販売法5条1項の法文に準じた契約条項）などは，本条に照らしても有効性に疑義の少ない契

約条項例であると考える。

(iv) 裁判例

① 佐世保簡判昭60・9・24判タ577号55頁

債務の一部の履行を遅滞したときを期限の利益の当然喪失事由とする特約のある金銭消費貸借契約について，「(貸主は) 一旦喪失した期限の利益を黙示の合意により再度付与して，元金の利用を許容し遅延損害金の請求を一時放棄したものと認めるのが相当である」として期限の利益の再度付与の合意を認定し，結論の妥当性を図っている。

② 広島高判平14・12・12（最高裁HP）（本法施行前の事案）。

「債権保全を必要とする相当の事由があるときには債権者の請求により期限の利益を失う」との条項（以下「本件約款」という。）について，「消費者契約法の附則によると，平成13年4月1日施行にかかる消費者契約法は，その施行前の消費者契約については適用されないことが明らかである。のみならず，当事者において債務者の期限の利益喪失にかかる合意をすることは契約自由の原則上有効であるというべきであるから（最高裁判所昭和39年（オ）第155号同45年6月24日判決・民集24巻6号587頁参照），消費者契約法の趣旨や民法1条2項に照らしても，本件約款の効力を否定することはできないものというべきである。」とした。

もっとも，上記の裁判例は，本件約款の「債権保全を必要とする相当の事由が生じたとき」という要件について，債権者の請求によって期限の利益を失う事由として契約証書に列挙された「具体的事由に準ずる客観的にみて債権保全の客観的必要性があるとき，すなわち，債務者の信用度がかなり低下し，本件貸付債権回収を弁済期到来まで待つことを債権者である被控訴人に期待することが社会通念上無理であるときに，被控訴人に期限の利益喪失形成権が発生することを規定したものと解するのが相当である」と限定的に解釈し[132]，そのような解釈を前提とした上で本件約款を有効なものと判示しているものである。

(注132) 鈴木禄弥編『新版　注釈民法 (17)』337～338頁［鈴木禄弥・山本豊］（有斐閣，1993）同旨。

14　消費者の解除権を制限する条項

(1)　問題となりうる契約条項例
(i)　消費者の法定解除権を排除する条項
(具体例)
・「この契約は理由を問わず解除できません」といった条項
(ii)　消費者の法定解除権を制限する条項
(具体例)
・解除権の行使について内容証明郵便など特定の要式を必要とする条項
・解除の効力発生時期を解除権行使から6か月後にするといった条項
・解除権の行使に必要な事業者の債務不履行行為の態様を加重する条項

(2)　国生審報告，日弁連試案，検討会等における議論，諸外国の法制等
(i)　国生審報告

第16次国生審中間報告は，リストに掲げるべき不当条項として「消費者からの解除・解約の権利を制限する条項」をあげている。

また，第16次国生審最終報告は，不当条項の判断基準として「消費者の法律上の権利を合理的な理由なくして制限するもの」，「消費者にとって過酷な要求となるもの」との基準をあげている。

(ii)　1999年日弁連試案

ブラックリストに「消費者の解除権を一切認めない条項」をあげるとともに(13条8号)，グレイリストに「消費者の法定解除権を制限する条項」をあげている(14条14号)[133]。

(iii)　検討会等における議論

平成19年度不当条項研究会報告書は，不当条項リストの見直し作業において検討を要する契約条項類型の1つとして「消費者の解除権制限条項」を

(注133)　2012年日弁連改正試案では13条9号(ブラックリスト。「消費者の法令に基づく解除権を認めない条項」)，14条15号(グレイリスト。「消費者の法令に基づく解除権を制限する条項」)。2014年日弁連改正試案では17条9号(ブラックリスト。「法令に基づく消費者の解除権を認めない条項」)，18条13号(グレイリスト。「法令に基づく消費者の解除権を制限する条項」)。

あげている[134]。

　また，債権法改正の基本方針も，約款および消費者契約に関して不当条項と推定される条項の例として「条項使用者に契約の重大な不履行があっても相手方は契約を解除できないとする条項」をあげ[135]，平成23年度運用状況調査結果報告でも，今後リスト化を検討すべき条項の種類の1つとして「契約の解除・解約に関する条項（消費者からの解除・解約の権利を制限する条項など）」があげられている[136]。そして，平成25年論点整理の報告も，不当条項リストに掲げる条項の候補として「消費者の解除権・解約を制限する条項」をあげている[137]。さらに，平成26年運用状況検討会報告書でも，追加が考えられる不当条項リストの1つとして「消費者の解除権・解約権・取消権を制限する規定」があげられている[138]。

　平成27年専門調査会中間取りまとめも，規定の追加を検討すべき具体的な条項の類型として「消費者の解除権・解約権をあらかじめ放棄させる条項及び消費者の解除権・解約権を制限する条項」をあげ[139]，平成27年専門調査会報告書においても，規定を設けることを検討することが考えられる具体的な契約条項の類型としては「消費者の解除権・解約権をあらかじめ放棄させ又は制限する条項」等があげられるとしている[140]。

　そして，平成28年改正により，債務不履行に伴う解除権を放棄させる条項及び瑕疵担保責任に伴う解除権を放棄させる条項については，これらを無効とする規定（8条の2）が新設された（本書8条の2「消費者の解除権を放棄させる条項等の無効」参照）。

　令和3年消費者契約に関する検討会報告書では，不当条項の類型の追加について検討を行った条項として「消費者の解除権の行使を制限する条項」が

(注134)　詳細は，鹿野・前掲（注120）110頁。
(注135)　債権法改正の基本方針111～120頁。
(注136)　平成23年度運用状況調査結果報告90～91頁。
(注137)　平成25年論点整理の報告72～77頁。
(注138)　平成26年運用状況検討会報告書64～71頁。
(注139)　平成27年専門調査会中間取りまとめ37～39頁。
(注140)　平成27年専門調査会報告書8頁・脚注8。

あげられている⁽¹⁴¹⁾。

　(iv)　諸外国の法制

　ドイツ民法は，評価の余地のない禁止事項（いわゆるブラックリスト）として，「8（義務違反におけるその他の免責）a）（契約を解消する権利の排除）約款使用者の責に帰すべき事由があり，売買の目的物または仕事の瑕疵以外の義務違反があった場合において，他方の契約当事者の契約を解消する権利を排除し，または制限する条項」を無効としている（309条8号）。また，評価の余地を伴う禁止事項（いわゆるグレイリスト）として，「7（契約の清算）契約の一方当事者が契約を解除または告知する場合，約款使用者が，(a) 物もしくは権利の使用もしくは収益，または提供された給付に対して，不相当に高額な対価を請求できること，または，(b) 不相当に高額な費用の償還を請求できることのいずれかの請求をできる旨を定める条項」を無効としている（308条7号）。

　また，93年EC指令は，「売主もしくは提供者には，自由に契約を解消することが認められているにもかかわらず，同様の権利は消費者には認められていない」契約条項を，不公正とみなすことができる契約条項として規定している（3条3項・付表1 (f)）。

　さらに，韓国約款規制法は，「法律の規定による顧客の解除権または解約告知権を排除し，またはその行使を制限する条項」を無効とする旨規定している（9条1号）⁽¹⁴²⁾。

　(3)　不当条項性の検討

　(i)　消費者の不利益の存在

　債務者の履行遅滞および履行不能があった場合（民法541条・542条，改正前民法541条・543条）や，売買契約の売主等に瑕疵担保責任が認められる場合，債権者には契約の解除が認められている（改正前民法570条等）。

　ところが，消費者の解除権を排除又は制限する契約条項がある場合，消費

(注141)　令和3年消費者契約に関する検討会報告書21-23頁。
(注142)　諸外国の法制としては他に，フランス消費者法典R132-2条第8号，オランダ民法第6編第236条bがある（法制審議会民法（債権関係）部会第11回会議・部会資料13-2）。

者は本来であれば上記の規定によって離脱することができるはずの契約関係に拘束され続けるという不利益をこうむる。

したがって，このような条項は，当該契約条項がなければ消費者に認められていたであろう権利義務関係と比較して，消費者に不利益な権利義務関係を定めている契約条項であると位置付けられるものである。

(ⅱ) 事業者の不利益との均衡性

前述のように，消費者の不利益と事業者の不利益との均衡性が認められない場合には，本条に該当する不当契約条項として無効となりうる。

(ⅲ) 具体的考察

まず，消費者の解除権を制限する条項のうち，消費者の解除権を放棄させる条項については，8条の2が明文で無効としている不当条項である。

これに対し，例えば契約後一定の期間を定めた解除制限が設けられている条項や解除事由の制限が設けられている条項などの，消費者の解除権を制限する契約条項については，本条の適用が問題となる。

具体的な契約条項の有効性については，問題とされる消費者契約の契約類型，事業者の事業内容，消費者の不利益の程度等から個別的に判断すべきことになる[143]。

15 継続的契約関係等における消費者の解約権を制限する条項

(1) 問題となりうる契約条項例

(ⅰ) 消費者の解約権を排除する条項

(具体例)

・「この契約は理由を問わず解約できません」といった条項

(ⅱ) 消費者の解約権を制限する条項

(具体例)

・「この契約は○年間解約できません」「中途解約は認めません」といった条項

(注143) 消費者庁解説215頁においても，消費者が有する解除権の行使を制限する契約条項は，本条で無効となりうるとする。

・解約権の行使について内容証明郵便など特定の要式を必要とする条項
・解約権の行使について6か月前にすることを要するといった条項
（契約の終了時期を解約権行使から6か月後にするといった条項）
・解約権が行使された際に，高額な解約料等を定める条項

(2) 国生審報告，日弁連試案，検討会等における議論，諸外国の法制等

(i) 国生審報告

第16次国生審中間報告は，リストに掲げるべき不当条項として「消費者からの解除・解約の権利を制限する条項」，「消費者に過量な又は不相当に長期にわたる物品又は役務を購入させる条項」をあげている。

また，第16次国生審最終報告は，不当条項の判断基準として「消費者の法律上の権利を合理的な理由なくして制限するもの」，「消費者にとって過酷な要求となるもの」との基準をあげている。

(ii) 1999年日弁連試案

グレイリストに「継続的契約において，消費者からの解約申し入れを制限する条項」をあげている（14条13号）[144]。

(iii) 検討会等における議論

平成19年度不当条項研究会報告書は，不当条項リストの見直し作業において検討を要する契約条項類型の1つとして「消費者の解除権制限条項」をあげている[145]。

また，債権法改正の基本方針も，約款および消費者契約に関して不当条項と推定される条項の例として「継続的な契約において相手方の解除権を任意規定の適用による場合に比して制限する条項」をあげ[146]，平成23年度運

（注144） 2012年日弁連改正試案では14条17号（グレイリスト。「継続的な消費者契約において，消費者の解約権を制限する条項」。（なお，19条において継続的契約の中途解約権を規定している。）），2014年日弁連改正試案では，（23条1項において継続的契約の中途解約権を規定したうえで）23条3項（ブラックリスト。「第1項に規定する中途解約権を認めない消費者契約の条項は不当条項とみなす。」）及び23条4項（グレイリスト。「第1項に規定する中途解約権を制限する消費者契約の条項……は，不当条項と推定する。」）。

（注145） 詳細は，鹿野・前掲（注120）110頁。

用状況調査結果報告でも，今後リスト化を検討すべき条項の種類の1つとして「契約の解除・解約に関する条項（消費者からの解除・解約の権利を制限する条項など）」があげられている[147]。そして，平成25年論点整理の報告も，不当条項リストに掲げる条項の候補として「消費者の解除権・解約を制限する条項」をあげている[148]。さらに，平成26年運用状況検討会報告書でも，追加が考えられる不当条項リストの1つとして「消費者の解除権・解約権・取消権を制限する規定」があげられている[149]。

平成27年専門調査会中間取りまとめも，規定の追加を検討すべき具体的な条項の類型として「消費者の解除権・解約権をあらかじめ放棄させる条項及び消費者の解除権・解約権を制限する条項」をあげ[150]，平成27年専門調査会報告書においても，規定を設けることを検討することが考えられる具体的な契約条項の類型としては「消費者の解除権・解約権をあらかじめ放棄させ又は制限する条項」等があげられるとしている[151]。

令和3年消費者契約に関する検討会報告書では，不当条項の類型の追加について検討を行った条項として「消費者の解除権の行使を制限する条項」があげられている[152]。

(iv) 諸外国の法制

ドイツ民法は，評価の余地のない禁止条項（いわゆるブラックリスト）として「法規定と異なる合意が許容される場合においても，約款における次のような条項は無効とする」「9（継続的債権関係における契約期間）約款使用者により商品の定期的な供給，労務給付もしくは請負契約の定期的な供給を目的とする契約関係において，以下の各号のいずれかを定める条項　a）他方

(注146)　債権法改正の基本方針111～120頁。
(注147)　平成23年度運用状況調査結果報告90～91頁。
(注148)　平成25年論点整理の報告72～77頁。
(注149)　平成26年運用状況検討会報告書64～71頁。
(注150)　平成27年専門調査会中間取りまとめ37頁～39頁。
(注151)　平成27年専門調査会報告書（8頁・脚注8）。そして，平成28年改正により，債務不履行に伴う解除権を放棄させる条項及び瑕疵担保責任に伴う解除権を放棄させる条項については，これらを無効とする規定（8条の2）が新設された。

の契約当事者を2年以上にわたって拘束する契約期間，b) 他方の契約当事者を1年以上にわたって拘束することになる契約関係の黙示の更新，c) 他方の契約当事者の不利益において，当初または契約期間または黙示に更新された契約期間の満了に先立ち，3か月を超える期間の解約告知期間を定めること ただし，一体をなしたものとして売却された物の引渡しに関する契約，保険契約，および，著作権法上の権利および請求権を有する者と，著作権およびそれに隣接する保護権に関する法律にいう著作権利用会社との間で締結された契約については，この限りではない。」と規定している（309条9号）。

また，93年EC指令は，「売主もしくは提供者には，自由に契約を解消することが認められているにもかかわらず，同様の権利は消費者には認められていない」契約条項，「期間の定めのある契約について，消費者が別段の意思を表明しない限り，自動的に契約が延長されるとされている場合において，消費者が契約の延長を望まない旨を表明するための期限が不当に早期に設定されている」契約条項を，不公正とみなすことができる契約条項として規定している（3条3項・付表1（f）（h））。

さらに，韓国約款規制法は，「法律の規定による顧客の解除権または解約告知権を排除し，またはその行使を制限する条項」，「継続的な債権関係の発生を目的とする契約において，その存続期間を不当に短期または長期にし，あるいは黙示の期間延長または更新が可能であるように定め，顧客に不当に

（注152） 詳細は，令和3年消費者契約に関する検討会報告書21〜23頁。同報告書は，使用例として「電気通信回線の利用契約等において，消費者による解除権の行使の方法を電話や店舗の手続に限定する契約条項や，予備校の利用規約等において，消費者による解除事由を限定するとともに，中途解除権の行使の際には，解除事由が存在することを明らかにする診断書等の書類の提出を要求する契約条項」をあげている。そして「考えられる対応」として，「少なくとも，契約条項の定めのみをもって，消費者の解除権の行使を制限するものと評価できる契約条項が存するのであれば，このような契約条項について消費者契約法上の不当条項規制によって対応すべきと考えられる。もっとも，これらは常に無効とすべきではないことを踏まえて，法第10条の第1要件の例示とすることが考えられる」としている。

不利益を与える恐れのある条項」を無効とする旨規定している（9条1号・5号）[153]。

(3) 不当条項性の検討

(i) 消費者の不利益の存在

委任契約や準委任契約において，契約当事者は何時にても契約を解約することができる（民法651条1項・656条）。また，期限の定めなき賃貸借において，賃借人は何時にても解約申入れができる（民法617条1項）。さらに，請負契約において，注文者は仕事未完成の間は何時にても契約を解約できる（民法641条）。加えて，継続的供給契約において，契約当事者は正当な理由があれば解約告知できると理解されている（東京地判平9・3・5判時1625号58頁など）。

ところが，かかる継続的契約関係において消費者の解約権を排除又は制限する契約条項がある場合，消費者は本来であれば上記の規定等によって離脱することができるはずの契約関係に将来にわたり拘束され続けるという不利益をこうむる。

したがって，このような条項は，当該契約条項がなければ消費者に認められていたであろう権利義務関係と比較して，消費者に不利益な権利義務関係を定めている契約条項であると位置付けられるものである。

(ii) 事業者の不利益との均衡性

前述のように，消費者の不利益と事業者の不利益との均衡性が認められない場合には，本条に該当する不当契約条項として無効となりうる。

(iii) 具体的考察

具体的な契約条項の有効性については，問題とされる消費者契約の契約類型，事業者の事業内容，事業者が一定期間契約拘束をする必要性や当該期間の合理性，消費者の不利益の程度等から個別的に判断せざるを得ない。

しかしながら，継続的契約関係においては，契約期間が長期にわたること

（注153） 諸外国の法制としては他に，フランス消費者法典R132-2条第8号，オランダ民法第6編第236条bがある（法制審議会民法（債権関係）部会第11回会議・部会資料13-2）。

から消費者が支払うべき対価も高額になることが少なくない。かかる場合に欲しない契約に拘束され続けることは消費者にとって大きな不利益である。

　また，継続的契約関係においては，事前に具体的な給付内容を把握することが困難である場合が多いことから，消費者が役務の提供を受け始めてから「こんなはずではなかった」と考えることも多い。かかる事例のトラブル事例の多さは，特定商取引法及び割賦販売法の改正によって，エステ・英会話学校等の継続的役務供給契約における消費者の中途解約権が明定されるに至っていることからも明らかである。

　さらに，事業者の解約権禁止条項を無効と解しても，事業者に生じる損害は損害賠償により填補されうる。したがって，消費者による解約権行使自体によって事業者がこうむる不利益は大きくないと評価できる。

　むしろ，継続的契約関係において消費者の解約権を一切排除する契約条項を許容することは，事業者に9条1項1号の脱法手段を認めることにもなりかねない。すなわち，9条1項1号は，消費者が解約告知して消費者契約を終了させた場合について「平均的な損害の額」を違約金の上限とする旨規定している。ところが，事業者が消費者に中途解約権自体を付与しなければ，9条1項1号の適用を実質的に排除することが可能となる。しかし，かかる脱法手段を認めるわけにはいかない。

　したがって，少なくとも継続的契約関係における消費者の中途解約権を一切排除する契約条項については均衡性が認められ難いものと考える。

　なお，消費者の解約権を認める契約であっても解約権行使に伴う解約金が高額なものと定められていれば，実質的に解約権制限が行われた場合と同じ結果となりかねない。しかし，かかる違約金条項については，9条1項1号によって「平均的な損害の額」を上回る金員の支払義務を定める部分が無効となる。また，そもそも消費者に金銭支払義務を課すること自体が不合理である場合には，本条によって違約金条項自体が無効と評価できる場合もありうる。

(ⅳ)　裁判例

①　東京地判平15・11・10判時1845号78頁

大学医学部専門の進学塾の冬期講習受講契約及び年間模試受験契約につ

き，入学願書に「入学金・授業料・教材費・施設通信費はいかなる場合にも返却されないことを了承します」という記載があり，講習案内書に「手続き完了後の受講講座の取り消し・他講座への変更は一切できません」という記載があることを理由に，進学塾が中途解約と未実施の冬期講習受講料及び年間模試受験料の返還を求めた学生に対して金銭返還を拒否した事案について，上記裁判例は，受講契約等は準委任契約と解される，解除時期を問わずに申込者からの解除を一切許さないとして実質的に受講料又は受験料の全額を違約金として没収するに等しいような解除制限約定は10条に反すると判示して，学習塾に受講料等の返還を命じている。

② 東大阪簡判平17・1・27消費者法ニュース63号137頁

子供英会話講師養成講座の受講契約につき，申込要綱確認書中に「一度ご入金頂いた費用はご自身のご都合によるご返金はできません」との条項があることを理由に，事業者が中途解約と受講料返還の請求を拒否した事案において，上記裁判例は，受講契約は準委任契約と解される，上記契約条項は民法651条1項の解除権を排除するもので10条に反すると判示して，事業者に受講料全額の返還を命じている。

③ 京都地判平17・3・25（判例集等未登載。平成16年（ワ）第1622号事件）

看護学校の在学契約につき，入学手続完了後は入学金及び運営協力金（納付金）を返還しない旨の合意があることを理由に，看護学校が納付金の返還を拒否した事案において，上記裁判例は，①本件学校は教育サービスを提供するために要する費用の一部につき，入学金及び運営協力金という名称を付して，入学者に納付を求めていると見るほかない，②これらの費用は本来入学して本件学校からサービスを受ける者に負担させるべきで，入学手続をしたけれども最終的に入学しなかった者に負担させるには特段の事情が必要である，③入学しなかった者から納付金を取得できないことは在学契約の解約自体が制限されていない以上致し方ない事態であり，入学者席の空席発生の可能性も本件学校に対する入学希望者の動向で生じることであるから本件学校が特約を使ってこの動向による影響を入学者に負担させることは前記の特段の事情にあたるというわけにはいかない等として，本件特約は10条に反すると判示し，看護学校に納付金の返還を命じている。

④　大阪地判平17・9・30消費者法ニュース66号209頁
　②の裁判例の控訴審判決である。上記裁判例は，本件受講契約は準委任契約と解される，本件不解除条項は民法651条の適用による場合に比して消費者の権利を制限するものである，本件受講契約は講座が6か月を超える長期間に及び，海外での幼稚園実習も含むため，受講を継続できない事情が発生する可能性は低いものではないから，解除権を放棄することによる消費者の不利益は大きい，本件不解除条項は信義誠実の原則に反し消費者の利益を一方的に害するものと解され，10条に反すると判示している。

⑤　東京地判平30・3・23（消費者法ニュース116号340頁）
　控訴人の開講する司会者養成講座を受講する契約を締結した被控訴人が，控訴人に対し，同契約の締結を勧誘するに際しレッスンの内容という重要事項について不実告知があったとして契約の取消しと，未受講分の受講料の不返金特約は（改正前）9条1号，10条に反し無効である旨を主張した事案である。
　未受講分の受講料の不返金特約について，本件受講契約は，準委任契約であり，本来，当事者はいつでも解除（解約）をすることができる（民法651条1項，656条）ところ，不返金特約は，被控訴人からの解除（解約）のみを一方的に制限するものであって，信義則に反するというべきであり，不返金特約のうち，被控訴人からの解除（解約）を制限する部分は，10条により，無効であるなどと判示した。

16　契約終了時の消費者の清算義務や原状回復義務を加重（事業者の義務を減免）する条項

(1)　問題となりうる契約条項例
（具体例）
・期間満了等による契約関係の終了時において，保証金，前払金，敷金などの預り金から高額な控除を認める条項
・賃貸借契約において，通常の使用による減耗分やリフォーム費用の支払を賃借人に求める条項

(2)　国生審報告，日弁連試案，検討会等における議論，諸外国の法制等

(i) 国生審報告

第16次国生審中間報告は，リストに掲げるべき不当条項として「消費者の義務や責任を加重する条項」をあげている。

また，第16次国生審最終報告は，不当条項の判断基準として「消費者の法律上の権利を合理的な理由なくして制限するもの」，「消費者にとって過酷な要求となるもの」との基準をあげている。

(ii) 1999年日弁連試案

グレイリストに「契約が解除又は解約告知によって終了した場合に既に給付された金員は返還しないとする条項」をあげている（14条19号）[154]。

(iii) 検討会等における議論

平成19年度不当条項研究会報告書は，不当条項リストの見直し作業において検討を要する契約条項類型の1つとして「契約解消に伴う清算免除条項」をあげている[155]。

債権法改正の基本方針では，消費者契約に関して不当条項と推定される条項の例として「契約の締結に際し，前払い金，授業料，預かり金，担保その他の名目で事業者になされた給付を返還しないことを定める条項　ただし，本法その他の法令により事業者に返還義務が生じない部分があるときは，それを定める部分については，消費者の利益を信義則に反する程度に害するものと推定されない。」をあげている[156]。

平成25年論点整理の報告は，不当条項リストに掲げる条項の候補として「対価の不返還を定める条項」をあげている[157]。

(注154)　2012年日弁連改正試案では，14条19号（グレイリスト。「消費者契約が終了した場合に，前払金，授業料などの対価，預り金，担保その他の名目で事業者に給付されたものの全部又は一部を消費者に返還しないことを定める条項」）及び14条21号（グレイリスト。「消費者契約が終了した場合に，給付の目的物である商品，権利，役務の対価に相当する額を上回る金員を消費者に請求することができるとする条項」）。2014年日弁連改正試案では，18条10号（グレイリスト。「消費者契約が終了した場合における事業者の消費者に対する原状回復義務，清算義務を減免する条項」）。

(注155)　詳細は，丸山・前掲（注107）138頁。

(注156)　債権法改正の基本方針111～120頁。

(iv) 諸外国の法制

ドイツ民法は，評価の余地を伴う禁止条項（いわゆるグレイリスト）として，「7（契約の清算）契約の一方当事者が契約を解除または告知する場合」，「(a) 物もしくは権利の使用もしくは収益，または提供された給付に対して不相当に高価な対価を請求できる」条項，または，「(b) 不相当に高額な費用の償還を請求できる」条項を無効としている（308条7号）。

また，93年EC指令は，「消費者が契約の締結または履行をしないことに決めた場合においては，消費者が支払った金銭を売主または提供者が保持できるとしておきながら，売主または提供者が契約を解約した場合には，消費者は売主または提供者からそれと同等額の賠償金を受領できる旨を定めない」契約条項をあげている（3条3項・付表1（d））。

さらに，韓国約款規制法は，「契約の解除・解約による顧客の[158]原状回復義務を相当な理由なしに過重に負担させ，または原状回復請求権を不当に放棄させようとする条項」，「契約の解除・解約による事業者の原状回復義務または損害賠償義務を不当に軽減する条項」を無効とする旨規定している（9条3号・4号）。

(3) 不当条項性の検討

(i) 消費者の不利益の存在

例えば，賃貸借契約が期間満了等で終了した場合，賃借人には賃借物自体を原状に復して返還する義務がある。また，契約が解除された場合，当事者双方には履行済みの給付を各々返還すべき義務がある（民法545条1項）。

(注157) 詳細は，平成25年論点整理の報告72～77頁等。「対価不返還条項など，解除時の清算条項の有効性判断をめぐる消費者契約法9条1号の射程が明らかではない。」（77頁），「対価不返還条項も実質的には損害賠償額の予定条項と同じ機能を果たすので別途リスト化する必要はないという声もあろうが，……文言上，不当条項リストを潜脱する余地をなるべく減らすためには別途リスト化するのが望ましいのではないか。」（82頁）としている。

(注158) 韓国約款規制法の規定中の「顧客の」の訳については，法制審議会民法（債権関係）部会第11回会議・部会資料13-2及び第51回会議・同資料42においては「事業者の」とされているが，本書においては「顧客の」とした（本書初版参照）。

ところが，消費者の原状回復義務を加重する契約条項がある場合，消費者は本来であれば履行する必要のない義務を履行しなければならないといった不利益をこうむることになる。

したがって，このような条項は，当該契約条項がなければ消費者に認められていたであろう権利義務関係と比較して，消費者に不利益な権利義務関係を定めている契約条項であると位置付けられるものである。

(ii) 事業者の不利益との均衡性

前述のように，消費者の不利益と事業者の不利益との均衡性が認められない場合には，本条に該当する不当契約条項として無効となりうる。

(iii) 具体的考察

具体的な契約条項の有効性については，問題とされる消費者契約の契約類型，事業者の事業内容，消費者の不利益の程度等から個別的に判断せざるを得ない。

(iv) 裁判例

① 建物賃貸借契約に付された自然損耗及び通常の使用による損耗につき賃借人に原状回復義務を負担させる特約（以下「原状回復特約」という）

ⓐ 京都地判平 16・3・16（最高裁 HP，ウエストロー・ジャパン 2004 WLJPCA03166001）

原状回復特約は民法上の賃借人の目的物返還義務を加重するものであるところ，賃借人が賃貸借契約締結時に明渡時の原状回復費用を予想することは困難である，具体的な自然損耗等の有無，原状回復の要否又は原状回復費用の額は明渡時でないと明らかにならない，賃借人が自然損耗の有無等を争おうとすれば敷金返還請求訴訟を提起せざるを得ない，入居申込者は賃貸借契約書の契約条項の変更を求めるような交渉力は有していない，賃貸人の方は原状回復費用を予想することは可能でこれを賃料に含めて賃料額を決定したり定額の原状回復費用を定めたりすることも可能であるといった論旨のもと，原状回復特約は 10 条に違反して無効であると判示している。

ⓑ 京都地判平 16・6・11（消費者法ニュース 61 号 157 頁，ウエストロー・ジャパン 2004WLJPCA06116001）

賃借期間中の経年劣化による減価分は賃貸人の負担に帰すべきものであっ

て賃借人が負担すべき理由はない，通常の利用により賃借目的物の価値が低下した場合の減価を賃貸借の本来の対価である賃料以外の方法で負担させることはできない，本件の契約条項は原状回復の要否を賃貸人の判断に委ねており，負担すべき金額の予測も困難である，賃借人は定型的な賃貸借契約書の契約条項の変更を求めるような交渉力は有していない，賃貸人は招来の自然損耗等による原状回復費用を予測して賃料額を決定することが可能であるといった論旨のもと，原状回復特約は10条に違反して無効であると判示している。

本件の事例は，賃貸借契約書の原状回復特約に下線が施され，「第9条1項を一読し，理解致しました」との不動文字とともに賃借人の署名押印欄が設けられ，契約書添付の説明書にも「上記の説明を熟読了承のうえ本賃貸借契約を締結致します」との不動文字による記載と賃借人の署名押印欄が設けられている事案であるが，上記の裁判例では，かかる事案においても原状回復特約は10条に違反して無効であると判示されている。

ⓒ　大阪高判平16・12・17判時1894号19頁

ⓐの裁判例の控訴審判決である。自然損耗等は賃借人の使用収益権行使の当然の内容であり，使用収益の対価である賃料はその価値減損分の評価も考慮して金額が算出されているから，原状回復特約は賃借人に二重負担を課している，原状回復特約は原状回復の内容や費用の根拠など賃借人に必要な情報が与えられず，自己に不利益であることが認識できないままされたものであるといった論旨のもと，原状回復特約は10条に違反して無効であると判示している。

ⓓ　大阪高判平17・1・28（ウエストロー・ジャパン 2005WLJPCA 01286001）

ⓑの裁判例の控訴審判決である。自然損耗は賃借人の保管の状態如何に関わらず発生するものであってこれについて賃借人の善管注意義務違反が生ずることはありえないから自然損耗分について善管注意義務違反に基づく原状回復義務が生じるものではない，民法601条の規定によれば賃借人には賃借建物の自然損耗分に関する原状回復義務はないと解されるから自然損耗分を含めた原状回復を賃借人に負担させる特約は民法に比して賃借人の義務を加

重するものである．賃料に自然損耗分の原状回復費用を含ませない方が賃借人に有利であると一般的にいうことはできないといった論旨のもと，原状回復特約は 10 条に違反して無効であると判示している。

なお，上記裁判例については，賃貸人からの上告受理申立てについて，最高裁判所（第三小法廷）が平成 17 年 6 月 14 日付けで不受理決定をしている。

ⓔ 京都地判平 17・9・27（判例集等未登載。平成 16 年（ワ）第 2571 号事件）

賃料額の算定に当たって自然損耗による価値減少分を評価していないというような事情もないのに賃料の他に自然損耗の原状回復費用を賃借人に負担させることは賃借人に自然損耗の回復費用を二重負担させる結果となる，本件契約における賃料額が目的物の自然損耗による価値の減少を評価して算定されていないということを認めるに足りる根拠はない，契約書中に「家賃には原状回復費用は含まれていない」という記載があるだけで賃料額の算定に当たって自然損耗による価値の減少分が考慮されていないと認めることはできないといった論旨のもと，原状回復特約は 10 条に違反して無効であると判示している。

ⓕ 最判平 17・12・16 判タ 1200 号 127 頁

特定優良賃貸住宅に関する補修費負担の約定に関して，賃借建物の通常の使用に伴い生ずる損耗について賃借人が原状回復義務を負うためには，賃借人が補修費を負担することになる上記損耗の範囲につき，賃貸借契約書自体に具体的に明記されているか，賃貸人が口頭により説明し，賃貸人がその旨を明確に認識して，それを合意の内容としたものと認められるなど，その旨の特約が明確に合意されていることが必要である旨を判示した。

ⓖ 定額補修分担金特約についての裁判例

定額補修分担金特約は，原状回復特約の一種といいうる。

① 京都地判平 20・4・30 判タ 1281 号 316 頁

16 万円の定額補修分担金条項につき，次のとおり判示した。①建物賃貸借の場合はその使用に伴う物件の損耗は賃貸借契約の中で当然に予定されているから物件の通常損耗の回収は通常賃料の支払を受けることで行われる，②そうすると，原則として，賃借人に通常損耗についての回復義務を負わせることはできない，③賃貸人は通常修繕費用にどの程度要するかの情報をも

っているが賃借人はこれらの情報をもっていないので，賃借人がこれらの点について賃貸人と交渉することは難しく定額補修分担金額は賃貸人が一方的に決定している，④軽過失損耗の回復費用が設定額より多額であったという特段の事情がない限り賃借人に有利とはいえない，⑤分担金額は月額賃料の2.5 倍程度で一般的な回復費用に比べて高額である，といった事情からは消費者に不利益を負わせるもので，10 条により無効である。

　なお，本件の控訴審である大阪高判平 20・11・28 判時 2052 号 93 頁は，控訴人（賃貸人）からの，契約締結時において原状回復額を定額で確定させて，賃貸人と賃借人の双方がリスクと利益を分け合う交換条件的内容を定めたものであり法 10 条にはあたらないとの追加主張に対し，多くの賃貸借契約を締結している賃貸人側がリスクの分散を図るに過ぎず賃借人にはメリットがあるかどうかは疑問として，控訴を棄却した。

　⑪　京都地判平 21・9・30 判タ 1319 号 262 頁

　適格消費者団体が，不動産賃貸業者に対し，定額補修分担金条項の差止及びその契約書用紙の破棄を求めた事案である。定額補修分担金は，その額によっては賃借人に有利となることもあり得るが，現実にそのような例があるとは窺えず，消費者を一方的に害する条項であるとして，本件条項を含む意思表示の差止を認めた。

　⑫　東京地判平 30・11・5（ウェストロー・ジャパン 2018WLJPCA 11058002）

　被告の運営する有料老人ホームの入居者の相続人である原告が，居室を明け渡した後，入居時に差し入れた入居一時金の返還を請求した事案である。入居契約書には，「目的施設及び備品について，汚損，破損若しくは滅失その他内装を変更した場合には……直ちに自己の費用により原状に復する」との条項があった。

　裁判所は，本件施設が介護型老人ホームであることに照らし，通常使用によるものを超えたものとして臭気や汚損等が生じたとは認められないとした上で，本件の契約条項は通常損耗を超える部分について入居者に原状回復義務を負担させるものと解すべきであり，仮に通常損耗についても負担させる旨定めていたとしたら 10 条により無効であるとして，原告の請求を認めた。

ⓘ　その他の裁判例

　上記ⓐ～ⓗの裁判例以外にも，佐野簡判平17・3・25（判例集等未登載），東京簡判平17・11・29（最高裁HP），京都地判平19・6・1（判例集等未登載。平成18年（レ）第94号事件），等の裁判例が，原状回復特約は10条に違反して無効であると判示している。

　ⓙ　消費者契約法施行以前の裁判例

　借家人の通常の使用による自然損耗についてまで原状回復義務を求めるのは公平に反するとして特約の効力を認めず，敷金全額の返還を認めた裁判例がある（川口簡判平9・2・18消費者法ニュース36号53頁，東京簡判平9・3・19消費者法ニュース36号53頁）。

　②　建物賃貸借契約に付された敷引特約

　ⓐ　大阪簡判平15・10・16（消費者法ニュース60号213頁，ウエストロー・ジャパン2003WLJPCA10166001）

　入居期間の長短にかかわらず一律に敷金40万円のうち30万円を差し引く敷引特約について，本件賃借人の入居期間が約6か月に過ぎないこと，賃借人の中途解約は転勤というやむを得ない事情によるものであること，賃借人の責めに帰すべき本件物件の損傷はなく自然損耗もほとんど考えられないこと，途中解約によって害される賃貸人の将来の家賃収入に対する期待は次の入居者を見つけることで容易に回復可能であることといった具体的な事情を判断要素として，敷引特約は10条に反して無効であると判示している。

　ⓑ　佐世保簡判平16・11・19（判例集等未登載。同年（少コ）第7号事件）

　入居期間の長短にかかわらず一律に敷金の87.5％（賃料4か月分のうち3.5か月分）を差し引く敷引特約について，本件賃借人は賃貸借契約締結時に敷引特約の存在及び趣旨を十分に理解していたとは認められない，本件賃借人の入居期間は約1年9か月と比較的に短期間であり，賃借人の責めに帰すべき建物の損傷の存在は認められないといった具体的な事情を判断要素として，敷引特約は10条に反して無効であると判示している。

　ⓒ　堺簡判平17・2・17（ウエストロー・ジャパン2005WLJPCA02176001）

　賃貸人の損害の有無にかかわらず一律に建物の敷金の約83％を差し引く敷引特約や，駐車場の保証金の2割を差し引く特約について，賃借人に不当

に不理であると認められるとして，10条に反して無効であると判示している。

ⓓ　大阪地判平17・4・20（消費者法ニュース64号213頁）

敷金の80％（40万円）を差し引く敷引特約は法10条により無効であるとして返還を求めた事案である。本件敷引特約の趣旨を通常損耗部分の補修費に充てるものであるとして，敷金の額，敷引の額，賃料額，賃貸物件の広さ，賃貸借契約期間等を総合考慮して，敷引額が適正額の範囲内では本件敷引特約は有効とし，超える部分は無効として，本件では2割（10万円）の敷引は有効とした。

ⓔ　神戸地判平17・7・14判時1901号87頁

神戸簡判平16・11・30（判例集等未登載）の控訴審判決である。一律に保証金30万円のうち25万円を差し引く敷引特約につき，賃借人に賃料以外の金銭的負担を負わせる内容の敷引特約は賃貸借契約に関する任意規定の適用による場合に比して賃借人の義務を加重するものである，敷引金の性格は，当事者に明確な意思が存在しない限り，①賃貸借契約成立の謝礼，②賃貸目的物の自然損耗の修理費用，③賃貸借契約更新時の更新料の免除の対価，④賃貸借契約終了時の空室賃料，⑤賃料を低額にすることへの代償などの様々な要素を有するものが渾然一体となったものととらえるのが相当であるところ，①賃貸借契約成立の際に賃借人のみに謝礼の支出を強いることに正当な理由を見いだすことはできない，②自然損耗の修繕費用を考慮したうえで決定されている賃料に加えて敷引金の負担を強いるのは賃借人に二重の負担を強いるものである，③賃借人のみが更新料を負担しなければならない正当な理由を見いだすことはできない，④賃借人が使用収益しない期間の空室の賃料を支払わなければならない理由はない，⑤賃借期間の長短にかかわらず敷引金として一定額を負担することに合理性があるとは思えない，賃借人の交渉によって敷引特約自体を排除させることは困難であるといった理由から，敷引特約は10条に反して無効であると判示している。

なお，上記の裁判例は，当該事例における個別具体的な事情を主たる判断要素として10条違反を導いているⓐやⓑの裁判例とは異なり，一般的普遍的な事情を主たる判断要素として10条違反を導いている点において，約款

条項の不当条項審査に近い判示内容と解される。

ⓕ 福岡地判平17・10・24（判例集等未登載）

敷金22万5,000円他の返還を求めたところ，入居期間の長短を問わず75％を敷金から差し引くとの敷引条項が公序良俗違反，法10条違反かどうかが争われた事案である。

敷引について，新たなる賃借人のために必要となる賃貸物件の内装等の補修費用の負担等について，賃貸人と賃借人との間の利害を調整し，無用な紛争を防止するという一定の合理性があることは否定できないとしつつ，自然損耗部分について賃借人に二重に負担させることになってしまうとし，実際に補修工事費用として賃貸人があげているものについて目的物の通常の使用に伴う自然損耗を超える損耗の補修に要する費用であると直ちに断定しがたいこと等からは，75％もの敷引には正当な理由がないとし，前述の一定の合理性があることに鑑みて，敷金の25％を超えて控除するとの部分を10条に反して無効であるとして，その75％の部分について返還請求を認めた（一部無効）。

ⓖ 最判平23・3・24判タ1356号81頁

上記最判は，消費者契約である居住用建物の賃貸借契約に付された敷引特約について，当該建物に生ずる通常損耗等の補修費用として通常想定される額，賃料の額，礼金等他の一時金の授受の有無及びその額等に照らし，敷引金の額が高額に過ぎると評価すべきものである場合には，当該賃料が近傍同種の建物の賃料相場に比して大幅に低額であるなど特段の事情のない限り，信義則に反して消費者である賃借人の利益を一方的に害するものであって，10条により無効となる旨を判示した。

ⓗ その他の裁判例

上記ⓐ～ⓖの裁判例以外にも，枚方簡判平17・10・14消費者法ニュース66号207頁，明石簡判平17・11・28（ウエストロー・ジャパン2005WLJP-CA11286002），大阪簡判平17・12・6（判例集等未登載），大阪地判平18・2・28（判例集等未登載），木津簡判平18・4・28（判例集等未登載），大阪地判平18・6・6（判例集等未登載。大阪簡判平17・12・6（判例集等未登載）の控訴審。），大津地判平18・6・28（判例集等未登載。平成17年（ワ）第701号事件），

京都地判平 18・11・8（最高裁 HP。上記木津簡判平 18・4・28（判例集等未登載）の控訴審。），大阪地判平 18・12・15（判例集等未登載。同年（レ）第 137 号事件），西宮簡判平 19・2・6（消費者法ニュース 72 号 211 頁），大阪地判平 19・3・30 判タ 1273 号 221 頁，京都地判平 19・4・20（最高裁 HP），向日町簡判平 19・7・13（判例集等未登載），奈良地判平 19・11・9（判例集等未登載），福岡地判平 20・2・19（判例集等未登載），亀岡簡判平 20・7・17（判例集等未登載），京都簡判平 20・8・27（判例集等未登載），大阪地判平 20・12・2（判例集等未登載），大阪簡判平 26・10・24（LEX/DB25505623），等の多くの裁判例が，敷引特約等は 10 条に反して無効又は一部無効であると判示している。

　① 消費者契約法施行以前の裁判例

　借家契約が終了した場合における賃貸人の敷金返還義務の減免の問題については，震災により居住用賃借家屋が滅失して賃貸借契約が終了した場合において特段の事情がない限り敷引特約を適用することはできないとして，賃貸人に敷引金の返還義務をみとめた判例がある（最判平 10・9・3 判時 1653 号 96 頁）。

　③ その他の特約についての裁判例
　ⓐ 東京地判平 20・12・25（ウエストロー・ジャパン 2008WLJPCA12258007，平成 26 年運用状況検討会報告書 207 頁【79】）

　被告会社を仲介業者としてハワイ州の土地を買い受け，被告会社に土地の工事申込金を支払った原告が，土地売買契約に不法行為又は債務不履行があると主張して，被告会社及びその代表取締役に対し，支払った売買代金と土地の実際価格との差額相当の損害賠償を求めた事案。

　本件依頼書には工事申込金 3 万ドルを被告会社に支払い，契約に至らない場合には返還されない旨の不返還条項が記載されているが，当該工事申込金不返還条項は，10 条により無効であると判示した。

　ⓑ 静岡簡判令 3・7・20（判例集等未登載）

　情報商材（SNS でメッセージの送信代行の仕事をしてお金を稼ぐためのもの）である教材の購入のため，90 万円余を支払った原告による，事業者に対する不当利得返還請求訴訟事件である。

情報商材が提供される前に解約した場合に89万9000円の返還請求を消費者が放棄する旨の約定は10条に反すると判示した。

ⓒ 不返還条項に関し、解除・解約の制限等を指摘する裁判例については、本書10条「Ⅲ 本条の適用が問題となりうる不当条項例」「15 継続的契約関係等における消費者の解約権を制限する条項」において紹介している。

(ⅴ) 有料老人ホーム入居契約における入居一時金の不返還条項をめぐる問題点

① 問題の所在

我が国の有料老人ホーム入居契約（以下「入居契約」という）は、歴史的に、対価の支払方式が、月払い方式と前払い方式を併用し、かつ入居者が死亡するまでサービスを提供するという終身契約とする類型（以下「併用方式＋終身契約タイプ」という）が主流である。契約期間が終身であることから、サービス提供が長期にわたることを想定して、対価が高額とされることが多い。また設置者が、初期投資の負担軽減の観点から、入居一時金（前払金、権利金、保証金等と呼ばれることもある）を高額にしていることも多く、入居一時金の一部の返還請求権が、入居の時点で一定割合が固定的に償却され、消滅する特約（以下「初期償却条項」という）や、想定されている入居期間よりも短期間で、入居一時金の返還請求権が消滅する特約（以下「償却期間条項」という）が契約条項に定められている例も存在する。

例えば、入居一時金3000万円に30％の初期償却条項と3年間の償却期間条項が規定されていた場合、入居者は入居から1年後に退去する際には金1400万円しか返還を受けられず（入居一時金の30％に当たる金900万円と残金2100万円の3分の1に当たる金700万円が差し引かれる）、入居から3年後に退去する際には、返還金が0円となる。消費者にとっては不利益の大きい条項である。

独立行政法人国民生活センターの統計によれば、平成17年度に255件であった有料老人ホームに関する消費生活相談件数は、平成26年には1442件に増加している[159]。相談内容の内訳は、「契約・解約」に関するものが全体の80％を占め、その中でも退去時や解約時の返金や清算に関する相談が目

立っており，特に入居一時金の返還や原状回復費用に関する相談が目立つとされる[160]。

② 裁判例

福岡地判平26・12・10金判1477号53頁は，入居一時金の20％の初期償却と残金80％の15年間での月割均等償却を定める不返還条項が問題となった事例につき，①初期償却条項については「入居一時金の中には，償却期間である15年を想定居住期間とする居室の家賃相当額及びサービス等の利用料金の前払部分と，契約が入居者の終身にわたり継続することを定額で保証するための対価的要素……及び将来において隣接介護付有料老人ホームに優先的に入居する権利ないし機会を確保するための対価的要素があり，後者（二つの対価的要素）が本件初期償却条項により償却される部分と解するのが相当である」等の理由で，消費者契約法10条の第1要件の該当性を否定した。また，②償還期間条項については「入居者の入居時の年齢に応じた平均余命をもって前払いが必要な期間と定めるべき……であるとの規定が民法の適用上，あるいは条理上，若しくは契約に関する一般法理上，導き出せる」とは考えられない等の理由で，消費者契約法10条の第1要件の該当性を否定した。

東京地判平29・4・25 LLI/DB判例秘書L07230174は，入居一時金の10〜20％（年齢別に3段階）の初期償却を定める不返還条項が問題となった事例につき，①「本件不返還条項は，本件事務連絡〔引用者注：厚生労働省老健局高齢者支援課の都道府県等宛て平成24年3月16日付け事務連絡「有料老人ホームにおける家賃等の前払金の算定の基礎及び返還債務の金額の算定方法の明示について」。以下「厚労省事務連絡」という〕において返還しないことが認められている超過期間のための受領金の不返還を定めるものとして規定されたものである」「超過期間のための受領金は，将来，想定居住期間を超えて居住する場合の費用を相互扶助の観点から前払方式を選択した入

(注159) 国民生活センター「消費生活相談データベース」（https://datafile.kokusen.go.jp）。

(注160) 国民生活センター「有料老人ホームをめぐる消費者トラブルが増加―相談の傾向と消費者へのアドバイス」（平成23年3月30日）。

居者全員で分担するものであり，想定居住期間を超えた場合に，追加出資を求められることなく居住が続けられるという自らの利益を得るための費用ということができるから，対価性がないということはできない」等の理由で消費者契約法10条の第1要件該当性を否定した。また，②「本件事務連絡の前払金の算定方法，そしてこれに則った被告の算定方法が不当であるとまでいうことはできない」等の理由で同条の第2要件の該当性を否定した。

控訴審にあたる東京高判平30・3・28 LLI/DB判例秘書L07230341 も，①入居一時金の不返還条項は，超過期間のための受領金の不返還を定めたものとした上で，対価性がないとはいえないとして法10条の第1要件該当性を否定し，②本件不返還条項により不返還とされる超過期間のための受領金は，相互扶助的な性格を有しており，「入居者全員の負担額を抑えつつ，これにつき不返還とすることにも合理性がないとはいえない」として，法10条の第2要件該当性を否定した。

なお，消費者は，一般居室から介護居室に移った際の再度の初期償却条項は，終身利用対価部分を二重に取得するものであるから，法10条に反して無効であると判示し，不返還条項の法的効力を一部否定したものとして，名古屋高判平成26・8・7 ウエストロー・ジャパン 2014WLJPCA08079009 がある[161]。

③　入居一時金の法的性格

「併用方式＋終身契約タイプ」の入居契約の対価は，「本体契約の対価（想定居住期間のサービス料）」と「終身特約の対価（想定居住期間経過後のサービス料）」に分類でき，サービスの対価という点では同質であると考えられる。そして，設置者が終身特約の対価を取得することは，想定居住期間経過後のサービスの対価という位置付けであればこそ，権利金の授受を禁止する老人福祉法29条6項に反しないと位置付けることができるものと解される。また，入居契約に関する対価の支払時期については，賃貸借の側面に鑑

(注161) 有料老人ホーム入居契約の入居一時金不返還条項をめぐる裁判例とその詳細については，山本健司「有料老人ホーム入居契約」内田貴＝門口正人編『講座　現代の契約法・各論3』9頁以下（青林書院，2019）。

みても，準委任の側面に鑑みても，特段の合意がない限り，後払いが原則となるはずである（民法614条，648条2項，656条）。

以上の点に鑑みれば，「併用方式＋終身契約タイプ」の入居契約において入居時に授受される入居一時金は，「本件契約の対価（想定居住期間のサービス料）の一部」と「終身特約の対価（想定居住期間経過後のサービス料）の一部」が，特約により前払金と位置付けられたものと解される。

④　償却期間条項の不当条項性

入居一時金のうち，想定居住期間中のサービス料（本体契約の対価）の前払金部分については，想定居住期間内に入居契約が終了した場合，事業者は，入居者に対し，未到来の契約期間分（将来分）の前払い対価を返還（清算）しなければならないというのが本体契約の対価に関する原則的な権利義務関係である。また，少なくとも平成23年の改正老人福祉法の施行以降は，同法や厚労省事務連絡といった法制度の整備によって，入居一時金の授受を伴う終身タイプの入居契約を締結する場合には，①償却期間を想定居住期間と一致させるべきこと，②想定居住期間は入居者の平均余命等を考慮して厚労省事務連絡が規定した具体的な算定方法に基づいて設定すべきことが事業者の法的義務とされている。したがって，少なくとも厚労省事務連絡の想定居住期間よりも短期間の償却期間を定める償却期間条項は，入居者が本来的に有する前払対価返還請求権（清算金支払請求権）を減縮する特約条項であり，本来の権利義務関係よりも消費者の権利を制限する契約条項に該当するから，法10条の第1要件をみたす。この点，償却期間条項が法10条の第1要件に該当することを否定する裁判例は妥当性を欠くと思われる[162][163]。

次に，法10条の第2要件については，問題とされる契約条項によって消費者が受ける不利益とその条項を無効にすることによって事業者が受ける不利益を衡量し，両者が均衡を失していると認められる場合には，第2要件を満たすこととなる[164]。例えば，3年や5年といった短期の償却期間を定める償却期間条項は，原則的な権利義務関係からの乖離の大きさ，入居者が実際に被る不利益を大きさ，特に入居一時金は入居者にとって老後の生活のための大切な資産であること等に鑑みれば，これらの不利益に均衡するだけの必要性，相当性が認められる事案でなければ，法10条の第2要件該当性が

肯定されてしかるべきである(165)。

⑤ 初期償却条項の不当条項性

入居一時金の法的性格を上記③のように考えた場合には，初期償却条項の償却対象とされる終身特約の対価部分も突き詰めれば想定居住期間経過後に提供されるサービスの対価の一部前払金であり，想定居住期間経過前に入居契約が終了した場合にはサービス提供前に契約が消滅しているのであるから，事業者は，入居者に対し，未提供のサービスの前払対価である終身特約の対価を返還（清算）しなければならないというのが本来的な権利義務関係であるはずである。よって，初期償却条項は，清算義務の免責を定める特約条項といえる。したがって，消費者の権利を制約する条項として，法10条の第1要件をみたす。この点，初期償却金は「終身利用権の対価」であるから本来的に契約後の返還義務がなく，法10条の第1要件を満たさないと判

（注162） 前掲福岡地判平26・12・10の「償却期間条項」に関する「原則的な権利義務関係が導けないから消契法10条前段要件に該当しない」という判示部分については，平成23年の改正老人福祉法の施行以降は同法や厚労省事務連絡といった法制度の整備によってあるべき「想定居住期間＝償却期間」の具体的な算定方法が定められ，そのように定めるべきことが設置者らの法的義務となっているという点に照らして問題がある。また，実際的に考えても，法10条については「前段要件を満たさないとして切り捨てるのではなく，一応前段要件を満たすものとして後段要件の検討を行った上で当該条項の有効性を判断する方が，諸事情を考慮したきめ細かい検討が可能となって，より望ましいと思われる」（前掲最判平23・3・24に関する最高裁判所判例解説（武藤貴明））という法解釈・法適用のあり方が望ましいと思われる。

（注163） 改正老人福祉法や同法を具体化する厚労省事務連絡の規定に合致した入居一時金徴収規定を定めるべきことは事業者の法的義務であり，それらの法令に違反する入居一時金の徴収規定は，老人福祉法29条8項等の法令の直接的な法律効果として，もしくは，上記法令が具現化した公序良俗（民法90条）に基づく法律効果として，もしくは，事業者団体のモデル契約書の規定内容の法律効果として，私法上の法的効力を否定されるものと考えられる。入居一時金徴収規定の合意自体の法的効力が否定された場合，事業者は上記規定に基づき徴収した入居一時金をすべて消費者に返還しなければならないことになる。

（注164） 中田邦博「消費者契約法10条の意義——一般条項は，どのような場合に活用できるか，その限界は」法セ549号39頁。

（注165） 山本・前掲（注161）18頁。

示する裁判例は問題である(166)(167)。

　また，第2要件についても，前述のような比較較量によると，厚労省事務連絡で示されている「入居一時金511万円，初期償却金79万円（約15％）」といった初期償却条項は入居者が被る経済的不利益の少なさに鑑みて法的に許容されているものと思われ，個別事案において当該条項の必要性・相当性に問題がある場合には，第2要件該当性が否定される場合があり得る。他方で，例えば入居一時金4000万円の30％の初期償却を定める条項などは，入居者が被る経済的不利益が1200万円と多額なものであること，入居者にとって老後の生活のための大切な財産であること等に鑑みれば，入居者の上記不利益に均衡するほどの目的の正当性や手段としての相当性等が事業者側に認められる事件でなければ，第2要件該当性が肯定されてしかるべきであ

（注166）　裁判例の中には，初期償却条項で償却されるのは入居者の終身利用権を取得するための対価部分であり，初期償却金は「終身利用権の対価」であるから本来的に契約後の返還義務がなく，法10条の第1要件を満たさないと判示するものが存在する（なお，平野裕之「前払金方式の有料老人ホーム入居契約の法的分析」（片山直也ほか編『池田眞朗先生古稀記念論文集・民法と金融法の新時代』329頁以下（慶応義塾大学出版会，2020））は，入居一時金は確定前払金（想定居住期間分の賃料の前払）と射倖的前払い金（射倖的終身利用契約の掛金）に分類でき，射倖的前払金は預託金ではなく返還されるものではないとする）。

　しかし，権利売買の実態が無く，消費者が対価の想定する利益を享受していない入居契約の初期償却金については，在学契約における入学金について前掲最判平18・11・27が判示したような「地位の対価であるから返還義務はない」といった考え方を適用する基礎に欠ける。また，想定居住期間経過後の終身利用権といった抽象的な権利を観念し，そのような抽象的な権利の対価という位置付けで入居者から前払金を取得することを認めることは，権利金の授受を禁止した老人福祉法29条6項（改正後8項）の規定に反するものと思われる。実際上も，法律構成を「地位の対価」と変えただけで前払対価の清算義務や法10条の不当条項審査の脱法を許すことは大きな問題がある。「権利売買の対価である」といった形式論で消契法10条の前段要件を否定し，消契法10条の不当条項審査と消費者保護法の適用と救済自体を一切否定するのは，消契法10条の法解釈・法適用のあり方という観点からも，裁判手続における被害救済のあり方という観点からも，適切な対応であるとは思われない（山本・前掲（注161）20～22頁など）。

る。

⑥　入居一時金の問題性

　不返還条項の成り立ちは，有料老人ホーム業界で，多額の前払金（入居一時金）を受取りその一部を直ちに償却して不返還とすることで経営を成り立たせるビジネスが主流となり，これが継続しているというものである。不返還条項の存在理由は，当初から明らかであったわけではなく，多くの裁判例が出る中で，「入居者の相互扶助」「保険料」等と表現や説明ぶりが変遷している[168]。事業者によっては，厚生労働省の上記「事務連絡」に定める想定居住期間等を考慮した計算をしないまま，近傍の同種施設の水準等を参考とするのみで，償却率や償却期間を独自に定めることもあり，不返還条項の根拠，内容は極めて不透明である。

　不返還条項は，消費者が想定居住期間を超えると追加の支払なく居住を継続できる，というメリットがある一方で，消費者の想定居住期間前の死亡や，やむを得ない事情による退去等により場合によっては入居一時金のうち数百万円にのぼる金銭の返還が受けられないという，極めて射幸性の高い契約であるように思われる。この問題を根本的に解決するためには，消費者に対する適切な説明や事業者による適切な算定も他方で必要であるが，法10条による不当条項審査が適切になされる必要がある。

（注167）　また，裁判例の中には，入居一時金の初期償却を許容する理由として「入居者らの相互扶助」という事業者の主張を認容するものも存在する（なお，平野・前掲（注166）も同旨）。

　　　しかし，入居者は他の入居者らと相互扶助契約を締結しているわけではないし，初期償却金は単に事業者の収益金として処理されている点で，理論的にも実質的にも合理性に欠ける。少なくとも数百万円といった多額の初期償却金の徴収や不返還といった事業者の対応は，「相互扶助のための金員である」といった抽象論だけで正当化できるものではなく，「実際に相互扶助のための金員として徴収され，管理され，使用されている」といった実態が伴わなければ，正当化の実質的な理由たり得ないはずである。

（注168）　この点を指摘するものとして，桜井健夫「有料老人ホーム入居契約における不返還条項の検討」現代法学37号29頁。

17 証明責任に関する条項

(1) 問題となりうる契約条項例

（具体例）

・事業者の証明責任を軽減する条項（継続的役務供給契約の解約告知の場合に，前受代金から既履行の役務の対価を控除した金額を事業者の損害と推定するといった条項など）

・消費者の証明責任を過重する条項（消費者が事業者に対し債務不履行責任を追及する際には消費者が事業者の「責めに帰すべき事由」を証明しなければならない旨定める条項など）

(2) 国生審報告，日弁連試案，検討会等における議論，諸外国の法制等

(i) 国生審報告

第16次国生審中間報告は，リストに掲げるべき不当条項として「消費者の損害賠償請求権を排除又は制限する条項」，「事業者の債務不履行の場合の消費者の権利を排除又は制限する条項」をあげている。

また，第16次国生審最終報告は，不当条項の判断基準として「消費者の法律上の権利を合理的な理由なくして制限するもの」，「消費者にとって過酷な要求となるもの」との基準をあげている。

(ii) 1999年日弁連試案

グレイリストに「事業者の証明責任を軽減し，又は消費者の証明責任を過重する条項」をあげている（14条21号）[169]。

(iii) 検討会等における議論

平成19年度不当条項研究会報告書は，不当条項リストの見直し作業において検討を要する契約条項類型の1つとして「債務の履行責任の減免条項（瑕疵担保責任を含む）」をあげているところ，その一類型として，「消費者から事業者に対する請求権の成立要件や権利行使要件や証明責任を加重した

(注169) 2012年日弁連改正試案では14条22号（グレイリスト。「事業者の証明責任を軽減し，又は消費者の証明責任を加重する条項」），2014年日弁連改正試案では18条15号（グレイリスト。2012年日弁連改正試案と同じ）。

り，権利行使期間を制限することで，事業者の免責を実現しようとする契約条項」をあげている。

また，債権法改正の基本方針も，約款および消費者契約に関して不当条項と推定される条項の例として「法律上の管轄と異なる裁判所を専属管轄とする条項など，相手方の裁判を受ける権利を任意規定の適用による場合に比して制限する条項」をあげ[170][171]，平成 23 年度運用状況調査結果報告も，今後リスト化を検討すべき条項の種類の 1 つとして「紛争解決に関する条項（消費者に不利な専属的合意管轄を定めた条項，消費者の証明責任を加重する条項）」をあげている[172]。平成 25 年論点整理の報告も，不当条項リストに掲げる条項の候補として「事業者の証明責任を軽減又は消費者の証明責任を加重する条項」をあげているほか[173]，平成 26 年運用状況検討会報告書でも，追加が考えられる不当条項リストの 1 つとして「立証責任を転換する規定」があげられている[174]。

(iv) 諸外国の法制

ドイツ民法は，評価の余地のない禁止事項（いわゆるブラックリスト）として，とりわけ「(a) 約款使用者の責任領域に存する事情について立証責任負わせること」，または，「(b) 他方の契約当事者に特定の事実を証明させること」により，「約款使用者によって立証責任を他方当事者の不利に変更する規定」を無効としている（309 条 12 号）。

また，93 年 EC 指令は，「とりわけ，紛争解決は法規の適用に服さない仲裁のみによることを消費者に要求し，消費者の利用できる証拠を不当に制限し，または当該事案に適用できる法によれば契約の相手方にあるとされる立

(注170) 債権法改正の基本方針 111〜120 頁。

(注171) 債権法改正の基本方針は，「相手方の裁判を受ける権利を任意規定の適用による場合に比して制限する条項」に当たる条項としては，例示の条項（「法律上の管轄と異なる裁判所を専属管轄とする条項」）のほか，「条項使用者が立証すべき事柄について相手方に立証責任を転換する条項」などが考えられるとしている（116〜117 頁）。

(注172) 平成 23 年度運用状況調査結果報告 90〜91 頁。

(注173) 平成 25 年論点整理の報告 72〜77 頁。

(注174) 平成 26 年運用状況検討会報告書 64〜71 頁。

証責任を消費者に転嫁することによって，消費者が訴訟を提起し，または，他の法的救済手段を行使する権利を排除または妨害する」契約条項を，不公正とみなすことができる契約条項として規定している（3条3項・付表1(q)）。

さらに，韓国約款規制法は「顧客に対して不当に不利な訴えの提起の禁止条項または裁判管轄の合意条項，あるいは相当な理由なしに顧客に立証責任を負担させる約款条項は，これを無効とする」と規定している（14条）[175]。

(3) 検 討
(i) 消費者の不利益の存在

民事訴訟において，当事者が自己に有利な要件事実を立証できなかった場合，裁判所はその事実は存在しないものとして取り扱って判決をする。この当事者が負う訴訟上の不利益のことを「立証責任」ないし「証明責任」という。証明責任の分配については，民法・商法等に規定された各法律要件の法解釈に基づき，各当事者は自己に有利な法律効果の発生を求める法規の法律要件につき証明責任を負うものとされる（法律要件分配説）。

ところが，例えば元来事業者が主張立証すべき法律要件について消費者に立証責任を転換する契約条項があった場合，消費者は本来であれば認容されたはずの請求権が認容されないといった不利益をこうむることになる。

したがって，このような条項は，当該契約条項がなければ消費者に認められていたであろう権利義務関係と比較して，消費者に不利益な権利義務関係を定めている契約条項であると位置付けられるものである。

(ii) 事業者の不利益との均衡性

前述のように，消費者の不利益と事業者の不利益との均衡性が認められない場合には，本条に該当する不当契約条項として無効となりうる。

(iii) 具体的考察

問題とされる法律要件の性格や契約類型等に鑑み，当該契約条項の必要性

(注175) 諸外国の法制としては他に，フランス消費法典 R.132-2 条第9号，オランダ民法第6編第236条 k がある（法制審議会民法（債権関係）部会第11回会議・部会資料13-2）。

と当該契約条項によってもたらされる消費者の不利益の程度について，個別具体的に均衡性の判断をなすべきことになる[176]。

18　裁判管轄に関する条項

(1)　問題となり得る契約条項例
（具体例）
・事業者の本店所在地に専属的合意管轄を認める契約条項
(2)　国生審報告，日弁連試案，検討会等における議論，諸外国の法制等
(i)　国生審報告

第16次国生審中間報告は，リストに掲げるべき不当条項として，「消費者に不利な専属的合意管轄を定めた条項」をあげている。

また，第16次国生審最終報告は，不当条項の判断基準として「消費者の法律上の権利を合理的な理由なくして制限するもの」，「消費者にとって過酷な要求となるもの」との基準をあげている。

(ii)　1999年日弁連試案

ブラックリストに「管轄裁判所を事業者の住所地もしくは営業所所在地に限定する条項」をあげている（13条12号）[177]。

(iii)　検討会等における議論

平成19年度不当条項研究会報告書は，不当条項リストの見直し作業において検討を要する契約条項類型の1つとして「裁判管轄条項」をあげている[178]。

債権法改正の基本方針も，約款および消費者契約に関して不当条項と推定される条項の例として「法律上の管轄と異なる裁判所を専属管轄とする条項

（注176）　消費者庁解説215頁においても，事業者の証明責任を軽減し，または消費者の証明責任を過重する契約条項は，本条によって無効となりうるとする。

（注177）　2012年日弁連改正試案では14条23号（グレイリスト。「管轄裁判所を事業者の住所地又は営業所所在地に限定する条項，法律上の管轄と異なる裁判所を専属管轄とする条項その他消費者の裁判を受ける権利を制限する条項」），2014年日弁連改正試案では18条16号（グレイリスト。2012年日弁連改正試案と同じ）。

（注178）　詳細は，清水・前掲（注83）66頁。

など，相手方の裁判を受ける権利を任意規定の適用による場合に比して制限する条項」をあげ[179]，平成23年度運用状況調査結果報告でも，今後リスト化を検討すべき条項の種類の1つとして「紛争解決に関する条項（消費者に不利な専属的合意管轄を定めた条項，消費者の証明責任を加重する条項）」があげられている[180]。

平成25年論点整理の報告でも，不当条項リストに掲げる条項の候補として「消費者に不利な専属的合意管轄を定めた条項」があげられている[181]。

平成26年運用状況検討会報告書でも，追加が考えられる不当条項リストの1つとして「専属的裁判管轄合意規定」があげられている[182]。

(iv) 諸外国の法制

93年EC指令は，「とりわけ，紛争解決は法規の適用に服さない仲裁のみによることを消費者に要求し，消費者の利用できる証拠を不当に制限し，または，当該事案に適用できる法によれば契約の相手方にあるとされる立証責任を消費者に転嫁することによって，消費者が訴訟を提起し，または，他の法的救済手段を行使する権利を排除または妨害する」契約条項を，不公正とみなすことができる契約条項として規定している（3条3項・付表1（q））。

また，韓国約款規制法は「顧客に対して不当に不利な訴えの提起の禁止条項または裁判管轄の合意条項，あるいは相当な理由なしに顧客に立証責任を負担させる約款条項は，これを無効とする」と規定している（14条）。

(3) 不当条項性の検討

(i) 消費者の不利益の存在

民事訴訟法4条1項は，訴えは被告の普通裁判籍の所在地を管轄する裁判所の管轄に属すると規定している。また，同法4条2項は，人の普通裁判籍は住所又は居所により定まることを規定している。なお，同法11条1項は例外としての合意管轄を定めている。

ところが，例えば「この契約に関する紛争につきましては東京地方裁判所

(注179) 債権法改正の基本方針111〜120頁。
(注180) 平成23年度運用状況調査結果報告90〜91頁。
(注181) 平成25年論点整理の報告72〜77頁。
(注182) 平成26年運用状況検討会報告書64〜71頁。

のみを第一審の管轄裁判所とします」といった契約条項があった場合，北海道や沖縄県の消費者であっても，裁判のために東京まで行かねばならないという不利益をこうむることになりかねない。

　したがって，このような条項は，当該契約条項がなければ消費者に認められていたであろう権利義務関係と比較して，消費者に不利益な権利義務関係を定めている契約条項であると位置付けられるものである。

　(ⅱ)　事業者の不利益との均衡性

　前述のように，消費者の不利益と事業者の不利益との均衡性が認められない場合には，本条に該当する不当契約条項として無効となりうる。

　(ⅲ)　具体的考察

　具体的な契約条項の有効性については，問題とされる消費者契約の契約類型，事業者の事業内容，消費者の不利益の程度等から個別的に判断せざるを得ない。

　しかしながら，管轄裁判所を事業者の本店所在地のみと定める契約条項については，均衡性が認められないと判断される場合が多いと思われる[183]。

　(ⅳ)　裁判例

　①　盛岡地遠野支決平17・6・24（ウエストロー・ジャパン2005 WLJPCA06246001）

　貸金業者への過払金返還請求訴訟において，専属的合意管轄条項は10条により無効と判示している。

　②　松山地西条支決平18・4・14（ウエストロー・ジャパン2006 WLJPCA04146001）

　貸金業者への過払金返還請求訴訟における専属的合意管轄条項に基づいた貸金業者からの移送申立てについて，①当該条項は業者の弁護士費用・交通費・出張費を節約し，他方で消費者の応訴の負担を強いるもので，業者の一方的利益のために定められているものであること，②当該条項の法律効果を法律の素人である消費者が理解していたとは考えられないこと，③業者と消

（注183）　落合・前掲（注1）154～155頁は，外国の地を専属管轄とする合意条項も国際民事訴訟法の裁判管轄に関する判例（最判昭56・10・16民集35巻7号1224頁）を基準とした本条の適用が考えうるとする。

費者との間では法律知識や情報の格差が存在していること等から，専属的合意管轄条項は10条により無効であるとの理由のもと，申立てを却下している。

③　仙台高判令3・12・16（ウエストロー・ジャパン2021WLJPCA12166002（適格消費者団体による差止請求事案））

専属管轄を定める条項について，民事訴訟法が定める管轄に比べて裁判を受けられる裁判所を限定し，民事訴訟法の規定に比べて消費者の権利を制限するものであって，被告らが，仙台市所在の店舗を仙台支部と称し，被告らの顧客の多くが，仙台市内を中心とする宮城県に在住し，消火器の設置も宮城県内でされているにもかかわらず，横浜簡易裁判所又は横浜地方裁判所を専属管轄とするような専属管轄を定めることは，被告らの営業の実情に照らしても専属管轄を定めて消費者の権利を制限する合理的な理由が認められないから，信義則に反して消費者の利益を一方的に害する条項にあたり，消費者契約法10条により無効となる条項であるとした。

④　消費者契約法施行以前の裁判例

専属的管轄合意について，約款による合意は書面による合意として認めないとした裁判例（大阪高決昭40・6・29判時421号41頁），契約解釈として付加的合意とした裁判例（札幌高決昭45・4・20下級裁判所民事裁判例集21巻3・4号603頁），移送を認めて救済した裁判例（大阪高決昭56・12・2判時1047号88頁），公序良俗違反により無効とした裁判例（高松高決昭62・10・13判タ662号234頁），信義則を根拠として排斥した裁判例（広島高決平9・3・18判タ962号246頁）などが存在する。

19　仲裁等に関する条項

(1)　問題となりうる契約条項例

（具体例）

・紛争解決にあたっては事業者の選定した仲裁人の仲裁によるものとする条項

(2)　国生審報告，日弁連試案，検討会等における議論，諸外国の法制等

(i)　国生審報告

第 16 次国生審中間報告は，リストに掲げるべき不当条項として「紛争解決に当たっては，事業者の選定した仲裁人による仲裁によるものとする旨の条項」をあげている。

また，第 16 次国生審最終報告は，不当条項の判断基準として「消費者の法律上の権利を合理的な理由なくして制限するもの」，「消費者にとって過酷な要求となるもの」との基準をあげている。

(ⅱ)　1999 年日弁連試案

グレイリストに「消費者の事業者又は第三者に対する損害賠償その他の法定の権利行使方法を制限する条項」をあげている（14 条 17 号）[184]。

(ⅲ)　検討会等における議論

平成 19 年度不当条項研究会報告書は，不当条項リストの見直し作業において検討を要する契約条項類型の 1 つとして「仲裁条項」をあげている[185]。

また，債権法改正の基本方針も，約款および消費者契約に関して不当条項と推定される条項の例として「法律上の管轄と異なる裁判所を専属管轄とする条項など，相手方の裁判を受ける権利を任意規定の適用による場合に比して制限する条項」をあげ[186][187]，平成 25 年論点整理の報告[188]も，不当条項リストに掲げる条項の候補として「紛争解決に当たっては，事業者の選定した仲裁人による仲裁によるものとする旨の条項」をあげている。

(ⅳ)　諸外国の法制

（注 184）　2012 年日弁連改正試案では 14 条 4 号（グレイリスト。「消費者の権利行使又は意思表示について，事業者の同意を要件とする条項，事業者に対価を支払うべきことを定める条項，その他形式又は要件を付加する条項」），2014 年日弁連改正試案では 18 条 9 号（グレイリスト。「消費者の権利行使又は意思表示について，事業者の同意，対価の支払，その他要式又は要件を付加する条項」）。

（注 185）　詳細は，清水・前掲（注 83）76 頁。

（注 186）　債権法改正の基本方針 111～120 頁。

（注 187）　債権法改正の基本方針は，「相手方の裁判を受ける権利を任意規定の適用による場合に比して制限する条項」に当たる条項としては，例示の条項（「法律上の管轄と異なる裁判所を専属管轄とする条項」）のほか，「約款使用者または事業者が指定する機関で仲裁を行うべき条項」などが考えられるとしている（116～117 頁）。

（注 188）　平成 25 年論点整理の報告 72～77 頁。

93年EC指令は,「とりわけ,紛争解決は法規の適用に服さない仲裁のみによることを消費者に要求し,消費者の利用できる証拠を不当に制限し,または,当該事案に適用できる法によれば契約の相手方にあるとされる立証責任を消費者に転嫁することによって,消費者が訴訟を提起し,または,他の法的救済手段を行使する権利を排除または妨害する」契約条項を,不公正とみなすことができる契約条項として規定している (3条3項・付表1 (q))。

また,韓国約款規制法は「顧客に対して不当に不利な訴えの提起の禁止条項または裁判管轄の合意条項,あるいは相当な理由なしに顧客に立証責任を負担させる約款条項は,これを無効とする」と規定している (14条)[189]。

(3) 不当条項性の検討

(i) 消費者の不利益の存在

民法415条(債務不履行責任),民法562条～564条(契約不適合責任。改正前民法570条(瑕疵担保責任))及び民事訴訟法では,これらに基づく賠償請求訴訟につき,訴訟の前提として仲裁やあっせん等の特定の紛争解決手続を経由せねばならないといった制限を設けていない。また,仲裁法16条および17条では,仲裁契約に仲裁人の数や選任手続に関する定めがないときは当事者の申立てにより裁判所がこれを決定する旨規定している。

これに対し,事業者の定める機関による仲裁やあっせん以外の請求方法(訴訟を含む)を禁止する契約条項,これらを前置することを義務付ける契約条項,仲裁人の選定権を事業者にのみ与える契約条項等は,いずれも本来消費者に認められている事業者に対する責任追及方法を制約するものである。しかも,消費者には訴訟提起をした場合に比して時効の完成猶予及び更新の効果に関する不利益もある。

したがって,このような条項は,当該契約条項がなければ消費者に認められていたであろう権利義務関係と比較して,消費者に不利益な権利義務関係を定めている契約条項であると位置付けられるものである。

(ii) 事業者の不利益との均衡性

(注189) 諸外国の法制としては他に,フランス消費者法典R132-2条第10号がある(法制審議会民法(債権関係)部会第11回会議・部会資料13-2)。

前述のように，消費者の不利益と事業者の不利益との均衡性が認められない場合には，本条に該当する不当契約条項として無効となりうる。

(iii) 具体的考察

具体的な契約条項の有効性については，問題とされる消費者契約の契約類型，事業者の事業内容，紛争の性質，問題とされる仲裁機関の性格（客観性，専門性，迅速性など），消費者の不利益の程度等から個別的に判断されるべきことになる[190][191]。

20 過量販売を内容とする契約

(1) 問題となりうる契約条項例

(i) 過度に長期間の契約

(具体例)

(注190) 落合・前掲（注1）155頁は，仲裁人の選定権を事業者のみに与える条項は，公示催告手続及ビ仲裁手続ニ関スル法律788条（注・現在は仲裁法16条及び17条に改訂）との関係で，本条が問題となるとする。また，内閣府国民生活局消費者企画課編『逐条解説消費者契約法〔補訂版〕』179〜180頁（商事法務，2003）では，紛争解決にあたって事業者の選任した仲裁人によるものとする旨の条項は本条で無効となるとされていた。

(注191) 平成15年に成立した仲裁法は，「当分の間」の暫定的な特例措置として，消費者契約で将来の民事上の紛争を対象とする仲裁合意が定められた場合における消費者の解除権を規定している（附則3条）。上記特例の詳細については，近藤昌昭ほか『仲裁法コンメンタール』305〜311頁（商事法務，2003）。したがって，消費者は上記のような消費者仲裁合意を無理由解除できる。

なお，上記の特例は，10条の適用を排除する趣旨で創設された規定ではないので，消費者仲裁合意には10条も重ねて適用されうる。この点，出井直樹＝宮岡孝之『Q&A新仲裁法解説』（三省堂，2004）は，10条の適用場面の例として，仲裁合意の内容自体が一方的に事業者に有利な内容である場合（例・仲裁人を事業者側だけが選任できるような仲裁合意の場合，事業者の利益を代弁することが明らかな団体が仲裁機関となる場合等）や，事後的な仲裁合意の有効性が問題となる場合をあげている（同書62〜63頁）。

専門調査会における仲裁法の議論状況については，第2回・第16回議事録及び内閣府消費者委員会事務局「仲裁法の施行状況に関する調査結果」（平成27年7月28日）・第16回参考資料2参照。

・契約期間25年間で中途解約権が認められていない会員権契約
（ⅱ）消費者に通常必要とされる程度を超えた多量の物品または役務を購入させる条項
（具体例）
・賞味期限2年間の健康食品4年分の一括売買契約
(2) 国生審報告，日弁連試案，検討会等における議論，諸外国の法制等
（ⅰ）国生審報告
第16次国生審中間報告は，リストに掲げるべき不当条項として「消費者に過量なまたは不相当に長期にわたる物品または役務を購入させる条項」をあげている。

また，第16次国生審最終報告は，不当条項の判断基準として「消費者にとって過酷な要求となるもの」との基準をあげている。

（ⅱ）1999年日弁連試案
グレイリストに「消費者に通常必要とされる程度を超えた多量の物品または役務を購入させる条項」，「消費者に通常必要される程度を超えた長期にわたる継続した物品または役務の購入をさせる条項」をあげている（14条11号・12号）[192]。

（ⅲ）検討会等における議論
平成19年度不当条項研究会報告書は，不当条項リストの見直し作業において検討を要する契約条項類型の1つとして「契約への長期拘束条項」をあげている[193]。

平成25年論点整理の報告は，不当条項リストに掲げる条項の候補として「消費者に過量な又は不相当に長期にわたる物品又は役務を購入させる条項」をあげている[194]。

(注192) 2012年日弁連改正試案では14条10号（グレイリスト。「消費者が通常必要とする程度を超える多量の物品の販売又は役務の提供を行う条項」），14条11号（グレイリスト。「消費者が通常必要とする程度を超える長期間にわたる継続した物品の販売又は役務の提供を行う条項」）。
(注193) 詳細は，圓山・前掲（注83）96頁。
(注194) 平成25年論点整理の報告72〜77頁。

(iv) 諸外国の法制

ドイツ民法は，評価の余地のない禁止条項（いわゆるブラックリスト）として，「法規定と異なる合意が許容される場合においても，約款における次のような条項は無効とする。」「9（継続的債務関係における契約期間）約款使用者により商品の定期的な供給，労務給付もしくは請負給付の定期的な提供を目的とする契約関係において，以下の各号のいずれかを定める条項

a) 他方の契約当事者を2年以上にわたって拘束する契約期間
b) 他方の契約当事者を1年以上にわたって拘束することになる契約関係の黙示の更新
c) 他方の契約当事者の不利益において，当初または契約期間または黙示に更新された契約期間の満了に先立ち，3か月を超える期間の解約告知期間を定めること

ただし，一体をなしたものとして売却された物の引渡しに関する契約，保険契約，および，著作権法上の権利および請求権を有する者と，著作権およびそれに隣接する保護権に関する法律にいう著作権利用会社との間で締結された契約については，この限りではない。」と規定している（309条9号）。

また，93年EC指令は，「期間の定めのある契約について，消費者が別段の意思を表明しない限り，自動的に契約が延長されるとされている場合において，消費者が契約の延長を望まない旨を表明するための期限が不当に早期に設定されている」契約条項を，不公正とみなすことができる契約条項として規定している（3条3項・付表1 (h)）。

さらに，韓国約款規制法は，「継続的な債権関係の発生を目的とする契約において，その存続期間を不当に短期または長期にし，あるいは黙示の期間延長または更新が可能であるように定め，顧客に不当に不利益を与えるおそれのある条項」を無効とする旨規定している（9条5号）。

(3) 検 討

(i) 契約の目的や対価に関する契約条項と本条適用の有無

本条の解釈において契約の目的や対価に関する契約条項は適用対象外であると解する立場では，過量販売の事例は本条の適用が問題とならないと理解することになる（民法90条の暴利行為等の問題となる）。

しかしながら，契約の目的や対価に関する契約条項も本条の適用対象と考える本書の立場では，過量販売の問題についても本条の適用がありうると考えることになる。実際に，継続的役務供給契約で契約時に著しく長期間の役務を購入させる契約や，小学校6年分の教材を一時に購入させる契約など，過量販売による消費者トラブルは後を断たない。そして，民法上の公序良俗規範はかかるトラブルを現実に防止できていない。このような消費者被害の実状を考えた場合，これを防ぐ趣旨で過量販売を内容とする契約についても不当条項規制を及ぼす必要性は高いものと解される。

なお，本来同時履行ないし後払いとされるべき報酬について，長期間の契約期間に対する報酬の前払を義務付けるような契約条項は，同時履行の抗弁権や役務の先履行請求権を排除する不当約款と解釈できる場合もありうると考える。

(ⅱ) 消費者の不利益の存在の主張立証の必要性と具体的考察

もっとも，任意規定と契約内容との比較によって消費者の不利益を比較的容易に立証できるといった場合とは異なり，過量販売の場合には消費者の不利益の立証自体が問題となりうる。実際，商品売買におけるまとめ売りや，継続的な商品供給契約（新聞など）や役務提供契約（エステや英会話，各種スクールなど）での一定程度の期間継続の契約は，単位あたりの価額が安くなるといったメリットも認められる。また，消費者契約には種々のものがあり，すべての契約に妥当と考えられる契約期間や商品量というものがあるわけでもない。

この点，抽象的な判断基準としては，当事者が交渉力の不均衡のない理想的な状況におかれたときに消費者が合意したであろう権利義務関係と当該契約条項が規定する権利義務関係とを比較するという判断基準で，消費者の不利益を検討することになると考える。換言すれば，消費者が日常生活で通常必要として購入・消費できる程度の量・期間を超えるような商品・役務を購入する契約をしている事実を主張立証する必要があると考える。

具体的な契約条項の有効性については，問題とされる消費者契約の契約類型，事業者の事業内容，消費者の不利益の程度等から個別的に判断されるべきことになる。

なお、過度に長期間の契約の事例については、他に解約権制限条項の不当条項性や違約金規定の不当条項性も問題となりうることは既述のとおりである。

(iii) 以上のとおり、過量販売を内容とする契約について不当条項として効力を否定することが可能である。なお、過量な内容の消費者契約に対しては、平成28年改正により取消権が付与されたため[195]、取消権の行使で対応することも多いと思われるが、どちらを主張することも可能である。

21 サルベージ条項

(1) 問題となりうる契約条項例

サルベージ条項とは、ある条項が強行法規に反し全部無効となる場合に、その条項の効力を強行法規によって無効とされない範囲に限定する趣旨の条項をいう[196][197]。

具体的には、下記のような事案における「法律で許容される範囲において一切の責任を負いません」といった契約条項がこれに当たる[198]。

(具体例)
- （インターネットビデオサービスの利用規約において用いられている条項）弊社（中略）は、使用者に対して、（中略）これらの広告・宣伝物、情報提供及びコンテンツについて、法律で許容される範囲において、一切の責任を負わないものとします。
- （国際的な貨物輸送サービスのサービス約款において用いられている条項）（前略）その他の国内強行法規が適用される場合、●●の責任はこれら

(注195) 本書4条4項の「過量な内容の消費者契約の取消し」参照。
(注196) 平成29年専門調査会報告書12頁。令和3年消費者契約に関する検討会報告書18頁も同義。
(注197) 平成27年専門調査会中間取りまとめ42頁では、「本来であれば全部無効となるべき条項に、その効力を強行法によって無効とされない範囲に限定する趣旨の文言を加えたもの」と説明されている。
(注198) 第32回専門調査会・資料1・11頁以下。

の適用法規に準拠し，制限されるものとします。（中略）適用される協定ルールまたはその他の国内強行法規がこれと異なる扱いを要求する場合を除き，●●は，特別損害，付随損害または間接損害について責任を負わないこととします。

(2) 日弁連試案，検討会等における議論等

（ⅰ）日弁連改正試案（2012 版・2014 版）

2012 年日弁連改正試案ではブラックリストに「民法その他の法令の規定により無効とされることがない限りという旨の文言を付加して，最大限に事業者の権利を拡張し又は事業者の義務を減免することを定める条項」（13 条 16 号）をあげ，2014 年日弁連改正試案でもブラックリストにサルベージ条項として同旨の規定（17 条 13 号）をあげている。

（ⅱ）検討会等における議論

平成 19 年度不当条項研究会報告書は，不当条項リストの見直し作業において検討を要する契約条項類型の 1 つとして「サルベージ条項」をあげている。

平成 25 年論点整理の報告でも，不当条項リストに掲げる条項の候補として「サルベージ条項」をあげ[199]，さらに，平成 26 年運用状況検討会報告書でも，追加が考えられる不当条項リストの 1 つとして「サルベージ条項」があげられている[200]。

平成 27 年専門調査会中間取りまとめも，規定の追加を検討すべき具体的な条項の類型として「サルベージ条項」をあげ[201]，平成 27 年専門調査会報告書においても，規定を設けることを検討することが考えられる具体的な契約条項の類型としては「サルベージ条項」等があげられるとしている[202]。平成 28 年改正後に再開された専門調査会においても，不当条項の類型の追加として「サルベージ条項」についてさらに検討が行われた[203]（サルベージ条

（注 199）　平成 25 年論点整理の報告 72〜77 頁。
（注 200）　平成 26 年運用状況検討会報告書 64〜71 頁。
（注 201）　平成 27 年専門調査会中間取りまとめ 42 頁〜43 頁。
（注 202）　平成 27 年専門調査会報告書 8 頁・脚注 8。
（注 203）　平成 29 年専門調査会報告書 10 頁及び 12 頁。

項の専門調査会における議論経過については8条3項の「改正経緯」参照)。

　令和3年消費者契約に関する検討会報告書(18頁)では、不当条項の類型の追加について、サルベージ条項のうち事業者の損害賠償責任の一部免責条項について立法化することが提案され、8条3項がサルベージ条項の一部立法化として新設されるに至った。サルベージ条項の検討経緯については、8条3項の「改正経緯」参照。

(3)　不当条項性の検討

　サルベージ条項には、①事業者が消費者に対して当該条項のどこからが無効なのかを示すよう迫り、何も言わない消費者には不当条項がそのまま適用される、②事業者に適正な内容での契約条項の策定へのインセンティブが働かない、③本来であれば全部無効となるはずの不当条項がそうならないという点で脱法の効果を有している、④消費者にとって条項の内容が不明確である等の問題がある[204]。

　サルベージ条項のうち、業者の損害賠償責任の一部免責条項については、8条3項が明文で無効としている不当条項である。

　事業者の損害賠償責任の一部免責条項以外のサルベージ条項については、明文化されなかったとはいえ、そのようなサルベージ条項は、一般条項である法10条により無効と解すべきことは、従前どおりである。

　例えば、先に例示したインターネットビデオサービスの利用規約などにおいて用いられている「弊社(中略)は、使用者に対して、(中略)これらの広告・宣伝物、情報提供及びコンテンツについて、法律で許容される範囲において、一切の責任を負わないものとします。」といった条項例についてみると、かかる契約条項は、事業者が自らの責任範囲を限定することを企図して、本来であれば全部無効となる「一切の責任を負わない」といった責任免除条項(免責条項)を「法律で許容される範囲において」といった字句を付加することで一部有効としようとする契約条項であり、現に法令に詳しくない消費者を泣き寝入りさせる効果を有する契約条項であるから、原則的な権利義務関係に比して、消費者の権利を制限する契約条項である(第一要件)。

(注204)　平成27年専門調査会中間取りまとめ42頁。

また，かかる条項は，事業者が，自ら定めた契約条項の無効のリスクを一律に消費者に転嫁するものであり，本来，公正な権利・義務の分配が求められるにもかかわらず，紛争の際には，事業者が，消費者に，強行規定によってどこまでが無効であるかの限界を示すことを迫り，結果として，最も不利な条項内容を前提に，消費者が泣き寝入りになる場合も少なくない契約条項である。当該条項は，本来消費者が事業者に対して損害賠償等の責任追及をなしうるにもかかわらず，法令に詳しくない消費者に責任追及を断念させる（責任追及ができないと消費者に誤認させる）不利益を与えるともいえる契約条項であり，消費者契約法の趣旨，目的に照らせば，信義則に反して消費者の利益を一方的に害するものである（第二要件）。

　したがって，このようなサルベージ条項については，本条が定める不当条項として無効になるものと考える。

22　その他不当条項性が問題とされる契約条項例

(1)　第16次国生審中間報告

　第16次国生審中間報告においては，上記1ないし21のほか，以下のような契約条項が不当条項リストに掲げるべき条項例として列挙されている。なお，これらはドイツ民法，93年EC指令及び韓国約款規制法の全部または一部においても，不当条項とされているものである。

　ア　「事業者の被用者及び代理人の行為による責任を排除又は制限する条項」
　イ　「代理人によりなされた約束を遵守すべき事業者の義務を制限する条項」
　ウ　「消費者の利益に重大な影響を及ぼす事業者の意思表示に，不相当に長期の期限又は不確実な期限を定める条項」
　エ　「事業者が業務上知るに至った客の秘密を正当な理由なしに漏洩することを許す条項」
　オ　「短期間での値上げや不相当に高い値上げを定める条項」
　カ　「消費者が自己の財産に権利を設定することを制限する条項」
　キ　「消費者が第三者を契約することを不相当に制限する条項」
　ク　「委任の責任を超える責任を消費者の代理人に負わせる条項」などがある。

(2) 1999年日弁連試案

1999年日弁連試案は，上記のほか，以下のような契約条項も不当条項リストに掲げるべき条項例として列挙している。

　ア 「事業者が，保証人に対し，保証期間又は限度額を一切定めない包括根保証をさせる条項」（13条6号）[205]

なお，民法改正により，極度額（上限額）の定めのない個人の根保証契約は一律無効とされた（民法465条の2）。

　イ 「事業者が，一方的に予めもしくは追加的に担保を要求できるものとする条項」（14条9号）[206]

　ウ 「保証人が保証債務を履行した場合の，主債務者に対する求償権の範囲を制限する条項」（14条10号）[207]

(3) 平成19年度不当条項研究会報告書

平成19年度不当条項研究会報告書は，不当条項リストの見直し作業において検討を要する契約条項類型として，前述した契約条項のほか，以下のような契約条項をあげている。

　ア 「準拠法条項」[208]

　イ 「脱法条項」[209]

実質的には不当に消費者の利益を害するにもかかわらず直接には不当条項等を規制する法律の規定とは異なる概念構成を採用してその適用を回避する

(注205) 2012年日弁連改正試案でも，ブラックリストに「消費者が限度額を定めない根保証契約（一定の範囲に属する不特定の債務を主たる債務とする保証契約をいう。）をする条項」をあげている（13条13号）。

(注206) 2012年日弁連改正試案でも，グレイリストに「事業者が消費者に対し一方的に予め又は追加的に担保の提供を求めることができるものとする条項」をあげており（14条6号），また，2014年日弁連改正試案でも，グレイリストに「消費者が事業者からの一方的な追加担保の要求に応じなければならないとする条項」をあげている（18条4号）。

(注207) 2012年日弁連改正試案でも，グレイリストに「消費者である保証人が保証債務を履行した場合における主債務者に対する求償権の範囲を制限する条項」をあげている（14条13号）。

(注208) 詳細は，清水・前掲（注83）84頁。

事例や，いろいろな契約条項を複合的に組み合わせて全体で事実上事業者にとって有利に機能するように構成されている事例が実態として多く認められることから，ドイツにおける「回避の禁止」条項のような一般的な脱法行為禁止規定を置くべきかどうかを検討する必要があるとされている[210]。

　ウ　「サルベージ条項」[211]

　　サルベージ条項については，「21　サルベージ条項」で前述。

(4)　債権法改正の基本方針

　民法（債権法）改正検討委員会編『債権法改正の基本方針』別冊 NBL126 号 111～120 頁は，消費者契約法の実体法部分を改正民法典に取り込むことを前提に，下記のような不当条項に関する一般条項案と，不当条項リスト案（約款および消費者契約に共通するブラックリスト 7 例・グレーリスト 6 例，並びに，消費者契約に関するブラックリスト 5 例・グレーリスト 6 例）を提案している[212]。

　ア　不当条項の効力に関する一般規定

〈1〉　約款または消費者契約の条項〔(個別の交渉を経て採用された消費者契約の条項を除く。)〕であって，当該条項が存在しない場合と比較して，条項使用者の相手方の利益を信義則に反する程度に害するものは無効である。

〈2〉　当該条項が相手方の利益を信義則に反する程度に害しているかどうかの判断にあたっては，契約の性質および契約の趣旨，当事者の属性，

（注209）　詳細は，河上正二「脱法行為禁止規定，サルベージ条項」別冊 NBL128 号 174 頁，圓山・前掲（注83）99 頁。

（注210）　2012 年日弁連改正試案では 13 条 17 号（ブラックリスト。「他の法形式を利用して，この法律又は公の秩序若しくは善良の風俗に反する法令の規定の適用を回避する条項。ただし，他の法形式を利用することに合理的な理由があり，かつ，消費者の利益を不当に害しない場合を除く。」），2014 年日弁連改正試案では 18 条 17 号（グレイリスト。「他の法形式を利用して，この法律又は公の秩序若しくは善良の風俗に関する法令の規定の適用を回避する条項」）。

（注211）　詳細は，河上・前掲（注209）176 頁。

（注212）　詳細については，民法（債権法）改正検討委員会編『詳解・債権法改正の基本方針Ⅱ－契約および債権一般(1)』104～141 頁（商事法務，2009）。

同種の契約に関する取引慣行および任意規定が存する場合にはその内容等を考慮するものとする。

イ　約款および消費者契約に関して不当条項とみなされる条項の例

約款または消費者契約の条項〔(個別の交渉を経て採用された消費者契約の条項を除く。)〕であって，次に定める条項は，当該条項が存在しない場合と比較して条項使用者の相手方の利益を信義則に反する程度に害するものとみなす。

(例)

〈ア〉　条項使用者が任意に債務を履行しないことを許容する条項

〈イ〉　条項使用者の債務不履行責任を制限し，または，損害賠償額の上限を定めることにより，相手方が契約を締結した目的を達成不可能にする条項

〈ウ〉　条項使用者の債務不履行に基づく損害賠償責任を全部免除する条項

〈エ〉　条項使用者の故意または重大な義務違反による債務不履行に基づく損害賠償責任を一部免除する条項

〈オ〉　条項使用者の債務の履行に際してなされた条項使用者の不法行為に基づき条項使用者が相手方に負う損害賠償責任を全部免除する条項

〈カ〉　条項使用者の債務の履行に際してなされた条項使用者の故意または重大な過失による不法行為に基づき条項使用者が相手方に負う損害賠償責任を一部免除する条項

〈キ〉　条項使用者の債務の履行に際して生じた人身損害について，契約の性質上，条項使用者が引き受けるのが相当な損害の賠償責任を全部または一部免除する条項　ただし，法令により損害賠償責任が制限されているときは，それをさらに制限する部分についてのみ，条項使用者の相手方の利益を信義則に反する程度に害するものとみなす。

ウ　約款および消費者契約に関して不当条項と推定される条項の例

約款または消費者契約の条項〔(個別の交渉を経て採用された消費者契約の条項を除く。)〕であって，次に定める条項は，当該条項が存在しない場合と比較して条項使用者の相手方の利益を信義則に反する程度に害するものと推定する。

（例）

〈ア〉 条項使用者が債務の履行のために使用する第三者の行為について条項使用者の責任を制限する条項

〈イ〉 条項使用者に契約内容を一方的に変更する権限を与える条項

〈ウ〉 期間の定めのない継続的な契約において，解約申し入れにより直ちに契約を終了させる権限を条項使用者に与える条項

〈エ〉 継続的な契約において相手方の解除権を任意規定の適用による場合に比して制限する条項

〈オ〉 条項使用者に契約の重大な不履行があっても相手方は契約を解除できないとする条項

〈カ〉 法律上の管轄と異なる裁判所を専属管轄とする条項など，相手方の裁判を受ける権利を任意規定の適用による場合に比して制限する条項

エ　消費者契約に関して不当条項とみなされる条項の例

消費者契約の条項〔（個別の交渉を経て採用された消費者契約の条項を除く。）〕であって，次に定める条項は，当該条項が存在しない場合と比較して消費者の利益を信義則に反する程度に害するものとみなす。

（例）

〈ア〉 事業者が，合理的な必要性がないにもかかわらず，消費者に対する当該契約上の債権を被担保債権とする保証契約の締結を当該契約の成立要件とする条項

〈イ〉 消費者の事業者に対する抗弁権を排除または制限する条項

〈ウ〉 消費者の事業者に対する相殺を排除する条項

〈エ〉 債権時効期間につき，債権時効の起算点または期間の長さに関して，法律の規定による場合よりも消費者に不利な内容とする条項

〈オ〉〔甲案〕当該契約に基づき支払うべき金銭の全部又は一部を消費者が支払期日（支払回数が2以上である場合には，それぞれの支払期日。以下同じ。）までに支払わない場合における損害賠償の額を予定し，または違約金を定める条項であって，これらを合算した額が，支払期日の翌日からその支払をする日までの期間について，その日数に応じ，当該支払期日に支払うべき額から当該支払期日に支払うべき額のうち

既に支払われた額を控除した額に年14.6パーセントの割合を乗じて計算した額を超えるもの　超える部分
　　〔乙案〕何も定めない。
　オ　消費者契約に関して不当条項と推定される条項の例
　消費者契約の条項〔（個別の交渉を経て採用された消費者契約の条項を除く。）〕であって，次に定める条項は，当該条項が存在しない場合と比較して消費者の利益を信義則に反する程度に害するものと推定される。
（例）
　　〈ア〉　契約の締結に際し，前払い金，授業料，預かり金，担保その他の名目で事業者になされた給付を返還しないことを定める条項。ただし，本法その他の法令により事業者に返還義務が生じない部分があるときは，それを定める部分については，消費者の利益を信義側に反する程度に害するものと推定されない。
　　〈イ〉　消費者が法律上の権利を行使するために事業者の同意を要件とし，または事業者に対価を支払うべきことを定める条項
　　〈ウ〉　事業者のみが契約の解除権を留保する条項
　　〈エ〉　条項使用者の債務不履行の場合に生じる相手方の権利を任意規定の適用による場合に比して制限する条項
　　〈オ〉　消費者による債務不履行の場合に消費者が支払うべき損害賠償の予定または違約金を定める条項。ただし，当該契約につき契約締結時に両当事者が予見しまたは予見すべきであった損害が事業者に生じているときは，その損害額を定める部分については，消費者の利益を信義則に反する程度に害するものと推定されない。
　　〈カ〉〔甲案〕当該契約に基づき支払うべき金銭の全部又は一部を消費者が支払期日（支払回数が2以上である場合には，それぞれの支払期日。以下同じ。）までに支払わない場合における損害賠償の額を予定し，または違約金を定める条項。ただし，当該契約につき契約締結時に両当事者が予見しまたは予見すべきであった損害が事業者に生じているときは，その損害額を定める部分については，消費者の利益を信義則に反する程度に害するものと推定されない。

〔乙案〕何も定めない。

第3節　補　則

第11条　（他の法律の適用）

> 第11条　消費者契約の申込み又はその承諾の意思表示の取消し及び消費者契約の条項の効力については，この法律の規定によるほか，民法及び商法（明治32年法律第48号）の規定による。
> 2　消費者契約の申込み又はその承諾の意思表示の取消し及び消費者契約の条項の効力について民法及び商法以外の他の法律に別段の定めがあるときは，その定めるところによる。

Ⅰ　11条1項

1　趣　旨

本法と民法及び商法との適用関係を定めたものである。

2　解　説

本項は，次の(ⅰ)，(ⅱ)及び(ⅲ)の内容を定めている。
(ⅰ)　本法の規定と民法及び商法の規定が抵触する場合には，本法の規定が優先的に適用される。
(ⅱ)　本法の規定と民法あるいは商法の規定とが矛盾せず，ある事項が，本法の規定と民法あるいは商法の規定のそれぞれの要件を同時に満たす場合には，本法の当該規定と民法あるいは商法の当該規定との間に適用上の優先関係はなく，契約当事者はいずれも主張しうる。
(ⅲ)　本法に特段の定めがない事項については，補充的に民法及び商法の規定が適用される。

本項は，民商法が，契約当事者が消費者であるかどうかを問わず適用があるのに対し，本法は，公正かつ適正な消費者取引の実現を目的として，消費者契約に限って適用される法律であることから，民法及び商法との関係では，民法及び商法を一般法，本法を特別法と位置付け，本法の規定と民法及び商法の規定とが抵触する場合には，本法の規定が優先的に適用されることとした。

一方，一般法，特別法の関係を強調すると，民商法上の権利が行使できなくなるのではないかとの懸念が生じた。しかし，本法の制定によって，民法及び商法の定める消費者の権利が制約を受けるものとなってはならない[1]。そこで，本条は，本法に特段の定めがない事項については，補充的に民法及び商法の規定が適用されることとするとともに，本法の規定と民法あるいは商法の規定とが矛盾せず，ある事項が，本法の規定と民法あるいは商法の規定のそれぞれの要件を同時に満たす場合には，本法の当該規定と民法あるいは商法の当該規定との間に適用上の優先関係はなく，契約当事者はいずれも主張しうるとしたものである。

(1) (i)について

本法の規定と民法及び商法の規定が抵触する場合には，本法の規定が優先的に適用される。

例えば，取消権の行使期間については，民法126条は，「追認をすることができる時から5年間」「行為の時から20年」と規定しているが，本法7条1項は，「追認をすることができる時から1年間（同条〔第4条〕第3項第8号に係る取消権については，3年間）」，「当該消費者契約の締結の時から5年（同号に係る取消権については，10年）」と規定しており，本法7条1項が優先して適用される。また，取消権を行使した消費者の返還義務について，民法121条の2第1項は，「無効な行為に基づく債務の履行として給付を受けた者は，相手方を原状に復させる義務を負う」と規定しているが，本法6条の2は，「民法第121条の2第1項の規定にかかわらず，消費者契約に基づく債務の履行として給付を受けた消費者は，第4条第1項から第4項

(注1) 第17次国生審報告17頁。

までの規定により当該消費者契約の申込み又はその承諾の意思表示を取り消した場合において，給付を受けた当時その意思表示が取り消すことができるものであることを知らなかったときは，当該消費者契約によって現に利益を受けている限度において，返還の義務を負う。」と規定しており，本法6条の2が優先して適用される。

(2) (ⅱ)について

本法の規定と民法あるいは商法の規定とが矛盾せず，ある事項が，本法の規定と民法あるいは商法の規定のそれぞれの要件を同時に満たす場合には，本法の当該規定と民法あるいは商法の当該規定との間に適用上の優先関係はなく，契約当事者はいずれも主張しうる。

したがって，ある行為が，本法4条1項ないし4項のいずれかの規定と民法96条（詐欺又は強迫）の規定のそれぞれの要件を同時に満たす場合には，本法4条1項ないし4項と民法96条との間に適用上の優先関係はなく，契約当事者は，本法4条1項ないし4項と民法96条のいずれの主張もすることができる。

この点，本法6条は，本法4条1項から4項までの規定が民法96条の規定の適用を妨げるものではない旨規定しているが，右規定の内容は，本項からすれば当然のことであって，本法6条は，本項の内容(ⅱ)について確認的に規定したものである。

また，ある契約条項が，本法10条の要件も民法90条（公序良俗）の要件も同時に満たす場合には，本法10条と民法90条との間に適用上の優先関係はなく，契約当事者は，本法10条と民法90条のいずれの主張もすることができる。

(3) (ⅲ)について

本法に特段の定めがない事項については，補充的に民法及び商法の規定が適用される。

取消に関し，補充的に適用される民法の規定の例としては，民法120条（取消権者），121条（取消しの効果），122条（取り消すことができる行為の追認），123条（取消し及び追認の方法），124条（追認の要件），125条（法定追認）がある。

消費者契約の条項の効力に関する規定の例としては，民法 572 条（担保責任を負わない旨の特約），商法 739 条（航海に堪える能力に関する注意義務）等がある。

Ⅱ　11 条 2 項

1　趣　旨

本法の規定と民法及び商法以外の他の法律（個別法）の私法規定との適用関係を定めたものである。

2　解　説

(1)　総　説

本項は，消費者契約の申込み又はその承諾の意思表示の取消及び消費者契約の条項の効力について，本法の規定と個別法の私法規定とが抵触する場合には，後者が優先的に適用されると規定している。

本法が，業種・業態を問わず適用があるのに対し，個別法は，個別業種等の取引の実情や特殊性等を考慮して制定され，個別業種等に限定して適用されるものであることから，本法の規定と個別法の私法規定との適用関係について，原則として，後者を優先させたのである。

しかし，本法が消費者契約における民事ルールを定めたものであることからすれば，消費者契約においては，本法の趣旨を後退させる規定が本法に優先して適用されるべきではない。

したがって，個別法の規定が本法に優先して適用されるのは，当該個別法の規定が，消費者契約に優先して適用しうるに足りる合理性を有する場合に限られ，当該個別法の規定にそのような合理性がなければ，本法の規定が優先して適用されるべきである。

すなわち，本法の規定と個別法の私法規定とが競合した場合の適用関係については，個々の条項ごとに検討されなければならない[2]。

第 16 次国生審最終報告も，「一般的には，個別法の私法規定と消費者契約法の規定とが競合する場合には，個別法の私法規定が優先的に適用されるも

のと考えられるが，……個別法その他の消費者契約に関連する法律の私法規定との具体的な適用関係については，個々の条項ごとにいずれが優先的に適用されるかを検討する必要がある」としていた[3]。

また，消費者庁解説（226頁）も，本法の規定と個別法の私法規定とが抵触する場合には，「原則として」後者が優先的に適用されるとしており，前記趣旨を示していると考えられる。

なお，個別法の規定と抵触しない本法の規定は，その個別法の適用範囲であっても，消費者契約に対しては適用される。

(2) 「民法及び商法以外の他の法律に別段の定めがあるとき」

個別法の私法規定の中には，消費者保護の観点から契約の成立を否定したり，契約条項の効力を否定する規定，反対に，事業の特殊性に鑑みて事業者の責任を軽減するような規定がある。「別段の定め」とは，本法の規定と抵触する個別法の私法規定をいう。なお，本法の規定と抵触しない個別法の私法規定は，本法の規定と競合的に適用される。

(i) 本法4条と個別法の私法規定の適用関係

個別法の私法規定のなかで，本法4条の規定と抵触すると考えられる規定はない[4]。特定商取引法や割賦販売法におけるクーリング・オフ権や，中途解約権は，本法4条の取消権とは，要件が異なり，消費者保護の観点の立法趣旨とも抵触しないため，競合的に行使することができる。

なお，クーリング・オフができる期間内に本法4条による取消をした場合，クーリング・オフの場合には認められる損害賠償請求あるいは違約金請求の禁止規定，事業者の引取費用の負担義務，事業者の既履行役務の対価の請求禁止の適用を受けられないとすることは，救済手段の選択による不利益を消費者に負わせることになり，妥当ではない。本法4条による取消をした者もこれらの効果を援用できると解するべきである[5]。

次に，特定商取引法における不実告知を理由とする取消権及び故意による

(注2) 山下友信「消費者契約法諸規定の位置づけ」別冊NBL54号214頁，平田健治「消費者契約法の位置づけ」NBL688号36頁。
(注3) 第16次国生審最終報告48頁。
(注4) 消費者庁解説227頁。

事実不告知を理由とする取消権は、訪問販売、電話勧誘販売、連鎖販売取引、特定継続的役務提供、業務提供誘引販売取引の場合に限定して適用されるものであるが、不実告知の取消に関しては不実告知の対象として「契約の締結を必要とする事情」を含めていることや、故意による事実不告知に関しては本法4条2項のように「重要事項又は当該重要事項に関連する事項について当該消費者の利益となる旨を告げ」ることが要件とされておらず、その意味で本法4条の不実告知、不利益事実の不告知より要件が緩やかになっているといえ（ただし、本法4条1項1号の不実告知の対象を重要事項の範囲を広く解する立場にたてば、特定商取引法上の不実告知の対象との間にほとんど相違はないことになる）、両者の取消は、排斥しあう関係にはなく、両者の要件をそれぞれ充たす場合は、消費者はそのいずれの取消権も行使できると解される。

さらに、特定商取引法における過量販売を理由とする申込みの撤回・解除については、1回の取引で過量となる場合は販売者の過量性に関する認識は不要とされるのに対し、本法4条4項では、事業者の過量性に関する認識が要件とされている。また、過量性要件についても、特定商取引法では「その日常生活において通常必要とされる分量を著しく超える」こと、又は「その日常生活において通常必要とされる回数、期間若しくは分量を著しく超えて役務の提供を受ける役務提供契約」（特定商取引法9条の2第1項1号）とされているのに対し、本法4条4項では「当該消費者にとっての通常の分量等（消費者契約の目的となるものの内容及び取引条件並びに事業者がその締結について勧誘をする際の消費者の生活の状況及びこれについての当該消費者の認識に照らして当該消費者契約の目的となるものの分量等として通常想定される分量等をいう。以下この項において同じ。）を著しく超えるものであ

（注5） この点を問題点として指摘するものとして千葉恵美子「消費者契約法と割賦販売法・特定商取引法」ジュリ1200号32頁、効果の援用を肯定するものとして落合誠一『消費者契約法』163頁（有斐閣、2001）がある。消費者庁解説（227頁）は「個別法の私法規定の中で第4条の規定と要件が重なっていることにより抵触すると考えられるものは、存在しない。したがって、第4条の規定と個別法の私法規定とは、競合的に適用される。」とする。

ること」とされている。加えて，法律効果についても，特定商取引法では申込みの撤回又は解除権とされているのに対し，本法4条4項では取消権とされている。このように両者は，別々の立法目的のもとに定められた規定で，要件・効果にも差異があることから，互いに排斥しあう関係にはなく，両者の要件をそれぞれ充たす場合は，消費者はそのいずれの権利も行使できると解される[6]。

(ii) 本法8条から10条の規定との適用関係

一般論として，個別法は，当該業種の取引の特性や実情，契約当事者の利益等を踏まえたうえで対応を行うことを目的として規定されたものであることから，消費者契約を幅広く対象とする本法8条から10条までの規定に優先して個別法が適用されるという場合は考え得る。

もっとも，上述のとおり，個別法の規定が本法に優先して適用されるのは，当該個別法の規定が，本法に優先して適用しうるに足りる合理性を有する場合に限られ，当該個別法の規定にそのような合理性がなければならない。すなわち，本法の規定と個別法の私法規定とが競合した場合の優劣関係については，個々の条項ごとに慎重に検討されなければならない[7][8][9]。また，個別法の規定は適用範囲を限定しているため，その適用範囲に含まれない部分については，消費者契約である限り，本法の規定が適用される。また，個別法の規定に抵触しない本法の規定については，個別法の適用範囲であっても，消費者契約である限り，適用される[10]。

(3) 本法の規定と取締規定（行政規制）との関係

取締規定は事業者の行為規制を目的とするものであり，私人間の権利義務

(注6) 特定商取引法の過量販売規定と本法4条4項の過量契約規定との異同については，本書における4条4項の解説部分を参照（2⑸部分）。

(注7) 消費者庁解説（228頁）。具体例として，同解説（同頁）は，消費者とインターネット・プロバイダーとの契約において，プロバイダーの債務不履行による損害賠償責任及び不法行為による損害賠償責任を免除する条項が定められていた場合，当該責任免除条項は，「特定電気通信役務提供者の損害賠償責任の制限及び発信者情報の開示に関する法律」3条及び6条4項によって有効になるわけではなく，同法の規定は本法8条と抵触しないとする。

関係を規律する本法には関係がない。したがって，当該約款を用いた契約の内容についての不当性の判断は，行政規制による判断とは別個に，本法に基づいて行われるものであり，約款が行政規制の基準を満たしていることを理由に，当該契約を本法の適用対象から除外してはならないのであって，取締規定があっても，本法の適用は妨げられない[11]。

(注8) 福岡高判平20・3・28判時2024号32頁は，宅地建物取引業法38条は消費者契約法11条2項が規定する特段の定めにあたり，消費者契約法9条1項及び10条は適用されないとする。これに対し，桑岡和久「損害賠償額の予定条項・違約金条項を規制する宅地建物取引業法38条と消費者契約法9条1号の適用関係―消費者契約法11条2項に関する一検討」(現代消費者法43号43頁)は，詳細な分析のもと，宅地建物取引法38条の規定は消費者契約法9条1項1号の適用を排除するに足る「別段の定め」(法11条2項)にあたらない，宅地建物取引業者が売主となる不動産売買契約において2割を超えない損害賠償額の予定条項・違約金条項が定められた場合であっても，なお消費者契約法9条1項1号は適用されるとする。

(注9) 東京高判平22・6・29判時2104号40頁は，強行規定と解される放送法32条の適用場面については，消費者契約法11条2項により，消費者契約法10条が適用される余地はないとする。

(注10) 消費者庁解説(229頁以下)には，本法の規定との抵触が問題となりえる個別法の規定が例示されている。しかし，それらの規定が本法に優先して適用しうるに足りる合理性を有しているかどうかは，個別に慎重に検討されなければならない。

(注11) 第16次国生審中間報告38頁。

第3章　差止請求

第1節　差止請求権

第1　適格消費者団体による差止請求権〜消費者団体訴訟制度〜総説

I　適格消費者団体による差止請求権導入の意義

　2006年の法改正により，本法に適格消費者団体による差止請求の制度が導入され，2007年6月7日より施行されるに至った。この適格消費者団体による差止請求の制度は，これまで「消費者団体訴訟制度」と呼ばれてきたものであり，消費者の利益擁護の観点から，長年，その導入の必要性が指摘されていたものである。

　消費者被害というものは，被害者本人にとってみれば決して小さな金額ではないが，わざわざ裁判を起こしてまで被害回復を求めるには割に合わないといった被害額であることが多い。このため，ひとたび被害が発生すると，個別の被害救済が難しいという限界が指摘されていた。この意味で，2001年に本法が施行されたものの，その実効化手段に欠けていると批判されてきたところである[1]。

　この適格消費者団体による差止請求の制度が導入されたことにより，事業

（注1）　日本弁護士連合会「消費者契約法日弁連試案・同解説」（1999年10月22日）第5章，同「実効性ある消費者団体訴訟制度の早期実現を求める意見書」（平成16年3月19日），井田雅貴ほか「消費者契約法の実効性の確保に関する一提案（上）・（下）」NBL664号32頁・668号48頁，山本克己「消費者契約法と民事手続法」ジュリ1200号106頁，日和佐信子「消費者から見た消費者契約法」ジュリ1200号165頁以下，浅岡美恵「弁護士から見た消費者契約法」ジュリ1200号188頁以下，衆議院商工委員会「消費者契約法案に対する附帯決議」（平成12年4月14日）3項，参議院経済・産業委員会「消費者契約法案に対する附帯決議」（平成12年4月27日）5項等。

者による不当な勧誘行為や不当契約条項の使用がなされている場合において，直接の被害者である消費者の訴え等を待つことなく，適格消費者団体がその独自の判断により事業者に対して差止請求を行うことができることとなった。これにより，被害が発生する前もしくは被害が拡大する前に事業者の不当な行為を差し止めることが可能となった。

本制度が導入された当初の差止請求の対象は，消費者契約法に規定される不当勧誘行為や不当契約条項に限定されており不十分な面も否めなかったが，2008年の法改正により，不当景品類及び不当表示防止法（景品表示法）に規定される不当表示や特定商取引に関する法律（特定商取引法）に規定される不当勧誘行為や不当広告，不当契約条項等も差止めの対象に加えられ，さらに2013年に成立した食品表示法により同法の規定する一定の不当な食品表示も対象となったことにより，より一層，消費者被害の防止に資する制度となった。

もっとも，現行の制度を逐一見ていくと，適格消費者団体の要件や訴訟手続に厳しい制約が課せられていることなど，不十分な点も多々あることは否定できないが，消費者の利益擁護の観点からすると，制度の意義は極めて大きいと言わなければならない。

適格消費者団体の積極的な活動により，本制度が十二分に活用されることが期待される。

II 比較法

1 総論

我が国の訴訟制度においては，行政訴訟における客観訴訟などの例を除けば，主観訴訟の原則に則っており，直接被害を受けていない者が訴えを提起することに対しては基本的に否定的であった。しかしながら，比較法的に見ると，事業者が使用している不当な契約条項やその他消費者の利益を侵害するような行為に対して一定の消費者団体に差止請求権を認めている例は少なくない。

後述するEU諸国の例だけでなく，台湾，タイ，インド，インドネシア，フィリピン，スリランカなどのアジア諸国でも消費者団体訴訟制度が導入されている[2]。

特にEU諸国においては，1960年代から導入が始まるなど消費者団体訴訟制度の歴史も長く，消費者被害の防止のために活用もされている。以下，EU諸国における消費者団体訴訟制度に絞って，諸外国における消費者団体訴訟制度の概略を紹介する。

2 EUにおける消費者団体訴訟制度の歴史

EUにおける消費者団体訴訟制度に述べるにあたって，まず触れなければならないのは，1993年に出された「消費者契約における不公正条項に関するEC指令」（以下本章において「93年EC指令」という。）である[3][4]。このEC指令は，不公正条項の類型を規定するとともに，不公正条項の使用差止に関する消費者団体訴訟制度の導入等を加盟各国に義務付けるものであった[5]。

さらに，1998年には「消費者の利益を保護するための差止命令に関するEU指令」（以下本章において「98年EU指令」という。）が出された[6]。この

(注2) 「消費者団体を主体とする団体訴訟制度と消費者団体の役割」消費者組織に関する研究会報告書（平成15年5月，内閣府国民生活局）7頁。なお，台湾については，菊井康夫「台湾の消費者団体との懇談会－台湾の団体訴権－」（消費者法ニュース50号98頁）。

(注3) Council Directive 93/13/EEC of 5 April 1993 on Unfair Terms in Consumer Contaracts,OJ No.L 95/29.

(注4) これらのEC指令に関する文献としては，鹿野菜穂子「不公正条項規制における問題点(1)」立命館法学256号1412頁，新見育文「消費者契約における不公正条項に関するEC指令の概要と課題」ジュリ1034号78頁，内閣府国民生活局「諸外国における消費者団体訴訟制度に関する調査」（平成16年9月），等。

(注5) もっとも，この1993年EC指令以前から消費者団体訴訟制度を有するEU加盟国は多数あり，例えば，ドイツでは1960年代から，フランスでも1970年代には消費者団体訴訟制度が導入されている。しかし，このEC指令により，消費者団体訴訟制度を有していなかったEU加盟国でも導入が進み，現在はほとんどのEU加盟国に消費者団体訴訟制度が存在している。

指令は，不公正条項の差止にとどまらず，消費者の利益を害する違法行為（具体的には不当表示・広告など）への差止制度を創設すること，及び自国外の団体であってもEU内の登録された消費者団体であれば訴訟を提起し得るようにすること（いわば「国際間団体訴訟」）を求めるものであった。なお，この指令は，2009年に「消費者の利益の保護のための差止訴訟指令」（Directive 2009/22/EC）により改正され，差止請求権の対象行為が大幅に拡大されている[7]。さらに，同指令は，2020年11月25日の「消費者の集団的利益の保護のための代表訴訟及び指令2009/22/ECの廃止に関する欧州議会及び欧州連合理事会の指令」（Directive 2020/1828/EU，以下本章において「2020年EU指令」という）により廃止され，消費者団体が多数の消費者の金銭的請求権等を訴訟上まとめて行使する制度を加盟国において整備することを要請する規定と統合されるとともに，事業者の違法行為が停止していても差止請求の対象となること，事業者の故意過失を要しないことなどが明記され，また，差止措置に違反した場合の罰則が義務化されるなど差止制度に関する規定の充実が図られた[8]。

3　差止請求の対象

前記2からも明らかなように，EU諸国における消費者団体訴訟制度においては，事業者による不当契約条項の使用と消費者の利益を侵害する行為が差止請求の対象の二本柱となっており，日本のようにいわゆる不当勧誘行為（不実告知等）を差止めの対象とはしていない。逆に，日本においては，EU諸国では認められている不当広告等への差止請求が2008年改正までは明文

（注6）　Directive 98/27/EC of the European Parliament and of the Council of 19 May 1998 on injuncton for the protection of consumers' interests OJ L 166,11/06/1998 P.0051-0055．

（注7）　日本弁護士連合会消費者問題対策委員会・京都弁護士会消費者保護委員会「ベルギーの代表訴訟制度とEUの代表訴訟指令に関する調査報告書」（2021年2月～3月調査）28頁。(https://www.nichibenren.or.jp/library/pdf/activity/human/consumer/202102-03_report.pdf)

（注8）　日本弁護士連合会消費者問題対策委員会・京都弁護士会消費者保護委員会・前掲（注7）36～37頁等。

上明確に認められていなかったという差異がある。

このような日本とEUの差異は，EUが内国市場の公正確保の観点（競争法的観点）からアプローチ[9]しているのに対して，消費者団体訴訟制度の創設時には日本はあくまで個別法である消費者契約法のエンフォースメントという観点からアプローチ[10]したことによるものと考えられる。

なお，2020年EU指令においては，提訴後判決前に停止された違法行為についても対象とすることができるが，日本においては，現に行っていない違法行為については，事業者が行うおそれがあることが要件とされている[11]。

4　差止請求の主体（適格消費者団体の要件）

適格団体の要件については，2020年EU指令では包括的にしか規定されておらず，具体的な要件設定は国毎によってまちまちである[12]。ただ，いわゆる「国際間団体訴訟」に対応すべく，適格団体をEUに登録させることとしている関係で，各国において適格団体の登録ないしは認可等の制度が導入されている。

適格要件の内容については，総じて言えば，ドイツは比較的形式的な要件を中心としており比較的緩やかと評価することができるが，イギリスは認定

(注9)　大高友一ほか「EUにおける消費者団体訴訟制度の実情（下）」NBL773号65頁。

(注10)　「司法制度改革推進計画」（平成14年3月19日閣議決定）において，団体訴権の導入の検討にあたっては，「法分野ごとに，個別の実体法において，その法律の目的やその法律が保護しようとしている権利，利益等を考慮」するものとされ，また，消費者団体訴訟制度導入の方向性を決定付けた「消費者基本計画」（平成17年5月8日閣議決定）においても，消費者契約法が基本とされており，制度の導入にあたって，法律の形式的な枠組みを超えて制度を構築しようとする動きはほとんど見られなかったのが実情である。

(注11)　日本弁護士連合会消費者問題対策委員会・京都弁護士会消費者保護委員会・前掲（注7）47頁。

(注12)　各国毎の要件については，国民生活審議会消費者政策部会消費者団体訴訟検討委員会「消費者団体訴訟制度の在り方について」（平成17年6月23日）44頁以下が詳しい。

権者の裁量的判断を伴うような実質的要件を多く含みやや厳しい内容となっているものといえよう。フランスについては，ドイツと同様形式的要件を中心とするが要件の内容はドイツよりやや厳しいものとなっている。

これらの適格要件の差異は，それぞれの国における消費者団体の位置付け，活動状況，法執行に対する意識の差などを反映しているものと考えられる。

我が国における適格団体要件は，イギリスと同様，認定権者の裁量的判断を伴うような実質的要件を多く含むものとなっているが，その内容はイギリスよりも詳細かつ厳しいものとなっている。

5 訴訟手続

各国とも基本的には通常の民事訴訟手続のなかで行うものとされるが，国毎に見ると，特色のある制度を特則的に設けている例も見られる[13]。

例えば，ドイツやオランダにおいては，不公正条項の差止めを命ずる判決がなされた場合に，個人が当該判決を援用して当該条項の無効を主張できるという援用制度が設けられている[14]。イギリスにおいては，提訴前に行政に通知を行い事前協議を行う制度が設けられている[15]。

また，2020年EU指令において判決の公表等の制度を設けることが認められているため[16]，判決の公表制度については，各国で規定が設けられている。

Ⅲ 本制度導入に至る経緯

日弁連では，1999年10月に公表した「消費者契約法日弁連試案」において不当条項使用に対する差止請求を内容とする消費者団体訴訟制度を提言し

(注13) 各国毎の訴訟手続の概要については，国民生活審議会消費者政策部会消費者団体訴訟検討委員会・前掲（注12）46頁以下が詳しい。
(注14) ドイツ差止訴訟法11条，オランダ民法第6編243条。
(注15) The Unfair Terms in Consumer Contracts Regulations 1999, 12 (2)(a), Enterprise Act 2002, Part 8, 214.
(注16) 2020年EU指令8条2項（b）。

た[17]。

　その後，同制度については，1999年12月の第17次国民生活審議会消費者政策部会報告，2001年6月の司法制度改革審議会意見書，2000年4月の衆議院商工委員会・参議院経済産業委員会の消費者契約法案に関する附帯決議において，制度の必要性が提言された。

　さらに，内閣府国民生活局では，2002年8月から「消費者組織に関する研究会」を設け，消費者団体訴訟制度について検討を始めた。

　2003年5月の国民生活審議会消費者政策部会報告「21世紀型の消費者政策の在り方について」，同月の消費者組織に関する研究会報告「消費者団体を主体とする団体訴訟制度と消費者団体の役割」では，不当約款や不当勧誘に対する差止請求について早急に制度を実現し，損害賠償請求についても今後の検討課題とする報告がされた。

　また，2004年4月より，国民生活審議会消費者政策部会のもとに消費者団体訴訟制度検討委員会を設けて，具体的な制度設計を検討し，2005年6月には報告書「消費者団体訴訟制度の在り方について」を公表した[18]。

　この報告書の制度設計に基づき2006年に消費者契約法の改正がなされたのであるが，同報告書では必ずしも想定されていない制度（いわゆる後訴制限効）が突然立法化されている。

　なお，その後，特定商取引法への消費者団体訴訟制度の導入が経済産業省産業構造審議会で議論され，また，景品表示法への同制度の導入が公正取引委員会「団体訴訟制度の導入に関する研究会」で議論され，2008年4月25日には，景品表示法，特定商取引法の一定の行為を差し止める消費者団体訴訟制度を導入する法改正がなされ，続いて，2013年6月28日に制定された食品表示法により一定の不当な食品表示にもその対象が拡大された。

　さらに，2013年12月には「消費者の財産的被害の集団的な回復のための

(注17)　日弁連HP（https://www.nichibenren.or.jp/document/opinion/year/1999/1999_5.html）。

(注18)　消費者庁HP（https://warp.ndl.go.jp/info:ndljp/pid/11050105/www.caa.go.jp/policies/policy/consumer_system/collective_litigation_system/about_system/committees_and_reports/pdf/report_200506.pdf）。

民事の裁判手続の特例に関する法律」(略称：消費者裁判手続特例法)が成立し，消費者団体が消費者の被害回復を図るための訴訟(被害回復訴訟)を提起することができる制度が導入され，我が国の消費者団体訴訟制度は新たな発展を遂げることになった。

Ⅳ　適格消費者団体による差止請求権の法的構成

第12条　(差止請求権)

> 第12条　適格消費者団体は，事業者，受託者等又は事業者の代理人若しくは受託者等の代理人(以下この項及び第43条第2項第1号において「事業者等」と総称する。)が，消費者契約の締結について勧誘をするに際し，不特定かつ多数の消費者に対して第4条第1項から第4項までに規定する行為(同条第2項に規定する行為にあっては，同項ただし書の場合に該当するものを除く。次項において同じ。)を現に行い又は行うおそれがあるときは，その事業者等に対し，当該行為の停止若しくは予防又は当該行為に供した物の廃棄若しくは除去その他の当該行為の停止若しくは予防に必要な措置をとることを請求することができる。ただし，民法及び商法以外の他の法律の規定によれば当該行為を理由として当該消費者契約を取り消すことができないときは，この限りでない。
> 2　適格消費者団体は，次の各号に掲げる者が，消費者契約の締結について勧誘をするに際し，不特定かつ多数の消費者に対して第4条第1項から第4項までに規定する行為を現に行い又は行うおそれがあるときは，当該各号に定める者に対し，当該各号に掲げる者に対する是正の指示又は教唆の停止その他の当該行為の停止又は予防に必要な措置をとることを請求することができる。この場合においては，前項ただし書の規定を準用する。
> 　一　受託者等　当該受託者等に対して委託(2以上の段階にわたる委託を含む。)をした事業者又は他の受託者等

二　事業者の代理人又は受託者等の代理人　当該代理人を自己の代理人とする事業者若しくは受託者等又はこれらの他の代理人

3　適格消費者団体は，事業者又はその代理人が，消費者契約を締結するに際し，不特定かつ多数の消費者との間で第8条から第10条までに規定する消費者契約の条項（第8条第1項第1号又は第2号に掲げる消費者契約の条項にあっては，同条第2項の場合に該当するものを除く。次項及び第12条の3第1項において同じ。）を含む消費者契約の申込み又はその承諾の意思表示を現に行い又は行うおそれがあるときは，その事業者又はその代理人に対し，当該行為の停止若しくは予防又は当該行為に供した物の廃棄若しくは除去その他の当該行為の停止若しくは予防に必要な措置をとることを請求することができる。ただし，民法及び商法以外の他の法律の規定によれば当該消費者契約の条項が無効とされないときは，この限りでない。

4　適格消費者団体は，事業者の代理人が，消費者契約を締結するに際し，不特定かつ多数の消費者との間で第8条から第10条までに規定する消費者契約の条項を含む消費者契約の申込み又はその承諾の意思表示を現に行い又は行うおそれがあるときは，当該代理人を自己の代理人とする事業者又は他の代理人に対し，当該代理人に対する是正の指示又は教唆の停止その他の当該行為の停止又は予防に必要な措置をとることを請求することができる。この場合においては，前項ただし書の規定を準用する。

● 12条1項・2項（不当勧誘行為に対する差止請求）

1　趣　旨

本条1項及び2項は，不当な勧誘行為に対する適格消費者団体の差止請求権を規定する。1項は，不当な勧誘行為を実際に行っているもしくはそのおそれがある事業者等に対する差止請求権を規定する一方，2項は，事業者等が委託ないし委任をしている受託者や代理人等が不当な勧誘行為を実際に行っているもしくはそのおそれがある場合において，これらの受託者等を利用している事業者等に対して不当な勧誘行為の是正措置等を請求できることを規定している。

以下，本稿では，1項による請求権を差止請求権，2項による請求権を是正措置等請求権と表記する。

2　不当勧誘行為に対する差止請求権

(1)　差止請求の対象となる不当勧誘行為

本条1項による差止請求の対象となる不当勧誘行為は，「第4条第1項から第4項までに規定する行為」である。具体的には，いわゆる「不実告知（4条1項1号）」「断定的判断の提供（同項2号）」「不利益事実の不告知（同条2項）」「不退去（同条3項1号）」「退去妨害（同項2号）」「退去困難場所への同行（同項3号）」「相談妨害（同項4号）」「不安をあおる告知（同項5号，7号乃至8号）」「人間関係の濫用（同項6号）」「契約締結前の行為に対する請求（同項9号乃至10号，契約締結前の債務の内容の実施，契約目的物の現状変更，契約締結前に実施した活動に対する損失補償請求）」「過量契約（同条4項）」の11の類型の不当勧誘行為である[1]。

「不利益事実の不告知」に関しては，消費者が事業者の説明を拒んだときには差止請求権の対象から除外されるが，本条の差止請求は事業者が「不特定かつ多数の消費者に対して」不当勧誘行為を現に行いまたは行うおそれが

(注1)　各不当勧誘行為類型の具体的説明は，各条文の解説を参照されたい。

あるときに認められるところ，「不特定かつ多数の消費者」がすべて事業者の説明を拒むなどという事態はまず考えられないから，この除外規定が実際に適用される場面はほとんど想定されないといって良いであろう。もちろん，多数の消費者の一部において事業者の説明を拒む者がいたとしても，他の消費者に対する「不利益事実の不告知」のおそれが無くなるわけではないから，この除外規定が適用されることはないと解すべきである。

なお，上記11類型の不当勧誘行為に該当しても，「民法及び商法以外の他の法律の規定によれば当該行為を理由として当該消費者契約を取り消すことができない」ような場合には，差止請求権を行使できない。もっとも，現在のところ，このような法律の規定は存在しないと考えられるから[2]，理念的な規定にとどまる。

(2) 差止請求権を行使しうる場合

事業者等が，不特定かつ多数の消費者に対して，不当勧誘行為を現に行い又は行うおそれがあるときに，適格消費者団体は差止請求権を行使することができる。

(i) 「不特定かつ多数の消費者」の意義

適格消費者団体が差止請求権を行使しうるためには，事業者等が，「不特定かつ多数の消費者」に対して，不当勧誘行為を現に行い又は行うおそれがあることが必要である。適格消費者団体の差止請求権は，消費者被害の発生及び拡散を防止し消費者の利益を擁護するために認められたものであるから，事業者等による不当な勧誘行為が特定もしくは少数の消費者に対してなされているのみで，他の消費者に対して不当な勧誘行為がなされる可能性が認められない場合にまで，差止請求権の行使を認める必要がないと考えられるからである。

(注2) 消費者庁解説225頁。なお，平成16年に，特定商取引に関する法律（以下，「特定商取引法」という。）が改正され，同法に，「不実告知」等に対する取消権が導入されている。この特定商取引法の契約取消権は，本法4条の取消権とその要件において重なり合う部分があるが，本法4条の取消権を制約するものではなく，競合的に適用されるものと解されるので，本項ただし書との関係では何ら問題とならないものと考えられる。

このように差止請求権の行使要件として,「不特定かつ多数の消費者」に対する不当勧誘行為の存在が求められていることから,事業者等が「特定」の消費者に対して不当勧誘行為を行っている限りにおいては,差止請求権の対象とはならない。また,「不特定」の消費者に対して不当勧誘行為を行っていても,それが「少数」にとどまっており,「多数」に及ぶ「おそれ」がない限りは,差止請求権を行使することはできない。

もっとも,(ii)において指摘するように,事業者が不当勧誘行為を「現に行っている場合」だけでなく,その「おそれ」がある場合にも差止請求権の行使が認められていることから,実際に,「不特定かつ多数の消費者」に対する不当勧誘行為の存在の要件により差止請求権の行使が認められないという事例は,ごく限られたものになると考えられる。

例えば,事業者等が「会員制」による営業を行っており,「会員」に対してだけしか勧誘をしていなかったとしても,不特定の消費者が「会員」になる可能性がある以上,「不特定」の消費者に対する勧誘がなされる「おそれ」があると解すべきであるし,また,現在は「少数」の消費者に対してしか不当勧誘行為を行っていないような事例であっても,将来,「多数」の消費者に対して不当勧誘行為を行う可能性がある以上,基本的には差止請求権の行使が認められると解すべきである。

(ii) 不当勧誘行為を「現に行い又は行うおそれ」の意義

(i)で指摘したように,適格消費者団体の差止請求権は,消費者被害の発生及び拡散を防止し消費者の利益を擁護するために認められたものであるから,事業者等による不当な勧誘行為が現に行われておらず,かつその可能性も認められないような場合にまで差止請求権の行使を認める必要はない。

逆に,現時点では不当勧誘行為が行われていないとしても,それがなされる可能性が否定できないような場合には,消費者被害の発生及び拡散を防止するために,差止請求権の行使を認める必要がある[3]。本条は,このような観点から,不当勧誘行為の「おそれ」がある場合にも差止請求権の行使を認めたものである。

(注3) 平成18年5月23日参議院内閣委員会会議録第8号12頁。

では，どのような場合において，事業者等が不当勧誘行為を行う「おそれ」があると認められるか。

基本的には，過去もしくは現在において事業者等による不当勧誘行為がなされた事実があれば，特段の事情のないかぎり，将来においても不当勧誘行為がなされる「おそれ」が認められるというべきである。たとえ現時点においては不当勧誘行為を行っている事実が認められないとしても，それだけでは，将来の「おそれ」は否定されていないというべきであろう[4]。

「おそれ」を否定する「特段の事情」として考えられる具体的事情としては，事業者等が行為の違法性を認めたうえで，不当勧誘行為の発生を防止する適切な措置をとったことや，不当勧誘行為を中止してから相当の期間が経過していることなどが想定できるであろう[5]。

この点，不当条項に対する差止請求の事例であるが，京都地判平成21・9・30（判タ1319号262頁，判時2068号134頁，京都消費者契約ネットワークHP）は，被告は差止対象となった条項を含む契約の締結を中止していると主張しているものの，当該条項の違法性について争っていることから，今後，被告が当該条項を含む消費者契約の申込み又はその承諾の意思表示を行う蓋然性が客観的に存在するといわざるを得ないとして，「行うおそれ」があると認定している。また，不正競争防止法分野の裁判例であるが，過去もしくは現在において違反行為がなされた事実があれば，特段の事情のないか

（注4）「おそれ」の有無の判断については，不正競争防止法や商標法等の事業者の取引関係に関する差止請求の判例が参考になる。

被告の使用する商章（月桂樹に基づくもの）が原告の商標権を侵害しているとして，商標権に基づき，その使用の差止めを求めた事案において，東京地判昭47・1・31判タ276号356頁は，被告が原告からの警告を受けて同商章の使用を差し控えていたにもかかわらず，「被告が月桂樹を自己の商品イメージないし出所表示とすることを変えていないこと，警告以前は同商章を使用しており，現在はただ無用の紛議を避けるため使用を控えていただけであることから，今後，同商章を使用するおそれがないとはいえない」と判示している（月桂樹事件）。

（注5）違反行為を防止する適切な措置の存在を認め「おそれ」を否定した裁判例として大阪地判平2・3・29判時1353号111頁，違反行為を中止してから相当の期間が経過していることを理由として「おそれ」を否定した裁判例として大阪地判平7・2・28判時1530号96頁がある。

ぎり「おそれ」が認められるとして差止を認めた裁判例が相当数存在する（東京地判昭47・1・31判タ276号356頁, 東京地判昭55・4・18判例秘書L03530376登載, 東京地判平13・4・24判時1755号43頁等）。一方, 福岡地判平26・12・10（消費者支援機構福岡HP, 金商1477号53頁＜参考収録＞, ウエストロー・ジャパン2014WLJPCA12106004）は, 契約書のひな型を改訂したことを理由として「おそれ」の存在を否定したものの, 事業者が, あえて老人福祉法29条6項に反する意思表示をするとは考えにくいとして, 当該事業者の行為を規制する他の法律が存在することも併せて指摘している。この判決の控訴審である福岡高判平27・7・28（消費者支援機構福岡HP, 金商1477号45頁, ウエストロー・ジャパン2015WLJPCA07286001）も, 同様に「おそれ」の存在を否定したが, 契約書のひな型を改訂したことに加えて, ひな型を改訂した時期以降に事業者が従前の契約条項を含む契約を締結した事実等が認められないことや, 事業者が従前の契約条項を使用する予定はないことを明らかにしていることも考慮している[6]。また, 最判平29・1・24（最高裁HP, 民集71巻1号1頁, ウエストロー・ジャパン2017WLJPCA01249001）は, 事業者が差止請求の対象となった表示の記載がないチラシを配布していることに加え, 今後も差止請求の対象となった表示のあるチラシの配布を一切行わないことを明言していることを踏まえて,「現に行い又は行うおそれがある」とはいえないと判示した。事業者が違法性を争っているにもかかわらず, 当該行為を中止したという事実や今後行わないと述べていることをもって,「おそれ」がないと認定されることとなれば, 事業者は容易に差止命令を回避することができ, 再び事業者が当該違法行為を行った場合に改めて差止請求を行わなければなくなるため, 違法行為を抑止し, 消費者被害を防止するという本制度の趣旨に反する結果となる。加えて, このような場合に差止命令がなされても, 実際に事業者が将来にわたっても当該違法行為を行わ

（注6）　なお, 福岡高判平27・7・28は, 事業者が将来にわたって当該契約条項を一切使用しないとすべき状況にはないとして違法性を争っていることは, 将来的かつ抽象的な使用の可能性をいうものに過ぎず, このような主張をしていることをのみをもって, 当該契約条項を含む意思表示を「現に行い又は行うおそれがある」と認めることはできないとした。

ないのであれば，何ら事業者にとって不都合はないはずである。過去に違法行為を行いながら違法性を争っている場合において「おそれ」を狭く解することは妥当ではないというべきである。

なお，EU 加盟国に対して消費者団体訴訟制度の導入等を義務付ける 2020 年 EU 指令（代表訴訟指令）は，適用範囲を定める 2 条 1 項において，代表訴訟が提起されるより前又は代表訴訟の結論が出される前に違法行為が行われなくなった場合でも差止措置を行うことができる旨を定め，前文 40 において，差止措置の具体例の 1 つとして，提訴前に違法行為が停止されたものの事後的措置を促進するためその行為が違法であると確認する必要がある場合における違法行為の宣言を挙げており[7]，「おそれ」要件の解釈にあたり参考になる。

(3) 請求権者

2 条 4 項で定義された適格消費者団体である。適格消費者団体以外の者は，本条の差止請求権を行使することはできない。適格消費者団体の要件等については，該当条文を参照されたい。

(4) 差止請求の相手方

差止請求の相手方は，不当勧誘行為を行っている（もしくはそのおそれのある）事業者，受託者等又は事業者の代理人若しくは受託者等の代理人である。

事業活動における勧誘行為については，契約当事者となる事業者が自らが行う場合もあるが，代理店等に契約締結の媒介を委託し，当該代理店が事業者のために勧誘行為を行う場合も多いことから，差止請求の相手方として，契約当事者となる事業者だけでなく当該事業者から委託を受けた受託者や委任を受けた代理人についても，同様に差止請求の相手方となりうることを規定したものである。

また，受託者からさらに委託を受けた者についても，同様に差止請求の相

(注7) 日本弁護士連合会消費者問題対策委員会・京都弁護士会消費者保護委員会「ベルギーの代表訴訟制度と EU の代表訴訟指令に関する調査報告書」（2021 年 2 月～3 月調査）39 頁。(https://www.nichibenren.or.jp/library/pdf/activity/human/consumer/202102-03_report.pdf)

手方となりうる。

(5) 認められる請求の内容

本条の差止請求権において，相手方となる事業者等に対して認められる請求の内容は，不当勧誘行為の停止もしくは予防又は不当勧誘行為に供した物の廃棄もしくは除去その他の不当勧誘行為の停止もしくは予防に必要な措置である。

「不当勧誘行為の停止若しくは予防」には，差止請求の対象となる不当勧誘行為の取りやめという不作為請求のほか，当該不当勧誘行為が再度行われないようにする措置を求めるといった作為請求も含まれる。

「不当勧誘行為に供した物の廃棄若しくは除去その他の不当勧誘行為の停止若しくは予防に必要な措置」とは，「不当勧誘行為の停止若しくは予防」に含まれないような積極的作為行為を指し，このような積極的作為行為であっても当該不当勧誘行為を停止又は予防するために必要なものであれば請求をなしうることを明記したものである。具体的には，勧誘マニュアルにおける不当勧誘行為に関する記述の削除もしくは破棄，不当勧誘行為に際して用いられた不当な勧誘文言が記載された広告やパンフレットの記述の削除もしくは破棄などが想定される。

このように，本条の差止請求権は単純な不作為請求だけでなく積極的作為請求をも含むものではあるが，さらに進んで，事業者等に対して是正すべき勧誘行為の内容を具体的に明示するような請求をなすことが認められうるかは1つの問題である。

具体的には，ある事業者が健康食品の販売を勧誘するに際し，実際には500 mg しかタウリンが含まれていないにもかかわらず，事業者が「タウリンが1,000 mg 含まれている」と説明している場合において，「当該健康食品にタウリンが1,000 mg 含まれているとするような説明をしてはならない」といった不作為請求（及び当該不作為を実現するために必要と考えられる作為請求）だけでなく，「消費者に対して当該食品のタウリン含有量を告げる場合には，500 mg 含まれている旨を告げなければならない」といった具体的な是正内容を明示し，これを実現するよう求める請求を行うことが可能かということである。

この積極的是正請求の可否の問題は，不当条項に対する差止請求においても同様に問題となりうるものではあるが，上記のとおり，本条の差止請求権が広く積極的作為請求を認めていることからすれば，「停止若しくは予防に必要な措置」として，基本的には可能と解すべきである[8]。

3　不当勧誘行為に対する是正措置等請求権

(1)　是正措置等請求権の意義

2において述べた不当勧誘行為に対する差止請求権は，不当勧誘行為を現に行い又はそのおそれがある事業者やその受託者等がある場合において，当該不当勧誘行為を行っている（又はそのおそれのある）事業者や受託者等に対して，直接，当該不当勧誘行為を取りやめるよう求めるものである。

したがって，ある事業者が複数の受託者等を利用して営業活動を行っており，その受託者等のいずれもが共通の不当勧誘行為を行っているような場合であっても，各々の受託者等に対して，個別に差止請求権を行使する必要がある。

しかしながら，このような複数の受託者等が共通の不当勧誘行為を行っているケースにおいては，当該事業者から受託者等に対して，勧誘マニュアル等の文書が配布されており，受託者等はこの事業者からの指示に従って勧誘行為を行っているようなことが多い。このようなケースにおいては，個別の受託者等に対して差止請求権を各々行使していくよりも，勧誘マニュアル等を作成している事業者に対して，受託者等への適切な措置を請求した方が実効的であるし，訴訟経済上も適当である。

本条の是正措置等請求権は，このような観点から規定されたものと考えられる。

(2)　是正措置等請求の相手方

受託者等に対して委託ないし委任を行っている事業者（受託者等がさらに再委託ないし再委任を行っている場合には，その再委託ないし再委任を行ってい

（注8）　不当条項に対する差止請求における積極的是正請求の可否の議論につき後掲（注19）参照。

る受託者等）である。

(3) 認められる請求の内容

　本条の是正措置請求権により認められる請求の内容は，委託ないし委任先である受託者等に対する是正の指示又は教唆の停止その他の当該行為の停止又は予防に必要な措置である。

　「是正の指示又は教唆の停止」とは，事業者等が委託ないし委任先に対して不当な勧誘行為を取りやめるよう指示することや，不当な勧誘行為を行うよう指導等をしていたような場合においては当該指導等を取りやめることを指す。具体的には，委託先に対して不当勧誘行為の中止を求める通知を求めることや，不当な勧誘行為を助長するような勧誘マニュアル等の記載があるような場合には，当該マニュアル等の記載の削除を求めることなどが考えられよう。

　「その他の当該行為の停止又は予防に必要な措置」とは，「是正の指示又は教唆の停止」に含まれないような積極的作為行為を指し，このような積極的作為行為であっても当該不当勧誘行為を停止又は予防するために必要なものであれば請求をなしうることを明記したものである。具体的には，問題のあるマニュアルの記載を修正した新しいマニュアルを委託先等に配布することなどが想定されるであろう。

　なお，「是正」の具体的内容として，事業者等に対して是正すべき勧誘行為の内容を具体的に明示する請求が可能かどうかについては，前記2(5)参照。

● 12条3項・4項　（不当契約条項に対する差止請求）

1　趣　旨

　本条3項及び4項は，不当な契約条項に対する適格消費者団体の差止請求権を規定する。3項は，不当な契約条項を実際に使用しているもしくはそのおそれがある事業者やその代理人に対する差止請求権を規定する一方，4項は，事業者が委任をしている代理人が不当な契約条項を実際に使用しているもしくはそのおそれがある場合において，これらの代理人等を利用している

事業者等に対して是正措置等を請求できることを規定している。

以下，本稿においても，3項による請求権を差止請求権，4項による請求権を是正措置等請求権と表記する。

2 不当契約条項に対する差止請求権

(1) 差止請求の対象となる不当契約条項

本条3項による差止請求の対象となる不当契約条項は，「第8条から第10条までに規定する消費者契約の条項」である。具体的には，いわゆる「事業者の損害賠償責任を免除する条項（8条）」「消費者の解除権放棄条項等（8条の2）」「消費者の後見等の開始による事業者の解除権付与条項（8条の3）」「消費者が支払う損害賠償の額を予定する条項（9条1項）」「消費者の利益を一方的に害する条項（10条）」の5つの類型の不当契約条項である[9]。

なお，上記5類型の不当契約条項に該当しても，「民法及び商法以外の他の法律の規定によれば当該消費者契約の条項が無効とされない」ような場合には，差止請求権を行使できない。例えば，事業者が貸主，消費者が借主となる金銭消費貸借契約において遅延損害金につき年20パーセントとする約定があった場合，9条1項2号の規定には該当するが，利息制限法により当該約定は無効とはならないから，当該約定に対して差止請求権を行使することはできないことになる。

もっとも，実体法レベルにおける法律適用の優先関係を規定する法11条2項とは異なり[10]，本条は「他の法律に別段の定め」がある場合において本法の適用を排除する趣旨ではないから，ある契約条項の効力につき「他の法律に別段の定め」がある場合であっても，当該「他の法律」によっても無効となりうる場合においては，差止請求権を行使することが可能である[11]。前記の例でいえば，遅延損害金の約定が年40パーセントであったような場合には，利息制限法によっても当該約定は無効となるから，当該約定に対し

（注9）　各不当契約条項類型の具体的説明は，各条文の解説を参照されたい。
（注10）　11条の趣旨については，本書11条の解説参照。
（注11）　同旨，消費者庁解説260頁（注）。

て差止請求権を行使しうることになる。

　また，上記5類型の不当契約条項の中には，該当する契約条項を常にすべて無効とするのではなく，具体的なケースによって有効・無効の判断が分かれうるもの（8条1項2号・4号）や，該当する契約条項の一部についてのみ無効とされるケースもある。このようないわゆる「一部無効」の契約条項が差止請求の対象となりうるかについては，議論があり得る。また，このような「一部無効」条項が差止請求の対象となりうるとしても，どのような請求を認めるべきかについても，積極的作為請求の可否と絡んで議論がありうる。

　結論としては，本条の文言上，このような「一部無効」条項を特段除外する趣旨とは考えられないし，立法時の議論をふまえても[12]，「一部無効」条項であっても差止対象となるものと解すべきである。

　どのような請求を認めるべきかについては，後記（5）を参照されたい。

(2) 差止請求権を行使しうる場合

　事業者等が，消費者契約を締結するに際し，不特定かつ多数の消費者との間で不当契約条項を含む消費者契約の申込み又はその承諾の意思表示を現に行い又は行うおそれがあるときに，適格消費者団体は差止請求権を行使することができる。

(i) 「不特定かつ多数の消費者」の意義

　適格消費者団体が差止請求権を行使しうるためには，事業者等が，「不特定かつ多数の消費者」に対して，不当契約条項を含む消費者契約の申込み又はその承諾の意思表示を現に行い又は行うおそれがあることが必要である。

　このように差止請求権の行使要件として，「不特定かつ多数の消費者」に対する不当契約条項を含む消費者契約の申込み等の存在が求められている趣旨は，不当勧誘行為に対する差止請求権と同じである。したがって，この要件の具体的な適用にあたっても，基本的には，不当勧誘行為に対する差止請求権と同様に考えることができる。

（注12）　国民生活審議会消費者政策部会消費者団体訴訟制度検討委員会「消費者団体訴訟制度の在り方について」（平成17年6月23日）7頁。

例えば，ある家主が経営するアパートの賃貸借契約において使用されている契約書に不当契約条項が含まれている場合において，当該アパートが数戸程度の規模しかなかったとしても，当該アパートに将来入居する可能性のある消費者は「不特定かつ多数」存在すると考えることができるから，基本的には，当該家主に対する差止請求権の行使が認められると解される。

したがって，この要件のために差止請求権の行使が認められないという事例は，特定の消費者に対してだけ付加された特約条項に不当契約条項が含まれていたようなケースなど，ごく限られたものになると考えられる。

(ii) 不当契約条項を含む「消費者契約の申込み又はその承諾の意思表示を現に行い又は行うおそれ」の意義

本条の不当契約条項に対する差止請求権は，事業者による不当契約条項のいわゆる「使用」を差し止めて，消費者被害の発生及び拡散を防止しようとするものである。しかしながら，「契約条項の使用」という概念は抽象的なものであり，どのような事業者の行為をもって契約条項を「使用」したと評価できるのかについては，必ずしも「使用」という言葉から一義的に定まるものではない。

本条においては，差止めの対象となる行為を明確化する観点から，事業者による不当契約条項を含む消費者契約の申込み等の「意思表示」を差止めの対象として明示したものと考えられる。「意思表示」を行う時が，消費者に対する被害の危険が明確な形で発露した場面であり，差止めの対象として適当というのが，立案担当者の考えのようである[13]。

比較法的に見れば，不当契約条項に対する差止請求において，「意思表示」を差止めの対象とする手法はあまり見られない。例えば，ドイツ，オランダ，イギリス法は，「条項の使用」に対する差止請求権を規定し[14]，フランス法は契約条項の削除請求を規定する[15]。ドイツ法によれば，「使用」の概

(注13) 三木浩一ほか「座談会・消費者団体訴訟制度をめぐって」ジュリ1320号2頁における加納克利発言（26頁以下），消費者庁解説259頁。

(注14) ドイツ差止訴訟法1条，オランダ民法第6編241条3項，イギリス不公正条項規則12条。

(注15) フランス消費法典 L. 421-2, 421-3条。

念には，契約の締結行為だけでなく準備行為も含まれうるとされており[16]，この点で，差止めの対象を「意思表示」とする本条は，かなり限定的といえる。

しかしながら，本条においては，現に意思表示がなされておらず，意思表示の「おそれ」があるにすぎない場合であっても，差止請求権の行使を認める。「おそれ」がある場合においても差止請求権の行使が認められた趣旨及びその解釈は，不当勧誘行為に対する差止請求権と基本的に同様である。

したがって，具体的な契約締結行為がなされた事実が未だ認められなくとも，事業者が不当契約条項を含む約款を印刷しているなど，契約締結に至る「おそれ」が認められれば，差止請求権の行使が可能となる。また，事業者に対して認められる請求の内容として，後記 (5) のとおり，単なる不作為請求だけでなく，不作為を実現するにあたって必要と認められる積極的作為請求も可能であるから，いわゆる準備行為の大半については，その中止を求めることが可能と考えられる。結果として，実際上の適用にあたっては，諸外国の規定と比較してそれほど大きな差異は生じないであろう。

また，不当契約条項の差止請求における「おそれ」の有無の判断は，不当勧誘行為とは異なって，差止めの対象となる「意思表示」という行為が契約書等の書面に顕出されるため，比較的明確になし得るものと考えられる。

基本的には，事業者により印刷された契約書を用いて不当契約条項を含む消費者契約の締結がなされた事実があれば，不当契約条項を削除した新しい契約書の使用を開始していたとしても，それだけで「おそれ」の存在が否定されるわけではないというべきである。「おそれ」がないといえるためには，事業者がその行為の違法性を表明したうえで再発防止策を講じていることが求められるというべきである。

この点に関する裁判例については，不当勧誘行為を「現に行い又は行うおそれ」の意義の項を参照されたい。

(3) 請求権者

法2条4項で定義された適格消費者団体である。適格消費者団体以外の者

(注16) 石田喜久夫編『注釈ドイツ約款規制法〔改訂普及版〕』281頁（同文舘出版，1999）。

は，本条の差止請求権を行使することはできない。適格消費者団体の要件等については，該当条文を参照されたい。

(4) 差止請求の相手方

差止請求の相手方は，不当契約条項を含む消費者契約の申込み等を行っている（もしくはそのおそれのある）事業者またはその代理人である。

申込み等の意思表示は，契約当事者となる事業者本人かその委任を受けた代理人しかなしえないから，不当勧誘行為に対する差止請求権とは異なり，受託者は除外されている。したがって，契約締結の媒介のみを行うようないわゆる代理店に対しては，差止請求権を行使することはできない。

(5) 認められる請求の内容

本項の差止請求権において，相手方となる事業者等に対して認められる請求の内容は，不当契約条項を含む消費者契約の申込み等の停止もしくは予防又は当該行為に供した物の廃棄もしくは除去その他の当該行為の停止もしくは予防に必要な措置である。

「不当契約条項を含む消費者契約の申込み等の停止若しくは予防」には，差止請求の対象となる不当契約条項を含む消費者契約の申込み等の取りやめ，すなわち契約を締結しないよう求める不作為請求のほか，不当契約条項を含む消費者契約の申込み等が再度行われないようにする措置を求めるといった作為請求も含まれる。

「当該行為に供した物の廃棄若しくは除去その他の当該行為の停止若しくは予防に必要な措置」とは，「不当契約条項を含む消費者契約の申込み等の停止若しくは予防」に含まれないような積極的作為行為を指し，このような積極的作為行為であっても当該不当契約条項を含む消費者契約の申込み等の行為を停止又は予防するために必要なものであれば請求をなしうることを明記したものである。具体的には，不当契約条項が記載された契約書の破棄，印刷の中止などが想定される。また，差止請求権を直接行使できないような代理店に対する周知徹底を求めることや契約書の回収なども可能であろう。なお，適格消費者団体が，「停止若しくは予防に必要な措置」として，差止対象とする不当な条項を含む意思表示を行うための事務を行わないよう指示することを事業者に命ずることを請求したのに対し，事業者がどのような措

置をとれば義務を履行したことになるのか明らかではなく，強制執行にも困難が生じることから，差止命令とは別に，その命令の実現過程に介入して，事業者に対して，別途義務を課すことができる行為は，不当行為の停止又は予防の実効性を確保するために必要な具体的に特定された措置に限られるとして，訴えを却下した裁判例がある[17]。

なお，不当勧誘行為に対する差止請求権でも指摘したように，さらに進んで，事業者等に対して是正すべき契約条項の内容を具体的に明示するような請求をなすことが認められうるかは1つの問題である。特に，いわゆる「一部無効」条項に対する差止請求を行うような場合において，問題となる。

具体的には，ある事業者が，「消費者が代金の支払を遅延した場合には，年30パーセントの割合による損害金を支払わなければならない」とする条項を含む約款を使用している場合において[18]，「年30パーセントの割合による損害金を支払わなければならないとする契約条項を含む消費者契約の申込みまたはその承諾の意思表示を行ってはならない。」といった不作為請求（及び当該不作為を実現するために必要と考えられる作為請求）だけでなく，「年14.6パーセントをこえる損害金の支払を請求する内容の条項を含む消費者契約の申込みまたはその承諾の意思表示を行ってはならない」といった具体的な是正内容を明示し，これを実現するよう求める請求を行うことが可能かということである。

この積極的是正請求の可否については，不当勧誘行為に対する差止請求でも指摘したとおり本条の差止請求権が広く積極的作為請求を認めていることからすれば，「停止若しくは予防に必要な措置」として，可能と解すべきである[19]。実際，法9条1項1号の平均的損害を超える違約金等を定める条

（注17）　京都地判平21・1・28平成20年（ワ）第2498号（京都消費者契約ネットワークHP）。

（注18）　このような条項は，実体法上は年14.6パーセントを超える部分のみ無効とされうる（法9条1項2号）。

（注19）　三木浩一「訴訟法の観点から見た消費者団体訴訟制度」ジュリ1320号61頁，大高友一「消費者団体訴訟制度における法律実務家の役割とその留意点」ジュリ1320号88頁。これに反対するものとして，三木ほか・前掲（注13）2頁における山本豊発言（25頁以下）。

項についての差止請求訴訟においては，裁判所が平均的損害の額を認定した上で当該平均的損害の額を超える違約金等を定める条項の使用差止を命じた裁判例が多数存在している[20]。

3 不当契約条項に対する是正措置等請求権

(1) 是正措置等請求権の意義

本項の是正措置等請求権についても，その趣旨は不当勧誘行為に対する是正措置等請求権と同様であり，ある事業者が複数の代理人を利用して営業活動を行っており，その代理人らが共通の契約書を用いて契約締結を行っているような場合であっても，各々の代理人に対して，個別に差止請求権を行使する必要があるところ，このようなケースにおいては，個別の代理人らに対して差止請求権を各々行使していくよりも，事業者に対して，代理人への適切な措置を請求した方が実効的であるし，訴訟経済上も適当である。

本条の是正措置等請求権は，このような観点から規定されたものと考えられる。

もっとも，不当勧誘行為に対する是正措置等請求権とは異なり，受託者に対する是正措置請求は本項に含まれないため（前記のとおり，差止請求権における「停止若しくは予防に必要な措置」として請求することになる），本項に基づく請求はそれほど活用の余地がないと思われる。

（注20） 京都地判平23・12・13（最高裁HP，金判1387号48頁，判時2140号42頁，ウエストロー・ジャパン2011WLJPCA12136001），福岡地判平26・11・19（消費者支援機構福岡HP，判時2299号113頁，ウエストロー・ジャパン2014WLJPCA11196007），福岡高判令2・5・27（消費者法ニュース126号144頁，消費者庁HP），東京地判令3・6・10（消費機構日本HP，判時2513号24頁，判タ1503号154頁，ウエストロー・ジャパン2021WLJPCA06108001），東京高判令5・4・18（消費者機構日本HP）。なお，京都地裁平24・7・19（京都消費者契約ネットワークHP，判タ1388号343頁，判時2158号95頁，金判1402号31頁，ウエストロー・ジャパン2012WLJPCA07196003）は，差止めの対象は現に使用する条項を含む意思表示であって，今後新たに解約時期等による区分がある解約金条項を使用することを想定して，一部無効となる範囲を明示した意思表示の差止めを求めることはできないと解するとしたが，消費者被害の予防を目的とする差止請求訴訟の趣旨及び訴訟経済の観点から妥当ではない。

(2) 是正措置等請求の相手方

当該代理人を自己の代理人とする事業者又は他の代理人である。

(3) 認められる請求の内容

本項の是正措置請求権により認められる請求の内容は，委任先である代理人に対する是正の指示又は教唆の停止その他の当該行為の停止又は予防に必要な措置である。

「是正の指示又は教唆の停止」とは，事業者等が委任先に対して不当契約条項を含む消費者契約の申込み等を取りやめるよう指示することや，不当契約条項を含む消費者契約の申込み等を行うよう指導等をしていたような場合においては当該指導等を取りやめることを指す。具体的には，委任先に対して不当契約条項を含む契約書を使用した契約締結の中止を求める通知をなすよう求めることなどが考えられよう。

「その他の当該行為の停止又は予防に必要な措置」とは，「是正の指示又は教唆の停止」に含まれないような積極的作為行為を指し，このような積極的作為行為であっても当該不当契約条項の使用行為を停止又は予防するために必要なものであれば請求をなしうることを明記したものである。具体的には，不当契約条項を修正した新しい契約書を委任先に配布することなどが想定されるであろう。

なお，「是正」の具体的内容として，事業者等に対して是正すべき契約条項の内容を具体的に明示する請求が可能かどうかについては，前記2(5)参照。

第2 特定商取引法差止請求権

I 特定商取引法58条の18（訪問販売に係る差止請求権）

1 概要

本条は，1項で，訪問販売において不当な勧誘行為等を実際に行っている又はそのおそれがある販売業者，役務提供事業者に対する差止請求権を，2項で，訪問販売において不当な特約を実際に使用している又はそのおそれがある販売業者，役務提供事業者に対する差止請求権を規定する。

2 差止請求の対象となる行為

(1) 本条1項による差止請求の対象となる不当勧誘行為は，いわゆる不実告知，故意の事実不告知，威迫困惑の3つの類型の行為であり，より具体的には次のとおりとなる。

(i) 売買契約・役務提供契約（以下，この2つを合わせて「売買契約等」という。）の締結について勧誘をするに際して，又は売買契約等の申込みの撤回や解除を妨げるため，次の事項について不実のことを告げる行為（1項1号）

① 商品の種類及び性能・品質（1項1号イ）
② 権利・役務の種類及び内容（1項1号イ）
③ 商品・権利の販売価格，役務の対価（1項1号ロ→6条1項2号）
④ 商品・権利の代金の支払の時期及び方法，役務の対価の支払の時期及び方法（1項1号ロ→6条1項3号）
⑤ 商品の引渡時期，権利の移転時期，役務の提供時期（1項1号ロ→6条1項4号）
⑥ 売買契約等の申込みの撤回又は売買契約等の解除に関する事項（1項1号ロ→6条1項5号）。具体的には，9条に規定するクーリング・オフなど，申込みの撤回や契約の解除ができる場合（26条によりクーリング・オフが適用除外となる場合に関する事項も含む）及び解除を行ったときの損害賠償や違約金の定めに関する事項である。
⑦ 顧客が売買契約等の締結を必要とする事情に関する事項（1項1号ハ→6条1項6号）
⑧ ①～⑦に掲げるもののほか，売買契約等に関する事項で，顧客等の判断に影響を及ぼすこととなる重要なもの（1項1号ハ→6条1項7号）

(ii) 売買契約等の締結について勧誘をするに際し，(i)①～⑥に掲げる事項

につき，故意に事実を告げない行為（1項2号）

「故意に事実を告げない」とは，不利益となる事実が存在することを勧誘者が知りながら告知しないことを言う。消費者契約法4条2項の不利益事実の不告知と異なり，消費者の利益となる旨を告げることは不要である。

(iii) 売買契約等を締結させ，又は売買契約等の申込みの撤回・解除を妨げるため，威迫して困惑させる行為（1項3号）

「威迫して困惑させる」とは，脅迫に至らない程度の人に不安感を与える行為により，戸惑わせることをいう。

(2) 本条2項により差止請求の対象となる不当な特約の使用行為は，次の特約を含む売買契約等の申込み又はその承諾の意思表示である。

(i) 9条に規定するクーリング・オフの要件や効果に反する特約で申込者等に不利なもの，又は9条の2に規定する過量販売解除権の効果に反する特約で申込者等に不利なもの（2項1号→9条8項，9条の2第3項→9条の2第1項，第2項）

(ii) 訪問販売における契約の解除等に伴う損害賠償等の額の制限に反する特約（2項2号→10条）

3　差止請求の相手方

差止請求の相手方は，不当勧誘行為や不当な特約の使用を行っている，又は行うおそれのある販売業者または役務提供事業者である。

販売業者または役務提供事業者とは，販売または役務の提供を業として営む者のことであるが，「契約を締結し物品や役務を提供する者」と「訪問して契約の締結について勧誘する者」など，一定の仕組みの上での複数の者による勧誘・販売等であっても，総合してみれば1つの訪問販売を形成していると認められるような場合には，これらの複数の者はいずれも販売業者又は役務提供事業者に該当する（平成20年12月1日付経済産業省大臣官房商務流通審議官発各経済産業局長及び内閣府沖縄総合事務局長あて「特定商取引に関する法律等の施行について」）。

4　適用除外（特定商取引法58条の25）

本条は，特定商取引法26条1項・6項の定める場合には適用されない（1号，2号）。また，本条2項2号の訪問販売における契約の解除等に伴う損害賠償等の額の制限に反する特約の差止めは，同法26条8項の定める場合（割賦販売で訪問販売に該当するもの）には適用されない（4号）。

Ⅱ 特定商取引法58条の19（通信販売に係る差止請求権）

1 概　要

本条は，通信販売に関し，広告等において不当な表示や解除に関する事項について不実告知を実際に行っている又はそのおそれがある販売業者，役務提供事業者に対する差止請求権を規定する。

2 差止請求の対象となる行為

通信販売をする場合における不特定かつ多数の者に対する次の行為

(1) 商品もしくは特定権利の販売条件又は役務の提供条件について広告をするに際し，著しく事実に相違する表示をし，又は実際のものよりも著しく優良・有利であると誤認させるような表示をする行為（1号）
① 商品の性能，権利・役務の内容
② 商品・権利の売買契約や役務提供契約の申込みの撤回・解除に関する事項（特商法15条の3第1項ただし書のいわゆる返品条件表示ルールについての特約がある場合には，その内容を含む。）

(2) 特定申込み（特商法12条の6）に係る書面又は手続が表示される画面に，特商法12条の6第1項各号の事項を表示しない行為又は不実の表示をする行為（2号）

(3) 特定申込み（特商法12条の6）に係る書面又は手続が表示される画面に，次の事項について，誤認させるような表示をする行為（3号）
① 申込書面の送付又は手続に従った情報の送信が通信販売に係る売買契約又は役務提供契約の申込みとなること。
② 特商法12条の6第1項各号に掲げる事項

(4) 売買契約又は役務提供契約の申込みの撤回又は解除を妨げるため，申込みの撤回・解除に関する事項（特商法15条の3の規定に関する事項を含む。）又は顧客が契約の締結を必要とする事情についての不実告知（4号）

3 適用除外（特定商取引法58条の25）

本条は，特定商取引法26条1項の定める場合には適用されない（1号）。

Ⅲ 特定商取引法58条の20（電話勧誘販売に係る差止請求権）

1 概　要

本条は，1項で，電話勧誘販売において不当な勧誘行為等を実際に行っている又はそのおそれがある販売業者，役務提供事業者に対する差止請求権を，2項で，電話勧誘販売において不当な特約を実際に使用している又はそのおそれがある販売業者，役務提供事業者に対する差止請求権を規定する。

2 差止請求の対象となる行為

(1) 本条における差止めの対象となる行為は，基本的に訪問販売の場合と同様であり，具体的には(2)以下のとおりである。

(2) 売買契約等の締結について勧誘をするに際して，又は売買契約等の申込みの撤回や解除を妨げるため，次の事項について不実のことを告げる行為（1項1号）

① 商品の種類及び性能・品質（1項1号イ）
② 権利・役務の種類及び内容（1項1号イ）
③ 商品・権利の販売価格，役務の対価（1項1号ロ→21条1項2号）
④ 商品・権利の代金の支払の時期及び方法，役務の対価の支払の時期及び方法（1項1号ロ→21条1項3号）
⑤ 商品の引渡時期，権利の移転時期，役務の提供時期（1項1号ロ→21条1項4号）
⑥ 売買契約等の申込みの撤回又は売買契約等の解除に関する事項（1項

1号ロ→21条1項5号)。具体的には，24条に規定するクーリング・オフなど，申込みの撤回や契約の解除ができる場合（26条によりクーリング・オフが適用除外となる場合に関する事項も含む）及び解除を行ったときの損害賠償や違約金の定めに関する事項である。
　⑦　顧客が売買契約等の締結を必要とする事情に関する事項（1項1号ハ→21条1項6号）
　⑧　①〜⑦に掲げるもののほか，売買契約等に関する事項で，顧客等の判断に影響を及ぼすこととなる重要なもの（1項1号ハ→21条1項7号）
　(3)　売買契約等の締結について勧誘をするに際し，(2)①〜⑥に掲げる事項につき，故意に事実を告げない行為（1項2号）
　(4)　売買契約等を締結させ，又は売買契約等の申込みの撤回・解除を妨げるため，威迫して困惑させる行為（1項3号）
　(5)　売買契約等を締結するに際し，不特定かつ多数の者との間で次に掲げる特約を含む売買契約等の申込み又はその承諾の意思表示（2項）
　①　24条に規定するクーリング・オフの要件や効果に反する特約で申込者等に不利なもの（2項1号→24条8項→24条1項〜7項）
　②　電話勧誘販売における契約の解除等に伴う損害賠償等の額の制限に反する特約（2項2号→25条）

3　適用除外（特定商取引法58条の25）

　本条は，特定商取引法26条1項・7項の定める場合には適用されない（1号，3号）。また，本条2項2号の電話勧誘販売における契約の解除等に伴う損害賠償等の額の制限に反する特約の差止めは，同法26条8項の定める場合（割賦販売で電話勧誘販売に該当するもの）には適用されない（4号）。

Ⅳ　特定商取引法58条の21（連鎖販売取引に係る差止請求権）

1　概　要

　本条は，1項で，連鎖販売取引において不当な勧誘行為等を実際に行って

いる又はそのおそれがある統括者，勧誘者，一般連鎖販売業者に対する差止請求権を，2項で，勧誘者が不当勧誘行為等を行い又は行うおそれがあるときの，その統括者に対する差止請求権を，3項で，連鎖販売取引において不当な特約を実際に使用している又はそのおそれがある統括者，勧誘者，一般連鎖販売業者に対する差止請求権を規定する。

2　差止請求の対象となる行為

(1)　統括者又は勧誘者が，その統括者の統括する一連の連鎖販売業に係る連鎖販売取引についての契約（商品の販売や役務の提供を店舗等によらないで行う個人との契約に限る。）の締結について勧誘をするに際し，又はその連鎖販売業に係る連鎖販売取引についての契約の解除を妨げるため，次に掲げる事項につき，故意に事実を告げず，又は不実のことを告げる行為（1項1号）

① 　商品の種類及び性能・品質（1項1号イ）
② 　権利・役務の種類及び内容（1項1号イ）
③ 　特定負担に関する事項（1項1号ロ→34条1項2号）
④ 　契約の解除に関する事項（1項1号ロ→34条1項3号）

具体的には，40条に規定するクーリング・オフ，40条の2に規定する連鎖販売契約の中途解約やそれに伴う商品販売契約の解除など，契約の解除ができる場合およびそのときの損害賠償や違約金の定めに関する事項である。

⑤ 　特定利益に関する事項（1項1号ロ→34条1項4号）
⑥ 　①〜⑤に掲げるもののほか，連鎖販売業に関する事項で，連鎖販売取引の相手方の判断に影響を及ぼすこととなる重要なもの（1項1号ロ→34条1項5号）

勧誘者が，不特定かつ多数の者に対して，上記行為を現に行い又は行うおそれがあるときは，その統括者に対し，当該行為の停止もしくは予防又は当該行為に供した物の廃棄もしくは除去その他の当該行為の停止もしくは予防に必要な措置をとることを請求することができる（2項）。

(2)　一般連鎖販売業者が，その統括者の統括する一連の連鎖販売業に係る連鎖販売取引についての契約（商品の販売や役務の提供を店舗等によらない

で行う個人との契約に限る。）の締結について勧誘をするに際し，又はその連鎖販売業に係る連鎖販売取引についての契約の解除を妨げるため，(1)①～⑥に掲げる事項につき，不実のことを告げる行為（1項2号）

(3) 統括者，勧誘者又は一般連鎖販売業者が，その統括者の統括する一連の連鎖販売業に係る連鎖販売取引についての契約（商品の販売や役務の提供を店舗等によらないで行う個人との契約に限る。）を締結させ，又はその連鎖販売業に係る連鎖販売取引についての契約の解除を妨げるため，威迫して困惑させる行為（1項3号）

勧誘者が，不特定かつ多数の者に対して，この行為を現に行い又は行うおそれがあるときは，その統括者に対し，当該行為の停止若しくは予防又は当該行為に供した物の廃棄若しくは除去その他の当該行為の停止若しくは予防に必要な措置をとることを請求することができる（2項）。

(4) 統括者，勧誘者又は一般連鎖販売業者が，その統括者の統括する一連の連鎖販売業に係る連鎖販売取引について広告をするに際し，商品の性能・品質，権利・役務の内容，特定負担，特定利益について，著しく事実に相違する表示をし，又は実際のものよりも著しく優良・有利であると誤認させるような表示をする行為（1項4号）

勧誘者が，不特定かつ多数の者に対して，この行為を現に行い又は行うおそれがあるときは，その統括者に対し，当該行為の停止若しくは予防又は当該行為に供した物の廃棄若しくは除去その他の当該行為の停止若しくは予防に必要な措置をとることを請求することができる（2項）。

(5) 統括者，勧誘者又は一般連鎖販売業者が，その統括者の統括する一連の連鎖販売業に係る連鎖販売取引につき利益を生ずることが確実であると誤解させるべき断定的判断を提供して勧誘をする行為（1項5号）

勧誘者が，不特定かつ多数の者に対して，この行為を現に行い又は行うおそれがあるときは，その統括者に対し，当該行為の停止若しくは予防又は当該行為に供した物の廃棄若しくは除去その他の当該行為の停止若しくは予防に必要な措置をとることを請求することができる（2項）。

(6) 統括者，勧誘者又は一般連鎖販売業者が，その連鎖販売業に係る連鎖販売取引についての契約（商品の販売や役務の提供を店舗等によらないで行

う個人との契約に限る。）を締結するに際し，不特定かつ多数の者との間で次に掲げる特約を含む連鎖販売業に係る連鎖販売取引についての契約の申込み又はその承諾の意思表示（3項）

① 40条に規定するクーリング・オフの要件や効果に反する特約で連鎖販売加入者に不利なもの（3項1号→40条4項）
② 40条の2に規定する連鎖販売契約の中途解約やそれに伴う商品販売契約の解除の要件や効果に反する特約で連鎖販売加入者に不利なもの（3項2号→40条の2第6項）

3 適用除外（特定商取引法58条の25）

本条3項2号の連鎖販売契約の中途解約やそれに伴う商品販売契約の解除がされたときの損害賠償等の額の制限に反する特約（特商法40条の2第3項，同4項に反する特約）の差止めは，特商法40条の2第7項が定める場合（連鎖販売業に係る商品又は役務を割賦販売により販売し又は提供するもの）には適用されない（5号）。

V 特定商取引法58条の22（特定継続的役務提供に係る差止請求権）

1 概　要

本条は，1項で，特定継続的役務提供契約，特定権利販売契約（以下，「特定継続的役務提供等契約」という。）において不当な勧誘行為等を実際に行っている又はそのおそれがある役務提供事業者，販売業者に対する差止請求権を，2項で，特定継続的役務提供等契約において不当な特約を実際に使用している又はそのおそれがある役務提供事業者，販売業者，関連商品の販売を行う者に対する差止請求権を規定する。

2 差止請求の対象となる行為

(1) 特定継続的役務の提供条件又は特定継続的役務の提供を受ける権利

の販売条件について広告をするに際し，役務の内容又は効果について，著しく事実に相違する表示をし，又は実際のものよりも著しく優良・有利であると誤認させるような表示をする行為（1項1号）

(2) 特定継続的役務提供等契約の締結について勧誘をするに際し，又は特定継続的役務提供等契約の解除を妨げるため，次に掲げる事項につき，不実のことを告げる行為（1項2号）

① 役務の種類及び内容・効果（1項2号イ）
② 役務の提供を受ける権利の種類及び内容，当該権利に係る役務の効果（1項2号イ）
③ 役務の提供に際し購入する必要のある商品がある場合には，その商品の種類及び性能・品質（1項2号ロ）
④ 役務の対価，権利の販売価格その他の支払わなければならない金銭の額（1項2号ハ→44条1項3号）
⑤ ④の金銭の支払時期及び方法（1項2号ハ→44条1項4号）
⑥ 役務の提供期間（1項2号ハ→44条1項5号）
⑦ 契約の解除に関する事項（1項2号ハ→44条1項6号）

具体的には，48条に規定するクーリング・オフ，49条に規定する特定継続的役務提供等契約の中途解約やそれに伴う関連商品販売契約の解除など，契約の解除ができる場合およびそのときの損害賠償や違約金の定めに関する事項である。

⑧ 顧客が特定継続的役務提供等契約の締結を必要とする事情に関する事項（1項2号ニ→44条1項7号）
⑨ ①〜⑧に掲げるもののほか，特定継続的役務提供等契約に関する事項で，顧客の判断に影響を及ぼすこととなる重要なもの（1項2号ニ→44条1項8号）

(3) 特定継続的役務提供等契約の締結について勧誘をするに際し，(2)①〜⑦に掲げる事項につき，故意に事実を告げない行為（1項3号）

(4) 特定継続的役務提供等契約を締結させ，又は特定継続的役務提供等契約の解除を妨げるため，威迫して困惑させる行為（1項4号）

(5) 役務提供事業者，販売業者又は関連商品の販売を行う者が，特定継

続的役務提供等契約又は関連商品販売契約を締結するに際し，不特定かつ多数の者との間で次に掲げる特約を含む特定継続的役務提供等契約の申込み又はその承諾の意思表示（2項）

① 48条に規定するクーリング・オフの要件や効果に反する特約で特定継続的役務提供受領者等に不利なもの（2項1号→48条8項）
② 49条に規定する特定継続的役務提供等契約の中途解約やそれに伴う関連商品販売契約の解除の要件や効果に反する特約で，特定継続的役務提供受領者等に不利なもの（2項2号→49条7項）
③ 49条の2に規定する特定継続的役務提供等契約の不実告知・事実不告知による取消に伴う関連商品販売契約の解除の要件や効果に反する特約で，特定継続的役務提供受領者等に不利なもの（2項2号→49条の2第3項→49条5項～7項）

3 適用除外（特定商取引法58条の25）

本条は，特定商取引法50条1項の定める場合には適用されない（6号）。また，本条2項2号の定める，特定継続的役務提供等契約の中途解約やそれに伴う関連商品販売契約の解除，及び特定継続的役務提供等契約の不実告知・事実不告知による取消に伴う関連商品販売契約の解除がなされたときの損害賠償等の額の制限に反する特約の差止めは，特定商取引法50条2項が定める場合（特定継続的役務又は関連商品を割賦販売により提供し又は販売するもの）には適用されない（7号）。

VI 特定商取引法58条の23（業務提供誘引販売取引に係る差止請求権）

1 概　要

本条は，1項で，業務提供誘引販売取引において不当な勧誘行為等を実際に行っている又はそのおそれがある業務提供誘引販売業を行う者に対する差止請求権を，2項で，業務提供誘引販売取引において不当な特約を実際に使用している又はそのおそれがある業務提供誘引販売業を行う者に対する差止

請求権を規定する。

2 差止請求の対象となる行為

(1) 業務提供誘引販売業に係る業務提供誘引販売取引についての契約（提供される業務を事業所等によらないで行う個人との契約に限る。）の締結について勧誘をするに際し，又はその業務提供誘引販売業に係る業務提供誘引販売取引についての契約の解除を妨げるため，次に掲げる事項につき，故意に事実を告げず，又は不実のことを告げる行為（1項）

① 商品の種類及び性能・品質（1項1号イ）
② 権利・役務の種類及び内容（1項1号イ）
③ 特定負担に関する事項（1項1号ロ→52条1項2号）
④ 契約の解除に関する事項（1項1号ロ→52条1項3号）。

具体的には，58条に規定するクーリング・オフなど，契約の解除ができる場合及びそのときの損害賠償や違約金の定めに関する事項である。

⑤ 業務提供利益に関する事項（1項1号ロ→52条1項4号）
⑥ ①～⑤に掲げるもののほか，業務提供誘引販売業に関する事項で，業務提供誘引販売取引の相手方の判断に影響を及ぼすこととなる重要なもの（1項1号ロ→52条1項5号）

(2) 契約（提供される業務を事業所等によらないで行う個人との契約に限る。）を締結させ，又は解除を妨げるため，威迫して困惑させる行為（1項2号）

(3) 広告をするに際し，特定負担又は業務提供利益について，著しく事実に相違する表示をし，又は実際のものよりも著しく優良・有利であると誤認させるような表示をする行為（1項3号）

(4) 利益を生ずることが確実であると誤解させるべき断定的判断を提供して勧誘をする行為（1項4号）

(5) 不特定かつ多数の者との間で次に掲げる特約を含む業務提供誘引販売業に係る業務提供誘引販売取引についての契約の申込み又はその承諾の意思表示（2項）

① 58条に規定するクーリング・オフの要件や効果に反する特約で契約の相手方に不利なもの（2項1号→58条4項→58条1項～3項）

② 業務提供誘引販売契約の解除等に伴う損害賠償等の額の制限に反する特約（2項2号→58条の3第1項・2項）

3 適用除外（特定商取引法58条の25）

本条2項2号の業務提供誘引販売契約の解除等に伴う損害賠償等の額の制限に反する特約の差止めは，特定商取引法58条の3第3項が定める場合（業務提供誘引販売取引に係る商品又は役務を割賦販売により販売し又は提供するもの）には適用されない（8号）。

VII 特定商取引法58条の24（訪問購入に係る差止請求権）

1 概　要

本条は，1項で，訪問購入に関し，不特定かつ多数の者に対して不当な勧誘行為等を行っている又はそのおそれがある購入業者に対する差止請求権を，2項で，訪問購入に関し，不特定かつ多数の者に対して不当な特約を実際に使用している又はそのおそれのある購入業者に対する差止請求権を規定する。

2 差止請求の対象となる行為

(1) 本条1項による差止請求の対象となる不当行為は，売買契約の締結を勧誘する際，又は物品の引渡しを受けるために行われる不実告知，故意の不告知，威迫困惑の各類型である。具体的には以下のとおりである。
(i) 購入業者が，売買契約の締結を勧誘するに際し，又は売買契約の申込みの撤回若しくは解除を妨げるため，次に掲げる事項につき，不実のことを告げる行為（1項1号）
① 物品の種類及びその性能又は品質（1項1号イ）
② 物品の購入価格（1項1号ロ→58条の10第1項2号）
③ 物品の代金の支払の時期及び方法（1項1号ロ→58条の10第1項3号）
④ 物品の引渡時期及び引渡しの方法（1項1号ロ→58条の10第1項4号）

⑤　当該売買契約の申込みの撤回又は当該売買契約の解除に関する事項（1項1号ロ→58条の10第1項5号）。具体的には58条の14に規定するクーリング・オフで申込みの撤回や契約の解除ができる場合（58条の17によりクーリング・オフが適用除外となる場合に関する事項も含む），及び解除を行ったときの損害賠償や違約金に関する事項である。

⑥　58条の15（物品の引渡しの拒絶）の規定による物品の引渡しの拒絶に関する事項（1項1号ロ→58条の10第1項6号）

⑦　顧客が当該売買契約の締結を必要とする事情に関する事項（1項1号ハ→58条の10第1項7号）

⑧　①〜⑦に掲げるもののほか，当該売買契約に関する事項であって，顧客又は売買契約の相手方の判断に影響を及ぼすこととなる重要なもの（1項1号ハ→58条の10第1項8号）

(ii)　購入業者が，売買契約の締結を勧誘するに際し，(i)①〜⑥に掲げる事項につき，故意に事実を告げない行為（1項2号）

(iii)　購入業者が，売買契約を締結させ，又は売買契約の申込みの撤回若しくは解除を妨げるため，威迫して困惑させる行為（1項3号）

(iv)　物品の引渡しを受けるため，物品の引渡時期その他物品の引渡しに関する事項であって，売買契約の相手方の判断に影響を及ぼすこととなる重要なものにつき，故意に事実を告げず，又は不実のことを告げる行為（1項4号）

(v)　物品の引渡しを受けるため，威迫して困惑させる行為（1項5号）

(2)　本条2項により差止請求の対象となる不当な特約の使用行為は，次の特約を含む売買契約の申込み又は承諾の意思表示である。

(i)　58条の14に規定するクーリング・オフの要件や効果に反する特約で申込者等に不利なもの（2項1号→58条の14第6項）

(ii)　訪問購入における契約の解除等に伴う損害賠償等の額の制限に反する特約（2項2号→58条の16）

3　差止請求の相手方

差止請求の相手方は，上記した不当な行為及び不当な特約の使用を行って

いる，又は行うおそれのある購入業者である。購入業者とは物品の購入を業として営む者をいう（58条の4）。

4 適用除外（特定商取引法58条の25）

本条は，特定商取引法58条の17の定める場合には適用されない（9号）。

第3 景品表示法差止請求権（景品表示法34条1項）

I 概　要

景品表示法34条1項は，事業者の顧客を誘引する手段としての不当な表示に対する適格消費者団体の差止請求権を規定する。

なお，本条項では，景品表示法5条1号及び2号で禁止される優良誤認表示および有利誤認表示と同様の不当表示行為を差止請求の対象としている。ただし，もともと景品表示法は行政規制を規定した法律であるため，適格消費者団体による差止請求権を規定するに当たっては，民事上の権利関係を規定する観点から改めて規定し直した[1]結果，適格消費者団体による差止請求の対象となる本条項規定の行為は，内閣総理大臣による行政処分の対象となる景品表示法5条に規定する行為と要件の規定ぶりが異なっている。

また，本条項により事業者に対して請求できる内容は，消費者契約法の差止請求権と同様，当該行為の停止もしくは予防又は当該行為の停止もしくは予防に必要な措置であるが，本条項においては，「停止若しくは予防に必要な措置」の例示として，不当表示行為を行ったことを「周知」することが挙げられているのが特徴的である。

（注1） 加納克利ほか「消費者契約法等の一部を改正する法律について」NBL884号32頁。

Ⅱ　差止請求の対象となる行為

1　優良誤認表示（1号）及び有利誤認表示（2号）

　本条項による差止請求の対象となる事業者の行為は，いわゆる優良誤認表示（1号）及び有利誤認表示（2号）の2類型（以下，合わせて「不当表示行為」という。）であり，具体的には次のとおりである。

(1)　優良誤認表示（1号）

　商品又は役務の品質，規格その他の内容につき，①実際のものよりも著しく優良又は②当該事業者と同種もしくは類似の商品もしくは役務を供給している他の事業者に係るものよりも著しく優良であると不特定かつ多数の一般消費者に誤認される表示

　①の例）　羽毛混用率が80％程度の布団に「羽毛100％」と表示

　②の例）　実際は競争業者も同じ原料を用いた製品を販売しているのに「世界的に希少なタスマニアンウールを輸入して使用しているのは日本で当社のスーツだけ」と表示

(2)　有利誤認表示（2号）

　商品又は役務の価格その他の取引条件につき，①実際のものよりも著しく有利又は②当該事業者と同種もしくは類似の商品もしくは役務を提供している他の事業者に係るものよりも著しく有利であると不特定かつ多数の一般消費者に誤認される表示

　①の例）　実際は誰でも同じ料金で販売しているにもかかわらず，先着100人だけが割安料金で購入できる旨表示

　②の例）　実際は競争業者と同程度の価格であるにもかかわらず，「独自のルートで大量仕入れするため一般市価より30％安い。」旨表示

2　「表示」の定義

　本条項でいう「表示」の定義については，景品表示法2条4項において「顧客を誘引するための手段として，事業者が自己の供給する商品又は役務

の内容又は取引条件その他これらの取引に関する事項について行う広告その他の表示であって，内閣総理大臣が指定するものをいう。」と規定しており，その詳細は，消費者庁に移管された公正取引委員会の告示による指定（「不当景品類及び不当表示防止法第2条の規定により景品類及び表示を指定する件」（昭和37年公正取引委員会告示第3号））に委ねられていた。

3 景品表示法5条1号及び2号規定の行為との関係

本条項は，景品表示法5条1号及び2号で禁止される優良誤認表示及び有利誤認表示と同様の不当表示行為を適格消費者団体による差止請求の対象とするものであるが，行政処分の対象となる同条に規定する行為とは，要件の規定が異なっていることは前述のとおりである。

具体的には，行政処分の対象となる5条では「一般消費者による自主的かつ合理的な選択を阻害するおそれ」の存在が要件となっているが，差止請求権にはこの要件はない。

また，差止請求権が不特定かつ多数の消費者の利益のためのものであることに鑑み，本条項では消費者契約法における差止請求権と同様の「不特定かつ多数の一般消費者に対して」との要件を加えている。

Ⅲ 差止請求権を行使しうる場合

1 要 件

事業者が，不特定かつ多数の一般消費者に対して，不当表示行為を現に行い又は行うおそれがあるときに，適格消費者団体は差止請求権を行使することができる。

2 「事業者」の意義

消費者契約法2条2項は，「この法律（第43条第2項第2号を除く。）において『事業者』とは，法人その他の団体及び事業として又は事業のために契約の当事者となる場合における個人をいう。」と規定しており，景品表示

法上の適格消費者団体による差止請求の相手方たる「事業者」と消費者契約法上の「事業者」を明確に区別している。

景品表示法では、「事業者」を2条1項で、「商業、工業、金融業その他の事業を行う者」と定義している。

このように、消費者契約法上、法人その他の団体であれば事業性の有無を問わず一律「事業者」に該当するのに対し、景品表示法上は、団体であっても事業性を有することが「事業者」の要件となる。

3 「一般消費者」の意義

「一般消費者」の意義については、景品表示法上、特に定義規定は存在しないが、同法の表示規制が、消費者と事業者の間の情報や知識の格差に鑑み、消費者が適正な商品選択ができるよう適正な表示を確保することを目的としていることから、当該表示にかかる商品等につき特別に詳しい情報や知識を有しているわけではなく、標準的な常識のみを有している消費者をいうものと解される[2]。

そして、「一般消費者」は、表示行為の対象であるとともに、当該表示行為が不当表示行為に該当するか否かの判断基準としての意義を有する。すなわち当該表示行為が、そのような「一般消費者」が通常、優良・有利誤認を生ずる程度の表示である場合に不当表示行為に該当するということになる。

4 行政規制との関係

消費者団体訴訟制度と行政規制は本質的に異なる制度であり、内閣総理大臣から委任を受けた消費者庁長官もしくは都道府県知事による措置命令（景品表示法7条）が行われた事案につき、適格消費者団体が差止請求を行うことは理論的には否定されていない。

（注2）　有利誤認表示に該当するか否かは、「健全な常識を備えた」一般消費者の認識を基準として判断するとした裁判例（名古屋高判令3・9・29令和2年（ネ）第74号）があるが、景品表示法は一般消費者には多種多様な平均よりも劣る消費者がいることを前提として不当表示行為を規制していると解されることからすると「一般消費者」に「健全な常識を備えた」と法律にもない限定を加えることには疑問が残る。

行政処分がされても行為が継続されている場合，行政処分の内容が適切かつ十分ではない場合などには，必ずしも行政処分により事業者が不当表示行為を行うおそれがなくなるわけではないため，適格消費者団体による差止請求を重ねて行うことも考えられる。

Ⅳ　認められる請求の内容

1　本条項の差止請求権において，相手方となる事業者に対して認められる請求の内容は，当該不当表示行為の停止もしくは予防又は不当表示行為をしたことの周知その他の当該不当表示行為の停止もしくは予防に必要な措置である。
2　当該不当表示行為の停止もしくは予防には，差止請求の対象となる商品等（広告物）を流通させる行為を停止するよう求める不作為請求のほか，不当表示行為が再度行われないようにする措置を求めるといった作為請求も含まれる。具体的には，広告物制作に従事する従業員への周知，教育を求めることなどが想定される。
3　不当表示行為をしたことの周知その他の当該不当表示行為の停止もしくは予防に必要な措置とは，当該不当表示行為の停止もしくは予防に含まれないような積極的作為行為を指し，このような積極的作為行為であっても当該不当表示行為を停止又は予防するために必要なものであれば請求をなしうることを明記したものである。

本条項では，当該不当表示行為の停止もしくは予防に必要な措置の例示として，不当表示行為をしたことを「周知」することが挙げられている。本条項の差止請求の対象となる表示は，商品，容器又は包装，見本，チラシ，パンフレット，ポスター，看板，新聞紙等の出版物，放送，インターネット等による広告等極めて多岐かつ広範に及ぶところ，既に流通した商品等（表示物）をすべて回収することは困難な場合が多い。

そのため，当該表示が不当表示行為である旨を消費者へ周知（訂正広告等）することにより，既に生じた消費者の誤認そのものを排除する方が容易であり，被害の発生，拡大防止のためにより合理的な場合が多いと考えられる。

なお,「周知」の態様や程度については，不当表示行為の態様や程度と比較し，当該不当表示行為によって誤認した不特定かつ多数の消費者のうち，少なくとも合理性が認められる程度の割合を占める者が不当表示行為の事実を知ることができるような適切な方法・内容により行われる必要がある[3]。

また,「周知」の方法について，請求の趣旨をどこまで特定すべきか，が問題となるが，訂正広告の文言そのものや広告を掲載すべき広告媒体を具体的に特定するなどして代替執行可能な程度に特定されることが望ましいが，それが困難な事情が存する場合は，ある程度抽象的な内容であっても，間接強制が可能な程度に特定されていれば，不適法となるわけではないと解すべきである。

その他の停止もしくは予防に必要な措置としては，不当表示が記載されたチラシ等の広告物の破棄，印刷の中止，小売店に配布済みのチラシ，商品等の広告物の回収などが想定される。

なお，さらに進んで，積極的是正請求が認められるか，すなわち，事業者に対して当該表示物につき具体的な是正内容を明示し，これを実現することを求める請求を行うことが認められるかが問題となることは，消費者契約法による差止請求でも指摘したとおり，本条項の差止請求権が広く積極的作為請求を認めていることからすれば,「停止若しくは予防に必要な措置」として，基本的には可能と解すべきである[4]。

V 管　轄

本条項による差止請求訴訟は，不当表示行為があった地を管轄する裁判所にも提起することができる（消費者契約法43条2項2号）。不当表示行為があった地の意義については，消費者契約法43条2項の項を参照されたい。

(注3)　加納ほか・前掲（注1）33頁。
(注4)　三木浩一「訴訟法の観点から見た消費者団体訴訟制度」ジュリ1320号61頁，大髙友一「消費者団体訴訟制度における法律実務家の役割とその留意点」ジュリ1320号88頁。これに反対するものとして，三木浩一ほか「座談会・消費者団体訴訟制度をめぐって」ジュリ1320号2頁における山本豊発言（25頁以下）。

Ⅵ　施行期日及びその後の法改正

　「消費者契約法等の一部を改正する法律」(平成 20 年法律第 29 号) 3 条により景品表示法に加えられた本条項の規定は 2009 年 4 月 1 日に施行された。

　その後,「不当景品類及び不当表示防止法等の一部を改正する等の法律」(平成 26 年法律第 71 号) が 2014 年 6 月 13 日に公布され (平成 26 年 6 月改正),さらに「不当景品類及び不当表示防止法等の一部を改正する法律」(平成 26 年法律第 118 号) が同年 11 月 27 日に公布され (平成 26 年 11 月改正),いずれも 2016 年 4 月 1 日に施行された。平成 26 年 6 月改正では,消費者安全法 (平成 21 年法律第 50 号) に規定する消費生活協力団体及び消費生活協力員は本条項による差止請求の対象行為の情報を得たときに適格消費者団体に当該情報を提供することができること (34 条 2 項),当該情報提供を受けた適格消費者団体は,差止請求権の適切な行使の用に供する目的以外の目的のために利用し,又は提供してはならないこと (同条 3 項) とされた。なお,平成 26 年 11 月改正で課徴金制度が導入されたことにより,条ずれで差止請求の規定が 10 条から 30 条に変更となり,さらに令和 5 年法律第 29 号による改正により 34 条に変更となった。

　また,令和 5 年法律第 29 号による改正 (2024 年 10 月 1 日施行) で,適格消費者団体による資料開示要請が景品表示法に規定されることとなった。具体的には,適格消費者団体は,事業者が現にする表示が不当表示行為に該当すると疑うに足りる相当な理由があるときは,内閣府令で定めるところにより,当該事業者に対し,その理由を示して,当該事業者のする表示の裏付けとなる合理的な根拠を示す資料を開示するよう要請することができ (35 条 1 項),事業者は,前項の資料に営業秘密が含まれる場合その他の正当な理由がある場合を除き,資料開示要請に応じる努力義務があるとされた (35 条 2 項)[5]。

　(注 5)　要件等の解釈については,平均的な損害の額の算定根拠の説明要請に関する消費者契約法 12 条の 4 の項を参考にされたい。

第4　食品表示法差止請求権（食品表示法11条）

Ⅰ　概　　要

　食品表示法11条は，食品関連事業者の不当な表示に対する適格消費者団体の差止請求権を規定する。

　従来，食品の表示は，目的の異なる食品衛生法，農林物資の規格化等に関する法律（以下，「JAS法」という。），健康増進法，計量法，景品表示法で個別に規定されていたが，複数の法律にまたがっており，重複する部分があったり，用語の使い方に違いがあるなど，複雑でわかりにくいことが課題とされてきた。そこで，かかる複雑さ，わかりにくさを解消すべく，食品衛生法，JAS法及び健康増進法の三法の，食品の表示に関する部分を統合する法律として，食品表示法が規定されたものである。

　食品表示をめぐっては，昨今，生産地の偽装，消費期限や賞味期限の書き換え等，様々な形で社会問題化したが，かかる不適正な表示は，消費者の自主的かつ合理的な選択の機会の確保を阻害し，場合によっては，消費者の生命身体に危害を及ぼすおそれもある。とはいえ，個々の消費者にとっては少額の被害であることがほとんどであるうえ，個々の消費者が事業者に表示の改善を求めていくことは困難である。

　そこで，同法は，食品表示にかかる事業者の違反行為は，広範囲で繰り返し行われることにより，同種かつ少額の被害が多数生じる特質があることに鑑み，食品関連事業者による表示違反行為を排除する仕組みとして，行政機関による監視に加えて，適格消費者団体に差止請求権を与えた。これにより，表示違反行為を排除する仕組みが複線化されることとなり，表示違反行為の効率的な抑止を図ることが期待されている[1]。

（注1）　蓮見友香「食品表示法の概要」NBL1009号13頁。

Ⅱ 差止請求の対象となる行為

1 本条による差止請求の対象となる事業者の行為は，食品表示基準に違反し，販売の用に供する食品の名称，アレルゲン，保存の方法，消費期限，原材料，添加物，栄養成分の量若しくは熱量又は原産地について著しく事実に相違する表示を行うこと（以下，「不当表示行為」という。）である（11条）。

2 内閣総理大臣は，内閣府令で，食品及び食品関連事業者等の区分ごとに，食品関連事業者等が食品の販売をする際に表示されるべき事項及び表示事項を表示する際に食品関連事業者等が遵守すべき事項を内容とする販売の用に供する食品に関する表示の基準（これを，「食品表示基準」という。）を定めることとされているが（4条1項），実際に表示を義務付ける事項については，国民の食生活の変化に伴う容器包装の多様化や社会状況の変化等に応じて，柔軟に食品表示基準の見直しができるようにしておく必要があると考えられたことから，法律には例示として主な表示事項を規定するにとどめ，それ以外の事項については，「その他食品関連事業者等が食品の販売をする際に表示されるべき事項」として，別途，内閣府令で定めることとしている（4条1項1号）。

適格消費者団体が，差止請求することができるのは，4条1項1号で列挙された主な表示事項に限定されており，別途，内閣府令で定められる「その他食品関連事業者等が食品の販売をする際に表示されるべき事項」は，差止請求の対象外である。もっとも，それらについて，適格消費者団体が，差止請求としてではなく，事実上，是正を求める申し入れを行うことは可能である。

3 適格消費者団体は，4条1項1号で列挙された主な表示事項について，差止請求権を認められたものであるが，これら列挙事項は，消費者の食品の選択についての判断に通常影響を及ぼす事項であり，著しく事実に相違する表示が行われると，消費者は，事業者による誤った情報の提供により，食品の安全な摂取並びに自主的かつ合理的な選択を確保する機会を阻害されてしまうことから，差止の対象とされたものである。

これら列挙事項は，①食品の素性を明らかにする情報である「名称」，②

食品を摂取する際の安全性の確保に関する事項である「アレルゲン」「保存の方法」「消費期限」，③一般消費者の自主的かつ合理的な選択の機会の確保に関する事項である「原材料」「添加物」「栄養成分の量及び熱量」「原産地」に区分できる[(2)]。

(1) 名　称

「名称」は，食品の素性や内容を明らかにするものであり，消費者の商品選択に資する情報である[(3)]。

(2) アレルゲン

「アレルゲン」とは，食物アレルギーの原因となる物質をいう（4条1項1号）。アレルギー物質の摂取によりアナフィラキシーショック症状を起こすと，最悪の場合，死に至るケースもあることから，アレルギー患者にとって，アレルギー物質の表示は，摂取可能か否かの判断に不可欠な表示であり，また，食品選択時における重要な判断指標ともなるものであって，重要性の高い情報である。

当初，閣議決定された法案では，規定されていなかったが，衆議院の審議において，アレルゲンも明記すべきとの修正案が提案され，修正案が可決された経緯がある。

(3) 保存の方法

「保存の方法」は，消費期限又は賞味期限まで食品の品質を保つための条件であり，摂取時の安全性の確保に資する情報であり，消費者が商品を選択する際の指標にもなりうる情報である。

(4) 消費期限

「消費期限」とは，食品を摂取する際の安全性の判断に資する期限をいう（4条1項1号）。定められた方法により保存した場合において，品質の劣化に伴い安全性を欠くおそれがないと認められる期限を示すものであり，摂取時の安全性の確保に資する情報であり，消費者が商品を選択する際の指標に

（注2）　蓮見・前掲（注1）10頁。
（注3）　公益社団法人日本食品衛生協会編『早わかり食品表示法―食品表示法逐条解説　食品表示基準に基づく食品表示制度解説〔改訂新版第3版〕』26頁以下（日本食品衛生協会，2021）に各列挙事項の説明が詳しい。

もなりうる情報である。

(5) 原材料

「原材料」は，食品の組成など具体的な品質を直接表現するものであり，消費者が商品を選択する際の指標になりうる情報である。

(6) 添加物

「添加物」とは，食品の製造の過程において又は食品の加工若しくは保存の目的で，食品に添加，混和，浸潤その他の方法によって使用する物であるが（食品衛生法4条2項），近年，添加物の情報に対する消費者の関心は非常に大きなものとなっており，また，添加物の中には，アレルギー症状を惹起する物質が存在することも明らかとなってきた。そのため，食品の内容を正しく理解し，選択するための情報としての重要性に鑑み，表示事項として列挙されたものである。

(7) 栄養成分の量及び熱量

「栄養成分」は，たんぱく質や脂質，炭水化物，ナトリウム等，厚生労働省が定める栄養素（国民の栄養摂取の状況からみてその欠乏又は過剰な摂取が国民の健康の保持増進に影響を与えているもの）のことであり，その量や熱量（カロリー）について，従来から，健康増進法において栄養表示基準が定められていたところである。

近年，生活習慣病等の増加が世界的に問題視され，その対応策として適切な食事と運動の重要性が指摘されているが，我が国においても健康に対する国民の関心は高まっており，事業者には，食品の栄養成分に関する適切な情報を広く提供することが求められている。

「栄養成分の量及び熱量」は，その情報を基にした国民の日々の栄養・食生活管理による健康増進への寄与が期待されるところであり，消費者が商品を選択する際の指標になりうる情報である。

(8) 原産地

「原産地」は，従来から，JAS法で表示が義務付けられていた事項であるが，青果物の輸入の増加，産地の多様化等により，青果物の原産地に関する情報に対する消費者の関心は非常に高まっており，消費者が商品を選択する際の指標になりうる情報である。

Ⅲ 差止請求権を行使しうる場合

1 食品関連事業者が，不特定かつ多数の者に対して，不当表示行為を現に行い，又は行うおそれがあるときに，適格消費者団体は差止請求権を行使することができる。

現に不当表示行為が行われている場合のみならず，不当表示を行うおそれがある場合にも，差止請求が可能である。食品は，定番商品のように同じ食品を繰り返し生産することが多いという特性を有している。食品関連事業者の中には，数か月先の生産分に対応するために包装材の在庫を有している場合もあり，一度，著しく事実に相違する表示を行った場合には，包装材の在庫を使い切るまで，将来にわたって，同じことが繰り返されるおそれが高い。このように，違反が繰り返されることを防ぐことも視野に入れ，不当表示行為を行うおそれがあるときにも差止請求が可能な制度とされた[4]。

2 「食品関連事業者」の意義

食品関連事業者とは，「食品の製造，加工（調整及び選別を含む。）若しくは輸入を業とする者（当該食品の販売をしない者を除く。）又は食品の販売を業とする者」をいう（2条3項1号）。

今日では，自ら農産物を生産したり，一次生産者から直接購入したりするよりも，製造業者，販売業者等，食品を取り扱うことを業とする者が介在した食品を購入することが一般的であることから，本法における表示規制の対象は，取り扱う食品に関する情報を有し，食品の情報伝達手段として容器包装等に表示を付す行為を実際に行う製造業者や加工業者等，「業として」食品を取り扱う者とすることが基本とされた。そのため，販売はせずに単に食品を製造するにとどまる場合のように，情報伝達行為を伴わないものについては，規制の対象とする必要がないことから，食品の製造，加工又は輸入を業とする者であって，当該食品の販売をしない者は，本法の規制対象とはな

（注4） 蓮見・前掲（注1）13頁。

らないことが明記されている[5]。

なお，食品表示法2条3項2号に規定する「前号に掲げる者のほか，食品の販売をする者」は，差止請求の相手方事業者とはならない。

3 行政規制との関係

景品表示法の差止請求権でも述べたとおり，消費者団体訴訟制度と行政規制は本質的に異なる制度であるから，行政処分がなされたにもかかわらず不当表示行為が継続されている場合等に，適格消費者団体が，重ねて，差止請求権を行使することも考えられる。

Ⅳ 認められる請求の内容

1 本条の差止請求権において認められる請求の内容は，当該不当表示行為の停止若しくは予防又は不当表示行為をしたことの周知その他の当該不当表示行為の停止若しくは予防に必要な措置である。

2 当該不当表示行為の停止もしくは予防には，差止請求の対象となる食品を市場に流通させる行為を停止するよう求める不作為請求のほか，不当表示行為が再度行われないよう求めるといった作為請求も含まれる。

具体的には，表示そのものや，表示のある食品をすべて回収するというように違反した表示そのものを取りやめる方法のほか，表示作成に従事する従業員への周知，教育を求めることなどが想定される。

3 不当表示行為をしたことの周知その他の当該行為の停止若しくは予防に必要な措置とは，当該不当表示行為の停止若しくは予防に含まれないような積極的作為行為を指し，このような積極的作為行為であっても当該不当表示行為を停止又は予防するために必要なものであれば請求をなしうることを明記したものである。

本条では，景品表示法と同様，当該不当表示行為の停止若しくは予防に必要な措置の例示として，不当表示行為をしたことを「周知」することが挙げ

(注5) 公益社団法人日本食品衛生協会編・前掲（注3）19頁。

られている。「周知」については，景品表示法差止請求権で述べたところを参照されたい。

　食品の場合も，既に流通した食品をすべて回収することは困難と考えられることから，販売店の店頭におけるPOPや，食品関連事業者による公表，広告等の表示媒体を活用して，当該表示が食品表示基準に違反する旨の周知を行うことが考えられる。

　また，本法の差止請求についても，消費者契約法や景品表示法による差止請求と同様，具体的な是正内容を明示し，これを実現することを求める積極的是正請求が基本的には可能と解すべきである。

V　管　轄

　本条による差止請求訴訟は，不当表示行為があった地を管轄する裁判所にも提起することができる（消費者契約法43条2項4号）。不当表示行為があった地の意義については，消費者契約法43条2項の項を参照されたい。

VI　施行期日

　食品表示法は2013年6月28日に公布され，2015年4月1日に施行された。

第5　適格消費者団体による差止請求権の法的性質

　適格消費者団体による差止請求権は，これまで消費者被害に関する訴訟について当事者適格のなかった消費者団体に訴権を付与するものである。

　前述したように，提訴権を特定の消費者団体に認める制度は，ドイツ，フランス，オランダなどEU諸国で既に実現されており，その法的性質について，主としてドイツで盛んに議論されてきた。消費者団体訴訟制度が提案され検討がされている過程で，消費者団体の訴権の法的性質について，ドイツ

における議論を踏まえながら議論がされてきた[1]。

ドイツでは，差止請求権の法的性質につき，様々な見解が存するが，代表的な見解は次のようなものである[2]。

① 民衆訴訟など団体に提訴権を認めるが，実体法上の差止請求権を認めない見解

 Ⅰ　法定訴訟担当説（団体訴訟は，消費者団体が，実際に自己の法的財産に対し直接に影響を受けた消費者という限られた集団の集合的権利を代表して行使する制度と解する解説）

 Ⅱ　民衆訴訟説（差止訴訟制度は社会の公正な取引秩序を維持するために創設された制度と解する説）がある。

  これらの立場は，消費者団体固有の差止請求権を観念することはできないこと，外国でもこの提訴権は通常の訴訟とは別の類型として扱われていることを根拠とする。

② 消費者団体に実体法上の差止請求権を認める立場

 この立場は，消費者の利益のために，法により消費者団体に与えられた固有の差止請求権を認める立場である（実体法上の差止請求権説）。ドイツにおける判例・通説であり，立法的にもドイツ不作為訴訟法第1条で「請求することができる」と規定され，実体法上の差止請求権説によることで決着がついている。この立場は，訴訟制度は基本的に権利の存否を確定させるものであるから，民衆訴訟のような権利を前提としない訴訟形態は，できる限り認めるべきではない，個人と異なる団体固有の利益があるから，当該団体に差止請求権を認めるべきであることを根拠

(注1)　上原敏夫『団体訴訟・クラスアクションの研究』34頁（商事法務研究会，2001），総合研究開発機構＝高橋宏志共編『差止請求権の基本構造』133頁（商事法務研究会，2001），三木浩一「消費者団体訴訟の立法課題」NBL790号44頁，宗田貴行『団体訴訟の新展開』219頁以下（慶應義塾大学出版会，2006）などが詳しい。

(注2)　石田喜久夫編『注釈ドイツ約款規制法〔改訂普及版〕』277頁（同文舘出版，1999），内山衛次「消費者団体訴訟の諸問題」阪大法学140号45頁，髙田昌宏「差止請求権者の範囲」NBL501号58頁，上原敏夫「集団的救済制度の基礎的研究」一橋大学研究年報法学研究11号138頁。

とする。

　多くの論者が述べているように，法的性質を一義的に確定してそこから演繹的に，団体の当事者適格の可否を決定したり，重複提訴の可否や既判力の抵触などの訴訟構造の問題の解決，あるいは消費者団体が追行する訴訟と消費者個人が追行する訴訟との関係をどう整合させていくかの問題に直結させる議論は建設的ではない。しかしながら，創設された制度（例えば，複雑な規定となっている法12条の2など）を考えていくうえには，前提として法的性質を考え，そこから適切な解釈を導く意義がある。

　今般，導入された差止請求権は，消費者団体に実体法上の権利を付与したものと考えるべきである。例えば，法12条では，適格消費者団体が「当該行為の停止又は予防に必要な措置をとることが請求できる。」と定め，文言上差止請求権が訴訟上の請求に限られていないこと，差止請求権の行使を定めた23条で裁判外の行使を前提としていること（法23条4項2号，9号），制度創設に向けて議論した国民生活審議会消費者政策部会消費者団体訴訟制度検討委員会において消費者団体に対して民事実体法上の請求権を認めることが適切と結論付けていることなど[3]から，法12条は適格消費者団体に民事実体法上の固有の権利として，事業者に対する差止請求権を付与したものと解される。

　ただし，立法過程を見ると，事業者側の圧力もあって，消費者団体訴訟制度の「消費者全体の利益のための制度」との側面を過度に強調し，基本は固有権構成を採用したものの，法定訴訟担当と同様の効果を制度に滑り込ませる結果となっている。法12条の2の後訴制限効や23条4項の他団体への通知制度とその懈怠に対する厳しい制裁などがそれである。

　差止請求権が，創設的付与か確認的付与かの問題がある。多くの学者は創設的付与としているが[4]，全くの創設的付与でなく，もともと団体に固有の権利として内在していたが，適格消費者団体に限定して立法によって付与された権利と考えるべきである。なぜなら，①消費者団体には消費者被害の未

(注3)　国民生活審議会消費者政策部会消費者団体訴訟制度検討委員会「消費者団体訴訟制度の在り方について」（平成17年6月23日）5頁。

然予防・拡大防止などの消費者全体の利益を図る存在意義があり消費者個人と異なる団体固有の利益が観念でき，②差止請求は消費者個人にあるというより，もともと公益的な活動をしている団体にこそ内在していると考えられ，③実際に違法行為に対して差止請求をしている消費者団体が存在し活動しているからである。このように，法12条の差止請求権が，適格消費者団体に内在していた固有の実体法上の権利であることからすると，その請求権の制限は必要最小限でなくてはならない。

第12条の2　（差止請求の制限）

> 第12条の2　前条，不当景品類及び不当表示防止法（昭和37年法律第134号）第34条第1項，特定商取引に関する法律（昭和51年法律第57号）第58条の18から第58条の24まで又は食品表示法（平成25年法律第70号）第11条の規定による請求（以下「差止請求」という。）は，次に掲げる場合には，することができない。
> 一　当該適格消費者団体若しくは第三者の不正な利益を図り又は当該差止請求に係る相手方に損害を加えることを目的とする場合
> 二　他の適格消費者団体を当事者とする差止請求に係る訴訟等（訴訟並びに和解の申立てに係る手続，調停及び仲裁をいう。以下同じ。）につき既に確定判決等（確定判決及びこれと同一の効力を有するものをいい，次のイからハまでに掲げるものを除く。以下同じ。）が存する場合において，請求の内容及び相手方が同一である場合。ただし，当該他の適格消費者団体について，当該確定判決等に係る訴訟等の手続に関し，第13条第1項の認定が第34条第1項第4号に掲げる事由により取り消され，又は同条第3項の規定により同号に掲げる事由があった旨の認定がされたときは，この限りでない。

（注4）　三木浩一「訴訟法の観点から見た消費者団体訴訟制度」ジュリ1320号63頁，上原敏夫「消費者団体訴訟制度（改正消費者契約法）の概要と論点」自由と正義2006年12月号68頁。

イ　訴えを却下した確定判決
　　ロ　前号に掲げる場合に該当することのみを理由として差止請求を棄却した確定判決及び仲裁判断
　　ハ　差止請求をする権利（以下「差止請求権」という。）の不存在又は差止請求権に係る債務の不存在の確認の請求（第24条において「差止請求権不存在等確認請求」という。）を棄却した確定判決及びこれと同一の効力を有するもの
２　前項第2号本文の規定は，当該確定判決に係る訴訟の口頭弁論の終結後又は当該確定判決と同一の効力を有するものの成立後に生じた事由に基づいて同号本文に掲げる場合の当該差止請求をすることを妨げない。

●12条の2第1項

1　趣　旨

　12条の2は，適格消費者団体による差止請求権が制約される場合を定めている。

　設けられた制約は，①当該適格消費者団体等の不正な利益を図り又は当該事業者等に損害を加えることを目的とする場合（12条の2第1項1号），②同一事業者の同一請求内容について，既に他の適格消費者団体によって確定判決やこれと同一の効力を持つ裁判上の和解，請求の認諾・放棄，調停上の合意，仲裁判断などが存した場合（同条1項2号本文）には，差止請求をすることができない，というものである。①は形式的には差止請求権の行使であっても，実質的には民法1条3項の権利濫用に当たるような場合には訴権の行使を認めないとの趣旨である。②は事業者の応訴の負担に配慮して1つの適格消費者団体の確定判決等がされたときには，他の適格消費者団体に対して政策的に後訴制限の効力を設けたものである[1]。認定された適格消費者団体が複数存在することが想定されるところ，同一事業者に対する同一内容の請求が無制限に繰り返し提起されるような紛争の蒸し返しを防止し，事業者

等の過大な応訴負担を回避させることを目的としている。しかし，後述するようにこの制約には問題が多い。消費者契約法改正の国会審議においても，最も問題であるとされ論争となった条項である。参議院内閣委員会の附帯決議で「確定判決等があった場合の同一事件の後訴の制限に関する規定については，例外的な場合を含め解釈基準等の周知に努めるとともに，本法施行後の差止請求訴訟等の状況を踏まえて，必要に応じ見直しを行うこと」とされている。立法論としては，この後訴制限の定めは削除されるべきであり，解釈においてもこの制限は，政策的に除去しようとした事柄に限定されるのであり，弊害とは言えないような場合にまで提訴が制限されることがあってはならない。

制定過程で議論となった，複数の団体が併行して同一事業者に同一請求ができるか否かの，重複提訴の問題については，重複提訴を可能とし制限をしなかった。差止請求権が団体の固有の請求権であると考えれば，団体毎に訴訟物は異なり，重複提訴が制限される理由はない。実際上も，適格消費者団体間の連携努力義務が定められ（法23条3項），差止請求関係業務（定義は13条）のほとんどについて他の適格消費者団体や内閣総理大臣に通知・報告する義務があり（法23条4項），移送や弁論の併合に特別を設けていること（法44条，45条）からすれば，重複提訴による弊害は考えられないからである。

2　12条の2第1項1号

法23条2項では適格消費者団体に対して，訴権行使にあたっては「差止請求権を濫用してはならない。」とされている。本号の要件にあたる場合には，濫用（民法1条3項）にあたるとして差止請求権の行使そのものができない。

不正な利益は財産的利益に限らず，秘密や情報を得る利益など非財産的利益も含まれる。法28条により禁じられている金銭的利益を得る目的やある

（注1）　消費者庁解説269頁でも，この制限を「既判力の拡張とは異なり，上記の弊害を除去する観点から政策的に規定した実体権自体の制限」としており，政策的な制限であるとしている。

いは営業秘密を得る目的で差止請求権を行使するなど，消費者の利益を図る目的がなく，もっぱら違法な利益確保を図る場合やこれに類する場合がこれにあたる。当該消費者団体だけでなく，第三者の不正な利益を図る場合もあたる。例えば，消費者の利益を図る目的がなく，ある特定の事業者の営業活動を支援するためにのみ差止請求権を行使する場合などである。

不正な利益を図らなくとも，当該事業者等に損害を加える目的で行使する場合もあたる。差止請求権が行使されれば，当該事業者に一定の損害やコストが発生するのは制度上の当然のことであり，本号でいう損害を加える目的とは，消費者の利益を図る目的がなく，もっぱら当該事業者に損害を加える目的で差止請求をする場合を指す。例えば，ある事業者に依頼されて，消費者の利益ではなく同業者の事業者の営業活動を妨害するためにのみに差止請求を行使する場合などである。

本号にあたる場合は差止請求を行使することができない。もし適格消費者団体によって事実上行使されても，事業者は請求を拒否できる。ただし，本号にあたるか否かは最終的には訴訟によって決せられる。差止請求訴訟において本号の適用が問題となり，本号にあたるとされれば権利濫用の一類型であるから，民法の権利濫用の場合と同じく棄却判決がされることになる。

3　後訴制限効（12条の2第1項2号）

他の適格消費者団体を当事者とする，請求内容及び相手方事業者が同一の差止請求に係る訴訟等について，既に確定判決等が存在する場合には，差止請求権を行使することはできない，との後訴制限効が設けられている。

(1)　後訴制限効の法的性質

差止請求権が団体の固有の請求権であることを貫けば，他の団体による後訴の提起は別の訴訟物であり制限される理由はないが，本号はこれを制限している。このような制限は，比較法的にも他の消費者団体訴訟制度を設けている国々にも見あたらず，我が国の民事訴訟制度においても極めて特異な制限である。そのため，この後訴制限効がいかなる法的性質であるかが検討される必要があり，これにより訴訟外の差止請求権の行使の可否，制限される場合に棄却判決となるか却下判決となるかなどの差異が生じてくる。

後訴制限効の法的性質については，①既判力の主観的範囲の拡張，②実体法上の権利自体の消滅，③権利は存続し，実体法上の行使制限（当然訴訟上も行使できない），④実体法上の権利の訴訟上の行使制限（訴訟外での行使はできる），などの考え方があり得る。立法担当者は「実体権自体の制限」とし②ないし③の考え方であり[2]，学説は概ね③の考え方を取っていると思われるが[3]，④の考え方も主張されている[4]。①の考え方は，立法者が国会答弁で「既判力とは異なる効力である」と述べていること[5]や，請求の放棄など既判力を伴わない手続終了事由についても認められていることからこれを取ることはできない。②の考え方も，実体法上の権利が他の団体の行為によって消滅したり（本条1項2号本文），再び復活したり（本条1項2号ただし書の場合）することは妥当とは考えられず，これも取れない。

残る，実体法上の行使制限説と訴訟法上の行使制限説との差異は，第1に，前者は後訴制限にあたる場合には，訴訟外での法12条による差止請求権行使ができないのに対して，後者ではこれができることになる。実際上は，後述の請求内容の同一性の判断基準の解釈や本条2項の「後に生じた事由」の解釈にもよるが，確定判決等以後に違反行為があったことを別の地域の他の団体が発見したときに，別の地域の他の団体において法12条等の差止請求ができるかどうかなどで差異が生じる可能性がある。第2に，訴訟上争われる場合，前者は実体法上の権利行使が許されないとの事業者の抗弁として主張されるのに対し，後者は訴訟要件として争われることになる。その結果，後訴制限が認められる場合には前者は棄却判決となり，後者は却下判決となる。思うに，後訴制限効は弊害除去のために政策的に設けられた制限であり，蒸返し訴訟の弊害除去のためには，実体法上の権利行使まで制限す

(注2)　消費者庁解説269頁。

(注3)　三木浩一「訴訟法の観点から見た消費者団体訴訟制度」ジュリ1320号65頁，上原敏夫「集団的救済制度の基礎的研究」一橋大学研究年報法学研究11号69頁。

(注4)　野々山宏「実践消費者法(6)消費者団体訴訟制度の創設—改正消費者契約法の論点と課題」法教312号98頁。

(注5)　政府答弁・平成18年4月21日衆議院内閣委員会議録第4号29頁。消費者庁解説269頁は，「実体権自体の制限」と述べるだけで，権利そのものの制限か行使の制限かは明確ではない。

る必要はなく，訴訟さえできなくすれば足りる，との訴訟法上の行使制限説の主張は傾聴に値するが，本条1項が，差止請求を「することができない」と規定している条文に反していること，実体法上の行使制限説においても弊害除去の範囲で限定して解釈しなくてはならないことは同様であること，確定判決等があった以降の違反行為の前訴判決の当事者以外の消費者団体による是正請求は，法12条の差止請求としてはできないが，消費者団体の活動として事実上の是正要請は何ら妨げられないことなどの理由から後訴制限効は実体法上の権利行使の制限ととらえるべきである。

　実体法上の行使制限といっても，実質的には既判力の拡張とほぼ同じ効果をもたらすものであることから，共同訴訟の態様や訴訟参加の形態については既判力が拡張される場合と同様の効果を検討すべきことが提案されている[6]。すなわち，既判力の拡張の場合には，Aを原告とする訴訟に既判力が拡張されるBは自己の不利益を回避するために，共同訴訟参加（民事訴訟法52条）または共同訴訟的補助参加（人事訴訟法15条4項参照）が可能となる。しかし本条1項2号本文の後訴制限は，実体権の制限であるため，既判力拡張の場合に認められる参加形態が当然には認められない。しかしながら，共同訴訟的補助参加はもともと判決効の拡張を受ける第三者の利益を保護するために解釈によって認められた参加形態であり，本号によって実質的には既判力の拡張と同様の効果を受ける他の適格消費者団体には共同訴訟的補助参加を解釈で認めるべきというものであり，妥当な見解でありそのように解すべきである。

　なお，係属中の法12条等の差止請求訴訟に対して，他の適格消費者団体による通常の補助参加（民訴法42条）は，その法律上の請求権が係属中の訴訟の判決によって行使できなくなるという法律上の利害関係があると考えられるので認められる。

　この場合，事業者側に，同一の勧誘行為や契約条項の使用をしている別の事業者や推奨した事業者団体が補助参加できるかも問題となる。別の事業者は，今後適格消費者団体から差止請求権を行使されたときに争点が同一とな

（注6）　三木・前掲（注3）65頁。

るだけで，実体的条件関係や実質的利害関係があるわけではないので補助参加はできないと解される。また，推奨した事業者団体は差止請求の対象となることはないので補助参加はできないと解される。

(2) 「他の適格消費者団体を当事者とする」とは，認定を受けた適格消費者団体のうち，当該適格消費者団体以外の団体を当事者とする訴訟等を指す。ある適格消費者団体が他の適格消費者団体の団体構成員である場合でも，両団体は互いに「他の適格消費者団体」である。

(3) 「差止請求に係る訴訟等」とは，消費者契約法 12 条，景品表示法 34 条 1 項，特定商取引法 58 条の 18 以下，食品表示法 11 条等の規定に基づく差止請求を，訴訟，和解の申立手続（起訴前和解申立手続），調停，仲裁において行使している場合である。適格消費者団体による訴訟であっても，差止請求権の行使といえない訴訟には本号の適用はない。

(4) 「既に確定判決等……が存する場合」とは，当該適格消費者団体による差止請求権の行使の以前に，他の適格消費者団体によって確定判決やこれと同一の効力を持つ裁判上の和解（訴訟前の和解及び訴訟上の和解），請求の認諾・放棄，調停上の合意，仲裁判断などが存する場合である。

訴訟外の差止請求権の行使の場合には，「既に」は事業者に対して法 23 条 4 項 1 号・2 号などの請求をする時を基準として以前の意味になる。訴訟における差止請求権の行使の基準時は当該訴訟の口頭弁論終結時となる。訴訟提起前はもちろん，訴訟提起後であっても，口頭弁論終結以前に確定判決等があれば「既に」存する場合となる。

例えば，Ａ団体が先行して訴訟提起をして慎重な審理をしていても，後で提起したＢ団体の訴訟進行が早くて先に確定判決や和解が行われれば，Ａ団体の訴訟では「既に確定判決等が存する場合」にあたり，ただちに棄却（実体法上の行使制限説）の判決がされることとなる。この結果は訴訟経済上不合理である。また，ある適格消費者団体が敗訴の危険を避けるために不利な和解をしたり，一審で敗訴して控訴を断念したときに，別の地域の他の適格消費者団体が同じ訴訟を別の裁判所で有利に進行させていたり，一審で勝訴して控訴審の審理中であったとしても，その訴訟は終了してしまうこととなり不合理で問題が多い。

(5) 「確定判決等」は，法12条等の差止請求権の請求原因となる実体法の規定に事業者の行為があたるかが実質的に検討されるなど，実体法上の差止請求権の存否が判断され，実質的に適格消費者団体が敗訴した場合に限られる。後述の法12条の2第1項2号イ，ロの場合や後訴制限効に基づく適格消費者団体の敗訴判決はこれにあたらない[7]。本制約が蒸し返し訴訟の弊害を除去することを目的としていることから，実質的に蒸し返しとならない場合には後訴を許す趣旨である。

差止対象となる実体法の規定にあたるかの判断はされずに，法12条等の「不特定かつ多数の消費者に対して」あるいは「現に行い又は行うおそれ」の要件がないとして判断された判決等が，本号の「確定判決等」にあたるか。訴訟の口頭弁論終結後にこれらの欠けていた要件を満たすような事情変更があれば本条2項の「後に生じた事由」にあたり差止請求をすることができる。事情変更がない場合には，これらの要件も実体法上の権利である差止請求権の発生要件の1つであるから，「確定判決等」にあたると考えられる。

(6) 差止請求権の発生の有無を実質的に検討していない以下の2つの判決の場合を，法文で「確定判決等」から除いている（本条1項2号イ，ロ）。

① 訴訟要件が欠けているなどの理由で，訴えを却下した判決。
② 当該消費者団体若しくは第三者の不正な利益を図り又は当該事業者等に損害を加えることを目的とする場合（本条1項1号）に該当することのみを理由として差止請求を棄却した確定判決及び仲裁判断。

(7) また，実質的な判断をして判決がされた場合のうち，差止請求権の不存在確認訴訟が事業者から提起され，これに事業者が敗訴した判決については，法文で「確定判決等」から除外している（本条1項2号ハ）。これは，実質的に適格消費者団体が勝訴しているものの，訴訟形態から改めて給付訴訟の後訴を提訴する利益が適格消費者団体にあると考えられるためである。

この条項の反対解釈として，事業者から適格消費者団体に対する差止請求権不存在確認訴訟の提起があり得ることが想定されている。この差止請求権不存在確認訴訟において，適格消費者団体が敗訴した場合には「確定判決

（注7） 消費者庁解説269頁（注）も同様に考えている。

等」にあたることになる。この不存在確認訴訟が濫用されると適格消費者団体が想定していない訴訟に応訴を強いられたり，遠方の適格消費者団体に対して事業者の本店所在地で提訴されるなど不測の事態が生じることになる。複数の事業者が組織的に強くない適格消費者団体をねらい打ちにして，複数の差止請求権の不存在確認訴訟が提起される可能性もある。かかる弊害に対して，法は何の対処もしていない。適格消費者団体に対してだけ，後訴制限効などの制約を設けながら事業者による弊害には何らの対処策を講じていないことは問題であり，そもそも後訴制限効が規定されていることで不平等が生じているのである。

　これらの弊害は解釈で対処することになる。まず，当該事業者に対して訴訟外の差止請求権を何ら行使していない適格消費者団体に対する差止請求権不存在確認訴訟は訴えの利益を欠くとして却下されるべきである。少なくとも法 23 条 4 項 1 号，2 号の差止請求権が行使されなくては，複数の適格消費者団体のうち，どの団体が当該事業者に対して差止請求権を具体的に行使するか不明であり，確認の利益を認めるほど紛争が顕在化していないと考えるからである。次に，法 23 条 4 項 1 号，2 号の差止請求権を行使したところ，事業者の方から当該適格消費者団体の所在地とは遠方となる裁判所に差止請求権不存在確認訴訟を提起したときには，消費者団体訴訟制度の公益性や事業者と適格消費者団体の資力の差などを斟酌して積極的に民事訴訟法 17 条の裁量移送を認めていくべきである。また，ねらい打ち的訴訟提起がされた場合には，訴権の濫用として訴えを棄却する場合もあり得よう。

　(8)　「請求の内容」が同一である場合とは，社会的事実関係として同一であり，さらに差止請求の根拠となる消費者契約法の適用条文が同一であることをいう。「相手方」が同一である場合とは，文字通り訴訟の当事者である事業者が同一であることであり，全く同じ契約条項を使用している系列会社や子会社であっても別の法人格であれば同一ではない。

　これらの同一性の基準は訴訟物を基準として考えざるを得ないが，差止請求の訴訟物をどうとらえるかがなお議論の形成過程であり，後訴制限効が問題のある制度であることを考えると，本号の趣旨が蒸し返し訴訟の弊害除去にあることを考えれば，蒸し返しか否かを基準にしながら，同一性を限定し

て考えるべきである[8]。

　対象となる勧誘行為や条項使用行為が社会的事実として異なる場合には同一ではない。当該契約の種類，内容，対象とする商品や役務，勧誘の形態や内容，契約条項の規定の仕方や内容など，差止めの対象となる行為を総合的に検討して，厳密に同一性を判断すべきである。行為内容は同一であっても，時間的，場所的には別途の社会的事実関係にある行為を別々の適格消費者団体が取り上げた場合には，近接している場合を除いて社会的事実関係が異なっており同一の請求とはいえないと判断される。国会における政府答弁では，「通常は，日時，場所が大きく離れていれば，通常は別事件になるかと思います」とも答弁している[9]。いずれにしても，このような場合は蒸し返しとはいえないと解される。

　差止めの根拠となる法規が，勧誘行為でいえば法4条所定の各類型，条項使用行為では法8条から10条所定の各類型で異なる類型や条項を根拠とした主張であれば同一でない。このような場合には，これらの行為がそれらの法規にあたるかが別途に判断されるべきであり，弊害としての蒸し返し提訴とはいえないからである。

　(9)　また，一旦は確定判決等がされたが，その確定判決等において，当該他の適格消費者団体による当該確定判決等にいたる訴訟などの手続に関し，事業者等と通謀して請求の放棄又は不特定かつ多数の消費者の利益に著しく反する訴訟などの追行を行ったとして，法34条1項4号によって当該適格消費者団体の認定が取り消されたり，本来前記の不特定かつ多数の消費者の利益に反するとして認定取消される訴訟追行による判決等であったが，別の理由で既に認定が取り消されたような場合に内閣総理大臣が別途に事業者等と通謀して請求の放棄又は不特定かつ多数の消費者の利益に著しく反する訴訟追行があったと認定したときには後訴制限効の適用がなくなる（本条1項2号ただし書）。このような訴訟追行は，実質的に消費者全体のために実

(注8)　菱田雄郷「消費者団体訴訟の課題」法時79巻1号98頁では，平成20年法律第29号による改正前12条5項2号（現12条の2第1項2号）の請求の同一性を既判力の客観的訴訟物の同一性とは理論的に切り離す考え方を支持している。

(注9)　政府答弁・平成18年5月23日参議院内閣委員会議録第8号20頁。

体判断がされたとはいえないので，後訴制限の前提を欠くことになることから例外とされた。

しかしながら，この規定の存在は差止請求訴訟における和解を著しく阻害すると考えられる。訴訟上の和解では原告・被告の両方の互譲によって行われる。適格消費者団体側がどの程度の譲歩をして和解をするかは，主張や手持ちの証拠などから当該訴訟における判決の予想をしながら判断されるが，どの程度の譲歩をすれば「不特定かつ多数の消費者の利益に著しく反する」かは明確ではなく，適格消費者団体が和解を選択することをためらわせることになろう。「著しく反する」の要件から，またその訴訟追行が認定取消にいたる程度であることからすれば，本号の例外となる場合は事業者と通謀して請求の放棄をしたことに準じる程度の誰が見ても問題と考えられるような和解等の場合しか該当しないと考えられる[10]が，本号が実際の訴訟活動においては和解に抑制的に働くことは明らかである。このような問題のある例外規定を設けざるを得ない後訴制限効自体に問題があると考えられる。

● 12条の2第2項

1　趣　旨

12条の2第1項2号の「確定判決等」が存在していても，当該確定判決等の口頭弁論終結時などの基準時の「後に生じた事由」に基づいていれば，請求の内容及び相手方が同一であっても差止請求をすることは妨げられないと規定された。

本項は，蒸し返し訴訟の弊害にあたらない場合を具体的に定めて，後訴提訴を認めるものである。基準時以降に生じた事由は前訴で主張・立証が不可能であり，前訴の判断の基礎となっていないので，これに基づく訴訟は蒸し返し訴訟とはいえず，改めて他の適格消費者団体による後訴を妨げないとしたものである。

（注10）　法34条1項4号にあたると考えられる訴訟追行の例は法34条1項4号関係のガイドラインに例示されている。

既判力の時的限界と同様の効果であるが，何が新たな事由にあたるかは後訴制限効の蒸し返し訴訟の弊害防止の趣旨から考えるべきであって，既判力の時的範囲と全く同一に考えるべきではない。

2 解　説

(1)　基準時は，確定判決では訴訟の口頭弁論終結時であり，裁判上の和解や調停など訴訟以外の確定判決と同一の効果を有するものは成立時である。

(2)　基準時後に生じた事由に基づいて，本条1項2号本文に掲げる場合の当該差止請求をすることは妨げられない。すなわち，請求内容と当事者が同一の他の適格消費者団体等を当事者とする確定判決等があって，別の適格消費者団体は後訴が制限される場合でも後訴提起が可能となるのである。

(3)　「後に生じた事由」は既判力の時的範囲と同一に考えるのではなく[11]，弊害とされている蒸し返し訴訟と評価されない場合には広く提訴を認めるとの基準で判断されるべきである。「後に生じた事由」とは，基準時後に新たに生じただけでなく判明した事実も含めるべきである。請求の内容及び相手方が同一であっても，これに基づく訴訟が蒸し返しの弊害とはいえない事由が発生した場合を広く「後に生じた事由」と考えるべきである。

勧誘方法や契約条項が同一であっても，勧誘範囲や条項行使範囲が広がるなどして欠けていた「不特定かつ多数」要件や「行い又は行うおそれ」要件を訴訟の口頭弁論終結後に満たすような事情変更があったとき[12]，不当勧誘のマニュアルが発見されたとき，行使条項文言は同一でも適法とされた実際の運用が前訴の主張とは異なっていることが発見されたとき，個別の消費者が提訴した裁判で前訴とは異なる判例が確立されたとき，条項の社会的評価が変更されたと考えられるとき[13]などは，他の団体が提訴しても蒸し返しとはいえず，「後に生じた事由」にあたると考えるべきである。

(注11)　三木・前掲（注3）67頁，上原・前掲（注3）72頁では，平成20年法律第29号による改正前12条6項（現12条の2第2項）を既判力の時的範囲に関する考え方に依拠又は手がかりにすべきとする。菱田・前掲（注8）98頁では，既判力の時的限界と同等に論じて良いかは問題であるとしている。

なお、事業者が勧誘方法や契約条項を変えたとき、あるいは同じ勧誘行為や契約条項でも消費者契約法の適用条文が異なるときには、請求内容が同一ではなく、相手方が同一であっても本項の問題ではない。

第12条の3（消費者契約の条項の開示要請）

> 第12条の3　適格消費者団体は、事業者又はその代理人が、消費者契約を締結するに際し、不特定かつ多数の消費者との間で第8条から第10条までに規定する消費者契約の条項を含む消費者契約の申込み又はその承諾の意思表示を現に行い又は行うおそれがあると疑うに足りる相当の理由があるときは、内閣府令で定めるところにより、その事業者又はその代理人に対し、その理由を示して、当該条項を開示するよう要請することができる。ただし、当該事業者又はその代理人が、当該条項を含む消費者契約の条項をインターネットの利用その他の適切な方法により公表しているときは、この限りでない。
> 2　事業者又はその代理人は、前項の規定による要請に応じるよう努めなければならない。

○消費者契約法施行規則
（消費者契約の条項の開示要請に係る手続）
第1条の3　法第12条の3第1項の規定による要請は、次に掲げる事項を記載し、又は記録した書面又は電磁的記録を交付し、又は提供し

(注12)　なお、国会における政府答弁では、関東で、ある事業者の勧誘行為について消費者団体が敗訴した場合にその後に関西で同じ勧誘行為をしていた場合は、確定判決の既判力によって遮断されないし、平成20年法律第29号による改正前12条6項（現12条の2第2項）によって、別の団体が差止請求することは妨げられないと述べている。平成18年4月21日衆議院内閣委員会議録第4号11頁。

(注13)　菱田・前掲（注8）98頁でも、過去の消費者団体訴訟で適法であることが確定した契約条項や勧誘行為につき、「当該条項等の不当性を高度に推認させる重大な社会状況の変化」が生じたときは基準時後の新事由とする考え方を示している。

て行うものとする。
一　名称及び住所並びに代表者の氏名
二　電話番号，電子メールアドレス（電子メールの利用者を識別するための文字，番号，記号その他の符号をいう。以下同じ。）及びファクシミリの番号（差止請求関係業務においてファクシミリ装置を用いて送受信しようとする場合に限る。以下同じ。）
三　当該事業者又はその代理人の氏名又は名称
四　法第12条の3第1項の規定による要請である旨
五　要請の理由
六　開示を要請する消費者契約の条項の要旨
七　希望する開示の実施の方法及び開示を実施するために必要な事項

I　意　義

　現在の適格消費者団体における不当条項の差止請求の実務においては，適格消費者団体が消費者等から情報を得て，ある事業者が差止請求の対象である契約条項を使用しているという疑いを持った場合は，契約条項の差止請求の行使に先立って，事業者に対して，当該事業者において使用している最新の契約条項の任意の開示を求め，契約条項の確認を行うことが多い。

　しかし，かかる開示の求めに対し，開示に応じる事業者がいる一方で，開示に応じない事業者も少なくないものとされている[1]。この結果として，適格消費者団体に誠実に対応した事業者の方が差止請求を受けうる可能性が高まりかねないという不公平が生じてしまっている。

　適格消費者団体における適正な差止請求権の行使を確保する観点からも，事業者より適格消費者団体に対して最新の契約条項が開示された方が望ましいことは明らかであり，かかる観点から，このような適格消費者団体の求めについて法的な根拠となる規定を設けることとしたものである。具体的に

（注1）　五條操「消費者支援機構関西（略称KC's）の活動について」（2018年11月15日内閣府消費委員会と消費者団体ほか関係団体との意見交換会・資料4）（https://www.cao.go.jp/consumer/iinkai/2018/002/doc/181115_shiryou4.pdf）（2025年3月25日最終閲覧＞。

は，適格消費者団体にとって契約条項の開示を求める必要性が高く，かつ，開示が事業者に不合理な負担を強いることにならない場合には，適格消費者団体は契約条項の開示を要請することができ，事業者は当該要請に応じるよう努めなければならない旨を規定するものである。

本条の趣旨については，かかる適格消費者団体の求めはあくまで任意のものであるとして，本条は，かかる任意の求めに法的な根拠を付与したものとの考え方もあり得る。しかしながら，適格消費者団体による差止請求権の行使には，消費者全体の利益擁護という公益的な側面もあることを考慮すれば，適格消費者団体が，適正な差止請求権の行使のために行う合理的な根拠に基づく要請に対しては，事業者においても正当な理由のない限りこれに応じるよう務める信義則上の義務があると解すべきであるから，本条は，かかる事業者の信義則上の義務を確認したものと位置付けるべきであろう。

II 解説

1 1項

(1) 「現に行い又は行うおそれがあると疑うに足りる相当の理由があるとき」

「現に行い又は行うおそれがあると疑うに足りる相当の理由があるとき」とは，差止の対象となる不当な行為が行われる疑いがあると客観的な事情に照らして認められる場合である[2]。具体的には，単なる憶測や伝聞ではなく，適格消費者団体が事業者により差止めの対象となる契約条項が使用されている可能性があると考えるに至った場合，例えば，事業者により以前に使用されていたものと思われる契約書の写しや消費者が契約条項に基づき違約金の請求を受けているものと思われる書面の写しを入手している，もしくはこういった書面等の写しが入手できていなくとも消費者からの情報により差止めの対象となりうるような契約内容であることが推測されるなど，その判

(注2) 消費者庁解説 275 頁。

断を裏付ける資料や合理的根拠が存在している場合を意味する。

(2)　「その理由を示して」

　適格消費者団体が要請にあたり事業者に対して示すべき理由としては，要請の対象となる事業者についてどのような不当条項使用の疑いがあるのかを示すこととなる。もっとも，あくまで適格消費者団体において差止請求権の行使をするか否かの判断材料とするための要請であることを踏まえ，要請の対象となった条項が差止請求権の対象となり得ることの一応の説明があれば足りるものと理解すべきであり，当該条項が不当条項に該当することの証明まで求められるものではない。

(3)　但　書

　事業者が不特定かつ多数の消費者との間で使用している消費者契約の条項をインターネットの利用その他の適切な方法により公表しているときは，事業者に対して改めて求めなくとも，適格消費者団体において容易に事業者が使用している契約条項を入手することができるのであるから，基本的には本条1項に基づく開示要請を行う必要性がないものと考えられる。本条1項但書は，このような観点から，事業者に不合理な負担が生じることを避けるため，当該事業者又はその代理人が，開示を求めようとする条項を含む消費者契約の条項をインターネットの利用その他の適切な方法により公表しているときは，本条1項に基づく開示要請を認めない旨を規定するものである[3]。

　もっとも，適格消費者団体が入手した資料や情報等により，インターネット上に公表されている消費者契約の条項が最新のものではないなど，合理的な根拠があるときにおいて，適格消費者団体がかかる根拠を示した上で契約条項の開示を事業者に求めることは，本条1項但書によっても妨げられないものと解すべきである。なぜなら，このような場合には，開示を求めようとする条項がインターネットの利用その他の適切な方法により公表されているとはいえないからである。

　また，事業者が店舗等における掲示といった方法で契約条項を公表している場合であっても，適格消費者団体が容易に契約条項を入手できるとはいい

(注3)　消費者庁解説276頁。

がたい場合には，本条1項但書における「適切な方法により公表」したとはいえないと解すべきであり，事業者は契約条項の提供に応じるべきである。

(4) 要請の具体的な方法

施行規則1条の3は，本条1項による要請は，次に掲げる事項を記載し，又は記録した書面又は電磁的記録を交付し，又は提供して行うものとしている。

① 要請を行う適格消費者団体の名称及び住所並びに代表者の氏名
② 要請を行う適格消費者団体の電話番号，電子メールアドレス及びファクシミリの番号（差止請求関係業務においてファクシミリ装置を用いて送受信しようとする場合に限る）
③ 要請の相手方である事業者又はその代理人の氏名又は名称
④ 本条1項の規定による要請である旨
⑤ 要請の理由
⑥ 開示を要請する消費者契約の条項の要旨
⑦ 希望する開示の実施の方法及び開示を実施するために必要な事項

2 2項

本条2項は，本条1項に基づく適格消費者団体からの開示要請を受けたときは，事業者又はその代理人において，かかる要請に応じるよう努めなければならない旨を規定する。

本条の意義において述べたとおり，適格消費者団体が，適正な差止請求権の行使のために行う合理的な根拠に基づく要請に対しては，事業者においても正当な理由のない限りこれに応じるよう務める信義則上の義務があると解すべきであり，本項は，かかる事業者の信義則上の義務を改めて確認するものである。

第12条の4（損害賠償の額を予定する条項等に関する説明の要請等）

第12条の4 適格消費者団体は，消費者契約の解除に伴う損害賠償の額を予定し，又は違約金を定める条項におけるこれらを合算した額が第9条第1項第1号に規定する平均的な損害の額を超えると疑うに足

りる相当な理由があるときは，内閣府令で定めるところにより，当該条項を定める事業者に対し，その理由を示して，当該条項に係る算定根拠を説明するよう要請することができる。
2　事業者は，前項の算定根拠に営業秘密（不正競争防止法（平成5年法律第47号）第2条第6項に規定する営業秘密をいう。）が含まれる場合その他の正当な理由がある場合を除き，前項の規定による要請に応じるよう努めなければならない。

○消費者契約法施行規則
（損害賠償の額を予定する条項等に関する説明の要請に係る手続）
第1条の4　法第12条の4第1項の規定による要請は，次に掲げる事項を記載し，又は記録した書面又は電磁的記録を交付し，又は提供して行うものとする。
一　名称及び住所並びに代表者の氏名
二　電話番号，電子メールアドレス及びファクシミリの番号
三　当該事業者又はその代理人の氏名又は名称
四　法第12条の4第1項の規定による要請である旨
五　要請の理由
六　希望する説明の実施の方法

I　趣　旨

1　意　義

　法9条1項1号は，契約の解除に伴う損害賠償又は違約金を定める条項（以下「違約金条項」という。）であって，当該条項において設定された解除の事由，時期等の区分に応じ，当該消費者契約と同種の契約の解除に伴い当該事業者に生ずべき「平均的な損害」の額を超える部分を無効とすることを定めている。

本条は，事業者が，違約金条項を定めた場合，適格消費者団体は，当該事業者に対して，「平均的な損害」の額を超えると疑うに足りる相当な理由を示した上で，当該違約金条項に係る算定根拠を説明するよう要請することができるとした規定である。

2 改正経緯

(1) 消費者契約に関する検討会における議論状況

(i) 2018年の消費者契約法改正の際，衆参両議院の附帯決議において，法9条〔1項〕1号における「当該事業者に生ずべき平均的な損害の額」の立証に必要な資料は主として事業者が保有しており，消費者にとって当該損害額の立証が困難となっている場合が多いと考えられることから，「平均的な損害の額」の意義，「解除に伴う」などの同号の他の要件についても必要に応じて検討を加えつつ，当該損害額を法律上推定する規定の創設など消費者の立証責任の負担軽減に向け早急に検討を行い，本法成立後2年以内に必要な措置を講ずることが，政府に対して求められた[1]。

(ii) かかる附帯決議を受けて，令和元年12月24日から消費者契約に関する検討会が開催された。詳細については，法9条2項解説の1(2)(i)(イ)(ウ)を参照。

(2) 令和3年消費者契約に関する検討会報告書の概要

(i) 平均的な損害の考慮要素の列挙

平均的な損害を算定する際の主要な考慮要素として，当該消費者契約における商品，権利，役務等の対価，解除の時期，当該消費者契約の性質，当該消費者契約の代替可能性，費用の回復可能性などを列挙することにより平均的な損害の明確化を図ることが考えられる。これにより，消費者が具体的に主張立証すべき対象が明確化されるとともに，事業者が違約金条項を定める際の参考となるため，事業者にとっても有益と考えられる。その際，平均的な損害の考慮要素については，法9条1項1号に網羅的かつ一律に定めることが困難な部分もあり，また事業者による新しい商品・サービスの開発等の

(注1) 衆議院附帯決議（平成30年5月23日），衆議院附帯決議（平成30年6月6日）。

イノベーションを阻害しないよう，あくまで例示列挙であることを明確にすべきと考えられる。

　(ⅱ)　解約時の説明に関する努力義務の導入

　事業者に違約金条項について不当でないことを説明する努力義務を課すことが考えらえる。説明の内容については，どのような考慮要素及び算定基準に従って平均的な損害を算定し，違約金が当該平均的な損害の額を下回っていると考えたのかについて，その概要を説明することが考えられる。

　(ⅲ)　積極否認の特則の導入

　特許法104条の2の規定等を参考として，「平均的な損害」の額に関する違約金条項の効力に係る訴訟において，事業者が，その相手方が主張する「平均的な損害」の額を否認するときは，その事業者は自己の主張する「平均的な損害」の額とその算定根拠を明らかにしなければならないこととする規定（積極否認の特則）を設けることが考えられる[2][3]。

　(3)　営業秘密に関する議論

　なお，違約金の算定根拠を説明する際には営業秘密に係る情報が含まれる可能性がある。この点，令和3年消費者契約に関する検討会報告書では，積極否認の特則導入の提案部分で，「『平均的な損害の額』とその算定根拠には営業秘密に該当し得る情報が含まれている可能性もあり，事業者が当該算定根拠を明らかにすることが困難である事例が存在することも考えられる。さらに，『平均的な損害の額』について消費者側が具体的な主張を行わない等，いわゆる濫訴に該当する事例が発生する可能性もある。そこで，これらの『相当の理由』が存在する場合には，事業者が当該算定根拠について明らかにする必要がないようにする規律とすべきと考えられる。」(15～16頁)としている。

　他方で，令和3年消費者契約に関する検討会報告書は，「利用主体につい

　(注2)　現行の民事訴訟規則79条3項でも，相手方の主張する事実を否認する場合には，その理由を明らかにしなければならないとされているが，積極否認の特則の規定は，単に理由を明らかにするだけにとどまらず，自己の主張する「平均的な損害」の額とその算定根拠まで明らかにしなければならないこととし，同項を一歩進めた特則と位置付けられる。

ては，法第25条等により秘密保持義務が課されており，厳格な情報管理体制の構築が求められている適格消費者団体……及び特定適格消費者団体……に限定することで事業者が明らかにした情報が不正に利用されることを防止し，よって事業者の情報の不正利用に関する懸念を払拭することが考えられる。また，実際にも『平均的な損害』の額及びその算定根拠には粗利益，原価，再販率などの情報が含まれており，当該内容を用いて立証活動を行うには相応の専門性と労力負担が求められるため，適格消費者団体及び特定適格消費者団体に利用主体を限定することが現実的であると考えられる。」(16頁)としており，利用主体を適格消費者団体等に限定する等の制限を加える代わりに，粗利益，原価，再販率等といった類型の営業秘密については，それが「平均的な損害」の額を算定するにあたって必要であれば，適格消費者団体に開示されることを予定している。

(4) 新設された規律の概要

(i) こうした検討，提案を経た上で，①利用場面を訴訟上の場面に限定せず（その意味では「積極否認の特則」そのものではない）[4]，②利用主体を適格消費者団体と一般消費者に分け，適格消費者団体には，「第9条第1項第1号に規定する平均的な損害の額を超えると疑うに足りる相当な理由があるとき」には，当該事業者に対して解約料の算定根拠そのものの説明を求めることができるという本規定が新設された。

(ii) なお，特許法105条の規定等を参考として，訴訟上において，裁判所

(注3) なお，第6回消費者契約に関する検討会事務局作成資料1で，積極否認の特則違反については「研究会報告書では，積極否認の特則の義務違反に対する制裁規定を設けず，当該規律に従わない不誠実な訴訟対応について弁論の全趣旨として裁判官の心証に影響を与えることがあるという事実上の効果を予定したものであると提案されている。また，特許法104条の2においても，義務違反に対する制裁規定は設けられておらず，消費者契約法においても制裁規定を設けない規律が考えられる。」(14頁)とされている。この点について，制裁規定を定めるべきとの議論もあったが，最終的には制裁規定（サンクション）は予定されなかった。

(注4) 令和3年消費者契約に関する検討会報告書で提案された積極否認の特則は最終的にはサンクションの無い制度に留まったことと，事業者の説明責任は訴訟の場でも訴訟の外でも共通であることから，このような制度設計になったものと推察される。

が事業者に対して，平均的な損害の額の算定根拠に用いた資料の提出を命じることができる規定（文書提出命令の特則）を設けることについては，秘密保持の観点についての調整ができず，令和4年6月の改正では見送られることとなった。

しかし，算定根拠無く違約金条項を定めることは論外であって，違約金条項を定める以上は，その算定根拠を考えておくとともに根拠資料を整えておかなければならないことが本来あるべき姿であること，少なくとも訴訟においては，主張する以上はその立証資料の証拠提出が必要と考えられること等から，引き続き，重要な検討課題として検討されるべきである。

令和3年消費者契約に関する検討会報告書でも，「『平均的な損害』に係る立証責任の負担を軽減するために，文書提出命令の特則及び『平均的な損害』の額の立証責任の転換等については，法第9条〔第1項〕第1号に考慮要素を列挙することの効果，『平均的な損害』の説明に努める義務及び積極否認の特則の運用実態を踏まえて，それでも『平均的な損害』に係る立証責任の負担の軽減が不十分であると判明した場合に，将来改めて検討することが考えられる。」（16頁）とされている。

Ⅱ　解　説

1　「第9条第1項第1号に規定する平均的な損害の額を超えると疑うに足りる相当な理由があるとき」

単なる憶測や伝聞等ではなく，そのように疑うに至った裏付資料がある，あるいは合理的根拠が存在している場合をいう。例としては，当該事業者の同業他社と比較して違約金等が高額である場合などが考えられる。

2　「内閣府令で定めるところにより，当該条項を定める事業者に対し，その理由を示して」

示し方は規則1条の4記載のとおりである。

3 「損害賠償の額の予定又は違約金の算定の根拠」

(1) 違約金等の算定の根拠とは、事業者が算定に際して、①考慮した事項・要素、②これらを考慮したことの合理的根拠、③使用した算定式、④その算定式の合理的根拠、⑤金額が適正を考えた合理的理由等を意味する。

(2) ①の考慮した事項・要素としては、当該消費者契約における商品・権利・役務等の性質、解除の時期、解除の事由・事情、消費者契約の代替可能性、費用の回復可能性などがある[5]。

(3) ①考慮した事項・要素あるいは③使用した算定式の内容や合理的根拠の説明に際して、粗利益、原価、再販率等の具体的数字が必要な場合には、その数字についても説明することが、合理的理由の説明のためには必要となると考えられる。

4 「営業秘密（不正競争防止法（平成5年法律第47号）第2条第6項に規定する営業秘密をいう。）が含まれる場合その他の正当な理由がある場合」

(1) 不正競争防止法2条6項は、営業秘密を「秘密として管理されている生産方法、販売方法その他の事業活動に有用な技術上又は営業上の情報であって、公然と知られていないものをいう」と規定する。したがって、この要件に該当しない場合はそもそも営業秘密に該当しない。

(2) 粗利益、原価、再販率等について

この点に関して、消費者庁解説は、利用場面を訴訟上か否かを区別することなく、「違約金等の算定根拠に関する情報の中には利益率や原価など事業

(注5) 令和3年消費者契約に関する検討会報告書では、平均的な損害の額を算定する際の主要な考慮要素として、当該消費者契約における商品、権利、役務等の対価、解除の時期、当該消費者契約の性質、当該消費者契約の代替可能性、費用の回復可能性などを明文上列挙することが提案された（13頁）。令和4年6月の改正では明文化こそされていないものの、考慮要素として重要であることに変わりはない。

者の営業秘密に該当する内容が含まれている場合もあり，事業者が違約金等の算定根拠を説明できない合理的な場合も存在すると考えられる。」，「営業秘密の解釈については不正競争防止法と同じである。」としている[6]。

しかし，前述のとおり，令和3年消費者契約に関する検討会報告書では，積極否認の特則導入の提案部分で，利用主体を，適格消費者団体等に限定する代わりに，粗利益，原価，再販率等といった情報については，それが「平均的な損害」の額を算定するにあたって必要であれば，適格消費者団体等に開示されることが予定されていた。そして，令和4年6月の改正で制定された規律は，利用場面を訴訟上の場面に限定していないものであるが，利用主体は適格消費者団体であること，及び「第9条第1項第1号に規定する平均的な損害の額を超えると疑うに足りる相当な理由があるとき」という要件が加わっていることを考えると，少なくとも訴訟上の場面では，利益率や原価等は，適格消費者団体に開示されるべきであり，営業秘密に関して制限的な解釈がされるべきである。

5 「要請に応じるよう努めなければならない。」

(1) 努力義務規定の位置付けについて

消費者契約法が明文で定める法的効果は，「取消」と「条項の無効」という比較的，影響力が大きいものであるため，これまでの消費者契約法改正の過程では，「要件」の明確性が求められてきた。そして，「取消権」や「条項の無効」という法的効果に直接に結びつけることはできないが，法的原理，規範として重要なものは，法3条の努力義務という形で条文化されてきた。

令和4年6月の改正では，法3条1項だけではなく，9条2項，12条の3，12条の4（本規定），12条の5といった多くの努力義務が条文化されたが，これは，これらの内容が消費者契約における法的原理，規範として重要なものであることが，改めて確認されたものと理解することができる。

(2) 本規定の効果

本規定は，いわゆる努力義務規定となる。しかし，前述のとおり，本規定

(注6) 消費者庁解説280頁。

は，消費者契約における法的原理，規範として重要なものが確認されたものであることからすると，努力すらせずに放置された場合には，明文上の義務違反となる。

この場合，訴訟の場面では，裁判所が，本規定を根拠として訴訟指揮により義務履行を促すことや，それでも拒否する場合にはその態度を弁論の全趣旨として評価するという効果が考えられる。

第12条の5（差止請求に係る講じた措置の開示要請）

> 第12条の5　第12条第3項又は第4項の規定による請求により事業者又はその代理人がこれらの規定に規定する行為の停止若しくは予防又は当該行為の停止若しくは予防に必要な措置をとる義務を負うときは，当該請求をした適格消費者団体は，内閣府令で定めるところにより，その事業者又はその代理人に対し，これらの者が当該義務を履行するために講じた措置の内容を開示するよう要請することができる。
> 2　事業者又はその代理人は，前項の規定による要請に応じるよう努めなければならない。

○消費者契約法施行規則
（差止請求に係る講じた措置の開示要請に係る手続）
第1条の5　法第12条の5第1項の規定による要請は，次に掲げる事項を記載し，又は記録した書面又は電磁的記録を交付し，又は提供して行うものとする。
一　名称及び住所並びに代表者の氏名
二　電話番号，電子メールアドレス及びファクシミリの番号
三　当該事業者又はその代理人の氏名又は名称
四　法第12条の5第1項の規定による要請である旨
五　当該事業者又はその代理人が負う法第12条第3項又は第4項の規定に規定する行為の停止若しくは予防又は当該行為の停止若しくは予防に必要な措置をとる義務の内容
六　希望する開示の実施の方法

Ⅰ　意　義

　適格消費者団体が不当条項の差止めを請求した結果，事業者が契約条項の改善を約束したり，訴訟上の差止請求を認諾したにもかかわらず，その後の当該適格消費者団体からの契約条項の開示請求を拒絶したため，結局，不当な契約条項が是正されたのか否かは明らかではないという事態も生じている[1]。

　差止請求後の措置が不明であること自体は，不当条項の差止めのみならず，不当勧誘の差止請求でも生じうる問題ではあるが，不当条項請求の差止めが圧倒的に多いだけでなく，消費者からの情報提供が期待できる不当勧誘とは異なって，不当条項の改善の有無については消費者においても気づきにくいため積極的な情報提供が期待しにくい面がある。

　適格消費者団体における適正な差止請求権の行使を確保する観点からも，適格消費者団体の差止請求権行使の結果として不当条項の改善がなされたかどうかを確認しうるようにした方が望ましいことは明らかであり，かかる観点から，このような適格消費者団体の求めについて法的な根拠となる規定を設けることとしたものである。

　本条についても，法12条の3と同様，かかる適格消費者団体の求めはあくまで任意のものであるとして，本条は，かかる任意の求めに法的な根拠を付与したものとの考え方もあり得る。しかしながら，適格消費者団体による差止請求権の行使には，消費者全体の利益擁護という公益的な側面もあることを考慮すれば，適格消費者団体が，適正な差止請求権の行使のために行う合理的な根拠に基づく要請に対しては，事業者においても正当な理由のない限りこれに応じるよう務める信義則上の義務があると解すべきであるから，

（注1）　五條操「消費者支援機構関西（略称 KC's）の活動について」（2018年11月15日，内閣府消費者委員会と消費者団体ほか関係団体等との意見交換会・資料4）（https://www.cao.go.jp/consumer/iinkai/2018/002/doc/181115_shiryou4.pdf）（2025年3月25日最終閲覧）。第20回消費者契約に関する検討会資料1・36頁（https://www.caa.go.jp/policies/policy/consumer_system/meeting_materials/assets/consumer_system_cms101_210701_02.pdf）（2025年3月25日最終閲覧）。

本条についても，かかる事業者の信義則上の義務を確認したものと位置付けるべきであろう。

II 解説

1　1項

(1)　「事業者又はその代理人が……行為の停止若しくは予防又は当該行為の停止若しくは予防に必要な措置をとる義務を負うとき」

具体的には，差止請求訴訟において適格消費者団体による請求が認容された場合や，適格消費者団体が訴訟外で差止請求を行った結果，事業者が不当条項の変更や削除を行うといった旨の和解が成立した場合等が想定されよう[2]。また，訴訟外での差止請求権の行使の結果として適格消費者団体と事業者との間で不当条項の変更や削除を行うといった旨の合意が成立した場合[3]も同様である。

(2)　「当該義務を履行するために講じた措置」

具体的には，例えば，事業者が消費者契約の条項を変更したのであれば，変更後の条項の内容の開示を求めることが想定される[4]。また，不当条項の使用の停止若しくは予防に必要な措置として変更前の契約書面の廃棄などの具体的作為が求められる場合などには，その当該作為義務を履行するために行った具体的な行動内容の開示（例えば，契約書面を廃棄した日時，廃棄方法，廃棄に従事した従業員の氏名等）を求めることが想定される。

(3)　具体的な手続

(注2)　消費者庁解説283頁。

(注3)　明確に合意書が取り交わされているような場合だけでなく，事業者が一方的に不当条項の変更や削除を行う旨の意思表明を行って適格消費者団体との協議を終了した場合など，適格消費者団体と事業者との協議の経過から，信義則上，事業者が「必要な措置をとる義務を負う」と解される場合も含まれるものとしてよいであろう。

(注4)　消費者庁解説283頁。

施行規則1条の5は，本条1項による要請は，次に掲げる事項を記載し，又は記録した書面又は電磁的記録を交付し，又は提供して行うものとしている。

① 要請を行う適格消費者団体の名称及び住所並びに代表者の氏名
② 要請を行う適格消費者団体の電話番号，電子メールアドレス及びファクシミリの番号（差止請求関係業務においてファクシミリ装置を用いて送受信しようとする場合に限る）
③ 要請の相手方である事業者又はその代理人の氏名又は名称
④ 本条1項による要請である旨
⑤ 要請の相手方である事業者又はその代理人が負う不当条項使用の停止若しくは予防又は当該行為の停止若しくは予防に必要な措置をとる義務の内容
⑥ 希望する開示の実施の方法

2　2項

本条2項は，本条1項に基づく適格消費者団体からの開示要請を受けたときは，事業者又はその代理人において，かかる要請に応じるよう努めなければならない旨を規定する。

本条の意義において述べたとおり，適格消費者団体が，適正な差止請求権の行使のために行う合理的な根拠に基づく要請に対しては，事業者においても正当な理由のない限りこれに応じるよう務める信義則上の義務があると解すべきであり，本項は，かかる事業者の信義則上の義務を改めて確認するものである。

第2節　適格消費者団体

第1款　適格消費者団体の認定等

第13条　（適格消費者団体の認定）

第13条　差止請求関係業務（不特定かつ多数の消費者の利益のために差止請求権を行使する業務並びに当該業務の遂行に必要な消費者の被害に関する情報の収集並びに消費者の被害の防止及び救済に資する差止請求権の行使の結果に関する情報の収集及び提供に係る業務をいう。以下同じ。）を行おうとする者は，内閣総理大臣の認定を受けなければならない。

2　前項の認定を受けようとする者は，内閣総理大臣に認定の申請をしなければならない。

3　内閣総理大臣は，前項の申請をした者が次に掲げる要件の全てに適合しているときに限り，第1項の認定をすることができる。

一　特定非営利活動促進法（平成10年法律第7号）第2条第2項に規定する特定非営利活動法人又は一般社団法人若しくは一般財団法人であること。

二　消費生活に関する情報の収集及び提供並びに消費者の被害の防止及び救済のための活動その他の不特定かつ多数の消費者の利益の擁護を図るための活動を行うことを主たる目的とし，現にその活動を相当期間にわたり継続して適正に行っていると認められること。

三　差止請求関係業務の実施に係る組織，差止請求関係業務の実施の方法，差止請求関係業務に関して知り得た情報の管理及び秘密の保持の方法その他の差止請求関係業務を適正に遂行するための体制及び業務規程が適切に整備されていること。

四　その理事に関し，次に掲げる要件に適合するものであること。

イ　差止請求関係業務の執行を決定する機関として理事をもって構

成する理事会が置かれており，かつ，定款で定めるその決定の方法が次に掲げる要件に適合していると認められること。
(1) 当該理事会の決議が理事の過半数又はこれを上回る割合以上の多数決により行われるものとされていること。
(2) 第41条第1項の規定による差止請求，差止請求に係る訴えの提起その他の差止請求関係業務の執行に係る重要な事項の決定が理事その他の者に委任されていないこと。
ロ 理事の構成が次の (1) 又は (2) のいずれかに該当するものでないこと。この場合において，第2号に掲げる要件に適合する者は，次の (1) 又は (2) に規定する事業者に該当しないものとみなす。
(1) 理事の数のうちに占める特定の事業者（当該事業者との間に発行済株式の総数の2分の1以上の株式の数を保有する関係その他の内閣府令で定める特別の関係のある者を含む。）の関係者（当該事業者及びその役員又は職員である者その他の内閣府令で定める者をいう。(2) において同じ。）の数の割合が3分の1を超えていること。
(2) 理事の数のうちに占める同一の業種（内閣府令で定める事業の区分をいう。）に属する事業を行う事業者の関係者の数の割合が2分の1を超えていること。
五 差止請求の要否及びその内容についての検討を行う部門において次のイ及びロに掲げる者（以下「専門委員」と総称する。）が共にその専門的な知識経験に基づいて必要な助言を行い又は意見を述べる体制が整備されていることその他差止請求関係業務を遂行するための人的体制に照らして，差止請求関係業務を適正に遂行することができる専門的な知識経験を有すると認められること。
イ 消費生活に関する消費者と事業者との間に生じた苦情に係る相談（第40条第1項において「消費生活相談」という。）その他の消費生活に関する事項について専門的な知識経験を有する者として内閣府令で定める条件に適合する者

ロ　弁護士，司法書士その他の法律に関する専門的な知識経験を有する者として内閣府令で定める条件に適合する者
　六　差止請求関係業務を適正に遂行するに足りる経理的基礎を有すること。
　七　差止請求関係業務以外の業務を行う場合には，その業務を行うことによって差止請求関係業務の適正な遂行に支障を及ぼすおそれがないこと。
4　前項第3号の業務規程には，差止請求関係業務の実施の方法，差止請求関係業務に関して知り得た情報の管理及び秘密の保持の方法その他の内閣府令で定める事項が定められていなければならない。この場合において，業務規程に定める差止請求関係業務の実施の方法には，同項第5号の検討を行う部門における専門委員からの助言又は意見の聴取に関する措置及び役員，職員又は専門委員が差止請求に係る相手方と特別の利害関係を有する場合の措置その他業務の公正な実施の確保に関する措置が含まれていなければならない。
5　次の各号のいずれかに該当する者は，第1項の認定を受けることができない。
　一　この法律，消費者の財産的被害等の集団的な回復のための民事の裁判手続の特例に関する法律（平成25年法律第96号。以下「消費者裁判手続特例法」という。）その他消費者の利益の擁護に関する法律で政令で定めるもの若しくはこれらの法律に基づく命令の規定又はこれらの規定に基づく処分に違反して罰金の刑に処せられ，その刑の執行を終わり，又はその刑の執行を受けることがなくなった日から3年を経過しない法人
　二　第34条第1項各号若しくは消費者裁判手続特例法第92条第2項各号に掲げる事由により第1項の認定を取り消され，又は第34条第3項の規定により同条第1項第4号に掲げる事由があった旨の認定がされ，その取消し又は認定の日から3年を経過しない法人
　三　暴力団員による不当な行為の防止等に関する法律（平成3年法律第77号）第2条第6号に規定する暴力団員又は同号に規定する暴

力団員でなくなった日から5年を経過しない者（次号及び第6号ハにおいて「暴力団員等」という。）がその事業活動を支配する法人
四　暴力団員等をその業務に従事させ，又はその業務の補助者として使用するおそれのある法人
五　政治団体（政治資金規正法（昭和23年法律第194号）第3条第1項に規定する政治団体をいう。）
六　役員のうちに次のイからハまでのいずれかに該当する者のある法人
　イ　拘禁刑以上の刑に処せられ，又はこの法律，消費者裁判手続特例法その他消費者の利益の擁護に関する法律で政令で定めるもの若しくはこれらの法律に基づく命令の規定若しくはこれらの規定に基づく処分に違反して罰金の刑に処せられ，その刑の執行を終わり，又はその刑の執行を受けることがなくなった日から3年を経過しない者
　ロ　適格消費者団体が第34条第1項各号若しくは消費者裁判手続特例法第92条第2項各号に掲げる事由により第1項の認定を取り消され，又は第34条第3項の規定により同条第1項第4号に掲げる事由があった旨の認定がされた場合において，その取消し又は認定の日前6月以内に当該適格消費者団体の役員であった者でその取消し又は認定の日から3年を経過しないもの
　ハ　暴力団員等

○消費者契約法施行規則（平成19年内閣府令第17号）
（特定の事業者の関係者の範囲）
第2条　法第13条第3項（法第17条第6項，法第19条第6項及び法第20条第6項において準用する場合を含む。以下同じ。）第4号ロ(1)の内閣府令で定める特別の関係は，次に掲げる関係とする。
一　2の事業者のいずれか一方の事業者が他方の事業者の発行済株式又は出資（その有する自己の株式又は出資を除く。以下「発行済株式等」という。）の総数（出資にあっては，総額。以下同じ。）の2

分の1以上の株式（出資を含む。以下同じ。）の数（出資にあっては，金額。以下同じ。）を直接又は間接に保有する関係

二　2の事業者が同一の者によってそれぞれの事業者の発行済株式等の総数の2分の1以上の株式の数を直接又は間接に保有される関係がある場合における当該2の事業者の関係（第1号に掲げる関係に該当するものを除く。）

2　前項第1号の場合において，一方の事業者が他方の事業者の発行済株式等の総数の2分の1以上の株式の数を直接又は間接に保有するかどうかの判定は，当該一方の事業者の当該他方の事業者に係る直接保有の株式の保有割合（当該一方の事業者の有する当該他方の事業者の株式の数が当該他方の事業者の発行済株式等の総数のうちに占める割合をいう。）と当該一方の事業者の当該他方の事業者に係る間接保有の株式の保有割合（次の各号に掲げる場合の区分に応じ当該各号に定める割合（当該各号に掲げる場合のいずれにも該当する場合には，当該各号に定める割合の合計割合）をいう。）とを合計した割合により行うものとする。

一　当該他方の事業者の株主等（株主又は合名会社，合資会社若しくは合同会社の社員その他法人の出資者をいう。以下本項において同じ。）である法人の発行済株式等の総数の2分の1以上の株式の数が当該一方の事業者により所有されている場合　当該株主等である法人の有する当該他方の事業者の株式の数が当該他方の事業者の発行済株式等の総数のうちに占める割合（当該株主等である法人が2以上ある場合には，当該2以上の株主等である法人につきそれぞれ計算した割合の合計割合）

二　当該他方の事業者の株主等である法人（前号に掲げる場合に該当する同号の株主等である法人を除く。）と当該一方の事業者との間にこれらの者と発行済株式等の所有を通じて連鎖関係にある1又は2以上の法人（以下この号において「出資関連法人」という。）が介在している場合（出資関連法人及び当該株主等である法人がそれぞれその発行済株式等の総数の2分の1以上の株式の数を当該一方

の事業者又は出資関連法人（その発行済株式等の総数の2分の1以上の株式の数が当該一方の事業者又は他の出資関連法人によって所有されているものに限る。）によって所有されている場合に限る。）

　　当該株主等である法人の有する当該他方の事業者の株式の数が当該他方の事業者の発行済株式等の総数のうちに占める割合（当該株主等である法人が2以上ある場合には，当該2以上の株主等である法人につきそれぞれ計算した割合の合計割合）
3　前項の規定は，第1項第2号の関係の判定について準用する。
4　法第13条第3項第4号ロ（1）の内閣府令で定める者は，次に掲げる者とする。
　一　当該事業者及びその役員又は職員である者
　二　過去2年間に前号に掲げる者であった者
5　法第13条第3項第4号ロ（1）に掲げる要件の判定に当たっては，当該者の責めに帰することのできない事由により当該要件を満たさないこととなった場合において，その後遅滞なく当該要件を満たしていると認められるときは，当該要件を継続して満たしているものとみなす。

（事業の区分）
第3条　法第13条第3項第4号ロ（2）の内閣府令で定める事業の区分は，統計法第28条の規定に基づき，産業に関する分類を定める件（平成25年総務省告示第405号）に定める日本標準産業分類に掲げる中分類01－農業から中分類71－学術・開発研究機関まで及び中分類73－広告業から中分類99－分類不能の産業までに属する事業にあっては当該各中分類により分類するものとし，中分類72－専門サービス業（他に分類されないもの）に属する事業にあっては中分類72－専門サービス業（他に分類されないもの）（法律事務所及び司法書士事務所に限る。）と中分類72－専門サービス業（他に分類されないもの）（法律事務所及び司法書士事務所を除く。）とに分類するものとする。ただし，内閣総理大臣が，事業活動の態様等を勘案し，差止請求関係業務の公正かつ適正な遂行に支障を及ぼすおそれがないと認めて

別の区分を告示したときは，その区分とする。
2　前条第5項の規定は，法第13条第3項第4号ロ (2) に掲げる要件の判定について準用する。
（消費生活に関する事項について専門的な知識経験を有する者に係る要件）
第4条　法第13条第3項第5号イの内閣府令で定める条件は，次の各号のいずれかに該当するものとする。
　一　消費者安全法（平成21年法律第50号）第10条の3第1項の消費生活相談員資格試験に合格し，かつ，同条第2項に規定する消費生活相談に応ずる業務に従事した期間が通算して1年以上の者
　二　次に掲げるいずれかの資格を有し，かつ，消費生活相談に応ずる業務に従事した期間が通算して1年以上の者
　　イ　独立行政法人国民生活センターが付与する消費生活専門相談員の資格
　　ロ　一般財団法人日本産業協会が付与する消費生活アドバイザーの資格
　　ハ　一般財団法人日本消費者協会が付与する消費生活コンサルタントの資格
　三　前2号に掲げる条件と同等以上のものと内閣総理大臣が認めたもの
（法律に関する専門的な知識経験を有する者に係る要件）
第5条　法第13条第3項第5号ロの内閣府令で定める条件は，次の各号のいずれか一に該当するものとする。
　一　弁護士
　二　司法書士
　三　学校教育法（昭和22年法律第26号）に定める大学の学部，専攻科又は大学院において民事法学その他の差止請求の要否及びその内容についての検討に関する科目を担当する教授，准教授，助教又は講師（非常勤の者を除く。）の職にある者
　四　前各号に掲げる条件と同等以上のものと内閣総理大臣が認めたも

の

(業務規程の記載事項)
第6条　法第13条第4項（法第17条第6項，法第19条第6項及び法第20条第6項において準用する場合を含む。）の内閣府令で定める事項は，次のとおりとする。
一　差止請求関係業務の実施の方法に関する事項として次に掲げる事項
　　イ　不特定かつ多数の消費者の利益のために差止請求権を行使する業務の実施の方法に関する事項
　　ロ　イの業務の遂行に必要な消費者の被害に関する情報の収集に係る業務（第21条第1項第3号において「消費者被害情報収集業務」という。）の実施の方法に関する事項
　　ハ　消費者の被害の防止及び救済に資する差止請求権の行使の結果に関する情報の収集及び提供に係る業務（第21条第1項第4号において「差止請求情報収集提供業務」という。）の実施の方法に関する事項
　　ニ　法第13条第3項第5号の検討を行う部門における専門委員からの助言又は意見の聴取に関する措置及び役員，職員又は専門委員が差止請求に係る相手方と特別の利害関係を有する場合の措置その他業務の公正な実施の確保に関する措置に関する事項
　　ホ　適格消費者団体であることを疎明する方法に関する事項
　　ヘ　その他必要な事項
二　適格消費者団体相互の連携協力に関する事項（法第23条第4項の通知及び報告の方法に関する事項並びに第17条第15号に規定する行為に係る当該通知及び報告の方針に関する事項を含む。）
三　役員及び専門委員の選任及び解任その他差止請求関係業務に係る組織，運営その他の体制に関する事項
四　差止請求関係業務に関して知り得た情報の管理及び秘密の保持の方法に関する事項
五　法第30条の帳簿書類の管理に関する事項

六　法第31条第2項各号に掲げる書類の備置き及び閲覧等の方法に関する事項

七　その他差止請求関係業務の実施に関し必要な事項

○消費者契約法施行令（平成19年政令第107号）
（法第13条第5項第1号の政令で定める法律）

第1条　消費者契約法（以下「法」という。）第13条第5項第1号の政令で定める法律は，次のとおりとする。

一　担保付社債信託法（明治38年法律第52号）

二　金融機関の信託業務の兼営等に関する法律（昭和18年法律第43号）

三　私的独占の禁止及び公正取引の確保に関する法律（昭和22年法律第54号）

四　農業協同組合法（昭和22年法律第132号）

五　金融商品取引法（昭和23年法律第25号）

六　消費生活協同組合法（昭和23年法律第200号）

七　水産業協同組合法（昭和23年法律第242号）

八　中小企業等協同組合法（昭和24年法律第181号）

九　協同組合による金融事業に関する法律（昭和24年法律第183号）

十　放送法（昭和25年法律第132号）

十一　質屋営業法（昭和25年法律第158号）

十二　商品先物取引法（昭和25年法律第239号）

十三　信用金庫法（昭和26年法律第238号）

十四　宅地建物取引業法（昭和27年法律第176号）

十五　旅行業法（昭和27年法律第239号）

十六　労働金庫法（昭和28年法律第227号）

十七　出資の受入れ，預り金及び金利等の取締りに関する法律（昭和29年法律第195号）

十八　割賦販売法（昭和36年法律第159号）

十九　不当景品類及び不当表示防止法（昭和37年法律第134号）

二十　積立式宅地建物販売業法（昭和46年法律第111号）

二十一　警備業法（昭和47年法律第117号）

二十二　大都市地域における住宅及び住宅地の供給の促進に関する特別措置法（昭和50年法律第67号）

二十三　特定商取引に関する法律（昭和51年法律第57号）

二十四　銀行法（昭和56年法律第59号）

二十五　貸金業法（昭和58年法律第32号）

二十六　電気通信事業法（昭和59年法律第86号）

二十七　預託等取引に関する法律（昭和61年法律第62号）

二十八　商品投資に係る事業の規制に関する法律（平成3年法律第66号）

二十九　ゴルフ場等に係る会員契約の適正化に関する法律（平成4年法律第53号）

三十　特定優良賃貸住宅の供給の促進に関する法律（平成5年法律第52号）

三十一　不動産特定共同事業法（平成6年法律第77号）

三十二　保険業法（平成7年法律第105号）

三十三　中心市街地の活性化に関する法律（平成10年法律第92号）

三十四　住宅の品質確保の促進等に関する法律（平成11年法律第81号）

三十五　金融サービスの提供及び利用環境の整備等に関する法律（平成12年法律101号）

三十六　農林中央金庫法（平成13年法律第93号）

三十七　信託業法（平成16年法律第154号）

三十八　探偵業の業務の適正化に関する法律（平成18年法律第60号）

三十九　株式会社日本政策金融公庫法（平成19年法律第57号）

四十　株式会社商工組合中央金庫法（平成19年法律第74号）

四十一　資金決済に関する法律（平成21年法律第59号）

四十二　株式会社国際協力銀行法（平成23年法律第39号）

> 四十三　食品表示法（平成25年法律第70号）
>
> 四十四　住宅宿泊事業法（平成29年法律第65号）
>
> 四十五　特定複合観光施設区域整備法（平成30年法律第80号）
>
> 四十六　法人等による寄附の不当な勧誘の防止等に関する法律（令和4年法律第105号）
>
> （法第13条第5項第6号イの政令で定める法律）
>
> 第2条　法第13条第5項第6号イの政令で定める法律は，前条各号に掲げるもののほか，無限連鎖講の防止に関する法律（昭和53年法律第101号）とする。

I　13条1項・2項

1　趣　旨

本項は，適格消費者団体について内閣総理大臣による認定制とするほか，適格消費者団体の行う業務である，差止請求関係業務の内容について定める。

なお，令和4年5月改正により，差止請求に係る講じた措置の開示要請ができることとなったので，差止請求関係業務の定義に変更が加えられた。

2　解　説

(1)　差止請求関係業務の意義

差止請求関係業務とは，①差止請求権行使業務，②消費者被害情報収集業務，③差止請求情報収集提供業務の3つからなる業務の総称である。

差止請求権行使業務とは，不特定かつ多数の消費者[1]の利益のために差止請求権を行使する業務をいい，差止請求関係業務の中核を占める業務である。「差止請求権の行使」には，訴訟上の差止請求はもちろんのこと，その

（注1）「不特定かつ多数の消費者」の意義については，2条4項の解説部分を参照されたい。

前提となる裁判外の請求をも含むが，差止請求と無関係な単なる要請等は含まない。

消費者被害情報収集業務とは，差止請求権の行使に必要な消費者被害情報の収集に関する業務をいう。ウェブサイト等での情報提供の募集や，いわゆる110番活動等による被害情報の収集がその典型である。差止請求権の行使には適切な情報収集が不可欠である。それ故，消費者被害情報収集業務は差止請求関係業務の一内容とされ，適格消費者団体には，情報収集に関する一定の権限（40条等）が付与されている[2]。

差止請求情報収集提供業務とは，消費者の救済に資する差止請求権の行使の結果に関する情報の収集及び提供に係る業務をいう。差止請求権が，消費者被害の未然防止や消費者被害の救済のために付与された権利であることに鑑み，適格消費者団体は，差止請求権の行使の結果，消費者の救済に資する成果が得られた場合には，その情報を広報し情報提供することが要請されている。典型的には，差止請求権の行使の結果を，ホームページ等で広報することがこれに当たるが，他の適格消費者団体に対する通知（23条4項）の一部も，同義務の一環であると理解できる。なお，令和4年5月改正以前は，行使結果に関する情報提供業務とされていたが，令和4年5月改正により，適格消費者団体は，消費者契約の条項の開示要請（12条の3）及び違約金等に関する説明の要請（12条の4）に加え，差止請求に係る講じた措置の開示要請（12条の5）も行うことが可能となった。そのため，行使結果に関する情報提供業務に加え，行使結果に関する情報の収集に係る業務も含める趣旨で，差止請求権の行使結果に関する情報収集提供業務に改められた。

(2) 認定制

いかなる消費者団体に訴権行使の適格を付与するかについては，立法論としては適格要件を満たしているか，あらかじめ行政が判断する方法と，団体が個別に訴訟を提起するごとに裁判所が判断する方法とが考えられるが，本

(注2) 適格消費者団体は，消費者利益の擁護を目的とするその性質上，訴権行使の対象とならないものも含め被害情報の収集を行うが，本法上特別の権限が付与されるのは，本法上の差止請求権の行使に関する事項に限定される。

法では，適格消費者団体が消費者・事業者にとって明確であることや，制度の安定性といった利点，諸外国の法制[3][4]との比較といった理由から，認定制[5]が採用された。

他方で，行政審査制をとる場合，審査における行政裁量の問題や，認定権限を背景とする強力な監督が，消費者団体の自主性や独自性を損なうおそれがあるといった，問題点があることに留意する必要がある。

事実，本法は，適格消費者団体について登録制ではなく認定制をとった結果，本条において極めて詳細な認定要件を定め，申請時に行政庁が実質的な審査を行うこととなった。また，認定後についても，適格消費者団体の行為義務（23条から29条まで），内閣総理大臣による監督及び認定取消を含む各種の措置（30条から35条まで）の規定を置いている。これら諸規定が，我が国の消費者団体の実情を踏まえ，適切に運用されていくか注視していく必要があろう。

(3) 認定の申請先，申請方法

認定の主体は内閣総理大臣である（1項）が，申請は，消費者庁に行う（2項）。申請は，添付書類等も多岐にわたっており，申請書を提出する方法による（14条）。

なお，法48条の2は，内閣総理大臣の権限を消費者庁長官に委任しているが，消費者契約法施行令3条は，法13条1項の認定については，消費者庁長官に委任されないとしている。内閣総理大臣の権限のうち，指定法人，

(注3) 本法制定当時から消費者団体訴訟制度を有していたイギリス，フランス，ドイツは，いずれも行政審査制をとっている（内閣府国民生活局「諸外国における消費者団体訴訟制度に関する調査」（平成16年9月））。もっとも，EUにおいて，行政審査型が普及しているのは，消費者団体が加盟国間で国際提訴することが前提となっているために，適格団体か否かがよりいっそう明確でなければならないという事情がある。

(注4) 諸外国の法制については，松本恒雄編『消費者被害の救済と抑止―国際比較からみる多様性』（信山社，2020）に詳しい。比較法については本書第3章第1節第1Ⅱを参照。

(注5) 「認定」が講学上いかなる性質を有する行為であるかは1つの問題であるが，少なくとも，認定が処分性を有することについては争いがない。

登録検査機関の認定等とその取消しは，これらの組織に対して一定の地位を付与し，剥奪することから，重要な権限であるとして，内閣総理大臣に留保されている[6]。

また，情報通信技術を活用した行政の推進等に関する法律6条及び内閣府の所管する消費者庁関係法令に係る情報通信技術を活用した行政の推進等に関する法律施行規則4条の例により，電子情報処理組織を使用する方法により認定の申請をすることができる（適格ガイドライン8ア）。

添付書類のうち，その原本を確認する必要があると消費者庁が認める場合は，当該部分につき，別途送付の方法により提出することができる。この場合，当該部分以外の部分につきオンラインによる申請等を行った日から，1週間以内に提出しなければならない（適格ガイドライン8イ）。

(4) 審査基準・不服申立等

適格消費者団体の認定の申請は行政手続法2条3号の「申請」にあたる。申請に対する処分については，行政庁は当該処分の性質に照らしてできるかぎり具体的な審査基準を定め，これを公表しなければならない（同法5条）。消費者庁は，かかる審査基準として，「適格消費者団体の認定，監督等に関するガイドライン」[7]を定めている。

また，申請に対しては，標準処理期間を定めるよう努めることが求められており（同法6条），平成28年10月6日に標準処理期間が定められ消費者庁のウェブサイトで公表されている。特段の事情が存在しない限り，60日から90日とするとされている[8]。

申請を拒否する処分については，原則として理由を付すことを求められている（同法8条）。同法上の拒否処分は，通常文書によりなされると予想されるところ，拒否の理由についても文書で示されることになる（同条2項）。申請の拒否処分に対しては，行政不服申立てとして，内閣総理大臣に対する

（注6） コンメンタール特例法473頁。
（注7） 消費者庁HP。
（注8） 消費者庁HP。ガイドラインとともに標準処理期間も掲載されている。
（https://www.caa.go.jp/policies/policy/consumer_system/collective_litigation_system/about_qualified_consumer_organization/guidelines/）

審査請求が可能である（行政不服審査法4条1号）。審査請求期間は，処分があったことを知った日の翌日から起算して3月以内である（同法18条1項）。

また，抗告訴訟として，被告を国とした（行政事件訴訟法11条1項1号）処分の取消しの訴え（同法3条2項）が可能であり，出訴期間は，原則として，処分があったことを知った日から6ヵ月，又は処分があった日から1年間以内である（同法14条1項・2項）[9]。

また，事例によっては，無効等確認の訴え（同法3条4項）を提起することとなろう。訴訟の管轄は，東京地方裁判所又は原告の所在地を管轄する高等裁判所の所在地を管轄する地方裁判所となる（同法12条1項・4項，38条1項）。

なお，現在まで，申請を拒否する処分がされた例はない。申請希望者には消費者庁により事前相談が行われており，認定される見込みが乏しい場合には，直ちに申請せず資料を補充して申請をするからであると思われる。

II　13条3項

1　趣　旨

本項は，4項とあいまって，適格消費者団体の認定に必要な積極的要件を定めている。

2　解　説

(1)　特定の法人であること（1号）

申請団体は，特定非営利活動促進法2条2項にいう特定非営利活動法人（いわゆるNPO法人）か，一般社団法人又は財団法人であることが必要である[10]。

（注9）　ただし，審査請求をした場合には，裁決があったことを知った日から6か月又は裁決があった日から1年となる（同条3項）。

立法論的には，適格消費者団体に必ずしも法人格を要求する必然性はなく，とりわけ，我が国では既存の消費者団体の多くが法人格を取得していないという実態[11]から，法人格の取得に消極的な意見もあった。しかし，制度の安定性の観点や，近年の法制度の整備により，非営利団体の法人格の取得が比較的に容易になっていること等から，法人格を要求することとした。

(2) 活動の主たる目的と活動の継続性等 (2号)

(i) 主たる目的

申請団体は，消費生活に関する情報収集・提供や，消費者被害防止・救済のための活動等，不特定かつ多数の消費者の利益の擁護を図るための活動を行うことを，団体の主たる目的としている必要がある。

この要件に適合するためには，①定款においてこれらの活動を行う旨の定めがあること，及び②申請者の活動を定款等や業務計画書などを参考に総合的に考慮し，量及び質[12]の双方の観点から判断した場合に，それらの活動が申請者において主たる事業活動として行われていると認められることが必要である。上記①の定款等の定めについては，法の規定の仕方と一言一句違わず定められている必要はないが，差止請求関係業務は13条3項2号に特記している「消費生活に関する情報の収集及び提供並びに消費者の被害の防止及び救済のための活動」として行われるべきものであり，申請者が「消費生活に関する情報の収集及び提供並びに消費者の被害の防止及び救済のための活動を行うこと」を目的としていることが定款等において明確に確認でき

(注10) 一般社団法人及び一般財団法人に関する法律（平成18年法律第48号）の施行により，「民法第34条に規定する法人」は，「一般社団法人若しくは一般財団法人」に改められた（一般社団法人及び一般財団法人に関する法律及び公益社団法人及び公益財団法人の認定等に関する法律の施行に伴う関係法律の整備等に関する法律（平成18年法律第50号）167条及び附則第1項）。

(注11) 第5回消費者団体訴訟制度検討委員会配布資料「消費者団体訴訟制度に係る論点整理（第2回）」添付資料14「法人格を取得している団体数」。

(注12) 活動の回数，従事者数又は支出額といった量の側面だけでなく，例えば，大量の情報の分析・検討を必要とする事業者に対する改善申入れの活動を積極的に行うことや，活動がボランティアによる無償の労務提供によって行われていることなどの質の側面をも考慮する。

るものであることが必要である（適格ガイドライン2（2）ア）。

　それ故，団体の構成員の相互扶助を主たる目的とする団体は，この要件に適合しないとされ（適格ガイドライン2（2）ア），生活協同組合等根拠法上会員の相互扶助を存立目的とする団体[13]は，それ自身は適格消費者団体とはなれない[14]。

　もっとも，適格消費者団体が不特定かつ多数の消費者の利益擁護を標榜することと，付随的活動として会員間の相互扶助を行うこととは，矛盾抵触関係に立つとは考えられない。消費者団体における消費者問題把握の端緒が，会員に生じた消費者問題であることは十分にあり得ることであり，また，消費者団体が把握した個々の被害の集積が，いわば不特定かつ多数の消費者の利益をいわば表象していると考えられるからである。

　また，本法が適格消費者団体に求める高度の行為義務や，それを遂行する組織的財政的基盤を確保するに足る団体の在り方の1つとして，相当多数の会員を有し，その会費収入を重要な財政基盤とする組織が想定されるが，その場合，会員に対する相互扶助的なメリットの提示ができなければ，多数の会員を確保することは困難である。本法により消費者団体訴訟制度が創設されて以来，適格消費者団体に対する国の直接的かつ恒常的な財政的手当は実現しておらず，適格消費者団体は自主的な財政基盤の確保を求められている以上，相互扶助的な活動による財源の確保を尚更否定すべきではない。

　(ⅱ)　活動実績の評価の対象となる活動

　次に，申請団体は，「現にその活動を相当期間にわたり継続して適正に」行っていなければならない。活動実績の評価の対象となる活動は，①消費生活に関する情報の収集と②その提供，③消費者の被害の防止及び④救済のための活動を含む「不特定かつ多数の消費者の利益の擁護を図るための活動」であり（適格ガイドライン2（2）イ(ｱ)），これが，差止請求関係業務の基礎となる団体の自主的な活動に相当する（同）。これらについて，相当期間の継

(注13)　もっとも，生活協同組合は特別法上の法人であり（消費生活協同組合法4条），13条3項1号の要件も具備していない。

(注14)　ただし，適格消費者団体の会員となることは可能である。

続的活動実績が必須とされる（同）。実績評価の対象となる具体的な活動の例としては，以下のとおりである[15]（適格ガイドライン2（2）ア）。

① 13条3項5号イに規定する消費生活相談，助言及びあっせん
② いわゆる110番活動（消費生活相談や情報の収集及び提供等を目的として電話又はインターネットその他の手段により行うもの）
③ 消費生活に関する情報の分析，評価及び提供
④ 消費者啓発のための教材，パンフレット又はリーフレット等の開発又は作成
⑤ 学校，地域等において行われる消費者教育への協力
⑥ 消費者被害の救済結果に関する事例集の作成及び公表
⑦ 消費者被害の防止に関する研修会，講演会，シンポジウム又はセミナーの実施
⑧ 事業者の不当な行為に対する改善の申入れ
⑨ 特定商取引法60条に基づく主務大臣に対する申出など，事業者の不当な行為に対する行政措置の発動の申入れ
⑩ 消費生活に関する事項について事業者又は国若しくは地方公共団体との間で行う意見交換
⑪ 消費生活に関する意見の表明又は政策提言

(iii) 相当期間

「相当期間」とは，適格ガイドライン（2（2）イ(イ)）によると，2年が原則とされ，「ただし，当該活動が充実して行われている場合や業務遂行体制の整備及び専門的知識経験の確保など他の要件の充実の程度によっては，継続している期間が2年には達しない場合であっても『相当期間』と評価することを否定するものではない。また，申請者が法人格を取得する前から上記の活動をしている場合は，団体としての同一性が認められる限り，法人格取得前の活動についても評価の対象とする。また，複数の団体が合併して一つの団体となったり，新たに設立した団体の構成員となっている場合は，合併前

(注15) なお，これらはあくまで例であり，例えば，①の消費生活相談等に関しては，申請団体が常設で相談活動を行っている必要はない。

又は構成員である個々の団体の活動をも加味して考慮することとする。」とされる。

　しかし，本法が我が国に前例のない制度であり，既存の消費者団体に，改正法を想定した活動を求めることが困難であったこと，適格消費者団体の要件が我が国の消費者団体の実態に比して非常に厳格であることから，多くの場合，適格消費者団体を標榜する新団体の新設という方法がとられていること，法の成立から施行までの期間が1年であったこと等に鑑みれば，相当期間を2年と解することは長きに失するもので，「相当期間」の目安としては1年程度と解すべきである。

　(iv)　「適正に行っている」

　「適正に行っている」場合とは，例えば，消費生活相談の活動において，消費者の相談に対して誠実かつ真摯に対応し，合理的な根拠に基づいた助言を行っていること，また，事業者に対する改善申入れの活動において，合理的な根拠に基づいた申入れを行っていることなど，合理的な根拠に基づき真摯な活動を行っている場合をいい，実績作りの辻褄合わせのために合理的な根拠もなく行われた活動は評価しない（適格ガイドライン2 (2) イ(ウ)）とされる[16]。

　(3)　体制及び業務規程の整備（3号）

　(i)　総　説

　申請団体の組織，体制や諸規定の整備に関する規定であり，適格消費者団体として適切に活動することを組織及び規程の面から担保する趣旨である。以下各要件について分説する。

　「差止請求関係業務の実施に係る組織」とは，13条3項5号において，「差止請求の要否及びその内容についての検討を行う部門」として，想定されているいわゆる検討部門と，実際の執行に関する組織を指す。適格消費者団体

(注16)　もっとも，消費者団体がいかなる見解や事実の把握に基づいて活動するかは，基本的に団体の自治に委ねられるべきであり，また，その見解等の合理性は，最終的には差止請求訴訟において司法審査に委ねられる。見解が分かれるような問題については，監督行政庁が，過度に「合理性」の内容に介入すべきではない。

の中核となる組織である。
　「差止請求関係業務の実施の方法」は，適格消費者団体の中心的業務であり，同業務の実施方法について，規定に基づいて行使することを求める趣旨である。
　「情報の管理及び秘密の保持」に関しては，適格消費者団体には，差止請求権の行使に関し，消費者から取得した情報に関する義務（24条）や，役員等の差止請求関係業務に関する秘密保持義務（25条）があり，これら義務を履行するに足る体制及び規定の整備を要求する趣旨である。
　(ⅱ)　組織体制
　適格ガイドライン（2(3)ア）によると，13条3項3号に規定する「差止請求関係業務を適正に遂行するための体制が適切に整備されていること」とは，申請者が以下の実態を有することが必要とされる。
①　差止請求関係業務の遂行に関し，消費者被害等に係る情報の収集（12条の3から12条の5まで及び景表法35条1項に規定する要請を含む）から分析・検討を経て差止請求をし，その結果を公表するに至る一連の業務を適正に遂行できるよう，適格消費者団体に具体的な機関又は部門その他の組織が設置され，業務の適正な遂行に必要な人員が，これらの組織に必要な数だけ配置されていること（理事会及び理事，13条3項5号の検討を行う部門及び専門委員，職員，監事等）
②　これらの組織の事務分掌，権限及び責任並びに事務の遂行に従事する役職員や専門委員等の選任・解任の基準及び方法が定款又は業務規程において適切に定められていること
③　①及び②に従った運用がされていること
　組織及び人員としては，理事会及び理事，13条3項5号の検討を行う部門（検討部門）及び専門委員，職員，監事のほか，消費者被害の情報収集部門及び消費者に対する差止請求情報公表部門並びにこれらの部門に配置される人員が想定される。なお，「必要な数」については，申請者の実施しようとする差止請求関係業務の規模や業務の実施の方法（その内容や手段等），当該人員の勤務形態（常勤か非常勤か等）などによって異なるものであり，審査に当たっては，これらの点を総合して，「必要な数」を個

別に判断することとする（適格ガイドライン2(3)ア注1）。

以上によると，理事会とは別に，いわゆる検討部門を設置し，その事務分掌や権限等につき規定を設ける必要があることになる。また，「消費者被害の情報収集部門」や「差止請求情報公表部門」を設けることが想定されている。この点については後述（後記(5)）する。

(iii) 会員数

なお，適格ガイドライン（2(3)ア）は，以上に加え，「申請者自体の社員数（法第13条第3項第1号の法人の社員数）についても，少なくとも会費を納入する等により活動に参加している者が100人存在していることを体制整備の一つの目安として斟酌する。」とするが，不当である。本法の立法にあたっては，審議会等において人数要件を設けないという結論が採られた一方で，団体の実質的な活動実態を厳しく審査することで，適格性を担保するとの立法方針が採られ，その結果，適格消費者団体に厳格な要件と広範な行為義務が課されている。その結果，我が国の実情下で，本法の要件を満たしうる消費者団体は，消費者問題に携わる専門家を中心とした，適格消費者団体そのものの構成員としては比較的小規模な団体となっている。このような立法経過に鑑みれば，ガイドライン改訂により「会費を納入する等により活動に参加している者」も含まれることが明らかになったことを考慮しても，たとえ目安とはいえ，人数要件は斟酌するべきではない。

(iv) 事務所等の施設

次に，差止請求関係業務に係る事務処理を行うために必要な事務所その他の施設，IT機器その他の物品等が，差止請求関係業務の規模・内容等に応じ，確保されている必要がある。その際，事務所については，適切に情報を管理することができる施設でなければならないとともに，例えば事業者（その者の活動内容などを考慮して客観的に差止請求の対象になることが考えられない者は除く）が事業活動のために用いている施設内に事務所が設けられているなど，その外観，構造その他の事務所の置かれた状況からして事業者（その者の活動内容などを考慮して客観的に差止請求の対象になることが考えられない者は除く）と混同されるものであってはならないこととされている。また，申請内容（差止請求関係業務に関する業務計画書や業務規程の内容等）に整

合するよう，必要な施設，物品等が整備されていなければならない（適格ガイドライン2（3）ア）。

なお，認定の申請書には，差止請求関係業務を行おうとする事務所の所在地を記載する必要があるところ，適格消費者団体として現に差止請求関係業務についての事務を行い，事務所としての実態を伴う場所の所在地を記載する必要がある。他方で，理事会や検討部門の会議等を事務所以外の場所で行うことは許容され，このような場所を事務所として認定の申請書に記載する必要はない（適格ガイドライン2（3）ア）。

また，消費者契約の条項の開示の要請（法12条の3）の方法について定めた施行規則1条の3は，ファクシミリ番号について記載を要するのは，差止請求関係業務においてファクシミリ装置を用いて送受信しようとする場合に限るとしている。このため，必ずしもファクシミリ装置を設置する必要はないことがわかる。

業務規程については第4項の解説参照。

(4) 理事及び理事会（4号）

(i) 総説

適格消費者団体の認定を受けられるのは，特定非営利活動法人，一般社団法人，一般財団法人のいずれかであり（1号），[17]いずれも法定の機関として理事の存在を想定しているが，適格消費者団体の特性に鑑み，団体における職務執行に関し，以下の要件を追加している。

(ii) 理事会の設置（同号イ(1)）

「理事をもって構成する理事会」とは，議論及び議決について，理事の全員によって組織する理事会である[18]。

特定非営利活動法人においては，理事3名以上をおくことが求められており（特定非営利活動促進法15条），一般財団法人においては，3名以上の理事により構成される理事会が必要的機関とされる（一般社団法人及び一般財団法

（注17）公益社団・財団法人も含まれる（公益社団法人及び公益財団法人の認定等に関する法律2条）。

（注18）もっとも，監事や説明のため専門委員が理事会に出席することは，当然に予定されていると解すべきである。

人法170条1項，197条，65条3項）のに対し，一般社団法人においては理事は1名以上で足り，理事会は必要的機関ではない（同法60条1項，60条2項）[19]。

　また，特定非営利活動法人及び理事会非設置の一般社団法人においては，法人の事務は理事の過半数により決するのが原則であるが，定款等により別段の定めを置くことも可能であり（特定非営利活動促進法17条，一般社団法人及び財団法人法76条2項），一般財団法人と理事会設置の一般社団法人の理事会においては，議決に加わることができる理事の過半数の出席と，出席理事の過半数による決議が原則である（同法95条1項，197条）。

　(iii)　重要事項の委任の禁止（同号イ(2)）

　しかし，本法は，差止請求関係業務の重要性に鑑み，その執行の決定にあたっては，原則として理事をもって構成する理事会の設置を求め，その議決要件についても，理事の総数の過半数以上の多数決によることを要求することとし，重要な事項については，業務執行の決定について理事等第三者への委任を禁止した。

　「差止請求関係業務」は，前述のとおり①差止請求権行使業務，②消費者被害情報収集業務，③差止請求情報収集提供業務がある。

　①のうち，差止めの訴え提起や，差止請求権の行使を前提とする裁判外の申入書の提出，差止請求の行使に関する和解の締結（裁判外の和解を含む）がこれに該当する。訴訟上の攻撃防御方法の提出（準備書面の提出）等も形式的には該当すると思われるが，訴訟委任による場合，実際には，訴訟代理人の裁量に委ねられる部分もあろう。

　②のうち，臨時の110番活動の実施等については，個別実施についての決裁を，その他常設の情報収集活動については，その制度についての承認により，その執行を決定することになろう。なお，本法で認められる差止請求権

（注19）　それ故，現行法下では，一般社団法人において，単独理事の下，消費者団体を運営することは違法とはいえず，その場合，本号イ(2)の委任の禁止の趣旨が及ぶことは当然として，議決機関としての理事会の設置は必ずしも不可欠とはいえないと解される。もっとも，同号ロの制限が及ぶため，この場合，「事業者」は単独で理事に就任することはできない。

の行使とは直接無関係な消費者被害に関する情報収集活動については，本号によって理事会の議決を要求されることはない。

③については，例えば，差止請求権行使の結果について報告する広報文書等について承認することにより，執行を決定することになる。

以上の業務の内，本号イ(2)に該当する事項については，理事その他の者への決定の委任が禁止される。

理事等への委任が禁止される「差止請求関係業務の執行に係る重要な事項」とは，差止請求権行使業務の執行に係る事項の決定のうち，23条4項各号に規定する行為（規則17条15号に規定する行為を除き，かつ，適格消費者団体が行うものに限る。）を相手方である事業者等又は裁判所等に対し行うかどうかの決定をいい，消費者被害情報収集業務及び差止請求情報収集提供業務の執行に係る事項の決定を含まない（適格ガイドライン2(4)ア）。

本号イ(2)により委任を禁止された事項以外のうち，比較的重要性の小さいもの，迅速な対応を要するものについては，理事等への委任を行う旨の議決や職務分掌規定を設ける等することになろう。

「理事その他の者に委任されていないこと」とは，特定の理事に委任する場合のほか，いわゆる常任理事会など一部の理事によって構成される機関又は部門その他の組織に委任する場合であっても「委任」に該当する（適格ガイドライン2(4)ア）。

(iv) 書面決議の可否

書面による議決の可否が問題となる。例えば，取締役会設置会社においては，例外（会社法370条）を除き，書面投票や電子投票の制度は許容されていないと解されており[20]，一般社団法人にも同様の例外規定（一般社団法人及び一般財団法人法96条）がある。NPO法人の社員総会についても例外規定がある（特定非営利活動促進法14条の9）。

まず，本号イ(2)が委任を禁止している事項以外については，法が，第三者への委任をも許容していることからすれば，書面による議決は許容されていると解される。問題は，本号イ(2)が委任を禁止している事項である

(注20) 相澤哲ほか編著『論点解説新・会社法』363頁（商事法務，2006）。

が，法が特定理事その他第三者への委任を禁止している趣旨は，理事会による議論を経た判断を要求する趣旨であることからすれば，全員一致の場合を除き，全く議論を経ないまま，書面のみで議決することは認められないと解さざるを得ない。

他方，理事会による議論の方法は，必ずしも現実に会談することは不可欠ではなく，テレビ電話や電話会議，インターネットによるチャット等の会議方法も認められるものと解される[21]。

施行規則17条各号が定めている行為を行うか否かの判断のなかには，訴状却下命令に対する即時抗告の要否（2号），保全異議等の申立てに対する決定に対する保全抗告の要否（9号）等，迅速な対応が求められる事項もあり，かかる方法による議決の必要性は大きい。

(ⅴ) 理事の構成（同号ロ）

不特定多数の消費者利益を代表することを理事の構成から担保する趣旨で，理事に占める特定事業者ないし同一業種に属する事業者の割合を制限している。

特定事業者の割合制限（同号ロ (1)）における「特定の事業者」とは，①同一事業者，②当該事業者の親法人（発行済み株式又は総出資の総数の2分の1以上の株式又は出資持分を直接又は間接に保有する関係。(1) 本文及び規則2条1項1号），③二事業者が同一の者によってそれぞれの事業者の発行済株式等の総数の2分の1以上の株式の数を直接又は間接に保有される関係がある場合における当該二の事業者の関係（②に該当するものを除く。）（規則2条1項2号）をいう。

上記保有の割合の具体的判定基準は，規則2条2項・3項による。

「関係者」とは，当該事業者，当該事業者の役員又は職員（同号ロ (1) 本文，規則2条4項1号），及び過去2年間にその地位にあったもの（同項2号）である。

同一業種の事業者の関係者の割合制限（同 (2)）における「同一の業種」とは，日本標準産業分類に掲げる中分類を基準とするが，中分類72―専門

（注21） 相澤ほか編著・前掲（注20）363頁。

サービス業（他に分類されないもの）に属する事業にあっては，さらに，法律事務所及び司法書士事務所とそれ以外とを区分する（規則3条1項）。

　各理事が，ある法人の役員であるとともに別の法人の役職員を兼職している場合など，当該各理事の関係する事業者（規則8条3項4号）が複数ある場合には，そのすべての事業者が，本項4号ロに掲げる要件の判定の対象になる（適格ガイドライン2(4)イ）。

　以上の事業者及び業種の判定につき，本項2号に該当する消費者団体の関係者は，これに該当しないとみなされる（本号ロ2文）。2号の目的を有する団体は，適格消費者団体と目的を同じくするため，理事に占める割合が多くても，本項が予定する弊害（特定の者の利益擁護を目的として差止請求関係業務を行うこと）が生ずるおそれがないからである。

　なお，本項4号ロ(1)(2)に掲げる要件の判定に当たり，申請者の責めに帰することのできない事由により要件不具備に至った場合において，遅滞なく当該要件を満たした場合のみなし継続規定（規則2条5項，3条2項）が存する。この「責めに帰することのできない事由」について，適格ガイドライン(2(4)ウ)は，真に予測不可能な事態が生じたことにより本項4号ロ(1)又は(2)の要件に反することとなった場合をいい，例えば，理事が急に死亡したことにより同号ロ(1)又は(2)の要件に反することになった場合などが該当するとする。

　しかし，急死でない理事の死亡について，当該団体に対し，これを予測して法定要件を満たす理事の構成を求めることは，団体の自治に対する過度の制約であり，「責めに帰することのできない」という文言の解釈を超えるものである。

(5)　検討部門，専門委員等（5号）

(i)　総　説

　差止請求の要否及び内容の検討については，本法は，執行決定機関としての理事会とは別個に検討を行う部門（検討部門）を設け，検討部門において，一定の資格を有する専門委員が助言を行う体制をとることを要求している。意思決定機関と検討部門を分離するとともに，検討段階において専門的知見を有する者の意見を反映させて，差止請求に関する判断の客観性を担保

する趣旨である[22]。

(ⅱ) 専門委員

① 「専門委員」とは，以下のいずれかに該当するものをいう。

第一に，いわゆる消費生活相談について専門的な知識経験を有する者（本号イ）で，具体的には，消費生活相談員資格（消費者安全法10条の3第1項）を有し，消費生活相談に応ずる業務に従事した期間が通算1年以上の者（規則4条1号）のほか，(a) 消費生活専門相談員 (b) 消費生活アドバイザー (c) 消費生活コンサルタントのいずれかの資格を有し，現実に消費生活相談に応ずる業務に従事した期間[23]が通算1年以上の者（同条2号）ないしそれと同等以上と内閣総理大臣が認めたもの[24]（同条3号）である。

第二に，法律に関する専門的な知識経験を有する者（本号ロ）で，具体的には (a) 弁護士（規則5条1号），(b) 司法書士（同2号），(c) 大学の学部，専攻科又は大学院において民事法学その他の差止請求の要否及びその内容についての検討に関する科目を担当する教授，准教授，助教又は講師（非常勤の者を除く）の職にある者[25]（同3号）ないしそれと同等以上と内閣総理大臣

(注22) もっとも，以上の想定は，比較的大規模な消費者団体には妥当するかもしれないが，小規模かつ訴権行使に特化した消費者団体において，理事会と検討部門を分離することが組織運営の在り方として常に合理的かについては議論の余地があると思われる。消費者団体の多くは財政的基盤において十分とは言い難く，その活動の多くは会員のボランティアにより支えられている実態の中で，組織を徒に複雑化することが，適正な活動を担保するとは言い難い。

(注23) 独立行政法人国民生活センター若しくは地方公共団体の消費生活センター等又は適格消費者団体その他の継続的に消費生活相談を行っている団体において，消費生活相談に応ずる業務に従事した期間が通算して1年以上の者をいう（適格ガイドライン2 (5) イ）。

(注24) 例としては，消費者団体において，事務職員としての勤務が相当期間に及ぶ者や，消費者向けパンフレットや商品説明書等の作成に携わるなど消費生活相談以外の消費者の利益の擁護に関する活動に従事し，消費生活に関する事項について専門的な知識経験を十分有していると認められる者が考えられる（適格ガイドライン2 (5) イ）。

(注25) 規則案の原案では，法律学一般で特に科目の制限はなかったが，パブリックコメントの結果，現文言に変更された。

が認めたもの[26]（同4号）である。

適格消費者団体においては，以上の2類型の専門委員が「共に」必要な助言等を行う必要があるので，各類型の専門委員最低1名以上が必要となる。

② なお，専門委員には本項上の資格要件のほか，以下の問題がある。

ⓐ 理事との兼任の可否

この点，理事会と検討部門を分離し，意思決定機関の公正さを確保するとの観点から，これを消極的に解する考え方もあり得るところである[27]。

しかし，検討部門と理事会の構成員を分けることと，判断の公正の担保との間には論理的必然性はなく，とりわけ，小規模な団体において，「理事会と検討部門の分離」のためだけに，二重に人材を確保することを強制することは，無用な困難を強い，適格消費者団体の組織運営の自由に対する過度の干渉といわざるを得ない[28]。法及び規則においても明示的に兼任は禁止されていない以上，兼任は可能と解すべきである[29]。

監督実務上も，理事と専門委員の兼任は認められている。

ⓑ 訴訟代理人との兼任の可否

訴訟代理人の独立性（弁護士職務基本規程20条）の関係で問題となる。

この点，訴訟代理人となるべき法律実務家が，適格消費者団体内部の議論に参画することは，その法律実務家としての判断の独立性の妨げとなるとの考え方もあり得る[30]。

他方，差止請求権の行使に関する判断にあたっては法的判断や証拠に対する評価が不可欠であり，実際に訴訟追行を依頼する弁護士の意見を全く聞かずに，訴権行使に関する意思決定を行うことは，不可能とまではいえなくとも相当困難である。その意味で訴訟追行に関与する弁護士が早期に事案の検

（注26） 例として，裁判官・検察官の地位にあった者がこれにあたる（適格ガイドライン2（5）ウ）。

（注27） 大髙友一「消費者団体訴訟制度における法律実務家の役割とその留意点」ジュリ1320号91頁。

（注28） 同旨，大髙・前掲（注27）91頁。

（注29） なお，検討に関与した理事を議決から外すという対応を提案するものとして，大髙・前掲（注27）91頁。

（注30） 大髙・前掲（注27）92頁。

討に参加することが望ましいが，公費による適格消費者団体への支援が制度化されていない状況下においては，適格消費者団体は人材の効率的活用の観点を重視せざるを得ない。

また，弁護士職務基本規程上も組織内弁護士に関する規程が整備されており（同規程 50 条），組織への関与と弁護士の職務行使の独立性は，両立し得ないとは考えられていない。

独立性に対する一定の配慮は求められるにしても，理事や専門委員と訴訟代理人の兼任を一律に禁止すべきではない[31]。

なお，理事と訴訟代理人の兼任についても基本的に同様であると考えられる。

(iii) 必要な助言を行い又は意見を述べる体制

「必要な助言を行い又は意見を述べる体制」といいうるためには，専門委員がそれぞれ業務の規模・内容等に応じ必要な数だけ置かれている必要があるが，当該専門委員が随時検討に参画することが確保されていれば足り，申請者に雇用されているなど常駐していることまでは要しない（適格ガイドライン 2（5）ア）。

(iv) 「差止請求関係業務を適正に遂行することができる専門的な知識経験を有する」場合

「差止請求関係業務を適正に遂行することができる専門的な知識経験を有する」場合とは，差止請求関係業務を法の規定に適合して行うことができる知識経験をいい，個々の役員，職員又は専門委員等についてではなく，一つの団体としての申請者につき，差止請求関係業務を遂行するための人的体制に照らして，専門的な知識経験を有すると認められることが必要である（適格ガイドライン 2（5）ア）[32]。

(v) 「人的体制」

「人的体制」については，適格ガイドライン（2（5）ア）においては，検討部門が本項 5 号に明記されている要件に適合するほか，①検討部門以外の差止請求関係業務の実施に係る各組織（機関又は部門その他の組織）において

（注31） 同旨，大髙・前掲（注27）92頁。

も，当該各組織が分担する業務の適正な遂行に必要な専門的な知識経験を有する者が適切に配置されていること（具体的には，a. 消費者被害情報収集業務及び差止請求情報収集提供業務に携わる人員として，消費生活相談やいわゆる110番活動など類似の業務に一定期間以上携わった経験を有する者や消費者団体訴訟制度に精通した者が，b. 理事会及び理事，監事及び職員には，消費者団体訴訟制度に精通した者が，業務の規模・内容等に応じ必要な数だけ置かれていること），②業務内容が専門的見地から一定水準に保たれるよう，処理要領・マニュアルが作成されているか否か，役員，職員及び専門委員に対する研修体制が整備されているか否か等を総合的に考慮して判断するとされる。

しかし，消費者団体の現状において規模が小さく[33]マニュアル等を整備することに業務内容の水準確保のためにどれだけの実益があるかについて疑問が残る。どの程度の体制が求められるかは，結局のところ，各団体が取り扱う業務の量や各部門に付与される権限の程度等によりケースバイケースといわざるを得ない。

(6) 経理的基礎（6号）

適格消費者団体は，認定後は継続的に活動することが期待されていることから，申請団体に財政的な基礎を有することを求める趣旨である。

「経理的基礎」とは，適格消費者団体が差止請求関係業務を安定的かつ継続的に行うに足りる財政基盤を有していることをいう。一定額以上の基本財産を自ら保有している場合に限られるものではないが，当該団体の規模，想定している差止請求訴訟の件数など差止請求関係業務の内容，継続的なボランティアの参画状況，差止請求関係業務による支出が当該業務に係る収入を大きく上回ると見込まれる場合における差止請求関係業務以外の業務による

(注32) なお，専門的な知識経験は，差止請求関係業務を適正に遂行することができるものでなければならないことから，例えば，専門委員が，消費生活相談に応じる業務に従事する者，弁護士又は司法書士等として遵守すべき規範を逸脱して業務を行っているような場合は，当該専門委員が置かれていることは，専門的な知識経験を有するか否かの判断に当たって，考慮に入れないものとするとされている（適格ガイドライン2(5)ア）。

(注33) 適格消費者団体は，現状ではその多くは専従者数名程度までの規模である。

収入による補填の見込み，関連する法人や個人が当該団体に対して補填又は寄附を約している状況，オンラインの利用や他の適格消費者団体との連携体制の構築による効率的な業務運営の見込み等を総合的に考慮して判断する。既に債務超過状態に陥っている場合は，債務超過の額，債務の支払期限，債務超過状態に陥った原因，債務超過状態を解消する見込み等も踏まえて，適格消費者団体が差止請求関係業務を安定的かつ継続的に行うに足りる財政的基盤を有しているか否かを判断するとされる。債務超過状態に陥ることが確実に予見される場合も，同様である（適格ガイドライン2 (6) ア）。

(7) 他の業務との関係（7号）

申請団体が，差止請求関係業務以外の業務を行う場合には，その業務を行うことによって差止請求関係業務の適正な遂行に支障を及ぼすおそれがないことが必要である。

「支障を及ぼすおそれ」とは，適格消費者団体が差止請求関係業務以外の業務（被害回復関係業務も含む）に人員や経費の配分を集中したり，社会的に妥当でない業務を行って社会的信頼を失うなどのことにより，適正な差止請求関係業務の遂行をすることができなくなるおそれがある場合をいう。具体的には，当該適格消費者団体が遂行しようとしている差止請求関係業務及び差止請求関係業務以外の業務の内容，場所及び回数その他の実施態様，それぞれの業務に必要な人員及び支出額等を総合的に考慮して，上記のような弊害が生ずるおそれがあると客観的に認められるか否かを判断する（適格ガイドライン2 (7) ア）。ただし，この「弊害」の判断にあたっては，本法における適格消費者団体の制度設計，本法の他の規定との関係を十分に考慮する必要がある。すなわち，本法では，差止請求権の行使に関し事業者からの財産上の利益を受けることも，原則として禁止されている（28条）。他方，適格消費者団体における国の財政的支援は恒常的な予算措置すらされておらず，適格消費者団体は，差止請求関係業務を行えば行うほど，経済的に損失を受ける状態にある。この損失を補填する1つの選択肢として，他の業務による収入を得ることは当然必要であり，他の業務を行うことをことさらに問題視すべきではない[34]。

差止請求関係業務以外の業務の社会的妥当性については，次のような点に

留意して審査する（適格ガイドライン2（7）ア）[35]。

① 当該業務の内容が法令に抵触するものではないこと。
② 適格消費者団体の経理的基礎に悪影響を及ぼす投機的なものではないこと。
③ 暴力団等反社会的勢力が関与しやすいものではないこと。
④ 適格消費者団体としての社会的信用を損なうものではないこと。

Ⅲ　13条4項

1　趣　旨

前述（本条Ⅱ3項の2解説の（3））のとおり，申請団体が適格消費者団体として適切に活動することを，内部規程を定めることにより担保するため，本法は申請団体において業務規程を定めることを要求するとともに，本項が委任する規則6条で，規程において定めること求められる事項を法定している。

なお，令和4年5月改正前は，法31条2項で，差止請求関係業務その他の業務が適正に遂行されているかどうかについて学識経験者の調査を受けなければならないとされていた。そのため，規則6条6号で調査を行う者の選任及び解任に関する事項を業務規程の記載事項としていた。しかし，法31条2項が削除されたことにより，規則6条6号も削除された。

2　解　説

(注34)　本号と本項2号の要件との関係について言及するものとして，大村敦志「実体法から見た消費者団体訴訟制度」ジュリ1320号53頁。
(注35)　なお，13条3項7号の規定が適格消費者団体の認定の段階で「支障を及ぼすおそれ」の有無を抽象的に判断するのに対し，29条1項の規定は，認定後の実際の活動状況に照らし現に支障が生じているか否かを具体的に判断する（適格ガイドライン2（7）ア）。

(1) 不特定かつ多数の消費者の利益のために差止請求権を行使する業務の実施の方法に関する事項（規則6条1号イ）

差止請求権行使業務の実施の方法に関する事項であり，消費者の被害に関する情報を分析して差止請求の要否及びその内容について検討を行い，差止請求権の行使について決定をする方法などに関する事項がこれに該当する（適格ガイドライン2(8)ア(ア)）。

(2) 消費者被害情報収集業務の実施の方法に関する事項（規則6条1号ロ）

消費者被害情報収集業務の実施方法に関する事項であり，例えば，消費者契約の条項の開示要請（12条の3）及び損害賠償の額を予定する条項等に関する説明の要請等（12条の4）及び資料開示要請等（景表法35条）の要否について検討を行い，これらの要請を行うことを決定する方法，一般消費者からの情報の収集の方法（消費生活相談や110番活動などの具体的な実施の方法）や，当該適格消費者団体の会員からの情報の収集の方法，他の適格消費者団体との情報交換に関する方法に関する事項などが該当する（適格ガイドライン2(8)ア(イ)）。もっとも，適格消費者団体における情報収集の端緒は必ずしも定型的なものばかりではなく，また，個別の問題ごとに必要な情報収集手段は千差万別である。すべての情報収集方法について事細かく規程を置くことを要求することは非現実的であろう。

(3) 差止請求情報収集提供業務の実施の方法に関する事項（規則6条1号ハ）

差止請求情報収集提供業務の実施の方法に関する事項とは，差止請求に係る講じた措置の開示要請（12条の5）を行う方法及び差止請求権の行使の結果に関する情報を提供する基準と方法に関する事項をいう。前者については，差止請求に係る相手方の対応等を踏まえ，差止請求に係る講じた措置の開示要請の要否について検討を行い，開示要請を行うことを決定する方法などに関する事項が該当する。後者については，39条1項の規定により消費者庁長官が公表する対象以外のものに係る情報提供の扱いを含めて，情報提供に係る基準及び方法（例えば，ある事案における差止請求権の行使の状況に関し，収集された情報の数，内容，差止請求に係る相手方の対応状況，主な証拠関係等を斟酌した一定の合理的な基準に基づき，一定の時点で一定の内容をホーム

ページ上の掲載事項とすること）などが該当するとされる（適格ガイドライン2(8)ア(ウ)）。

(4) 検討部門における専門委員からの助言又は意見の聴取に関する措置等に関する事項（規則6条1号ニ）

「特別の利害関係を有する場合」とは，例えば，当該役員等が現在及び過去2年の間に差止請求に係る相手方である役員又は職員である場合や当該差止請求に係る相手方の取引関係を有している場合などが該当し，特別の利害関係を有する場合の「措置」とは，例えば，当該役員等の理事会等その他の機関又は部門における議決権の停止や助言若しくは意見の聴取の停止に係る措置などが該当する（適格ガイドライン2(8)ア(エ)）。

「業務の公正な実施の確保に関する措置」には，理事が，事業の内容や市場の地域性等を勘案して差止請求に係る相手方である事業者と実質的に競合関係にあると認められる事業を営み又はこれに従事するものである場合，適格消費者団体が差止請求権の行使に関し理事との間で当該行使に係る相当な実費を超える支出を伴う取引をする場合その他の理事の兼職の状況が適格消費者団体による差止請求権の行使の適正に影響を及ぼし得る場合における上記の「特別の利害関係を有する場合」の措置に準じた措置が該当する，とされている（適格ガイドライン2(8)ア(エ)）。なお，ガイドラインの文言上，「理事が差止請求に係る相手方である事業者と実質的に競合関係にあると認められる事業を営み又はこれに従事するものである場合」は，「理事の兼職の状況が適格消費者団体による差止請求権の行使の適正に影響を及ぼし得る場合」の例示と読み取れることから，競合関係にある理事からの助言や意見聴取が一律に禁止されるものではなく，あくまで「理事の兼職の状況が適格消費者団体による差止請求権の行使の適正に影響を及ぼし得る場合」に限定されるものと解される。

(5) 適格消費者団体であることを疎明する方法に関する事項（規則6条1号ホ）

適格消費者団体以外の者が適格消費者団体になりすまして活動することを防止するため，適格消費者団体であることを疎明する方法を業務規程において定めるべき事項とした。規程の例としては，内閣総理大臣が適格消費者団

体の認定をした旨を通知する書面（16 条 1 項）の写しを提示することなどが考えられる（適格ガイドライン 2 (8) ア(オ)）[36]。

(6) 適格消費者団体相互の連携協力に関する事項（規則 6 条 2 号）

「適格消費者団体相互の連携協力に関する事項」とは，例えば，消費者の被害に関する情報の共有や差止請求権の行使の状況に関する意見の交換等に関する基準及び方法に関する事項が該当し，23 条 4 項の通知及び報告の方法に関する事項（具体的には，規則 13 条に規定する書面によってするか，規則 15 条に規定する電磁的方法を利用する措置によってするか）並びに規則 17 条 15 号に規定する行為[37]に係る通知及び報告の方針に関する事項（具体的には，どのような行為について通知及び報告の対象とするか）が含まれていなければならない（適格ガイドライン 2 (8) イ）。

(7) 差止請求関係業務に係る組織，運営その他の体制に関する事項（規則 6 条 3 号）

①具体的な機関又は部門その他の組織の設置及びこれらの組織に係る人員の配置の方針に関する事項，②これらの組織の事務分掌，権限及び責任並びに事務の遂行に従事する者に関する事項等（役員や専門委員等の選任・解任の基準及び方法，任期及び再任についてなど）が記載されていなければならない（適格ガイドライン 2 (8) ウ）。

(8) 情報の管理及び秘密の保持の方法に関する事項（規則 6 条 4 号）

同事項は，当該管理及び方法によれば，情報が適切に管理され，また，秘密が適切に保持される蓋然性が客観的に認められる具体的な事項をいい，例えば，当該情報及び秘密が記載されている文書等の管理及び保存の方法，責任者の設置，当該文書等の盗難防止策，当該文書等へのアクセス制御（情報を取り扱うことのできる者の範囲の特定等），啓発・研修の実施，服務規定の整備等，情報の管理及び秘密の安全管理のための組織的，物理的，技術的な措置に関する事項が該当する（適格ガイドライン 2 (8) エ）。

（注 36） なお，全国の適格消費者団体は，消費庁ウェブサイトに一覧が掲載されている。

（注 37） 手続の相手方が提出した準備書面や証拠を通知・報告することは，裁判手続のために必要と認められる場合として，著作権法上許容されると解すべきである。詳しくは，23 条 4 項の解説（Ⅱ・2）を参照。

なお，上記の事項に関しては，消費者の被害に関する情報の取扱い（24条）との関係で，消費者から収集した消費者の被害に関する情報をその相手方その他の第三者が当該被害に係る消費者を識別することができる方法で利用する場合において，当該消費者から同意を得る方法を規定し[38]，また，秘密保持義務（25条）との関係で，適格消費者団体の役員，職員又は専門委員との間で，在職中及び退職後も差止請求関係業務に関して知り得た秘密を保持する旨の契約を締結するなどの措置を講ずることが望ましいとされる（適格ガイドライン2(8)エ）[39]。

(9) 帳簿書類の管理に関する事項（規則6条5号）

帳簿書類の作成及び保存に関し，その方法及び責任者の設置に関する事項をいう（適格ガイドライン2(8)オ）。

(10) 31条2項各号に掲げる書類の備置き及び閲覧等の方法に関する事項（規則6条6号）

当該書類を備え置く場所及び方法並びに閲覧等の請求の方法及び費用に関する事項をいう（適格ガイドライン2(8)カ）。

Ⅳ　13条5項

1　総説

本項は，適格消費者団体による差止請求権等の濫用等，弊害の防止の観点

(注38) その際，当該情報の利用方法に関し，将来，訴訟等で利用される可能性があることや，適格消費者団体相互の連携協力を促進する観点から，他の適格消費者団体に提供することがあり得ること等について情報提供者である消費者に説明したうえ，包括的に同意を得ることも差し支えない（適格ガイドライン2(8)エ）。

(注39) もっとも，本法上役員等には退職後も，罰則（50条2項）付で秘密保持義務が課されており，かつ，秘密保持義務違反が適格消費者団体の認定取消事由となる（34条1項6号）以上，少なくとも25条に違反する態様で秘密を漏洩しないことについては，当然に委任ないし雇用契約上の黙示の内容となっていると解される場合が多いであろう。

から，認定を受け得ない場合を定めた規定である。

2 解　説

(1)　申請法人の消費者保護法令違反による処罰等（1号）

対象法令は，本法，消費者裁判手続特例法及び政令1条所定の法令，又は同諸法令に基づく処分であり，対象となる刑罰は罰金刑である[40]。「消費者の利益の擁護に関する法律で政令で定めるもの」として施行令1条で列挙されている法律は，消費者契約法に定める不当勧誘行為や不当条項について罰則でもって禁止しているものや，それら消費者保護規定に反する行為について両罰規定で法人たる事業者に罰金刑が定められているものなどである[41]。「刑に処せられ〔る〕」とは，確定判決又は確定した略式命令を受けたことをいい，執行猶予の場合を含む（最判昭24・3・31刑集3巻3号406頁）が，単に対象犯罪を行っただけでは足りない。「執行を終わり」とは，現実の刑の執行が終わった場合をいう[42]。「刑の執行を受けることがなくなった日」とは，刑の執行猶予期間が満了した日や刑の免除が確定した日等，確定判決等に基づく処罰を受けないことが確定した日をいう。

(2)　申請認定取消等（2号）

対象は内閣総理大臣による，①認定取消（34条1項，消費者裁判手続特例法92条2項各号（申請団体が同法の特定適格消費者団体であった場合））の場合と，②不特定かつ多数の消費者の利益に著しく反する訴訟追行の認定（消費者契約法34条3項）があった場合である。

認定取消等の効力が生じた日が基準日であり，処分の効力が確定した日ではない[43]。

(3)　暴力団員等による事業支配（3号），暴力団員等の業務従事等（4号）

暴力団やその構成員らにより適格消費者団体の権限が濫用されることを防止する趣旨である。

(注40)　申請法人が対象となるため，拘禁刑を含まない趣旨である。
(注41)　コンメンタール特例法375頁。
(注42)　申請法人が対象であり，未決勾留期間の算入の問題は生じない。
(注43)　刑事罰と異なり行政処分は，処分と同時に効力を生ずるためである。

「暴力団員」とは，その団体の構成員（その団体の構成団体の構成員を含む。）が集団的に又は常習的に暴力的不法行為等を行うことを助長するおそれがある団体の構成員をいう（暴力団員による不当な行為の防止等に関する法律2条2号，6号）。いわゆる指定暴力団（同条3号）の構成員に限定されない。

その事業活動を「支配する」とは，議決権を背景として当該団体の業務に重大な影響力を及ぼしている場合のみならず，融資（間接融資を含む。），人材派遣，取引関係等を通じて当該団体の業務に重大な影響力を及ぼしていると認められる場合を含み，実質的に判断する（適格ガイドライン2(9)）[44]。

3号が現実の支配を要件とするのに対し，4号は業務従事等のおそれを要件としている。

(4) 政治団体（5号）

本法上の適格消費者団体は，政党・政治目的での利用が禁止されており（36条），政治上の主義・施策の推進等や特定の公職の候補者の推薦等を主たる目的とする政治団体とはその目的において両立しえないため，適格消費者団体から除外する趣旨である。

(5) 役員（6号）

以下に該当する役員がいる団体は適格消費者団体の認定を受けられないため，申請団体においては，実質上役員の欠格条項として機能することとなる。

(i) 処罰歴等（イ）

「拘禁刑以上の刑」は，本法及び消費者保護法令違反に限定されない。「処せられ」「消費者の利益の擁護に関する法律で政令で定めるもの」等の意義については前記（1）を参照のこと。なお，「刑の執行を終わり」には，未決勾留日数の算入によるものが含まれる。

(ii) 認定取消等団体の役員歴のある者（ロ）

同一適格消費者団体について34条1項もしくは消費者裁判手続特例法92

（注44）　もっとも，適格消費者団体の側からすると，規定等で暴力団員等を関係者から排除することは当然としても，身分を秘して参加してくる者や，取引の相手方等について暴力団員であることや暴力団の支配の有無を確認することは相当困難な問題である。

条2項各号による認定取消と34条3項の認定が競合する場合には，それぞれについて，6か月以内の役員就任の有無が判定される。

基準日は認定取消等の日である。

(iii) 暴力団員等（ハ）

暴力団員等の意義については前記 (3) を参照のこと。

第14条　（認定の申請）

第14条　前条第2項の申請は，次に掲げる事項を記載した申請書を内閣総理大臣に提出してしなければならない。
　一　名称及び住所並びに代表者の氏名
　二　差止請求関係業務を行おうとする事務所の所在地
　三　前2号に掲げるもののほか，内閣府令で定める事項
2　前項の申請書には，次に掲げる書類を添付しなければならない。
　一　定款
　二　不特定かつ多数の消費者の利益の擁護を図るための活動を相当期間にわたり継続して適正に行っていることを証する書類
　三　差止請求関係業務に関する業務計画書
　四　差止請求関係業務を適正に遂行するための体制が整備されていることを証する書類
　五　業務規程
　六　役員，職員及び専門委員に関する次に掲げる書類
　　イ　氏名，役職及び職業を記載した書類
　　ロ　住所，略歴その他内閣府令で定める事項を記載した書類
　七　前条第3項第1号の法人の社員について，その数及び個人又は法人その他の団体の別（社員が法人その他の団体である場合にあっては，その構成員の数を含む。）を記載した書類
　八　最近の事業年度における財産目録，貸借対照表又は次のイ若しくはロに掲げる法人の区分に応じ，当該イ若しくはロに定める書類（第31条第1項において「財産目録等」という。）その他の経理的基礎を有することを証する書類

イ　特定非営利活動促進法第2条第2項に規定する特定非営利活動法人　同法第27条第3号に規定する活動計算書
　　ロ　一般社団法人又は一般財団法人　一般社団法人及び一般財団法人に関する法律（平成18年法律第48号）第123条第2項（同法第199条において準用する場合を含む。）に規定する損益計算書（公益社団法人及び公益財団法人の認定等に関する法律（平成18年法律第49号）第5条に規定する公益認定を受けている場合にあっては，内閣府令で定める書類）
　九　前条第5項各号のいずれにも該当しないことを誓約する書面
　十　差止請求関係業務以外の業務を行う場合には，その業務の種類及び概要を記載した書類
　十一　その他内閣府令で定める書類

○消費者契約法施行規則
（認定の申請書の記載事項）
第7条　法第14条（法第17条第6項，法第19条第6項及び法第20条第6項において準用する場合を含む。以下同じ。）第1項第3号の内閣府令で定める事項は，次に掲げる事項とする。
　一　電話番号，電子メールアドレス及びファクシミリの番号
　二　法第14条第1項第2号の事務所の電話番号，電子メールアドレス及びファクシミリの番号
　三　法人番号（行政手続における特定の個人を識別するための番号の利用等に関する法律（平成25年法律第27号）第2条第16項に規定する法人番号をいう。）
（認定の申請書の添付書類）
第8条　法第14条第2項第6号ロの内閣府令で定める事項は，役員，職員及び専門委員の電話番号その他の連絡先とする。
　2　法第14条第2項第8号ロの内閣府令で定める書類は，一般社団法人及び一般財団法人に関する法律（平成18年法律第48号）第123条第2項（同法第199条において準用する場合を含む。）に規定する損

益計算書であって，公益社団法人及び公益財団法人の認定等に関する法律（平成18年法律第49号）第5条に規定する公益認定を受けている者が作成したものとする。

3　法第14条第2項第11号の内閣府令で定める書類は，次に掲げる書類とする。

一　申請者の登記事項証明書

二　差止請求関係業務を実施することとなる機関，部門その他の組織において当該組織が分掌することとなる事務に相当又は類似する活動をしていることを示す活動に係る議事録

三　役員及び専門委員の住所又は居所を証する次に掲げる書類であって，申請の日前6月以内に作成されたもの

　　イ　当該役員又は専門委員が住民基本台帳法（昭和42年法律第81号）の適用を受ける者である場合にあっては，同法第12条第1項に規定する住民票の写し又はこれに代わる書類

　　ロ　当該役員又は専門委員がイに該当しない者である場合にあっては，当該役員又は専門委員の住所又は居所を証する権限のある官公署が発給する文書（外国語で作成されている場合にあっては，翻訳者を明らかにした訳文を添付したもの）又はこれに代わる書類

四　理事の構成が法第13条第3項第4号ロ(1)又は(2)のいずれかに該当するものでないことを説明した書類（次に掲げる事項の説明を含む。）

　　イ　各理事が，事業者及びその役員若しくは職員である者又は過去2年間に事業者及びその役員若しくは職員であった者（ハにおいて「過去の関係者」という。）に該当するか否か並びに該当する場合における当該事業者（以下本号において「各理事の関係する事業者」という。）の氏名又は名称，主たる事務所の所在地及びその行う事業の内容

　　ロ　各理事の関係する事業者の間の第2条第1項各号に掲げる特別の関係の有無及びその内容

　　ハ　各理事の関係する事業者の行う事業が属する業種（当該事業者

が2以上の業種に属する事業を行っている場合には，主要な事業が属する業種及び各理事が担当する事業が属する業種（各理事が過去の関係者に該当する場合にあっては，各理事が直近において担当していた事業で現に当該事業者が行っているものが属する業種））

　ニ　法第13条第3項第4号ロ後段の規定の適用を受けようとする場合にあっては，その適用に係る各理事の関係する事業者が同項第2号に掲げる要件に適合する者であることを証する書類

五　専門委員が第4条及び第5条に定める要件に適合することを証する書類

I　趣　旨

　適格消費者団体の認定の申請方法について，内閣総理大臣に申請書を提出する方式によることと，申請書の記載事項（1項，規則7条）及び添付書類（2項，規則8条）について定める。

　なお，令和4年5月改正により，従前収支計算書を提出すべきとされていたところを，法人の種類ごとに，提出すべき書類を規定している。従前より収支計算書は例示であって，特定非営利活動法人では活動計算書，一般社団法人又は一般財団法人においては損益計算書を示すものと解されていたが，誤解を招くので，修正されたものである。

II　解　説

1　申請書の記載事項

(1)　名称及び住所並びに代表者の氏名（本条1項1号）
(2)　差止請求関係業務を行おうとする事務所の所在地（1項2号）

　差止請求関係業務を行う事務所は，適格消費者団体を被告とする債務不存在確認訴訟の管轄裁判所（民事訴訟法5条5号）となる。

(3) 電話番号，電子メールアドレス，ファクシミリの番号（1項3号，規則7条1号）

本法においては，適格消費者団体が電子メールを使用することが予定されている（例えば規則15条2項）。なお，令和4年5月改正に伴う施行規則の改正において，ファクシミリ番号は必須の記載でなくなった。これは，規則1条の3では，ファクシミリ番号について，「（差止請求関係業務においてファクシミリ装置を用いて送受信しようとする場合に限る。以下同じ。）」と記載されているためである。

(4) 差止請求関係業務を行おうとする事務所の電話番号，電子メールアドレス，ファクシミリの番号（1項3号，規則7条2号）

(5) 法人番号（1項3号，規則7条3号）

2 申請書の添付書類（2項，規則8条）

(1) 定款（2項1号）

団体の目的（13条3項2号）に関連して，定款において，事業の内容を具体的に記載する必要がある（適格ガイドライン2(2)ウ）。

また，理事会の議決方法等の要件（13条3項4号イ）の審査の対象となる。

(2) 不特定かつ多数の消費者の利益の擁護を図るための活動を相当期間にわたり継続して適正に行っていることを証する書類（2項2号）

例としては，消費生活相談や110番活動，消費生活に関する情報の分析及び評価，消費者啓発のための教材等の開発又は作成，消費者被害の救済結果に関する事例集又は出版物の作成，研修会・講演会・シンポジウム又はセミナー，事業者に対する改善の申入れ，事業者の不当な行為に対する行政措置の発動の申入れ，消費生活に関する意見の表明又は政策提言等の概要を記載した書類がある（適格ガイドライン2(2)ウ）。ガイドライン（同）は，これらとともに，当該書類の記載内容が真実であることを証する書類（例えば，代表者がそれらの書類の記載内容を確認し，真実であることを認めて記名した書面など）を提出しなければならないとするが，虚偽の事実を申告して認定を受けることは刑事罰により禁止されており（50条1項），重ねて代表者の真実である旨の認証を求める必要があるか疑問である[1]。

なお，従来は，事業者に対する改善申入書や事業者の回答書などがガイドライン上例示されていた。認定・更新の申請書類は原則として縦覧の対象となるので（15条1項，17条6項），縦覧に適さない事項についてマスキングをする必要が生じ，多くの活動をしている団体ほど認定・更新の作業が煩雑になるという問題があった。そこで，概要を記載した書類が添付書類とされたものである。

　また，適格ガイドラインでは，従前内容が真実であることを証する書類としては，署名又は記名押印を要するとされていたが，行政手続における押印廃止の流れを受けて，記名で良いものとされた（この点は，他の書類も同様である。）。

(3)　差止請求関係業務に関する業務計画書（2項3号）

　団体の目的に関し，本号の業務計画書並びに差止請求関係業務以外の業務を行う場合における，その業務の種類及び概要を記載した書類（10号）において，できる限り定款に記載した事業の内容に対応して，事業内容の詳細並びに予定している回数，日時，場所，従事者数及び支出額等について具体的に記載しなければならない（適格ガイドライン2(2)ウ）。

(4)　差止請求関係業務を適正に遂行するための体制が整備されていることを証する書類（2項4号）

　適格ガイドライン（2(3)ウ）が挙げる例としては，以下のとおり。

①　差止請求関係業務を行う機関又は部門その他の組織が設置され，必要な人員が必要な数だけ配置されていることを示す組織図等にその記載内容が真実であることを証する書類（例えば，代表者がそれらの書類の記載内容を確認し，真実であることを認めて記名した書面など）を添付したもの。

②　差止請求関係業務に係る事務処理を行うために必要な事務所その他の施設，IT機器その他の物品等が確保されていることを証する書類（賃貸借契約書又は使用許諾に係る契約書等の事務所の使用権限を明らかにする

(注1)　なお，ガイドラインの見解を前提としても，証明の対象は，団体自身の活動内容及び，被害事例の収集の事実であり，被害事例そのものの証明や，法的見解の正当性の証明は不要と解される。

図書及び使用区域に関する図面等）

③　業務規程及びこれに添付された関連する規程等

なお，①の「必要な人員が必要な数だけ配置」されているか否か及び②の「必要な事務所その他の施設，IT機器その他の物品等が確保」されているか否かについては，差止請求関係業務に関する業務計画書，業務規程に記載された差止請求関係業務の実施の方法等に照らしながら，判断する（適格ガイドライン2（3）ウ）。

なお，従来は，差止請求関係業務を行う機関又は部門に実質が備わっていることを示すため議事録がガイドライン上例示されており，提出が求められていた。これらの機関又は部門では，個別の差止請求事件の交渉や和解の方針など，相手方に知られては困る内容が議論され，議事録に記載されている。認定・更新において，申請書類が縦覧の対象となるため，縦覧すると支障がある部分をマスキングする必要が生じ，認定・更新を申請する団体の負担となっていた。そこで，議事録は，法14条2項11号の書類として規則8条3項2号に規定され提出をすることが引き続き必要であるが，法15条1項では，法14条2項11号の書類は縦覧の対象から外されているため，議事録が縦覧の対象とならないことになった。

(5)　業務規程（2項5号）

13条4項の解説を参照されたい。

(6)　役員，職員及び専門委員に関する書類（2項6号，規則8条1項，8条3項3号・5号）

同号イの「職業」については，勤務先（兼職先），当該勤務先における役職等を具体的に記載する（適格ガイドライン2（4）エ）。

役員等の住所又は居所を証明する書類は，住民基本台帳法の適用を受けるかに応じ，①住民票の写し等②証明権限ある官公署が発給する文書等のいずれかとなる（規則8条3項3号）。

専門委員の要件適合性を証明する書類の例（規則8条3項5号）は以下のとおり。

①　消費生活相談業務従事者等（規則4条1号・2号）に関する書類

これらの号に掲げる資格を取得したことを証する書面の写し及び従事した

消費生活相談に応ずる業務の内容，勤務先及び期間について記載した勤務先の作成に係る書面又は業務の内容等について具体的に記載し内容が真実であることを認めて記名した書面（適格ガイドライン2（5）エ）[(2)]

② ①と同等と内閣総理大臣が認めたもの（規則4条3号）

消費生活相談に応ずる業務以外に消費者の利益の擁護に関する業務に従事してきたことについて具体的に記載し内容が真実であることを認めて記名した書面（適格ガイドライン2（5）エ）

③ 弁護士（規則5条1号）

弁護士名簿掲載通知書の写しや，弁護士会作成の弁護士登録証明書がこれにあたる。

④ 司法書士（規則5条2号）

法務省発行の証明書等がこれにあたる。

⑤ 教授等（規則5条3号）

大学が作成する在職証明書等がこれにあたる（適格ガイドライン2（5）エ）。

(7) 申請団体の社員数等を記載した書類（2項7号）

①会員数，②会員の個人又は法人その他の団体の別，③社員が法人その他の団体である場合にあっては，その構成員の数の記載がそれぞれ必要である。

(8) 最近の事業年度における財産目録等（2項8号）

適格ガイドライン（2（6）イ）によると，①認定の申請の日の属する事業年度の直前の事業年度における財産目録，貸借対照表，及び申請者の法人の区分に応じた書類（特定非営利活動法人においては活動計算書，一般社団法人又は一般財団法人においては損益計算書）又はこれらに準ずるもの，並びに②認定後3年間における収支（会費，寄附金，差止請求関係業務以外の業務による収入，借入金等の収入及び役員又は専門委員の報酬，職員の賃金，弁護士報酬，事務所の賃料等の支出）の見込みとその算出根拠を具体的に記載した書類と

（注2） もっとも，これらの証明文書は通常，記載事項が真実であることを前提としており，特に「記載事項が真実である」旨の文言は不要と解される。

され，収支見込み等は，差止請求関係業務に関する業務計画書並びに差止請求関係業務以外の業務を行う場合における，その業務の種類及び概要を記載した書類と整合している必要がある。

なお，法14条2項8号ロにおいて，公益認定された一般社団法人又は一般財団法人については，内閣府令で定める書類を添付することとされている。そこで，規則8条2項では，損益計算書で公益認定を受けているものが作成したものを規定している。

(9) 法13条5項各号の「欠格要件」のいずれにも該当しないことを誓約する書面（2項9号）

法13条5項のうち，1号，6号イ等については，非該当についての公的な証明手段がないため，誓約書を提出させる方法による趣旨である[3][4]。

(10) 差止請求関係業務以外の業務を行う場合には，その業務の種類及び概要を記載した書類（2項10号）

差止請求関係業務に同業務外の業務が与える影響等について審査する趣旨である。

記載内容については（3）を参照のこと。

(11) その他内閣府令で定める書類（2項11号）

申請者の登記事項証明書（規則8条3項1号）のほか，差止関係業務を実施することとなる機関，部門その他の組織において当該組織が分掌することとなる事務に相当又は類似する活動をしていることを示す活動に係る議事録（規則8条3項2号），理事の構成に関する13条3項4号ロ(1)(2)に該当しないことの説明書類（規則8条3項4号）である。役員，職員及び専門委員に関する書類（規則8条3項3号・5号）については（6）を参照のこと。

なお，議事録が規定されているのは，11号の書面が法15条において縦覧の対象となっていないから，縦覧の対象から外すためであることは前述した。

(注3) 同旨の立法例として特定非営利活動促進法10条1項2号ロ。

(注4) もっとも，13条5項の除外事由については，自身や関係機関を通じて，前科調書等の資料を取得可能な審査機関が，自ら調査を行うことが法の予定するところであると思われる。

第15条 (認定の申請に関する公告及び縦覧等)

第15条　内閣総理大臣は，前条の規定による認定の申請があった場合には，遅滞なく，内閣府令で定めるところにより，その旨並びに同条第1項第1号及び第2号に掲げる事項を公告するとともに，同条第2項各号（第6号ロ，第9号及び第11号を除く）に掲げる書類を，公告の日から2週間，公衆の縦覧に供しなければならない。

2　内閣総理大臣は，第13条第1項の認定をしようとするときは，同条第3項第2号に規定する事由の有無について，経済産業大臣の意見を聴くものとする。

3　内閣総理大臣は，前条の規定による認定の申請をした者について第13条第5項第3号，第4号又は第6号ハに該当する疑いがあると認めるときは，警察庁長官の意見を聴くものとする。

○消費者契約法施行規則
(公告の方法)
第9条　法第15条第1項（法第17条第6項，法第19条第6項及び法第20条第6項において準用する場合を含む。以下この条において同じ。）の規定による公告は，法第15条第1項に規定する事項並びに同項の規定により公衆の縦覧に供すべき書類の縦覧の期間及び場所について，消費者庁の掲示板への掲示，インターネットを利用して公衆の閲覧に供する方法その他の方法により行うものとする。

I　趣旨及び解説

1　15条1項，規則9条

適格消費者団体の認定が，広く国民の利益に影響を及ぼすおそれのあることから，公告・縦覧の対象としたものである。

なお，法48条の2は，内閣総理大臣の権限を消費者庁長官に委任してい

る。以下本条において同様である。

2　15条2項

特定商取引法平成20年改正により消費者団体訴訟制度を特定商取引法違反行為に拡大した（同法58条の18以下）一方で，適格消費者団体の申請窓口を内閣総理大臣（実際の申請先は消費者庁）に一本化した（13条2項）ことに伴い，認定に当たっては特定商取引法を所管する経済産業大臣に意見を聴くものとした[1]。

3　15条3項

暴力団員等の関与にかかる除外要件（13条5項3号，4号，6号ハ）については，警察庁において，対象者等に関する情報を収集・管理しているため，これに該当する疑いがある場合には，同庁長官の意見を聴くものとした。

第16条　（認定の公示等）

> 第16条　内閣総理大臣は，第13条第1項の認定をしたときは，内閣府令で定めるところにより，当該適格消費者団体の名称及び住所，差止請求関係業務を行う事務所の所在地並びに当該認定をした日を公示するとともに，当該適格消費者団体に対し，その旨を書面により通知するものとする。
> 2　適格消費者団体は，内閣府令で定めるところにより，適格消費者団体である旨について，差止請求関係業務を行う事務所において見やす

（注1）　なお，景品表示法の改正に伴い，景品表示法違反行為にも消費者団体訴訟制度の対象が拡大されたため（同法30条1項（平成26年法律第118号改正前10条），令和5年法律第29号による改正法の施行後は34条1項），改正時は意見を聴く対象として同法を所管する公正取引委員会が含まれていたが，消費者庁の発足に伴い，同法の所管が消費者庁に移管したため，同規定は削除された。
　　特定商取引法も消費者保護に係る企画立案，執行が消費者庁に移管されているが，経済産業省は商取引一般の立場から連携するとされているので（「消費者行政推進基本計画について」平成20年6月27日閣議決定），経済産業大臣については意見を聴くものとしている。

いように掲示するとともに，電気通信回線に接続して行う自動公衆送信（公衆によって直接受信されることを目的として公衆からの求めに応じ自動的に送信を行うことをいい，放送又は有線放送に該当するものを除く。）により公衆の閲覧に供しなければならない。

3　適格消費者団体でない者は，その名称中に適格消費者団体であると誤認されるおそれのある文字を用い，又はその業務に関し，適格消費者団体であると誤認されるおそれのある表示をしてはならない。

○消費者契約法施行規則

（公示の方法）

第10条　法第16条第1項（法第17条第6項，法第19条第6項及び法第20条第6項において準用する場合を含む。第29条第1号において同じ。），法第19条第8項，法第20条第8項，法第21条第2項，法第34条第5項及び法第35条第10項の規定による公示は，官報に掲載することによって行う。

（適格消費者団体である旨の掲示等）

第11条　法第16条第2項の規定による掲示は，適格消費者団体の名称及び「適格消費者団体」の文字について，その事務所の入口又は受付の付近の見やすい場所にしなければならない。

2　法第16条第2項の規定による公衆の閲覧は，適格消費者団体の名称及び「適格消費者団体」の文字について，そのホームページの見やすい箇所へ掲載することにより行わなければならない。

I　趣旨及び解説

1　適格消費者団体の認定を受けた場合の公示及び公示方法（1項，規則10条）

適格消費者団体の認定は，事業者，国民等に影響があり，これを広く周知

する必要があるので，必要事項について公示の対象とした。公示の方法は官報公告である。

　また，申請団体は認定の結果に直接の利害を有しているため，当該適格消費者団体に対し，認定の事実等を書面により通知するものとした。なお，適格消費者団体は，消費者団体訴権等の行使に際し，対外的に適格消費者団体である旨を証明することを求められる場合があるが，法は特にその証明手段について定めていないので，訴訟手続等においては，認定の通知の写しをもって，適格消費者団体であることを証明することになる。

　なお，法48条の2は，内閣総理大臣の権限を消費者庁長官に委任している。

2　適格消費者団体である旨の掲示（2項，規則11条）

　適格消費者団体であることを明示し，適格消費者団体か否かを明確化する趣旨である。デジタル社会の形成を図るための規制改革を推進するためのデジタル社会形成基本法等の一部を改正する法律（令和5年法律第63号）による改正により，適格消費者団体の名称と「適格消費者団体」の文字について，ホームページの詳しい箇所に掲示する義務が生じ，これにより適格消費者団体は事実上ウェブサイトの設置及び維持が必要となった[1]。

　違反の場合には30万円以下の過料の制裁がある（53条1号）。

3　消費者団体と誤認されるおそれのある表示等の禁止（3項）

　適格消費者団体である旨誤認させることによる要求行為等を防止すると共に，適格消費者団体に対する信頼を保護する趣旨である。違反の場合には，50万円以下の罰金刑の対象となる（51条2号）。

第17条　（認定の有効期間等）

> 第17条　第13条第1項の認定の有効期間は，当該認定の日から起算して6年とする。

　（注1）　2025年2月現在，すべての適格消費者団体はウェブサイトを設置している。

2　前項の有効期間の満了後引き続き差止請求関係業務を行おうとする適格消費者団体は，その有効期間の更新を受けなければならない。

3　前項の有効期間の更新を受けようとする適格消費者団体は，第1項の有効期間の満了の日の90日前から60日前までの間（以下この項において「更新申請期間」という。）に，内閣総理大臣に有効期間の更新の申請をしなければならない。ただし，災害その他やむを得ない事由により更新申請期間にその申請をすることができないときは，この限りでない。

4　前項の申請があった場合において，第1項の有効期間の満了の日までにその申請に対する処分がされないときは，従前の認定は，同項の有効期間の満了後もその処分がされるまでの間は，なお効力を有する。

5　前項の場合において，第2項の有効期間の更新がされたときは，その認定の有効期間は，従前の認定の有効期間の満了の日の翌日から起算するものとする。

6　第13条（第1項及び第5項第2号を除く。），第14条，第15条及び前条第1項の規定は，第2項の有効期間の更新について準用する。ただし，第14条第2項各号に掲げる書類については，既に内閣総理大臣に提出されている当該書類の内容に変更がないときは，その添付を省略することができる。

I　趣　旨

本条は適格認定の有効期間と更新制度を定める。適格要件への適合性が一旦認定された団体であっても，その後になって適格要件に適合しない事態に陥ることもあり得る。団体の適格性をその後も担保するための措置として，有効期限を設定して，更新時に改めて適格要件への適合性を判断するものとしている。

しかし，適格要件の事後的担保措置としては，定期的な報告義務や行政による監督，適格認定の取消制度なども置かれており，またこのように適格認

定に有効期間を定める制度は，ADR法でもとられておらず，本制度にこのような厳しい規制を設ける必要性については疑問がないわけではない。

なお，有効期間は制定当初は3年であったが，消費者団体訴訟制度が導入されてから10年の間，制度が安定的に運営されてきたこと，更新の事務負担を軽減して差止請求に注力させる必要があることに鑑み，独立行政法人国民生活センター法等の一部を改正する法律（平成29年法律第43号）によって6年に伸長されたものである。

Ⅱ 解説

1 適格認定の有効期間

適格認定の有効期間は，当該認定がなされた日から起算して6年である（1項）。有効期間の満了後も差止請求関係業務を行う場合は内閣総理大臣から有効期間の更新を受けなければならない（2項）。更新された場合の有効期間は同じく6年である。

2 更新手続

更新手続は，適格消費者団体が内閣総理大臣に対して，更新申請期間内に更新の申請をすることによって行う。更新申請期間は有効期間の満了の日の90日前から60日前までの間である。この期間制限は厳格なもので「災害その他やむを得ない事由により更新申請期間にその申請をすることができないとき」以外は例外を設けていない（3項）。実際，平成28年10月6日に消費者庁が定めた「消費者契約法に基づく内閣総理大臣の処分に係る標準処理期間」において，17条2項の規定に基づく更新は，特段の事由が存在しない限り，60日から90日としている。

更新申請期間内に更新申請を行わず有効期間が経過した場合には，適格認定は効力を失う（22条1号）。その場合差止訴訟が係属中であれば，差止等の請求は実体法上の請求権が失われたものとして棄却されることになろう。また12条の2第1項との関係では「他の適格消費者団体を当事者とする差

止請求に係る訴訟」にはあたらないので，他の適格消費者団体は後訴提起の制限を受けないと解される。

　更新申請期間に申請された場合には，それに対する処分が有効期間内に行われない場合であっても，処分がなされるまでの間はなお従前の認定の効力が維持される（4項）。更新手続の遅れによって有効期間を経過したことによる不利益を適格消費者団体に負わせるべきではないからである。更新申請期間内に更新を申請したにもかかわらず，有効期間経過後に更新を認める処分がなされた場合，更新された認定の有効期間は従前の認定の有効期間の満了日の翌日から起算するものとされる（5項）。

　それでは，有効期間内に更新を認める処分があった場合には，有効期間は，更新処分があった日から6年となるのか，有効期間の満了日から6年となるのか。この点，明文の規定はないが，更新という制度自体の性質から，有効期間をさらに6年延ばすものであるから，満了日から起算することになると解すべきである。また，更新処分があった日から起算するとした場合，優良な団体ほど要件該当性が明確であるから早期に処分しうるが有効期間がその分減少するのは妥当でない。実務上，更新の期間は満了日からとされている。いずれにせよ，適格消費者団体への通知には，更新後の有効期間が記載され，消費者庁のウェブサイトにおいて公表される扱いとなっており，疑義が生じることはないと思われる。

3　更新の要件，申請の方法等

　認定の更新の要件については，13条が準用され[1]，適格要件への適合性が再度確認されることが明らかにされている。また申請手続については14条が準用され，適格認定と同様の手続が要求されているが，申請書に添付する書類に関しては，従前提出している書類の内容に変更のない場合は添付が省略できるとされ（6項ただし書），若干適格消費者団体の負担が軽減されて

　（注1）　6項で13条1項の適用が除外されているのは，本条2項と重複するからであり13条5項2号については，認定が取り消された以上，有効期間の更新の余地がないからである（消費者庁解説328頁）。

いる。

　また認定の更新申請の際にも，内閣総理大臣による一定の事項の公告と書類の縦覧，必要ある場合の警察庁長官からの意見聴取がなされることになっている（15条準用）。

　認定の更新がなされた場合には，適格消費者団体に関する一定の事項の公示をするとともに，当該団体にその旨を書面で通知するものとされる（16条1項準用）。

　なお，法48条の2は，内閣総理大臣の権限を消費者庁長官に委任しているが，消費者契約法施行令3条は，法17条2項の更新については，消費者庁長官に委任されないとしている。内閣総理大臣の権限のうち，指定法人，登録検査機関の認定等とその取消しは，これらの組織に対して一定の地位を付与し，剥奪することから，重要な権限であるとして，内閣総理大臣に留保されている[2]。

　また，情報通信技術を活用した行政の推進等に関する法律6条及び内閣府の所管する消費者庁関係法令に係る情報通信技術を活用した行政の推進等に関する法律施行規則4条の例により，電子情報処理組織を使用する方法により更新の申請をすることができる（適格ガイドライン8ア）。

　添付書類のうち，その原本を確認する必要があると消費者庁が認める場合は，当該部分につき，別途送付の方法により提出することができる。この場合，当該部分以外の部分につきオンラインによる申請等を行った日から，1週間以内に提出しなければならない（適格ガイドライン8イ）。

第18条　（変更の届出）

> 第18条　適格消費者団体は，第14条第1項各号に掲げる事項又は同条第2項各号（第2号及び第11号を除く。）に掲げる書類に記載した事項に変更があったときは，遅滞なく，内閣府令で定めるところにより，その旨を内閣総理大臣に届け出なければならない。ただし，その変更が内閣府令で定める軽微なものであるときは，この限りでない。

（注2）　コンメンタール特例法473頁。

○消費者契約法施行規則

（変更の届出）

第12条　法第18条の規定により法第14条第1項各号に掲げる事項又は同条第2項各号（第2号及び第11号を除く。以下この条において同じ。）に掲げる書類に記載した事項の変更の届出をしようとする者は，次の事項を記載した届出書を提出しなければならない。

一　名称及び住所並びに代表者の氏名

二　変更した内容

三　変更の年月日

四　変更を必要とした理由

2　前項の届出書には，次の各号に掲げる場合に応じ，当該各号に定める書類を添付しなければならない。

一　法第14条第2項各号に掲げる書類に記載した事項に変更があった場合　変更後の事項を記載した当該書類

二　法第14条第1項各号に掲げる事項又は同条第2項各号に掲げる書類に記載した事項の変更に伴い第8条第3項に掲げる書類の内容に変更を生じた場合　変更後の内容に係る当該書類（第8条第3項第3号に掲げる書類にあっては，役員又は専門委員が新たに就任した場合（再任された場合を除く。）に限る。）

3　法第18条の内閣府令で定める軽微な変更は，次に掲げる事項の変更とする。

一　法第14条第2項第6号ロの書類に記載した事項

二　法第14条第2項第7号の書類に記載した事項のうち次に掲げるもの

イ　適格消費者団体である法人の社員（個人に限る。）の数（その変更後の数が，法第13条第1項の認定，法第17条第2項の有効期間の更新若しくは法第19条第3項若しくは法第20条第3項の認可を受けたとき，法第18条の規定による届出をしたとき又は法第31条第5項の規定による提出をしたときの社員（個人に限

る。）の数のうち最近のものよりも10分の1以上増加し，又は減少した場合を除く。）
　　ロ　社員が法人その他の団体である場合におけるその構成員の数
(認定の申請書の添付書類)
第8条
1，2　(略)
3　法第14条第2項第11号の内閣府令で定める書類は，次に掲げる書類とする。
　一，二　(略)
　三　役員及び専門委員の住所又は居所を証する次に掲げる書類であって，申請の日前6月以内に作成されたもの
　　イ　当該役員又は専門委員が住民基本台帳法（昭和42年法律第81号）の適用を受ける者である場合にあっては，同法第12条第1項に規定する住民票の写し又はこれに代わる書類
　　ロ　当該役員又は専門委員がイに該当しない者である場合にあっては，当該役員又は専門委員の住所又は居所を証する権限のある官公署が発給する文書（外国語で作成されている場合にあっては，翻訳者を明らかにした訳文を添付したもの）又はこれに代わる書類
　四，五　(略)

Ⅰ　趣　旨

　本条は，適格消費者団体の構成等に変更があった場合，内閣総理大臣にこれを届け出ることを定め，変更届出をする際の要件を定めたものである。
　なお，令和4年5月改正により，従前，届出書を「提出」とされていたのものが，「届け出なければ」ならないと変更された。
　もっとも，情報通信技術を活用した行政の推進等に関する法律6条及び内閣府の所管する消費者庁関係法令に係る情報通信技術を活用した行政の推進等に関する法律施行規則4条の例により，電子情報処理組織を使用する方法

により届出をすることができる（適格ガイドライン8ア）。

　添付書類のうち，その原本を確認する必要があると消費者庁が認める場合は，当該部分につき，別途送付の方法により提出することができる。この場合，当該部分以外の部分につきオンラインによる申請等を行った日から，1週間以内に提出しなければならない（適格ガイドライン8イ）。

Ⅱ　解　説

1　届出を要することとした理由

　差止請求関係業務を行おうとする者は内閣総理大臣の認定を受けなければならず（13条1項），内閣総理大臣に認定の申請をなす際には，当該申請書に，名称及び住所並びに代表者の氏名，差止請求関係業務を行おうとする事務所の所在地，電話番号等を記載し（14条1項，規則7条），これに定款・業務計画書・業務規程等を添付しなければならない（14条2項，規則8条）。

　内閣総理大臣は，法が定める要件（13条3項）をすべて充たし，かつ法定の除外事由（13条5項）がない場合，当該申請者を適格消費者団体として認定することができるが，かかる要件充足性は，認定後に変動することがありうる。内閣総理大臣は，適格消費者団体が事後的に認定要件を欠き，又は当該適格消費者団体に除外事由が発生するという事態が生じた場合，適合命令又は改善命令を発することができ（33条），また当該適格消費者団体の認定を取り消すこともできる（34条1項2号，3号）。

　このように，適格消費者団体の申請内容の変更は重大な意味をもつことから，法は，適格消費者団体が14条1項各号及び同条2項各号（2号及び11号を除く）[1]に掲げる事項に変更があった場合は，これを届け出なければならないものとした。

　なお，法48条の2は，内閣総理大臣の権限を消費者庁長官に委任してい

（注1）　認定時において審査に用いられると考えられる書類を除外する趣旨である（消費者庁解説332頁）。

る。消費者庁長官に届け出ればよいことになる。

2 届出の方式及び届出事項

(1) 届出の方式

届出の方式であるが、適格消費者団体が内閣総理大臣に届出書を提出しなければならず、当該届出書には、①名称及び住所並びに代表者の氏名、②変更した内容、③変更の年月日、④変更を必要とした理由、を記載しなければならない（規則12条1項）。また届出書には、①14条2項各号に掲げる書類に記載した事項に変更があった場合は変更後の事項を記載した当該書類を、②14条1項各号に掲げる事項又は同条2項各号に掲げる書類に記載した事項の変更に伴い規則8条3項に掲げる書類の内容に変更を生じた場合は変更後の内容に係る当該書類（規則8条3項3号に掲げる書類にあっては、役員又は専門委員が新たに就任した場合（再任された場合を除く。）に限る。）を、添付しなければならない（規則12条2項）。

「遅滞なく」の解釈については、基本的に、当該変更を届け出るために通常要する期間内であれば足りると解すべきである。

(2) 軽微な変更

軽微な変更についてまで届け出る必要はない（18条ただし書）。適格消費者団体の構成に実質的な変動がない場合にまで逐一これを届け出させるのは煩雑だからである。この軽微な変更とは、①役員、職員及び専門委員の住所、略歴、電話番号その他の連絡先の変更（規則12条3項1号）のほか、14条2項7号の書類に記載した事項のうち、②適格消費者団体である法人の社員（個人のみ）の数の変更（規則12条3項2号イ）、③社員が法人その他の団体である場合におけるその構成員の数の変更（規則12条3項2号ロ）、とされている。

もっとも規則12条3項2号イのかっこ書で、変更後の個人社員の数が、直近の①13条1項の認定時、②17条2項の有効期間の更新時、③19条3項による合併の認可時、④20条3項による事業譲渡の認可時、⑤18条による変更の届出時、⑥31条5項による毎事業年度終了後の定期報告（役職員等名簿、社員の数を記載した名簿、財務諸表等、収入の明細その他の資金に関する事

項，寄附金に関する事項その他の経理に関する内閣府令で定める事項（規則25条1項）を記載した書類）の提出時における数のうち最近のものよりも10分の1以上増加又は減少した場合には，「軽微な変更」とは扱わず，社員の数の変更につき届出をなすこととされている。

なお，平成28年の規則改正前は，団体の構成員に関する事項のみが，変更届出が不要な事項とされていたが，役員，職員及び専門委員の住所等も変更届出不要となった。内閣総理大臣としては，監督上必要な事項は団体に連絡すれば足りるので，これらの者に直接連絡をとる必要はなく，変更を逐次把握するまでの必要はないと思われるので，団体の負担軽減の観点から妥当である。

第19条　（合併の届出及び認可等）

> 第19条　適格消費者団体である法人が他の適格消費者団体である法人と合併をしたときは，合併後存続する法人又は合併により設立された法人は，合併により消滅した法人のこの法律の規定による適格消費者団体としての地位を承継する。
> 2　前項の規定により合併により消滅した法人のこの法律の規定による適格消費者団体としての地位を承継した法人は，遅滞なく，その旨を内閣総理大臣に届け出なければならない。
> 3　適格消費者団体である法人が適格消費者団体でない法人と合併（適格消費者団体である法人が存続するものを除く。以下この条及び第22条第2号において同じ。）をした場合には，合併後存続する法人又は合併により設立された法人は，その合併について内閣総理大臣の認可がされたときに限り，合併により消滅した法人のこの法律の規定による適格消費者団体としての地位を承継する。
> 4　前項の認可を受けようとする適格消費者団体である法人及び適格消費者団体でない法人は，共同して，その合併がその効力を生ずる日の90日前から60日前までの間（以下この項において「認可申請期間」という。）に，内閣総理大臣に認可の申請をしなければならない。ただし，災害その他やむを得ない事由により認可申請期間にその申請を

することができないときは，この限りでない。

5　前項の申請があった場合において，その合併がその効力を生ずる日までにその申請に対する処分がされないときは，合併後存続する法人又は合併により設立された法人は，その処分がされるまでの間は，合併により消滅した法人のこの法律の規定による適格消費者団体としての地位を承継しているものとみなす。

6　第13条（第1項を除く。），第14条，第15条及び第16条第1項の規定は，第3項の認可について準用する。

7　適格消費者団体である法人は，適格消費者団体でない法人と合併をする場合において，第4項の申請をしないときは，その合併がその効力を生ずる日までに，その旨を内閣総理大臣に届け出なければならない。

8　内閣総理大臣は，第2項又は前項の規定による届出があったときは，内閣府令で定めるところにより，その旨を公示するものとする。

Ⅰ　趣　旨

本条は，適格消費者団体同士の合併又は適格消費者団体と非適格消費者団体との合併について，その要件等を定めたものである。

なお，令和4年5月改正により，適格消費者団体と適格消費者団体でない法人が合併する場合において，適格消費者団体が存続するときは，認可を要しないこととされた（3項かっこ書）。また，適格消費者団体と適格消費者団体でない法人が合併する場合で，適格消費者団体でない法人が存続する場合や合併により法人が設立する場合には，適格消費者団体と適格消費者団体でない法人が共同して申請することとされた（4項）。

なお，4項の規定は2023年10月1日以降にされる申請に適用される（令和4年法律第59号改正附則2条5項）。

Ⅱ　解　説

1 合併の認可を必要とした理由等

　特定非営利活動法人が他の特定非営利活動法人と合併することは可能であるし（特定非営利活動促進法 33 条ないし 39 条），一般社団法人又は一般財団法人も一般社団法人及び一般財団法人に関する法律により，一般社団法人又は一般財団法人が他の一般社団法人又は一般財団法人と合併することが可能である（同法 242 条以下）。

　いずれにしても，適格消費者団体同士が合併する場合には，吸収合併であれ新設合併であれ，既に合併前の各適格消費者団体が既に内閣総理大臣の認定を受けている法人であることから，合併により消滅した法人の適格消費者団体としての地位を承継すること自体は問題がない（14 条 1 項記載事項又は 2 項に掲げる書類の内容に変更があれば届出が必要であることはいうまでもない）。19 条 1 項及び 2 項は，かかる観点から，合併という組織自体を変容させる行為があったとしても，適格消費者団体としての活動を認めたものである。

　これに対し，適格消費者団体がそうでない法人と合併する場合にまで同様の取扱いを認めると，法が内閣総理大臣の認定を受ける必要があるとして適格消費者団体としての資格を制限した趣旨を没却することとなる。そこで法は，かかる合併については，適格消費者団体である法人が存続するものを除き，合併自体に内閣総理大臣の認可を受けた場合に限り，合併により消滅した法人の適格消費者団体の地位を承継できるものとした（19 条 3 項）。

　なお，法 48 条の 2 は，内閣総理大臣の権限を消費者庁長官に委任しているが，消費者契約法施行令 3 条は，法 19 条 3 項の認可については，消費者庁長官に委任されないとしている。内閣総理大臣の権限のうち，指定法人，登録検査機関の認定等とその取消しは，これらの組織に対して一定の地位を付与し，剥奪することから，重要な権限であるとして，内閣総理大臣に留保されている[1]。合併の認可は，適格消費者団体でない法人に適格消費者団体の地位を与えることになるので，適格消費者団体の認定と同視したものである。

　（注 1）　コンメンタール特例法 473 頁。

届出については，消費者庁長官に委任されているから，消費者庁長官に届け出ればよい。

これに違反して適格消費者団体と適格消費者団体でない法人との合併が効力を生じた場合には，適格消費者団体としての認定自体がその効力を失うこととなる（22条2号，19条3項）。

なお，令和4年5月改正前は，適格消費者団体が存続する場合も，内閣総理大臣の認可を受けることとされており，認可を受けない場合には，法22条2号により，適格消費者団体としての認定自体の効力を失うとされていた。しかし，同改正により，適格消費者団体が存続する場合には，法22条2号は適用されないこととなった。

2　認可申請の方法等

この認可を得るためには，認可を受けようとする適格消費者団体と適格消費者団体でない法人が，共同して，合併が効力を生じる日の90日前から60日前までに，内閣総理大臣に対して認可の申請をしなければならない（19条4項本文，ただし書あり）。このような期限を設けたのは，通常，認可するか否かの処分を決するために2か月から3か月程度かかるという目安だといえる。実際，平成28年10月6日に消費者庁が定めた「消費者契約法に基づく内閣総理大臣の処分に係る標準処理期間」[2]において，合併の認可は，特段の事由が存在しない限り，60日から90日としている。合併の認可に係る審査基準は，13条の認定の審査基準による（適格ガイドライン3）。

合併の効力が生じるまでに当該処分が完了していなければ，合併後存続する法人又は合併により設立された法人は，当該処分がなされるまでの間，適格消費者団体としての地位を承継しているものとみなされる（19条5項）。法人側に，合併の効力が生じる日の90日前から60日前までの認可申請を要請しながら，行政側が認可しなかったことにより適格消費者団体としての活

（注2）　ガイドラインとともに以下のページに掲載されている。
　　（https://www.caa.go.jp/policies/policy/consumer_system/collective_litigation_system/about_qualified_consumer_organization/guidelines/）

動ができないというのでは，手続を遵守した団体に不利益を転嫁させるものであり，このような場合にまで適格消費者団体としての活動を阻害させる訳にはいかない，という配慮に基づく規定である。

　内閣総理大臣が合併を認可するか否かの判断をなすにあたっては，適格消費者団体としての認定要件を充たすこと，申請書に定款等を添付すること，申請があったことを公告されること等は当然である（19条6項。13条ないし16条）。

　適格消費者団体が適格消費者団体でない法人と合併する場合において適格消費者団体でない法人が存続しまたは法人が新設されるときでも，その認定の厳格さ故に，合併後もかかる差止請求関係業務を行う意思があることが通常であり，合併後，適格消費者団体としての活動を行わない場合は稀であるといえるが，適格消費者団体としての活動を行わない場合には，合併の効力が生じるまでに，活動を行わない旨を内閣総理大臣に届け出なければならない（19条7項）。

　19条2項又は7項の届け出があった場合，内閣総理大臣はその旨を公示することとなる（19条8項。規則10条により，公示方法は官報への掲載である）。

　また，情報通信技術を活用した行政の推進等に関する法律6条及び内閣府の所管する消費者庁関係法令に係る情報通信技術を活用した行政の推進等に関する法律施行規則4条の例により，電子情報処理組織を使用する方法により認可の申請をすることができる（適格ガイドライン8ア）。

　添付書類のうち，その原本を確認する必要があると消費者庁が認める場合は，当該部分につき，別途送付の方法により提出することができる。この場合，当該部分以外の部分につきオンラインによる申請等を行った日から，1週間以内に提出しなければならない（適格ガイドライン8イ）。

第20条　（事業の譲渡の届出及び認可等）

第20条　適格消費者団体である法人が他の適格消費者団体である法人に対し差止請求関係業務に係る事業の全部の譲渡をしたときは，その譲渡を受けた法人は，その譲渡をした法人のこの法律の規定による適

格消費者団体としての地位を承継する。
2　前項の規定によりその譲渡をした法人のこの法律の規定による適格消費者団体としての地位を承継した法人は，遅滞なく，その旨を内閣総理大臣に届け出なければならない。
3　適格消費者団体である法人が適格消費者団体でない法人に対し差止請求関係業務に係る事業の全部の譲渡をした場合には，その譲渡を受けた法人は，その譲渡について内閣総理大臣の認可がされたときに限り，その譲渡をした法人のこの法律の規定による適格消費者団体としての地位を承継する。
4　前項の認可を受けようとする適格消費者団体である法人及び適格消費者団体でない法人は，共同して，その譲渡の日の90日前から60日前までの間（以下この項において「認可申請期間」という。）に，内閣総理大臣に認可の申請をしなければならない。ただし，災害その他やむを得ない事由により認可申請期間にその申請をすることができないときは，この限りでない。
5　前項の申請があった場合において，その譲渡の日までにその申請に対する処分がされないときは，その譲渡を受けた法人は，その処分がされるまでの間は，その譲渡をした法人のこの法律の規定による適格消費者団体としての地位を承継しているものとみなす。
6　第13条（第1項を除く。），第14条，第15条及び第16条第1項の規定は，第3項の認可について準用する。
7　適格消費者団体である法人は，適格消費者団体でない法人に対し差止請求関係業務に係る事業の全部の譲渡をする場合において，第4項の申請をしないときは，その譲渡の日までに，その旨を内閣総理大臣に届け出なければならない。
8　内閣総理大臣は，第2項又は前項の規定による届出があったときは，内閣府令で定めるところにより，その旨を公示するものとする。

Ⅰ　趣　旨

本条は，適格消費者団体が，他の適格消費者団体又は非適格消費者団体に対し，差止請求関係業務を譲渡する場合の要件等を定めたものである。

なお，令和4年5月改正により，事業譲渡の認可を受ける場合には，適格消費者団体である法人及び適格消費者団体でない法人が共同して，申請することとされた。4項の規定は2023年10月1日以降にされる申請に適用される（令和4年法律第59号改正附則2条6項）。

Ⅱ 解 説

1 事業譲渡の認可を必要とした理由等

特定非営利活動法人が他の特定非営利活動法人に対し，差止請求関係業務にかかる事業の全部を譲渡することは法律上禁止されていないし（ただし，差止請求関係業務の事業の一部を譲渡することは，本法に明文がないことからできないと解される）[1]，一般社団法人及び一般財団法人についても，事業の譲渡は禁止されていない（一般社団法人及び一般財団法人に関する法律147条，201条）。この事業譲渡は合併とは異なるが，差止請求関係業務の主体が変動しうるという法的効果の側面から見れば，両者を別異に扱う理由はない。

かかる観点から，法は，事業の譲渡の届出及び認可について規定した。法規制の内容は19条と同一である。

まず事業譲渡の主体が適格消費者団体同士である場合には，既に各適格消費者団体が内閣総理大臣の認定を受けている法人であることから，譲渡をした法人の適格消費者団体としての地位を承継すること自体は問題がない（14条1項記載事項又は2項に掲げる書類の内容に変更があれば届出が必要であることはいうまでもない）。20条1項及び2項は，かかる観点から，事業譲渡という事業主体を変容させる行為があったとしても，適格消費者団体としての活動を認めたものである。

これに対し，適格消費者団体がそうでない法人に対して差止請求関係業務

（注1） 消費者庁解説340頁。

を譲渡する場合にまで同様の取扱いを認めると，法が内閣総理大臣の認定を受ける必要があるとして適格消費者団体としての資格を制限した趣旨を没却することとなる。そこで法は，かかる事業譲渡については，事業譲渡自体に内閣総理大臣の認可を受けた場合に限り，事業譲渡をした法人の適格消費者団体の地位を承継できるものとした（20条3項）。

これに違反して適格消費者団体からそうでない法人への事業譲渡がなされた場合には，適格消費者団体としての認定自体がその効力を失うこととなる（22条3号，20条3項）。

2　認可の申請の方法等

この認可を得るためには，認可を受けようとする適格消費者団体と適格消費者団体でない法人が，共同して，事業譲渡の日の90日前から60日前までに，内閣総理大臣に対して認可の申請をしなければならない（20条4項本文，ただし書あり）。このような期限を設けたのは，通常，認可するか否かの処分を決するために2か月から3か月程度かかるという目安だといえる。実際，平成28年10月6日に消費者庁が定めた「消費者契約法に基づく内閣総理大臣の処分に係る標準処理期間」[2]において，事業譲渡の認可は，特段の事由が存在しない限り，60日から90日としている。事業譲渡の認可に係る審査基準は，13条の認定の審査基準による（適格ガイドライン3）。

事業譲渡の日までに当該処分が完了していなければ，事業譲渡を受けた法人は，当該処分がなされるまでの間，適格消費者団体としての地位を承継しているものとみなされる（20条5項）。趣旨は，合併における同規定と同じである。

内閣総理大臣が事業譲渡を認可するか否かの判断をなすにあたっては，適格消費者団体としての認定要件を充たすこと，申請書に定款等を添付すること，申請があったことが公告されること等は当然である（20条6項。13条な

（注2）　ガイドラインとともに以下のページに掲載されている。
　　　（https://www.caa.go.jp/policies/policy/consumer_system/collective_litigation_system/about_qualified_consumer_organization/guidelines/）

いし16条)。

　適格消費者団体が適格消費者団体でない法人に対して差止請求関係業務を事業譲渡する場合でも，その認定の厳格さ故に，事業譲渡後もかかる差止請求関係業務を行う意思があることが通常であり，事業譲渡後，事業譲受法人において適格消費者団体としての活動を行わない場合は稀であるといえるが，その場合には，事業譲渡の日までに，活動を行わない旨を内閣総理大臣に届け出なければならない（20条7項）。

　20条2項又は7項の届け出があった場合，内閣総理大臣はその旨を公示することとなる（20条8項。規則10条により，公示方法は官報への掲載である）。

　なお，法48条の2は，内閣総理大臣の権限を消費者庁長官に委任しているが，消費者契約法施行令3条は，法20条3項の認可については，消費者庁長官に委任されないとしている。内閣総理大臣の権限のうち，指定法人，登録検査機関の認定等とその取消しは，これらの組織に対して一定の地位を付与し，剥奪することから，重要な権限であるとして，内閣総理大臣に留保されている[3]。事業譲渡の認可は，適格消費者団体でない法人に適格消費者団体の地位を与えることになるので，適格消費者団体の認定と同視したものである。

　届出については，消費者庁長官に委任されているから，消費者庁長官に届け出ればよい。

　また，情報通信技術を活用した行政の推進等に関する法律6条及び内閣府の所管する消費者庁関係法令に係る情報通信技術を活用した行政の推進等に関する法律施行規則4条の例により，電子情報処理組織を使用する方法により認可の申請をすることができる（適格ガイドライン8ア）。

　添付書類のうち，その原本を確認する必要があると消費者庁が認める場合は，当該部分につき，別途送付の方法により提出することができる。この場合，当該部分以外の部分につきオンラインによる申請等を行った日から，1週間以内に提出しなければならない（適格ガイドライン8イ）。

(注3)　コンメンタール特例法473頁。

第21条　（解散の届出等）

> 第21条　適格消費者団体が次の各号に掲げる場合のいずれかに該当することとなったときは，当該各号に定める者は，遅滞なく，その旨を内閣総理大臣に届け出なければならない。
> 一　破産手続開始の決定により解散した場合　破産管財人
> 二　合併及び破産手続開始の決定以外の理由により解散した場合　清算人
> 三　差止請求関係業務を廃止した場合　法人の代表者
> 2　内閣総理大臣は，前項の規定による届出があったときは，内閣府令で定めるところにより，その旨を公示するものとする。

I　趣　旨

本条は，適格消費者団体が解散等により差止請求関係業務を継続することができなくなった場合，当該団体がなすべき手続について定めたものである。

II　解　説

適格消費者団体が解散又は差止請求関係業務を廃止したことにより，客観的に差止請求関係業務を継続することが不可能となった場合には当然に認定が失効することになるが（22条4号），他の適格消費者団体が行うべき通知等（23条等）の要否にも影響を及ぼすこととなるので，法は，解散又は廃止時の代表機関に届け出を義務付けたものである。

ここで「遅滞なく」とは，届出に通常要する期間内を意味するものと解される。

21条1項各号の届出があった場合，内閣総理大臣はその旨を公示することとなる（21条2項。規則10条により，公示方法は官報への掲載である）。

なお，法48条の2は，内閣総理大臣の権限を消費者庁長官に委任しているから，消費者庁長官に届け出ればよいことになる。

第22条　(認定の失効)

> 第22条　適格消費者団体について，次のいずれかに掲げる事由が生じたときは，第13条第1項の認定は，その効力を失う。
> 一　第13条第1項の認定の有効期限が経過したとき（第17条第4項に規定する場合にあっては，更新拒否処分がされたとき）。
> 二　適格消費者団体である法人が適格消費者団体でない法人と合併をした場合において，その合併が第19条第3項の認可を経ずにその効力を生じたとき（同条第5項に規定する場合にあっては，その合併の不認可処分がされたとき）。
> 三　適格消費者団体である法人が適格消費者団体でない法人に対し差止請求関係業務に係る事業の全部の譲渡をした場合において，その譲渡が第20条第3項の認可を経ずにされたとき（同条第5項に規定する場合にあっては，その譲渡の不認可処分がされたとき）。
> 四　適格消費者団体が前条第1項各号に掲げる場合のいずれかに該当することとなったとき。

Ⅰ　趣　旨

　適格消費者団体の認定の失効事由について，17条，19条ないし21条に関して具体的に列挙したものである。

　いずれも適格消費者団体としての認定の効力を継続ないし維持しておく必要がないと認められる事由である。

Ⅱ　解　説

1　1号

　適格消費者団体の認定（13条1項）の有効期限は，当該認定の日から起算して6年と規定されているところ（17条1項），有効期限の更新を申請する

ことなく有効期限を経過したときは，当該認定は効力を失う。また，有効期限の更新を更新申請期間中に申請した場合は，有効期限の満了日までに処分がされなくても認定の効力を失うことはないが（17条4項），更新拒否処分がされたときはそのときに認定が失効することになる（本号かっこ書）。

2 2号

適格消費者団体である法人とそうでない法人が合併する場合において，適格消費者団体でない合併後存続する法人又は合併により設立された法人が，合併により消滅する法人の適格消費者団体としての地位を承継するためには，その合併について認可が必要であるところ（19条3項），その合併について認可申請をすることなく合併の効力が生じた場合は，適格消費者団体としての認定は失効し，合併により消滅した法人の適格消費者団体としての地位を承継することはない。なお，令和4年5月改正により，合併後存続する法人が適格消費者団体であるときには，認可は不要となったので，認可をえなくても，2号により失効することはない（法19条3項かっこ書）。

また，合併についての認可を認可申請期間中に申請した場合は，その合併が効力を生ずる日までに処分がされなくても認定が失効することはないが（19条5項），その合併の不認可処分がされたときはそのときに認定が失効することになる（本号かっこ書）。

3 3号

適格消費者団体である法人がそうでない法人に対し差止請求関係業務に係る事業の全部譲渡をした場合，譲渡を受けた法人が譲渡をした法人の適格消費者団体としての地位を承継するためには，その譲渡についての認可が必要とされているところ（20条3項），その譲渡についての認可申請をすることなく譲渡をしたときは，適格消費者団体としての認定は失効し，譲渡を受けた法人は適格消費者団体の地位を承継することはない。また，譲渡についての認可を認可申請期間中に申請した場合は，その譲渡の日までに処分がされなくても認定が失効することはないが（20条5項），その譲渡について不認可処分がされたときはそのときに失効することになる（本号かっこ書）。

4 4 号

　適格消費者団体が，①破産手続開始の決定により解散した場合（21条1項1号），②合併及び破産手続開始の決定以外の理由により解散した場合（同項2号），③差止請求関係業務を廃止した場合（同項3号）は，いずれも認定を維持しておく必要がなくなることから，失効するものとした。

第2款　差止請求関係業務等

第23条　（差止請求権の行使等）

第23条　適格消費者団体は，不特定かつ多数の消費者の利益のために，差止請求権を適切に行使しなければならない。
2　適格消費者団体は，差止請求権を濫用してはならない。
3　適格消費者団体は，事案の性質に応じて他の適格消費者団体と共同して差止請求権を行使するほか，差止請求関係業務について相互に連携を図りながら協力するように努めなければならない。
4　適格消費者団体は，次に掲げる場合には，内閣府令で定めるところにより，遅滞なく，その旨を他の適格消費者団体に通知するとともに，その旨及びその内容その他内閣府令で定める事項を内閣総理大臣に報告しなければならない。この場合において，当該適格消費者団体が，当該通知及び報告に代えて，すべての適格消費者団体及び内閣総理大臣が電磁的方法（電子情報処理組織を使用する方法その他の情報通信の技術を利用する方法をいう。以下同じ。）を利用して同一の情報を閲覧することができる状態に置く措置であって内閣府令で定めるものを講じたときは，当該通知及び報告をしたものとみなす。
　一　第41条第1項（同条第3項において準用する場合を含む。）の規定による差止請求をしたとき。
　二　前号に掲げる場合のほか，裁判外において差止請求をしたとき。
　三　差止請求に係る訴えの提起（和解の申立て，調停の申立て又は仲

裁合意を含む。）又は仮処分命令の申立てがあったとき。

四　差止請求に係る判決の言渡し（調停の成立，調停に代わる決定の告知又は仲裁判断を含む。）又は差止請求に係る仮処分命令の申立てについての決定の告知があったとき。

五　前号の判決に対する上訴の提起（調停に代わる決定に対する異議の申立て又は仲裁判断の取消しの申立てを含む。）又は同号の決定に対する不服の申立てがあったとき。

六　第4号の判決（調停に代わる決定又は仲裁判断を含む。）又は同号の決定が確定したとき。

七　差止請求に係る裁判上の和解が成立したとき。

八　前2号に掲げる場合のほか，差止請求に係る訴訟（和解の申立てに係る手続，調停手続又は仲裁手続を含む。）又は差止請求に係る仮処分命令に関する手続が終了したとき。

九　差止請求に係る裁判外の和解が成立したときその他差止請求に関する相手方との間の協議が調ったとき，又はこれが調わなかったとき。

十　差止請求に関し，請求の放棄，和解，上訴の取下げその他の内閣府令で定める手続に係る行為であって，それにより確定判決及びこれと同一の効力を有するものが存することとなるものをしようとするとき。

十一　その他差止請求に関し内閣府令で定める手続に係る行為がされたとき。

5　内閣総理大臣は，前項の規定による報告を受けたときは，すべての適格消費者団体並びに内閣総理大臣及び経済産業大臣が電磁的方法を利用して同一の情報を閲覧することができる状態に置く措置その他の内閣府令で定める方法により，他の適格消費者団体及び経済産業大臣に当該報告の日時及び概要その他内閣府令で定める事項を伝達するものとする。

6　適格消費者団体について，第12条の2第1項第2号本文の確定判決等で強制執行をすることができるものが存する場合には，当該適格

消費者団体は，当該確定判決等に係る差止請求権を放棄することができない。

○消費者契約法施行規則
（通知及び報告の方法等）
第13条　法第23条第4項の規定による通知（同項第10号に掲げる場合に係るものを除く。）は，書面により行わなければならない。
2　法第23条第4項の規定による報告（同項第10号に掲げる場合に係るものを除く。）は，法第41条第1項に規定する書面，訴状若しくは申立書，判決書若しくは決定書，請求の放棄若しくは認諾，裁判上の和解又は調停の調書，仲裁判断書，準備書面その他その内容を示す書面（第15条第1項において「内容を示す書面」という。）の写しを添付した書面により行わなければならない。
3　法第23条第4項の規定による通知及び報告（それぞれ同項第10号に掲げる場合に係るものに限る。）は，第16条に規定する行為をしようとする日の2週間前までに，次の各号に掲げる事項を記載した書面により行わなければならない。
一　当該行為をしようとする旨
二　当該行為をしようとする日
三　第16条第3号，第7号又は第8号に規定する行為をしようとする場合（民事訴訟法（平成8年法律第109号）第265条第1項の申立てをしようとするときを除く。）にあっては，相手方との間で成立することが見込まれる和解又は調停における合意の内容
4　前項に規定する「行為をしようとする日」とは，次の各号に掲げる場合における当該各号に定める日をいう。
一　第16条第1号から第3号までに規定する行為をしようとする場合（次号から第4号までに規定する場合を除く。）　口頭弁論等の期日（民事訴訟法第261条第3項に規定する口頭弁論等の期日をいう。以下本項において同じ。）
二　第16条第3号に規定する行為をしようとする場合であって，民

事訴訟法第264条の規定に基づき裁判所又は受命裁判官若しくは受託裁判官から提示された和解条項案を受諾する旨の書面を提出しようとするとき 当該書面を提出しようとする日

三 第16条第3号に規定する行為をしようとする場合であって，口頭弁論等の期日に出頭して前号の和解条項案を受諾しようとするとき 当該口頭弁論等の期日

四 第16条第3号に規定する行為をしようとする場合であって，民事訴訟法第265条第1項の申立てをしようとするとき 当該申立てをしようとする日

五 第16条第4号から第6号までに規定する行為をしようとする場合 口頭弁論等の期日又は期日外においてそれらの行為をしようとする日

六 第16条第7号に規定する行為をしようとする場合 当事者間で合意をしようとする調停の期日

七 第16条第8号に規定する行為をしようとする場合 仲裁廷に対し仲裁法（平成15年法律第138号）第38条第1項の申立てをしようとする日

5 第3項の通知及び報告の後，確定判決及びこれと同一の効力を有するものが存することとなるまでに，同項各号に掲げる事項に変更があった場合（その変更が客観的に明白な誤記，誤植又は脱字に係るものその他の内容の同一性を失わない範囲のものである場合を除く。）には，その都度，変更後の事項を記載した書面により，改めて通知及び報告をしなければならない。この場合においては，前2項の規定を準用する。

（消費者庁長官への報告事項）

第14条 法第23条第4項の内閣府令で定める事項は，差止請求に係る相手方から，法第23条第4項第4号から第9号まで及び第11号に規定する行為に関連して当該差止請求に係る相手方の行為の停止若しくは予防又は当該行為の停止若しくは予防に必要な措置をとった旨の連絡を受けた場合におけるその内容及び実施時期に係る情報（第28条

第2号において「改善措置情報」という。）とする。
(通知及び報告に係る電磁的方法を利用する措置)
第15条　法第23条第4項に規定するすべての適格消費者団体及び内閣総理大臣が電磁的方法を利用して同一の情報を閲覧することができる状態に置く措置であって内閣府令で定めるものは，消費者庁長官が管理する電気通信設備の記録媒体に法第23条第4項前段に規定する事項，第13条第2項の内容を示す書面に記載された事項及び第13条第3項（同条第5項において準用する場合を含む。）各号に掲げる事項を内容とする情報を記録する措置であって，すべての適格消費者団体及び消費者庁長官が当該情報を記録することができ，かつ，当該記録媒体に記録された当該情報をすべての適格消費者団体及び消費者庁長官が受信することができる方式のものとする。

2　適格消費者団体は，前項の措置を講ずるときは，あらかじめ，又は，同時に，当該措置を講じる旨又は講じた旨をすべての適格消費者団体及び消費者庁長官に通知するための電子メールを，消費者庁長官があらかじめ指定した電子メールアドレスあてに送信しなければならない。

3　法第23条第4項の通知及び報告が第1項の措置により行われたときは，消費者庁長官の管理に係る電気通信設備の記録媒体への記録がされた時にすべての適格消費者団体及び消費者庁長官に到達したものとみなす。

(差止請求に関する手続に係る行為)
第16条　法第23条第4項第10号の内閣府令で定める手続に係る行為は，次のとおりとする。
　一　請求の放棄
　二　請求の認諾
　三　裁判上の和解
　四　民事訴訟法第284条（同法第313条において準用する場合を含む。）の規定による権利の放棄
　五　控訴をしない旨の合意又は上告をしない旨の合意

六　控訴，上告又は民事訴訟法第318条第1項の申立ての取下げ
七　調停における合意
八　仲裁法第38条第1項の申立て

第17条　法第23条第4項第11号の内閣府令で定める手続に係る行為は，次のとおりとする。
一　訴状（控訴状及び上告状を含む。）の補正命令若しくはこれに基づく補正又は却下命令
二　前号の却下命令に対する即時抗告，特別抗告若しくは許可抗告若しくはその即時抗告に対する抗告裁判所の決定に対する特別抗告若しくは許可抗告又はこれらの抗告についての決定の告知
三　再審の訴えの提起若しくは第1号の却下命令で確定したものに対する再審の申立て又はその再審の訴え若しくは再審の申立てについての決定の告知
四　前号の決定に対する即時抗告，特別抗告若しくは許可抗告若しくはその即時抗告に対する抗告裁判所の決定に対する特別抗告若しくは許可抗告又はこれらの抗告についての決定の告知
五　再審開始の決定が確定した場合における本案の裁判
六　仲裁判断の取消しの申立てについての決定の告知
七　前号の決定に対する即時抗告，特別抗告若しくは許可抗告若しくはその即時抗告に対する抗告裁判所の決定に対する特別抗告若しくは許可抗告又はこれらの抗告についての決定の告知
八　保全異議又は保全取消しの申立てについての決定の告知
九　前号の決定に対する保全抗告又はこれについての決定の告知
十　訴えの変更，反訴の提起又は中間確認の訴えの提起
十一　附帯控訴又は附帯上告の提起
十二　移送に関する決定の告知
十三　前号の決定に対する即時抗告，特別抗告若しくは許可抗告若しくはその即時抗告に対する抗告裁判所の決定に対する特別抗告若しくは許可抗告又はこれらの抗告についての決定の告知
十四　請求の放棄若しくは認諾，裁判上の和解，調停における合意又

第 23 条（差止請求権の行使等）　669

　　は仲裁法第 38 条第 1 項の和解の効力を争う手続の開始又は当該手続の終了
　十五　攻撃又は防御の方法の提出その他の差止請求に関する手続に係る行為であって，当該適格消費者団体が差止請求権の適切な行使又は適格消費者団体相互の連携協力を図る見地から法第 23 条第 4 項の通知及び報告をすることを適当と認めたもの
（伝達の方法）
第 18 条　法第 23 条第 5 項に規定する内閣府令で定める方法は，次に掲げるものとする。
　一　すべての適格消費者団体並びに消費者庁長官及び経済産業大臣が電磁的方法を利用して同一の情報を閲覧することができる状態に置く措置
　二　書面の写しの交付，電子メールを送信する方法，ファクシミリ装置を用いた送信その他の消費者庁長官が適当と認める方法
（伝達事項）
第 19 条　法第 23 条第 5 項に規定する内閣府令で定める事項は，法第 39 条第 1 項の規定による情報の公表をした旨及びその年月日とする。

I　趣　旨

　本条 1 項から 3 項は，適格消費者団体が，差止請求権を行使するにあたって，一般的な義務，行為規範が訓示規定として定められている。すなわち，1 項では，適格消費者団体は，不特定かつ多数の消費者の利益のために，差止請求権を適切に行使しなければならず，2 項では，濫用してはならないとしている。3 項では，適格消費者団体の差止請求権の行使についての適正さを確保するため，行使にあたって，適格消費者団体間で，共同して差止請求権を行使するほか，相互に連携し協力するよう努めるものとしている。
　4 項では，他の適格消費者団体への通知および内閣総理大臣への報告を定めており，5 項では，内閣総理大臣のすべての適格消費者団体及び経済産業

大臣への伝達について定める。

6項は，差止請求権の放棄の制限について定める。

なお，景品表示法の改正に伴い，景品表示法違反行為にも消費者団体訴訟制度の対象が拡大されたため（同法30条1項（平成26年法律第118号改正前10条），令和5年法律第29号による改正法の施行後は34条1項），5項の伝達の対象として，平成20年の改正時は公正取引委員会が含まれていたが，消費者庁の発足に伴い，同法の所管が消費者庁に移管したため，同規定は削除された。

II　解　説

1　適格消費者団体の一般的義務（23条1項ないし3項）

(1)　不特定かつ多数

「不特定かつ多数」が要件とされているのは，被害の拡大を防止し，消費者の集団的利益を擁護するという制度の趣旨によるものである。

ただし，現在被害を受けている消費者がたとえ1人であっても，将来の拡大が予想されれば，被害の拡散防止を図る法の趣旨から，当然，不特定かつ多数の利益のための行使といいうる（12条の解説参照）。

また，特定の会員間の規約の不当性が問題となる場合でも，将来の会員が入れ替わったり，増加することが予想されれば，被害の拡大が予想され，不特定かつ多数といいうる。

(2)　「適切」に行使しなければならず，「濫用」してはならない。

差止訴訟は不特定かつ多数の消費者の利益を目的として行う。相手方企業を恐喝して和解金を得る目的や，競争企業を不当に利する目的など，自己または第三者の不正な利益を図り，又は相手方に損害を加えることを目的として行うことは濫用となり，適切な行使とはいえない[1]。

(注1)　事業者から差止訴訟の提起が濫用であるとの主張がなされ，これが否定された事例として，京都地判平16・4・23消費者支援機構関西HPがある。

2　通知・報告義務（23条4項・5項）

(1)　通知・報告の内容・方法

　適格消費者団体は，適格消費者団体間の共同・連携によって請求権行使の適正を図るため，また後訴制限効（12条の2第1項2号）により，ある適格消費者団体による差止訴訟において判決が確定し，又は確定判決と同一の効力を持つものが成立した場合には，他の適格消費者団体は同一の内容の差止請求を同一の相手方に対してすることができないことへの配慮から他の団体が訴訟に参加する機会を確保できるよう，情報の共有化を義務付けられている。

　適格消費者団体は，書面による事前の請求（41条），裁判外における差止請求，差止に係る訴えの提起，仮処分命令の申立て，判決の言渡し，仮処分についての決定の告知，上訴の提起，決定に対する不服の申立て，請求の放棄，認諾，裁判上の和解，調停における合意，上訴の取下げ，裁判外での和解の成立など事業者との協議が整い，または整わなかったとき（事業者から明示的に回答があった場合をいい，何ら回答しなかったときは含まない），和解無効確認の訴えの提起ほか和解の効力を争う手続の開始などがあった場合には（法23条4項，規則17条），書面によって，その旨を他の適格消費者団体に通知し，その旨と内容その他内閣府令で定める事項を内閣総理大臣に報告しなければならないとされている（4項）。内容には，1号から3号までについては，差止請求の相手方である事業者の氏名又は名称，請求の要旨及び紛争の要点並びに請求の年月日が含まれていなければならない。8号については，差止訴訟または仮処分命令に関する手続が終了したときは終了した事由，規則17条15号には，当事者のした攻撃防御の方法の提出そのほか手続に係る行為の概要が含まれていなければならない（適格ガイドライン4 (1) ア）。

　4項の内閣府令で定める事項としては，改善措置情報（当該差止請求に係る相手方の行為の停止若しくは予防又は当該行為の停止若しくは予防に必要な措置をとった旨の連絡を受けた場合におけるその内容及び実施時期に係る情報）が規定されている（規則14条）。

また、報告にあたっては、適格消費者団体は、内閣総理大臣に対し、訴状、判決書、和解調書、その他（内容証明郵便や証拠の申し出に関する書面、書証など）の写し（スキャナなどにより正確に記録しなければならない）を添付する必要がある（規則13条1項、2項）。

裁判上の和解など23条4項10号、規則16条で定められた行為を行う際には、当該行為をしようとする日の2週間前までに当該行為をしようとする旨、しようとする日、その内容を、書面によって、他の適格消費者団体に通知し、内閣総理大臣に報告しなければならないとされている（規則13条3項、4項）。

もっとも、このような通知をなすにあたっては緊急を要する場合があること、また適格消費者団体の事務負担を軽減させる観点から、適格消費者団体がいわゆる電子掲示板において告知を行った場合には、これらの通知及び内閣総理大臣に対する報告をしたものとみなされる（23条4項後段、規則15条）。差止請求制度導入の当初から、もっぱら、電子掲示板により通知報告がされている。

上記通知・報告事項のうち「攻撃又は防御の方法の提出」（規則17条15号）とは、本案の申立てを基礎付けるためにする判断資料の提出をいい、事実の主張と証拠の提出が該当する。適格消費者団体が業務規程に定める方針に基づき適当と認める限りにおいてなされていれば足りるが、ガイドラインにおいては、準備書面、証拠を提出した場合など、当該差止請求に関する手続に係る適格消費者団体による行為のうち一定のものについては、業務規程において通知及び報告の対象として規定するのが望ましいとされている（適格ガイドライン4 (1) キ）。

なお、ガイドラインには、適格消費者団体による行為のうち一定のものについて、通知報告の対象とするのが望ましいとしているが、手続の相手方の提出した準備書面や証拠がなければ、適格消費者団体の提出した準備書面や証拠を見ただけでは、訴訟の進行状況を把握することが困難であるので、手続の相手方の提出した準備書面や証拠を通知、報告することも許容されるはずである[2]。

なお、法48条の2は、内閣総理大臣の権限を消費者庁長官に委任してい

る。そのため，消費者庁長官に報告すればよいことになる。電子掲示板も消費者庁長官が管理している（規則15条）。

(2) 内閣総理大臣の伝達

報告を受けた内閣総理大臣は，電磁的方法の利用などを通じて当該報告の日時や概要その他内閣府令で定める事項を他の適格消費者団体や経済産業大臣に伝達することとされている（23条4項・5項，規則18条・19条）。

その他内閣府令で定める事項としては，情報の公表をした旨及びその年月日である（規則19条）。

このように，通知を受けた適格消費者団体は，必要な情報を提供したり，意見をのべるなどして，適切な訴訟追行がなされるように団体間で互いに協力・連携しあうことが期待されている。もっとも，団体間で訴訟や和解の方針など，意見が食い違うことはあっても，適格消費者団体は他の団体の訴訟追行を正したり和解の中止を求める権限を持つものではない。

なお，適格消費者団体の通知・報告が，もっぱら電子掲示板により行われているため，ある適格消費者団体が通知・報告事項を入力すると，自動的にその内容が他の適格消費者団体も閲覧可能となっている。

当該報告の概要等は，5項により，経済産業大臣に伝達される。一定の特定商取引法違反行為が差止請求の対象となったことから，適格消費者団体の認定に際し経済産業大臣の意見を聴く必要があるほか，経済産業大臣は，監督に関して意見を述べることができる（法15条2項，38条1号）。そのため，経済産業大臣が適切に意見を述べる前提として，差止請求権の行使の状況を把握する必要があると考えられたためである。なお，特定商取引法は，消費者保護に係る企画立案，執行が消費者庁に移管されているが，経済産業省は

（注2） 一部に相手方の著作権の侵害になるというような議論があるが，著作権法41条の2及び42条は立法又は行政目的のために内部資料として必要と認められる場合には，複製等をすることができるとしている。適格消費者団体には判決の効力が及ぶために，手続保障のため裁判手続の進捗状況を知らせる必要があるし，法律上連携協力が求められているので（23条3項），相手方の主張や証拠を知ることは，裁判手続のため必要であり，著作権法上著作権が制限されているとみるべきである。

商取引一般の立場から連携するとされている（消費者行政推進基本計画について平成20年6月27日閣議決定）。

なお，法48条の2は，内閣総理大臣の権限を消費者庁長官に委任している。そのため，消費者庁長官が伝達することになる。

3 債務名義を得た差止請求権の放棄の禁止（23条6項）

適格消費者団体は，確定判決等（12条の2第1項2号本文）で強制執行することができるものが存する場合には，当該確定判決に係る差止請求権を放棄することができない。

確定判決等が存在する場合において，他の適格消費者団体は，同一の内容の差止請求を同一の相手方に対してすることができない（12条の2第1項2号）。また，他の適格消費者団体は，債務名義上の当事者ではないから，強制執行をすることもできない。確定判決に基づく強制執行ができるのは，それを得た適格消費者団体に限られる。このため，債務名義を得た適格消費者団体に，その放棄を禁じ，消費者の利益を守ろうとしたものである。放棄の禁止は単なる行為規範ではなく，実体法上，放棄してもその意思表示の効果が生じない。

同様の趣旨から，法は，強制執行の手続を怠り，不特定かつ多数の消費者の利益に著しく反した適格消費者団体の認定の取消（34条1項5号）を定め，その差止請求権を他の適格消費者団体に承継させる旨の規定を定めている（35条）。

第24条　（消費者の被害に関する情報の取扱い）

> 第24条　適格消費者団体は，差止請求権の行使（差止請求権不存在等確認請求に係る訴訟を含む。第28条において同じ。）に関し，消費者から収集した消費者の被害に関する情報をその相手方その他の第三者が当該被害に係る消費者を識別することができる方法で利用するに当たっては，あらかじめ，当該消費者の同意を得なければならない。

I　趣旨及び解説

　適格消費者団体は，苦情相談活動，情報収集活動をしていく中で，差止請求権を行使する対象を選んで行使していくのであり，差止請求権を行使する前提として，消費者から多様な情報を収集することになる。収集された情報の中には，消費者や事業者の個人情報となるものも含まれ，実際に当該情報を利用して差止請求権を行使する場合には当該情報が公開される可能性があるため，その収集，管理，利用については，プライヴァシーへの配慮が必要となる。

　そこで，本条は，適格消費者団体が「個人情報の保護に関する法律」における「個人情報取扱事業者」（同法16条2項）に当たりうることを踏まえ，差止請求権の行使に関し消費者から収集した消費者の被害に関する情報について，相手方その他の第三者が当該消費者を識別しうる方法で利用するに当たっては当該消費者の同意を得ておく必要があることを明らかにして，個人情報の適正な管理，利用がなされるように規定したものである。

　消費者の同意を得る方法としては，例えば，苦情相談が寄せられた際に，情報の提供者たる消費者に対し，情報の利用目的等を説明したうえで同意を得ることや，情報提供者の名簿を作成しておき，実際に訴訟等で使用する段階で同意を得ることなどが考えられる（適格ガイドライン4(2)）。

第25条　（秘密保持義務）

> 第25条　適格消費者団体の役員，職員若しくは専門委員又はこれらの職にあった者は，正当な理由がなく，差止請求関係業務に関して知り得た秘密を漏らしてはならない。

I　趣旨及び解説

本条は，適格消費者団体の関係者が消費者や事業者のプライヴァシー情報

や企業秘密などを知りうる立場にあることをふまえ，正当な理由がなく差止請求関係業務に関して知り得た秘密を漏らしてはならないことを規定するものである。

「秘密」とは，非公知の事実で，本人が他人に知られないことにつき客観的に相当の利益を有するものをいう。「差止請求関係業務に関して知り得た」とは，差止請求関係業務を遂行する過程で知り得たことをいい，例えば，差止請求権の行使に必要な消費者被害に関する情報収集等を行う過程で知り得た消費者の一身上の秘密や家計経済上の秘密が該当する。これに対し，隣家や飲食店等でたまたま見聞した事項のような差止請求関係業務とは無関係に知り得た事項は該当せず，また，事業者等の不当な行為に関する事項についても，当該事業者等が他に知られないことにつき相当の利益を有するものとはいえず，該当しないと考えられる（適格ガイドライン４（３））。

「正当な理由」としては，例えば，①秘密の主体である本人が承諾した場合や，②法令上の義務に基づいて秘密事項を告知する場合，③事業者による不当行為がまさに行われようとしている場合に近接する他の適格消費者団体に当該不当行為に係る重要な消費者被害に関する情報を提供するなど，緊急に必要な個別具体的な事情がある場合も該当し得る。また，適格消費者団体は，特定適格消費者団体が行う被害回復関係業務が円滑かつ効果的に実施されるよう，相互に連携を図りながら協力するように努めなければならないところ（消費者裁判手続特例法81条４項），消費者被害の救済を目的として，適格消費者団体が特定適格消費者団体に対して情報提供することも，個別具体的な事情によっては「正当な理由」に該当しうる。例えば，被害回復関係業務を行うのに適した特定適格消費者団体が存在し，当該特定適格消費者団体が被害回復関係業務を円滑かつ効果的に実施するために，消費者被害に関する情報が必要不可欠な場合において，個人情報等の取扱いに留意した上で当該情報を提供することは「正当な理由」に該当すると考えられる（適格ガイドライン４（３））。

第26条　（氏名等の明示）

第26条　適格消費者団体の差止請求関係業務に従事する者は，その差

止請求関係業務を行うに当たり，相手方の請求があったときは，当該適格消費者団体の名称，自己の氏名及び適格消費者団体における役職又は地位その他内閣府令で定める事項を，その相手方に明らかにしなければならない。

○消費者契約法施行規則
（差止請求関係業務を行うに当たり明らかにすべき事項）
第20条　法第26条に規定する内閣府令で定める事項は，次に掲げる事項とする。
一　弁護士の資格その他の自己の有する資格
二　法第23条第4項第2号に規定する差止請求をする場合にあっては，請求の要旨及び紛争の要点

I　趣旨及び解説

　本条は，適格消費者団体の差止請求関係業務に従事する者に対し，その差止請求関係業務を行うに当たり，相手方の請求があったときは，団体の名称，自己の氏名等を明らかにすることを定めたものである。差止請求権が認められるのは適格消費者団体という団体であるから，その団体の差止請求関係業務に従事する者は，当該業務を行うに当たり正当な権限を有することを相手方に示す必要がある。

　相手方に明らかにすべき事項としては，①当該適格消費者団体の名称，②自己の氏名及び適格消費者団体における役職又は地位，③その他内閣府令で定める事項（弁護士の資格その他の自己の有する資格，23条4項2号に規定する差止請求（裁判外の差止請求）をするにあっては，請求の要旨及び紛争の要点）とされる（規則20条）。

　なお，本条は「相手方の請求があったときは」と規定しており，また相手方からの請求がない場合にまでこれらを提示させることは無意味であるから，このような場合には明示する義務はないと解される。

第27条　（判決等に関する情報の提供）

> 第27条　適格消費者団体は，消費者の被害の防止及び救済に資するため，消費者に対し，差止請求に係る判決（確定判決と同一の効力を有するもの及び仮処分命令の申立てについての決定を含む。）又は裁判外の和解の内容その他必要な情報を提供するよう努めなければならない。

I　趣旨及び解説

　本条は，適格消費者団体が消費者の利益の擁護を図るための存在であること（1条参照）をふまえ，当該適格消費者団体が取得した差止請求に係る判決その他の情報を提供するよう努力義務を定め，消費者の被害の防止及び救済に資するように求めたものである。

　提供すべき情報としては，上記の趣旨からは，判決に限らず，裁判上の和解又は請求の放棄もしくは認諾，調停合意，仲裁判断等の確定判決と同一の効力を有するものの他，裁判外の和解や仮処分決定等，差止請求権の行使の結果は広く対象とするのが望ましい。また，提供事項については，被害を受けた消費者のプライヴァシーに配慮することは必要であるが，可能な限り詳しく情報を提供することが望ましい。

　なお，当該情報に他の者の業務に関する情報が含まれているときは，当該他の者の業務が適格消費者団体の業務と誤認されることのないように留意することが望ましいと，されている（適格ガイドライン4 (4)）。ここでいう，「他の者の業務に関する情報」とは，例えば，当該差止請求にかかる条項の不当性が同様に問題となる個別の具体的な消費者の事件について，当該消費者から委任を受けた弁護士が遂行する訴訟等に関する情報などが考えられる。

第28条（財産上の利益の受領の禁止等）

第28条　適格消費者団体は，次に掲げる場合を除き，その差止請求に係る相手方から，その差止請求権の行使に関し，寄附金，賛助金その他名目のいかんを問わず，金銭その他の財産上の利益を受けてはならない。

一　差止請求に係る判決（確定判決と同一の効力を有するもの及び仮処分命令の申立てについての決定を含む。以下この項において同じ。）又は民事訴訟法（平成8年法律第109号）第73条第1項の決定により訴訟費用（和解の費用，調停手続の費用及び仲裁手続の費用を含む。）を負担することとされた相手方から当該訴訟費用に相当する額の償還として財産上の利益を受けるとき。

二　差止請求に係る判決に基づいて民事執行法（昭和54年法律第4号）第172条第1項の規定により命じられた金銭の支払として財産上の利益を受けるとき。

三　差止請求に係る判決に基づく強制執行の執行費用に相当する額の償還として財産上の利益を受けるとき。

四　差止請求に係る相手方の債務の履行を確保するために約定された違約金の支払として財産上の利益を受けるとき。

2　適格消費者団体の役員，職員又は専門委員は，適格消費者団体の差止請求に係る相手方から，その差止請求権の行使に関し，寄附金，賛助金その他名目のいかんを問わず，金銭その他の財産上の利益を受けてはならない。

3　適格消費者団体又はその役員，職員若しくは専門委員は，適格消費者団体の差止請求に係る相手方から，その差止請求権の行使に関し，寄附金，賛助金その他名目のいかんを問わず，金銭その他の財産上の利益を第三者に受けさせてはならない。

4　前3項に規定する差止請求に係る相手方からその差止請求権の行使に関して受け又は受けさせてはならない財産上の利益には，その相手方がその差止請求権の行使に関してした不法行為によって生じた損害

の賠償として受け又は受けさせる財産上の利益は含まれない。

5　適格消費者団体は，第1項各号に規定する財産上の利益を受けたときは，これに相当する金額を積み立て，これを差止請求関係業務に要する費用に充てなければならない。

6　適格消費者団体は，その定款において，差止請求関係業務を廃止し，又は第13条第1項の認定の失効（差止請求関係業務の廃止によるものを除く。）若しくは取消しにより差止請求関係業務を終了した場合において，積立金（前項の規定により積み立てられた金額をいう。）に残余があるときは，その残余に相当する金額を，他の適格消費者団体（第35条の規定により差止請求権を承継した適格消費者団体がある場合にあっては，当該適格消費者団体）があるときは当該他の適格消費者団体に，これがないときは第13条第3項第2号に掲げる要件に適合する消費者団体であって内閣総理大臣が指定するもの又は国に帰属させる旨を定めておかなければならない。

I　趣　旨

消費者団体による差止請求権は，事業者の不当な行為をやめさせて消費者の被害救済のために認められているものであるところ，当該差止請求にかかる事業者から当該差止請求権の行使に関して不当に財産上の利益を受けることは，差止請求関係業務の適正性・公平性を損なうおそれがある。そこで本条は，差止請求関係業務の適正性・公平性を損なうおそれがなく正当な業務の行使とみられる場合を除き，財産上の利益を受けてはならないことを規定するものである。

II　解　説

1　「その差止請求権の行使に関し」（1項から4項）

本条1項から4項までに規定する「その差止請求権の行使に関し」とは，当該適格消費者団体による差止請求権の行使の適正及び制度の信頼性に影響を及ぼしうる場合をいい，例えば，適格消費者団体が，差止請求権の行使に係る個別事案とは関係なく寄附金を受領することや，不当な行為をしていた相手方との間で，それによって得た利得を個々の消費者に返還したり，消費者に対する支援活動を行う者に拠出するよう合意することは該当しない（適格ガイドライン4(5)）。例えば，差止請求権を行使した結果，事業者との間で，不当な行為の差止及び従前の不当な行為による利得を被害者に返還したり，消費者に対する支援活動を行う者に拠出するよう合意することは，これに該当しないと解される。

2　「第三者」（3項）

適格消費者団体の役員・職員・専門委員が，当該適格消費者団体の差止請求にかかる相手方から，その差止請求権の行使に関し，1項各号の財産上の利益を適格消費者団体に受けさせることは正当な業務の行使であるから，許される。その意味で，3項にいう「第三者」には，当該適格消費者団体を含まないと解すべきである[1]。

3　4項

当該適格消費者団体が固有の損害を受けた場合に，その損害の回復のために賠償請求をすること自体は正当な権利の行使であるから許される（例えば，差止請求訴訟に対して，事業者が不当応訴をしたことにより，適格消費者団体に損害が生じた場合等）。4項はその旨を確認的に規定したものである。

4　5項，6項

5項，6項は，1項に規定する財産上の利益を受けた場合に，その使途を差止請求関係業務に要する費用に限定するとともに，差止請求関係業務を終了した場合の引き継ぎ先を，適格消費者団体，適格消費者団体がない場合に

(注1)　同旨，消費者解説371頁。

は不特定かつ多数の消費者の利益の擁護を図るための活動を行っている団体（法13条3項2号）又は国とすることとしている。これは，差止請求制度が不特定かつ多数の消費者利益の擁護を図るためであることから，差止請求権の行使により受けた財産上の利益の使途も，消費者利益の擁護のための活動に限定することとしたものである。

第29条　（業務の範囲及び区分経理）

> 第29条　適格消費者団体は，その行う差止請求関係業務に支障がない限り，定款の定めるところにより，差止請求関係業務以外の業務を行うことができる。
> 2　適格消費者団体は，次に掲げる業務に係る経理をそれぞれ区分して整理しなければならない。
> 　一　差止請求関係業務
> 　二　不特定かつ多数の消費者の利益の擁護を図るための活動に係る業務（前号に掲げる業務を除く。）
> 　三　前2号に掲げる業務以外の業務

Ⅰ　趣　旨

本条は，差止請求関係業務以外の，適格消費者団体の業務について規定する。

適格消費者団体として認定された団体であっても，差止請求関係業務に支障がない限り，定款の定めるところにより，差止請求関係業務以外の業務を行うことができることを明らかにし，適格消費者団体の経理の区分について規定したものである。

Ⅱ　解　説

1 「定款の定めるところにより」(1項)

　一般に消費者団体は，相談業務，研修，啓発活動など，様々な活動をしており，その活動はそれぞれの団体の目的，能力等により多様である。そのような中で，本条1項は，特に適格消費者団体として認定された団体については，①差止請求関係業務に支障がない限り，②定款の定めるところにより，差止請求関係業務以外の業務を行うことができることとしている。

　これは，差止請求権の行使が適正・公正になされるようにするために，差止請求関係業務に支障が生ずるような活動を制限するとともに，活動できる範囲を定款により明記することによって，内閣総理大臣の監督や国民の監視をうけ，適格消費者団体の活動の適正・公正性を確保しようとするものである。

2 「差止請求関係業務に支障が」ある場合（1項）

　「差止請求関係業務に支障が」ある場合とは，適正な差止請求関係業務の遂行を現に行うことができなくなっている状況にある場合をいう。具体的には，人員や経費の配分を差止請求関係業務以外の業務に過度に集中させたり，社会的に相当でない業務（例えば，法令違反行為，投機的行為，暴力団等反社会的勢力の関与する行為など，適格消費者団体としての社会的信頼性を損なう活動）を行っていたりすることによって，差止請求関係業務が現に滞っている場合が考えられる。これに該当するかどうかは，適格消費者団体の実際の活動状況に照らし，現に支障が生じているのかどうかを具体的に判断することになろう。なお，特定適格消費者団体については，消費者裁判手続特例法94条に読み替え規定があり，差止請求関係業務及び被害回復関係業務に支障がない限り，差止請求関係業務及び被害回復関係業務以外の業務を行うことができるとされている。

3 区分経理（2項）

　一般に，団体の適正な活動のためには経理も適正になされる必要があるが，特に適格消費者団体については，28条1項に掲げる財産上の利益につ

いてその使途を制限されている。そこで，差止請求関係業務（1号）と，1号以外の，不特定かつ多数の消費者の利益の擁護を図るための活動に係る業務（2号）と，1号，2号以外の業務（3号）に関する経理を区分して整理させることとしている。

もっとも，適正に区分・整理がなされている限り，2号または3号の業務を行うことによって得られた利益を差止請求関係業務に充てることはもとより可能である。

なお，特定適格消費者団体については，消費者裁判手続特例法90条により，被害回復関係業務に係る経理を他の業務に係る経理と区分して整理することが求められている。このため，特定適格消費者団体は，①被害回復関係業務，②差止請求関係業務，③ ①，②以外の不特定かつ多数の消費者の利益の擁護を図るための活動に係る業務，④その他の業務に区分する必要がある（特定適格ガイドライン4(13)）。

第3款 監 督

第30条 （帳簿書類の作成及び保存）

> 第30条 適格消費者団体は，内閣府令で定めるところにより，その業務及び経理に関する帳簿書類を作成し，これを保存しなければならない。

○消費者契約法施行規則
（業務及び経理に関する帳簿書類）
第21条 法第30条に規定する内閣府令で定める業務及び経理に関する帳簿書類とは，次に掲げるものとする。
一 差止請求権の行使に関し，相手方との交渉の経過を記録したもの
二 差止請求権の行使に関し，適格消費者団体が訴訟，調停，仲裁，和解，強制執行，仮処分命令の申立てその他の手続の当事者となった場合，その概要及び結果を記録したもの

三　消費者被害情報収集業務の概要を記録したもの

四　差止請求情報収集提供業務の概要を記録したもの

五　前各号に規定する帳簿書類の作成に用いた関係資料のつづり

六　理事会の議事録並びに法第13条第3項第5号の検討を行う部門における検討の経過及び結果等を記録したもの

七　会計簿

八　会費，寄附金その他これらに類するもの（以下本号及び第25条第1項第1号及び第2項第1号において「会費等」という。）について，次に掲げる事項を記録したもの

　イ　会費等（ロに規定する寄附金を除く。）の納入，寄附その他これらに類するもの（以下本号及び第25条第1項第1号イ(3)及び(4)において「納入等」という。）をした者の氏名，住所及び職業（納入等をした者が法人その他の団体である場合には，その名称，主たる事務所の所在地及び当該団体の業務の種類）並びに当該会費等の金額及び納入等の年月日

　ロ　寄附金であってその寄附をした者の氏名を知ることができないもの（その寄附金を受け入れた時点における事業年度中の寄付をした者の氏名を知ることができない寄附金の総額が前事業年度の収入の総額の10分の1を超えない場合におけるものに限る。）を受け入れた年月日，当該年月日において受け入れた寄附金の募集の方法及びその金額

　ハ　会費等について定めた定款，規約その他これらに類するものの規定（第25条第1項第1号イ(2)及びロ(2)において「会費等関係規定」という。）

九　法第28条第1項各号に規定する財産上の利益の受領について記録したもの

2　適格消費者団体が特定認定（消費者の財産的被害等の集団的な回復のための民事の裁判手続の特例に関する法律（平成25年法律第96号。以下「消費者裁判手続特例法」という。）第71条第1項に規定する特定認定をいう。第25条第2項において同じ。）を受けて被害回復

関係業務（消費者裁判手続特例法第71条第2項に規定する被害回復関係業務をいう。以下同じ。）を行う場合における法第30条に規定する内閣府令で定める業務及び経理に関する帳簿書類とは，次に掲げるものとする。ただし，前項各号に掲げる帳簿書類と同一のものを作成し保存することとなる場合にあっては，この限りでない。

一　被害回復関係業務に関し，相手方との交渉の経過を記録したもの
二　被害回復裁判手続（消費者裁判手続特例法第2条第9号に規定する被害回復裁判手続をいう。第10号及び第24条第2号において同じ。）の概要及び結果を記録したもの
三　消費者裁判手続特例法第71条第2項第1号に掲げる業務の遂行に必要な消費者被害に関する情報の収集に係る業務の概要を記録したもの
四　消費者裁判手続特例法第71条第2項第1号に掲げる業務に付随する対象消費者等（消費者裁判手続特例法第26条第1項第10号に規定する対象消費者等をいう。第25条第2項第2号イにおいて同じ。）に対する情報の提供に係る業務の概要を記録したもの
五　前各号に規定する帳簿書類の作成に用いた関係資料のつづり
六　消費者裁判手続特例法第71条第4項第4号の検討を行う部門における検討の経過及び結果等を記録したもの
七　消費者裁判手続特例法第35条（消費者裁判手続特例法第57条第8項において準用する場合を含む。）により交付した書面の写し（電磁的記録を提供した場合は，その電磁的記録に記録された事項を記載した書面）
八　簡易確定手続授権契約（消費者裁判手続特例法第36条第1項に規定する簡易確定手続授権契約をいう。）及び訴訟授権契約（消費者裁判手続特例法第57条第4項に規定する訴訟授権契約をいう。）に関する契約書のつづり
九　特定適格消費者団体が消費者の財産的被害等の集団的な回復のための民事の裁判手続の特例に関する法律施行規則（平成27年内閣府令第62号）第8条第1号ホに掲げる行為をすることについて，

消費者裁判手続特例法第34条第1項及び第57条第1項の授権をした者の意思の表明があったことを証する書面（当該意思を確認するための措置を電磁的方法によって実施した場合にあっては，当該電磁的方法により記録された当該意思の表明があったことを証する情報を記載した書面）のつづり

九の二　消費者裁判手続特例法第82条第2項に規定する契約に関する契約書その他の報酬の額又は算定方法及び支払方法を証する資料（当該資料が電磁的記録をもって作成されている場合は，その電磁的記録に記録された事項を記載した書面）のつづり

十　被害回復裁判手続に係る金銭その他財産の管理について記録したもの

十一　被害回復関係業務の一部を委託した場合にあっては，事案ごとに次に掲げる事項を記録したもの
　イ　委託を受けた者の氏名又は名称及びその者を選定した理由
　ロ　委託した業務の内容
　ハ　委託に要した費用を支払った場合にあっては，その額

3　適格消費者団体は，前2項各号に掲げる帳簿書類を，各事業年度の末日をもって閉鎖するものとし，閉鎖後5年間当該帳簿書類を保存しなければならない。

I　趣　旨

本条は，適格消費者団体の適正な運営を確保し，内閣総理大臣による適切な監督を担保するため，帳簿書類の作成・保存を義務付けるものである。本条に違反して，帳簿書類を作成若しくは保存をせず，または，虚偽の帳簿書類の作成をした者は50万円以下の罰金に処せられる（51条3号）。

II　解　説

1　作成・保存すべき帳簿書類

　作成・保存が義務付けられる帳簿書類としては，業務に関する書類と経理に関する書類がある。具体的には以下のものであり，適格消費者団体は，これらの帳簿書類を，各事業年度の末日をもって閉鎖するものとし，閉鎖後5年間当該帳簿書類を保存しなければならない（規則21条3項）。

　ガイドラインによれば，本条の帳簿書類は，電子的記録媒体により作成又は保存することができるものとする（適格ガイドライン5（1）ア）。

　このように，電磁的記録による作成保存が認められているのは，民間事業者等が行う書面の保存等における情報通信の技術の利用に関する法律3条及び4条により，書面に代えて電磁的記録による作成保存ができるものとして，内閣府の所管する消費者庁関係法令に係る民間事業者等が行う書面の保存等における情報通信の技術の利用に関する法律施行規則別表1及び2において，消費者契約法30条が規定されているためである。

2　差止請求権の行使に関し，相手方との交渉の経過を記録したもの（規則21条1項1号）

　ガイドラインによれば，下記の事項が時系的に記載されていなければならない（適格ガイドライン5（1）イ）。

① 　交渉の相手方の氏名又は名称
② 　事案の概要及び主な争点
③ 　交渉日時（41条1項に規定する書面を発送した日を含む。），場所及び方法（電話，訪問，電子メール及び書面発送等の別）
④ 　交渉担当者（同席者等を含む。）
⑤ 　交渉内容及び相手方の対応

3　差止請求権の行使に関し，適格消費者団体が訴訟，調停，仲裁，和解，強制執行，仮処分命令の申立てその他の手続の当事者となった場合，その概要及び結果を記録したもの（規則21条1項2号）

　ガイドラインによれば，下記の事項が記載されていなければならない。な

お，規則21条1項1号の相手方との交渉を経て，同項2号の訴えの提起等に至った場合には，その旨を下記⑥の冒頭に付記することとされている（適格ガイドライン5(1)ウ）。

① 訴え提起等の相手方の氏名又は名称
② 事案の概要及び主な争点
③ 法的手続の種類
④ 訴え提起等の日
⑤ 係属裁判所（部）
⑥ 訴え提起等後の経緯及び結果

4 消費者被害情報収集業務の概要を記録したもの（規則21条1項3号），差止請求情報収集提供業務の概要を記録したもの（規則21条1項4号）

同項3号（消費者被害情報収集業務のうち，法12条の3及び12条の4並びに景表法35条に基づく事業者等に対する要請に係る業務を除く。）及び4号（差止請求情報収集提供業務のうち，情報提供に係る業務）の帳簿書類については，ガイドラインによれば，以下の事項が記載されていなければならない（適格ガイドライン5(1)エ）。

① 当該業務をした日時，場所及び方法
② 当該業務をした結果

また，規則21条1項3号（消費者被害情報収集業務のうち法12条の3及び12条の4並びに景品表示法35条に基づく事業者等に対する要請に係る業務）に規定する帳簿書類は，適格消費者団体が事業者等に対する要請を行った事案ごとに作成され，当該業務の概要に関し，おおむね以下の事項が記載されていなければならない（適格ガイドライン5(1)エ）。

① 要請の相手方の氏名又は名称
② 要請を行った日時及び方法
③ 要請の理由及び要請内容の概要
④ 要請後の経緯及び結果

さらに，規則21条1項4号（差止請求情報収集提供業務のうち，情報収集に

係る業務）に規定する帳簿書類は，適格消費者団体が差止請求に係る講じた措置の開示要請（法12条の5）を行った事案ごとに作成され，おおむね以下の事項が記載されていなければならない（適格ガイドライン5（1）エ）。

① 開示要請の相手方の氏名又は名称
② 相手方が負う義務の内容
③ 開示要請を行った日時及び方法
④ 開示要請の内容の概要（交渉・訴え提起等を経た結果，講じた措置の開示要請に至った場合にはその旨を冒頭に付記する）
⑤ 開示要請後の経緯及び結果

5 前各号に規定する帳簿書類の作成に用いた関係資料のつづり（規則21条1項5号）

ガイドラインによれば，「関係資料」とは，例えば，規則21条1項1号に規定する帳簿書類との関係では，差止請求に係る相手方との交渉の際の手控えのうち交渉の経過が分かる主要なもの，規則21条1項2号に規定する帳簿書類との関係では，適格消費者団体が訴訟の当事者となった場合の訴状，準備書面その他の関係する法的手続の記録一式，規則21条1項3号及び4号に規定する帳簿書類との関係では，業務の概要が分かる主要な手控え等が該当するとされている（適格ガイドライン5（1）オ）。報道発表した際の資料なども入るであろう。これらの書面は「関係資料」として別途綴られるよりも，訴訟資料は訴訟資料として一式別途綴られていた方が便宜であり，110番業務の資料は被害情報収集業務の書類と一緒に保存されている方が便宜であるので，「関係資料」だけの綴りでなく，上記2ないし4の資料と一緒に綴られていてもよいと解すべきである。

6 理事会の議事録並びに13条3項5号の検討を行う部門における検討の経過及び結果等を記録したもの（規則21条1項6号）

理事会の議事録及び専門委員の検討の経過及び結果を記録したものである。

7　会計簿（規則21条1項7号）

　ガイドラインによれば，会計簿とは，適格消費者団体の資産及び負債並びに収入及び支出に関する取引を記載したものをいい，例えば，仕訳帳，総勘定元帳，残高試算表，精算表等の書類が該当するとされている。また，領収書などの証憑書類については，できる限り分類して保存しておくことが望ましいとされている（適格ガイドライン5(1)カ）。

8　会費等について，一定の事項を記録したもの（規則21条1項8号）

　「会費」とは，法人の社員として社員総会における表決権を有する者や，表決権は有しないが定款などに根拠をおく地位にある者がその地位に基づき納入する金銭であり，「正会費」「賛助会費」などがこれにあたる。「寄附金」とは，法人に対し支払う者が任意に反対給付なく支払う金銭である。

　本号の書類は，会費等について，上記7とは別途内容の明細を記録したものである（適格ガイドライン5(1)キ）。

　また，「寄附金であってその寄附をした者の氏名を知ることができないもの」とは，例えば，シンポジウムの会場において募金箱を設置する，寄附者が明らかにならないクラウド・ファンディングを利用する等の寄附金を募集する方法の性質上，寄附をした者を適格消費者団体が知ることができない寄附金のことである。このような寄附金が，寄附金を受け入れた時点における事業年度中の総額が前事業年度の収入の総額の10分の1を超える可能性がある場合には，寄附をした者を知ることができない方法により寄附を募集してはならないとされている（適格ガイドライン5(1)キ）。

9　28条1項各号に規定する財産上の利益の受領について記録したもの（規則21条1項9号）

　訴訟費用や間接強制金の支払など特に相手方から受けることができる財産上の利益の受領について記載した書類である。この書類も上記7とは別途作成されたものである（適格ガイドライン5(1)ク）。

10　なお，適格消費者団体が特定認定（消費者裁判手続特例法71条1項）

を受けて被害回復関係業務（消費者裁判手続特例法71条2項）を行う場合に作成・保存が義務付けられる帳簿書類については規則21条2項各号に同様の定めがあるが，上記2～9に記載した帳簿書類と同一のものとなる場合には，別途，作成・保存の必要はない（2項ただし書）[1]。

第31条　（財務諸表等の作成，備置き，閲覧等及び提出等）

> 第31条　適格消費者団体は，毎事業年度終了後3月以内に，その事業年度の財産目録等及び事業報告書（これらの作成に代えて電磁的記録（電子的方式，磁気的方式その他人の知覚によっては認識することができない方式で作られる記録であって，電子計算機による情報処理の用に供されるものをいう。以下この条において同じ。）の作成がされている場合における当該電磁的記録を含む。次項第5号及び第53条第6号において「財務諸表等」という。）を作成しなければならない。
> 2　適格消費者団体の事務所には，内閣府令で定めるところにより，次に掲げる書類を備え置かなければならない。
> 　一　定款
> 　二　業務規程
> 　三　役職員等名簿（役員，職員及び専門委員の氏名，役職及び職業その他内閣府令で定める事項を記載した名簿をいう。）
> 　四　適格消費者団体の社員について，その数及び個人又は法人その他の団体の別（社員が法人その他の団体である場合にあっては，その構成員の数を含む。）を記載した書類
> 　五　財務諸表等
> 　六　収入の明細その他の資金に関する事項，寄附金に関する事項その他の経理に関する内閣府令で定める事項を記載した書類
> 　七　差止請求関係業務以外の業務を行う場合には，その業務の種類及び概要を記載した書類

（注1）　被害回復関係業務に関して作成保存すべき帳簿書類については，コンメンタール特例法377頁以下参照。

3　何人も，適格消費者団体の業務時間内は，いつでも，次に掲げる請求をすることができる。ただし，第2号又は第4号に掲げる請求をするには，当該適格消費者団体の定めた費用を支払わなければならない。
　一　前項各号に掲げる書類が書面をもって作成されているときは，当該書面の閲覧又は謄写の請求
　二　前号の書面の謄本又は抄本の交付の請求
　三　前項各号に掲げる書類が電磁的記録をもって作成されているときは，当該電磁的記録に記録された事項を内閣府令で定める方法により表示したものの閲覧又は謄写の請求
　四　前号の電磁的記録に記録された事項を電磁的方法であって内閣府令で定めるものにより提供することの請求又は当該事項を記載した書面の交付の請求
4　適格消費者団体は，前項各号に掲げる請求があったときは，正当な理由がある場合を除き，これを拒むことができない。
5　適格消費者団体は，毎事業年度終了後3月以内に，第2項第3号から第6号までに掲げる書類を内閣総理大臣に提出しなければならない。

○消費者契約法施行規則
（財務諸表等の備置き）
第23条　適格消費者団体は，法第31条第2項の書類を，5年間事務所に備え置かなければならない。
（役職員等名簿の記載事項）
第24条　法第31条第2項第3号の内閣府令で定める事項は，次に掲げる事項とする。
　一　前事業年度における報酬の有無
　二　当該役員，職員及び専門委員について業務規程に定める役員，職員又は専門委員が差止請求に係る相手方又は被害回復裁判手続の相手方と特別の利害関係を有する場合の措置が講じられた場合におけ

る当該措置の内容

(経理に関する事項)

第25条　法第31条第2項第6号に規定する内閣府令で定める事項は，次に掲げる事項とする。

一　全ての収入について，その総額及び会費等，事業収入，借入金，その他の収入別の金額並びに次に掲げる事項

　　イ　第21条第1項第8号イに規定する会費等については，その種類及び当該種類ごとの次に掲げる事項

　　　　(1)　総額

　　　　(2)　会費等関係規定

　　　　(3)　納入等をした者の総数及び個人又は法人その他の団体の別

　　　　(4)　納入等をした者（その納入等をした会費等の金額の事業年度中の合計額が5万円を超える者に限る。）の氏名又は名称及び当該会費等の金額並びに納入等の年月日

　　ロ　第21条第1項第8号ロに規定する寄附金については，次に掲げる事項

　　　　(1)　総額

　　　　(2)　会費等関係規定

　　　　(3)　寄附金を受け入れた年月日，当該年月日において受け入れた寄附金の募集の方法及びその金額

　　ハ　事業収入については，その事業の種類及び当該種類ごとの金額並びに当該種類ごとの収入の生ずる取引について，取引金額の最も多いものから順次その順位を付した場合におけるそれぞれ第1順位から第5順位までの取引に係る取引先，取引金額その他その内容に関する事項

　　ニ　借入金については，借入先及び当該借入先ごとの金額

二　全ての支出について，その総額及び支出の生ずる取引について，取引金額の最も多いものから順次その順位を付した場合におけるそれぞれ第1順位から第5順位までの取引に係る取引先，取引金額その他その内容に関する事項

2　適格消費者団体が特定認定を受けて被害回復関係業務を行う場合における法第31条第2項第6号の内閣府令で定める事項は，前項各号の規定にかかわらず，次に掲げる事項とする。
　一　全ての収入について，その総額及び会費等，被害回復関係業務による事業収入，被害回復関係業務以外の業務による事業収入，借入金，その他の収入別の金額並びに次に掲げる事項
　　イ　前項第1号イ，ロ及びニに掲げる事項
　　ロ　被害回復関係業務による事業収入については，その種類及び当該種類ごとの金額
　　ハ　被害回復関係業務以外の業務による事業収入については，その事業の種類及び当該種類ごとの金額並びに当該種類ごとの収入の生ずる取引について，取引金額の最も多いものから順次その順位を付した場合におけるそれぞれ第1順位から第5順位までの取引の相手方，取引金額その他その内容に関する事項
　二　全ての支出について，その総額及び被害回復関係業務に関する支出，その他の業務による支出別の金額並びに次に掲げる事項
　　イ　被害回復関係業務に関する支出については，その種類及び当該種類ごとの金額並びに対象消費者等に対する支出を除く支出について，支出金額の最も多いものから順次その順位を付した場合におけるそれぞれ第1順位から第5順位までの支出の相手方，支出金額その他その内容に関する事項
　　ロ　その他の業務による支出については，支出金額の最も多いものから順次その順位を付した場合におけるそれぞれ第1順位から第5順位までの支出の相手方，支出金額その他その内容に関する事項

（電磁的記録に記録された事項を表示する方法）
第26条　法第31条第3項第3号の内閣府令で定める方法は，当該電磁的記録に記録された事項を紙面又は映像面に表示する方法とする。
（電磁的記録に記録された事項を提供するための電磁的方法）
第27条　法第31条第3項第4号の内閣府令で定める電磁的方法は，次

に掲げるもののうち，適格消費者団体が業務規程で定めるものとする。
一　適格消費者団体の使用に係る電子計算機と法第31条第3項第4号に掲げる請求をした者（以下この条において「請求者」という。）の使用に係る電子計算機とを電気通信回線で接続した電子情報処理組織を使用する方法であって，当該電気通信回線を通じて情報が送信され，請求者の使用に係る電子計算機に備えられたファイルに当該情報が記録されるもの
二　電磁的記録媒体（電子的方式，磁気的方式その他人の知覚によっては認識することができない方式で作られる記録であって，電子計算機による情報処理の用に供されるものに係る記録媒体をいう。）をもって調製するファイルに情報を記録したものを請求者に交付する方法
2　前項各号に掲げる方法は，請求者がファイルへの記録を出力することによる書面を作成できるものでなければならない。

I　趣　旨

1　適格消費者団体の業務の適正な運営を確保するため，適格消費者団体の活動及び財務状況を明らかにするものとして，適格消費者団体は，財産目録等及び事業報告書（以下，「財務諸表等」という。）を作成すべきこととした（1項）。

そして，適格消費者団体の活動の適正を図る趣旨から，適格消費者団体に関する一定の情報につき，第三者が閲覧謄写でき，内閣総理大臣に提出することができるよう，定款，業務規程，役職員等名簿，社員に関する事項を記載した書類，財務諸表等，経理に関する事項を記載した書類，差止請求関係業務以外の業務の種類及び概要を記載した書類を備え置かなければならないこととした（2項）。

また，適格消費者団体の業務の適正を徹底して図る観点から，何人も2項

の書面の閲覧謄写等の請求ができることとされた（3項，4項）。これらの閲覧・謄写等の請求については適格消費者団体が定めた費用を支払う必要がある。

　役職員等名簿，社員に関する事項を記載した書類，財務諸表等，経理に関する事項を記載した書類は，内閣総理大臣に提出しなければならないとした（5項）。

　2　令和4年5月改正により，法14条2項8号の収支計算書の規定が修正され，財産目録，貸借対照表及び活動計算書（一般社団法人又は一般財団法人では損益計算書）を「財産目録等」と定義された。これにともない，1項の規定が修正された。

　また，同改正以前は，法31条2項で，差止請求関係業務その他の業務が適正に遂行されているかどうかについて学識経験者の調査を受けなければならないとされていた。しかし，2007年の制度の運用開始以来長期間が経過し，消費者庁において認定監督業務のノウハウが蓄積されているため，消費者庁による監督により，統一的に業務遂行の適切性を確保することが可能となるため，学識経験者による調査が廃止され，法31条2項が削除された。

　なお，学識経験者の調査が不要となるのは，2023年10月1日以後に終期となる事業年度からである（令和4年法律第59号改正附則1条1号）。

Ⅱ　解　説

1　1項

　1項に規定する活動計算書等の書類は，29条2項に従い区分して作成されなければならず，28条1項各号に掲げる財産上の利益については，その収入および支出の状況が明瞭に記載されていなければならない（適格ガイドライン5(2)）。

2　2項

　備え置くべき書類の備え置き期間は5年間とされている（規則23条）。

役職員等の名簿には前事業年度における報酬の有無及び役職員等が差止請求又は被害回復裁判手続の相手方と特別の利害関係を有する場合の措置が講じられた場合における当該措置の内容が記載されなければならない（規則24条）。

その他，規則25条が定めるとおりの書類が作成されなければならない。

なお，電磁的記録による備え置きが認められている。民間事業者等が行う書面の保存等における情報通信の技術の利用に関する法律3条により，書面に代えて電磁的記録による作成保存ができるものとして，内閣府の所管する消費者庁関係法令に係る民間事業者等が行う書面の保存等における情報通信の技術の利用に関する法律施行規則別表1において，消費者契約法31条2項が規定されているためである。

特定適格消費者団体の場合には，消費者裁判手続特例法94条に読み替え規定があり，7号は，差止請求関係業務及び被害回復関係業務以外の業務を行う場合に，その業務の種類及び概要を記載した書類を備え置くものとされている[1]。

3　3項・4項

4項で適格消費者団体が閲覧・謄写を拒否することができる「正当な理由」がある場合とは，その趣旨から，同一の請求を合理的な理由もなく繰り返すなど，適格消費者団体に不当な事務負担をかけさせようとする場合や，適格消費者団体の事務の都合で請求時にはすぐに対応できない場合などである（適格ガイドイラン5 (2)）。

4　5項

法文上は，内閣総理大臣に提出すると規定されているが，法48条の2は，内閣総理大臣の権限を消費者庁長官に委任している。そのため，消費者庁長官に提出すればよいことになる。

内閣総理大臣は，本項で提出された書類のほか，定款，業務規程，差止請

(注1)　コンメンタール特例法383頁以下参照。

求関係業務以外の業務の種類及び概要を記載した書類について，国民に対して情報提供することとしている（39条2項・3項，規則29条）。この公表も消費者庁長官に委任されており，消費者庁のウェブサイトで公表されている。

なお，情報通信技術を活用した行政の推進等に関する法律6条及び内閣府の所管する消費者庁関係法令に係る情報通信技術を活用した行政の推進等に関する法律施行規則4条により，電子情報処理組織を使用する方法により提出することができる（適格ガイドライン8ア）。

添付書類のうち，その原本を確認する必要があると消費者庁が認める場合は，当該部分につき，別途送付の方法により提出することができる。この場合，当該部分以外の部分につきオンラインによる申請等を行った日から，1週間以内に提出しなければならない（適格ガイドライン8イ）。

第32条 （報告及び立入検査）

> 第32条 内閣総理大臣は，この法律の実施に必要な限度において，適格消費者団体に対し，その業務若しくは経理の状況に関し報告をさせ，又はその職員に，適格消費者団体の事務所に立ち入り，業務の状況若しくは帳簿，書類その他の物件を検査させ，若しくは関係者に質問させることができる。
> 2　前項の規定により職員が立ち入るときは，その身分を示す証明書を携帯し，関係者に提示しなければならない。
> 3　第1項に規定する立入検査の権限は，犯罪捜査のために認められたものと解してはならない。

I　趣旨及び解説

適格消費者団体の業務の適正を図るため内閣総理大臣により適切な監督ができるよう，適格消費者団体の内閣総理大臣に対する報告・検査について定めるものである。

現状では毎事業年度後に作成される財務諸表等の提出後に定例的な調査が

実施されている[1]。

　報告・検査において問題があった場合，適合命令・改善命令（33条），認定の取消し（34条）などについて検討し，必要な措置がとられることとなる。

　適格消費者団体には報告・検査に対し受忍義務が課されており，違反には罰則が設けられている（51条4号）。

　なお，法48条の2は，内閣総理大臣の権限を消費者庁長官に委任している。そのため，消費者庁長官が報告をさせ，職員に立入検査をさせることになる。

第33条（適合命令及び改善命令）

> 第33条　内閣総理大臣は，適格消費者団体が，第13条第3項第2号から第7号までに掲げる要件のいずれかに適合しなくなったと認めるときは，当該適格消費者団体に対し，これらの要件に適合するために必要な措置をとるべきことを命ずることができる。
> 2　内閣総理大臣は，前項に定めるもののほか，適格消費者団体が第13条第5項第3号から第6号までのいずれかに該当するに至ったと認めるとき，適格消費者団体又はその役員，職員若しくは専門委員が差止請求関係業務の遂行に関しこの法律の規定に違反したと認めるとき，その他適格消費者団体の業務の適正な運営を確保するため必要があると認めるときは，当該適格消費者団体に対し，人的体制の改善，違反の停止，業務規程の変更その他の業務の運営の改善に必要な措置をとるべきことを命ずることができる。

I　趣　旨

　適格消費者団体には差止請求権が与えられていること，その業務の適正を

（注1）　消費者庁解説396頁。

確保する必要があることから，内閣総理大臣は，適格消費者団体が法の定める要件に適合するよう適合命令を出したり，法の定める要件に違反する場合に改善命令を出すことができるとした。

Ⅱ 解 説

1 適合命令・改善命令とは

　適格消費者団体が13条3項2号から7号までのいずれかの要件に適合しなくなった場合に，内閣総理大臣は，これらの要件に適合する措置をとるよう命じることができる（適合命令）。

　また，適格消費者団体が13条5項3号から6号までのいずれかに該当するに至ったと認めるとき，適格消費者団体又はその役員等がこの法律の規定に違反したと認めるとき，その他適格消費者団体の業務の適正な運営を確保する必要があるときは，内閣総理大臣は，人的体制の改善，違反の停止等の必要な措置をとるべきことを命じることができる（改善命令）。

　なお，法48条の2は，内閣総理大臣の権限を消費者庁長官に委任している。そのため，適合命令又は改善命令は，消費者庁長官が行う。

2 適合命令・改善命令の選択の基準

　ガイドラインは，不利益処分等の選択等の基準として下記のとおり定めている（適格ガイドライン5（3）ア）。

　適格消費者団体に対する不利益処分等の選択及び適用に当たっては，不利益処分等の原因となる事実について，その経緯，動機・原因，手段・方法，故意・過失の別，被害の程度，社会的影響，再発防止の対応策等を総合的に考慮して，報告及び立入検査（法32条），適合命令若しくは改善命令（法33条）又は認定の取消し（法34条）の別を決するものとするが，適格ガイドライン5（3）ウ（ア）の場合（偽りその他不正の手段により認定を受けた場合など）を除き，適合命令又は改善命令によって是正が図られる場合には，原則としてそれらの命令を発し，それでも是正が図られないときに認定の取消しを選

択するものとする。

3 「その他適格消費者団体の業務の適正な運営を確保するために必要があると認めるとき」

また，ガイドラインでは，改善命令に関し33条2項に規定する「その他適格消費者団体の業務の適正な運営を確保するため必要があると認めるとき」とは，適格消費者団体が法令違反の業務運営を行っている場合のみならず，およそ適格消費者団体として適正な業務運営を確保し得ないおそれのある場合を含み，例えば次のような場合が該当するとしている（適格ガイドライン5(3)イ）。

① 理事会及び理事に関し法13条3項4号に規定する要件（特定の事業者又は同一の業種の事業者の関係者の数の制限など）を満たしていたとしても，特定の事業者からの指示若しくは委託を受けて当該事業者と競合関係にある事業者に対して差止請求をし又は特定の事業者と競合関係にある事業者に対して損害を加えることを目的として差止請求をする（典型的には，競合関係にある事業者の営業上の信用を害する目的で差止請求をすることが想定される。）など，実質的に同号の規定を潜脱するような差止請求関係業務を行う場合（もっとも，特定の事業者から寄附を受けたり，事業の委託を受けたとしても，直ちに同号の規定を潜脱するものと認めるわけではない。）

② 適格消費者団体又はその役員，職員若しくは専門委員が，第三者に明らかにしない条件の下で取得した情報を第三者へ開示するなど，差止請求関係業務に関して知り得た情報の管理及び秘密の保持に関し，適格消費者団体に対する信頼を損なう行為をする場合

③ 消費者の被害の防止及び救済に資することを目的とせずに，事業者その他の者を誹謗・中傷し又は特定の事業者による営利事業の広告若しくは宣伝をすることを目的として，消費者に対する情報の提供を行う場合

④ 適格消費者団体が国民生活センター及び地方公共団体の有する消費生活相談に関する情報のみに依存して差止請求関係業務を行う常態となり，消費者からの情報収集を行っていない場合

⑤ 国民生活センター及び地方公共団体が情報の提供をするに際して付し

た必要な条件に違反して情報を利用した場合

⑥　適格消費者団体の役員が，特定商取引に関する法律に基づく指示若しくは業務停止命令，景表法に基づく措置命令若しくは課徴金納付命令又は食品表示法に基づく指示若しくは命令を受けた事業者であって，これらの指示又は命令を受けた日から1年を経過しないものの役員又は職員に該当する場合であって，当該役員又は職員の当該事業者における地位及びこれらの指示又は命令を受けることとなった当該事業者の行為への関与の度合いなどを考慮して，当該適格消費者団体が差止請求関係業務を適正に遂行できるとはいえない場合

⑦　適格消費者団体は，本法又は景品表示法に基づき，事業者等に対して，消費者契約の条項の開示要請，損害賠償の額を予定する条項等に関する説明の要請，差止請求に係る講じた措置の開示要請及び資料開示要請を行うことができ，事業者等はこれに応じる努力義務を負うところ（12条の3から12条の5まで），およそ要件を満たさないことが明らかであるにもかかわらず，これらの法に基づく要請として，これに応じることを繰り返し求めるなど，12条の3から12条の5まで又は景品表示法35条の規定の趣旨に反する行為をする場合

第34条　（認定の取消し等）

第34条　内閣総理大臣は，適格消費者団体について，次の各号のいずれかに掲げる事由があるときは，第13条第1項の認定を取り消すことができる。

一　偽りその他不正の手段により第13条第1項の認定，第17条第2項の有効期間の更新又は第19条第3項若しくは第20条第3項の認可を受けたとき。

二　第13条第3項各号に掲げる要件のいずれかに適合しなくなったとき。

三　第13条第5項各号（第2号を除く。）のいずれかに該当するに至ったとき。

四　第12条の2第1項第2号本文の確定判決等に係る訴訟等の手続

に関し，当該訴訟等の当事者である適格消費者団体が，差止請求に係る相手方と通謀して請求の放棄又は不特定かつ多数の消費者の利益を害する内容の和解をしたとき，その他不特定かつ多数の消費者の利益に著しく反する訴訟等の追行を行ったと認められるとき。

　五　第12条の2第1項第2号本文の確定判決等に係る強制執行に必要な手続に関し，当該確定判決等に係る訴訟等の当事者である適格消費者団体がその手続を怠ったことが不特定かつ多数の消費者の利益に著しく反するものと認められるとき。

　六　前各号に掲げるもののほか，この法律若しくはこの法律に基づく命令の規定又はこれらの規定に基づく処分に違反したとき。

　七　当該適格消費者団体の役員，職員又は専門委員が第28条第2項又は第3項の規定に違反したとき。

2　適格消費者団体が，第23条第4項の規定に違反して同項の通知又は報告をしないで，差止請求に関し，同項第10号に規定する行為をしたときは，内閣総理大臣は，当該適格消費者団体について前項第4号に掲げる事由があるものとみなすことができる。

3　第12条の2第1項第2号本文に掲げる場合であって，当該他の適格消費者団体に係る第13条第1項の認定が，第22条各号に掲げる事由により既に失効し，又は第1項各号に掲げる事由（当該確定判決等に係る訴訟等の手続に関する同項第4号に掲げる事由を除く。）若しくは消費者裁判手続特例法第92条第2項各号に掲げる事由により既に取り消されている場合においては，内閣総理大臣は，当該他の適格消費者団体につき当該確定判決等に係る訴訟等の手続に関し第1項第4号に掲げる事由があったと認められるとき（前項の規定により同号に掲げる事由があるものとみなすことができる場合を含む。）は，当該他の適格消費者団体であった法人について，その旨の認定をすることができる。

4　前項に規定する場合における当該他の適格消費者団体であった法人は，清算が結了した後においても，同項の規定の適用については，なお存続するものとみなす。

5　内閣総理大臣は，第1項各号に掲げる事由により第13条第1項の認定を取り消し，又は第3項の規定により第1項第4号に掲げる事由があった旨の認定をしたときは，内閣府令で定めるところにより，その旨及びその取消し又は認定をした日を公示するとともに，当該適格消費者団体又は当該他の適格消費者団体であった法人に対し，その旨を書面により通知するものとする。

I　趣　旨

　本条1項は，適格消費者団体の認定を取り消すことができる事由について規定する。認定の取消しは，適格消費者団体にとって最も重い行政処分である。そこで，差止請求権を付与するにふさわしくないと認められる場合に限って取消事由とするとともに，適合命令・改善命令（33条）等による改善の可能性があるため，本条は裁量的な取消事由としている。

　本条2項は，適格消費者団体が，23条4項に定める同項の通知・報告をしないで請求の放棄，和解，その他の同項10号に定める行為をなし，それにより確定判決及びこれと同一の効力を有するものを存在せしめた場合には，他の適格消費者団体が当該事業者に対し同一の請求ができなくなるという重大な結果が生じることに鑑み，内閣総理大臣は当該適格消費者団体について当該取消事由ありとみなすことができるとした。

　本条3項は，既に1項4号以外の事由で認定が取り消されたり失効事由が生じたりした後に，1項4号に該当する事由の存在が発覚することがあり得る場合でも，もはや認定の取消しをすることができなくなるため他の適格消費者団体による同一の事業者に対する同一の請求内容に係る差止請求権の行使が制約されたままになる場合，内閣総理大臣が当該取消事由の存在を（本条2項の規定によりその存在をみなすことができる場合を含めて）別途に認定することができることとした（3項）。

　本条4項は，3項の認定が適格要件を喪失している法人を名宛人とする行政処分であるところ，法人が消滅していたとしてもできるように，3項の認定

との関係では，法人が清算結了後も存続するものとみなすこととした。

本条5項は，本条1項の規定により認定が取り消され，または本条3項の規定により取消事由の認定がされたときは，当該適格消費者団体の差止請求権の消長等にかかわる事項であることから，その旨及びその取消しまたは認定をした日を公示するとともに，当該適格消費者団体に対しその旨を書面により通知することとした。

なお，法48条の2は，内閣総理大臣の権限を消費者庁長官に委任しているが，消費者契約法施行令3条は，法34条1項の認定の取消し及び3項の認定については，消費者庁長官に委任されないとしている。内閣総理大臣の権限のうち，指定法人，登録検査機関の認定等とその取消しは，これらの組織に対して一定の地位を付与し，剥奪することから，重要な権限であるとして，内閣総理大臣に留保されている。3項の認定についても，取消事由の認定であるので取消しと同視した[1]。

5項の公示及び通知は，消費者庁長官に委任されている。

II 解　説

1 原則として取消しとなる事由

上記のとおり，本条1項に基づく取消しは裁量的なものであるが，適格ガイドライン5(3)ウ(ア)によれば，以下の場合には，重い違反事由として，内閣総理大臣は原則として直ちに認定を取り消すこととしている。

① 偽りその他不正の手段により13条1項の認定，17条2項の有効期間の更新又は19条3項若しくは20条3項の認可（合併，事業譲渡の認可）を受けた場合

② 暴力団員等と知りつつ適格消費者団体の業務に従事させ，又は業務の補助者として使用した場合

③ 不特定かつ多数の消費者の利益に著しく反する訴訟等の追行を行った

(注1) コンメンタール特例法473頁。

と認められる場合
　④　適格消費者団体が28条1項の規定（財産上の利益の受領の禁止）に違反した場合
(1)　取消事由とされた理由
　適格消費者団体による差止請求は，あくまでも不特定かつ多数の消費者の利益を護るために行使されるものである。したがって，この利益に反する形で差止請求がなされた結果，確定判決やこれと同一の効力を有するものが存在するに至った場合には，後訴制限効（12条の2）により，他の適格消費者団体による同一事業者に対する同一の請求内容の差止請求権の行使は制約されることになり，消費者は大きな不利益をこうむる。そこで，このような不特定かつ多数の消費者の利益に反する訴訟の提起や和解，さらに相手方と通謀して請求の放棄をする行為が行われたと認められるときは，適格消費者団体の認定の取消事由とすることとしたものである。そして，これらの行為があった場合には，他の適格消費者団体の差止請求権の行使を制約しないという例外も定められている（12条の2第1項2号）。
(2)　「不特定かつ多数の消費者の利益を害する内容の和解」（34条1項4号）
　本号の「不特定かつ多数の消費者の利益を害する内容の和解」とは，適格消費者団体が相手方と通謀し，不特定かつ多数の消費者の利益の観点からは本来譲歩すべきでない重要な事項であることが関係証拠等により明らかであるにもかかわらずあえて一方的に譲歩して和解をした場合や，相手方との通謀はなくても，本来譲歩すべきでない重要な事項であることを関係証拠等により認識しながらあえて一方的に譲歩して和解をした場合をいい，例えば，ある勧誘行為または契約条項について，相手方から見返りとなる譲歩が得られないにもかかわらず，あえて消費者契約法上明らかに不当な勧誘行為または契約条項に該当するものに変更する内容の和解等が該当する（適格ガイドライン5(3)ウ(イ)(a)）。
　なお，適格消費者団体が紛争の早期解決の観点から差止請求の相手方と任意に交渉し和解をすることは可能であり，適格消費者団体が相手方に対して差止請求をし，真摯な折衝の結果として請求内容の一部を譲歩したとしても，上記のような「不特定かつ多数の消費者の利益を害する内容の和解」に

は該当しない。また，和解は請求の対象以外の様々な事情を考慮してなされるから，部分的には消費者に有利とはいえない内容を含むものであっても，当該請求の対象以外の事情をも含めて全体として見れば不特定かつ多数の消費者の利益の擁護に資するのであれば，このような場合は「不特定かつ多数の消費者の利益を害する内容の和解」に該当するとはいえない（適格ガイドライン5（3）ウ(イ)(a)）。

(3)　「不特定かつ多数の消費者の利益に著しく反する訴訟等の追行」（34条1項4号）

　本号に規定する「不特定かつ多数の消費者の利益に著しく反する訴訟等の追行」とは，相手方と通謀し，又はそうでなくても不特定かつ多数の消費者の利益に著しく反する訴訟等の追行であることを認識しながらあえて消費者に不利な訴えの提起，陳述，証拠の提出等の訴訟等の追行をした場合をいい，例えば，次のような場合が該当する。なお，適格消費者団体が相手方に対して差止請求をし，真摯な訴訟等の追行の結果，敗訴するなどしたとしても，上記のような「不特定かつ多数の消費者の利益に著しく反する訴訟等の追行」に該当するものではない（適格ガイドライン5（3）ウ(イ)(b)）。

①　重要な争点について，消費者に不利な虚偽の陳述をすること。

②　差止請求に係る訴訟の口頭弁論期日に故意に欠席を繰り返して当該訴訟を終結させること。

③　消費者に不利な証拠を新たに作出したり，消費者に明らかに有利で重要な証拠を改ざんして不利な証拠として提出すること。

④　重要な争点について，証人に対し，虚偽の証言をさせること。

⑤　事業者等によって提起された適格消費者団体に対する差止請求権不存在等確認請求の訴えにおいて，相手方と通謀して請求原因事実を認める旨の答弁書を提出して欠席すること。

⑥　当該差止請求権を根拠付ける重要な事実関係を仮装して差止請求に係る訴えを提起すること。（適格ガイドライン5（3）ウ(イ)(b)）

2　強制執行に必要な手続を怠ったことが不特定かつ多数の消費者の利益に著しく反する場合（34条1項5号）

「当該確定判決等に係る訴訟等の当事者である適格消費者団体がその手続を怠ったことが不特定かつ多数の消費者の利益に著しく反するもの」とは，12条の2第1項2号本文の確定判決等が存するにもかかわらず相手方が当該確定判決等に従わない場合において，適格消費者団体又は指定適格消費者団体が同号本文の確定判決等に係る強制執行に必要な手続をとることが可能であるにもかかわらず，他の手段を講ずることもなくあえて怠っている場合をいう。なお，この場合においても，内閣総理大臣は，原則として当該適格消費者団体に対し強制執行に必要な手続をとるよう改善命令をしたうえ，これに従わない場合に認定を取り消すこととする（適格ガイドライン5(3)ウ(ウ)）。

3　2項

和解に関し，34条2項の規定により，内閣総理大臣が適格消費者団体について34条1項4号に掲げる事由があるものとみなすことができるのは，当該適格消費者団体が規則13条3項3号に規定する「成立することが見込まれる和解又は調停における合意の内容」に関する事項について通知または報告をしなかった場合とすることとしている（適格ガイドライン5(3)ウ(イ)(c)）。しかし，およそ勝訴の見込みのない訴訟の場合などに請求の放棄をするに際し，過失で通知又は報告がされなかった場合にまで本項のみなしをすることは妥当ではない。また，通知を怠ったとしても，和解内容が訴訟の進行の経緯に照らして，適切な内容でありおよそ不特定かつ多数の消費者の利益を害するとはいえない場合もあり，通知をしなかったからといって直ちに34条1項4号に掲げる事由があるとみなすべきではない。内閣総理大臣は適切な裁量判断をすべきである。

4　3項

12条の2第1項2号ただし書では，法34条3項の認定がされた場合にも例外的に他の適格消費者団体による差止請求権の行使を認めている。

第 35 条　（差止請求権の承継に係る指定等）

第 35 条　適格消費者団体について，第 12 条の 2 第 1 項第 2 号本文の確定判決等で強制執行をすることができるものが存する場合において，第 13 条第 1 項の認定が，第 22 条各号に掲げる事由により失効し，若しくは前条第 1 項各号若しくは消費者裁判手続特例法第 92 条第 2 項各号に掲げる事由により取り消されるとき，又はこれらの事由により既に失効し，若しくは既に取り消されているときは，内閣総理大臣は，当該適格消費者団体の有する当該差止請求権を承継すべき適格消費者団体として他の適格消費者団体を指定するものとする。

2　前項の規定による指定がされたときは，同項の差止請求権は，その指定の時において（その認定の失効又は取消しの後にその指定がされた場合にあっては，その認定の失効又は取消しの時にさかのぼって）その指定を受けた適格消費者団体が承継する。

3　前項の場合において，同項の規定により当該差止請求権を承継した適格消費者団体が当該差止請求権に基づく差止請求をするときは，第 12 条の 2 第 1 項第 2 号本文の規定は，当該差止請求については，適用しない。

4　内閣総理大臣は，次の各号のいずれかに掲げる事由が生じたときは，第 1 項，第 6 項又は第 7 項の規定による指定を受けた適格消費者団体（以下この項から第 7 項までにおいて「指定適格消費者団体」という。）に係る指定を取り消さなければならない。

　一　指定適格消費者団体について，第 13 条第 1 項の認定が，第 22 条各号に掲げる事由により失効し，若しくは既に失効し，又は前条第 1 項各号若しくは消費者裁判手続特例法第 92 条第 2 項各号に掲げる事由により取り消されるとき。

　二　指定適格消費者団体が承継した差止請求権をその指定前に有していた者（以下この条において「従前の適格消費者団体」という。）のうち当該確定判決等の当事者であったものについて，第 13 条第 1 項の認定の取消処分，同項の認定の有効期間の更新拒否処分若し

くは合併若しくは事業の全部の譲渡の不認可処分（以下この条において「認定取消処分等」という。）が取り消され、又は認定取消処分等の取消し若しくはその無効若しくは不存在の確認の判決（次項第2号において「取消判決等」という。）が確定したとき。
5 内閣総理大臣は、次の各号のいずれかに掲げる事由が生じたときは、指定適格消費者団体に係る指定を取り消すことができる。
　一 指定適格消費者団体が承継した差止請求権に係る強制執行に必要な手続に関し、当該指定適格消費者団体がその手続を怠ったことが不特定かつ多数の消費者の利益に著しく反するものと認められるとき。
　二 従前の適格消費者団体のうち指定適格消費者団体であったもの（当該確定判決等の当事者であったものを除く。）について、前項第1号の規定による指定の取消しの事由となった認定取消処分等が取り消され、若しくはその認定取消処分等の取消判決等が確定したとき、又は前号の規定による指定の取消処分が取り消され、若しくはその取消処分の取消判決等が確定したとき。
6 内閣総理大臣は、第4項第1号又は前項第1号に掲げる事由により指定適格消費者団体に係る指定を取り消し、又は既に取り消しているときは、当該指定適格消費者団体の承継していた差止請求権を承継すべき適格消費者団体として他の適格消費者団体を新たに指定するものとする。
7 内閣総理大臣は、第4項第2号又は第5項第2号に掲げる事由により指定適格消費者団体に係る指定を取り消すときは、当該指定適格消費者団体の承継していた差止請求権を承継すべき適格消費者団体として当該従前の適格消費者団体を新たに指定するものとする。
8 前2項の規定による新たな指定がされたときは、前2項の差止請求権は、その新たな指定の時において（従前の指定の取消し後に新たな指定がされた場合にあっては、従前の指定の取消しの時（従前の適格消費者団体に係る第13条第1項の認定の失効後に従前の指定の取消し及び新たな指定がされた場合にあっては、その認定の失効の時）に

さかのぼって）その新たな指定を受けた適格消費者団体が承継する。
9　第3項の規定は，前項の場合において，同項の規定により当該差止請求権を承継した適格消費者団体が当該差止請求権に基づく差止請求をするときについて準用する。
10　内閣総理大臣は，第1項，第6項又は第7項の規定による指定をしたときは，内閣府令で定めるところにより，その旨及びその指定の日を公示するとともに，その指定を受けた適格消費者団体に対し，その旨を書面により通知するものとする。第4項又は第5項の規定により当該指定を取り消したときも，同様とする。

I　趣　旨

　35条は適格消費者団体の指定の失効又は取消がなされたとき，内閣総理大臣が当該適格消費者団体の差止請求権を承継すべき適格消費者団体として，他の適格消費者団体を指定することを定め，その各場合における業務についての細則を定めたものである。これは，ある適格消費者団体による差止請求権の行使により確定判決等が存するに至った後，当該適格消費者団体の認定が取り消されるなどして認定を喪失した場合，以後は当該適格消費者団体が当該確定判決等に基づいて強制執行をすることはできないが，他方で他の適格消費者団体が同一の相手方に対する同一事案に係る差止請求権の行使をすることはできない（12条の2第1項2号本文）ことから，不特定かつ多数の消費者の利益を擁護する制度目的を達成することができなくなる。そこで，このような場合には，内閣総理大臣の指定によって他の適格消費者団体が当該差止請求権を承継することとし，その承継した適格消費者団体が強制執行をすることを可能とすることとしたものである。

　なお，法48条の2は，内閣総理大臣の権限を消費者庁長官に委任しているが，消費者契約法施行令3条は，法35条1項の指定及び4項，5項の指定の取消し，6項，7項の新たな指定については，消費者庁長官に委任されないとしている。内閣総理大臣の権限のうち，指定法人，登録検査機関の認定等とその取消しは，これらの組織に対して一定の地位を付与し，剥奪する

ことから，重要な権限であるとして，内閣総理大臣に留保されている。差止請求権の承継に係る指定は，指定を受けると差止請求権を行使することができることから，指定及びその取消しについては，認定及びその取消しと同視した[1]。

10項の公示や通知については，消費者庁長官に委任されている。

Ⅱ 解 説

1 差止請求権の承継に係る指定等（35条1項から5項関係）

認定の喪失事由としては，内閣総理大臣による認定の取消し（34条1項各号），その失効（22条）のほか，消費者裁判手続特例法92条2項により，適格消費者団体としての認定が取り消される場合がある。適格消費者団体について，確定判決等で強制執行をすることができるもの（勝訴の確定判決等）が存する場合において，これらの認定の喪失事由が発生したとき，または既にこれらの喪失事由が発生しているときは，内閣総理大臣は，当該適格消費者団体の当該確定判決等に係る差止請求権を承継すべき適格消費者団体を指定する（1項）。この指定は，差止請求権を承継する適格消費者団体の申請を要しない職権による行政処分としての性質を有するものであるが，当該適格消費者団体の活動，組織及び経理的基礎等の状況により，本条4項2号に規定する従前の適格消費者団体との差止請求関係業務に係る活動状況や活動地域の類似性をも勘案し，当該従前の適格消費者団体が当事者である12条の2第1項2号本文の確定判決等に係る強制執行に必要な手続を適正にすると認められるものに対してすることとしている（適格ガイドライン5(4)）。

この指定がなされたときの差止請求権の承継については35条2項，同項かっこ書，3項の規定によることとなる。指定を受けた適格消費者団体は当該確定判決等に基づき承継執行文を得た上で強制執行をすることができることになるが，承継執行文を得る際，当該適格消費者団体が承継人であること

(注1) コンメンタール特例法473頁。

を執行文付与機関に対して証明しなければならないことから，内閣総理大臣は，当該指定について文書により通知するとともに，不特定かつ多数の消費者の利益擁護のために強制執行をすることに鑑み，当該指定について官報に掲載することによりその旨及びその指定の日を公示する（10項前段，規則10条）。

そして，指定適格消費者団体について，①適格性の認定が失効・取り消されたときには，内閣総理大臣は当該団体に係る指定を取り消さなければならず（4項1号），②当該指定適格消費者団体がその承継した差止請求権に係る強制執行に必要な手続を怠ったことが不特定かつ多数の消費者の利益に著しく反すると認められるときは，内閣総理大臣は当該団体に係る指定を取り消すことができるものとされている（5項1号）。

2 差止請求権が新たな指定を受けた適格消費者団体に承継される場合（6項，8項，9項関係）

指定適格消費者団体に係る指定が取り消され，又は既に取り消されているときは，内閣総理大臣は，当該指定適格消費者団体が承継していた差止請求権を承継すべき適格消費者団体を新たに指定し（6項），その指定の時に新たな指定を受けた適格消費者団体が差止請求権を承継する（8項）。ただし，指定取消後に新たな指定がされた場合，その指定の取消しと差止請求権の承継との間に時間的間隔が生ずるのは妥当でないため，その場合には指定取消しの時にさかのぼって（さらに，その指定の取消しが適格性の認定失効による場合にはその失効時にさかのぼって），新たに指定を受けた適格消費者団体が差止請求権を承継する（8項かっこ書）。

新たに指定がされた場合についても，内閣総理大臣による通知・公示がなされる（10項）。

3 差止請求権が従前の適格消費者団体に再び承継される場合（7項から9項関係）

差止請求権の喪失事由のうち，適格性の認定の取消処分，有効期間の更新拒否及び合併又は事業の全部譲渡の不認可はいずれも行政処分であり，自庁取消し又は取消判決等の確定によりその効果は遡及的に消滅するため，1項

の指定は根拠を失うこととなる。この場合，既に指定された適格消費者団体により強制執行手続が開始されていることも想定されるため，当該強制執行手続を無効とするよりも，これを利用してさらに手続を進行させる方が不特定かつ多数の消費者の利益の擁護及び訴訟経済の観点から適当であるため，①従前の適格消費者団体が当該確定判決等の当事者である場合には，内閣総理大臣は当該指定を取り消さなければならないこととし（4項2号），②従前の適格消費者団体が当該確定判決等の当事者以外のものである場合には，内閣総理大臣は当該指定を取り消すことができることとした（5項2号）。そして，①又は②の取消しがされたときは，内閣総理大臣は指定適格消費者団体が承継していた差止請求権を従前の適格消費者団体が承継するよう指定するものとし（7項），指定適格消費者団体が承継していた差止請求権はその指定の取消しの時において従前の適格消費者団体が承継するものとされた（8項）。

これら指定取消しについても，内閣総理大臣による通知・公示がなされる（10項）。

第4款　補則

第36条　（規律）

> 第36条　適格消費者団体は，これを政党又は政治的目的のために利用してはならない。

I　趣　旨

本条は，特定の政党や政治的団体又は候補者などを支持し，あるいはこれに反対することを目的に適格消費者団体を利用することを禁止することにより，消費者団体訴訟制度の政治的中立性を確保し，同制度への国民の信頼を高めようとするものである。

II 解　説

1 「政党又は政治的目的のために利用」

「政党のために利用」とは，特定の政党を支持し，又はこれに反対することをいう。「政治的目的のために利用」とは，公職の選挙において特定の候補者を支持し，又はこれに反対すること，特定の政治的団体を支持し，又はこれに反対すること，政策の提言や意見の表明であっても特定の政党や特定の候補者の支持等上記の禁止行為と同視できるものをすることをいう（適格ガイドライン6イ）。

ここで「政治的団体」とは「政党」以外の団体で政治上の主義若しくは，施策を支持し，若しくはこれに反対し，又は公職の候補者を推薦し，支持し若しくはこれに反対する目的を有するものをいう。また，特定の政党又は特定の政治的団体を「支持し又は反対する」とは，特定の政党又は特定の政治的団体につき，それらの団体の勢力を維持拡大するように若しくは維持拡大しないように，又はそれらの団体の有する綱領，主張，主義若しくは施策を実現するように若しくは実現しないように又はそれらの団体に属する者が公職に就任し若しくは就任しないように影響を与えることをいう（適格ガイドライン6イ）。

本条によれば，例えば，適格消費者団体が総会等で特定の政党ないし候補者の支持を決議したり，特定の政党ないし候補者への投票を会員に促すことは禁止されると考えられる。

2 政策の提言及び意見の表明

問題は，適格消費者団体が政策の提言や意見の表明をすることが本条に違反しないかであるが，ガイドラインによると，消費者団体訴訟制度に関する制度の改善・運用の改善等に関する提言等は本条によって制約されるものではなく，このほかの政策の提言や意見の表明についても，直ちに制約されるものではないが，特定の政党や特定の候補者の支持又は反対等と同視できる

ような場合であれば，同条違反になるとされている（適格ガイドライン6ウ）。

　しかし，本条はあくまで目的を制限するものであるから，政策の提言や意見の表明が結果として特定の政党や特定の候補者の支持又は反対等と同視されるものであっても，消費者保護政策の推進という目的を有するものであれば，本条に違反しないはずである。例えば，選挙に際して各政党が発表するマニフェストの消費者保護政策について，適格消費者団体が各政党に質問状を出して回答を得，それに対する批評を公表することは，特定の政党を支持ないし反対する効果を有するかも知れないが，このような活動は適格消費者団体の正当な活動として保障されなければならない。また，いかなる場合に特定の政党や特定の候補者の支持又は反対等と同視できるのか，事前に明確に判断することも困難であろう。

　よって，適格消費者団体が消費者保護政策について意見表明すること自体は許されると解され，政治的行為を通じて消費者政策を推進することを不当に抑制することがないよう，本条の適用には慎重さが求められる。

3　本条違反の効果

　適格消費者団体が本条の規定に違反する場合には，適合命令及び改善命令など不利益処分等（32条，33条及び34条）の対象となるほか，認定の申請の段階で，当該申請者が13条5項5号に規定する「政治団体」そのものには該当しなくても，当該申請者が特定の政党若しくは政治的団体又は特定の候補者から多額の融資を受け活動資金を依存している場合，その指揮命令下にある人物が役員，職員若しくは専門委員の大半を占め当該申請者の意思決定又は業務執行を実質的に決定している場合その他特定の政党若しくは政治的団体又は特定の候補者が当該申請者の意思決定又は業務執行に重大な影響を及ぼしていると認められる場合には，認定をしないものとするとされている（適格ガイドライン6エ）。

　しかし，上記の通り本条違反の認定が困難であり抑制的であるべきことからすれば，具体的に本条違反により不利益処分が課されるのは極限的事例に限られよう。

第 37 条　（官公庁等への協力依頼）

> 第 37 条　内閣総理大臣は，この法律の実施のため必要があると認めるときは，官庁，公共団体その他の者に照会し，又は協力を求めることができる。

I　趣旨及び解説

　本条は，内閣総理大臣が適格消費者団体の認定（13 条）をはじめ，適合命令や改善命令（33 条），認定の取消し（34 条）など，この法律の手続を適切に実施するため，関係する官庁，公共団体その他の団体及び個人から意見を聴取したり協力を求めたりすることができるとするものである。

　「必要があると認めるとき」とは，適格団体の認定制度を的確に運営するために必要な場合をいう。

　本条にいう「官庁，公共団体」とは，当該適格消費者団体ないしその認定を求める団体を所管する主務官庁などの他，地方自治体などの公共団体などを指し，「その他の者」とは何の限定もないため，それ以外のすべての団体や個人を指すことになる。具体的には，地方自治体の首長や，消費者団体及びその構成員，弁護士会及び弁護士，研究者などが挙げられよう。

　本条に基づく協力を求められた側は，これに応ずる一般的義務を負うと解される一方，これに応じなかったとしても，直ちに具体的な義務違反を生ずるものではないと考えられている[1]。

第 38 条　（内閣総理大臣への意見）

> 第 38 条　次の各号に掲げる者は，適格消費者団体についてそれぞれ当該各号に定める事由があると疑うに足りる相当な理由があるため，内閣総理大臣が当該適格消費者団体に対して適当な措置をとることが必要であると認める場合には，内閣総理大臣に対し，その旨の意見を述

(注1)　消費者庁解説 421 頁。

べることができる。
　一　経済産業大臣　第13条第3項第2号に掲げる要件に適合しない事由又は第34条第1項第4号に掲げる事由
　二　警察庁長官　第13条第5項第3号，第4号又は第6号ハに該当する事由

I　趣旨及び解説

　本条1号が掲げる法13条3項2号，34条1項4号は，差止請求権の行使の適正に関する規定である。消費者団体訴訟制度が特定商取引法違反行為をその対象としている一方，適格消費者団体を監督するのは内閣総理大臣であり，同法の所管庁である経済産業省には直接の監督権限がないため，適格消費者団体がこれらの条項に適合せず，あるいは違反している疑いがあり，内閣総理大臣が当該適格消費者団体に改善命令（33条）や認定の取消し（34条）などの措置をとることが必要と認められる場合には，経済産業大臣がその旨の意見を述べることができるものとした。

　なお，景品表示法の改正に伴い，景品表示法違反行為にも消費者団体訴訟制度の対象が拡大されたため（同法30条1項（平成26年法律第118号改正前10条），令和5年法律第29号による改正法の施行後は法34条1項），平成20年の改正当時は意見を述べることができる者として同法を所管する公正取引委員会が含まれていたが，消費者庁の発足に伴い，同法の所管が消費者庁に移管したため，同規定は削除された。

　特定商取引法も消費者保護に係る企画立案，執行が消費者庁に移管されているが，経済産業省は商取引一般の立場から連携するとされているので（「消費者行政推進基本計画について」平成20年6月27日閣議決定），経済産業大臣については引き続き，意見を述べることができるとしている。また，本条2号が掲げる法13条5項3号，4号，6号ハは，いずれも暴力団勢力による適格消費者団体の支配を防止しようとするものであるが，暴力団勢力に関する情報を集約し保有しているのは警察庁長官であることから，同様に警察庁長官が意見を述べることができるとするものとした。

第 39 条　（判決等に関する情報の公表）

第 39 条　内閣総理大臣は，消費者の被害の防止及び救済に資するため，適格消費者団体から第 23 条第 4 項第 4 号から第 9 号まで及び第 11 号の規定による報告を受けたときは，インターネットの利用その他適切な方法により，速やかに，差止請求に係る判決（確定判決と同一の効力を有するもの及び仮処分命令の申立てについての決定を含む。）又は裁判外の和解の概要，当該適格消費者団体の名称及び当該差止請求に係る相手方の氏名又は名称その他内閣府令で定める事項を公表するものとする。
2　前項に規定する事項のほか，内閣総理大臣は，差止請求関係業務に関する情報を広く国民に提供するため，インターネットの利用その他適切な方法により，適格消費者団体の名称及び住所並びに差止請求関係業務を行う事務所の所在地その他内閣府令で定める必要な情報を公表することができる。
3　内閣総理大臣は，独立行政法人国民生活センターに，前 2 項の情報の公表に関する業務を行わせることができる。

○消費者契約法施行規則
（公表する情報）
第 28 条　法第 39 条第 1 項の内閣府令で定める事項は，次に掲げる事項とする。
　一　判決（確定判決と同一の効力を有するもの及び仮処分命令の申立てについての決定を含む。）又は裁判外の和解に当たらない事案であって，当該差止請求に関する相手方との間の協議が調ったと認められるものの概要
　二　当該判決，裁判外の和解又は前号の事案に関する改善措置情報の概要
第 29 条　法第 39 条第 2 項の内閣府令で定める必要な情報は，次に掲げる情報とする。ただし，第 2 号イに掲げる書類（事業報告書に限る。）

に被害回復関係業務の一部の委託に係る報酬の額が記載されている場合において，その額を公表することにより当該委託を受けた者の業務の遂行に支障を生ずるおそれのあるときにあっては，当該委託を受けた者の氏名又は名称を除いたものをもって足りるものとする。
一　法第16条第1項，法第19条第8項，法第20条第8項，法第21条第2項，法第34条第5項及び法第35条第10項の規定により公示した事項に係る情報
二　次に掲げる書類に記載された事項に係る情報
　イ　法第31条第5項の規定により提出された書類
　ロ　定款
　ハ　業務規程
　ニ　差止請求関係業務以外の業務を行う場合には，その業務の種類及び概要を記載した書類

Ⅰ　趣　旨

　本条は，消費者団体訴訟について国民の理解が深まるよう，消費者団体訴訟の結果の概要や適格消費者団体の活動について周知，広報を行うとともに，行政から情報提供がなされることにより，適格消費者団体が差止請求権を適切に行使できるよう，情報面での適格消費者団体の負担軽減を図ったものである。また，消費者団体訴訟の結果が広く国民一般に情報公開されることにより，新たな消費者被害の未然防止や個別事件の解決の促進にも資することになると思われる。

Ⅱ　解　説

1　公表される情報

(1)　差止請求事案の情報
本条1項は，内閣総理大臣に判決等に関する情報の公表を義務付けるもの

であり，具体的内容は同項及び規則28条により定められている。その内容は，消費者団体訴訟の結果の概要であり，具体的には，①(a)差止請求に係る判決，裁判上の和解など確定判決と同一の効力を有するもの及び仮処分命令の申立てについての決定，(b)裁判外の和解，(c)(a)・(b)以外の相手方と協議が調ったと認められるものの概要（39条1項，規則28条1号），②当該適格消費者団体の名称及び当該事業者等の氏名又は名称（39条1項），③①についての改善措置情報の概要（規則28条2号）である。

なお，改善措置情報とは，差止請求の判決等に基づいて相手方が不当行為の改善のためにとった措置の内容及び実施時期に係る情報をいう（規則14条）。

(2) 適格消費者団体の情報

本条2項は，内閣総理大臣が適格消費者団体に関する情報を任意に公表できるとするものであり，具体的内容は規則29条により定められている。その内容は，①適格消費者団体の名称及び住所並びに差止請求関係業務を行う事務所の所在地（39条2項），②適格消費者団体の認定，適格消費者団体の合併，適格消費者団体の事業の譲渡，解散の届出，認定の取消し及び不特定かつ多数の消費者の利益に著しく反する訴訟等の追行を行った等の認定，差止請求権の承継に係る指定，指定の取消し，新たな指定についての公示（規則29条1号），③定款（規則29条2号ロ），業務規程（同号ハ），役職員等名簿，社員の構成について記載した書類，財務諸表等，経理に関する事項を記載した書類（同号イ），差止請求関係業務以外の業務の種類及び概要を記載した書類（同号ニ）である。

なお，「財務諸表等」とは，「財産目録等」及び事業報告書（法31条1項）をいい，「財産目録等」とは，財産目録，貸借対照表，活動計算書（一般社団法人又は一般財団法人にあっては損益計算書）をいう（法14条2項8号）。特定適格消費者団体の事業報告書の記載事項は，特定適格ガイドライン5(2)に記載があり，被害回復関係業務の一部を委託した場合には，事案ごとに，委託を受けたものの氏名又は名称及びその者を選定した理由，委託した業務内容，費用の額（規則21条2項11号の事項）を記載するとされている。しかし，業務委託の報酬が公開されることは，委託を受けた者の競争上の地

位が害されるなどの委託を受けた者の業務に支障がある場合がある。そこで，事業報告書に被害回復関係業務の一部の委託に係る報酬の額が記載されている場合において，その額を公表することにより当該委託を受けた者の業務の遂行に支障を生ずるおそれのあるときは，当該委託を受けた者の氏名又は名称を除いたもので足りるとされている（規則29条本文ただし書）。

2　公表の方法

　法48条の2は，内閣総理大臣の権限を消費者庁長官に委任している。そのため，消費者庁長官が1項，2項の事項や情報を公表することになる。

　そして，本条3項は，内閣総理大臣は独立行政法人国民生活センターに1項，2項の各情報の公表に関する業務を行わせることができると定めている。公表の具体的方法については，速やかに，消費者庁及び国民生活センターのホームページに載せたり，パンフレットを作成配布するなどの方法により行うことが考えられる。

　実際には，消費者庁長官が公表しており，消費者庁のホームページで事案ごとに随時公表されているほか，2024年4月に開設されたCOCoLIS（消費者団体訴訟制度）ポータルサイト[1]に法39条1項に基づき公表された事案から順次，検索可能な形で掲載されている。

第40条　（適格消費者団体への協力等）

> 第40条　独立行政法人国民生活センター及び地方公共団体は，内閣府令で定めるところにより，適格消費者団体の求めに応じ，当該適格消費者団体が差止請求権を適切に行使するために必要な限度において，当該適格消費者団体に対し，消費生活相談及び消費者紛争（独立行政法人国民生活センター法（平成14年法律第123号）第1条の2第1項に規定する消費者紛争をいう。）に関する情報で内閣府令で定めるものを提供することができる。
> 2　前項の規定により情報の提供を受けた適格消費者団体は，当該情報

（注1）〈https://cocolis.caa.go.jp〉

を当該差止請求権の適切な行使の用に供する目的以外の目的のために利用し，又は提供してはならない。

○消費者契約法施行規則
（情報の提供の請求）
第30条　法第40条第1項の規定による情報の提供を受けようとする適格消費者団体は，次に掲げる事項（当該適格消費者団体が，独立行政法人国民生活センターから次条第1項第1号ロに掲げる情報の提供を受けようとする場合にあっては，第1号及び第3号から第6号までに掲げる事項。第8項において同じ。）を記載した申請書を独立行政法人国民生活センター又は地方公共団体に提出しなければならない。
一　当該適格消費者団体の名称及び住所並びに代表者の氏名
二　提供を受けようとする情報に係る事業者又は消費者紛争を特定するために必要な事項
三　申請理由
四　提供される情報の利用目的並びに当該情報の管理の方法及び当該情報を取り扱う者の範囲
五　希望する情報提供の範囲
六　希望する情報提供の実施の方法
2　前項第3号の申請理由には，当該適格消費者団体が収集した情報の概要その他の申請を理由づける事実等を具体的に記載しなければならない。
3　独立行政法人国民生活センター又は地方公共団体は，第1項の申請書の提出があった場合において，当該申請に相当の理由があると認めるときは，次条第1項各号に定める情報のうち必要と認められる範囲内の情報を提供するものとする。
4　独立行政法人国民生活センター又は地方公共団体は，消費生活相談に関する情報の提供をするに際しては，当該消費生活相談に関する情報が消費者の申出を要約したものであり，事実関係が必ずしも確認されたものではない旨を明らかにするものとする。

5　独立行政法人国民生活センター又は地方公共団体は，情報の提供をするに際しては，利用目的を制限し，提供された情報の活用の結果を報告することその他の必要な条件を付することができる。
6　独立行政法人国民生活センター又は地方公共団体は，第 1 項の申請に係る情報が，法第 40 条第 2 項の規定又は前項の規定により付そうとする制限又は条件に違反して使用されるおそれがあると認められるときは，当該情報を提供しないものとする。
7　独立行政法人国民生活センター又は地方公共団体は，情報の提供に当たっては，消費者の個人情報の保護に留意しなければならない。
8　適格消費者団体が，独立行政法人国民生活センターに対し，電子メールを送信する方法（当該送信を受けた独立行政法人国民生活センターが当該電子メールを出力することにより書面を作成することができるものに限る。）により，法第 40 条第 1 項の規定による情報の提供を希望する旨及び第 1 項各号に掲げる事項を通知したときは，第 1 項の申請書が独立行政法人国民生活センターに提出されたものとみなす。
（国民生活センター等が提供する情報）
第 31 条　法第 40 条第 1 項の内閣府令で定める情報は，次の各号の区分に従い，それぞれ当該各号に定めるとおりとする。
　一　独立行政法人国民生活センターの消費生活相談に関する情報　次に掲げる情報
　　イ　全国消費生活情報ネットワークシステム（消費者安全法（平成 21 年法律第 50 号）第 12 条第 4 項に規定する全国消費生活情報ネットワークシステムをいう。以下この項において同じ。）に蓄積された情報のうち，全国又は複数の都道府県を含む区域を単位とした情報（都道府県別の情報その他これに類する情報を除く。）
　　ロ　消費者の被害の実態を早期に把握するための基準に基づき，全国消費生活情報ネットワークシステムに蓄積された情報を利用して作成された統計その他の情報
　二　独立行政法人国民生活センターの消費者紛争に関する情報　独立行政法人国民生活センター法（平成 14 年法律第 123 号）第 3 章第

2節第2款の規定による和解の仲介の手続又は同節第3款の規定による仲裁の手続が終了した事案における経過及び結果の**概要**，当事者の主張の要旨その他の当該事案についての情報並びに当事者の氏名若しくは名称，住所又は連絡先についての情報であって，これらの手続の実施に支障を及ぼすおそれがないと認められるもの

三　地方公共団体の消費生活相談に関する情報　全国消費生活情報ネットワークシステムに蓄積された情報のうち，当該地方公共団体から独立行政法人国民生活センターに提供（都道府県を経由して行われる提供を含む。）された情報（以下本号において「当該地方公共団体に係る情報」といい，他の地方公共団体から独立行政法人国民生活センターに提供（都道府県を経由して行われる提供を含む。）された情報のうち，当該地方公共団体が当該地方公共団体に係る情報と併せて法第40条第1項の規定による情報の提供を行うことを適当と認め，かつ，当該他の地方公共団体の同意を得ることができたものを含む。）

2　前条及び前項の規定は，独立行政法人国民生活センター又は地方公共団体が，法以外の法令（条例を含む。）の規定により同項各号に定める情報以外の情報を提供することを妨げるものではない。

I　趣　旨

本条は，適格消費者団体がその権限を適切に行使できるようにするため，1項において，独立行政法人国民生活センター及び地方公共団体が消費生活相談に関する情報及び消費者紛争に関する情報を適格消費者団体に提供することができる旨を定めるとともに，2項において，適格消費者団体に対し，提供された情報について当該差止請求権の適切な行使の用に供する目的以外の目的のために利用することを禁じたものである。

なお，令和4年12月改正により，消費生活相談に関する情報に加えて，消費者紛争に関する情報が提供できることとなった。適格消費者団体を支援し，国民生活センターの実施するADRの情報を提供することで，地域にお

ける被害の予防，救済の実効性向上を図る趣旨である。

II 解　説

1　情報提供の方法

　適格消費者団体が差止請求権を適切に行使するためには，契約条項の具体的内容，不当な勧誘行為の詳細を適切に把握することが不可欠である。個々の適格消費者団体の情報収集能力には限界もあり，また，個人情報の保護の観点による混乱や各地方公共団体によって取り扱いに差異が生じることがあってはならない。そこで，40条1項は，独立行政法人国民生活センター及び地方公共団体に対して，消費生活相談に関する情報を提供することができる旨を定めるとともに，規則30条においてその具体的手続を定めており，電子メールを送信する方法で申請することも可能となった。

2　情報提供の内容

(1)　消費生活相談に関する情報

　提供される「消費生活相談に関する情報」とは，全国消費生活情報ネットワークシステム（いわゆる「PIO-NET」）に蓄積された消費生活相談に関する情報をいい，独立行政法人国民生活センターは全国又は複数の都道府県を含む区域を単位とした情報を，地方公共団体はPIO-NETに提供された当該地方公共団体に係る情報を，それぞれ提供することになる（規則31条1項1号イ，3号）。また，消費者の被害の実態を早期に把握するための基準に基づき，PIO-NETに蓄積された情報を利用して作成された統計その他の情報を提供することも可能となった（規則31条1項1号ロ）。

　国民生活センターからは，PIO-NETに蓄積された情報のうち，特定の事業者につき情報提供を求めた相談登録時期に係る登録件数，受付年月，件名，数百字程度の相談概要のほか，相談事例の情報番号（相談事例が特定できるため，当該相談事例を担当した消費生活センターへの問い合わせに有用である），処理結果，解決内容について情報提供を受けることが可能である。

そのうえで，当該相談事例を担当した消費生活センターに対して個別に消費者の同意をとってもらった上で消費者と直接接触し，情報提供を受けるという方法も考えられる。

(2) 消費者紛争に関する情報

消費者紛争とは，消費生活に関して消費者（個人（事業として又は事業のためにした行為が紛争の原因になった場合におけるものを除く。）をいう。以下同じ。）又は消費者契約法12条の2第1項に規定する差止請求を行う適格消費者団体（同法2条4項に規定する適格消費者団体をいう。）と事業者（法人その他の団体及び事業として又は事業のためにした行為が紛争の原因になった場合における個人をいう。）との間に生じた民事上の紛争をいう（独立行政法人国民生活センター法1条の2第1項）。

すなわち，①消費生活に関して消費者と事業者との間に生じた民事上の紛争と②差止請求を行う適格消費者団体と事業者との間に生じた民事上の紛争をいう。なお，①については消費者契約の存在を前提としない。②についても，消費者契約法上の差止請求に限られない。

消費者紛争に関する情報のうち，提供されるものは，規則31条1項2号に規定されている。重要消費者紛争解決手続である和解の仲介と仲裁について，手続が終了した事案の情報，当事者の氏名もしくは名称住所又は連絡先である。国民生活センター法36条により手続が終了した事案の結果の概要が公表されているが，事業者名を公表するのは，事業者が手続に協力しなかった場合などに限られており，事業者名が公表されていないことも多いところ，適格消費者団体は事業者名についても知ることができることになった。

(3) その他の情報

さらに，PIO-NET に蓄積された情報のみでは情報の具体性や特定性に欠ける側面もあることから，規則31条2項により，PIO-NET 情報以外の情報についても，別途法令に基づいて提供することを妨げないとした。

2007年3月16日に公布（同年7月1日施行）された改正京都府消費生活安全条例では，その29条において「適格消費者団体に対し，消費生活相談に関する情報で規則で定めるものの提供その他必要な支援を行うことができる」と定めており，同条例施行規則17条2号において，PIO-NET 情報以外

の情報についても適格消費者団体が差止請求権を適切に行使するため必要と認められる範囲で提供できるものとされている。同規則の運用については，事業者が使用する契約書やパンフレット等の情報提供も想定されているようである。このような動きは全国の地方公共団体にとって大いに参考になるところである。

3　目的外利用の禁止

情報提供を受けた適格消費者団体は，当該差止請求権の適切な行使の用に供する目的以外の目的のために利用し又は提供してはならず（40条2項），違反行為に対しては罰則が定められている（53条10号）。

第3節　訴訟手続等の特例

第41条　（書面による事前の請求）

> 第41条　適格消費者団体は，差止請求に係る訴えを提起しようとするときは，その訴えの被告となるべき者に対し，あらかじめ，請求の要旨及び紛争の要点その他の内閣府令で定める事項を記載した書面により差止請求をし，かつ，その到達した時から1週間を経過した後でなければ，その訴えを提起することができない。ただし，当該被告となるべき者がその差止請求を拒んだときは，この限りでない。
> 2　前項の請求は，その請求が通常到達すべきであった時に，到達したものとみなす。
> 3　前2項の規定は，差止請求に係る仮処分命令の申立てについて準用する。

○消費者契約法施行規則

（書面の記載事項）

第32条　法第41条第1項（同条第3項において準用する場合を含む。以下この条において同じ。）の内閣府令で定める事項は，次のとおりとする。

一　名称及び住所並びに代表者の氏名

二　電話番号，電子メールアドレス及びファクシミリの番号

三　被告となるべき者の氏名又は名称及び住所

四　請求の年月日

五　法第41条第1項の請求である旨

六　請求の要旨及び紛争の要点

2　法第41条第1項の請求においては，できる限り，訴えを提起し，又は仮処分命令を申し立てる場合における当該訴えを提起し，又は仮処分命令を申し立てる予定の裁判所を明らかにしなければならない。

I　趣　旨

　事前の差止請求によって，被告となるべき者に自ら行っている不当勧誘行為や不当条項使用の取引の実情を把握させ，自ら是正の機会を与えることによって紛争の早期の解決と取引の適正化を図る観点から，事前の差止請求から1週間を経過した後でなければ訴えを提起できないこととした。

　これによって多くの事案が訴訟によらずに効率的に解決し，事業者にとっても応訴負担の軽減につながることを意図している。

　期間を1週間に限った趣旨は，被告となるべき者が自ら是正するために必要な最小限の期間を与える必要性と，是正を待つ間に消費者被害が拡大するのを最小限にとどめる必要性との兼ね合いを意図して定められた期間である[1]。

（注1）　平成18年5月30日参議院内閣委員会会議録第10号8頁。

II 解 説

1 1項本文

(1) 書面によること

適格消費者団体は，被告となるべき者に対し，訴え提起前に一定の事項を記載した書面により訴訟外で差止請求を行い，その書面が到達した時から1週間を経過した後でなければ訴えを提起することができないとして，適格消費者団体に事前の書面による差止請求を義務付けている。書面を要するとしたのは，請求内容を明確にするとともに，要件を満たした請求がなされたか否か後日の証拠に資するようにするためである。記載内容は，事業者が自ら是正することが可能な程度に請求内容が明らかなことを要する。

(2) 書面に記載すべき事項

書面に記載すべき事項は，「請求の要旨及び紛争の要点その他の内閣府令で定める事項」（本条1項）である。

「請求の要旨」とは，事業者に対し，どのような内容の訴えを提起することになるかが分かる程度の記載をいう[2]。「紛争の要点」とは，争いになっている実情が分かる程度の記載をいう。

「内閣府令で定める事項」とは，規則32条1項によって，①適格消費者団体の名称，住所，代表者の氏名，②電話番号，電子メールアドレス，ファクシミリの番号（これは，差止請求関係業務においてファクシミリ装置を用いて送受信しようとする場合に限る，規則1条の3第2号），③被告となるべき者の氏名（個人の場合）または名称（法人の場合），及び住所，④請求の年月日，⑤この書面は41条1項に基づく差止請求書である旨のほか，⑥請求の要旨及び紛争の要点である。「その他の」となっているので，「請求の要旨及び紛争

(注2) したがって，差止対象となる条項が特定可能である限り，提訴後，請求の趣旨について訂正申立てがなされたとしても，再度の通知は不要である（京都地判平21・4・23判時2055号123頁）。

の要点」は例示であるので,改めて内閣府令で規定されている。

さらに,提起を予定している訴えや仮処分申立ての提起先裁判所を,できるだけ明らかにすることを努力義務として課している(規則32条2項)。

以上のような記載事項のある書面による差止請求であることが必要である。

(3) 訴えの提起等ができる場合

訴えの提起は,この差止請求の書面を発送し,かつ,これが到達した時から1週間を経過した後でなければ提起することができない。すなわち,書面が到達した日の翌日から起算し(民法140条),1週間が経過すれば訴えを提起できる。

しかし,多くの場合は相手方が1週間では対応を決められないのではという問題がある。実際には,法41条の請求に先立ち,申入れや問合わせ等を行い,協議がされたものの適切な対応がされなかった場合や何ら応答がない場合に改めて法41条請求を行っているのが一般であり,相手方が対応を決めるのに必要な合理的な期間が確保されている。

(4) 手続の瑕疵等に関する諸問題

訴えを提起するためには,本条及び内閣府令で定める事項を記載した書面と1週間の要件を満たさなければならないが,これらの要件に違反して提起された訴えは,治癒されない限り,訴訟要件を欠くものとして却下を免れない。

以下,要件が欠けている場合について検討する[3]。

① 例えば本条の要件をほぼ満たした書面であるが,法令上記載すべき要件のうち電子メールアドレスの記載を欠いた書面で差止の請求をなし,1週間の期間を守って訴えが提起された場合はどうであろうか。

本条の立法趣旨は,既述のとおり,事前の差止請求によって,被告となるべき者に自ら行っている不当勧誘行為や不当条項使用の取引の実情を把握させ,自ら是正の機会を与えることにある。是正させるために,是正しなけれ

(注3) 升田純「消費者団体の差止請求権の機能と実務」ジュリ1320号78頁に同内容の問題点の指摘がある。

ば訴訟になることを理解させることが必要であり，このためには，41条の書面，即ち訴訟になる可能性があることを被告となるべき者が理解できる書面でなければならない。

このような書面であれば，差止請求を受けた被告となるべき者は，自らが行っている不当勧誘行為や不当条項使用の取引の実情を把握し，訴訟の可能性を理解して自ら是正する機会が与えられる。

したがって，41条および規則32条に定める記載事項のうち，訴訟の可能性を理解させて自ら是正する機会を与えるための記載事項，即ち請求の要旨及び紛争の要点や41条1項に基づく差止請求書である旨の記載事項等は本質的な記載事項であり，欠けると41条等に定める要件を満たさない書面ということになり手続的瑕疵となる。この瑕疵は，後の訴状の記載等によっても治癒されないと解される。

しかし，そうでない付随的な記載事項，即ち請求の年月日，電話や電子メールアドレス，ファクシミリの番号，法人の代表者の氏名等の欠落は，瑕疵ともいえず治癒を問題とするまでもなく訴訟要件を欠くことはないと解される。

このような電子メールアドレスが記載されていないなどという些細な欠落を理由に初めからやり直しを求めることは，やり直している間に被害が拡大するおそれがあることを考えると，あまりにも形式的に過ぎて意味がないからである。

② 法令の要件を満たす差止請求書を送付したうえで訴えを提起したが，1週間の要件を満たしていない場合はどうであろうか。

法令の要件を満たす差止請求書を送付しているのであるから，取引の実情を把握し，訴訟の可能性を理解して自ら是正する機会は与えられている。したがって，例えば期間の算定を誤って1週間に1日だけ不足しているというような瑕疵が軽微な場合は，訴訟手続中に1週間が経過すればこの瑕疵は治癒される。

③ 適格消費者団体が，本条の要件を充たした差止請求書を事前に送付していないが，今までの裁判外での交渉で被告となるべき者が自ら是正することを拒んでいる場合はどうであろうか。

今は拒んでいても，要件を満たした事前の差止請求書を送付したならば，是正しなければ訴訟になると理解し是正する可能性がないとはいえないのであるから，いきなり訴訟することは許されず瑕疵は治癒されない。なお，事前の差止請求書の送付を経ている点で，次に述べる本項ただし書の場合と本事例とは異なる。

④　なお，申立予定裁判所の記載を求める規則32条2項はいわゆる訓示規定であり，実際，申立裁判所が異なっていても，不適法とはならない[4]。

2　1項ただし書

差止を請求したにもかかわらず，請求を受けた被告となるべき者が，訴訟提起可能性を分かりながら自ら是正する態度を示さず差止請求を拒んだときは，「差止請求を拒んだときは，この限りでない」（本条1項ただし書）として，上記期間の経過前であっても直ちに訴えを提起できることとした。なぜならば，自らの是正の可能性がないにもかかわらず，1週間が経つのを待って被害を拡大させるのは無駄であり愚かなことであるから，それ以上待つ必要がないためである。「拒んだとき」とは，明確に請求を拒絶した場合はもちろんのこと，不当勧誘行為や不当条項使用の事実を否定するなどして暗に拒絶の意思を示すような黙示の拒絶の場合も，本項ただし書に該当する。

3　2項

差止請求書を発送したにもかかわらず到達しなかった場合は，本来であればその書面が到達しない限り1週間の期間は始まらないはずである。しかし，それでは被害が拡大するのに訴え提起ができないこともあり得るので，その差止請求が通常なら到達すべきであった時に到達したものとみなして，そのときから1週間経過すれば訴えを提起できることとした[5]。

4　3項

（注4）　消費者庁解説436頁。
（注5）　本項の適用により，事前請求書面が到達したとみなされた事例として，京都地判平21・4・23（前掲注1）がある。

第42条　（訴訟の目的の価額）

本案である差止請求訴訟だけでなく仮処分命令の申立ての場合も，同様に自ら是正する機会を与えるという本条の立法趣旨が当てはまるので，本条1項・2項を準用している（本条3項）。

第42条　（訴訟の目的の価額）

> 第42条　差止請求に係る訴えは，訴訟の目的の価額の算定については，財産権上の請求でない請求に係る訴えとみなす。

I　趣　旨

消費者団体による差止請求は，事業者の不当な取引行為を対象としているため，財産権上の請求とも考えられる。しかしながら，消費者団体による差止請求は，その公益的立場に基づいて消費者全体の利益のために提訴されるものである。事業者の不当な取引行為が差し止められたことによって財産上の利益を受けると考えられるのは，被害の拡大や防止が図られた消費者全体である。個々の消費者の受ける財産上の利益は直接的ではなく間接的なものである。そして，訴訟の主体となる消費者団体そのものは，何らの財産上の利益を受けるわけではない。

このように，適格消費者団体は，固有の権利として差止請求を行使するものの，その行使は消費者全体の利益擁護のためであり自己に経済的利益をもたらすことができるわけではなく，このような場合の訴額の算定は極めて困難であることから，差止請求訴訟の提起に必要な手数料について，訴額算定については非財産権上の請求とみなしたものである[1]。

会社法上の代表訴訟では，株主に会社が取締役等に対して有する権利を会社に代わって行使できることを認めているが，この株主に経済的利益がもたらされるわけではないから，その訴額算定の基準については「財産権上の請求でない請求に係る訴え」（同法847条の4第1項）と定めているが，それと

(注1)　国民生活審議会消費者生活部会消費者団体訴訟制度検討委員会「消費者団体訴訟制度の在り方について」（平成17年6月23日）24頁，消費者庁解説438頁。

同様の趣旨の規定である。

その他，財産的請求であっても訴額の算定が極めて困難な場合の例として，地方自治法242条の2第1項4号に基づく住民訴訟，人格権に基づく差止請求訴訟，会社法に基づく取締役等の違法行為の差止請求訴訟，解雇無効確認訴訟などがある。

II 解説

1 財産権上の請求でない請求とみなす意義

「訴訟の目的の価額」とは，訴えによって原告が被告に対して主張する権利主張の内容が原告にもたらす経済的利益を金銭に評価した額で，略して訴額という。事件の事物管轄や印紙の貼用により納めるべき手数料の額の算定の基準となる。

訴訟上の請求には，経済的利益を目的とする権利関係に関する請求である財産権上の請求と，経済的利益を目的としない権利関係に関する請求である非財産権上の請求の2種類ある。

後者の経済的利益を目的としない非財産権上の請求の場合，理論上は訴訟の目的の価額は存在しないが，立法的に事物管轄との関係では140万円を超えるものとみなし（民事訴訟法8条1項・2項），手数料の額との関係では160万円とみなしている（民訴費用法4条2項）。

適格消費者団体による差止請求の訴えは，本条によって訴額の算定上は非財産権上の請求とみなしている。このため，事物管轄との関係では，140万円を超えるものとみなして地方裁判所の管轄となり（裁判所法24条1号・33条1項1号），手数料の額との関係では，160万円とみなして一律1万3,000円の印紙（民訴費用法3条，別表第1）を貼ることになる。

2 訴額算定に関する諸問題

(1) 1つの適格消費者団体が1つの被告に訴訟を提起する場合

1つの適格消費者団体が原告となって，1つの被告に対して同一の訴訟で

差止請求を求める場合は，手数料の額との関係では，この訴訟全体を1つとして本条を適用し全体で160万円とみなし，1万3,000円の印紙を貼るだけでよいと考える。すなわち，①1つの不当勧誘行為や1つの不当条項による契約締結行為に対する差止請求の場合，②1つの不当勧誘行為が不実告知（4条1項1号）と不利益事実の不告知（4条2項）の両規定にあたるとして差止請求するなど差止請求を基礎付ける根拠条文が複数となる場合，③マニュアルに基づく不実告知（4条1項1号）にあたる勧誘と退去妨害（4条3項2号）にあたる勧誘の2つの勧誘行為を差し止める場合，④使用している契約書に複数の不当条項が記載されておりそれぞれに8条ないし10条に該当するとして差止請求をする場合，⑤複数の不当勧誘行為や複数の不当条項による契約締結を差し止める場合のいずれであっても，1つの適格消費者団体が1つの事業者に対して1つの訴訟手続で差止請求をする限り，全体で160万円とみなし，1万3,000円の印紙を貼るだけでよい。

このような場合，訴訟物ごとに区別して，訴訟物ごとに各別に訴訟の目的の価額を160万円とみなし，貼用印紙は1万3,000円×訴訟物の数と考えるべきではない。訴額や貼用印紙額の算出を検討する場合には必ずしも訴訟物と同一に考える必要はない。差止請求訴訟の訴訟物の区分自体明確ではなく，その個数に争いが生じることになる可能性が高く（例えば，上記②の事例では訴訟物が1個となるか2個となるかは一義的ではないし，条項の規定の仕方によって，単純に訴訟物の個数を判断できるわけではない。），さらに，本法における差止請求権には，不当勧誘行為の差止（停止）の請求だけでなく予防や供した物の廃棄もしくは除去の請求も認められており，これら予防，供した物の廃棄もしくは除去の請求権を訴訟物との関係でどのようにとらえるかなど，受付事務の取扱いに混乱が予想される。そして，そもそも本条は，差止請求は適格消費者団体が固有の権利として行使するものの，その行使は消費者全体の利益擁護のためであり自己に経済的利益をもたらすことができるわけではなく，訴額の算定が極めて困難であることから，差止請求訴訟の提起に必要な手数料について，訴額算定については非財産権上の請求とみなしたものであり，このことは差し止める行為が1つであろうと複数であろうと，根拠となる消費者契約法の条項が1つであろうと複数であろうと異なる

ところはない。

　なお，公害発生源の差止訴訟においては，請求原因において複数の法的利益が害されているとの主張を掲げ，複数の法的構成によって種々の法律構成によって主張されることが多いが，被侵害利益ごとに訴額を算出することは困難であるとして，個々の被侵害利益は広い意味で「生活利益」とでも呼べるものに包摂され吸収され得るものであることを根拠に，1つの公害発生源が複数の公害を発生している場合であっても，包括的な生活利益である場合は吸収関係を認めて民訴費用法4条2項後段により訴額を95万円（現行法では160万円）とするのが相当であるとしている[2]。適格消費者団体による差止請求においても，1つの事業者による違法な勧誘や条項使用は全体として消費者全体の生活利益を侵害していると考え得る。

(2)　当事者複数の場合

　複数の適格消費者団体が共同して原告となって1つの訴訟を提起する場合も同様1つの訴訟とみて1万3,000円の印紙だけでよいであろう[3]。

　1つの訴訟手続で，被告が複数の事業者となる場合には被告の数に応じて印紙の貼用が必要となろう。

第43条　（管轄）

> 第43条　差止請求に係る訴訟については，民事訴訟法第5条（第5号に係る部分を除く。）の規定は，適用しない。
> 2　次の各号に掲げる規定による差止請求に係る訴えは，当該各号に定める行為があった地を管轄する裁判所にも提起することができる。
> 　一　第12条　同条に規定する事業者等の行為
> 　二　不当景品類及び不当表示防止法第34条第1項　同項に規定する事業者の行為

（注2）　裁判所書記官研修所編『訴額算定に関する書記官事務の研究〔補訂版〕』153頁（法曹会，2002）。

（注3）　住民全体の利益のために差止等を行う住民訴訟につき，原告が複数であっても訴額は一括して算定する。裁判所書記官研修所編・前掲（注2）134頁・135頁。最判昭53・3・30民集32巻2号485頁。

三　特定商取引に関する法律第58条の18から第58条の24まで　これらの規定に規定する当該差止請求に係る相手方である販売業者,役務提供事業者,統括者,勧誘者,一般連鎖販売業者,関連商品の販売を行う者,業務提供誘引販売業を行う者又は購入業者（同法第58条の21第2項の規定による差止請求に係る訴えにあっては,勧誘者）の行為

四　食品表示法第11条　同条に規定する食品関連事業者の行為

I　趣　旨

　平成18年改正の政府原案では,被告の普通裁判籍を原則とし,財産権上の訴え等についての特別裁判籍は営業所管轄を除いて排除する提案であった。

　このような管轄を極力限定する提案がなされた背景には,被告の利益保護だけではなく,判決効の相対性を前提としたうえで同一被告の同一行為に対して複数の適格消費者団体が提訴した場合でも可能な限り審判を統一することへの配慮があったようだとされている[1]。

　しかし,上記政府原案は衆議院において,差止めの対象とされる行為が行われた行為地管轄が追加修正された。追加の趣旨は,事業者等が不当な行為を行った後に事務所または営業所の移転を次々と繰り返すなど悪質・濫用的な事例に対しても差止訴訟の実効性を確保するために,12条1項から4項に規定する事業者等の行為があった地についても管轄を認めたとされた[2]。

　しかしながら,事業者等の行為地すなわち被害が発生している地を管轄地とすることは当然のことでもある。また,制定された団体訴訟制度の設計目的には,それぞれの適格消費者団体にはそれぞれの活動領域があるので,その領域の市場はその適格消費者団体に監視させるのが適切ということがある。

（注1）　上原敏夫「消費者団体訴訟制度（改正消費者契約法）の概要と論点」自由と正義2006年12月号75頁。

（注2）　加納克利「消費者契約法一部改正の概要」ジュリ1320号51頁。

したがって，その活動領域において被害が発生した場合は，その適格消費者団体に差止訴訟を通じて市場を監視させるために行為地を管轄としたという意味合いもある。

II 解 説

1 管 轄

　民事裁判権を行使する裁判所にはいくつもの種類があり，これら多種多様の裁判所の間で裁判権が分掌されることになるが，この分掌の定めを管轄という。

　管轄は，種々の観点から分類される。そのうち土地管轄とは，事件に対する民事裁判権等同種の裁判権の行使を，異なる所在地を管轄する同種の裁判所の何れに分掌させるかという観点からの定めである。事件がある裁判所の管轄区域内のある地点と当事者または訴訟物との関係で密接に関連する場合に，その地点を基準として土地管轄が定められるが，この土地管轄の発生原因としての関連地点を裁判籍と呼ぶ。

　裁判籍は，事件の当事者との関係（住所・事務所等）から定められた人的裁判籍と，訴訟物たる権利との関係（不法行為地・義務履行地・目的物の所在地等）から定められた物的裁判籍に分かれ，またある人に対する訴訟事件について一般的かつ原則的に認められる普通裁判籍と，ある特定の種類又は内容の事件についてだけ認められる特別裁判籍に分かれる。

　普通裁判籍は，民事訴訟一般について土地管轄を定める標準となる裁判籍で，当事者間の公平の観点から応訴の負担を課せられる被告の便宜を考慮して被告との関係で定められる（民事訴訟法4条1項）。普通裁判籍は常に人的裁判籍である。

　特別裁判籍は，人的・物的の両種の裁判籍があり，民事訴訟法5条から7条等だけでなく他の法律にも数多く定められている。このうち同法5条に定められた特別裁判籍は，いずれも，定められている裁判所に限られ他の裁判所は管轄権をもち得ない（これを専属的という）というものではなく，任意

的なもので普通裁判籍と競合しているので，原告はいずれの裁判籍を選択することも自由である。

2 差止請求訴訟の土地管轄

(1) 普通裁判籍（民事訴訟法 4 条 1 項）

差止請求訴訟は，我が国の既存の民事訴訟手続を前提として制度設計された訴訟制度である。したがって，管轄についても民事訴訟法が適用され，被告の普通裁判籍が管轄となる（同法 4 条 1 項）。

普通裁判籍の基準としては，自然人にあっては原則その住所・居所（同法 4 条 2 項），法人その他の社団・財団にあっては原則その主たる事務所または営業所によって定まる（同条 4 項）。

(2) 民事訴訟法 5 条 5 号の業務に関する営業所等管轄（本条 1 項）

本条 1 項により，民事訴訟法 5 条の特別裁判籍のうち，5 号のみを適用することとし，その他の特別裁判籍は排除した。

検討委員会の報告書段階では，委員間でコンセンサスが得られた普通裁判籍所在地を管轄する裁判所を基本とし，さらに合意管轄など一定の例外を認める必要があるというまとめになっていたが[3]，政府の法案策定段階では，認める必要のある例外として唯一営業所管轄（民事訴訟法 5 条 5 号）だけに限定していた（本条 1 項）。

民事訴訟法 5 条 5 号のうち，「事務所又は営業所を有する者に対する訴えでその事務所又は営業所における業務に関するもの」については「当該事務所又は営業所の所在地」だけを管轄籍とする。

この営業所管轄とは，営利事業であると非営利事業であるとを問わず，営業の中心となっている事務所または営業所は，その営業に関しては住所に準ずるものと見ることができるので，その所在地を管轄する裁判所に，その事務所または営業所における業務に関する紛争にかぎり管轄を認めている。この管轄は人的・任意的・選択的である[4]。

(注3) 国民生活審議会消費者生活部会消費者団体訴訟制度検討委員会「消費者団体訴訟制度の在り方について」（平成 17 年 6 月 23 日）24 頁。

「営業所」とは，自然人，法人または法人でない社団・財団が独立して取引をなしうる場所で，例えば商人や会社の本支店等がその例である。「事務所」とは，営業とはいえない範囲の業務が継続的に行われる中心的場所で住所でないもの，例えば県人会の事務所等がその例である。暴力団の組事務所も事務所といえよう。「営業所」や「事務所」に該当するか否かは，登記の有無や名称の如何を問わずその実質で判断する[5]。

「業務に関するもの」の業務とは，営利を目的としないものも含み，公私の別を問わない。また業務に関する訴えとは，取引などのようにその本来の業務そのものより生じた権利義務に関する訴えだけでなく，本来の業務遂行から派生する一切の権利義務に関する訴えを含む。

訴えはその事務所または営業所における業務に関するものでなくてはならない。事務所または営業所における業務に関する紛争は，業務の行われたその事務所または営業所の所在地を管轄する裁判所に審理させるのが便宜であり，被告には業務の利益の代わりに応訴の負担を課すにすぎないため公平を害さないからである[6]。

3 行為地管轄（本条2項）

(1) 「行為があった地」

平成18年（2006年）の国会審議の過程で唯一本条2項だけが追加修正されたことと，2項の立法趣旨については既に「I趣旨」で説明した。

不特定かつ多数の消費者に対して，不当な行為を現に行ったときは，差止訴訟は現に行ったその行為地が管轄となる。また，不特定かつ多数の消費者に対して将来行うおそれがあるときは，この要件を満たすことを前提として，「事業者等の行為があった地」に限定されていることから，1回でも行為があればその地を管轄とすることができるが，行為が全くなければ管轄とできない。

（注4） 菊井維大＝村松俊夫『全訂民事訴訟法I〔補訂版〕』83頁（日本評論社，1993）。

（注5） 平成18年4月21日衆議院内閣委員会議録第4号16頁。

（注6） 新堂幸司ほか編『注釈民事訴訟法(1)』174頁［髙地茂世］（有斐閣，1991）。

「行為があった地」とは，12条等に定める「事業者等の行為」があった地である。ここでいう「事業者等の行為」は，「不特定かつ多数の消費者に対して第4条第1項……に規定する行為を現に行い又は行うおそれがあるとき」(12条2項)の事業者の行為ということになる。「現に行い」の場合には，不当行為が行われている場合をさすが，「行うおそれがあるとき」の場合には，事業者の行為は，不当行為の準備行為を行うときも「行うおそれがある」といえるから，不当行為の準備行為が行われた地も「行為があった地」といえると解される[7]。

インターネットやダイレクトメール，通信販売などの隔地者間の消費者取引における不当勧誘の場合は，事業者等が，ダイレクトメール等で不当な勧誘文書を発信した地と，消費者が勧誘文書を受領した到達地(普通なら被害消費者の住所地)の両方に，また不当条項の場合は事業者が，不当条項を含む消費者契約の意思表示を発信した地と消費者がその意思表示を受領した到達地(普通なら被害消費者の住所地)の両方に裁判管轄がある[8]。

「行為があった地を管轄する裁判所にも提起することができる。」と規定するところから，この管轄も任意的なものである。

普通裁判籍と業務に関する営業所等管轄(本条1項，民事訴訟法5条5号)および行為地管轄(本条2項)の3つの管轄が競合する。したがって，原告である適格消費者団体は，いずれの裁判籍を選択するのも自由であるから，自己にとって最も便利な管轄を選ぶことができる。このため，行為地管轄は適格消費者団体に多くの管轄選択の余地を与える有力な武器となり得る。

(2) 事業者を原告とする場合

事業者を原告とする差止請求権不存在確認等の訴えの管轄裁判所についても，被告となる適格消費者団体の普通裁判籍を基本とし，その他，同団体の事務所の所在地の管轄裁判所と，事業者の行為地も管轄裁判所となる。

(注7) 消費者庁解説442頁は，不特定かつ多数の消費者に対して不当な行為(本法に規定する不当行為をいう。)が現に行われた地またはそのおそれを推認させる不当な行為が行われた地を意味し，1回の行為がされた地であっても「おそれ」を推認させる行為であれば本項の「行為があった地」であるとする。

(注8) 平成18年5月23日参議院内閣委員会会議録8号19頁。

第44条　（移送）

> 第44条　裁判所は，差止請求に係る訴えが提起された場合であって，他の裁判所に同一又は同種の行為の差止請求に係る訴訟が係属している場合においては，当事者の住所又は所在地，尋問を受けるべき証人の住所，争点又は証拠の共通性その他の事情を考慮して，相当と認めるときは，申立てにより又は職権で，当該訴えに係る訴訟の全部又は一部について，当該他の裁判所又は他の管轄裁判所に移送することができる。

I　趣　旨

　移送とは，一旦生じた訴訟の係属を他の裁判所に移すことをいう。

　差止請求権は適格消費者団体の固有の権利であるから，判決効の相対性を前提として同一の事業者の同一の不当な行為を対象として複数の適格消費者団体による複数提訴が同時期に行われる可能性がある。

　このような場合に，できるだけ紛争の一回的解決を図って判決内容の抵触を避け，事業者の応訴負担を軽減し，訴訟不経済を軽減する配慮から，審理を集中させるために裁量移送ができるようにした。

　適格消費者団体のほかは内容等すべて同一の上記のような場合はもとより，類似した勧誘行為や契約条項の使用に関する訴えについても，実質的な事実上または法律上の争点が重複する可能性があり同じく紛争の一回的解決を図る利益がある場合があるから，同様に裁量移送ができるようにしている。

　こうした趣旨の移送の規定は，1999年に制定された情報公開法において最初に導入され，同年の改正独占禁止法，2004年の改正行政事件訴訟法などにも例がある[1]。

　（注1）　三木浩一「訴訟法の視点から見た消費者団体訴訟制度」ジュリ1320号70頁。

Ⅱ 解　説

1　移送が相当か否かを判断する際に考慮すべき事情

　移送が相当か否かを判断する際に考慮すべき事情として，当事者の住所又は所在地，尋問を受けるべき証人の住所，争点又は証拠の共通性を例示として挙げている。「その他の事情」とはこの例示に類似する事情をいう。移送の相当性の判断要素として，「その他の事情」のうち特に重要だと考えるのは，適格消費者団体が，差止訴訟を提起する際にその管轄を選択した視点と，その際の事情であることを指摘しなければならない。なぜならば，制定された消費者団体訴訟制度の設計目的は，適格消費者団体にはそれぞれ独自の活動視点があるので，この視点からの活動によって市場を効果的に監視させるというところにある。このため，それぞれの適格消費者団体がそれぞれの活動視点から同一の事業者の同一の不当行為に対し別々に差止訴訟を提起することができることとしている。したがって，その視点による管轄の選択と，その際の事情は特に尊重されなければならないのであって，それを上回る必要性がない限り移送は控えるべきである。

　また，ある地域の市場を監視するある適格消費者団体が，その地域の住民の利益を守るために差止訴訟を提起し，その地域の住民も差止訴訟に合わせて自己の利益を守るために個別訴訟を提起することが予想されるが，このような場合は，団体訴訟と個別訴訟の争点や証拠の共通性はもちろんのこと，個々の住民が適格消費者団体から享受できる事実上の有益な示唆や協力等の影響力も「その他の事情」として重要であるから，分離や移送は慎重になされるべきである。

　このような事情を考慮することとしたのは，裁判所の裁量とはいえ，恣意的な移送ではなく適切に運用されることを意図して規定されたからである。例示の当事者・証人の住所は訴訟に要する費用や労力の観点から，争点・証拠の共通性は移送の必要性の観点から規定されている。

　民事訴訟法17条の裁量移送とは異なり，訴訟の著しい遅延を避けるため

必要，または当事者間の衡平を図るため必要といった事情は要件となっていない。

裁判所は，上記のような事情を総合的に考慮して移送の相当性を適切に判断しなければならない。

2　移送の手続，その他

本条の移送は文言から裁量移送であることが明らかである。

移送は，当事者の申立てまたは職権によって行う。

訴訟の全部又は一部についても移送できる。訴訟の一部とは，共同訴訟人の1人に対する訴訟のみを移送するとか，請求の客観的併合において1つの請求に係る訴訟のみを移送することをいう。

移送先は，同一又は同種の行為の差止訴訟が係属している他の裁判所への移送が紛争の1回的解決の見地から原則となる。しかしながら，そのような差止訴訟が係属している裁判所でなくても，移送が相当か否かを判断する際に考慮すべき事情を総合的に考慮して，現に訴訟が提起されている裁判所よりも他の管轄裁判所に移送するのが相当であると認める場合は，その他の管轄裁判所に移送することができることとした。

第45条　（弁論等の併合）

> 第45条　請求の内容及び相手方が同一である差止請求に係る訴訟が同一の第一審裁判所又は控訴裁判所に数個同時に係属するときは，その弁論及び裁判は，併合してしなければならない。ただし，審理の状況その他の事情を考慮して，他の差止請求に係る訴訟と弁論及び裁判を併合してすることが著しく不相当であると認めるときは，この限りでない。
> 2　前項本文に規定する場合には，当事者は，その旨を裁判所に申し出なければならない。

I　趣　旨

差止請求権は適格消費者団体の固有の権利であるから，判決効の相対性を前提として同一の事業者の同一の不当な行為を対象として複数の適格消費者団体による複数提訴が同時期に行われる可能性がある。

このような場合に，紛争の1回的解決を図って可能な限り判決内容の抵触を避け，事業者の応訴負担を軽減し，訴訟不経済を軽減する配慮から審理を集中させるために裁判所に弁論等の併合を原則として強制することとした。

Ⅱ 解 説

1 併合する場合

弁論等の併合とは，同一の裁判所に係属する複数の訴訟を一の手続で審理するために結合することをいう（民事訴訟法152条）。裁判所の訴訟指揮権の行使として職権によって決定され，初めから1個の併合訴訟として提起された場合と同様の関係を生じる。

同一の裁判所とは，同一の訴訟法上の裁判所または同一の官署としての裁判所をいう。同一の裁判所に係属している訴訟であれば，担当の裁判官が異なっていても，合議事件と単独事件であっても，進行段階が異なっていても，併合は可能である。

併合できる要件は，「請求の内容及び相手方が同一である差止請求に係る訴訟」が複数存在し，その複数の訴訟が，同一の第一審裁判所に，または同一の控訴裁判所に，同時に係属していることが必要である。

この要件を満たす場合は，裁判所は原則としてその弁論及び裁判を併合しなければならない。

併合されるのは，複数の訴訟の裁判に至る手続（弁論），及びその訴訟のすべてが裁判所の判断に熟する段階に至っているときはその判断（裁判）を併合することになる。

本条の併合強制は訓示規定ではなく[1]，併合せずになされた弁論または裁判は手続規定に違背して違法となるとされている[2]。

同種の請求内容の差止請求訴訟が複数係属する場合，文言の反対解釈とし

て併合は強制されない(3)。

同種の差止訴訟と共通義務確認訴訟（例えば，事業者が使用する条項Ａの使用差止を求める訴訟と，条項Ａが無効であることを前提にした同事業者に対する共通義務確認訴訟）についても同様である。

2 「併合してすることが著しく不相当である」の意義

ただし，審理の状況その他の事情を考慮して，他の差止請求訴訟と弁論及び裁判を併合することが著しく不相当であるときは，例外的に併合強制が免除される（本条1項ただし書）。

「併合してすることが著しく不相当である」とは，例えば，先行する訴訟が既に終局判決をするに熟している場合や，先行する訴訟が終局間近であるのに後続する訴訟が提起から間がないときなど，併合すると先行する訴訟が不当に遅延する場合などが挙げられる。

3 当事者の申告

「前項本文に規定する場合」（2項）とは，請求の内容および相手方が同一である差止請求訴訟が，同一の第一審裁判所又は控訴裁判所に同時に複数係属する場合を言う。

このような場合，併合をなすべき受訴裁判所は，他の裁判所の訴訟係属状態をすべて把握しているとは限らないのに対し，当事者のうち事業者は自己の行為に基づく訴訟であるが故に，適格消費者団体においては通知制度等によって係属状態を把握しうる立場にあるが故に，当事者は他の訴訟の係属について裁判所に申し出なければならないとしている（本条2項）。ただし，

(注1)　平成18年5月23日参議院内閣委員会議録8号14頁4段31行。必要的併合と答弁している。

(注2)　同旨，三木浩一「訴訟法の視点から見た消費者団体訴訟制度」ジュリ1320号71頁。

(注3)　三木・前掲（注2）71頁は，本規定の適用対象は，請求の内容および相手方を同一にする場合に限られるが，同種の事件が複数係属する場合にも，裁判所は，民事訴訟法152条1項に基づく裁量的な弁論等の併合の是非を積極的に検討すべきであるとする。

この規定に違反した場合の結果については何の定めもないので，訓示規定と解される[4]。

第 46 条　（訴訟手続の中止）

> 第 46 条　内閣総理大臣は，現に係属する差止請求に係る訴訟につき既に他の適格消費者団体を当事者とする第12条の2第1項第2号本文の確定判決等が存する場合において，当該他の適格消費者団体につき当該確定判決等に係る訴訟等の手続に関し第34条第1項第4号に掲げる事由があると疑うに足りる相当な理由がある場合（同条第2項の規定により同号に掲げる事由があるものとみなすことができる場合を含む。）であって，同条第1項の規定による第13条第1項の認定の取消し又は第34条第3項の規定による認定（次項において「認定の取消し等」という。）をするかどうかの判断をするため相当の期間を要すると認めるときは，内閣府令で定めるところにより，当該差止請求に係る訴訟が係属する裁判所（以下この条において「受訴裁判所」という。）に対し，その旨及びその判断に要すると認められる期間を通知するものとする。
> 2　内閣総理大臣は，前項の規定による通知をした場合には，その通知に係る期間内に，認定の取消し等をするかどうかの判断をし，その結果を受訴裁判所に通知するものとする。
> 3　第1項の規定による通知があった場合において，必要があると認めるときは，受訴裁判所は，その通知に係る期間を経過する日まで（その期間を経過する前に前項の規定による通知を受けたときは，その通知を受けた日まで），訴訟手続を中止することができる。

> ○消費者契約法施行規則
>
> （訴訟手続の中止に係る通知）
> 第 33 条　法第46条第1項の規定による通知は，他の適格消費者団体を

(注4)　同旨，消費者庁解説447頁。

> 当事者とする法第12条の2第1項第2号本文の確定判決等の内容を証する書面の写し（第15条第1項に規定する措置が講じられた場合にあっては，同項の記録媒体に記録された情報のうち当該書面に記載された事項に係るものを出力することにより作成された書面）を添付してするものとする。

I　趣　旨

　12条の2第1項2号の後訴制限効ある確定判決等を有する他の適格消費者団体について，34条に基づく適格認定の取消等が見込まれる場合，内閣総理大臣は，同一の相手方に対する同一内容の請求訴訟が現に係属している受訴裁判所に対して，取消等が見込まれる旨を通知し（1項），通知を受けた裁判所は，必要があると認めるときはその訴訟手続を中止することができるとした（3項）。

　他の適格消費者団体が12条の2第1項2号の後訴制限効ある確定判決等を有しているが，34条に基づく適格認定の取消等が見込まれる場合，同一の相手方に対する同一内容の後行する差止請求訴訟を，後訴制限効によって棄却してしまうと，後に内閣総理大臣の判断によって適格認定の取消等が認められ後訴制限効がなくなった場合，請求棄却を受けた後行の適格消費者団体は，もう一度訴訟を提起しなければならない等の不利益をこうむることになり，訴訟経済にも反する。このような不利益を避けるために，内閣総理大臣の受訴裁判所に対する通知によって訴訟手続を中止し，内閣総理大臣の判断を待つことができる制度を設けた。これによって，後行する適格消費者団体は，再提訴の無駄を余儀なくされることから守られ，訴訟経済にも資することになる。本条の趣旨は，このような観点から，裁判所に訴訟手続中止の必要性を判断させるために，内閣総理大臣に通知させることを定めたものである。

II　解　説

1　1項

(1)　通知をする場合

　内閣総理大臣が受訴裁判所に通知する前提状況は，①12条の2第1項2号の後訴制限効がある確定判決等を有する他の適格消費者団体が存在し，かつ②この確定判決等と同一の相手方に，同一内容の不当行為を対象とした別の訴訟が提起されていることが前提である。

　内閣総理大臣が通知するのは，①他の適格消費者団体につき当該確定判決等に係る訴訟につき，34条1項4号に掲げる事由（(ア)他の適格消費者団体が相手方と通謀して請求の放棄，(イ)不特定かつ多数の消費者の利益を害する内容の和解，(ウ)不特定かつ多数の消費者の利益に著しく反する訴訟等の追行を行ったと認められるとき）があると疑う相当な理由がある場合で，②34条1項に基づく適格消費者団体の認定の取消しか，または34条3項に基づく認定（既に適格消費者団体の認定が，失効または34条1項4号に掲げる事由以外の事由で取り消されている場合で，内閣総理大臣が34条1項4号に掲げる事由があったとする認定）をするかどうかの判断をするために相当の期間を要すると認めるときである。34条1項4号に掲げる事由があると疑う相当な理由がある場合の中には，他の適格消費者団体への通知または内閣総理大臣への報告をしないで（23条4項に違反）差止訴訟に関し，請求の放棄，認諾，裁判上の和解，控訴権の放棄，上訴等の取り下げ，上訴をしない旨の合意等（23条4項10号）をしたときは，内閣総理大臣は，この適格消費者団体について34条1項4号に掲げる事由があるとみなすことができる（34条2項）が，その場合を含む。

(2)　通知する事項及び通知の方法

　内閣総理大臣は，内閣府令で定めるところにより，訴訟が係属している受訴裁判所に対して，34条1項4号に掲げる事由があると疑う相当な理由がある場合，34条1項の認定取消，または34条3項の認定をするかどうかの判断をする旨，及びその判断に要すると認められる期間を通知することとしている。

　通知には，内閣府令で定めるところにより，他の適格消費者団体が取得し

た確定判決等の内容を証する書面の写しを添付して行う。特に規則15条に定める通知・報告についての電磁的方法を利用する措置が講じられている場合は，電磁的記録媒体に記録されている情報のうち，他の適格消費者団体が取得した確定判決等の内容を証する書面に記載された事項を出力することによって作成された書面を添付して行うことになる（規則33条）。

2　2項

内閣総理大臣は，受訴裁判所に対し，1項に記載する適格認定の取消等をするかどうかの判断をするために相当の期間を要する旨及びその判断に要すると認められる期間を通知した場合は，その通知した期間内に，認定の取消し等をするかどうかの判断をなし，その結果を受訴裁判所に通知するものとしている。

3　3項

内閣総理大臣から1項に記載する前記の通知があった場合，受訴裁判所は，適格消費者団体を再提訴の無駄から守り訴訟経済に資する観点から係属する訴訟手続を中止する必要があると認めるときは，その通知に記載された期間を経過するまで，あるいはその期間が経過する前に内閣総理大臣の判断結果についての通知を受け取ったときはその通知を受け取った日まで，訴訟手続を中止することができる。

実務では，既に述べたとおり後訴制限効による請求棄却後の再提訴の弊害を避けるため，あるいは内閣総理大臣の適格認定の取消等を見込んで後続訴訟を進めたとしても，取消等にならない場合は後訴が請求棄却になってそれまでの訴訟行為が無駄になることを考えれば，訴訟手続を中止して内閣総理大臣の判断結果を待つことが多くなると思われる。

第47条　（間接強制の支払額の算定）

第47条　差止請求権について民事執行法第172条第1項に規定する方法により強制執行を行う場合において，同項又は同条第2項の規定により債務者が債権者に支払うべき金銭の額を定めるに当たっては，執

行裁判所は，債務不履行により不特定かつ多数の消費者が受けるべき不利益を特に考慮しなければならない。

Ⅰ　趣　旨

　差止請求にかかる認容判決では，被告事業者に不当行為の停止などの不作為や当該行為に供した物の破棄などの作為を求める内容となり，その強制執行としては，民事執行法172条1項に定められた間接強制の方法によることが多いと考えられる。消費者団体訴訟制度における間接強制において，執行裁判所が定める強制金の額を算定するにあたり，適格消費者団体の性格，同団体に差止請求が認められた趣旨等に鑑み，不特定多数の消費者がこうむる不利益を特に考慮すべきことを要請したものである。

Ⅱ　解　説

1　間接強制とは

　民事執行法172条1項に規定された強制執行である間接強制は，債務を履行しない債務者に対し，債務の履行を確保するために相当と認められる一定の金銭を債務者に支払うべきことを命じ，債務者に心理的な強制を加えて，債務者自身の手により請求権の内容を実現させる方法をいう。

2　「執行裁判所は，債務不履行により不特定かつ多数の消費者が受けるべき不利益を特に考慮しなければならない」の解釈

　民事執行法172条1項では強制金の額は「債務の履行を確保するために相当と認める一定の額の金銭」と定められている。強制金は違約金たる性質を有し，その額は，諸般の事情を考慮して，心理的強制の目的に即して，裁判所の合理的な裁量によって決せられる。

　この強制金の額の決定にあたり，本制度による差止請求の不履行が，債権者である適格消費者団体に固有の損害をもたらすものではなく，不特定多数の消費者全体に損害をもたらす特殊性があることから，特に「債務不履行に

より不特定かつ多数の消費者が受けるべき不利益を特に考慮」すべきと規定したのが本条である[1]。

　ここに規定された「特に」定められた考慮事項は単なる確認規定ではなく，差止請求が履行されない場合の実際の損害が請求権の帰属する適格消費者団体ではなく，不特定多数の消費者に生じることを踏まえて，一般の債務不履行の場合とは異なり，債権者の不利益だけでなく不特定多数の消費者全体の不利益を考慮する必要があり，本条において「特に」考慮せよと明定されていることからしても考慮事項は，単なる確認規定ではなく，創設規定と解すべきである。考慮要素が本制度のための創設規定であること，差止請求の実効性確保の必要性に鑑みれば，強制金の決定に当たっては，広く不特定かつ多数の消費者の不利益を斟酌し，一般の場合に比して高額とすべきである。

(注1)　適格消費者団体による不動産賃貸・管理業を営む事業者に対する定額補修分担金条項の使用等差止めが認められた事案において，事業者の不作為債務の不履行と違反行為1回につき50万円の支払義務の間接強制を認めたものとして，京都地決平23・11・24京都消費者契約ネットワークHPがある。なお，その抗告審である大阪高決平24・2・27判時2153号38頁は，不作為債務の内容及び適格消費者団体において違反の兆候を立証することは極めて困難であることを理由に，本件において不作為義務に違反するおそれがあることを否定するのは相当でないとして事業者の抗告を棄却している。

第4章　雑　則

第48条　（適用除外）

> 第48条　この法律の規定は，労働契約については，適用しない。

Ⅰ　趣　旨

労働契約については，消費者契約法の適用対象外であることを規定した本規定は，平成18年改正前12条の規定と全く同じである。

Ⅱ　解　説

1　消費者契約法は，2条3項により，事業者と消費者との間のすべての契約に適用される。「消費者」の定義を「個人（事業として又は事業のために契約の当事者となる場合におけるものを除く。）」（2条1項）と定義した結果，労働基準法が適用される労働供給契約である労働契約[1]についても，形式的には，「事業者」と「個人」の契約にあたることになる。

しかしながら，労働契約は，①労働力そのものの利用を目的とした人的・継続的な契約関係であり，②組織的で集合的処理が要請され，③契約内容に白地性と弾力性があり，④使用者が優越的地位に立ちやすく労働者に従属性があるなど，本法が適用対象としている消費者契約とは異なる特色を有している[2]。

資本主義経済における厳しい労使対立のなかで，労働契約に対しては従属

（注1）　菅野和夫『労働法〔第13版〕』170頁（弘文堂，2024）。
（注2）　菅・前掲（注1）171頁。

的立場にある労働者を保護するために労働基準法その他の法規が整備されてきた。このような背景のある労使間の契約について，「消費者契約」に含め，消費者法としての規律によるのは，適当とは考えられない。

そこで，労働契約は本法の適用対象から除外することを明記したものである。平成18年改正前は12条として規定されていたが，平成18年改正において，規定内容そのままに，第4章雑則中に48条として規定されることになった。

ドイツでも，民法典310条（旧約款規制法23条）において，同法所定の消費者契約約款の不当条項規制が労働法の領域に適用されないことが明記されている。

2 労働契約に付随する契約の取り扱い

(1) 労働契約に付随して契約がされることは多くみられる。団体生命保険，社内年金，社員寮や社宅の利用規約，社内貯金規約，住宅資金や就学資金のための貸付規約，職務発明や職務著作についての規定など様々なものがある。これらの契約については，労働契約として消費者契約法の適用除外とすべきかが問題となる。

(2) そもそも，労働契約が適用除外とされたのは，労働契約に対しては従属的立場にある労働者を保護するために労働基準法その他の法規が整備されており別途に保護が図られているためである。たしかに，寄宿舎の生活秩序や安全衛生，社内預金など労働基準法その他の特別法に一定の規定があることもあるが，労働契約に付随する契約について，契約締結の勧誘や不当条項についての規律はないことも多くあるので，一律に適用除外とするのは問題がある。一方で，労働契約の要素と考えられる労働者の提供する労働，使用者の支払う賃金（労働契約法6条）についての定めは，形式的には労働契約と別の契約となっていたとしても，労働契約とみるべき場合もありうる。適用除外にあたっては，労働契約の要素との関連性の程度，勧誘や不当条項に関して労働法規により保護が図られているとみられるかを考慮し，慎重に判断がされるべきである。

(3) なお，大阪地判令5・1・12（裁判所HP）は，職務発明の取り決めに

ついて，被告は労働契約に係るものとして消費者契約法の適用はないと争っていたが，適用除外とすべきかについては言及せずに，不実告知や断定的判断の提供がないとして，消費者契約法に基づく取消しを否定している。

大津地判平 16・12・6（判時 1982 号 62 頁）は，会社が私的に運営する福祉年金制度の年金規程について，「本件年金制度の加入者は，被告の従業員であった者のみであって，広く一般の消費者の保護を予定する同法〔消費者契約法〕をそのまま適用することができるとはいえないし，前記 1（1），2（1）のとおり規程 23 条 1 項は，一定の場合に年金規程を改定し得ることを定めた規定として，本件年金制度の性質上合理性を備えているのであって，信義誠実の原則に反して，消費者の利益を一方的に害する契約条項とはいえず，原告らの主張は認められない。」として，適用除外とはせず，一方的に害する契約条項ではないとの判断をしている。

第 48 条の 2　（権限の委任）

第 48 条の 2　内閣総理大臣は，前章の規定による権限（政令で定めるものを除く。）を消費者庁長官に委任する。

○消費者契約法施行令
（消費者庁長官に委任されない権限）
第 3 条　法第 48 条の 2 の政令で定める権限は，法第 13 条第 1 項，第 17 条第 2 項，第 19 条第 3 項，第 20 条第 3 項，第 34 条第 1 項及び第 3 項並びに第 35 条第 1 項及び第 4 項から第 7 項までの規定による権限とする。

I　趣　旨

2009 年 9 月に消費者庁が設置され，消費者庁が消費者契約法を所管することとされたため，消費者庁及び消費者委員会設置法の施行に伴う関係法律の整備に関する法律により，消費者契約法の一部改正がなされ，内閣総理大

臣は、第3章の規定による権限（政令で定めるものを除く。）を消費者庁長官に委任するとの規定が置かれた。

Ⅱ 解　説

1　内閣総理大臣に留保されている権限

　適格消費者団体の認定や取消し等については、政令において内閣総理大臣の権限として規定している[1]。

　一般に消費者庁所管法令においては、内閣府の外局として消費者庁を設置し、迅速かつ的確に各作用法の立入検査等の調査や、指示、業務停止等の事業者等に対する処分等を行わせるために、これらの法執行にかかわる内閣総理大臣の権限については、消費者庁長官に委任されていると考えられる。

　一方で、①表示基準[2]は、これを定めることによって国民の権利利益を侵害する範囲を画することになるから、慎重な判断が必要であり権限が内閣総理大臣に留保されている[3]。また、②指定法人、登録試験機関の認定等とその取消しについては、これらの組織に対して一定の地位を付与し、剥奪することから内閣総理大臣の権限として留保されている。

　適格消費者団体の認定、取消しは②の類型に当たり、内閣総理大臣に留保されている。また、認定の有効期間の更新、合併の認可、事業譲渡の認可、差止請求権の承継に係る指定は認定と同様の法的効果をもたらすから内閣総理大臣に留保されている。また、取消事由があったことの認定、承継団体に係る指定の取消しも、認定の取消しと同様の法的効果をもたらすから内閣総理大臣に留保されている[4]。

（注1）　具体的には、消費者庁解説460頁参照。
（注2）　例としては日本住宅性能表示基準（住宅の品質確保の促進等に関する法律）、食品表示基準（食品表示法）がある。
（注3）　例えば、日本住宅性能表示基準に関し、住宅の品質確保の促進等に関する法律3条1項は、国土交通大臣と内閣総理大臣が定めるものとする一方で、同法99条2項で内閣総理大臣の権限を消費者庁長官に委任しているが、委任対象から同法3条1項の権限は除外されている（同法施行令6条）。
（注4）　コンメンタール特例法473頁。

第5章 罰　則

> 第49条　適格消費者団体の役員，職員又は専門委員が，適格消費者団体の差止請求に係る相手方から，寄附金，賛助金その他名目のいかんを問わず，当該適格消費者団体においてその差止請求権の行使をしないこと若しくはしなかったこと，その差止請求権の放棄をすること若しくはしたこと，その相手方との間でその差止請求に係る和解をすること若しくはしたこと又はその差止請求に係る訴訟その他の手続を他の事由により終了させること若しくは終了させたことの報酬として，金銭その他の財産上の利益を受け，又は第三者（当該適格消費者団体を含む。）に受けさせたときは，3年以下の拘禁刑又は300万円以下の罰金に処する。
> 2　前項の利益を供与した者も，同項と同様とする。
> 3　第1項の場合において，犯人又は情を知った第三者が受けた財産上の利益は，没収する。その全部又は一部を没収することができないときは，その価額を追徴する。
> 4　第1項の罪は，日本国外においてこれらの罪を犯した者にも適用する。
> 5　第2項の罪は，刑法（明治40年法律第45号）第2条の例に従う。

I　趣　旨

　適格消費者団体の差止請求権の適切な行使とこれに対する信頼を確保するため，①適格消費者団体の役員，職員，専門委員が，差止請求権の行使等の報酬として金銭その他の財産上の利益を差止請求の相手方から受領し，又は適格消費者団体その他の第三者に受領させる行為，②財産上の利益を供与する行為に対し，3年以下の拘禁刑又は300万円以下の罰金に処する罰則規定，

財産上の利益の没収又は追徴規定，国外犯処罰規定が設けられた。

Ⅱ 解説

1　1項

　適格消費者団体の役員，職員，専門委員（14条2項6号）が，①適格消費者団体の差止請求に係る相手方から，②当該適格消費者団体が差止請求権の行使をしないこと若しくはしなかったこと，差止請求権の放棄をすること若しくはしたこと，事業者等との間で差止請求に係る和解をすること若しくはしたこと，差止請求に係る訴訟その他の手続を他の事由により終了させること若しくは終了させたことの報酬として，③金銭その他の財産上の利益を受け，又は当該適格消費者団体を含めた第三者に受けさせる行為が処罰の対象となる実行行為である。

　適格消費者団体の役員，職員，専門委員が，差止請求に係る相手方から，受領し又は受領させる「金銭その他の財産上の利益」には，現金，商品券，飲食の接待のほか，金銭の貸与や債務免除など経済的価値のある利益が含まれるが，異性間の情交など経済的価値のある利益ではないものは含まれない。

　また，「金銭その他の財産上の利益」は，寄附金，賛助金など名目は問わないものの，「報酬」として受領し又は受領させるものであることを要することから，当該適格消費者団体が差止請求権の行使をしないこと若しくはしなかったこと，差止請求権の放棄をすること若しくはしたこと，事業者等との間で差止請求に係る和解をすること若しくはしたこと，差止請求に係る訴訟その他の手続を他の事由により終了させること若しくは終了させたこととの対価関係が必要である。

　上記の対価関係がない場合には「金銭その他の財産上の利益」であっても「報酬」とはいえず，本罪には該当しない。

　したがって，適格消費者団体の差止請求権の行使に関する取扱いとは全く無関係に適格消費者団体や消費者支援のための基金に寄附金を受けさせた場

合，不当な行為をしていた相手方との間で，それによって得た利得を個々の消費者に返還することや，消費者に対する支援活動を行う者に拠出することを合意する場合（適格ガイドライン4（5）参照）や約款内容の点検やセミナー受講の対価を適格消費者団体に受けさせた場合など上記の対価関係が存在しない場合には，何ら差止請求権の行使の適正や制度への信頼を損なうものではないから，本罪は成立しないものと解すべきである。

　本罪は故意犯である。

2　2項

　前項の利益を供与した者も同様に罰金に処するものとされた。
　「供与」とは財産上の利益を受け取らせることである。
　本罪は故意犯である。

3　3項

　1項の場合に，犯人又は情を知った第三者が財産上の利益を受けた場合には，これを没収し，その全部又は一部を没収することができないときはその価額を追徴するものとされた。

　1項に違反して財産上の利益を受けた者に不当な利益を保有させないために，刑法の任意的な没収・追徴規定（19条，19条の2）の特則規定として定められたものである。

　これによって，物以外の財産上の利益も含めて必要的に没収が行われ，またこれを没収することができないときには価額の追徴が行われることとなる。

4　4項

　1項の罪は，日本国外において犯した者も処罰するものとされた。

5　5項

　2項に規定される利益供与者については，刑法2条の例に従い，日本国外において犯した者（日本国民に限定されない。）も処罰するものとされた。

> 第50条　偽りその他不正の手段により第13条第1項の認定，第17条第2項の有効期間の更新又は第19条第3項若しくは第20条第3項の認可を受けたときは，当該違反行為をした者は，100万円以下の罰金に処する．
> 2　第25条の規定に違反して，差止請求関係業務に関して知り得た秘密を漏らした者は，100万円以下の罰金に処する．

I　趣　旨

　内閣総理大臣の認定・認可・更新の公正や秘密の保護を図るため，①偽りなどの不正の手段を用いて内閣総理大臣の認定・認定の有効期間の更新・認可を得る行為，②適格消費者団体の役員，職員，専門委員の秘密遵守義務に違反する行為に対し，100万円以下の罰金に処する罰則規定が平成18年に設けられた．

　なお，令和4年5月改正により，本条の規定ぶりが各号列挙から改められたが，それによる内容の変更はない．もっとも，19条の合併の認可を受けるべき場合，19条，20条の認可を申請すべき者が変更された．このため，1項の文言の変更はないが，不正な手段を用いて認可を受ける行為の具体的内容は改正前と異なることになる．19条，20条，50条の改正は，2023年10月1日に施行された．

II　解　説

1　1項

　「偽りその他の不正の手段」を利用して，①内閣総理大臣の適格消費者団体の認定（13条1項）を受けた行為，②適格認定の有効期間の更新（17条2項）を受けた行為，③適格消費者団体である法人が適格消費者団体ではない

法人と合併（適格消費者団体である法人が存続するものを除く）した場合に，その合併について内閣総理大臣の認可を受けた行為（19条3項），④適格消費者団体である法人が適格消費者団体でない法人に対して差止請求関係業務に係る事業の全部を譲渡した場合に，その譲渡について内閣総理大臣の認可を受けた行為（20条3項）が処罰の対象となる実行行為である。

「不正の手段」とは社会通念上不正と評価される手段である。「偽り」は例示であり，他に認定・認可手続に関与する公務員に賄賂を受け取らせる行為なども「不正の手段」に該当する。

なお，適格消費者団体の認定申請書（14条1項），適格認定有効期間の更新申請書（17条6項），適格消費者団体である法人が適格消費者団体でない法人と合併（適格消費者団体である法人が存続するものを除く）した場合の合併の認可申請書（19条6項），適格消費者団体である法人が適格消費者団体でない法人に差止請求関係業務に係る事業の全部譲渡をした場合の認可申請書（20条6項），又はこれらの申請書への添付書類に虚偽の記載をして提出する行為については，さらに51条1号が別に規定している。

本罪は故意犯である。

2　2項

適格消費者団体の役員，職員，専門委員（14条2項6号）又はこれらの職にあった者が，25条（秘密保持義務）に違反して，差止請求関係業務に関して知り得た秘密を漏らす行為が処罰の対象となる実行行為である（25条の「正当な理由」，「差止請求関係業務に関して知り得た秘密」については25条の解説参照。）。

本罪は故意犯である。

第51条　次の各号のいずれかに該当する場合には，当該違反行為をした者は，50万円以下の罰金に処する。
　一　第14条第1項（第17条第6項，第19条第6項及び第20条第6項において準用する場合を含む。）の申請書又は第14条第2項各号（第17条第6項，第19条第6項及び第20条第6項において準用す

る場合を含む。）に掲げる書類に虚偽の記載をして提出したとき。
二　第16条第3項の規定に違反して、適格消費者団体であると誤認されるおそれのある文字をその名称中に用い、又はその業務に関し、適格消費者団体であると誤認されるおそれのある表示をしたとき。
三　第30条の規定に違反して、帳簿書類の作成若しくは保存をせず、又は虚偽の帳簿書類の作成をしたとき。
四　第32条第1項の規定による報告をせず、若しくは虚偽の報告をし、又は同項の規定による検査を拒み、妨げ、若しくは忌避し、若しくは同項の規定による質問に対して陳述をせず、若しくは虚偽の陳述をしたとき。

I　趣　旨

　内閣総理大臣の認定・認可・更新の公正や適格消費者団体による差止請求権の適切・公正な行使を確保するため、①内閣総理大臣の認定・認可・認定有効期間の更新、事業の譲渡の認可に関して申請書への虚偽記載によって認定・認可・更新を得る行為、②適格消費者団体でない者が適格消費者団体であるものと誤認されるおそれのある名称使用や表示をしてはならない義務（16条3項）に違反する行為、③適格消費者団体の業務及び経理に関する帳簿書類の作成・保存、虚偽の作成義務（30条）に違反する行為、④適格消費者団体の内閣総理大臣に対する報告拒否、虚偽報告、検査拒否、検査妨害、忌避、陳述拒否、虚偽陳述行為（32条）に対し、50万円以下の罰金に処するものとされた。
　なお、令和4年5月改正により、本条の規定ぶりが、行為者の列挙から犯罪行為の列挙に改められたが、それによる内容の変更はない。もっとも、14条2項の添付書類の規定が改正され、19条の合併の認可を受けるべき場合、19条、20条の認可を申請すべき者が変更されたことなどから、本条1号の文言の変更はないが、犯罪行為の具体的内容は改正前と異なることになる。

14条2項, 19条, 20条, 51条の改正は, 2023年10月1日に施行された。

II 解説

1　1号

　適格消費者団体の認定申請書（14条1項），適格認定有効期間の更新申請書（17条6項），適格消費者団体である法人が適格消費者団体でない法人と合併（適格消費者団体である法人が存続するものを除く）した場合の合併の認可申請書（19条6項），適格消費者団体である法人が適格消費者団体でない法人に差止請求関係業務に係る事業を全部譲渡をした場合の認可申請書（20条6項），又はこれらの申請書への添付書類に虚偽の記載をして提出する行為が処罰の対象となる実行行為である。

　これによって，認定・認可・更新を受けたことは要件ではない。

　これを手段として認定・認可・更新を受けた場合には，「偽りその他不正の手段により」認定・認可・更新を受けたものとして50条1項の罪が成立し，本罪はこれに吸収されるものと考える。

　本罪は故意犯である。

2　2号

　適格消費者団体ではない者が，①適格消費者団体であると誤認されるおそれのある文字をその名称中に用いる行為，又は②その業務に関して適格消費者団体であると誤認されるおそれのある表示をする行為が処罰の対象となる実行行為である。

　本罪は故意犯である。

3　3号

　30条に違反して，①帳簿書類の作成若しくは保存をしない行為，又は②虚偽の帳簿書類を作成する行為が処罰の対象となる実行行為である。

　本罪は故意犯である。

4 4号

　内閣総理大臣が，本法の実施に必要な限度で，適格消費者団体に対して，その業務若しくは経理の状況に関して報告をさせ，又はその職員に，適格消費者団体の事務所に立ち入り，業務の状況若しくは帳簿，書類その他の物件を検査させ，若しくは関係者に質問させる場合に（32条1項），①報告をせず，若しくは虚偽の報告をする行為，②検査を拒み，妨げ，若しくは忌避する行為，③質問に対して陳述をせず，若しくは虚偽の陳述をする行為が処罰の対象となる実行行為である。

　②の検査を拒む行為は検査を拒否する行為，検査を妨げる行為は拒否以外の方法で検査を直接妨害する行為，検査を忌避する行為はそれら以外の方法で検査を免れようとする行為であり，検査対象物件を隠匿するなどの行為もこれに該当するものと考えられる。

　本罪は故意犯である。

第52条　法人（法人でない団体で代表者又は管理人の定めのあるものを含む。以下この項において同じ。）の代表者若しくは管理人又は法人若しくは人の代理人，使用人その他の従業者が，その法人又は人の業務に関して，第49条，第50条第1項又は前条の違反行為をしたときは，行為者を罰するほか，その法人又は人に対しても，各本条の罰金刑を科する。

2　法人でない団体について前項の規定の適用がある場合には，その代表者又は管理人が，その訴訟行為につき法人でない団体を代表するほか，法人を被告人又は被疑者とする場合の刑事訴訟に関する法律の規定を準用する。

I　趣　旨

　法人（法人でない団体で代表者又は管理者の定めのあるものを含む。）の代表

者若しくは管理人などがその法人又は人の業務に関して49条，50条1項，51条の違反行為をした場合には，違反行為を抑止する観点から，行為者を罰するほかに，その法人又は人も罰する両罰規定が設けられた。

なお，令和4年5月改正において，適格消費者団体の役員，職員，専門委員の守秘義務違反（50条2項）については，両罰規定の対象でなくなった。守秘義務違反行為が法人の業務として行われることが想定しがたいためである。本条は2023年10月1日に施行されたが，施行日前の行為については，両罰規定の対象である（令和4年法律第59号改正附則4条）。

II 解説

1　1項

法人（法人でない団体で代表者又は管理人の定めのあるものを含む。）の代表者若しくは管理人，又は法人若しくは人の代理人，使用人その他の従業員が，その法人又は人の業務に関して，49条，50条1項，51条の違反行為を行った場合には，その行為者が処罰されるほか，その法人又は人も処罰される。

この規定が事業主体に無過失責任を認めるものであるか否かについては問題がある。

本項のような両罰規定による事業主体の処罰根拠については，責任主義との関係や取締り目的との調和の観点から，従業者などの違反行為について，事業主体は，選任，監督など違反行為を防止するために必要な注意を尽くさなかった自らの過失について責任を負い，両罰規定はこのような事業主体の過失を推定した規定で，事業主体において相当の注意を尽くしたことの証明がない限り，事業主体は責任を免れないというのが従前からの一般的な解釈である。

判例も，事業主体が人で，行為者が従業者である事案について，最判昭32・11・27刑集11巻12号3113頁において，廃止前の入場税法17条の3（昭和22年法律第142号による改正前の条文）の両罰規定について，「同条は事

業主たる，人の『代理人，使用人其ノ他ノ従業者』が入場税を逋脱し，または逋脱せんとした行為に対し，事業主として右行為者らの選任，監督その他違反行為を防止するために必要な注意を尽さなかつた過失の存在を推定した規定と解すべく，したがつて事業主において右に関する注意を尽したことの証明がなされない限り，事業主もまた刑責を免れ得ないとする法意と解するを相当とする。」と判示している。また，事業主体が法人で，行為者が代表者ではない従業者である事案について，最判昭40・3・26刑集19巻2号83頁は，外国為替及び外国貿易管理法73条の両罰規定について，この法意は「本件のように事業主が法人（株式会社）で，行為者が，その代表者でない，従業者である場合にも，当然推及されるべきである」ことを判示している。

2　2項

　法人ではない団体について1項の適用がある場合には，その代表者又は管理人がその団体を代表して訴訟行為を行い，法人が被告人又は被疑者となる場合に準じて刑事訴訟に関する法律の規定が準用される。

第53条　次の各号のいずれかに該当する者は，30万円以下の過料に処する。
　一　第16条第2項の規定による掲示をせず，若しくは虚偽の掲示をし，又は同項の規定に違反して公衆の閲覧に供せず，若しくは虚偽の事項を公衆の閲覧に供した者
　二　第18条，第19条第2項若しくは第7項，第20条第2項若しくは第7項又は第21条第1項の規定による届出をせず，又は虚偽の届出をした者
　三　第23条第4項前段の規定による通知若しくは報告をせず，又は虚偽の通知若しくは報告をした者
　四　第24条の規定に違反して，消費者の被害に関する情報を利用した者
　五　第26条の規定に違反して，同条の請求を拒んだ者
　六　第31条第1項の規定に違反して，財務諸表等を作成せず，又は

> これに記載し，若しくは記録すべき事項を記載せず，若しくは記録
> せず，若しくは虚偽の記載若しくは記録をした者
> 七　第31条第2項の規定に違反して，書類を備え置かなかった者
> 八　第31条第4項の規定に違反して，正当な理由がないのに同条第
> 3項各号に掲げる請求を拒んだ者
> 九　第31条第5項の規定に違反して，書類を提出せず，又は書類に
> 虚偽の記載若しくは記録をして提出した者
> 十　第40条第2項の規定に違反して，情報を同項に定める目的以外
> の目的のために利用し，又は提供した者

I　趣　旨

(1)　①適格消費者団体である旨の掲示義務（16条2項），②適格消費者団体の認定申請書記載事項（14条1項）・添付書類記載事項（14条2項）の変更届出書提出義務（18条），③適格消費者団体である法人が他の適格消費者団体である法人と合併した場合の届出義務（19条2項），④適格消費者団体である法人が適格消費者団体でない法人と合併する場合（適格消費者団体である法人が存続するものを除く）に，19条4項の申請（内閣総理大臣への合併認可申請）をしない場合の届出義務（19条7項），⑤適格消費者団体である法人が他の適格消費者団体である法人に対して差止請求関係業務に係る事業の全部を譲渡した場合の届出義務（20条2項），⑥適格消費者団体である法人が適格消費者団体でない法人に対し差止請求関係業務に係る事業の全部を譲渡する場合に，20条4項の申請（内閣総理大臣への譲渡認可申請）をしない場合の届出義務（20条7項），⑦適格消費者団体に破産手続開始決定による解散などの事由が生じた場合の届出義務（21条1項），⑧適格消費者団体が41条1項の差止請求をした場合などの他の適格消費者団体への通知義務・内閣総理大臣への報告義務（23条4項前段），⑨適格消費者団体の消費者の被害に関する情報の取扱いに関する義務（24条），⑩適格消費者団体の差止請求関係業務に従事する者の氏名などの明示義務（26条），⑪適格消費者団体の

財務諸表等（財産目録等及び事業報告書）の作成義務（31条1項），⑫適格消費者団体の書類の備え置き義務（31条2項），⑬適格消費者団体の書面の閲覧，謄写などの請求に応じる義務（31条4項），⑭適格消費者団体の内閣総理大臣への書類提出義務（31条5項），⑮適格消費者団体の独立行政法人国民生活センター及び地方公共団体から受けた情報を目的外利用・提供してはならない義務（40条2項）について，義務の履行を担保し，適格消費者団体の業務の適正を図るため，これらの義務に違反した行為を行った者は30万円以下の過料に処するものとされた。

　(2)　なお，令和4年5月改正により，学識経験者による調査（旧31条2項）が廃止されたので，その調査拒否等が削除され，号ずれの修正が行われているが，これによる内容の変更はない。ただし，文言の変更はないが，14条2項及び31条1項の改正で31条1項により作成すべき「財務諸表等」の定義が変更されているので，本条6号の内容には変更がある。また，19条の合併の認可を受けるべき場合が変更されたので届出の範囲も変更されるので，19条7項の内容が変更されている。14条2項，19条，31条，本条の改正は，2023年10月1日に施行された。

　(3)　令和4年12月改正により，40条1項により提供される情報が追加されたので，本条10号の文言の変更はないが，内容が変更されている。40条1項の改正は2023年1月5日に施行された。

Ⅱ　解　説

1　1号

　適格消費者団体は，内閣府令で定めるところにより，適格消費者団体である旨を差止請求関係業務を行う事務所に見やすいように掲示するとともに，ウェブサイトで公衆の閲覧に供さなればならない（16条2項）。この掲示等をせず，又は虚偽の掲示等をする行為が対象となる（掲示等に関しては16条2項の解説参照。）。令和5年法律第63号による改正により，ウェブサイトへの提示義務が課されたことにより，対象行為が拡大した。

2　2号

　(1)　適格消費者団体の認定申請書記載事項（14条1項各号）又は添付書類記載事項（14条2項各号ただし2号及び11号を除く。）に変更があったときには，遅滞なく，内閣府令で定めるところにより，その旨を記載した届出書を内閣総理大臣に提出しなければならない（内閣府令で定める軽微なものを除く。18条）。この届出をせず，又は虚偽の届出をする行為が対象となる（届出書，届出を要しない軽微なものについて18条の解説参照。）。

　(2)　適格消費者団体である法人が他の適格消費者団体と合併し，合併後存続する法人又は合併によって設立された法人が，合併によって消滅した法人の適格消費者団体としての地位を承継した場合，承継した法人は，遅滞なく，その旨を内閣総理大臣に届出しなければならない（19条2項）。この届出をせず，又は虚偽の届出をする行為が対象となる。

　(3)　適格消費者団体である法人が適格消費者団体でない法人と合併する場合（適格消費者団体である法人が存続するものを除く）に，19条4項の申請（内閣総理大臣への合併認可申請）をしないときは，合併が効力を生ずる日までに，その旨を内閣総理大臣に届出しなければならない（19条7項）。この届出をせず，又は虚偽の届出をする行為が対象となる。

　(4)　適格消費者団体である法人が他の適格消費者団体である法人に対して差止請求関係業務に係る事業の全部を譲渡した場合に，その譲渡をした法人の適格消費者団体としての地位を承継した法人は，遅滞なく，その旨を内閣総理大臣に届出しなければならない（20条2項）。この届出をせず，又は虚偽の届出をする行為が対象となる。

　(5)　適格消費者団体である法人が，適格消費者団体でない法人に対し差止請求関係業務に係る事業の全部を譲渡する場合に，20条4項の申請（内閣総理大臣への譲渡認可申請）をしないときは，その譲渡の日までに，その旨を内閣総理大臣に届出しなければならない（20条7項）。この届出をせず，又は虚偽の届出をする行為が対象となる。

　(6)　適格消費者団体に破産手続開始決定による解散などの21条1項1号から3号に定める事由が該当するようになったときには，法に定められた者

は，遅滞なく，その旨を内閣総理大臣に届出しなければならない（21条1項）。この届出をせず，又は虚偽の届出をする行為が対象となる。

3　3号

適格消費者団体は，41条1項の差止請求をしたときなど23条4項1号から11号の定める場合には，内閣府令の定めるところにより，遅滞なく，その旨を他の適格消費者団体に通知するとともに，その旨及びその内容その他内閣府令で定める事項を内閣総理大臣に報告しなければならない（23条4項前段）。この通知，報告をせず，又は虚偽の通知，報告をする行為が対象となる（通知・報告については23条4項の解説参照。）。

4　4号

適格消費者団体は，差止請求権の行使に関し，消費者から収集した消費者の被害に関する情報をその相手方その他の第三者が当該被害に係る消費者を識別することができる方法で利用するに当たっては，あらかじめ，当該消費者の同意を得なければならない（24条）。これに違反して，消費者の被害に関する情報を利用する行為が対象となる。

5　5号

適格消費者団体の差止請求関係業務に従事する者は，その差止関係請求関係業務を行うに当たって，相手方の請求があったときは，当該適格消費者団体の名称，自己の氏名及び適格消費者団体における役職又は地位その他内閣府令で定める事項を，その相手方に明らかにしなければならない（26条）。これに違反して，請求を拒む行為が対象となる（相手方に明らかにすべき事項については26条の解説参照。）。

6　6号

適格消費者団体は，毎事業年度終了後3月以内に，その事業年度の財務諸表等を作成しなければならない（31条1項）。これに違反して，財務諸表等を作成せず，又は財務諸表等に記載・記録すべき事項を記載・記録せず，虚

偽の記載・記録をする行為が対象となる（財務諸表等については31条1項の解説参照。）。

7　7号

適格消費者団体の事務所には，内閣府令で定めるところにより，定款等一定の書類を備え置かなければならない（31条2項）。これに違反して，書類を備え置かない行為が対象となる（書類の備え置きについては31条2項の解説参照。）。

8　8号

適格消費者団体は，定款等の閲覧又は謄写等の請求があったときは，正当な理由がある場合を除き，これを拒むことができない（31条4項）。これに違反して，正当な理由がないのに請求を拒む行為が対象となる（31条4項の「正当な理由がある場合」については31条4項の解説参照。）。

9　9号

適格消費者団体は，毎事業年度終了後3月以内に，財務諸表等一定の書類を内閣総理大臣に提出しなければならない（31条5項）。これに違反して，書類を提出せず，書類に虚偽の記載・記録をして提出する行為が対象となる。

10　10号

独立行政法人国民生活センター及び地方公共団体から情報の提供を受けた適格消費者団体は，当該情報を当該差止請求権の適切な行使の用に供する目的以外の目的のために利用し，又は提供してはならない（40条2項）。これに違反して，当該情報を当該差止請求権の適切な行使の用に供する目的以外の目的のために利用し，又は提供する行為が対象となる。

11　過料の制裁

1号から10号までの行為を行った者に科される過料は，法令上の秩序の

維持を目的とする秩序罰であり，刑罰ではないため，刑事訴訟法による手続ではなく，非訟事件手続法による手続によって処理される。

また，刑法が規定する刑罰ではなく，刑法の適用がないことから，違反行為が数個存在する場合も刑法の併合罪に関する規定の適用はない。

12　故意・過失の要否

1号から10号までの行為を行った者について，故意又は過失を要するか，過失の有無を問わないものとされるのか問題となる。

この点については，過料は，刑罰ではないものの，刑罰である罰金に類した制裁であることから責任主義の要請はここでも及び，いかに法令上の秩序維持といった目的を考慮しても，故意又は過失の存在は必要であると解すべきである。

附　則

> 附　則
> 　この法律は，平成 13 年 4 月 1 日から施行し，この法律の施行後に締結された消費者契約について適用する。

I　趣　旨

附則は，消費者契約法の施行期日を定めるとともに，同法の時間的な適用関係を明らかにするものである。

II　解　説

1　施行期日

　消費者契約法の実体法部分は，事業者と消費者との間の広範な取引を対象として新たな民事ルールを導入するものであり，国民生活や経済活動等社会一般に広範で重要な影響を及ぼす法律である。消費者と事業者に対し，この新しい制度・法律の内容について周知を図るとともに，特に事業者においては，約款の見直し等の作業が必要な場合も予想されるところから，その対応準備のため相当の期間が必要とされた。

　そこで，消費者契約法の内容の周知を図り，事業者等が対応を準備するための期間を設けるため，法律の附則により施行を公布日（2000 年 5 月 12 日）より 1 年弱が経過した 2001 年 4 月 1 日としたものである。

　なお，金融取引は重要な消費者契約の 1 つであるところ，制定当時，金融市場における規制の緩和・撤廃をはじめとする一連の金融システム改革（いわゆる日本版ビッグバン）が，2001 年 4 月までにほぼ完了する予定とされ，金融システム改革の完了に伴って多種多様な金融商品・サービスが取引されるなど，消費者契約に関するトラブルのさらなる発生も予想されていた。し

たがって，この金融システム改革の完了時をもにらんで2001年4月1日を施行日としたとされている（消費者庁解説477頁）。

2　時間的適用関係

民事に関する法律が，時間的な適用関係につきどの時点に発生した事項から適用されるかについては，刑事法のような厳格な不遡及規制はなく，政策的に決めることができるが，人の権利を制限したり人に義務や責任を課するものは原則として不遡及とすることが妥当とされている[1]。

本附則においても，この法律の施行後に締結された消費者契約について適用すると規定している。「施行後」とは，2001年4月1日午前0時以降のことである。

勧誘行為が施行以前から行われていたとしても，消費者契約の締結が施行後に行われたものであれば，本法の適用がある。

また，更新契約が施行日以後になされていれば，更新契約において合意された契約条項には本法の適用がある。この場合には，施行日後に締結された消費者契約であるといえるし，実質的にも，本法1条の趣旨からすれば本法は可能なかぎりその適用範囲を広く解すべきところ，当事者は施行日後の更新合意において本法に合致した契約内容に改訂することが可能であるからである[2]。

平成18年附則（平成18年法律第56号）

> （施行期日）
> 1　この法律は，公布の日から起算して1年を経過した日から施行する。
> （検討）
> 2　政府は，消費者の被害の状況，消費者の利益の擁護を図るための諸施策の実施の状況その他社会経済情勢の変化を勘案しつつ，この法律

(注1)　升田純『詳解製造物責任法』1221頁（商事法務研究会，1997）。
(注2)　京都地判平16・3・16消費者法ニュース59号90頁。その控訴審である大阪高判平16・12・17判時1894号19頁。

> による改正後の消費者契約法の施行の状況について検討を加え，必要があると認めるときは，その結果に基づいて所要の措置を講ずるものとする。

I 施行期日（1項）

1 趣　旨

本附則は，改正消費者契約法（平成18年法律第56号）の施行期日を定めるものである。

2 解　説

我が国に初めて消費者団体訴訟制度を導入した改正消費者契約法（平成18年法律第56号）は，公布の日から起算して1年を経過した日から施行するとされている。2006年5月31日に成立し，同年6月7日に公布されたので，改正法は，2007年6月7日から施行された。

改正法では，適格消費者団体の認定手続や差止請求権の行使に関する事項等，多くの事項が内閣府令で定めることとされている。改正法の施行に向けて内閣府令やガイドラインの検討がされ，2007年2月16日，消費者契約法施行規則及び適格消費者団体の認定，監督等に関するガイドラインが制定された。

II 検討（2項）

1 趣　旨

政府は，改正消費者契約法により創設された消費者団体訴訟制度の運用状況等，改正法の施行の状況について検討を加え，必要があると認めるときは，その結果に基づいて所要の措置を講じなければならない旨定めるものである。

2 解　説

　消費者団体訴訟制度は，平成18年改正により我が国において初めて創設された制度である。創設までには制度の内容について種々の議論がなされたが，改正法の審議当時より，多くの問題点があることが指摘されていた。改正時の衆参両院における附帯決議でも，国等による適格消費者団体に対する活動資金面や情報面での支援措置等，後訴制限に関する規定の見直し，差止請求権の対象範囲の検討，損害賠償等を請求する制度の検討，施行後5年を目途としての見直し等が挙げられている。

　このうち，差止請求権の対象範囲については，平成20年特定商取引法・景表法改正により同法の規定する一定の事業者の不当な行為に拡大され，2013年に成立した食品表示法にも差止請求権が導入されるに至っている。また，損害賠償等を請求する制度については，2013年12月に成立した消費者の財産的被害の集団的な回復のための民事の裁判手続の特例に関する法律（消費者裁判手続特例法，2016年10月1日施行）により対象事案の範囲など不十分ながらも二段階型の集合訴訟制度が導入されるに至った。

　また，2022年5月に成立した改正消費者裁判手続特例法により，適格消費者団体及び消費者裁判手続特例法による被害回復裁判手続を追行する特定適格消費者団体を支援する活動を行う消費者団体訴訟等支援法人の制度も導入されている（改正消費者裁判手続特例法98条以下，2023年10月1日に施行）。

　引き続き，政府には，附帯決議で指摘された事項等について，消費者団体訴訟制度が消費者の利益のために実効性のある制度となるよう，継続的かつ積極的に検討と改善のための措置を講じていくべきことが課されている。

平成20年附則（平成20年法律第29号）

（施行期日）

1　この法律は，平成21年4月1日から施行する。ただし，第2条及び第4条の規定は，特定商取引に関する法律及び割賦販売法の一部を改正する法律（平成20年法律第74号）の施行の日から施行する。

（経過措置）

2　第1条又は第2条の規定の施行前にされた消費者契約法第13条第1項の認定の申請並びに同法第19条第3項及び第20条第3項の認可の申請に係る認定及び認可に関する手続については，それぞれ第1条又は第2条の規定による改正後の同法の規定にかかわらず，なお従前の例による。

3　第1条又は第2条の規定の施行前にした行為に対する罰則の適用については，それぞれ第1条又は第2条の規定による改正後の消費者契約法の規定にかかわらず，なお従前の例による。

I　施行期日（1項）

1　趣　旨

　本附則は，改正消費者契約法（平成20年法律第29号）の施行期日を定めるものである。

2　解　説

　景品表示法及び特定商取引法に消費者団体訴訟制度を導入した改正消費者契約法（平成20年法律第29号）の施行期日は，原則として，2009年4月1日である。

　ただし，特定商取引法関係の改正規定は，「特定商取引に関する法律及び割賦販売法の一部を改正する法律」（平成20年法律第74号）の施行日（公布日2008年6月18日より1年6か月以内）から施行するものとされ，2009年12月1日施行となった。

II　経過措置（2項・3項）

1　趣　旨

　改正法施行日前にされた適格消費者団体に関する手続および罰則の適用に

ついての経過措置を定めるものである。

2 解説

改正法施行日前に申請がなされた適格消費者団体の認定（13条）並びに合併（19条）及び事業譲渡（20条）の認可に関する手続については，改正後の規定にかかわらず，従前の例によるものとされた（附則2項）。

また，改正法施行日前になされた行為に対する罰則の適用についても，同様に従前の例によるものとしている（附則3項）。

平成25年附則（平成25年法律第70号）（抄）

> （施行期日）
> 第1条　この法律は，公布の日から起算して2年を超えない範囲内において政令で定める日から施行する。ただし，次条及び附則第18条の規定については，公布の日から施行する。
> （検討）
> 第19条　政府は，この法律の施行後3年を経過した場合において，この法律の施行の状況を勘案し，必要があると認めるときは，この法律の規定について検討を加え，その結果に基づいて必要な措置を講ずるものとする。

I　施行期日（1条）

1 趣旨

本附則は，食品表示法（平成25年法律第70号）の施行期日を定めるものである。

2 解説

食品関連事業者の行為に対する適格消費者団体の差止請求権を導入した食品表示法（平成25年法律第70号）及び同法附則10条による消費者契約法12

条の2，43条の改正の施行期日は，原則として，公布の日（2013年6月28日）から起算して2年を超えない範囲内において政令で定める日とされ，2015年4月1日から施行された。

Ⅱ　検討（19条）

1　趣　旨

政府は，食品表示法の施行後3年を経過した場合において，施行状況を勘案し，必要があると認めるときは，検討を加え，その結果に基づいて必要な措置を講じなければならないことを定めるものである。

2　解　説

食品表示法により適格消費者団体が差止請求することができるのは，同法4条1項1号で列挙された主な表示事項に限定されており，別途，内閣府令で定められる「その他食品関連事業者等が食品の販売をする際に表示されるべき事項」は，差止請求の対象外である。このように差止請求の対象を主な表示事項に限定する理由は乏しく，実効性確保のために速やかな見直しがなされるべきである。

平成25年附則（平成25年法律第96号）（抄）

> （施行期日）
> 第1条　この法律は，公布の日から起算して3年を超えない範囲内において政令で定める日から施行する。ただし，附則第3条，第4条及び第7条の規定は，公布の日から施行する。
> （経過措置）
> 第2条　この法律は，この法律の施行前に締結された消費者契約に関する請求（第3条第1項第5号に掲げる請求については，この法律の施行前に行われた加害行為に係る請求）に係る金銭の支払義務には，適用しない。

（検討等）

第3条　政府は，この法律の趣旨にのっとり，特定適格消費者団体がその権限を濫用して事業者の事業活動に不当な影響を及ぼさないようにするための方策について，事業者，消費者その他の関係者の意見を踏まえて，速やかに検討を加え，その結果に基づいて必要な措置を講ずるものとする。

第4条　政府は，特定適格消費者団体による被害回復関係業務の適正な遂行に必要な資金の確保，情報の提供その他の特定適格消費者団体に対する支援の在り方について，速やかに検討を加え，その結果に基づいて必要な措置を講ずるものとする。

第5条　政府は，この法律の施行後3年を経過した場合において，消費者の財産的被害の発生又は拡大の状況，特定適格消費者団体による被害回復関係業務の遂行の状況その他この法律の施行の状況等を勘案し，その被害回復関係業務の適正な遂行を確保するための措置並びに共通義務確認の訴えを提起することができる金銭の支払義務に係る請求及び損害の範囲を含め，この法律の規定について検討を加え，必要があると認めるときは，その結果に基づいて所要の措置を講ずるものとする。

2　政府は，前項に定める事項のほか，この法律の施行後3年を経過した場合において，この法律の施行の状況について検討を加え，必要があると認めるときは，その結果に基づいて所要の措置を講ずるものとする。

第6条　政府は，第3条第1項各号に掲げる請求に係る金銭の支払義務であって，附則第2条に規定する請求に係るものに関し，当該請求に係る消費者の財産的被害が適切に回復されるよう，重要消費者紛争解決手続（独立行政法人国民生活センター法（平成14年法律第123号）第11条第2項に規定する重要消費者紛争解決手続をいう。）等の裁判外紛争解決手続（裁判外紛争解決手続の利用の促進に関する法律（平成16年法律第151号）第1条に規定する裁判外紛争解決手続をいう。）の利用の促進その他の必要な措置を講ずるものとする。

> 第7条　政府は，この法律の円滑な施行のため，この法律の趣旨及び内容について，広報活動等を通じて国民に周知を図り，その理解と協力を得るよう努めるものとする。

I　施行期日（1条）

1　趣　旨

本附則は，消費者の財産的被害の集団的な回復のための民事の裁判手続の特例に関する法律（消費者裁判手続特例法，平成25年法律第96号）の施行期日を定めるものである。

2　解　説

二段階型の集団的消費者被害回復訴訟制度を創設する消費者の財産的被害の集団的な回復のための民事の裁判手続の特例に関する法律（消費者裁判手続特例法，平成25年法律第96号）及び同法附則11条による消費者契約法改正（13条5項1号，同項2号，同項6号，34条3項，35条1項，同条4項）の施行期日は，原則として，公布の日（2013年12月11日）から起算して3年を超えない範囲内において政令で定める日とされ，2016年10月1日より施行された[1]。

附則3条（特定適格消費者団体の権限濫用防止措置の検討），4条（特定適格消費者団体に対する支援措置の検討）及び7条（制度の周知）の規定については，公布の日から施行する。

II　経過措置（2条）

1　趣　旨

法施行日前に締結された消費者契約もしくは加害行為に係る事案に対する

(注1)　消費者の財産的被害の集団的な回復のための民事の裁判手続の特例に関する法律の施行期日を定める政令（平成27年11月11日政令第372号）。

本制度の適用について定めるものである。

2 解　説

　消費者裁判手続特例法により導入された集団的消費者被害回復訴訟制度の下で特定適格消費者団体が共通義務確認の訴えを提起することができるのは，事業者が消費者に対して負う金銭の支払義務であって，消費者契約に関する債務の履行請求（消費者裁判手続特例法3条1項1号），不当利得請求（同項2号），債務不履行による損害賠償請求（同項3号），瑕疵担保責任に基づく損害賠償請求（同項4号（当時）），不法行為に基づく損害賠償請求（同項5号（当時））に係るものとされているところ，本条により，法施行日前に締結された消費者契約に関する請求（不法行為に基づく損害賠償請求（同項5号（当時））については法施行日前に行われた加害行為に係る請求）に係る金銭の支払義務については，集団的消費者被害回復訴訟制度を適用しないこととされた[2]。

　消費者庁は，このように法施行前の事案について集団的消費者被害回復訴訟制度を適用しないこととした理由につき，施行前の事案について本制度を適用するとすれば，事業者の予測可能性が害される側面がある，との説明をしている（消費者庁消費者制度課編『一問一答　消費者裁判手続特例法』158頁（商事法務，2014））。

　しかし，そもそも集団的消費者被害回復訴訟制度の施行は公布から3年以内（附則1条）と十分な期間を経て施行されるものであること，集団的消費者被害回復訴訟制度はあくまで訴訟手続の特例を定めるものにすぎないものであることからすれば，施行前の事案に集団的消費者被害回復訴訟制度を適用することにより事業者の予測可能性が害されることにはならないはずであり，疑問といわざるをえない。

　（注2）　なお，2020年4月1日施行の民法改正により，従前の目的物に瑕疵があった場合に相当する場合（種類又は品質に関して契約の内容に適合しない場合）における解除は，債務不履行の規定に基づいて行うものとされた。この民法改正に伴い，消費者裁判手続特例法3条1項旧4号は削除され，同項旧5号が現4号に繰り上がっている。

なお，集団的消費者被害回復訴訟制度の適用のない施行前の事案については，附則6条において，政府は，消費者の被害が適切に回復されるよう，独立行政法人国民生活センターの重要消費者紛争解決手続等の裁判外紛争解決手続（ADR）の利用の促進その他の必要な措置を講ずるものとされて，一定の手当がなされている。

Ⅲ　検討等（3条〜7条）

1　趣　旨

政府に，集団的消費者被害回復訴訟制度の施行にあたって必要となる措置を講ずること（3条，4条），施行後3年を経過した場合における運用状況等を踏まえた見直しの措置を講ずること（5条），集団的消費者被害回復訴訟制度の適用のない施行前事案につき裁判外紛争解決手続（ADR）の利用の促進等の措置を講ずること（6条），集団的消費者被害回復訴訟制度の国民への周知を図ること（7条）を求めるものである。

2　解　説

3条は，特定適格消費者団体がその権限を濫用して事業者の事業活動に不当な影響を及ぼさないようにするための方策について，事業者，消費者その他の関係者の意見を踏まえて，速やかに検討を加え，その結果に基づいて必要な措置を講ずることを政府に求めるものである。特定適格消費者団体が権限を濫用して事業者の事業活動に不当な影響を与えることは許されるべきことではないことは言うまでもないが，事業者の事業活動への影響を過度に考慮することにより，集団的消費者被害回復訴訟制度の実効性が失われることがないよう留意されなければならない。

4条は，特定適格消費者団体による被害回復関係業務の適正な遂行に必要な資金の確保，情報の提供その他の特定適格消費者団体に対する支援のあり方について，速やかに検討を加え，その結果に基づいて必要な措置を講ずることを政府に求めるものである。特定適格消費者団体による被害回復関係業務の遂行は，適格消費者団体による差止請求関係業務以上に相応の資金と情

報等を必要とする。現在の適格消費者団体に対する政府による支援も，一般消費者の被害防止という公益を担う団体に対する支援としては，十分なものとは到底いえない現状を踏まえ，政府においては，速やかな実効的な方策の実施が強く求められよう。

5条は，集団的消費者被害回復訴訟制度の施行後3年を経過した場合において，消費者の財産的被害の発生又は拡大の状況，特定適格消費者団体による被害回復関係業務の遂行の状況その他の施行状況等を勘案し，被害回復関係業務の適正な遂行を確保するための措置や対象となる事案と損害の範囲の範囲等につき，検討を行い，その結果に基づいて所要の措置を講ずることを政府に求めるものである。

集団的消費者被害回復訴訟制度は，我が国において初めて導入された集団的な消費者被害回復制度であり，導入までに制度の内容について種々の議論がなされたが，対象となる事案が極めて限定的であることを初めとして，多くの問題点があることが集団的消費者被害回復訴訟制度の施行当時から指摘をされていた[3]。また，集団的消費者被害回復訴訟制度の施行後における活用状況も広がりを欠く状況にあったことから[4]，2022年5月に成立した改正消費者裁判手続特例法（令和4年法律第59号）により，対象となる事案の拡大，和解の柔軟化，消費者への情報提供方法の充実，特定適格消費者団体の負担軽減，適格消費者団体及び特定適格消費者団体を支援する活動を行う消費者団体訴訟等支援法人制度の導入などの改善がなされるに至った（2023年10月1日施行）[5]。

(注3) 日本弁護士連合会「『集団的消費者被害回復に係る訴訟制度案』に対する意見書」（2012年8月31日），同「『消費者の財産的被害の集団的な回復のための民事の裁判手続の特例に関する法律案』に対する会長声明」（2013年4月19日），山本和彦『解説 消費者裁判手続特例法〔第3版〕』366頁注（4）（弘文堂，2023）等。また，施行後の実務運用を踏まえた問題点や課題を指摘するものとして，民事法研究会「特集 消費者裁判手続特例法の見直しへ向けて」現代消費者法No.50の各論考及び日本弁護士連合会「消費者の財産的被害の集団的な回復のための民事の裁判手続の特例に関する法律の見直しに関する意見書」（2020年7月16日）を参照。

(注4) 消費者庁「消費者裁判手続特例法等に関する検討会報告書」（令和3年10月）5頁以下。

もっとも、上記の法改正によっても集団的消費者被害回復訴訟制度のさらなる活用のためにはなお十分ではない点もあり[6]、政府には、集団的消費者被害回復訴訟制度が、真に消費者の利益のために実効性のある制度となるよう、継続的かつ積極的に検討と改善のための措置を講じていくべきことが引き続き求められる。

　6条は、附則2条により集団的消費者被害回復訴訟制度が適用されないこととなった法施行前の事案についても、消費者の被害が適切に回復されるよう、独立行政法人国民生活センターの重要消費者紛争解決手続等の裁判外紛争解決手続（ADR）の利用の促進その他の必要な措置を講ずることを政府に求めるものである。

　7条は、集団的消費者被害回復訴訟制度の円滑な施行のため、集団的消費者被害回復訴訟制度の趣旨と内容について、広報活動等を通じて国民に周知を図り、その理解と協力を得るよう努めることを政府に求めるものである。集団的消費者被害回復訴訟制度は、一段階目の手続（共通義務確認訴訟）における事業者の義務を確認する判決が確定する等した後に、個々の消費者が、簡易な手続によってそれぞれの債権の有無や金額を決定する二段階目の手続（対象債権の確定手続）に加入する、という二段階型の訴訟制度であり、個々の消費者が積極的に手続に参加することが予定されている。したがって、集団的消費者被害回復訴訟制度が実効性のあるものとなるためには、まずは広く国民に本制度の趣旨と内容について知ってもらうことが必要不可欠である。しかし、集団的消費者被害回復訴訟制度が施行されてから相当期間が経過しているにもかかわらず、本制度の認知度はそれほど高くはなく[7]、政府においては本条の趣旨に沿った不断の努力が求められる。

（注5）　同法による改正内容の概要については、伊吹健人ほか「消費者裁判手続特例法改正の概要」NBL1224号75頁等参照。

（注6）　さらに改善を要する点に関する指摘として、日本弁護士連合会「消費者裁判手続特例法等に関する検討会報告書に対する意見書」（2021年11月10日）等参照。

（注7）　消費者庁が2021年11月に実施した「令和3年度消費者意識基本調査」によれば、事業者の不当な行為によって多数の消費者に生じた被害金額を、消費者に代わって訴訟により取り戻すことができる消費者団体（特定適格消費者団体）があることを認識していた消費者の割合は18.2％にとどまる。

平成26年附則（平成26年法律第71号）（抄）

(施行期日)
第1条　この法律は，公布の日から起算して6月を超えない範囲内において政令で定める日から施行する。ただし，次の各号に掲げる規定は，当該各号に定める日から施行する。
　一（以下略）
(消費者契約法の一部改正)
第10条　消費者契約法（平成12年法律第61号）の一部を次のように改正する。
　第12条の2第1項中「第10条」を「第10条第1項」に改める。
　第43条第2項第2号中「第10条」を「第10条第1項」に，「同条」を「同項」に改める。

Ⅰ　趣　旨

本附則は，不当景品類及び不当表示防止法等の一部を改正する法律（平成26年法律第71号）の施行期日を定めるものである。

Ⅱ　解　説

国・地方の行政機関による監視指導態勢の強化や事業者の表示管理体制の整備を義務付けた景品表示法（昭和37年法律第134号）及び同改正附則10条による消費者契約法12条の2，43条の改正の施行期日は，原則として，公布の日（2014年6月13日）から起算して2年を超えない範囲内において政令で定める日とされ（本附則1条2号），2016年4月1日から施行された。

平成 26 年附則（平成 26 年法律第 118 号）（抄）

> （施行期日）
> 第 1 条　この法律は，公布の日から起算して 1 年 6 月を超えない範囲内において政令で定める日から施行する。ただし，附則第 3 条の規定は，公布の日から施行する。
> （消費者契約法の一部改正）
> 第 5 条　消費者契約法（平成 12 年法律第 61 号）の一部を次のように改正する。
> 　　第 12 条の 2 第 1 項及び第 43 条第 2 項第 2 号中「第 10 条第 1 項」を「第 30 条第 1 項」に改める。

I　趣　旨

　本附則は，不当景品類及び不当表示防止法の一部を改正する法律（平成 26 年法律第 118 号）の施行期日を定めるものである。

II　解　説

　不当な表示を行った事業者に対する課徴金制度を導入した景品表示法（昭和 37 年法律第 134 号）及び本改正附則 5 条による消費者契約法 12 条の 2，43 条の改正の施行期日は，原則として，公布の日（2014 年 11 月 27 日）から起算して 1 年 6 月を超えない範囲内において政令で定める日とされ（本附則 1 条），2016 年 4 月 1 日から施行された。

平成 28 年附則（平成 28 年法律第 61 号）

> （施行期日）
> 第 1 条　この法律は，公布の日から起算して 1 年を経過した日から施行する。ただし，次の各号に掲げる規定は，当該各号に定める日から施

行する。
　一　附則第4条の規定　公布の日
　二　第5条第2項の改正規定（「及び第7条」を「から第7条まで」に改める部分に限る。），第6条の次に1条を加える改正規定及び附則第3条の規定　民法の一部を改正する法律（平成29年法律第44号）の施行の日
　三　附則第6条の規定　民法の一部を改正する法律の施行に伴う関係法律の整備等に関する法律（平成29年法律第45号）の公布の日又はこの法律の公布の日のいずれか遅い日

（経過措置）
第2条　この法律による改正後の消費者契約法（以下「新法」という。）第4条第4項及び第5項（第3号に係る部分に限る。）（これらの規定を新法第5条第1項において準用する場合を含む。）の規定は，この法律の施行前にされた消費者契約の申込み又はその承諾の意思表示については，適用しない。

2　この法律の施行前にされた消費者契約の申込み又はその承諾の意思表示に係る取消権については，新法第7条第1項の規定にかかわらず，なお従前の例による。

3　この法律の施行前に締結された消費者契約の条項については，新法第8条第1項第3号及び第4号の規定にかかわらず，なお従前の例による。

4　新法第8条の2の規定は，この法律の施行前に締結された消費者契約の条項については，適用しない。

第3条　附則第1条第2号に掲げる規定による改正後の消費者契約法第6条の2の規定は，同号に掲げる規定の施行前に消費者契約に基づく債務の履行として給付がされた場合におけるその給付を受けた消費者の返還の義務については，適用しない。

（政令への委任）
第4条　前2条に定めるもののほか，この法律の施行に伴い必要な経過措置は，政令で定める。

（検討）

第5条 政府は，消費者の被害の状況，消費者の利益の擁護を図るための諸施策の実施の状況その他社会経済情勢の変化を勘案しつつ，新法の施行の状況について検討を加え，必要があると認めるときは，その結果に基づいて所要の措置を講ずるものとする。

（民法の一部を改正する法律の施行に伴う関係法律の整備等に関する法律の一部改正）

第6条 民法の一部を改正する法律の施行に伴う関係法律の整備等に関する法律の一部を次のように改正する。

　第98条のうち，消費者契約法第4条第5項の改正規定中「第4条第5項」を「第4条第6項」に改め，同法第8条の改正規定の次に次のように加える。

　第8条の2を次のように改める。

　（消費者の解除権を放棄させる条項の無効）

　第8条の2　事業者の債務不履行により生じた消費者の解除権を放棄させる消費者契約の条項は，無効とする。

　第99条第1項中「第4条第5項」を「第4条第6項」に改め，同条第2項中「第8条」の下に「，第8条の2」を加える。

I　施行期日（1条）

1　趣　旨

本附則は，改正消費者契約法（平成28年法律第61号）の施行期日を定めるものである。

2　解　説

取消しの対象となる消費者契約の範囲を拡大するとともに，無効となる消費者契約の条項の類型を追加した消費者契約法の改正（平成28年改正法）の施行期日は，原則として，公布の日（2016年6月3日）から起算して1年を

経過した日（2017年6月3日）より施行された。

　ただし，民法改正に関連する規定については，以下のとおり，民法改正等の施行期日を合わせるものとされている。

(1)　民法改正により意思表示の取消しの場合の給付の返還義務が現存利益の範囲から原則として原状回復とされることに伴い，本法による取消権を行使した消費者の返還義務について規定する6条の2及びこれに伴う経過規定（本附則3条）については，民法改正法の施行の日（2020年4月1日）より施行される。

(2)　民法の一部を改正する法律の施行に伴う関係法律の整備等に関する法律（平成29年法律第45号，以下「民法改正整備法」という。）に関係する所要の整備を行う本附則6条については，この附則にかかる消費者契約法改正の法案審議段階において，民法改正整備法も審議中であったことから，民法改正整備法の公布日と平成28年改正法の公布日のいずれか遅い日とされた。最終的には民法改正整備法の公布日の方が遅かったので，同法の公布日である2017年6月2日より本附則6条は施行された。

Ⅱ　経過措置（2条・3条）

1　趣　旨

　平成28年改正法と旧法との適用関係を整理するための必要な経過措置として，平成28年改正法の規定が適用される基準時を規定するものである。

2　解　説

(1)　消費者契約の取消しの可否，取消権の行使期間等（法4条，7条関係，附則2条1項，2項）

　一般的に法の適用については不遡及であるとされている点を踏まえ，消費者が消費者契約の申込みまたは承諾の意思表示をした時点を基準時とし，法施行前になされた消費者契約の申込みまたは承諾の意思表示については平成28年改正法に基づく規定は適用されず，平成28年改正法により延長された

取消権の行使期間についても旧法のままとなる。

(2) 消費者契約の効力（法8条関係，附則2条3項）

消費者契約の取消しと同様，消費者契約が締結された時点を基準時としており，改正法施行日前に締結された消費者契約の条項については平成28年改正法に基づく規定は適用されない。

(3) 消費者の返還義務に関する民法の特則（法6条の2関係，附則3条）

民法改正により意思表示の取消しの場合の給付の返還義務が現存利益の範囲から原則として原状回復とされることに伴い，本法による取消権を行使した消費者の返還義務を引き続き現存利益の範囲にとどめる6条の2については，民法改正の施行日（2020年4月1日）より施行されるところ，同条については施行日以前の消費者の返還義務に適用する必要はないので，その旨を規定するものである。

Ⅲ 政令への委任（4条）

一般的には政令により法施行に必要な経過措置を設けることは想定されていないものとされるが，万が一，そのような事態が生じた場合に備えて設けられた規定である。

Ⅳ 検討（5条）

1 趣旨

政府に対して，平成28年改正の施行状況について検討を加え，必要があると認めるときは，その結果に基づいて必要な措置を講じることを求めるものである。

2 解説

平成28年改正は平成27年専門調査会報告書に基づいてとりまとめられたものである。しかし，同報告書においては，困惑類型の追加や「平均的な損

害の額」の立証責任など，平成27年専門調査会中間取りまとめでは検討対象としてあげられていたものの，委員間のコンセンサスが得られるに至らずに法改正の提言には至らなかった論点が多数残っていた。このため，同報告書は，報告書のとりまとめ時点で法改正を行うことについてコンセンサスが得られていないものについては，今後の検討課題として引き続き同専門調査会において検討を行うとしていた。

このような経緯も踏まえ，本附則では，検討にあたっての年限などは定めず，引き続き平成28年改正の施行状況について検討を加え，必要があると認めるときは，その結果に基づいて必要な措置を講じることを求めたものである。

V 民法改正に伴う民法改正整備法の一部改正（6条）

1 趣　旨

民法改正整備法のうち本法に関係する規定について所要の整備を行うものである。

2 解　説

民法改正後の民法においては，従前の目的物に瑕疵があった場合に相当する場合（種類又は品質に関して契約の内容に適合しない場合）における解除は，債務不履行の規定に基づいて行うものとされた。この民法改正を受けて，改正後の民法が施行された時点で，本法8条の2の規定について，債務不履行か瑕疵担保責任かを区別することなく，事業者の債務不履行に基づく消費者の解除権を放棄させる消費者契約の条項を無効とするものである。

また，上記の民法改正に伴う条文番号の修正等を定めている。

平成29年附則（平成29年法律第43号）（抄）

> （施行期日）
> 第1条　この法律は，平成29年10月1日から施行する。ただし，附則第5条の規定は，公布の日から施行する。
> （消費者契約法の一部改正に伴う経過措置）
> 第2条　この法律の施行の際現に第2条の規定による改正前の消費者契約法第13条第1項の認定を受けている者（次条において「既存適格消費者団体」という。）に係る当該認定の有効期間については，その満了の日までの間は，第2条の規定による改正後の消費者契約法第17条第1項の規定にかかわらず，なお従前の例による。

Ⅰ　施行期日（1条）

1　趣　旨

　本附則は，独立行政法人国民生活センター法等の一部を改正する法律（平成29年法律第43号）の施行期日を定めるものである。

2　解　説

　国民生活センターによる消費者裁判手続特例法に基づく仮差押に必要な担保金の支援制度の導入や適格消費者団体の認定有効期間を3年から6年に延長する法17条1項の改正等を行う改正独立行政法人国民生活センター法の施行期日は，原則として，2017年10月1日である。
　ただし，改正法の施行に必要な経過措置を政令に委任する規定（本附則5条）についてのみ，改正法の公布日（2017年6月2日）から施行される。

Ⅱ　経過措置（2条）

1　趣　旨

改正法施行日時点で既に認定を受けている適格消費者団体（以下，「既存適格消費者団体」という。）に関する改正法の適用についての経過措置を定めるものである。

2　解　説

改正法施行日前時点で認定を受けている既存適格消費者団体については，認定の有効期間を延長する改正後の法17条1項の規定は次回の認定更新までは適用されないこととされ，引き続き改正前の3年間が認定の有効期間となる。

平成29年附則（平成29年法律第45号）

> この法律は，民法改正法の施行の日から施行する。ただし，第103条の2，第103条の3，第267条の2，第267条の3及び第362条の規定は，公布の日から施行する。

Ⅰ　趣　旨

本附則は，民法の一部を改正する法律の施行に伴う関係法律の整備等に関する法律（平成29年法律第45号，以下「民法改正整備法」という。）の施行期日を定めるものである。

Ⅱ　解　説

民法改正整備法は，民法改正法の施行に伴う所要の関係法律の改正や経過規定を定めるものである。同法の附則により，民法改正整備法による消費者契約法4条5項（現6項），同法8条2項及び同法12条3項の修正並びに同法8条1項5号の削除（民法改正整備法98条）については，民法改正法の施行の日（2020年4月1日）より施行された[1]。

ただし，同改正附則ただし書により，平成28年改正法の附則1条中の民法改正法の法律番号の修正（民法改正整備法103条の3）については，民法改正整備法の公布の日（2017年6月2日）から施行された。

平成30年附則（平成30年法律第54号）

（施行期日）
第1条　この法律は，公布の日から起算して1年を経過した日から施行する。ただし，附則第3条及び第5条の規定は，公布の日から施行する。

（経過措置）
第2条　この法律の施行前にされた消費者契約の申込み又はその承諾の意思表示については，この法律による改正後の消費者契約法（以下「新法」という。）第4条第2項（新法第5条第1項において準用する場合を含む。）の規定にかかわらず，なお従前の例による。

2　新法第4条第3項第3号から第8号まで（これらの規定を新法第5条第1項において準用する場合を含む。）の規定は，この法律の施行前にされた消費者契約の申込み又はその承諾の意思表示については，適用しない。

3　この法律の施行前に締結された消費者契約の条項については，新法第8条第1項及び第8条の2の規定にかかわらず，なお従前の例による。

4　新法第8条の3の規定は，この法律の施行前に締結された消費者契約の条項については，適用しない。

（政令への委任）
第3条　前条に定めるもののほか，この法律の施行に伴い必要な経過措

（注1）　なお，民法改正整備法による改正法と旧法との適用関係を整理するための必要な経過措置が民法改正整備法99条に定められており，民法改正整備法の施行前になされた意思表示もしくは締結された消費者契約の条項については旧法が適用される。

置は，政令で定める。

（検討）

第4条　政府は，消費者の被害の状況，消費者の利益の擁護を図るための諸施策の実施の状況その他社会経済情勢の変化を勘案しつつ，新法の施行の状況について検討を加え，必要があると認めるときは，その結果に基づいて所要の措置を講ずるものとする。

（民法の一部を改正する法律の施行に伴う関係法律の整備等に関する法律の一部改正）

第5条　民法の一部を改正する法律の施行に伴う関係法律の整備等に関する法律（平成29年法律第45号）の一部を次のように改正する。

　　第98条のうち，消費者契約法第8条第2項の改正規定中「免除する」を「免除し，又は当該事業者にその責任の有無若しくは限度を決定する権限を付与する」に改め，同法第8条の2の改正規定中「条項の」を「条項等の」に，「放棄させる消費者契約」を「放棄させ，又は当該事業者にその解除権の有無を決定する権限を付与する消費者契約」に改める。

Ⅰ　施行期日（1条）

1　趣　旨

本附則は，改正消費者契約法（平成30年法律第54号）の施行期日を定めるものである。

2　解　説

取消しの対象となる消費者契約の範囲を平成28年改正に加えて拡大するとともに，無効となる消費者契約の条項の類型もさらに追加した消費者契約法の改正（平成30年改正法）の施行期日は，原則として，公布の日（2018年6月15日）から起算して1年を経過した日（2019年6月15日）より施行された。

ただし，改正法の施行に必要な経過措置を政令に委任する規定（本附則 3 条）及び民法改正に関連する規定（本附則 5 条）ついては，改正法の公布日から施行された。

Ⅱ 経過措置（2 条）

1 趣　旨

平成 30 年改正法と旧法との適用関係を整理するための必要な経過措置として，平成 28 年改正法の規定が適用される基準時を規定するものである。

2 解　説

(1) 消費者契約の取消しの可否（法 4 条関係，附則 2 条 1 項，2 項）

一般的に法の適用については不遡及であるとされている点を踏まえ，消費者が消費者契約の申込みまたは承諾の意思表示をした時点を基準時とし，法施行前になされた消費者契約の申込みまたは承諾の意思表示については平成 30 年改正法に基づく規定は適用されない。

(2) 消費者契約の効力（法 8 条，8 条の 3 関係，附則 2 条 3 項，4 項）

消費者契約の取消しと同様，消費者契約が締結された時点を基準時としており，改正法施行日前に締結された消費者契約の条項については平成 30 年改正法に基づく規定は適用されない。

Ⅲ 政令への委任（3 条）

一般的には政令により法施行に必要な経過措置を設けることは想定されていないものとされるが，万が一，そのような事態が生じた場合に備えて設けられた規定である[1]。

Ⅳ 検討（4 条）

(注 1)　消費者庁解説 499 頁。

1 趣旨

政府に対して，平成30年改正の施行状況について検討を加え，必要があると認めるときは，その結果に基づいて必要な措置を講じることを求めるものである。

2 解説

平成30年改正は平成29年専門調査会報告書に基づいてとりまとめられたものである。しかし，同専門調査会においては，消費者契約における約款等の契約条件の事前開示や合理的な判断をすることができない事情を利用して契約を締結させるいわゆる「つけ込み型」勧誘に対する取消権の導入についてはコンセンサスが得られなかったことから，消費者委員会が同報告書を受けた答申において，これらの論点についての検討が喫緊の課題であるとする異例の付言を付す事態となった。

また，政府から提案された改正法案においては，法9条1号（現9条1項1号）の「平均的な損害の額」に関し，消費者が「事業の内容が類似する同種の事業者に生ずべき平均的な損害の額」を立証した場合には，その額が「当該事業者に生ずべき平均的な損害の額」と推定される旨の規定を設けることを同報告書（8頁）が提言していたにもかかわらず，かかる規定が盛り込まれていなかった。加えて，改正法4条3項3号（当時，現5号）（過大な不安をあおる勧誘）等において，同報告書が提言していなかった要件（社会生活上の経験が乏しいこと）が加重されるなどの問題もあり，改正法案の国会審議においても，上記のような改正法案の内容では高齢者や若年者の消費者被害には十分に対応できないとする指摘が相次いだ[2]。その結果，衆議院で取消権の類型を追加する法案修正がなされたほか，衆参両院において，いわゆる「つけ込み型不当勧誘取消権」の創設について検討するとともに，「平

（注2）　日本弁護士連合会においても，「『消費者契約法の一部を改正する法律案の骨子』についての会長声明」（2018年2月22日）において，改正法案の問題点を指摘している。

均的な損害」の額に係る立証責任の転換を含め，前記報告書等において将来の検討課題とされた事項等について引き続き検討することなどを求める附帯決議がなされた[3]。

このような経緯も踏まえ，本附則では，検討にあたっての年限などは定めず，引き続き平成30年改正の施行状況について検討を加え，必要があると認めるときは，その結果に基づいて必要な措置を講じることを求めたものである。

V 民法改正に伴う民法改正整備法の一部改正（5条）

平成30年改正により，無効とする消費者契約の条項の類型が追加されたため，民法改正整備法のうち本法に関係する規定について所要の整備を行うものである。

令和4年附則（令和4年法律第59号）（抄）

（施行期日）
第1条　この法律は，公布の日から起算して1年を経過した日から施行する。ただし，次の各号に掲げる規定は，当該各号に定める日から施行する。
一　第1条中消費者契約法第13条第5項の改正規定，同法第14条第2項第8号の改正規定，同法第18条の改正規定，同法第19条の改正規定，同法第20条第4項の改正規定，同法第31条の改正規定，同法第34条の改正規定，同法第35条の改正規定，同法第50条の改正規定，同法第51条の改正規定，同法第52条第1項の改正規定及び同法第53条の改正規定並びに第2条の規定並びに次条第5項

(注3)　衆参両院での附帯決議の内容は，各議院HPの議案情報より確認できる（衆議院：https://www.shugiin.go.jp/internet/itdb_rchome.nsf/html/rchome/futai/shohisha8eb5ba674ce288064925829800407c06.htm，参議院：https://www.sangiin.go.jp/japanese/joho1/kousei/gian/196/pdf/k0801960311960.pdf）（2025年3月25日最終閲覧）。

から第7項まで並びに附則第3条，第4条及び第7条から第9条までの規定　公布の日から起算して1年6月を超えない範囲内において政令で定める日

　二　附則第5条の規定　公布の日

（消費者契約法の一部改正に伴う経過措置）

第2条　第1条の規定による改正後の消費者契約法（以下この条において「新消費者契約法」という。）第4条第3項第3号及び第4号（これらの規定を消費者契約法第5条第1項において準用する場合を含む。）の規定は，この法律の施行の日（次項から第4項までの規定において「施行日」という。）以後にされる消費者契約（消費者契約法第2条第3項に規定する消費者契約をいう。次項及び第3項において同じ。）の申込み又はその承諾の意思表示について適用する。

2　新消費者契約法第4条第3項第9号（消費者契約法第5条第1項において準用する場合を含む。）の規定は，施行日以後にされる消費者契約の申込み又はその承諾の意思表示について適用し，施行日前にされた消費者契約の申込み又はその承諾の意思表示については，なお従前の例による。

3　新消費者契約法第8条第3項の規定は，施行日以後に締結される消費者契約の条項について適用する。

4　新消費者契約法第12条の5の規定は，施行日以後にされる新消費者契約法第12条第3項又は消費者契約法第12条第4項の規定による請求について適用する。

5　新消費者契約法第19条第4項の規定は，前条第1号に掲げる規定の施行の日（以下この条から附則第4条までにおいて「第1号施行日」という。）以後にされる同項の申請について適用し，第1号施行日前にされた第1条の規定による改正前の消費者契約法（次項において「旧消費者契約法」という。）第19条第4項の申請については，なお従前の例による。

6　新消費者契約法第20条第4項の規定は，第1号施行日以後にされる同項の申請について適用し，第1号施行日前にされた旧消費者契約法

第20条第4項の申請については，なお従前の例による。
7　新消費者契約法第31条第1項，第2項及び第5項の規定は，第1号施行日以後に開始する事業年度に係る同条第1項に規定する書類について適用し，第1号施行日前に開始した事業年度に係る書類については，なお従前の例による。

（罰則に関する経過措置）
第4条　第1号施行日前にした行為及びこの附則（附則第2条第2項を除く。）の規定によりなお従前の例によることとされる場合における第1号施行日以後にした行為に対する罰則の適用については，なお従前の例による。

（政令への委任）
第5条　前3条に定めるもののほか，この法律の施行に伴い必要な経過措置（罰則に関する経過措置を含む。）は，政令で定める。

（検討）
第6条　政府は，この法律の施行後5年を経過した場合において，この法律による改正後の規定の施行の状況について検討を加え，必要があると認めるときは，その結果に基づいて必要な措置を講ずるものとする。

●附帯決議
《衆議院》
　政府は，本法の施行に当たり，次の事項について適切な措置を講ずべきである。
一　法改正後直ちに，諸外国における法整備の動向を踏まえ，消費者契約法が消費者契約全般に適用される包括的な民事ルールであることの意義や同法の消費者法令における役割を多角的な見地から整理し直した上で，判断力の低下等の個々の消費者の多様な事情に応じて消費者契約の申込み又はその承諾の意思表示を取り消すことができる制度の創設，損害賠償請求の導入，契約締結時以外への適用場面の拡大等既存の枠組みに捉われない抜本的かつ網羅的なルール設定の在り方につ

いて検討を開始すること。
二　一の検討の際には，超高齢社会が進展し高齢者の消費者保護の重要性が高まっていることや，成年年齢の引下げ後における若年者の消費者被害の状況等を踏まえ，悪質商法による被害を実効的に予防・救済するとの観点を十分に踏まえること。
三　一の検討の際には，「平均的な損害」の額に係る立証責任の転換を含め，消費者契約に関する検討会の報告書において将来の検討課題とされた事項等について引き続き検討すること。
　（以下略）

《参議院》
　政府は，本法の施行に当たり，次の諸点について適切な措置を講ずるべきである。
一　法改正後直ちに，諸外国における法整備の動向を踏まえ，消費者契約法が消費者契約全般に適用される包括的な民事ルールであることの意義や同法の消費者法令における役割を多角的な見地から整理し直した上で，判断力の低下等の個々の消費者の多様な事情に応じて消費者契約の申込み又はその承諾の意思表示を取り消すことができる制度の創設，損害賠償請求の導入，契約締結時以外への適用場面の拡大等既存の枠組みに捉われない抜本的かつ網羅的なルール設定の在り方について検討を開始し，必要な措置を講ずること。
二　一の検討の際には，超高齢社会が進展し高齢者の消費者保護の重要性が高まっていることや，成年年齢の引下げ後における若年者の消費者被害の状況等を踏まえ，悪質商法による被害を実効的に予防・救済するとの観点を十分に踏まえること。
三　一の検討の際には，消費者が合理的な判断をすることができない事情を不当に利用して，事業者が消費者を勧誘し契約を締結させた場合における消費者の取消権（いわゆるつけ込み型不当勧誘取消権）の創設について検討するとともに，「平均的な損害」の額に係る立証責任の転換を含め，消費者契約に関する検討会の報告書において将来の検討課題とされた事項等について引き続き検討すること。
　（以下略）

Ⅰ　施行期日（1条）

1　意　義

　本附則は，消費者契約法及び消費者の財産的被害の集団的な回復のための民事の裁判手続の特例に関する法律の一部を改正する法律（令和4年法律第59号，令和4年5月改正法）の施行期日につき，同改正法の公布の日（2022年6月1日）から起算して1年を経過した日から施行することを原則としつつ，下記1及び2の規定はそれぞれに定める日から施行する旨を定めている。

　1　消費者契約法改正のうち，適格消費者団体の認定監督に関する規定の改正及び特例法に関連する改正部分　令和4年5月改正法の公布の日から起算して1年6月を超えない範囲内において政令で定める日（2023年10月1日）

　2　経過措置を政令で定める旨の委任規定　令和4年5月改正法の公布の日（2022年6月1日）

2　解　説

(1)　改正法の公布の日から1年を経過した日（附則1条柱書）

　消費者契約法に関する改正事項のうち実体法部分に関する改正及び新たに導入された適格消費者団体が事業者に対して行う開示要請や説明要請（改正法12条の3～12条の5）に関する規定が対象となる。令和4年5月改正法の公布は2022年6月1日であるので，これらの規定の施行日は2023年6月1日となる。

(2)　改正法の公布の日から起算して1年6月を超えない範囲内において政令で定める日（附則1条1号）

　消費者契約法に関する改正事項のうち適格消費者団体の認定監督に関する規定及び消費者裁判手続特例法に関する改正が対象となる。

　改正消費者裁判手続特例法の施行までの期間につき，改正消費者契約法の施行までの期間よりも長くとっているのは，改正消費者裁判手続特例法の施

行に際しては，関連する政令・府令及びガイドラインの整備に加え，最高裁判所規則の整備が必要となるためである。また，消費者契約法に関する改正事項のうち適格消費者団体の認定監督に関する規定についても，消費者契約法の改正が消費者裁判手続特例法における特定適格消費者団体の認定監督に関する規定に影響するとともに（改正前の法 31 項 2 項削除に伴う消費者裁判手続特例法 94 条の改正等），消費者裁判手続特例法の改正が消費者契約法に影響するなど（消費者裁判手続特例法の題名の変更等），相互に関連する部分があることなどから，実務上の混乱を防ぐ観点から改正消費者裁判手続特例法の施行と同日に施行をすることとしたものである。改正消費者裁判手続特定法は 2023 年 10 月 1 日に施行され，これらの規定についても同日より施行された。

(3) 改正法の公布の日（附則 1 条 2 号）

令和 4 年 5 月改正法の施行に必要な経過措置を政令で定める旨の委任規定については，改正法施行準備の規定であるため，令和 4 年 5 月改正法の公布の日から施行することとしたものである（2022 年 6 月 1 日）。

Ⅱ 経過措置（2 条）

1 意　義

令和 4 年 5 月改正法と旧法との適用関係を整理するための必要な経過措置として，令和 4 年 5 月改正法の規定が適用される基準時を規定するものである。

2 解　説

(1) 消費者契約の取消しの可否（法 4 条関係，附則 2 条 1 項，2 項）

平成 28 年改正及び平成 30 年改正と同様，消費者が消費者契約の申込みまたは承諾の意思表示をした時点を基準時としている。

(2) 消費者契約の効力（法 8 条関係，附則 2 条 3 項）

平成 28 年改正及び平成 30 年改正と同様，消費者契約が締結された時点を基準時としている。

(3) 差止請求にかかる講じた措置の開示要請（法12条の5関係，附則第2条4項）

適格消費者団体から事業者に対する差止請求にかかる講じた措置の開示要請の規定（法12条の5）につき，改正法の施行時以降になされた差止請求のみに法12条の5を適用するものとしている。

この附則2条4項の趣旨につき，消費者庁解説は，法12条の5が適格消費者団体による任意の求めに新たに法的根拠を付与するものであるものとして，事業者に想定外の負担を強いるおそれを避けるためのものとする[1]。

しかし，法12条の5の解説でも述べているように[2]，適格消費者団体が適正な差止請求権の行使のために行う合理的な根拠に基づく要請に対しては，事業者においても正当な理由のない限りこれに応じるよう務めるべき信義則上の義務があると解すべきであって，法12条の5についても，かかる事業者の信義則上の義務を確認したものと位置付けるべきである。

そうだとすれば，この附則2条4項についても，あくまで法12条の5に基づく開示要請を行う場合の経過規定であると解すべきであり，差止請求に関する適格消費者団体からの開示の求めにつき，それが令和4年5月改正法の施行前になされた差止請求に関するものであっても，これに応じるよう務めるべき事業者の信義則上の義務を否定する趣旨のものではないものと理解すべきであろう。

(4) 適格消費者団体である法人の適格消費者団体でない法人との合併（法19条関係，附則2条5項）

令和4年5月改正法は，適格消費者団体である法人の適格消費者団体でない法人との合併に関する認可申請につき，改正前の適格消費者団体単独申請を適格消費者団体と適格消費者団体でない法人との共同申請と改めるところ，改正法の施行時以後になされる申請に対してのみ改正法を適用するものとしている。

(5) 適格消費者団体である法人から適格消費者団体でない法人への差止

(注1) 消費者庁解説505頁。
(注2) 本書589頁。

請求関係業務にかかる事業の譲渡（法20条関係，附則2条6項）

　令和4年5月改正法は，適格消費者団体である法人から適格消費者団体でない法人へ差止請求関係業務にかかる事業の全部譲渡に関する認可申請につき，改正前の適格消費者団体単独申請を適格消費者団体と適格消費者団体でない法人との共同申請と改めるところ，令和4年5月改正法の施行時以後になされる申請に対してのみ改正法を適用するものとしている。

　(6)　適格消費者団体が作成・備え置き・提出すべき書類（法31条関係，附則2条7項）

　令和4年5月改正法により，適格消費者団体が毎事業年度作成・備え置き等をすべき書類（財務諸表等）の内容（法31条1項，2項及び5項）について，改正前の「収支計算書」につき，特定非営利活動法人については「活動計算書」（特定非営利活動促進法27条3号），一般社団法人又は一般財団法人については「損益計算書」（一般社団123条2項）等に改正されるところ（法14条2項8号），改正法の施行が年度途中に施行されることも想定した経過措置を定めるものである。

　具体的には，法31項1項，2項及び5項については，令和4年5月改正法の施行日以後に開始する事業年度にかかる書類より令和4年5月改正法が適用される。

Ⅲ　経過措置（4条）

　消費者契約法及び特例法の改正に伴って，罰則に関する経過措置の規定を設けるものである。

　消費者契約法に関しては，令和4年5月改正法により改廃される適格消費者団体の義務に関する規定違反につき，令和4年5月改正法の施行後もなお処罰されるものとしている。

Ⅳ　政令への委任（5条）

　附則で定める経過措置のほか，令和4年5月改正法の施行に伴い必要な経過措置については，政令で定めることとするものである。一般的には政令により法施行に必要な経過措置を設けることは想定されていないものとされる

が，万が一，そのような事態が生じた場合に備えて設けられた規定である[3]。

この規定については，令和4年5月改正法の公布の日から施行される（附則第1条第2号）。

V 検討（6条）

1 意　義

政府に対して，令和4年5月改正の施行後5年を経過した場合において，令和4年5月改正の施行状況について検討を加え，必要があると認めるときは，その結果に基づいて必要な措置を講じることを求めるものである。

2 解　説

令和3年消費者契約に関する検討会報告書においては，①法4条3項各号の困惑類型の脱法防止規定の創設，②消費者の慎重な検討の機会を奪うような勧誘があった場合の消費者の心理状態に着目した取消権の創設，③判断力の著しく低下した消費者が生活に著しい支障が及ぶような内容の契約をした場合の消費者の判断力に着目した取消権の創設，という新たな提案がなされていた。また，サルベージ条項により賠償請求を抑制するおそれがある不明確な免責条項を不当条項として無効とすることや，所有権等を放棄するものとみなす条項及び消費者の解除権の行使を制限する条項を不当条項に関する法10条の第1要件の例示として掲げることも提案されていた。

しかし，令和4年通常国会において政府から提案された改正法案では，これらの取消権に関する提案に対応する部分は含まれておらず，不当条項に関する提案についても，賠償請求を抑制するおそれがある不明確な免責条項を無効とする旨が示されただけであり，前記報告書において提案された内容と比較してあまり不十分な内容であった。

改正法案の国会審議においても，最終的には政府提案原案のままで成立したものの，上記のような改正法案の内容では高齢者や若年者の消費者被害に

(注3)　消費者庁解説508頁。

は十分に対応できないとする指摘が相次いだ[4]。その結果，衆参両院において，いわゆる「つけ込み型不当勧誘取消権」の創設について検討するとともに，「平均的な損害」の額に係る立証責任の転換を含め，前記報告書において将来の検討課題とされた事項等について引き続き検討することなどを求める附帯決議がなされた[5]。

このような令和4年5月改正法の国会における審議経過などを踏まえると，引き続き，政府には，附帯決議で指摘された事項等について，消費者契約法の内容が消費者の利益のために真に実効性のあるものとなるよう，継続的かつ積極的に検討と改善のための措置を講じていくべきことが求められている。

令和4年附則（令和4年法律68号）（抄）

（施行期日）
1　この法律は，刑法等一部改正法施行日から施行する。ただし，次の各号に掲げる規定は，当該各号に定める日から施行する。
　一　（以下略）
2　（略）

I　趣　旨

本附則は，刑法等の一部を改正する法律の施行に伴う関係法律の整理等に関する法律（令和4年法律第68号，以下「刑法改正整理法」という。）の施行期

(注4)　日本弁護士連合会においても，「消費者契約法の改正骨子案に関する会長声明」（2022年2月28日）において，改正法案の問題点を指摘している。

(注5)　衆参両院での附帯決議の内容は，各院HPの議案情報より確認できる（衆議院：https://www.shugiin.go.jp/internet/itdb_rchome.nsf/html/rchome/Futai/shohisha2C375B57EF95DA5D4925882900327598.htm，参議院：https://www.sangiin.go.jp/japanese/joho1/kousei/gian/208/pdf/k0802080412080.pdf）（2025年3月25日最終閲覧）。

日を定めるものである。

II 解説

懲役刑と禁錮刑を拘禁刑への一本化などを行う刑法改正（令和4年法律第67号，以下「令和4年改正刑法」という。）に伴い，消費者契約法の適格消費者団体関連の罰則規定における禁錮刑（法13条5項6号イ）や懲役刑（法49条1項）の規定を拘禁刑に改める刑法改正整理法の施行期日は，令和4年改正刑法の施行日（同法の公布日（2022年6月17日）から起算して3年を超えない範囲内において政令で定める日）と同日である（2025年6月1日）。

令和4年附則（令和4年法律第99号）（抄）

（施行期日）
第1条　この法律は，公布の日から起算して20日を経過した日から施行する。

（消費者契約法の一部改正に伴う経過措置）
第2条　第1条の規定による改正後の消費者契約法（以下この条において「新法」という。）第4条第3項第6号（消費者契約法第5条第1項において準用する場合を含む。）の規定は，この法律の施行の日以後にされる消費者契約の申込み又はその承諾の意思表示について適用し，同日前にされた消費者契約の申込み又はその承諾の意思表示については，なお従前の例による。

2　新法第7条第1項の規定は，この法律の施行前にされた消費者契約の申込み又はその承諾の意思表示に係る取消権についても，適用する。ただし，第1条の規定による改正前の消費者契約法第7条第1項に規定する取消権の時効がこの法律の施行の際既に完成していた場合は，この限りでない。

（検討）
第3条　政府は，この法律の施行後5年を経過した場合において，この法律による改正後の規定の施行の状況について検討を加え，必要があ

ると認めるときは，その結果に基づいて必要な措置を講ずるものとする。

Ⅰ　施行期日（1条）

1　趣　旨

本附則は，消費者契約法及び独立行政法人国民生活センター法の一部を改正する法律（令和4年法律第99号）の施行期日を定めるものである。

2　解　説

宗教法人による過度な寄付等の要請による本人や家族への被害が大きな社会問題となったことを受けて，平成30年改正により導入された霊感等による告知を用いた勧誘に対する取消権の要件を緩和するとともに，同取消権の行使期間を延長する消費者契約法の改正（令和4年12月改正法）の施行期日は，原則として，公布の日（2022年12月16日）から起算して20日を経過した日（2023年1月5日）とされ，同日より施行された。

Ⅱ　経過措置（2条）

1　趣　旨

令和4年12月改正法と旧法との適用関係を整理するための必要な経過措置として，令和4年12月改正法の規定が適用される基準時を規定するものである。

2　解　説

(1) 消費者契約の取消しの可否等（法4条関係，附則2条1項）

一般的に法の適用については不遡及であるとされている点を踏まえ，消費者が消費者契約の申込みまたは承諾の意思表示をした時点を基準時とし，改正法施行前になされた消費者契約の申込みまたは承諾の意思表示については令和4年12月改正法に基づく規定は適用されない。

(2) 取消権の行使期間（法7条関係，附則2条2項）

　消費者契約の取消しとは異なり，改正法施行日前になされた消費者契約の申込み又はその承諾の意思表示であっても，改正法施行日時点で当該意思表示にかかる法4条3項6号（令和4年5月改正前の霊感等による告知を用いた勧誘に対する取消権（現8号））による取消権の行使期間が経過していない場合は，令和4年12月改正法により延長された取消権の行使期間の規定が適用される。

　例えば，2022年12月1日に霊感等による告知を用いた勧誘を受けて消費者契約の締結をしたというような場合（なお，契約締結日より追認が可能であったとする。以下，本項について同じ），令和4年12月改正法の施行日である2023年1月5日時点では令和4年5月改正前の法4条3項6号（現8号）による取消権の行使期間は経過していないから，令和4年12月改正による7条の規定が適用され，同取消権の行使期間は3年に延長される。一方，2022年1月1日が契約締結日であった場合，令和4年12月改正法の施行日である2023年1月5日には取消権の行使期間が経過してしまっているので，令和4年12月改正による7条の規定は適用されないこととなる。

III 検討（3条）

1 趣　旨

　政府に対して，令和4年12月改正法の施行後5年を経過したときにおいて，令和4年12月改正の施行状況について検討を加え，必要があると認めるときは，その結果に基づいて必要な措置を講じることを求めるものである。

2 解　説

　令和4年12月改正は，同年に宗教法人による過度な寄付等の要請による本人や家族への被害が大きな社会問題となったことを受けて，政府において対策が検討され，急ぎとりまとめられたものである。このため，同改正法の内容は，宗教法人による過度な寄付等の要請に対する対策として必ずしも十

分なものではないのではないかということが国会審議でも問題となった。

　このような経緯も踏まえ，本附則では，令和4年12月改正法の施行後5年を経過したときにおいて，令和4年12月改正法の施行状況について検討を加え，必要があると認めるときは，その結果に基づいて必要な措置を講じることを求めたものである。

資 料

●資料1●

外国法令一覧

EU「消費者契約における不公正条項に関する1993年4月5日付け閣僚理事会指令」
　法制審議会民法（債権関係）部会資料13-2「民法（債権関係）の改正に関する検討事項（8）詳細版」
　及び　法制審議会民法（債権関係）部会資料42「民法（債権関係）の改正に関する論点の検討（14）」

ドイツ民法（BGB）
　法制審議会民法（債権関係）部会資料13-2「民法（債権関係）の改正に関する検討事項（8）詳細版」
　及び　法制審議会民法（債権関係）部会資料42「民法（債権関係）の改正に関する論点の検討（14）」
　寺川永訳「ドイツ関係法律条文（関連部分訳）」財団法人比較法研究センター＝潮見佳男編『諸外国の消費者法における情報提供・不招請勧誘・適合性の原則』（別冊NBL121号，商事法務，2008年）124頁以下

韓国約款規制法
　法制審議会民法（債権関係）部会資料13-2「民法（債権関係）の改正に関する検討事項（8）詳細版」
　及び　法制審議会民法（債権関係）部会資料42「民法（債権関係）の改正に関する論点の検討（14）」

ドイツ差止訴訟法（UKlaG）
　寺川永訳「ドイツ関係法律条文（関連部分訳）」財団法人比較法研究センター＝潮見佳男編『諸外国の消費者法における情報提供・不招請勧誘・適合性の原則』（別冊NBL121号，商事法務，2008年）165頁以下

ドイツ不正競争防止法（UWG）　同書171頁以下

ドイツ旧約款規制法（AGBG）　同書193頁以下

●資料2●

消費者契約法の制定・改正の経緯
（令和6年5月まで）

平成8年（1996年）
　　12月　　　　第15次国民生活審議会　消費者政策部会報告
　　　　　　　　「消費者取引の適正化に向けて」

平成9年（1997年）
　　7月2日　　　第16次国民生活審議会　第1回消費者政策部会において消費者契約適正化委員会を設置
　　10月　　　　「消費者契約適正化法（仮称）の論点」
　　　　　　　　消費者契約適正化委員会における検討のための学者グループによる諸論点の提示
　　11月28日　　近畿弁護士会連合会大会シンポジウム
　　　　　　　　「消費者契約の適正化を求めて－『消費者契約法試案』発表」

平成10年（1998年）
　　1月21日　　第16次国民生活審議会　消費者政策部会中間報告
　　　　　　　　「消費者契約法（仮称）の具体的内容について」（略称：第16次国生審中間報告）
　　3月〜8月　　中間報告に対する関係各界，52団体から意見聴取
　　4月　　　　経済企画庁，消費者取引をめぐる紛争解決に係る緊急調査（委託調査）
　　9月11日　　日本弁護士連合会意見書
　　　　　　　　中間報告に対する意見書
　　9月12日　　近畿弁護士会連合会人権擁護大会シンポジウム
　　　　　　　　「消費者のための消費者契約法の制定を求めて」
　　　　　　　　「消費者契約法第2次試案」発表

10月3日	日本弁護士連合会　消費者シンポジウム	
11月	消費者契約法（仮称）の一検討(1)～(7)	
	沖野眞已論文（NBL652号～658号）	
	（現代契約法制研究会等の議論をふまえた論文）	
12月	通産省産業構造審議会消費経済部会基本問題小委員会	
	「今後の消費者取引のあり方に関する提言」スケルトン（案）	

平成11年（1999年）

1月	第16次国民生活審議会　消費者政策部会報告（略称：第16次国生審最終報告）
	「消費者契約法（仮称）の制定に向けて」
2月15日	通産省産業構造審議会　消費経済部会
	「今後の消費者取引のあり方に関する提言」
	－快適で安心な消費生活を目指して－
2月20日	日本弁護士連合会シンポジウム
	「消費者のための消費者契約法の早期制定を目指して」
3月16日	全国銀行協会「消費者との契約のあり方に関する留意事項」発表
4月	全国銀行協会　消費者ローン契約書ひな型改訂
4月	第17次国民生活審議会　消費者政策部会に消費者契約法検討委員会を設置
4月16日	「訪問販売等に関する法律及び割賦販売法の一部を改正する法律」成立
6月18日	日本弁護士連合会意見書
	「消費者契約法（仮称）の制定に向けて」に対する意見書
9月18日	日本弁護士連合会　東京3会共催シンポジウム
	「消費者に力を－こんな消費者契約法が欲しい」
9月27日	第17次国民生活審議会　消費者政策部会消費者契約法検討委員会の事務局より「とりまとめ案」が提示される
10月13日	民主党「消費者契約法（案）大綱案」発表

10月22日	日本弁護士連合会「消費者契約法日弁連試案」発表	
11月30日	第17次国民生活審議会　消費者政策部会消費者契約法検討委員会報告	
	「消費者契約法（仮称）の具体的内容について」	
12月8日	日本弁護士連合会意見書	
	「消費者契約法（仮称）の具体的内容について」に対する意見	
12月10日	日本弁護士連合会　「消費者契約何でも110番」実施	
12月24日	第17次国民生活審議会　消費者政策部会報告（略称：第17次国生審）	
	「消費者契約法（仮称）の立法に当って」（検討委員会報告を含む）	

平成12年（2000年）

3月7日	消費者契約法案閣議決定	
	衆議院に法案提出	
4月4日	日本弁護士連合会意見書	
	「消費者契約法案に対する意見書」	
4月14日	衆議院商工委員会で附帯決議	
4月27日	参議院経済産業委員会で附帯決議	
4月28日	「消費者契約法」成立	
5月12日	公布（平成12年法律第61号）（平成13年4月1日施行）	

平成13年（2001年）

2月17日	日本弁護士連合会シンポジウム	
	「消費者契約法の正しい使い方」	
4月1日	「消費者契約法」施行	
4月10日	『コンメンタール消費者契約法』初版発行	
6月12日	司法制度改革審議会意見書	
10月26日	『コンメンタール消費者契約法』神戸市の奨励賞（第24回）受賞	

平成14年（2002年）

- 3月19日　司法制度改革推進計画閣議決定
- 11月1日　日本弁護士連合会シンポジウム
  「実現させよう！　消費者団体訴訟～不当約款，不当勧誘行為を差し止めるために」
- 11月22日　日本弁護士会意見書
  「消費者政策の見直しと消費者保護基本法改正についての意見書」

平成15年（2003年）

- 5月　内閣府国民生活局・消費者組織に関する研究会報告書
  「消費者団体を主体とする団体訴訟制度と消費者団体の役割」
- 5月28日　第18次国民生活審議会　消費者政策部会報告書
  「21世紀型の消費者政策の在り方について」
- 7月22日　第35回消費者保護会議決定
  「消費者が自立できる環境づくりに向けて－暮らしの構造改革－」

平成16年（2004年）

- 2月14日　日本弁護士連合会　東京3弁護士会共催シンポジウム
  「消費者団体訴訟制度の創設を目指して～もう泣き寝入りはさせません。消費者に新しい武器を」
- 3月19日　日本弁護士連合会意見書
  「実効性ある消費者団体訴訟制度の早期実現を求める意見書」
- 4月16日　第19次国民生活審議会消費者政策部会に「消費者団体訴訟制度検討委員会」を設置
- 11月9日　日本弁護士連合会会長声明
  「消費者団体訴訟制度の次期通常国会での立法化を求める声明」
- 12月22日　国民生活審議会消費者政策部会消費者団体訴訟制度検討委員会報告「消費者団体訴訟制度の骨格について」

平成17年（2005年）

3月18日	日本弁護士連合会意見書 「あるべき消費者団体訴訟制度に関する意見書」
4月8日	消費者基本計画閣議決定
6月23日	国民生活審議会消費者政策部会消費者団体訴訟制度検討委員会報告「消費者団体訴訟制度の在り方について」
7月14日	日本弁護士連合会意見書 「『消費者団体訴訟制度の在り方について』に対する意見書」
7月30日	日本弁護士連合会シンポジウム 「いよいよ実現！　消費者団体訴訟制度～法案化に向けて今後の課題を探る」
11月25日	近畿弁護士会連合会大会シンポジウム 「消費者契約法の改正～もっと使える消費者契約法を目指して」
12月16日	「消費者契約法の一部を改正する法律案（仮称）の骨子（「消費者団体訴訟制度」の導入について）」の意見募集（パブリックコメント）（同日から平成18年1月24日まで）

平成18年（2006年）

1月20日	日本弁護士連合会意見書 「『消費者団体訴訟制度』に関して公表された法案骨子に対する意見書」
3月	内閣府「諸外国における消費者契約に関する情報提供，不招請勧誘の規制，適合性原則についての現状調査」
3月3日	「消費者契約法の一部を改正する法律案」閣議決定　第164回通常国会に提出
3月15日	日本弁護士連合会会長声明 「消費者契約法の一部を改正する法律案」に対する会長声明
4月28日	衆議院内閣委員会で附帯決議
5月30日	参議院内閣委員会で附帯決議

	5月31日	「消費者契約法の一部を改正する法律」成立
	6月7日	同法公布（平成18年法律第56号）
	7月26日	第4回消費者政策会議決定
	12月14日	日本弁護士連合会意見書 「消費者契約法施行規則（案）及び適格消費者団体の認定，監督に関するガイドライン（案）に対する意見書」
	12月14日	日本弁護士連合会意見書 「消費者契約法の実体法改正に関する意見書」

平成19年（2007年）

	2月16日	「消費者契約法施行規則」公布 「適格消費者団体の認定，監督等に関するガイドライン」公布
	3月30日	「消費者契約法第13条第5項第1号及び第6号イの法律を定める政令」公布
	6月7日	改正消費者契約法施行
	6月7日	「適格消費者団体の認定，監督等に関するガイドライン」改訂
	6月14日	日本弁護士連合会意見書 「独占禁止法・景品表示法上の団体訴権に関する意見書」
	7月3日	第5回消費者政策会議決定
	7月12日	公正取引委員会・団体訴訟制度に関する研究会報告書
	8月	国民生活審議会消費者政策部会消費者契約法評価検討委員会報告書 「消費者契約法の評価及び論点の検討等について」
	8月23日	日本弁護士連合会意見書 「特定商取引法改正に関する意見書」
	10月13日	日本弁護士連合会シンポジウム 「もっと使える消費者契約法へ〜情報提供義務，不招請勧誘禁止，適合性原則の導入へ〜」
	12月10日	経済産業省産業構造審議会消費経済部会特定商取引小委員会報告書

平成20年（2008年）

2月7日		国民生活審議会消費者政策部会消費者契約に関する検討委員会報告書「景品表示法及び特定商取引法への消費者団体訴訟制度の導入に伴う消費者契約法上の論点について」
2月14日		日本弁護士連合会意見書「割賦販売法改正による消費者団体訴訟制度の早期実現を求める意見書」
3月		内閣府「平成19年度消費者契約における不当条項研究会報告書」
3月4日		「消費者契約法等の一部を改正する法律案」を第169回国会に提出
4月11日		衆議院内閣委員会で附帯決議
4月24日		参議院内閣委員会で附帯決議
4月25日		「消費者契約法の一部を改正する法律」成立
5月2日		同法公布（平成20年法律第29号）
6月19日		日本弁護士連合会意見書「消費者被害の集団的救済に関する法整備を求める意見書」
7月25日		第6回消費者政策会議決定
9月2日		民主党「消費者団体訴訟法案要綱」発表
12月1日		「適格消費者団体の認定，監督等に関するガイドライン」改訂

平成21年（2009年）

4月1日		改正消費者契約法，改正景品表示法施行
4月1日		「適格消費者団体の認定，監督等に関するガイドライン」改訂
5月28日		消費者庁及び消費者委員会設置法 成立
6月5日		同法公布（平成21年法律第48号）
8月		内閣府国民生活局「集団的消費者被害回復制度等に関する研究会」報告書
9月1日		「適格消費者団体の認定，監督等に関するガイドライン」改訂

	10月20日	日本弁護士連合会「損害賠償等消費者団体訴訟制度」要綱案
	11月24日	法制審議会民法（債権関係）部会が始動
	12月1日	改正消費者契約法，改正特定商取引法施行

平成22年（2010年）

	3月11日	「集団的消費者被害救済制度」に関する意見募集（パブリックコメント）（同日から4月12日まで）
	3月31日	『コンメンタール消費者契約法〔第2版〕』発行
	4月9日	日本弁護士連合会意見書 「集団的消費者被害救済制度に対する意見」
	9月	消費者庁「集団的消費者被害救済制度研究会」報告書
	9月15日	「集団的消費者被害救済制度」に関する意見募集（パブリックコメント）（同日から10月15日まで）
	10月27日	「集団的消費者被害救済制度」に関する意見募集の結果　公表
	11月17日	日本弁護士連合会「損害賠償等消費者団体訴訟制度（特定共通請求原因確認等訴訟型）要綱案」

平成23年（2011年）

	4月12日	法制審議会民法（債権関係）部会 「民法（債権関係）の改正に関する中間的な論点整理」
	5月13日	日本弁護士連合会意見書 「『集団的消費者被害救済制度』の検討にあたっての意見」
	6月3日	日本弁護士連合会意見書 「新たな集合訴訟制度の訴訟追行主体についての意見」
	7月30日	日本弁護士連合会シンポジウム 「集合訴訟シンポジウム」
	8月	消費者委員会「集団的消費者被害救済制度専門調査会」報告書
	8月26日	内閣府消費者委員会「消費者契約法の改正に向けた検討についての提言」

8月26日		内閣府消費者委員会「集団的消費者被害救済制度の今後の検討に向けての意見」
9月15日		日本弁護士連合会意見書「民法（債権関係）の改正に関する中間的な論点整理に対する意見」
9月29日		日本弁護士連合会意見書「消費者委員会集団的消費者被害救済制度専門調査会報告書に対する意見書」
10月10日		日本私法学会第75回大会シンポジウム「消費者契約法の10年」
11月5日		日本消費者法学会第4回大会「集団的消費者利益の実現と実体法の役割」
11月24日		日本弁護士連合会意見書「消費者契約法の実体法規定の見直し作業の早期着手を求める意見書」
12月9日		「集団的消費者被害回復に係る訴訟制度の骨子」の意見募集（パブリックコメント）（同日から同月28日まで）
12月22日		日本弁護士連合会意見書「集団的消費者被害回復に係る訴訟制度の骨子に対する意見書」
12月28日		内閣府消費者委員会「消費者契約法に関する調査作業チーム」始動

平成24年（2012年）

2月16日		日本弁護士連合会「消費者契約法日弁連改正試案」
6月		消費者庁「平成23年度消費者契約法（実体法部分）の運用状況に関する調査報告」
8月7日		「集団的消費者被害回復に係る訴訟制度案」の意見募集（パブリックコメント）（同日から9月6日まで）
8月31日		日本弁護士連合会意見書「集団的消費者被害回復に係る訴訟制度案」に対する意見書

10月23日		日本弁護士連合会意見書
		「民法（債権関係）の改正に関する意見書（その4）－消費者に関する規定部分－」

平成25年（2013年）

2月26日		法制審議会民法（債権関係）部会「民法（債権関係）の改正に関する中間試案」
4月19日		「消費者の財産的被害の集団的な回復のための民事の裁判手続の特例に関する法律案（消費者裁判手続特例法）」閣議決定　第183回通常国会に提出
4月19日		日本弁護士連合会会長声明
		「消費者の財産的被害の集団的な回復のための民事の裁判手続の特例に関する法律案に対する会長声明」
6月20日		日本弁護士連合会意見書
		「民法（債権関係）の改正に関する中間試案に対する意見」
6月28日		「食品表示法」公布（平成25年法律第70号）
7月1日		「適格消費者団体の認定，監督等に関するガイドライン」改訂
8月		内閣府消費者委員会「消費者契約法に関する調査作業チーム・論点整理の報告」
8月28日		日本弁護士連合会シンポジウム
		「えっ，まだ成立してなかったの？！　集団的消費者被害回復訴訟制度」
11月9日		日本消費者法学会第6回大会「消費者契約法改正への論点整理」
12月4日		「消費者の財産的被害の集団的な回復のための民事の裁判手続の特例に関する法律（消費者裁判手続特例法）」成立
12月4日		日本弁護士連合会会長声明
		「消費者の財産的被害の集団的な回復のための民事の裁判手続の特例に関する法律の成立に関する会長声明」
12月11日		「消費者裁判手続特例法」公布（平成25年法律第96号）

平成 26 年（2014 年）

- 3月17日　消費者庁「消費者契約法の運用状況に関する検討会」始動
- 7月17日　日本弁護士連合会「消費者契約法日弁連改正試案（2014 年版）」
- 8月5日　内閣総理大臣から内閣府消費者委員会への消費者契約法改正（実体法改正）に関する諮問
- 8月26日　法制審議会民法（債権関係）部会「民法（債権関係）の改正に関する要綱仮案」
- 8月27日　日本弁護士連合会シンポジウム
「今こそ作ろう！ "使える消費者契約法" －改正の動向と日弁連の提言－」
- 10月15日　消費者庁「消費者契約法の運用状況に関する検討会報告書」
- 11月4日　内閣府消費者委員会「消費者契約法専門調査会」始動

平成 27 年（2015 年）

- 2月10日　法制審議会民法（債権関係）部会「民法（債権関係）の改正に関する要綱案」
- 2月24日　法制審議会「民法（債権関係）の改正に関する要綱」
- 3月31日　「民法の一部を改正する法律案」「民法の一部を改正する法律の施行に伴う関係法律の整備等に関する法律案」閣議決定　第 189 回通常国会に提出
- 4月　消費者庁「特定適格消費者団体の認定・監督に関する指針等検討会」報告書
- 4月1日　「食品表示法」施行（平成 25 年法律第 70 号）
- 5月7日　日本弁護士連合会意見書
「『特定適格消費者団体の認定・監督に関する指針等検討会』報告書に対する意見書」
- 5月8日　日本弁護士連合会意見書
「特定商取引に関する法律等の改正を求める意見書」
- 6月10日　消費者の財産的被害の集団的な回復のための民事の裁判手

	続の特例に関する法律の施行に伴う政令（案），内閣府令（案），ガイドライン（案）等に関する意見募集（同日から7月10日）
6月25日	『コンメンタール消費者契約法〔第2版増補版〕』発行
6月26日	日本弁護士連合会シンポジウム 「民法（債権関係）改正と今後の消費者保護法制」
6月29日	最高裁判所「消費者の財産的被害の集団的な回復のための民事の裁判手続の特例に関する規則」制定
7月2日	日本弁護士連合会意見書 「消費者の財産的被害の集団的な回復のための民事の裁判手続の特例に関する法律の施行に伴う政令（案），内閣府令（案），ガイドライン（案）等に対する意見書」
8月	内閣府消費者委員会消費者契約法専門調査会「中間取りまとめ」
8月27日	日本弁護士連合会シンポジウム 「消費者のための"消費者契約法改正"に向けて－専門調査会『中間取りまとめ』とあるべき法改正を考える－」
9月1日	内閣府消費者委員会「消費者契約法専門調査会『中間取りまとめ』」に対する意見募集（同日から9月30日）
9月10日	日本弁護士連合会意見書 「内閣府消費者委員会消費者契約法専門調査会『中間取りまとめ』に対する意見書」
10月22日	消費者庁「消費者団体訴訟制度の実効的な運用に資する支援の在り方に関する検討会」始動（第1回会議開催）
11月11日	「消費者契約法施行規則の一部を改正する内閣府令」公布（平成28年（2016年）10月1日施行），「適格消費者団体の認定，監督等に関するガイドライン」改訂（平成28年（2016年）10月1日施行），「特定適格消費者団体の認定，監督等に関するガイドライン」公表，消費者庁「消費者裁判手続特例法第27条の規定に基づく相手方による公表に関

		する留意事項について」公表
	12月	内閣府消費者委員会消費者契約法専門調査会「消費者契約法専門調査会報告書」

平成28年（2016年）

	1月7日	内閣府消費者委員会「消費者契約法の規律等の在り方についての答申」
	1月29日	日本弁護士連合会会長声明 「内閣府消費者委員会の消費者契約法の規律の在り方についての答申に関する会長声明」
	3月4日	「消費者契約法の一部を改正する法律案」閣議決定　第190回通常国会に提出
	4月28日	衆議院消費者問題に関する特別委員会で「消費者契約法の一部を改正する法律案」を「特定商取引に関する法律の一部を改正する法律案」とともに附帯決議を付して可決
	5月10日	衆議院本会議で「消費者契約法の一部を改正する法律案」を「特定商取引に関する法律の一部を改正する法律案」とともに可決
	5月20日	参議院消費者問題に関する特別委員会で「消費者契約法の一部を改正する法律案」を「特定商取引に関する法律の一部を改正する法律案」とともに附帯決議を付して可決
	5月25日	「消費者契約法の一部を改正する法律」成立
	5月25日	日本弁護士連合会会長声明 「『消費者契約法の一部を改正する法律』及び『特定商取引に関する法律の一部を改正する法律』の成立に関する会長声明」
	6月3日	「消費者契約法の一部を改正する法律」公布（平成28年法律第61号）
	6月30日	消費者庁「消費者団体訴訟制度の実効的な運用に資する支援の在り方に関する検討会報告書」

8月10日	「消費者契約法施行規則及び消費者の財産的被害の集団的な回復のための民事の裁判手続の特例に関する法律施行規則の一部を改正する内閣府令（案）」，「適格消費者団体の認定，監督等に関するガイドラインの改訂（案）」及び「特定適格消費者団体の認定，監督等に関するガイドラインの改訂（案）」に関する意見募集（同日から9月9日）
9月7日	内閣府消費者委員会消費者契約法専門調査会審議再開
9月8日	日本弁護士連合会意見書 「『消費者契約法施行規則及び消費者の財産的被害の集団的な回復のための民事の裁判手続の特例に関する法律施行規則の一部を改正する内閣府令（案）』等に対する意見」
9月16日	日本弁護士連合会意見書 「消費者団体訴訟制度の実効的な運用に資する支援の在り方に関する検討会報告書についての意見書」
9月30日	「消費者契約法施行規則及び消費者の財産的被害の集団的な回復のための民事の裁判手続の特例に関する法律施行規則の一部を改正する内閣府令」公布
10月1日	「消費者の財産的被害の集団的な回復のための民事の裁判手続の特例に関する法律」施行，「適格消費者団体の認定，監督等に関するガイドライン」改訂，「特定適格消費者団体の認定，監督等に関するガイドライン」改訂
10月22日	日本弁護士連合会シンポジウム 「消費者被害救済のあり方 新時代の幕開け～新制度の活用を特定認定を目指す適格消費者団体と一緒に考えよう～」
11月19日	日本弁護士連合会消費者問題対策委員会編『コンメンタール消費者裁判手続特例法』（民事法研究会）発行

平成29年（2017年）

1月10日	内閣府消費者委員会・成年年齢引下げ対応検討ワーキング・グループ「報告書」

2月16日	日本弁護士連合会意見書 「民法の成年年齢引下げに伴う消費者被害に関する意見書」
3月3日	消費者契約法・消費者裁判手続特例法の一部改正を含む「独立行政法人国民生活センター法等の一部を改正する法律案」閣議決定　第193回通常国会に提出
4月18日	衆議院消費者問題に関する特別委員会で「独立行政法人国民生活センター法等の一部を改正する法律案」を附帯決議を付して可決
4月21日	衆議院本会議で「独立行政法人国民生活センター法等の一部を改正する法律案」可決
5月1日	日本弁護士連合会意見書 「地方消費者行政の一層の強化を求める意見書」
5月24日	参議院消費者問題に関する特別委員会で「独立行政法人国民生活センター法等の一部を改正する法律案」を附帯決議を付して可決
5月26日	「独立行政法人国民生活センター法等の一部を改正する法律」成立
5月26日	日本弁護士連合会会長声明 「『独立行政法人国民生活センター法等の一部を改正する法律』の成立に関する会長声明」
5月26日	「民法の一部を改正する法律」成立（債権法改正）
6月2日	「民法の一部を改正する法律」公布（平成29年法律第44号）
6月2日	「独立行政法人国民生活センター法等の一部を改正する法律」公布（平成29年法律第43号）
6月3日	「消費者契約法の一部を改正する法律」施行（平成28年法律第61号）（一部の規定を除く）
8月	内閣府消費者委員会消費者契約法専門調査会「消費者契約法専門調査会報告書」
8月8日	内閣府消費者委員会「消費者契約法の規律の在り方についての答申」（二次答申）

8月24日		日本弁護士連合会意見書
		「内閣府消費者委員会消費者契約法専門調査会『報告書』に対する意見書」
9月7日		日本弁護士連合会意見書
		「『消費者契約法施行規則及び消費者の財産的被害の集団的な回復のための民事の裁判手続の特例に関する法律施行規則の一部を改正する内閣府令（案）』等に関する意見の募集に対する意見書」
9月8日		日本弁護士連合会シンポジウム
		「もっと使いやすい消費者契約法を実現しよう！　～より良い第二次改正を目指して～」
9月29日		「消費者契約法施行規則及び消費者の財産的被害の集団的な回復のための民事の裁判手続の特例に関する法律施行規則の一部を改正する内閣府令」公布
10月1日		「独立行政法人国民生活センター法等の一部を改正する法律」施行（平成29年法律第43号）（一部の規定を除く）
10月1日		「適格消費者団体の認定，監督等に関するガイドライン」改訂，「特定適格消費者団体の認定，監督等に関するガイドライン」改訂

平成30年（2018年）

2月2日		消費者庁　自民党消費者問題調査会において「消費者契約法の一部を改正する法律案の骨子」を報告
2月22日		日本弁護士連合会会長声明
		「『消費者契約法の一部を改正する法律案の骨子』についての会長声明」
3月2日		「消費者契約法の一部を改正する法律案」閣議決定　第196回通常国会に提出
3月13日		民法の成年年齢引下げを含む「民法の一部を改正する法律案」閣議決定　第196回通常国会に提出

3月15日	日本弁護士連合会会長声明	
	「民法の成年年齢引下げ法案の国会上程に対する会長声明」	
5月1日	日本弁護士連合会意見書	
	「独立行政法人国民生活センター『特定適格消費者団体に対する立担保援助規程』についての意見書」	
5月23日	衆議院消費者問題に関する特別委員会で「消費者契約法の一部を改正する法律案」を修正の上で附帯決議を付して可決	
5月24日	衆議院本会議「消費者契約法の一部を改正する法律案」を修正の上で可決	
5月29日	衆議院本会議で民法の成年年齢引下げを含む「民法の一部を改正する法律案」可決	
6月6日	参議院費者問題に関する特別委員会「消費者契約法の一部を改正する法律案」附帯決議を付して可決	
6月8日	「消費者契約法の一部を改正する法律」成立	
6月8日	日本弁護士連合会会長声明	
	「『消費者契約法の一部を改正する法律』の成立に関する会長声明」	
6月12日	参議院法務委員会で民法の成年年齢引下げを含む「民法の一部を改正する法律案」を附帯決議を付して可決	
6月13日	民法の成年年齢引下げを含む「民法の一部を改正する法律」成立	
6月13日	日本弁護士連合会会長声明	
	「成年年齢を引き下げる『民法の一部を改正する法律』の成立に対する会長声明」	
6月15日	「消費者契約法の一部を改正する法律」公布（平成30年法律第54号）	
6月20日	民法の成年年齢引下げを含む「民法の一部を改正する法律」公布（平成30年法律第59号）	
11月11日	日本消費者法学会第11回大会「消費者被害の救済と抑止の手法の多様化－実効性確保のための執行主体のあり方」	

	11月21日	日本弁護士連合会意見書 「消費者契約法施行規則の一部を改正する内閣府令（案）等に関する意見書」

平成31年・令和元年（2019年）

	2月1日	「適格消費者団体の認定，監督等に関するガイドライン」改訂，「特定適格消費者団体の認定，監督等に関するガイドライン」改訂
	2月13日	消費者庁「消費者契約法改正に向けた専門技術的側面の研究会」始動（第1回会議開催）
	6月7日	日本弁護士連合会シンポジウム 「来週施行！　事例で学ぶ改正消費者契約法」
	6月15日	「消費者契約法の一部を改正する法律」（平成30年法律第54号）施行
	7月6日	日本弁護士連合会第30回夏期消費者セミナー 「集団的消費者被害回復の到達点と今後の展望〜消費者団体訴訟の活用を目指して〜」
	9月	消費者庁「消費者契約法改正に向けた専門技術的側面の研究会」報告書
	9月9日	消費者契約法改正に向けた専門技術的側面の研究会報告書に関する意見募集（同日から同年10月9日まで）
	12月24日	消費者庁「消費者契約に関する検討会」始動（第1回会議開催）
	12月31日	『コンメンタール消費者契約法〔第2版増補版〕補巻——2016年・2018年改正』発行

令和2年（2020年）

	4月1日	「民法の一部を改正する法律」施行（平成29年法律第44号）（一部の規定を除く）
	6月	日本弁護士連合会　消費者問題対策委員会「新型コロナウ

イルス消費者問題Q&A」
- 6月17日 鹿野菜穂子監修，日本弁護士連合会消費者問題対策委員会編『改正民法と消費者関連法の実務―消費者に関する民事ルールの到達点と活用方法』（(株)民事法研究会）発行
- 7月16日 日本弁護士連合会意見書
「消費者の財産的被害の集団的な回復のための民事の裁判手続の特例に関する法律の見直しに関する意見書」
- 7月16日 日本弁護士連合会意見書
「インターネット通信販売における定期購入契約等の被害に対する規制強化を求める意見書」
- 8月19日 消費者庁「特定商取引法及び預託法の制度の在り方に関する検討委員会報告書」
- 10月21日 日本弁護士連合会意見書
「連鎖販売取引における若年者等の被害防止に関する規制強化を求める意見書」

令和3年（2021年）

- 1月22日 日本弁護士連合会意見書
「消費者庁『消費者契約に関する検討会』における検討の方向性に対する意見書」
- 2月〜3月 日本弁護士連合会消費者問題対策委員会，京都弁護士会消費者保護委員会「ベルギーの代表訴訟制度とEUの代表訴訟指令に関する調査報告書」
- 3月24日 消費者庁「消費者裁判手続特例法等に関する検討会」始動（第1回会議開催）
- 4月28日 日本弁護士連合会会長声明
「1年後に迫る成年年齢引下げに伴う弊害防止のための実効性ある施策の実現を求める会長声明」
- 5月15日 「特定適格消費者団体の認定，監督等に関するガイドライン」改訂

	6月9日	「消費者被害の防止及びその回復の促進を図るための特定商取引に関する法律等の一部を改正する法律」成立
	6月16日	「消費者被害の防止及びその回復の促進を図るための特定商取引に関する法律等の一部を改正する法律」公布（令和3年法律第72号）
	9月	消費者庁「消費者契約に関する検討会報告書」
	9月21日	消費者契約に関する検討会報告書に関する意見募集（同日から10月21日まで）
	10月	消費者庁「消費者裁判手続特例法等に関する検討会報告書」
	10月8日	消費者裁判手続特例法等に関する検討会報告書に関する意見募集（同日から令和3年11月7日まで）
	10月15日	日本弁護士連合会人権擁護大会「超高齢社会において全ての消費者が安心に生活できる社会の実現を推進する決議」
	10月18日	日本弁護士連合会意見書 「消費者契約に関する検討会報告書に対する意見書」
	11月10日	日本弁護士連合会意見書 「消費者裁判手続特例法等に関する検討会報告書に対する意見書」

令和4年（2022年）

	1月4日	「消費者被害の防止及びその回復の促進を図るための特定商取引に関する法律等の一部を改正する法律の施行に伴う関係政令の整備に関する政令」公布（令和4年政令第4号） 「消費者の財産的被害の集団的な回復のための民事の裁判手続の特例に関する法律施行規則の一部を改正する内閣府令」公布（令和4年内閣府令第3号）
	1月25日	日本弁護士連合会シンポジウム 「実効性のある消費者被害回復制度の実現を目指すシンポジウム」
	2月28日	日本弁護士連合会会長声明

	「消費者契約法の改正骨子案に関する会長声明」
3月1日	「消費者契約法及び消費者の財産的被害の集団的な回復のための民事の裁判手続の特例に関する法律の一部を改正する法律案」を閣議決定　第208国会に提出
4月1日	「民法の一部を改正する法律」施行（平成30年法律第59号）
4月1日	日本弁護士連合会会長声明 「成年年齢引下げに伴う若年者の消費者被害防止のための実効性ある施策を緊急に実現することを求める会長声明」
4月19日	衆議院消費者問題に関する特別委員会で「消費者契約法及び消費者の財産的被害の集団的な回復のための民事の裁判手続の特例に関する法律の一部を改正する法律案」を附帯決議を付して可決
5月20日	参議院消費者問題に関する特別委員会で「消費者契約法及び消費者の財産的被害の集団的な回復のための民事の裁判手続の特例に関する法律の一部を改正する法律案」を附帯決議を付して可決
5月25日	「消費者契約法及び消費者の財産的被害の集団的な回復のための民事の裁判手続の特例に関する法律の一部を改正する法律」成立
6月1日	「消費者契約法及び消費者の財産的被害の集団的な回復のための民事の裁判手続の特例に関する法律の一部を改正する法律」公布（令和4年法律第59号）
6月1日	「消費者被害の防止及びその回復の促進を図るための特定商取引に関する法律等の一部を改正する法律」施行（令和3年法律第72号）（一部の規定を除く）
8月29日	日本弁護士連合会会長声明 「霊感商法及びその他反社会的な宗教的活動による被害実態の把握と被害者救済についての会長声明」
8月30日	消費者庁「消費者法の現状を検証し将来の在り方を考える有識者懇談会」始動（第1回会議開催）

10月17日	消費者庁「霊感商法等の悪質商法への対策検討会報告書」	
10月17日	日本弁護士連合会会長声明「霊感商法等の被害の救済及び防止に向けての会長談話」	
11月18日	「消費者契約法及び独立行政法人国民生活センター法の一部を改正する法律案」を閣議決定　第210国会に提出	
12月2日	日本弁護士連合会会長声明「霊感商法等の被害の救済及び防止についての実効性ある法整備を求める会長声明」	
12月8日	衆議院消費者問題に関する特別委員会で「消費者契約法及び独立行政法人国民生活センター法の一部を改正する法律案」を附帯決議を付して可決	
12月10日	参議院消費者問題に関する特別委員会で「消費者契約法及び独立行政法人国民生活センター法の一部を改正する法律案」を附帯決議を付して可決	
12月10日	「消費者契約法及び独立行政法人国民生活センター法の一部を改正する法律」成立	
12月14日	日本弁護士連合会会長声明「法人等による寄附の不当な勧誘の防止等に関する法律等の成立に関する会長談話」	
12月15日	日本弁護士連合会意見書「不当景品類及び不当表示防止法の更なる改正等を求める意見書」	
12月16日	「消費者契約法及び独立行政法人国民生活センター法の一部を改正する法律」公布（令和4年法律第99号）	

令和5年（2023年）

1月5日	「消費者契約法及び独立行政法人国民生活センター法の一部を改正する法律」施行（令和4年法律第99号）	
1月18日	「消費者契約法施行令の一部を改正する政令」公布（政令第6号）	

1月13日	消費者庁「景品表示法検討会　報告書」
1月18日	「消費者の財産的被害の集団的な回復のための民事の裁判手続の特例に関する法律施行規則の一部を改正する内閣府令」公布（令和5年内閣府令第4号）
2月1日	「特定商取引に関する法律施行令及び預託等取引に関する法律施行令の一部を改正する政令」公布（令和5年政令第22号）
4月13日	日本弁護士連合会シンポジウム 「消費者契約法と消費者裁判手続特例法のこれから〜これまでの法改正の到達点をさらに超えていくために求められるもの〜」
5月10日	「不当景品類及び不当表示防止法の一部を改正する法律」成立
5月17日	「不当景品類及び不当表示防止法の一部を改正する法律」公布（令和5年法律第29号）（令和6年10月1日施行（一部の規定を除く））
5月30日	「適格消費者団体の認定，監督等に関するガイドライン」改訂
6月1日	「消費者契約法及び消費者の財産的被害の集団的な回復のための民事の裁判手続の特例に関する法律の一部を改正する法律」施行（令和4年法律第59号）（一部は同年10月1日施行）
7月	消費者庁「消費者法の現状を検証し将来の在り方を考える有識者懇談会における議論の整理」
7月14日	「消費者団体訴訟等支援法人の認定，監督等に関するガイドライン（案）」及び「特定適格消費者団体の認定，監督等に関するガイドラインの改訂（案）」に関する意見募集（同日から8月13日まで）
8月31日	「消費者団体訴訟等支援法人の認定，監督等に関するガイドライン」制定，「特定適格消費者団体の認定，監督等に関するガイドライン」改訂（いずれも同年10月1日施行）
12月11日	消費者庁「解約料の実態に関する研究会」始動（第1回会

	議開催）
12月14日	日本弁護士連合会意見書
	「霊感商法等の悪質商法により個人の意思決定の自由が阻害される被害に関する実効的な救済及び予防のための立法措置を求める意見書」
12月27日	内閣府消費者委員会消費者法制度のパラダイムシフトに関する専門調査会始動（第1回会議開催）

令和6年（2024年）

4月1日	消費者庁，COCoLiS（消費者団体訴訟制度）ポータルサイトを公開
4月18日	「消費者団体訴訟等支援法人の認定，監督等に関するガイドライン」改訂，「適格消費者団体の認定，監督等に関するガイドライン」改訂

● 資料 3 ●

消費者契約法裁判例（実体法関係）

番号	判決年月日	裁判所	事件番号等	掲載	事件の概要	判決の内容	参照条文	備考
1	H13.7.18	川越簡裁	平成13年(ハ)第30号入会金請求事件	消費者法ニュース60号66頁	事業者からの旅行情報提供サービス会員の入会金請求訴訟に対し、消費者が支払方法につき不実告知による取消しを主張した。	①事業者の説明内容の評価について、1条の趣旨から、事業者の専門的な常識を前提に個々の意味内容を確定することは妥当ではなく、当該契約時の状況を基礎として平均的な消費者を基準にして評価すべきものとした。②その上で、事業者の説明内容について、サラ金からの借入れが条件であるのに、自社で貸し付けるかのような説明内容であったとして、不実告知による取消しを認めた。	1条、4条1項1号、4条4項2号	
2	H13.11.29	札幌簡裁	平成13年(ハ)第5333号和解金請求事件	消費者法ニュース60号211頁	平成11年2月に借り入れた20万円の返済についての平成13年6月にした和解契約（遅延損害金年率26.28％）に基づく事業者からの貸金返還請求。	遅延損害金を9条2号より年14.6％に制限した。	9条1項2号	
3	H14.3.12	神戸簡裁	平成13年(ハ)第2302号入所費等返還請求事件 Westlaw	消費者法ニュース60号211頁	歌手志望で俳優等養成所に入所直後、思っていたものと違うとして不実告知等による取消等を主張し、支払済費用の返還を求めた。	3ヶ月後の月謝の値上げを告げなかったことが不利益事実の不告知（4条2項）に該当するとして取消を認めた。	4条2項	
4	H14.3.25	東京地裁	平成14年(レ)第12号営業保証料請求控訴事件	判タ1117号289頁、金判1152号36頁、私法判例リ	パーティーの予約を解約すると営業保証料として一人当たり5,229円徴収すると定	①「平均的損害」を合理的な算出根拠に基づき算出された平均値であり、解除の事情、時期の特殊性、当該契約等の損害内容	2条、9条1号、民訴法248条	

（注）
① 参照条文欄は改正（令和4年12月改正まで）による条項号ずれに対応。
② 備考欄（　）内の数字は、番号欄の数字に対応する。

資料3 消費者契約法裁判例 843

5	H14.7.19	大阪地裁 平成13年(ワ)第9030号損害賠償請求事件	マーク27号38頁、NBL753号72頁、West law	中古車販売の解約において車両価格の15%を損害賠償金と作業実費に基づく販売会社が支払いを求めて提訴した消費者に対し、消費者が、本件規約は、「平均的な損害」を超える損害請求を超えるとしては、平均的な損害を主張した。	めた規約は、「平均的な損害」を超える損害を請求する消費者の事情に照らして判断するとして、①消費者契約の代替可能性・変更可能性等、転用可能性等の損害等の蓋然性等の事情に照らして判断するとして、②その上で、民事訴訟法248条を適用して「平均的な損害」を認定した。 9条1項1号、民訴法248条1項
6	H14.10.30	京都簡裁 平成14年(少コ)第155号仲裁費用返還請求事件	消費者法ニュース60号212頁	仲裁センター発行のパンフレットには当事者が同席しての仲裁手続が行われるとの誤解を生じさせる絵が描かれているが、当該事実と異なり不実告知に該当するとして取消しを求めた。	当該パンフレットが「勧誘」にあたることを前提としつつ、パンフレットが仲裁手続の全般にわたり同席で行われるものと一般人に誤認させるものとは認められないとして棄却した。 4条1項1号、4条5項1号
7	H14.12.12	広島高裁 平成14年(ネ)第232号貸金請求控訴事件	最高裁HP、Westlaw	消費者契約法施行前の消費貸金契約に基づく貸金の事後行使による債権を保全する必要がある相当の事由があるときは(最高裁判所昭和39年(オ)第155号同45年6月24日判決・民集24巻6号587頁参照)、消費者契約法施行前の本件貸金契約についても同法の適用があるものとしていいと、直ちに10条の直接適用ないし類推適用を必要とする消費者契約であるとみなさず、当事者の合意であるという契約自由の原則上有効であるから(最高裁判所昭和39年(オ)第155号同45年6月24日判決・民集24巻6号587頁参照)、消費者契約法10条2項に照らし消費者契約の条項や約款の効力を否定することはできないものというべきであるとして、排斥した。(傍論)	10条

番号	判決年月日	裁判所	事件番号等	掲載	事件の概要	判決の内容	参照条文	備考
8	H15.3.26	さいたま地裁	平成14年(ワ)第2347号違約金請求事件	金判1179号58頁 私法判例リマークス29号50頁、Westlaw	消費者が、LPガスの切り替え工事、ボンベ交換の契約後1年未満で販売会社が変更となった場合には、88,000円の違約金を支払う旨の9条1号により無効であると主張した。	①「平均的な損害の額」（9条1号）の立証責任について、同法が消費者を保護することを目的とする法律であること、損害が生じるかどうかや損害がどの内容かの把握しがたいこと、極めて事業者側に立証がないという消極的事情があるといえないこと以上、平均的な損害について「平均的な損害」やそれを超える部分があると主張立証する事業者から具体的な主張立証を命じるとした。②本件においてはそれを相当ではないとし、88,000円の返金を命じた。	9条1項1号	
9	H15.4.22	東大阪簡裁	平成15年(ハ)第234号損害賠償請求事件	消費者法ニュース56号148頁	子犬の売買において、感染症に罹患した子犬が引き渡された後に子犬が死亡したことにつき、消費者が、売買代金の返還を求めた。	生命保証制度に加入していなかった場合、販売会社は免責されるとの契約条項は、1条及び10条に照らして無効であるとして消費者からの請求を全面的に認めた。	1条、10条	控訴審 H15.9.26 大阪地裁(15)
10	H15.5.13	千葉簡裁	平成14年(ハ)第1312号、第1313号貸金請求事件	消費者法ニュース65号28頁、Westlaw	貸金業者の保証人に対する保証債務履行請求であるが、主債務者が誰であるか、融資金の使用目的及び弁済金の支払方法について、虚偽の事実を告げられ、保証人となった事実を主債務者から告知されていたとして、保証人はその詐欺（民法96条2項）による取消しをした。	主債務者（第三者）の欺罔行為により、実質的な借主が別人であることを知らなかったという本件事情を車種して、貸金業者が担ったかどうかという以上に相当程度の要件を具備していたことを認定し、民法96条2項による詐欺取消を認めた。第三者の詐欺に満たないとして、貸金業者からの告	民法96条2項	控訴審 H15.10.29 千葉地裁(25) 上告審 H16.2.26 東京高裁(54)

資料3 消費者契約法裁判例 845

11	H15.5.14	東京簡裁 平成14年(ハ)第85680号立替金請求事件	最高裁HP, 消費者法ニュース60号213頁, Westlaw	絵画のクレジット代金を支払わなかった買主に対し, クレジット会社が代金の支払を求めた。	以下の理由から, 請求を棄却した。 ①販売店の担当者が「退去させない」旨告げたわけではないが, 担当者のこの一連の言動はその意思を十分推測させるものであり, 販売店の不適切な勧誘行為に反して自分の意思に反し契約を締結するに至ったものであるとして, 4条3項2号に該当する。 ②取消権を行使していなかったが, 契約日から6ヶ月以上経過しても未だ困惑状態が継続し引渡日から6ヶ月が経過しても未だ困惑状態が継続していたとして, 引渡しの時から取消権の行使期間が進行するとして, 取消権の行使は有効である。	4条3項2号, 5条1項, 7条1項
12	H15.7.16	京都地裁 平成14年(ワ)第1789号学納金返還請求事件, 平成14年(ワ)第1832号入学金請求事件, 平成14年(ワ)第2642号学納金返還請求事件	最高裁HP, 判時1825号46頁, 消費者法ニュース56号165頁・167頁, Westlaw	大学合格後, 大学を辞退した受験生が, 入学金及び授業料等の返還を求めた。	①学校法人は法人税法上「事業者」に該当する。 ②学納金の法的性格について, 特段の事情がない限り, その名目にかかわらず, 広い意味で学校が提供する狭義の教育活動その他の役務・施設利用の対価であるとしての性格を有するとともに, 学生としての地位を取得するための, 学生として支払われるべき金員であって, 大学に一括して必要な学校側の手続及び準備のための諸経費の性格を併せ有するとした。 ③「平均的な損害の額」(9条1号)の主張立証責任は事業者が負う。 ④任意解約の始期について, 学生は4月1日以降に大学を辞退した以上, 大学は入学金に対応する契約上の義務を履行済であるとして, それ以外の学納金を辞退した者については, 入学金以外の学納金の返還を認めた。学納金と授業料全額の返還を命じたが, 平均的損害の主張立証が不十分であり, いずれも, または立証が無効とした。	2条, 9条1項1号	控訴審 H16.8.25 大阪高裁82
13	H15.8.18	郡山簡裁 平成16年(ハ)第2248号授	未登載	高校を卒業した浪人生が入学準備校に入学後2, 3	①平均的損害の主張立証責任は事業者が負う。 ②本件では, 平均的損害の立証がなされたと	9条1項1号

846　資　料

番号	判決年月日	裁判所	事件番号等	掲載	事件の概要	判決の内容	参照条文	備考
14	H15.9.19	大阪地裁	平成14年(ワ)第9615号学納金返還請求事件	最高裁HP、判時1838号104頁、判タ1143号276頁、Westlaw	大学合格後、大学を辞退した大学受験生が既納の入学金及び授業料等の返還を求めた。消費契約法施行前の事例であり、不返還条項が公序良俗違反か否かが争われた。	①入学金は、大学に入学しうる地位ないし資格の対価（一種の権利金）としての性質を有するものであり、いったん地位を取得した以上返還する義務はない。②その他の学納金については、本件大学が定員100名、入学する者が30％未満であり、ほぼ毎年正規合格者のみで納付金納付後に辞退する者が20名以上いること、実際に大学する者のため繰り上げ合格者を平成10年から平成年3月30日まで合格を実施しているが、例年3月30日まで合格を実施している程度も繰り上げ合格が困難となる一定時期以降、欠員補充が困難となる一定時期以降、不返還によって欠員が生じた場合に発生する損害を可及的に回避しようと試みることは、全く不合理とは言えないから、未だ公序良俗に反するとまでは言えないとして、不返還条項を有効とした。	9条1項号、民法90条	
15	H15.9.26	大阪地裁	平成15年(レ)第178号損害賠償請求控訴事件	消費者法ニュース57号157頁	子犬の売買において、感染症に罹患していた子犬が死亡したことにつき、売主の瑕疵担保責任に基づき売買代金と売主の瑕疵担保責任に基づき葬儀費用等の賠償を求めた。	生命保証制度に加入しなかった場合、そもそも売主の瑕疵担保責任は免責されるとの契約条項は、販売会社の瑕疵担保責任を排除するものではないとして、同条項により瑕疵担保責任との売主の瑕疵担保責任を全面的に認めた。	1条、10条	原審H15.4.22東大阪簡裁(9)
16	H15.10.3	大津地裁	平成14年(ワ)第540号損害賠償請求事件	最高裁HP、消費者法ニュース58号	パソコン講座の受講者が、厚生労働省の教育訓練給付制度を利用し受講申し込み、同省の事業であったが、	①消費者契約法施行前（平成13年2月28日に受講申し込み）の事案であったが、同法1条、3条1項及び4条2項の趣旨を根拠として、事業者	1条、3条1項、3条2項、4条2項	

資料3 消費者契約法裁判例 847

17	H15.10.6	大阪地裁	平成14年(ワ)第6374号、第9624号学納金返還請求事件	最高裁HP、判時1838号104頁、判タ1148号289頁、国セン報しの判例集HP 2004年4月、Westlaw	大学合格後、大学を辞退した受験生が、納前大学及び授業料等の返還を求めた。	① 在学契約について、主として準委任契約等の性質を併せ持つ有償付随的に施設利用契約等の無名契約である。当該大学に入学し得る地位を取得することへの対価の提供のうち、入学段階における人的物的設備等の準備、事務手続等に必要な準備、大学が受け入れるために必要な準備行為の対価であるといえるとして、返還義務を否定した。③ 授業料を返還しないとの特約は9条1号により無効であるとして、授業料の返還を命じた。④ 「平均的な損害の額」(9条1号)の立証責任は消費者側にあるとした。	9条1項1号	控訴審 H16.5.19 大阪高裁(66)
18	H15.10.16	大阪地裁	平成14年(ワ)第6377号学納金返還請求事件	最高裁HP、消費者法ニュース60号212頁、Westlaw	大学合格後、大学を辞退した受験生が、納前大学及び授業料等の返還を求めた。	① 在学契約について、準委任契約類似の無名契約である。② 在学契約が消費者契約となることについての消費者からの指摘。1条の趣旨（交渉力の格差等）が妥当する。大学に入学し得る地位を取得することへの対価であり、入学事務手続費等の対価でもある性質を有することを肯定した。④ 授業料を返還しないとの特約は9条1号により無効であるとして、授業料の返還を命じた。⑤ 「平均的な損害の額」(9条1号)の立証責任は消費者側にあるとした。	1条、9条1項1号、10条、民法90条	
19	H15.10.16	大阪簡裁	平成15年(少コ)第261号敷金返還請求事件	消費者法ニュース60号213頁、Westlaw	6ヶ月間入居した物件を解約したところ、本件賃貸借契約の特約に基づき、敷金40万円の	入居の長短にかかわらず一律に保証金を差し引くこととなる敷引特約は、民法等他の任意規定の適用による場合に比し、消費者の利益を一方的に害する条項であるといえ、10条により無効	10条	

番号	判決年月日	裁判所	事件番号等	掲載	事件の概要	判決の内容	参照条文	備考
20	H15.10.23	大阪地裁	平成14年(ワ)第9600号学納金返還請求事件	判タ1148号214頁, Westlaw	専門学校合格後, 同校を辞退した受験生が, 前納した入学金及び制服代金等の返還を求めた。	うち30万円を差し引かれた貸借人が, 敷金の返還を求めた。敷金の返還を命じた。 ①入学契約について, その入学手続を完了した時点において, 被告学校に対して, 教育的役務の提供等という事務を委任することを本質的な要素とする有償双務契約であり無名契約であるとした。 ②入学金について, 被告学校に入学できることとなった資格ないし地位の対価として支払われるものであり, いわば権利金的性質を有するものとして, 返還義務を否定した。 ③制服代金と制服の売買契約については個別独立の契約であり, 任意契約の解除事由が主張されていないとして, 返還を認めなかった。	9条1項10号, 民法90条	
21	H15.10.23	東京地裁	平成14年(ワ)第20642号, 第23679号, 平成15年(ワ)第24245号, 第1738号各不当利得返還請求事件	最高裁HP, 判時1846号29頁, Westlaw	大学合格後, 入学を辞退した受験生が, 前納した入学金及び授業料等の返還を求めた。	①在学契約について, 無名契約に類似した同契約又は同契約及び教育法の原理及び教育法により規律されることが相当な私法上の性質を有する有償双務契約と認定した。 ②入学辞退適用について, 民法651条1項の適用を肯定しつつ, 受験生側からの自由な解除を否定。 ③入学金のほか, 在学上の地位の取得の対価として, 返還義務を否定した。 ④大学が2条2項の「法人に当たるかについては公益性のあることが要件とされるところ, 情報的な契約に法人に含まれると指摘。 ⑤「平均的な損害の額」(9条1項)の特約について, 事業者側の立証責任。 ⑥授業料を返還しないとの特約について, 9条4月1日より前に大学を辞退した者について	2条2項, 9条1項1号10条	控訴審 H17.2.24 東京高裁 (114) 上告審 H18.11.27 最高裁 (169)

資料3 消費者契約法裁判例 849

22	H15.10.23	東京地裁	平成14年(ワ)第22807号不当利得返還請求事件	最高裁HP、Westlaw	私立中学入学手続後、入学を辞退した受験生が、前納した授業料及び授業料等の返還を求めた。消費者契約法施行前の事例。学納金不返還条項が公序良俗違反か否かが争われた。	①在学契約について、準委任契約又は同契約に類似した無名契約であることが規定されると教育法の原理及び理念に継続的な有償契約としての性質を有する私法上の無名契約であるとした。②入学金について、入学手続上の費用に充てられるほか、入学手続上の地位の対価としての性質を有するものとした。③入学辞退について、返還義務を否定しつつ、民法651条1項の適用の自由な解除権を認めた。④授業料について、在学契約の解除による不相当な財産的給付を強いる条項については無効とした。⑤入学推薦徴集などに乗じて受験生の窮迫・軽率・無経験に乗じて著しく不相当な財産的給付をさせる合意に限り公序良俗に該当するものとし、本件合意については公序良俗に反しないとして返還義務を否定した。1号により無効であるとして返還を命じた。4月1日以降の入学辞退者については、授業料の返還を否定した。	9条1項1号、民法90条
23	H15.10.24	神戸地裁尼崎支部	平成13年(ワ)第874号不当利得返還等請求事件 平成14年(ワ)第470号受講料等返還請求事件	消費者法ニュース60号58頁-214頁、Westlaw	易学受講契約及びこれに付随する契約（改名鑑購入）について、誘引方法が違法・不当であることを理由として契約の取消しを主張し、既払金の返還を求めた。	①法4条3項2号の「当該消費者が当該消費者契約を締結させないことを困難にさせた場合」に当たるとし、4条1項2号により取り消されるとした。②消費者の運勢や将来の生活状態は、法4条1項2号にいう「将来の変動が不確実な事項」に当たる。	4条1項2号、4条3項2号	控訴審 H16.7.30 大阪高裁(81)
24	H15.10.28	大阪地裁	平成14年(ワ)第9603号学納金返還請求事件	判タ1147号213頁、Westlaw	大学合格後、入学を辞退した受験生が、大学金及び授業料の返還を求めた。消費者契約法施行前の事例。	①在学契約は準委任契約であるとし、②入学資格に類似し、入学資格取得の対価とし、③授業料は公序良俗に反しないとし、④授業料については、学校以外の団体に帰属しないとして、各返還義務に対する返還請求はできないとして返還義務を否定した。	9条1項1号、民法90条	控訴審 H16.5.20 大阪高裁(67)

番号	判決年月日	裁判所	事件番号等	掲載	事件の概要	判決の内容	参照条文	備考
25	H15.10.29	千葉地裁	平成15年(レ)第38号貸金請求控訴事件	消費者法ニュース65号32頁・159頁、Westlaw	貸金業者の保証人に対する保証債務履行請求。実質的借主が誰であるかが主債務者の支払能力、融資金の使用目的及び弁済金の支払方法は4条1項1号の重要事項に当たる。これらについて主債務者の支払能力、虚偽の説明を受け保証人が誤信している事実につき沈黙して、虚偽の事実を告知させた結果、保証人の行為は不実告知に当たるとして4条1項1号による取消しを主張した。	① 本件連帯保証契約における主債務者及び弁済金の支払方法は4条1項1号の重要事項に当たる。② これらについて主債務者から虚偽の説明を受け保証人が誤信しているのにあえて沈黙して、虚偽の事実を告知させた不実告知に当たる行為があったとして、保証契約を締結させた不実告知を認め、貸金業者の請求を棄却した。	4条1項1号	原審H15.5.13千葉簡裁(10)上告審H16.2.26東京高裁54
26	H15.10.30	東京簡裁		未登載	納入した留学斡旋費用の不返還特約の無効を主張し、特約入金した50万円の返還を求めた。	本件特約は、9条1号により「平均的な損害」を超える部分は無効と認示の上で損害額を民事訴訟法248条に基づき10万円とした。	9条1項1号	
27	H15.11.7	大阪地裁	平成14年(ワ)第9633号学納金返還請求事件	最高裁HP、Westlaw	公募推薦方式及び外国人留学生編入学・転入学試験合格後、大学入学試験を受験合格し前納した大学入学金及び授業料等の返還を求めた。	① 本件在学契約は消費契約である。② 大学入学金の返還義務を否定した。③ 法9条1号の平均的な損害に関する立証責任について、消費者が負担するとして、本件では平均的な損害は0であるとして9条1項1号により無効として授業料を返還を命じた。	9条1項1号	
28	H15.11.7	大阪地裁	平成14年(ワ)第6370号学納金返還請求事件	最高裁HP、Westlaw	一般入学試験による大学合格後、入学を辞退した受験生が、前納した入学金及び授業料等の返還を求めた。	① 本件在学契約は消費契約である。② 大学入学金の返還義務を否定した。③ 法9条1号の平均的な損害に関する立証責任について、消費者が負担するとして、本件では平均的な損害は0であるとして9条1項1号による特約しないとの特約は9条1項1号により無効として授業料を返還を命じた。	9条1項1号	

資料3　消費者契約法裁判例　851

29	H15.11.7	大阪地裁	平成14年(ワ)第9608号学納金返還請求事件	最高裁HP, Westlaw	大学合格後、大学を辞退した受験生が、前納した大学金の返還を求めた。消費者契約法施行前の事案。	①大学金は「入学資格を得た対価」であり、②授業料等の返還特約は公序良俗に反しないとして、各返還義務を否定した。	9条1項1号, 民法90条
30	H15.11.10	東京地裁	平成15年(ワ)第10908号授業料返還等請求事件	判時1845号78頁, 判夕1164号153頁, 消費者法ニュース61号161頁, NBL785号72頁, Westlaw, 判評547号176頁(判例評論14頁)	大学医学部専門の学習塾において講座を受けていた受講生が、申し込んでいた同塾の冬期講習開始前に、それぞれ解約をし、冬期講習受講料全額と模擬試験料の返還を求めた。塾側は、契約が成立しているとして解除分受講料の返還は認められないなどと主張した。	契約の一部について、契約解除を制限する特約の成立を否定した上で、特約の全額を違約金として没収する法10条に反するとして、受講料の返還を命じた。	10条
31	H15.11.27	京都地裁	平成14年(ワ)第1815号、平成15年(ワ)第2661号、平成15年(ワ)第990号学納金返還等請求事件	最高裁HP, Westlaw	大学合格後、大学を辞退した受験生が、前納した授業料等の返還を求めた。消費者契約法施行前後の事案。	①在学契約は施設利用等を要素とする有償双務契約であり、かつ消費者契約である。②学金は「入学資格を得た対価」として返還義務を否定し、③授業料は返還しないとの特約は9条1項により無効であり、公序良俗には違反しないとして、消費者契約法施行前の当事者については返還義務を否定した。	9条1項1号, 民法90条	控訴審 H16.10.1 大阪高裁(89)
32	H15.11.27	神戸地裁尼崎支部	平成14年(ワ)第596号学納金返還請求事件	未登載	大学合格後、大学を辞退した受験生が、前納した学金及び授業料等の返還を求めた。	授業料を返還しないとの特約は9条1項により無効であるとして返還を命じ、学金については「入学資格を得た対価」として返還義務を否定した。	9条1項1号	控訴審 H16.7.13 大阪高裁(74)
33	H15.11.27	神戸地裁	平成14年(ワ)	未登載	大学合格後、大学を辞退した受験生が、前納した授業料の返還を求めた。	授業料を返還しないとの特約は9条1項により無効	9条1項1号	控訴審

番号	判決年月日	裁判所	事件番号等	掲載	事件の概要	判決の内容	参照条文	備考
		尼崎支部	第597号,第924号,第954号学納金返還請求事件		退した受験生が、前納した入学金及び授業料等の返還を求めた。	効であるとして返還を命じた。入学金については「入学資格を得た対価」として返還義務を否定した。		H16.7.22 大阪高裁(78)
34	H15.12.1	大阪地裁	平成14年(ワ)第9535号の1,第9631号の1,第9632号の2学納金返還請求事件	未登載	大学合格後、入学を辞退した受験生が、前納した入学金及び授業料等の返還を求めた。	授業料を返還しないとの特約は9条1号により無効であるとして返還を命じた。ただし、うち4月1日以降の大学辞退者の授業料の返還については、入学金・資格を得た対価として返還義務を否定した。	9条1項1号	
35	H15.12.11	大阪地裁	平成14年(ワ)第9632号の1,第9535号の2,第9631号の2,平成15年(ワ)第2414号学納金返還請求事件	未登載	大学合格後、入学を辞退した受験生が、前納した入学金及び授業料等の返還を求めた。	授業料を返還しないとの特約は9条1号により無効であるとして返還を命じた。入学金については「入学資格を得た対価」として返還義務を否定した。	9条1項1号	
36	H15.12.22	大阪地裁	平成14年(ワ)第9617号学納金返還請求事件	未登載	大学合格後、入学を辞退した受験生が、前納した入学金及び授業料等の返還を求めた。	4月1日に入学を辞退しており、前納金の返還義務を否認した。	9条1項1号	控訴審 H16.10.1 大阪高裁(90)
37	H15.12.22	大阪地裁	平成14年(ワ)第6376号,第9605号,第9628号学納金返還請求事件	未登載	大学合格後、入学を辞退した受験生が、前納した入学金及び授業料等の返還を求めた。	下記の理由から、消費者契約法施行後に在学契約を締結した者について、3月31日までに入学を辞退した者について、入学金の返還を認めた。①入学金の法的性格は「大学に入学し得る資格ないし地位を得ること」の対価であり、返還を求めることはできない。②授業料等の大学金以外の学納金は教育役務の対価であること、③「平均的な損害の額」(9条1号)の立証責任は消費者側にある。	9条1項1号	控訴審 H16.10.22 大阪高裁(92)

資料3　消費者契約法裁判例　853

38	H15.12.24	京都地裁	平成14年(ワ)第1814号学納金返還請求事件	最高裁HP、Westlaw	大学合格後、大学を辞退した受験生が、前納した大学及び受験料等の返還を求めた。	授業料を返還しないとの特約は9条1号により無効である。「4月1日以降の入学辞退については「入学金について返還義務を否定した。	9条1項1号
39	H15.12.24	神戸地裁	平成14年(ワ)第1409号各学納金返還請求事件	最高裁HP、Westlaw	大学合格後、大学を辞退した受験生が、前納した大学及び受験料等の返還を求めた。	4月1日までに退学願いの提出又はこれに代替しうる客観的な方法で退学の意思表示がなされた場合「入学金については「入学し得る地位を得たことの対価」として返還義務を否定した。	9条1項1号、10条
40	H15.12.26	大阪地裁	平成14年(ワ)第6375号等学納金返還請求事件	最高裁HP、Westlaw	大学合格後、大学を辞退した受験生が、前納した大学及び受験料等の返還を求めた。	4月1日以降に大学を辞退して授業料を返還するとの特約は9条1号により無効と認め、返還を命じた。入学金については「入学し得る資格を得た対価」として返還義務を否定した。	9条1項1号
41	H16.1.8	大阪地裁	平成14年(ワ)第6371号、平成15年(ワ)第2118号学納金返還請求事件	未登載	大学合格後、大学を辞退した受験生が、前納した大学及び受験料等の返還を求めた。	授業料を返還しないとの特約は9条1号により無効であるとし、4月1日以降の授業料の返還を命じた。ただし、原告のうち4月1日以降の大学辞退者については「入学し得る資格を得た対価」として返還義務を否定した。	9条1項1号
42	H16.1.9	大阪簡裁		国民生活2007年1月号64頁、国生こくらしの判例集2007年1月	パソコン内職をすれば月々5万円以上の収入になるといわれて教材をクレジットで購入したが、その収入が稼げなかったため4条1項1号4条2項により取消を認め、クレジット会社に対し代金の返還を命じた。	4条2項

854　資　料

番号	判決年月日	裁判所	事件番号等	掲載	事件の概要	判決の内容	参照条文	備考
43	H16.1.14	神戸地裁	平成14年(ワ)第1408号，第2167号学納金返還請求事件	未登載	大学合格後，大学を辞退した受験生が，前納した大学金及び授業料等の返還を求めた。号等によりを取り消し，クレジット会社に既払い金の返還を求めた。	授業料を返還しないとの特約は9条1号により無効であるとし，大学金については「大学資格を得た対価」として返還義務を否定した。	9条1項1号	
44	H16.1.20	大阪地裁	平成14年(ワ)第9626号学納金返還請求事件	未登載	大学合格後，大学を辞退した受験生が，前納した大学金及び授業料等の返還を求めた。	授業料を返還しないとの特約は9条1号により無効であるとし，大学金については「大学資格を得た対価」として返還義務を否定した。	9条1項1号	控訴審 H16.9.3 大阪高裁83
45	H16.1.21	大阪地裁	平成14年(ワ)第6372号学納金返還請求事件	Westlaw	大学手続後，前納した大学金及び授業料等の返還を求めた。4月以降訴状により解除とし認定された。	在学契約は準委任類似の無名契約とし，授業料等の前払的性格を有するものではなく，授業料の不返還特約は9条1号により無効であるとし，大学金は解除した時点までの日割りで計算しての期間分について返還を命じた。残	2条，9条1項1号	控訴審 H16.7.22 大阪高裁77
46	H16.1.28	大阪地裁	平成14年(ワ)第9607号学納金返還請求事件	未登載	大学合格後，大学を辞退した受験生が，前納した大学金及び授業料等の返還を求めた。	大学金の返還については，学校年度の開始(4月1日)後に契約を解除した場合には，不返還特約は9条1号及び10条によっても無効ではないとし，大学金の返還を否定した。	9条1項1号，10条	
47	H16.2.5	大阪地裁	平成14年(ワ)第9622号学納金返還請求事件	未登載	大学合格後，大学を辞退した受験生が，前納した大学金及び授業料等の返還を求めた。	大学金は「大学資格を得た対価」として返還義務を否定した。		
48	H16.2.5	東京地裁	平成15年(ワ)第28402号求償金請求事件	判タ1153号277頁，金法1717号76頁，Westlaw	信用保証委託契約に基づき，求償元金及び約定遅延損害金(年利18.25％)の支払を求めた。	遅延損害金について，被告の主張を待たずに9条2号により年利14.6％を超える部分の約定は無効とした。	9条1項2号	控訴審 H16.5.26 東京高裁68

資料3 消費者契約法裁判例

49	H16.2.6	大阪地裁	平成14年(ワ)第6369号学納金返還請求事件	未登載	大学合格後、大学を辞退した受験生が、前納した大学金の返還を求めた。	大学金は「入学資格を得た対価」として返還義務を否定した。	
50	H16.2.13	大阪地裁	平成14年(ワ)第9614号、平成15年(ワ)第1533号学納金返還請求事件	未登載	大学合格後、大学を辞退した受験生が、前納した大学金及び授業料等の返還を求めた。	大学金及び授業料に対する対価として性質は同じでないことは9条1項の種々の義務を前提としたことにより、平均的な損害の額を命じたが、授業料については平均的な損害の額を超える部分に該当する部分については返還しないに該当するは返還を命じた。	9条1項1号
51	H16.2.18	岡山地裁	平成14年(ワ)第1058号学納金返還請求事件	最高裁HP、Westlaw	大学合格後、大学を辞退した受験生が、前納した大学金及び授業料等の返還を求めた。	得べかりし利益は、9条1項の平均的損害には含まれない。本件特約のうち授業料を返還しない部分が9条1項により無効であるとして「大学資格を得た対価」として返還義務を否定し、大学金の返還を命じ、10条にも民法90条にも該当しないとした。	9条1項1号、民法90条
52	H16.2.19	大分簡裁	平成15年(ハ)第267号原状回復等請求事件	消費者法ニュース60号59頁	自宅の床下に拡散型換気機等を設置する請負契約の締結前、退去せずに午前11時ころから午後6時30分ころまで契約を締結するまで退去せずに勧誘したことにより契約を締結したことにより困惑して業務会社に対しでも既払金の返還を、信販会社に対しては抗弁対抗により、債務不存在の確認を求めた。	「そのようなものは入れんでいい、必要ない、必要ないから帰ってくれ。」「換気扇などいらない。私らが言っているのはやかないかといっている」と言ったとのかかわらず、午前11時ころから午後6時30分ころまで退去せずに勧誘したことにより、不退去により困惑して契約を締結したものとして、請負契約の取消しを認めて業務会社に対する既払金の返還請求を、信販会社に対しては抗弁対抗を認め、債務不存在を確認した。	4条3項1号
53	H16.2.23	大阪地裁	平成14年(ワ)第9604号、第10840号学納金返還請求事件	未登載	専門学校合格後、入学式を辞退した者が支払った大学金、授業料等の返還を求めた者は大学金、授業料等の返還を求めた。	授業料等を納めた者の退学は入学式(4月5日)及び学科ガイダンス(4月8日)を受けた後の4月8日であったが、授業料等を返還しないとの特約は9条1項に該当する条項であり、被告には	9条1項1号

856 資 料

番号	判決年月日	裁判所	事件番号等	掲載	事件の概要	判決の内容	参照条文	備考
54	H16.2.26	東京高裁	平成16年(ネ)第9号賃金請求上告事件	消費者法ニュース65号35頁, Westlaw	反び初年度授業料等を支払った者はこれら双方の返還を求めた。	平均的損害は認められず9条1号により無効であるとして全額の返還を認め、入学金については「入学しうる地位の対価」として返還義務を否定した。	4条1項1号	原々審 H15.5.13 千葉簡裁(10) 原審 H15.10.29 千葉地裁25
55	H16.3.5	大阪地裁	平成14年(ワ)第6380号, 平成14年(ワ)第9634号学納金返還請求事件, 平成15年(ワ)第434号学納金納金返還請求事件	消費者法ニュース60号207頁, 国セン報道発表資料HP 2006年10月6日, Westlaw	大学合格後, 入学を辞退した受験生が, 前納した入学金及び授業料等の返還を求めた。	大学金は在学契約に基づく権利を保有し得る諸費用の取得の対価及び入学手続事務に関する諸費用の充当されるもの。所定の書類を提出しておらず入学式以前の期日まで何の連絡もしていない者によって, 入学式欠席で契約を黙示的に解除したものである。退学については保証人との連署による退学届を提出する旨の学則があるから, 民法の準委任規定からの離脱の自由を障害するものではなく, この学則は有効。解除はなく解除ができないと解することはできないから, 返還請求は学友会等については代理徴収であるから, 返還請求すべきでもある。公募推薦大学試験請求権について授業料は消費貸借契約による不当利得返還請求権でもある。放棄するまでの意思を認めることはできない。平均的損害は民法651条2項に基づく損害賠償であるから解除が不利益な時期にされた結果の損害を指す。3月31日までに解除した場合, 被告には損害はない。4月1日以降の解除については春学期の授業料相当額。平均的損害については他の同種大学における同学期(春学期)授業料等の平均値が原告春学期及び初年度大学等の初年度春学期	9条1項1号	控訴審 H17.4.22 大阪高裁 平成16年(ネ)第1083号 上告審 H18.1.27 最高裁(172)

資料3　消費者契約法裁判例　857

56	H16.3.16	京都地裁　平成15年(ワ)第1626号敷金返還請求事件、第1214号損害賠償請求反訴事件	最高裁HP．消費者法ニュース59号90頁．国民生活センターくらしの判例集2004年6月．Westlaw	賃貸マンションの解約時にクロスの汚れなどの自然損耗分の原状回復費用を借主に負担させる特約を理由に、敷金を返還しないのは違法として、家主には原状回復費用は含まれていた（なお、賃料には原状回復費用は含まれていないと定められた）。	通常の使用による損耗（自然損耗）の原状回復費用を借主の負担と定めた入居時の特約について、「自然損耗等による原状回復費用を負担させることは、賃借人の目的物使用の対価を加重するものであり、賃借人の利益を一方的に害する特約として、10条に照らして無効。なお、10条と民法90条との関係は特別法と一般法ではないから、10条により無効かを判断する必要はないとの判決もあるが、本件賃貸借契約は平成13年4月の消費者契約法の施行後だったから、消費者契約法を適用した合意更新されているとの判断に基づく自然損耗を借主負担と定めた特約分を無効とした全国で初めての判決である。	10条	控訴審　H16.12.17　大阪高裁(101)
57	H16.3.22	大阪地裁　平成14年(ワ)第9601号学納金返還請求事件	未登載	大学合格後、大学を辞退した合格者が、大学へ納入した学納金の返還を求めた。	大学を払った時点で双方の内容とする法律関係が成立しており、所定の期限までに学納金を納入するなどして入学手続を完了させることをする他の学納金を納入するなど所定の期限までに手続きを完了させることで合格者は大学の学生の地位に就くことができる地位に就くことができる。合格者は大学関係成立に向けてその人的物的設備の整備や事務等の経費を整えるものの対価性があるものとして大学は返還義務を負わない。	9条1号	
58	H16.3.22	東京地裁　平成14年(ワ)第20623号、平成15年(ワ)第3248号不	Westlaw	大学合格後、大学を受験及び辞退した前納生が、大学入学金及び授業料等の返還を求めた。	授業料を返還しないとの特約は9条1号により無効．4月1日以降も在学契約の解除により大学に発生する具体的な損害はないとして大学辞退による授業料は返還義務はないとして	9条1号	控訴審　H17.2.24　東京高裁(113)

858 資料

番号	判決年月日	裁判所	事件番号等	掲載	事件の概要	判決の内容	参照条文	備考
59	H16.3.25	大阪地裁	平成14年(ワ)第6381号学納金返還請求事件　当利得返還請求事件	未登載	大学合格後、3月10日ころ学納金納付と合わせた入学式の欠席をし、4月1日入学者が3月10日までは産生くとともに4月1日には大学を辞退くことについて、前納した大学金等及び春期授業料等の返還を求めた。	について4月1日より前の入学辞退者と異なるとはないとし、入学金については「入学資格を得た対価」として返還義務を否定した。4月1日の入学式欠席についてその理由の確認があるが、この時に入学辞退の意思表明が認められるが、大学辞退は少なくとも4月1日の授業料及び施設料等の損害が生じているとして、半期分の授業料及び施設等の返還を否定するとして、大学金については「大学位等の地位の取得の対価」であるとして大学の手続等のの取得の対価」は費用の手数料又は費用である」として返還義務を否定した。	9条1項1号	
60	H16.3.25	大阪地裁	平成14年(ワ)第9620号学納金返還請求事件	未登載	4月1日より前に大学合格者が、前納した大学金及び春期授業料等の返還を求めた。	平均的損害について立証責任は消費者にあるとし、被告が4年分の平均的な授業料相当額を4年分の平均的な授業料相当額とすることに対しては、任意契約に準ずる授業任意契約に準ずる性質を有する契約であり、ここにいう損害とは、契約存続・継続することから生ずる損害に限定されるべきものと解することはできないとし、他の収入を得る機会を失ったこと等から生ずる損害を入れないと認めることはできないとし、他の取入機会を失ったことをもって平均的損害が生じたということはできないとした。また、4月1日までの辞退者には非財産的な損害が発生するといえても「平均的損害」の発生は認められないとし、9条1号により無効であるとした。春期授業料等については返還しないとする特約は9条1項1号により無効であるとし、入学金については「入学資格の取得に準ずる地位の取得に要する手数料又は費用」に対価」であり、入学資格及び入学準備に要する手数料又は費用として返還義務を否定した。	9条1項1号	

資料3 消費者契約法裁判例

61	H16.3.30	仙台地裁	平成15年(ワ)第343号不当利得返還請求事件	未登載	合格者が3月22日大学を辞退し、前納した入学金及び授業料等の返還を求めた。	授業料を返還しないとの特約は9条1号により無効である。入学金については「入学手続上の諸費用」できることへの対価である地位を取得できるとしての対価であるとして返還義務を否定した。なお、平均的損害、立証責任は事業者が負うとした。被告が4年間の学納金相当数の学生が予測に反して辞退することに対し、被告は、定員を保有しており、証拠上の情報、平均的損害の予測できる事実が認められること、それは予測を上回る数の学生があるとしても、平均的損害の予測できる範囲を大きく上回ることを、定員割れが認められず、むしろ平均的損害の範囲を大きく上回る損害は発生していないとした。	9条1項1号
62	H16.3.30	東京地裁	平成14年(ワ)第20640号等不当利得返還請求事件	Westlaw	大学合格後、入学を辞退した受験生が入学金及び授業料等の返還を求めた。	授業料を返還しないとの特約は9条1項1号により無効である。ただし、原告の解除した授業が開始される前に在学契約を解除しているものについては、授業料の返還義務を否定した。「入学資格」として返還義務を否定した。	9条1項1号 控訴審 H17.3.10 東京高裁 (116) 上告審 H18.11.27 最高裁 (168) 差戻審 H19.5.23 東京高裁 (187)
63	H16.4.20	名古屋地裁	平成14年(ワ)第3993号学納金返還請求事件	未登載	大学合格後、入学を辞退した受験生が入学金及び授業料等の返還を求めた。	除籍の日の翌日から当該会計年度の末日までの期間に対応する授業料等の額をもって9条1号にいう「平均的な損害」と解するのが相当とし、授業料を返還しないとの特約は同号によって無効となるとした。入学金については「入学資格」を得る対価として返還義務を否定した。	9条1項1号

860 資　料

番号	判決年月日	裁判所	事件番号等	掲載	事件の概要	判決の内容	参照条文	備考
64	H16.4.22	大阪高裁	平成15年(ネ)第2237号立替金請求控訴事件	消費者法ニュース60号156頁、D1-Law	一般市場価格として41万4,000円と表示されていた値札を付けて陳列されていたファッションリングを29万円で購入した購入者に対し、信販会社が立替金の支払を求めた。	一般的な小売価格は4条4項1号に掲げる重要事項に該当し、これに不実告知があったとして、購入者による売買契約の取消を認めた。	4条1項1号 4条5項1号	請求を認容した原審(H15.6.26 大阪地裁)を取り消した。
65	H16.4.30	東京地裁	平成14年(ワ)第20659号、第26683号平成15年(ワ)第4440号不当利得返還請求事件	Westlaw	大学の入学試験に合格し、学納金を納付した後に入学を辞退し、民法又は9条1号、10条により学納金の返還を求めた。	① 大学は、在学契約により取得する地位及び利益に対する対価であり、返還を求めることはできないとした。 ② 平均的損害の立証責任は事業者側にあるとした。 ③ 消費者契約法施行前の契約については返還を認めなかった。 ④ 消費者契約後の入学辞退者については授業料の返還を認めた。3月31日までの入学辞退合意は消費者契約法10条に該当しないとした。 ⑤ 不返還合意は消費者契約法10条に該当しないとした。	9条1項1号 10条	控訴審 H17.3.30 東京高裁 (121) 上告審 H18.11.27 最高裁 (173)
66	H16.5.19	大阪高裁	平成15年(ネ)第3268号学納金返還請求控訴事件	国セン報道発表資料HP2006年10月6日	原審と同じ	原審と同じ	9条1項1号	原審 H15.10.6 大阪地裁(17)
67	H16.5.20	大阪高裁		未登載	原審と同じ	原審と同じ	9条1項1号	原審 H15.10.28 大阪地裁(24)
68	H16.5.26	東京高裁	平成16年(ネ)第1432号求償金請求控訴事件	判タ1153号275頁、金法1717号74頁、Westlaw	原審と同じ	原審と同じ。事業者と「個人」との間で締結した消費貸借契約の適用があるが、事業者契約法の適用を主張する側に主張立証責任があることを前提として判断した。	2条、9条1項2号、11条2項	原審 H16.2.5 東京地裁(48)

資料3 消費者契約法裁判例 861

69	大阪地裁	H16.6.4	平成15年(ワ)第4152号学納金返還請求事件	未登載	大学合格後、大学を辞退した受験生が、前納した授業料等の返還を求めた。	授業料を返還しないとの特約は9条1号により無効であるとして、大学金及び授業料は「入学資格を得た対価」として返還義務を否定した。	9条1号	
70	京都地裁	H16.6.11	平成15年(ワ)第2138号敷金返還請求事件	消費者法ニュース61号157頁、Westlaw	通常の使用に伴う損耗分も含めて契約開始当時の原状のある建物賃貸借契約を締結し、当該契約に際して原状回復特約が無効であるとして敷金の返還を求めた。	原状回復の要否の判断がもっぱら賃貸人に委ねられていること、賃借人が負担した場合となる単価の上限についての定めがない等を実施する基礎に加え、賃借人の作成した集合住宅における建物賃貸借契約書の定型的な交渉力を有していない一方、入居申込者は賃貸借契約の内容を決定することができないため、公平性及び信義則に反するものとして10条により無効とされた。自然損耗による原状回復費用を予測して賃料額を決定することは可能であるから、当該特約は明確性に欠け一方的に害するものとして10条により無効と判示した。	10条	控訴審 H17.1.28 大阪高裁(106) H17.6.14 最高裁上告申立不受理
71	神戸簡裁	H16.6.25	平成16年(ハ)第335号リース料請求事件	Westlaw	通信機器のリース契約に基づきリース料の支払を求められた。これに対し、リース契約の締結に当たり当該店の当該従業員による取扱店の勧誘行為が不実告知に当たるとして、リース契約の取消を主張した。	取扱店とリース会社との密接な関係を前提に、当該取扱店のリース会社による勧誘が「NTTの回線がデジタルに変わります。今までの電話ログが使えなくなります。この機械を取り付けるとこれまでのデジタル電話代わりに使うことができる。しかも電話代が安くなります」と虚偽であったことに関し、4条1項1号による契約の取消を認めた。	4条1項1号	
72	大阪地裁	H16.6.29	平成14年(ワ)第6373号、平成15年(ワ)第9618号、平成15年(ワ)第3528号学納金返還請求事件	国セン報道発表資料HP2006年10月6日	大学合格後、大学を辞退した受験生が、前納した授業料等の返還を求めた。	授業料を返還しないとの特約は9条1号により無効であるとして、大学金及び授業料は「入学資格を得た対価」として返還義務を否定した。	9条1号	

番号	判決年月日	裁判所	事件番号等	掲載	事件の概要	判決の内容	参照条文	備考
73	H16.7.5	東京簡裁	平成16年(少コ)第325号敷金返還等請求事件	最高裁HP、Westlaw	建物賃貸借契約を締結した賃借人が、当該賃貸借契約の始期に先立ち、賃貸人に対し、礼金、共益費及び1ヶ月分の預入金を支払うとともに、敷金及び礼金等の補修に当たるが返還しない旨の約定に応じなかったことから、当該賃貸借契約が解約されたことから、賃借人が礼金等の返還を求めたところ、賃貸人の要件及び礼金、共益費、敷金等の返還をしない旨の約定があるとして返還を拒絶された。	賃借人の都合により解約するときには解約申込日の3ヶ月前に書面による解約届けを提出しなければならず、これに従った場合には賃貸人はいったん支払われた賃料、共益費・共益費の合計額の6ヶ月分に保証金額とする旨の約定及び礼金、共益費、共益費は一切返還しないが、敷金は定めがある条項であり10条の趣旨に照らし著しく公の秩序に関しない権利を制限し、又は原告の義務を加重するものは、原告の権利を制限し、又は原告の義務を加重するものであり10条の趣旨であり無効とした。	10条	
74	H16.7.13	大阪高裁	平成15年(ネ)第3731号学納金返還請求控訴事件	未登載	原審と同じ	原審と同じ	9条1項1号	原審H15.11.27神戸地裁尼崎支部(32)
75	H16.7.13	東京地裁	平成15年(ワ)第24336号損害賠償請求事件	判時1873号137頁、判タ1173号227頁、消費者法ニュース61号158頁、国セン『くらしの判例集』HP2004年11月、Westlaw	外国語会話教室において、レッスンを受講するためのレッスンポイントを事前に一括して購入するとされ、その料金は購入ポイント数が多くなればなるほど単価が安くなる制度が採用されている一方、途中解約する場合には、当初の単価では消化済みのスンポイントと同程度	特定商取引法49条2項の規定の趣旨や勧誘事情から約款により、実際に提供されていないレッスンポイントを有効期間の経過を理由に消化済みのものとみなして精算金額を供託したことは許されない(ただし、精算済みのため、請求棄却となった)。	10条、商法49条2項1号イ	

資料3　消費者契約法裁判例

76	H16.7.15	京都地裁		未登載	のコースの契約時単価（購入時）よりも割高となる）を単価としてと精算することとされており、特定商取引法49条2項イに違反して無効であるとして、精算金の返還を請求した。教室側は、約款の合理性を主張した。	2条2項	
77	H16.7.22	大阪高裁	平成16年(ネ)第510号学納金返還請求控訴事件	未登載	建物賃貸借契約の解約に際し保証金全額の返還を求めた事案で、賃貸人の事業者性や敷引特約の不当性が争われた。		自ら居住目的で購入した建物転居を余儀なくされたため賃貸したものので反復継続性をなくして、賃貸人の「事業者」性（2条2項）を否定した。	原審H16.1.21大阪地裁(45)
78	H16.7.22	大阪高裁	平成15年(ネ)第3732号学納金返還請求控訴事件	国セン報道発表資料HP2006年10月6日	原審と同じ	9条1項1号	授業料等につき解除の日（訴状送達の日）の翌日から学期期末までの期間に相当する額について日割り計算し返還を命じた。	原審H15.11.27神戸地裁尼崎支部(33)
79	H16.7.28	千葉地裁	平成14年(ワ)第1550号違約金等請求事件	消費者法ニュース65号170頁	建築業者が建物工事請負契約した消費者に対し解約した契約代金の20%に相当する額の違約金条項に基づき違約金の支払を求めた。	9条1項1号	① 9条1号の「平均的な損害」の主張立証責任は事業者側にある。② 建築業者が本件契約後に契約解除条項があることのみを主張立証し、他に平均的な損害について支出した費用相当の損害を超える額について主張しない以上、平均的な損害を超える部分の違約金条項は9条1号により無効である。	
80	H16.7.28	大阪地裁	平成15年(ワ)第1037号、第10932号、第10933号学納金返還請求	国セン報道発表資料HP2006年10月6日	大学合格後、大学を辞退して受験した大学入学前納付した入学金及び授業料等の返還を求めた。	9条1項1号	授業料を返還しないとの特約は9条1号により無効であるとして入学辞退後の返還を命じた。4月1日以後開始しない入学辞退者については、在学契約の解除によって4月1日より前に発生する具体的な損害はなく入学辞退者についての大学辞退者とは異なることから、4月1日より前の大学辞退者は無効。	

864 資　　料

番号	判決年月日	裁判所	事件番号等 求事件	掲載	事件の概要	判決の内容	参照条文	備考
81	H16.7.30	大阪高裁	平成15年(ネ)第3519号不当利得返還等請求、同付帯控訴、受講料等請求控訴事件	国セン報道発表資料HP2006年10月6日、Westlaw	原審と同じ	①易学受講契約について、契約締結場所を退去しなかったことが法4条1項1号に該当し、法125条1号所定の追認を行為を行うことにより取消し得べきものとした（ただし、法4条3項2号による取消しを認めなかった）。法4条1項自体は公序良俗の提供の提供に反し無効とした。②付随契約（原審確定的判断によるもの）について、法4条1項2号については「その他の将来における不確実な事項」とは消費者の財産上の利得に影響する事項」としては消費者の財産上の利得に影響する事項については「その将来を見通すことが困難であるものというべきであり、運命に関するものはこれに含まれないと解するのが相当であって、取消しを認めなかった（ただし、当該契約自体は公序良俗に反し無効とした。）。大学資格を得た対価を否定した。	4条1項2号、4条3項2号、11条	原審H15.10.24神戸地裁尼崎支部(23)
82	H16.8.25	大阪高裁	平成15年(ネ)第2505号学納金返還請求控訴事件、同附帯控訴事件第2686号事件	未登載	原審と同じ	授業料を返還しないとの特約は法9条1号により無効で「入学金について入学資格を得た対価」として返還義務を否定した。	9条1項1号	原審H15.7.16京都地裁(12)
83	H16.9.3	大阪高裁	平成16年(ネ)第572号学納金返還請求控訴事件	未登載	原審と同じ	原審と同じ	9条1項1号	原審H16.1.20大阪地裁(44)
84	H16.9.8	東京地裁		未登載	大学の入学試験に合格し、学納金を納付した後に入学を辞退し、法又は法9条1号、10条により学納金の返還を求めた。	消費者契約法施行以前の契約については、返還義務を否定した。施行後の契約については、9条1号により返金を認めるが、入学金は入学しうる地位の対価として返金を認めなかった。	9条1項1号、10条	

資料3　消費者契約法裁判例　865

85	H16.9.10	大阪高裁	平成15年(ネ)第3707号学納金返還請求控訴事件	最高裁HP, 判時1882号44頁, 1909号174頁, 消費者法ニュース62号139頁, Westlaw	大学合格後、大学を辞退した大学生が、前納した入学金及び授業料等の返還を求めた。消費者契約法施行前の事例	大学金については、その目的に照らして相当な額を超える場合は、その超える部分は、他に入学費用のない大学が提供せざるを得たとも評価できず「大学資格」として報酬と評価せざるを得たとしつつ、本件については「大学資格」として報酬と評価せざるを得ないと否定した。授業料については、授業を行う前であり民法の公序良俗に反して無効とし、授業料の返還を命じた。	9条1項号	原審H15.11.11大阪地裁上告審H18.11.27最高裁(171)
86	H16.9.10	大阪高裁	平成16年(ネ)第21号学納金返還請求控訴事件	最高裁HP, 判時1882号44頁, 1909号174頁, Westlaw	大学合格後、大学を辞退した大学生が、受験料及び授業料等の返還を求めた。消費者契約法施行前の事例	大学金については、その目的に照らして相当な額を超える場合は、その超える部分は、他に入学費用のない大学が提供せざるを得たとも評価できず「大学資格」として報酬と評価せざるを得ないと否定した。授業料については、授業を行う前であり民法の公序良俗に反する旨の特約は、民法の公序良俗に反して無効として、授業料の返還を命じた。	9条1項号	
87	H16.9.15	大阪地裁		未登載	貸金業者に対する過払い金返還請求訴訟について合意管轄条項に基づき移送の決定がなされたことに対し、当該合意管轄条項が10条に反し無効であるとして当該決定の取消を求めた。	当該金銭消費貸借はいわゆるサラ金業者の店舗営業の方法により貸し付けられたものであるところ、当該業者は、管理本部において一元的に管理する資料を本店所在地の管轄裁判所として指定することは、当該合意管轄条項に存する信義則に反して消費者の利益を一方的に害するものとは認められないとした。	10条	移送決定に対する抗告抗告審H17.7.31大阪高裁(107)
88	H16.9.22	福岡地裁	平成15年(ワ)第974号損害賠償請求事件	最高裁HP, Westlaw	マンションの購入の際、ペットの飼育に関する説明が不適切であったため、ペットの飼育が不可能であると誤信して購入契約を締結したとして、債務不履行責任、説明義務違反(債務不履行責任)又は不利益事実の不告知(4条2項)に基づく取消等による損害賠償等を請求した。	マンション販売業者は制定予定の管理組合規約等においてペット飼育についての可否を説明する限りにおいてその説明義務を負うとしたが、ペット飼育が制限されていることは、改正可能であるから、販売業者がマンション販売に際し管理組合規約の内容として制定予定のペット飼育の可否についての説明までは行う義務までは負わないとし、マンションにおけるペット飼育の可否はマンション売買契約における重要な事項であったとした。	4条2項	

866　資　料

番号	判決年月日	裁判所	事件番号等	掲載	事件の概要	判決の内容	参照条文	備考
89	H16.10.1	大阪高裁	平成16年(ネ)第71号学納金返還請求控訴事件	未登載	不当利得の返還を求めた。	たが、販売業者による説明は制定予定の管理組合規約解釈を述べたにすぎず、また、購入者は本件マンション入居する以前もマンションにおいて管理上一定の制約を受けつつペットを飼っていたことからすれば、不利益となる事実の不告知による取消を否定した。	9条1項1号	原審 H15.11.27 京都地裁(31)
90	H16.10.1	大阪高裁	平成16年(ネ)第359号学納金返還請求控訴事件	未登載	原審と同じ	原審と同じ	9条1項1号	原審 H15.12.22 大阪地裁(36)
91	H16.10.7	大阪簡裁	平成16年(ハ)第2169号リース料請求事件	Westlaw	電話機及び主装置一式のリース契約に基づき未払金の支払を求めたのに対し、リース契約の当該店舗の従業員ではない取次店が不実告知による勧誘が不実告知に当たるとして契約の取消を主張した。	当該リース契約の締結に関し、契約内容の説明など当該契約の締結については、当該事業者が契約書作成のためにデジタル電話光ファイバーを敷設することを前提とする電話機器を交換する必要があり、電話機に繋がない旨を告げられた被告(消費者)が、電話に繋がない旨を告げられたとして、4条1項1号による取消を認めた。	4条1項1号	
92	H16.10.22	大阪高裁	平成16年(ネ)第295号学納金返還請求控訴事件	未登載	大学合格後、大学入学を辞退した受験生が、前納した入学金及び授業料等の返還を求めた。	下記の理由により、消費者契約を締結した原告を含めて、入学金以外の学納金の返還を認める。①入学金の法的性格は「大学に入学し得る資格を得ることとの対価」等であり、返還を求めることはできない。②4月1日以降期間もない時期(遅くとも入学式以前)に在学契約が解除された場合には、実質的には4月1日より前の大学辞退と異なるところ	9条1項1号	原審 H15.12.22 大阪地裁(37)

資料3　消費者契約法裁判例　867

93	H16.11.12	福岡高裁	平成15年(ネ)第752号不当利得返還等請求控訴事件	最高裁HP、判タ1187号231頁、Westlaw	手形貸付を反復継続して受ける方法及び長期間にわたって高利での借入をしていた者からの過払金等に対する不当利得返還請求。	はなく、特段の事情がない限り、平均的損害は存在しないと認めるのが相当であるところ、この事実を覆すに足りる量及び質の格差という1条の趣旨をあげて借主にもっとも容易に検算ができる後払計算方式が借主に対する不当額有限に対しと要件を満たしと要件を覆定した。③ 授業料不返還特約は暴利行為の要件を満たし公序良俗に反し無効である。	1条
94	H16.11.15	東京簡裁	平成16年(少コ)第2715号売買代金返還請求事件	最高裁HP、Westlaw	内職商法で月2万円は確実に稼げると勧誘されてシステム(CD-ROM)を購入させられた者が、断定的判断の提供を受けたとして4条1項2号による取消を求めた。	以下の理由から取消を認めた。①「内職商法で月2万円は確実に稼げる」との発言は、将来において得るべき収入に関する事項について不確実な事項についての言い方にあたる。②月2万円は確実に稼げるとの発言は、具体的な金額を示しての言い方である(4条1項1号)	2条、4条1項2号
95	H16.11.18	大阪地裁	平成15年(ワ)第13395号学納金返還請求事件	未登載	コンピュータ専門学校に入学した後、2学年の授業料等を支払った後2学年に向けて2学年に進級する前に退学したとして、不当利得返還請求権に基づく内金の返還を求めた。	①一般に在学契約は、準委任契約の性質を有しつつ、施設利用契約等の性質を併せ持つ複合的な無名契約であり、2学年次の授業をいっても受けていないこと、学納契約の解約の効力を否定する消費者契約の解約の効力を否定する（9条1号）の立証責任は、学校側の負担であり「平均的な損害の額」(9条1号)の立証責任は、学校側にある。②本件では、在学契約の解除の意思表明したのが2月10日であり、2学年次の初めから6月21日であること、2学年次の授業を全く受けていないこと、定員割れがあるかにかかわらず、それだけの設備は当然に設定しているから、退学者の設備は当然に設定しているから、退学者が出ても学校側に損害がないことから、退学者側に損害がないこと	9条1項1号

868　資　料

番号	判決年月日	裁判所	事件番号等	掲載	事件の概要	判決の内容	参照条文	備考
96	H16.11.18	大津簡裁	平成16年(ハ)第317号不当利得返還請求事件	未登載	専門学校合格後、入学式前に入学を辞退した受験生が、納付した入学金及び運営協力金の返還を求めた。	①運営協力金は、入学後の教育施設の利用及び教育的役務の享受に対する対価であり、入学金のように入学し得る地位を保持することへの対価としての性質を有するものではない。②損害賠償義務者が「平均的な損害の額を超える消費者の一部について無効という利益を受ける消費者に含まれる場合に得られる利益額が平均的な損害の額を超えると」に翻すると、被告の主張及び立証責任を負う。③在学契約を完全に履行した場合に得られる利益額を超えると認め得る証拠はない以外に損害額を認め得る証拠は存在しないとして、運営協力金全額の返還を命じた。	9条1項1号	
97	H16.11.19	佐世保簡裁	平成16年(少コ)第7号敷金返還請求事件	未登載	敷金として差し入れた家賃5ヶ月分のうち、3.5ヶ月分を差し引く敷引特約は10条により無効であるとして返還を求めた。	賃貸借契約締結時に十分な説明のないまま敷金4ヶ月分のうち一律に3.5ヶ月分を差し引く敷引特約は10条により無効であり、また、建物使用により損耗した部分についての原状回復費用を自然損耗を超えた損害であるとして、敷引特約について敷引額にかかる金額全額の返還を命じた。	10条	
98	H16.11.29	東京簡裁	平成16年(少コ)第4044号立替金請求事件	最高裁HP、Westlaw	訪問販売で日本語をよく話せない中国人に教材を売りつけた事案で、信販会社が立替金請求した。	販売店の担当者がクレジットの返済月額を1万2000円位であると説明したが、実際には2倍以上の引き落としであったこと等について不実告知を認め、本件クレジット契約は販売会社が媒介を委託したものであるとして(5条)、4条1項に基づき取消しを認めた。②騙されたことを知った後に立替金を支払っていたとしても、相手方に対して追認の意思表示がなされた訳ではないとして、追認を認めなかった。また、排斥してクレジット契約の取消を認めた。	4条1項、5条、7条	
99	H16.11.30	大阪簡裁		未登載	「保証金」として差し入れた家賃5.3ヶ月分のうち、4.5ヶ月分の返還を求めた。	建物賃貸借契約に伴う保証金の返還について、敷引特約あるいは類似の契約に関する民法、商法上の法規定の任意規定はなく、また、	10条	

資料3　消費者契約法裁判例　869

		裁判所	事件番号	出典	事案	条文	審級
100	H16.11.30	神戸簡裁	平成16年(ハ)第10756号保証金返還請求事件	未登載	賃借人の転居は自己都合であることなどから敷引特約は信義則に反して消費者の利益を一方的に害するものというべきであるとして、返還を否定した。月分を差し引く敷引特約は10条により無効として返還を求めた。	10条	控訴審 H17.7.14 神戸地裁 (127)
101	H16.12.17	大阪高裁	平成16年(ネ)第1308号敷金返還請求控訴事件	判時1894号19頁、消費者法ニュース63号92頁、Westlaw	賃貸借契約終了時には賃借人から預託金を受けた保証金から残額を控除した約束をしたが、賃借人は、その約束は10条により無効として保証金の返還を求めた。原審と同じ	10条	原審と同じ
102	H16.12.20	東京地裁	平成14年(ワ)第20658号、第24250号、第28684号不当利得返還請求事件	判タ1194号184頁、Westlaw	大学の入学試験に合格し、学納金を納付したが、後に大学を辞退した。民法又は9条1号、10条により学納金の返還を求めた。① 消費者契約法施行以前の契約について返還義務を否定した。（施行後の契約について）② 大学納金は予約完結のための権利金又は予約完結の対価の性質を有するとした。③ 授業料等最終的な入学者数を確定し、補欠、繰上げ合格をもって予測し、最終の大学辞退者数を計上している。これに必要な人的・物的見込数を予測した学校側の支出見込額を下回る程度の手当を考えられず、学校側における授業料債権の学納金に予測の加算に生じる平均値を下回るとき等としては通常、学納金の返還を求めたこと等については通常生じる損害はないものとして、9条1号により返還を認めた。多数の案件を認めた。	9条1項1号、10条	
103	H17.1.12	大阪地裁	平成15年(ワ)第10259号損	未登載	通学定期乗車券の不正使用について、旅客鉄道旅客定期乗車券の規定が増運賃を定めた趣旨は、不正使用に対する違約罰であり、多数の案件を認めた。	10条	

番号	判決年月日	裁判所	事件番号等	掲載	事件の概要	判決の内容	参照条文	備考
104	H17.1.26	名古屋地裁	平成14年(ワ)第4110号 帳尻差損金等請求事件、不当利得返還請求反訴事件 第5428号	消費者法ニュース63号100頁、判時1939号85頁、Westlaw	鉄道規則の規定に基づき乗車区間の往復の乗客運賃を基準に有効期限の翌日から日までの期間の不正使用が発覚した日までの不正使用した2倍の損害賠償金等の支払を求めた。	画一的に取り扱う普通取引約款の性質上、定型的に不正使用に対する徴収金を定める規定の一般的合理性は是認できる。規定自体が消費者契約法10条としているとの主張は採っていない。旅客鉄道規則の規定は不正使用の蓋然性の高いことが前提となっており、不正使用の蓋然性が認められない期間にまで機械的に適用して増賃金等を請求することは10条の法意に照らして許されないとして適用を制限した。		
105	H17.1.27	東大阪簡裁	平成16年(ハ)第608号 受講料等返還請求事件	消費者法ニュース63号137頁	こども英会話講師養成認定資格の受講契約を成立し、入会金を振り込んだが、受講前に解約し、入会金と受講料の返還を求めた。	「一度ご入金頂いた費用は、ご自身のご都合によるご返金はできません」という不返還条項は、民法651条1項の解除権を排除するもので、消費者の権利を制限し、消費者の利益を一方的に害するものであるから、10条により無効であるとし、返還請求を認めた。	10条	控訴審 H17.9.30 大阪地裁 (136)

106	H17.1.28	大阪高裁	平成16年(ネ)第2217号敷金返還請求控訴事件	Westlaw	原審と同じ	原審と同じ	10条	原審 H16.6.11 京都地裁(70) H17.6.14 最高裁上告申立受不受理
107	H17.1.31	大阪高裁		未登載	原審と同じ	原審と同じ	10条	原審 H16.9.15 大阪地裁(87)
108	H17.1.31	東京地裁	平成16年(ワ)第9490号受講料返還請求事件	国セン「くらしの判例集」HP2007年3月、Westlaw	MBAの資格取得のために、アメリカのビジネススクールへの留学試験への合格を目的として、授業を受講したが、事業者が開講するすべての合格に必要なコースを受講することが確実になるとか、個別指導等において標榜されていた事実が実際には全く違っていたので、4条1項等により取消を主張した。	契約したコースの一部については、留学に必要なすべてが含まれる内容のものではなく、個別指導方式というのは実質上そのようなものではなかった部分もあった。残りのコースについては取消を認めるだけの不実の告知があったとはいえない。その部分に当たるコースの継続的役務提供契約について、消費者契約法に基づく特定商取引法に基づく特定商取引法49条本件受講契約の中途解約の意思表示をするものとして、消費者契約の意思表示を含むものとし、中途解約法49条に基づく返金が認められた。	4条1項、特商法49条	
109	H17.2.3	東京簡裁	平成16年(ハ)第11333号貸金請求事件	Westlaw	約定利息を年29%とする貸金業者の貸金返還請求において、契約書面に記載された「利息又は利息の支払を遅滞したとき……(略)催告を要せず期限の利益を失い直ちに元利金を一括して支払うべし」との期限の利益喪失条項との関係で、貸金業規制法43条1項の適用の有無が争われた。	本件期限の利益喪失条項と同上。信義則上、もしくは例外規定の法43条1項の制限の適用を受けられず、本則規定(債務者)の利益も広い意味で消費者には契約する必要もあることから、かかる契約を要しない等からは契約の務者は期限の利益を喪失し、消費者契約法4条により取り消しが認められ、不実告知を締結した場合にあっても、信義則の精神に反しているのであり、その法の適用なければならない。貸金規則の法の適用なければならない。貸金業者には、信義則上、必要かつ正確な情報を	本件期限の利益喪失条項と同上。信義則上、消費者契約法43条1項の特典は受けられず、本則規定(債務者)の利益をも考慮すると契約の規定の適用が要求される。資金需要者も等しく契約者である等の観点からは契約の提供と説明義務が求められ、消費者契約法4条では、消費者が不実告知により取消できるとされているが、不実告知が締結した場合には一括して要求される信義則は、ここの法律の精神に反しているのであり、その法の適用なければならない。貸金業者には、信義則上、必要かつ正確な情報を提供する義務があり、信義則上の債務不履行責任のためにも、必要かつ正確な情報を	1条、2条、4条	

872 資　　料

番号	判決年月日	裁判所	事件番号等	掲載	事件の概要	判決の内容	参照条文	備考
						提供する義務があり、重要事項につき事実と異なる不正確な内容を記載した。債務者の利益となる不正確な契約条件を記載した場合には、貸金業法43条1項の適用は受けられない。本件の期限の利益喪失条項の効力以上の本件上の内容では、実際の契約書面に充たすものとの誤解を招き、不適正・不明確な条項と認められるため、本件契約書面は貸金業法17条の要件を充たさず、したがって、貸金業法43条1項の適用はないものとして、利息制限法による残債務のみの請求を認めた。		
110	H27.2.14	東京簡裁	平成16年(ハ)第15108号貸金請求事件	平成26年運用状況検討会報告書276頁 [123]、Westlaw	貸金業者がみなし弁済の適用を主張して貸金の返還請求をした事案であり、契約書面のうち、期限の利益喪失条項の書面記載をめぐって17条書面性を満たすか否かが争点となった事例	「貸金業者は、その法関係や業務に関し、資金需要者との比較にならないほどの専門的な知識や取引経験、情報、交渉力等を有しており、金銭貸借により法定の利率以上の営業上の利息制限額を所得等の交渉による格差を認めることとなる。そして、契約書面において、「契約書面に明確に表示されていることが求められるものとして、「本件の無効な利益を与条項と認められるから、貸金業者の信義則に反するものとして、明確化（透明性）の原則に反することとなると判断される。「この不利益にあたっては、貸金業法17条の要件を満たさないことを得ない。」として、貸金業者の請求を棄却した。	1条、3条	
111	H27.2.16	東京地裁	平成16年(ワ)第25621号精算金解約請求事件	最高裁HP、判時1893号48頁、判タ1191号333頁、国セン暮らし	外国語会話教室において、レッスンを受講するためのレッスンポイントを事前に一括して購入することとされし、事業者が任意に除できる金額の上限規制をもう	以下の理由から、精算金の不足分についての返還請求を認めた。①特定商取引法49条2項の趣旨、中途解約を申し出た者に対し、継続的役務取引において、特定商取引法49条2項イ	10条、特商法49条2項1号イ	控訴審H17.7.20東京高裁 (128)上告審

資料3　消費者契約法裁判例　873

112	H17.2.17	堺簡裁	平成16年(ハ)第2107号敷金返還請求事件	の判例集HP 2005年7月, Westlaw	その料金は購入ポイント数が多くなればなるほど単価が安くなる制度が採用されているところにある。一方、当初の単価と同程度の単価を中途解約する場合には、消化済みの単価(購入時より割高となる)を単価として精算することとされており、消化済みのスタンプ単価と契約時単価との差額を請求することとなる。単価を一体として精算することは、合理性がなく、教室側は、精算金の合理性を主張した。	その料金は購入ポイント数が多くもらうことができない中途解約権の行使をためらわせ、それにして中途解約権の行使を実質的にも行使可能ならしめるものとすることにある。②事業者が役務の対価の前払金を前払金を受領として受領している場合、役務の受領者が役務の中途解約に際して、既に提供された役務の対価に相当する部分を控除して、前払金の返還のうち役務の対価に相当する部分を控除して、前払金のうち役務の対価に相当するしていない役務受けていない役務に相当する部分を算出する際に当該単価を前提として提供済みの役務の対価を算出し、残額を返還すべきである。教室側の主張する理由はいずれも合理性がなく、当該約款が特定商取引法49条2項1号イに違反し無効である。	H19.4.3 最高裁 (183)
113	H17.2.24	東京高裁	平成16年(ネ)第2107号敷金返還請求事件	Westlaw	敷金の約83%を差し引く特約は10条により無効であるとして返還を求めた。	敷引特約は10条により無効とし、全額返還を命じた。	10条
				未登載	原審と同じ	授業料を返還しないとの特約は消費者契約法9条1号として無効であるとした。大学資格を得た対価として辞退を申し出た4月22日以降の返還義務について授業料の返還義務を否定した。	9条1項1号 原審 H16.3.22 東京地裁(58)
114	H17.2.24	東京高裁	平成15年(ネ)6002号不当利得返還請求控訴事件	Di-Law	原審と同じ	消費者契約法施行以前の契約については返還義務を否定した。施行以後の契約は9条1号により無効とし、授業料の返還を命じた。ただし、入学資格についてはその大学学部・学科を得た対価としての授業料等であり、一般入試以外の大学辞退資格であり、第1志望として出願資格等の返還を求めることは信義則違反として認めなかった。	9条1項1号 原審 H15.10.23 東京地裁(21) 上告審 H18.11.27 最高裁 (169)

番号	判決年月日	裁判所	事件番号等	掲載	事件の概要	判決の内容	参照条文	備考
115	H17.3.1	千葉簡裁	平成16年(少コ)第77号敷金等返還請求事件	消費者法ニュース63号97頁	敷金等の返還請求に対し、賃貸人が、賃貸借契約書に、賃借人が原状回復を明け渡し日時までに了する旨、及び、賃借人は賃料の損害金を支払う義務があることを主張した。	社会一般に通常行われている賃貸借契約に比して賃借人に特に義務を負担させる条項が有効であるためには、賃借人には、その義務の内容について十分に理解し、自由な意思に基づいて同意したと認めるに足る証拠を欠くものとして、これを認める必要であるとして、前記事実を認めるに足る証拠はないとして、同条項を無効であるとした。また、原状回復の損耗について、自然損耗についてまで賃借人に負担させるものと定めたものではないとして、返還請求を認めた。	10条	
116	H17.3.10	東京高裁	平成16年(ネ)第2715号不当利得返還請求控訴事件	民集60巻9号3514頁、Westlaw	原審と同じ	消費者契約法施行以前の契約については返還義務を否定し、授業料を返還しないとの特約は9条1号により無効であるとして原告の4月1日以降の返還を命じた。ただし、原告のうち4月1日以降に入学辞退を申し出た者については、「大学入学資格を得た対価」として授業料の返還を否定した。	9条1項	原審 H16.3.30 東京地裁(62)(168) 上告審 H18.11.27 最高裁(差戻審 H19.5.23 東京高裁)(187)
117	H17.3.10	東京地裁	平成15年(ワ)第18148号債務不存在確認等請求事件	Westlaw 判例秘書	高齢者に対する床下換気扇等について、点検商法による販売性、原状回復に対して信販会社に対して債務不存在確認を求めた。	① 4条1項1号にいう重要事項は、品質、性能、対価等の必要性、相当性等が含まれるものと解すべきである。ただし、科学的な水分測定がなされた訳ではなく、商品自体の本件建物への設置の必要性、相当性までが含まれるものと解すべきである。 ② 科学的な水分測定がなされた訳ではなく、商品自体の本件建物への設置の必要性、相当性までが含まれるものと解すべきである。「床下が湿気を帯びている」という趣旨の説明をしたものであり、家人に危惧を生じさせ、この趣旨の本来的な機能を発揮させる事実告知（4条1項1号）に当たるとして、取り消しうる。 ③ 1回払の立替であったとしても、信義則上相当と認めるに抗弁を対抗できるというべきであり、本件は特段の事情がある。	4条1項1号	

資料3 消費者契約法裁判例 875

118	H17.3.17	札幌地裁 平成15年(ワ)第2657号立替金請求事件	消費者法ニュース64号209頁、国セン報道発表資料HP2006年10月6日	高齢の女性が宝石金属販売会社の従業員がホテルでの展示会に連れ出された。帰宅したいと告げたにもかかわらず勧誘を続けられやむなくネックレスを購入し、クレジット契約を締結させられた。販売会社からの立替金請求に対し、4条3項2号(退去妨害)により消費者契約の取消を主張した。	① 販売店が信販会社との立替払契約について、顧客を勧誘することを委託することは5条1項の「媒介の委託」に当たる。② 顧客が、販売店従業員に帰宅したいと告げたにもかかわらず勧誘を続けさせてなくネックレスを購入、立替払契約を締結させられたことにより、4条3項2号による取消の効果を認めた。	4条3項2号、5条1項
119	H17.3.25	佐野簡裁 平成16年(ハ)第150号敷金返還等請求事件	未登載	敷金返還請求に対し、賃貸人は、自然損耗部分も賃借人の負担とするという原状回復特約があることを主張した。	本件原状回復特約について、自然損耗部分とするのが合意の内容であるとの特段の事情が窺われないので、消費者の意思を欠くものであって、施行後は同条の適用があるから、本件原状回復特約は10条により無効である場合にはいずれにせよ自然損耗部分についての返還請求を認めるべきである。	10条
120	H17.3.25	京都地裁 平成16年(ワ)第1622号学納金返還請求事件	未登載	大学の入学納付金35万円、運営協力金35万円の合計70万円の学納金の返還を求めた。	本件納付金(入学金、運営協力金)の法的性質について検討し、結局学校は本件納付金を経常的な運営費として取り扱っているであることが明らかで、入学辞退者に負担させるには特段の事情が必要であるところ、入学辞退者にはそのような事情が生じることが当然にあり得ることにより空きが増えることはないとして、10条により不返還条項は無効とした。	9条1項1号、10条
121	H17.3.30	東京高裁 平成16年(ネ)第3109号不当利得返還請求事件	未登載	大学の入学試験に合格し、学納金を納付した後に入学を辞退し、民法又は9条1項1号、10条により学納金の返還を求めた。	① 消費者契約法施行以前の契約については返還義務を否定した。② 入学金については、「大学資格を得たことに対し」として返還義務を否定した。③ 原審が平均的損害を負うという主張立証責任は事業者が負うという部分が削除され、消費者が主張立証責任を負うと主張した部分が削除され、消	9条1項1号 原審H16.4.30東京地裁65上告審H18.11.27最高裁

番号	判決年月日	裁判所	事件番号等	掲載	事件の概要	判決の内容	参照条文	備考
								(173)
122	H17.4.20	大阪地裁	平成16年(ワ)第10347号敷金返還請求事件	消費者法ニュース64号213頁、Westlaw	敷金の80%（40万円）を差引く敷引特約は10条により無効として返還を求めた。	本件敷引特約の趣旨を通常損耗部分の補修費に充てるものであるとしく、敷金の額、賃料額、賃貸借契約期間内の賃料額、敷引額が適正額の範囲内等を総合考慮して、敷引特約は有効とし、本件では2割（10万円）の敷引は有効とした。	10条	
123	H17.4.28	横浜地裁	平成14年(ワ)第3573号、平成15年(ワ)第1179号、第3452号不当利得返還請求事件	判時1903号111頁、金商1225号41頁、Westlaw	学納金の返還を求めた。	大学納金の法的性質について、「学生としての地位」の対価（推薦入学の場合は推薦入学合格者の有する地位を併有）とし、現実に取得するのは4月1日であるから、それ以前に入学を辞退した場合には返還すべき部分となる。不返還条項については返還すべきとし、平均的損害を超える部分の主張立証責任は被告にあるとした。平均的損害については民事訴訟法248条により損害を認定した、立証が困難であることから、民事訴訟手続による「講経費」と同等額と認定した（入学費用として徴収している「講経費」と同等額）。授業料については、返還すべきとした。	9条1項1号、10条、民法90条、民訴法248条	
124	H17.6.24	盛岡地裁遠野支部	平成17年(ワ)第12号不当利得返還等請求事件	Westlaw	貸金業者に対する過払金返還請求訴訟について専属的合意管轄条項に基づく移送の申立てがなされたことに対し、当該管轄条項が10条に反し無効であるとして移送しないように求めた。	本件専属的合意管轄条項は10条により無効とし、貸金業者の移送申立てを一部却下した。	10条	

資料3 消費者契約法裁判例

125	H17.7.12	京都簡裁	平成16年(少コ)第184号敷金返還請求事件、同第1076号原状回復費用請求反訴事件（通常移行）	未登載	敷金返還請求に対し、賃貸人は、退去時にはクロスの張替え、畳・襖の張替えその他内装清掃を居住年月日に関係なく、敷金より差し引くものとし、内装修復個所なく借主の原状回復義務に関係なく元責任とする特約を主張した。	本件原状回復特約について、賃貸人が賃貸の当初における優越的地位を行使して賃借人に過大な義務を設定するものであるから、クロスの損耗の原状負担とする部分は民法90条により無効と解すべきであるとし、自然損耗部分についての返還請求を認めた。	10条 90条	控訴審 H17.12.22 京都地裁 (146) 上告審 H18.5.24 大阪高裁 (158)
126	H17.7.13	大阪高裁	平成16年(ネ)第2721号保険金請求控訴事件	自動車保険ジャーナル1622号3頁、Westlaw	自動車の盗難の損害金200万円について、譲渡前に盗難にあった事案であり、保険会社は自動車保険約款一般条項5条（免責条項）を主張した。同条項が10条に反するか否かが争われた。	以下の理由から、10条違反ではないとした。①本件免責条項は、商法650条の適用を排除したものであるが、自動車保険の特殊性を考慮して定められたもので合理性があり消費者の利益を一方的に害する内容のものとはいえない。②本件免責条項が明確、平易に理解できるよう、消費者契約款の「譲渡人」の意義について、本件改訂について検討されることが望ましいとは考えられるが、不明確として信義則に反するとまではいえない。	10条	H17.11.17 最高裁上告不受理
127	H17.7.14	神戸地裁	平成16年(レ)第109号保証金返還請求控訴事件	判時1901号87頁、消費者法ニュース65号161頁、国セン公表資料HP2006年10月6日、Westlaw	敷金30万円のうち25万円(83.3%)を差し引く敷引特約は10条により無効として返還を求めた。	本件敷引特約は、民法にない義務を負担させるものであって、民法の任意規定にある条項に比して消費者の義務を加重する条項であり消費者の利益を一方的に害する要素を有するものが混然一体（礼金、いわゆる運礼、謝礼（礼金）、立退料免除の対価、空室損料、自然損耗、賃料の修繕費等）としており、この分析にいずれもその合理性を否定し、敷引特約は賃貸事業者が消費者である賃借人に押し付けている状況にあるとして、信義則に反し消費者の利益を一方的に害す	10条	原審 H16.11.30 神戸簡裁 (100)

878　資　料

番号	判決年月日	裁判所	事件番号等	掲載	事件の概要	判決の内容	参照条文	備考
128	H17.7.20	東京高裁	平成17年(ネ)第1333号解約精算金請求控訴事件	判タ1199号28頁、消費者法ニュース65号163頁、くらしの判例集HP、2005年7月、Westlaw	原審と同じ	原審と同じであるものと判断し、10条に違反し無効であるとし、25万円の返還請求を認めた。	10条、特商法49条2項1号イ	原審H17.2.16東京地裁(111)上告審H19.4.3最高裁(183)
129	H17.7.21	東京地裁	平成16年(ワ)第21104号不当利得返還請求事件	判タ1196号82頁、Westlaw、判例秘書	大学入学を辞退した原告が入学金・授業料等の返還を求めた。	以下の理由から、授業料の返還請求を認めた。①入学金の法的性質について、それ以外の趣旨を含むとの特段の事情のない限り、学生としての地位を取得する対価であるから、その返還を請求することはできない。②授業料について、4月1日以降の入学式前の時点で辞退した原告も含めて、平均的損害が生じたことをうかがわせる規定はないから、その返還を要しないとする規定は全部無効であり、その返還を請求することができる。	9条1項1号	
130	H17.8.25	新潟地裁長岡支部	平成16年(ワ)第139号立替金請求事件	未登載	学習教材の訪問販売における、信販会社からの立替金請求。既に別の業者から学習教材の提供を伴う教育役務の提供を受けていた者に対し、別業者が訪問して他の自分の教材が古いこと、他の業者による役務の提供をしていることに言及し、このようにすれば教材の返戻金も請求できる、などと言って教材購入、信販契約をした。	以下の理由から、4条1項1号により契約の取消を認め、割賦販売法30条の4の抗弁対抗を認め、請求を棄却した。①教育役務の提供の有無は、本件教材売買契約においては重要事項であり、不実告知があった。②契約締結における本件教材売買契約が、教材購入において業者の教育指導がおりにしても教育調達ができず資金調達が必要であり、業者のこのような教育調達が重要事項であるところ、業者の資金調達指示に反し、不実告知がされた。	4条1項1号	控訴審H18.1.31東京高裁(148)

資料３　消費者契約法裁判例

131	H17.8.25	東京地裁　平成15年(ワ)第21672号手付金返還請求、違約金請求事件	Westlaw、判例秘書	不動産業者から土地購入及び建物建築請負契約を併せて締結したが、住宅ローンが通らない場合には売買請負両契約が解除となるとの条項があったところ、住宅ローンが通らず解除となったため、原告被告間に入って交渉した第三者の地位、解除条項の解釈、及び不実告知（4条1項1号）が争われた。	以下の理由から、4条1項1号、5条1項により、請負契約の取消を認め、不動産業者に手付金300万円の返還を命じた。①間に入って交渉した第三者は、委託を受けた第三者（5条1項）に当たる。②第三者が、解除条項について、未来であれば解除できるかのように説明しており、不実告知（4条1項1号）に当たる。	4条1項1号、5条1項
132	H17.9.6	名古屋簡裁　平成16年(ハ)第3907号立替金請求事件	未登載	浴衣を買いに来た客に対し、高額な要服セットの購入を要服勧誘してクレジット契約を長時間勧誘して締結させた事案で、クレジット会社から立替金請求がなされた。4条3項本文、同項2号及び4条3項1号による取消が争われた。	以下の理由から、4条3項2号、5条1項により、立替払契約の取消を認めた。①4条3項2号の「退去する旨の意思を示したのに」とは、消費者契約法の目的から、「時間がない、用事がある」等の間接的に退去の意思を示す場合が含まれ、「その場所を退去させないこと」とは、当該消費者を退去させないことに当該消費者にとって心理的に広い意味で退去困難にさせる場合にも理性的に足りる意味になっている。②本件では、退去までの勧誘が午後11時ころから深夜2時ころに行く午後6時から午後6時まで子どもを迎えに行く用事があったこと、「要らない」と告げているにもかかわらず、相談センターに相談が相当数寄せられていたことから、4条3項2号に当たる。③当該勧誘が、契約締結の6日後に書換をして	1条、4条3項2号、5条1項

番号	判決年月日	裁判所	事件番号等	掲載	事件の概要	判決の内容	参照条文	備考
133	H17.9.7	富山簡裁	平成17年(少コ)第48号キャンセル料請求事件	消費者法ニュース65号164頁、66号93頁	ペンション経営者がインターネットに広告を掲載し、申込み承諾後に13日後にキャンセルをしたところ、約款に基づき70パーセントのキャンセル料を請求された。キャンセル料について合意が成立しているか否かが争われた。	被告にとって極めて不利益な条項であるにもかかわらず、その際も経緯からは当初の勧誘による困惑が継続しているものであり、取り消しうる。被告はさらに、キャンセル料について十分に説明はまた、被告が承諾したとの外形事実があることをもって、被告の真摯な承諾があったことは認められないとして、請求を棄却した。	10条	事業者であり消費者契約法の適用がない事案
134	H17.9.9	東京地裁	平成17年(ワ)第67号不当利得返還請求控訴事件	最高裁HP、判時1948号96頁、国セン報道発表資料HP2006年10月6日、Westlaw	挙式予定日から1年以上前に結婚式場の予約をし、その数日後に取り消した場合において、予約金10万円の返還を認めない条項は消費者契約法10条、9条1号により無効であるとして、不当利得返還請求をした。	挙式予定日の1年以上前から得べかり利益をこの時点で想定することは通常困難であり、仮にその後1年以上の間に新たな予約が入ることをもっても被控訴人が得る時の期待を十分に得ることを考えると、その後新たな予約が入らないことにより挙式当日の予定どおりに利益が得られなかったとしても、そのような事態を喪失する可能性は絶無ではないかないとして想定しうるものは9条1号によりに本件取消料条項はこれにより無効であるとして、返還請求を認めた。	9条1項1号	
135	H17.9.27	京都地裁	平成16年(ワ)第2571号敷金返還請求	未登載	敷金20万円余りの返還を求めた。原状回復条項が公序良俗違反、10条違反かどうかが争われた。	本件賃貸借契約法施行後に合意更新されていることから同法の適用を受けると、自然損耗分を借主負担と定めた部分が10条に違反するとし、返還請求を認めた。	10条	
136	H17.9.30	大阪地裁	平成17年(レ)第72号受講料等返還請求控訴事件	消費者法ニュース66号209頁	原審と同じ	次の理由から、入学金2万円を除く既払い金25万円の返還請求を認めた。 ① 本件受任契約は準委任契約である。 ② 不解除条項は10条違反であり無効である。	9条1項1号、10条	原審H17.1.27東大阪簡裁(105)

資料3　消費者契約法裁判例　881

137	H17.10.14	枚方簡裁	平成17年(ハ)第181号敷金返還請求事件、同反訴請求事件	消費者法ニュース66号207頁、国民生活センター報道発表資料665号HP2006年10月6日	敷金25万円の返還請求に対し、敷引特約（敷引金25万円）が10条違反かどうかが争われた。	③不返還条項は9条1号の趣旨に反する。④大学金2万円は約定のクーリングオフ期間中申込者の受講枠を確保する対価（権利金）の性質を有する。⑤入学金部分について平均的損害を超えること、申込者の無知を利用して約し（9条1号の「平均的な損害」の立証責任が消費者にあることを前提。）。本件敷引特約については、賃借人の故意過失によらない損耗までの費用を負わせるものではなく、いわゆる賃借人には敷引特約のない現状での選択肢がない状況にあるのが現状であること、賃借人に賃貸人の有利な特約として締結された一方的に賃借人に不利益な地位に基づくものではないといえず、賃借人の真の自由意思によったものではないえず、信義に反するものとして、10条に違反するとし、返還請求を認めた。	10条
138	H17.10.18	佐世保簡裁	平成16年(ハ)第412号求償金請求事件	未登載	この化粧品を使えば10代の肌のようにきれいになり、しみもしわもなくなってき、併用してする青汁を飲めばガンが治ると告げられ、提携ローンにより化粧品と青汁を購入し、信販会社からの求償金請求に対し、不実告知、不利益事実の不告知等を理由として取消を主張した。	①この化粧品を使えば10代の肌のようにきれいになるとの説明は医薬品的効能が生ずるような広告、表示は、具体的でなく一義的でなく主観的要素を多分に含むので不実告知に当たらないとした。②等自体事実として青汁を飲めばガンが治るとの告知が効能的効果が生ずるようないえば青汁の退薬事実でなくいっても、これを医薬品として飲めばガンが治るとの告知は不実告知に当たるとした。③契約から約11ヶ月を経過しているが、誤認に気づいていないとして4条5項の「第三者」に当たるとしたその時から6ヶ月を経過していないとして、信販会社からの不実告知、不利益事実の主張を採用して、抗弁（割賦販売法30条の4）を認めた。④信販会社からの4条5項の「第三者」の対抗との主張を排斥した。	4条1項1号、4条6項、7条
139	H17.10.21	大阪地裁	平成16年(ワ)第5920号学納金返還請求	未登載	ファッションに関する専門学校に入学した原告が、入学申込手続に告白、本件専門学校の在学契約は無効である。	①不実告知、不利益益事実の不告知について事実が認定できない。②本件専門学校の在学契約は無効である。	9条1項1号、10条

番号	判決年月日	裁判所	事件番号等	掲載	事案の概要	判決の内容	参照条文	備考
			求事件		当たり被告から受講課程の内容が実際とは違っていた点や、卒業生の就職率が100％であると説明を受けた点が不実告知、不利益事実の不告知に当たるとして4条1項1号、2項にある在学契約の取消を主張した。また、不返還条項が公序良俗に反するとし、学納金の返還を請求。退学したことにより、不返還条項が9条1号、10条に反するかどうかが争われた。	③ 入学金とは、在学契約を締結できる資格を取得し、これを保持しうる地位を取得することに対する対価を定めるもので、既に取得した以上返還を求めることはできない。④ 平均的な損害の額（9条1号）とは、同一事業者が締結する多数の同種契約事案について類型的に考察した場合に算定される平均的な損害の額をいう。⑤ 本件では、ひとつなぎのカリキュラムの部分について平均的な損害が認められるから、授業料、教育充実費、施設・設備維持費のうちカリキュラム1人分（半年分）を超える部分について、9条1号に違反するとして、返還請求を認めた。⑥ 10条違反は否定した。		
140	H17.10.24	福岡地裁	平成17年(レ)第36号敷金返還等請求控訴事件	未登載	敷金22万5,000円他他の返還を求めた。入居期間の長短を問わず75％の敷金から差し引くとの敷引条項が公序良俗違反、10条に反するかが争われた。	敷引について、新たなる賃借人のために必要となる賃貸物件の内装等の補修費用についての負担等について、賃貸人と賃借人との間の利害を調整し、賃料の紛争を防止するという一定の合理性があることは否定できないとしつつ、自然損耗部分について賃借人に負担させることによる賃貸人が挙げているものは実際には補修工事費用としての通常の使用に伴うものに直ちに該当しないということを鑑みて、敷金の一定の割合性には正当な理由がないとして、敷金の25％を無効として控除するとその部分が10条に反するとして、その75％の部分について返還請求を認めた。(一部無効)	10条	
141	H17.10.28	名古屋簡裁		国センン報道発表資料目P2006年10月6日	旅行主任者教材セットを購入した被告（消費者）が、原告の勧誘内容の不自然さに気付き、契約解除をしたところ、原告は解約料を求めた。	原告が被告に対し、本件契約締結の勧誘に際し5年後に、ある協会に申請すれば特別奨励金として返還されると告げ、被告がそのような事実がないのにあるものと誤認して契約を締結したことに不実告知による取消を認め、原告の請求を棄却した。	4条1項1号	

資料3 消費者契約法裁判例

No	裁判所	日付	事件番号	出典	事案	判旨	条文
142	東京地裁	H17.11.8	平成17年(レ)第253号情報料返還請求控訴事件	判時1941号98頁、判タ1224号259頁、Westlaw	パチンコ攻略情報について、売主から「100パーセント絶対に勝てる」等の勧誘を受けた買主が、代金の返還請求の提供(4条1項2号)に当たるか否かが争われた。	以下の理由から、4条1項2号による取消を認め、全額の返還請求を認めた。① チンコの打ち方の手順における出玉を獲得するための手順に関する事項は、将来における変動が不確実な事項に関するものに勝る。② 「100パーセント絶対に勝てる」「断定的判断の提供(4条1項2号)に当たる。③ 買主は100パーセント勝てるとの内容に疑いを抱いていたとはいえ、売主の広告や勧誘によって確実であると誤信したと認められ、これは基本的目的をもって行動していたとの事実が自ら射幸心を評価したものであり、返還請求を認めたとしても消費者保護の精神から逸脱するとはいえない。	4条1項2号
143	明石簡裁	H17.11.28	平成17年(ハ)第392号敷金返還請求事件	国セン報道発表資料 P2006年10月6日、Westlaw	解約引25万円の返還を求めた。敷引条項が10条違反かどうかが争われた。	以下の理由から、全額の返還請求を認めた。本件敷引条項は、賃借人に対し本件敷引以外の金銭的負担を負わせるものではない。その他、自然損耗の修繕費用、更新料免除の対価(謝礼)、空室補償のいずれも、敷引に関する関西地方における長年の慣行となっている点を主張するが、修繕費用等について更新料免除の対価にすることもあり、空室補償について認めることもあり、いずれも合理性を認めがたいことと等しく、本件敷引特約は10条違反である。	10条
144	東京簡裁	H17.11.29	平成17年(少コ)第2807号敷金返還請求事件(本訴)、同年(ハ)第1994号損害賠償請求事件(反訴)	最高裁HP、国セン報道発表資料 P2006年10月6日、Westlaw	敷金返還請求。自然損耗部分の修繕費用を借主の負担とする条項が10条違反かどうかが争われた。	以下の理由から、全額の返還請求を認めた。① 自然損耗回復費用を借主に負担させることは、借主に二重の負担を強いることになり、信義則に反する。② 本件原状回復条項は、自然損耗等に係る原状回復費用についてどのように適切な情報が提供されておらず、これを見積もるのか、貸主が判断するには情報不足であり、原状回復を要すると判断した場合には、借主は回復に関与の余地なく原状回復費用が発生する態様になっており、信義則に違反する。③ 本件原状回復条項は、自然損耗等に係る原状回復費用を借主に負担させることとなり、借主に負担を強いることになる。	10条

884　資　料

番号	判決年月日	裁判所	事件番号等	掲載	事件の概要	判決の内容	参照条文	備考
145	H17.12.6	大阪簡裁	平成17年(ハ)第70334号敷金返還請求事件	未登載	敷金35万円の返還を求め、25万円を敷引きとの敷引条項が10条違反かどうかが争われた。	以下の理由から、24万5,000円の返還請求を認めた。①敷引について、賃貸借契約成立の謝礼、新賃料の免除の要素に関しては正当な理由はないが、空室等による損失を低額にすることとの代償との主張については、関西地方での敷引きがあることとはいえず、賃料自体不合理なものと見るものではないが、関西地方では敷引きが慣習となっており慣習法等の限度で有効であり、適正な額に設定されているとは言えない。③敷引特約条項は、保証金の考慮し、敷引金の額や控除額が適正であればその10条違反とはならない。④本件では、保証金の総額から、適正な敷引とせい保証金の3割を超える部分についてのみ10条違反となり、(賃料の約4ヶ月分)の事情から、適正な敷引期間が1年と契約期間として、敷引を控除した、適正な敷引は保証金の3割の10万5,000円である。	10条	控訴審 H18.6.6 大阪地裁 (159)
146	H17.12.22	京都地裁	平成17年(レ)第67号敷金返還請求控訴事件	未登載	原審に同じ	通常損耗部分の原状回復費用を借主が負担することの合意は成立していないとして、敷金返還請求を認めた。	10条、法90条	原審 H17.7.12 京都簡裁 (125) 上告審 H18.5.24 大阪高裁 (158)
147	H18.1.30	京都地裁	平成17年(ワ)第784号不当利得返還請求事件	最高裁HP、Westlaw	外国語会話教室において、レッスンを受講するためのレッスンポイントを事前に一括して購入することとされ、精算金の返還請求を求めた。	以下の理由から、精算金の返還請求を認めた。①本件規定は特定商取引法49条2項、同法49条1項イ、同法49条7項に合理的な理由はなく、②合理的に適用された単価と異なる単価を用いての受領額は清算時における。	10条、商法49条2項、同法49条1項イ、同法49条7項	控訴審 H18.9.8 大阪高裁 (166)

資料3　消費者契約法裁判例

148	H18.1.31	東京高裁	平成17年(ネ)第4640号立替請求控訴事件	未登載	原審と同じ	原審と同じ	4条1項1号
						その料金は購入ポイント数が多くなればなるほど単価が安くなる制度が採用されているが、途中解約する場合には、当初の単価で精算することは、消化済みのレッスンのコースの単価よりも割高となる（購入時よりも割高となる）ことが規定されている約款は、特定商取引法49条2項1号イに違反して無効であるとして、精算金を請求することを無効であるとして、教室側の合理性を主張した。	特商法10条、特商法49条2項1号イ、同法49条7項	原審 H17.8.25 新潟地裁長岡支部 (130)
149	H18.2.2	福岡地裁	平成17年(ワ)第121号違約金請求本訴事件 (ワ)第196号手形金返還請求反訴事件	判タ1224号255頁、WestLaw	眺望に関する説明義務違反を理由にマンション販売契約が債務不履行解除された事例	① 居室からの眺望をセールスポイントとしてマンションを販売する場合において、建築前のマンション関係の重要な事項という眺望に関係する情報は、可能な限り正確な情報を提供して説明する義務があるとして解除を認めた。② 消費者契約法4条1項1号にいう「事実と異なること」とは、主観的な評価を含まないとして、同条2項にいう「事実」に該当しないこと、また、「故意」に告げなかったという取引につき、本件では「事実と異なることを告げる」ことがなかったことから、消費者契約法による取消しは否定された。	4条1項、条2項	4

番号	判決年月日	裁判所	事件番号等	掲載	事件の概要	判決の内容	参照条文	備考
150	H18.2.28	東京高裁	平成17年(ネ)第4805号授業料返還請求控訴事件	未登載	外国語会話教室においてレッスンを受講するためのレッスンポイントを事前に一括して購入することとされ、その料金は購入ポイント数が多くなればなるほど単価が安くなる制度が採用されている。一方、途中解約する場合には、消化済みのレッスンのコースの契約時単価(購入時より割高単価)を単価として精算することとされている。特定商取引法49条2項1号イに違反して無効であるとして、教室側は、合理性を主張した。	役務提供事業者が役務の対価を前払として受領しており、役務受領者から中途解約がなされ、その受領済みの受領金の中から既提供役務の対価に相当する部分を控除して返還するという場合に合理的な単価に従って既提供役務の対価を計算することが、前払金の収受に際しその単価に従って精算することが定められているときは、その単価に従って計算するのが精算の原則となるものであるから、特定商取引法49条2項1号イの趣旨に反し無効であるとして、精算金の返還請求を認めた。	10条、特商法49条2項1号イ、同法49条7項	
151	H18.2.28	大阪地裁		未登載	建物及び駐車場の賃貸借契約の借主が定めた敷金の返還を求めた事例について、建物、駐車場について敷引特約、賃貸借契約が10条に違反するか否かが争われた。	以下の理由から、建物についての保証金の返還を認めた。建物についての費用を差し引いた残額による損傷部分についての保証金、駐車場についての保証金の返還を認めた。① 敷引特約、自然損耗料、空室損耗料等の趣旨を兼ね備えており、関西地方では長年の慣行と認められる合理性がある。② 償却特約も自然損耗、空区画損耗料等の趣旨を兼ね備え一定の合理性が認められる場合を除き有効である。③ 本件敷引特約は、保証金60万円に対して50万円(約83%)、賃料の6ヶ月分以上である	10条	控訴審 H18.7.26 大阪高裁 (164)

資料3 消費者契約法裁判例

152	H18.3.10	右京簡裁 平成17年(ハ)第212号損害賠償請求事件	Westlaw	中古車買取業者が中古車を117万円で買い受けたところ、約2週間後に接合車であることが判明したとし、代金の返還請求をした。「本契約の締結に係る重大な瑕疵（盗難車、改ざん車、車台番号等）の原状回復請求権（10条）の存否」が判明した場合には、買主は本契約を解除することができる」との条項が10条に反するか否かが争われた。	① 民法570条にいう「隠れた瑕疵」とは、瑕疵のあることを知らず、かつ、知らないことについて過失のない瑕疵をいい、瑕疵の存在を発見したときから1年以内にしか解除権を行使できない。② 本条項は買主が瑕疵の存在を知らなかった場合も解除でき、解除権の行使期間の定めがないから消滅時効（10年）により完成するまでは解除することができることになる。③ したがって、消費者（売主）の瑕疵担保責任を加重する条項であり、民法1条2項の信義誠実の原則に反して消費者の利益を一方的に害するから、10条により同条項は無効である。	10条
153	H18.3.22	小林簡裁 平成17年(ハ)第247号不当利得返還請求事件	消費者法ニュース69号188頁	高齢者が不必要な住宅リフォーム工事などをさせられ、クレジット契約を締結させられた。既返済分として立替払した4回について返還請求等が認められた。	以下の理由から、返還請求を認めた。① 立替金を72回に分割して支払うことを目的とした立替は本件工事代金の立替である。② 本件工事契約は有効な利益はない。③ そう考えなければ、加盟店を通じて加盟店の販売契約を一体とみなす立替金・手数料の勧誘をして利益を上げる業態において消費者を保護する趣旨を貫くことができない。④ したがって、4条2項により消費者は取り消すことができる。	4条2項、4条5項
154	H18.3.27	福岡簡裁 平成17年(ハ)第60340号敷金等返還請求	未登載	マンションの居室賃貸借契約で、中途解約を した借主が、敷金及び	以下の理由により無効であり、返還請求については返還請求を認定。 敷金等が10条違反により無効	9条1項1号、10条

番号	判決年月日	裁判所	事件番号等	掲載	事件の概要	判決の内容	参照条文	備考
			求事件		違約金の返還を求めた。敷引特約（家賃3ヶ月分、15万6,000円）及び中途解約違約金特約（家賃1ヶ月分）の効力が争われた。	認めなかった。敷引特約は、その合意内容が当事者間において明確で、合理性があり、賃借人に一方的に不利益なものでなければ、直ちに無効とはいえない。②しかし、敷引には合理性がない。③賃貸借期間1年以内の借りによる一方、1ヶ月前の予告があったとして、新たな借り主を見つけるには2ヶ月程度を要することから、本件特約は9条1号、10条には反しない。		
155	H18.4.14	松山地裁西条支部	平成18年(ワ)第25号 移送申立事件（基本事件平成18年(ワ)第61号不当利得返還請求事件）	Westlaw	貸金業者に対し、不当利得返還請求訴訟を提起したところ、借入れについて松山簡易裁判所を管轄合意とします。の条項を根拠に松山簡裁への移送申立てをされた。	以下の理由から、専属的合意管轄は生じており、仮に合意としても10条違反であり無効となる。①貸金請求と訴訟物が異なる。②借りる際に、管轄の違反についての合意をすることは考えにくく合意解釈に反するとは考えにくく合意解釈に反することはできなかった。③約款が全国展開する企業で、法律及び訴訟の理解や経済力の点で借主とは比較にならない優位に立っている。④業者が全国展開する企業で、法律及び訴訟の理解や経済力の点で借主とは比較にならない優位に立っている。	10条	
156	H18.4.28	木津簡裁	平成17年(ハ)第170号 敷金返還請求事件	未登載	敷金返還請求。敷引特約（35万円から30万円を差し引く）の効力が争われた。	以下の理由から、敷引特約が10条違反により無効であるとして返還請求を認めた。①敷引特約は、その合意内容が当事者間において明確であり、合理性があり、賃借人に一方的に不利益なものでなければ、直ちに無効とはいえない。②しかし、まだまだ賃貸人、賃借人間においては対等な立場で契約することは困難である事実。阪神地区においては慣行としても存在するのも事実。③敷引には合理性がない。	10条	控訴審 H18.11.8 京都地裁 (167)

157	H18.5.19	枚方簡裁 平成17年(ハコ)第89号保証金返還請求事件	未登載	建物賃貸借における、保証金の返還請求。保証金45万円の内30万円を控除するとの条項の効力が争われた。	以下の理由から、当該条項について、民法により無効である部分についてその反する合意は10条に違反するとして10条違反として無効であるとしてその返還請求を認めた。 ① 賃借人に賃料以外の金銭的負担を負わせる旨の明文がないから、賃借人間の事情を検討すると、賃借人に費用の負担に関係なく負担させることとする条項は、消費者の利益を一方的に加重するものであり、消費者の利益を一方的に害するものである。 ② 賃貸人、賃借人間の賃貸期間の長短に関係なく、毎月生ずる費用に合理性があり、賃借人に生じる合理性の負担させることとする合意がされることについては、合意が認められない。	10条	
158	H18.5.24	大阪高裁 平成18年(レ)第13号敷金返還請求控訴事件	未登載	敷金返還請求。敷引特約の有効性が争われた。	通常損耗部分の原状回復費用を借主が負担する旨の合意は成立していないとの原審判断を維持した。また、仮にこのような合意がされたとしても合理性が認められないとしている。	10条	原々審 H17.7.12 京都簡裁 (125) 原審 H17.12.22 京都地裁 (146)
159	H18.6.6	大阪地裁 平成18年(レ)第5号敷金返還請求控訴事件	未登載	建物賃貸借契約における保証金返還請求。保証金35万円の内25万円を控除するとの条項の効力が争われた。	敷引特約は特段の必要性がない限り10条違反により無効であり、本件では保証金の3割相当額の敷引をするとの特約は全部無効としたとの原審の判断を維持し、控訴棄却。なお、原審では借主の控訴・附帯控訴がなかったため、控訴棄却となっている。	10条	原審 H18.12.6 大阪簡裁 (145)
160	H18.6.12	東京地裁 平成17年(ワ)第22799号契約金返還請求事件	未登載	建物建築請負契約を建築開始前に解約し、支払済みの契約金300万円から10万円を差し引いた金額の返還請求をした。「請負代金総額の3分の1または請負人に生じた損害額のどちらか高い額」とする条項の効力が争われた。	以下の理由から、当該条項について9条1号に違反し、10万円を超える限度で無効とし、返還請求を認めた。9条1号の「平均的な損害」とは、当該解除の事由、時期等同一の区分に属する多数の同種契約の解除に伴い、当該事業者に生じる損害額の平均値を意味する。	9条1項1号	

890 資料

番号	判決年月日	裁判所	事件番号等	掲載	事件の概要	判決の内容	参照条文	備考
						②「平均的な損害」の立証責任は事業者側にあるから高い方を賠償するとこの条項の効力が争われた。		
161	H18.6.27	高知地裁		国セン報道発表資料日P2006年10月6日	学納金不返還特約は、9条1号、10条、民法90条に反し無効であるとして、学納金の返還を求めた。	②「平均的な損害」の立証責任は事業者側にあるが、時期を問わず、解除の事由、時期以上が平均的損害となることの合理性について立証はなく、本件解除の時期の時期的均衡について立証されていないこと。③ 本件条項は、解除の3分の1以上が平均的損害となるという合理性があるのであるが、その合理性について立証はなく、本件解除の時期の時期的均衡について立証されていないこと。④ 民訴法248条による損害額の認定は、損害が生じたことが立証されたがその額の立証が困難な場合の規定であり、本件では損害の立証がそもそも10万円を超えない範囲でしかなされていないので、適用の前提を欠く。社会人特別選抜入学試験を受験しながら年度末になって入学を辞退したからといって、学納金の返還を請求することが信義則に違反する事情ではない。入学金のほか、入学手続に要する手数料的なものと入試合格者が該大学に入学し得る地位を取得することについての対価（一種の権利金）の面を有するものであり、原告が自己の都合で大学入学を辞退したとしても、被告が学納金特約をもって本件不返還特約を9条1号に該当するとして、授業料等不返還について返還を認めた。	9条1項1号	
162	H18.6.27	東京地裁	平成16年(ワ)第7327号不当利得返還請求事件	判時1955号49頁、判タ1251号257頁、国セン報道発表資料HP2006年10月6日、Westlaw	学納金の不返還合意書は民法651条2項ただし書の趣旨に反すること、9条1号の平均的損害を超えること、あるいは民法90条に該当するとして、不当利得に基づく学納金の返還を求めた。	大学金を納付することによって、大学との間の在学契約を締結し得る地位を得たものであり、履行部分の対価たる大学金を保持することが不当利得に授業料について、9条1号に違反するとして返還合意を認めた。	9条1項1号	

資料3 消費者契約法裁判例 891

163	H18.6.28	大津地裁	平成17年(ワ)第701号敷金返還請求事件	未登載	建物賃貸借契約における敷金返還請求。敷引特約が10条に違反するか否かが争われた。	以下の理由から、敷引特約について10条に違反するとして、1条の趣旨からは、10条は、民商法の一般条項によって無効とはならない条項でも、事業者と消費者との間の情報力・交渉力の格差により消費者の利益が不当に侵害されているものと評価されるものとして消費者の利益を擁護する趣旨。②したがって、民商法の規定に比べて過大な負担を負わせる条項がある場合には、事業者の側において(1)消費者が法的に負担すべき義務の対価で提示され、格差が是正され、消費者の契約締結後になって初めて契約締結時に予定していた不利益に陥ることはない、こと。(2)契約が見直され、格差が是正され、消費者の契約締結後になって初めて契約締結時に予定していた不利益に陥ることはない、ことを立証すれば、10条違反にはならない。③賃料の一部前払い、更新料免除の対価という性質については、合理性がなく、説明もない。	1条、10条
164	H18.7.26	大阪高裁	平成18年(ツ)第28号敷金返還請求原状回復費用請求反訴上告事件	未登載	原審と同じ	原審と同じ	10条	原審 H18.2.28 大阪地裁 (151)
165	H18.8.30	東京地裁	平成17年(ワ)第3018号売買代金返還請求事件	Westlaw	不動産業者から眺望のいいマンションを購入したが、直後にマンション建設予定地があり眺望が悪くなることを知らされなかったとして、4条2項により取消を主張し、売買代金2,870万円及び遅延損害金の返還を求めた。	以下の理由から、取消を認め代金返還請求を認めた。①勧誘するに際し眺望がよいことを告げた上、重要事項について原告の利益となる旨を告げた。②隣接地にマンション建設予定があることを告げなかった。③建設予定があることを知りながらこれを告げない場合に該当する。不利益事実を告げなかったものといえる。重要事実を故意に告げなかったと一般的に説明したにとどまり、当該不利益事実を告知したことにはならない。	4条2項	控訴審で3,000万円の支払をうけることとして和解成立。

892　資　　料

番号	判決年月日	裁判所	事件番号等	掲載	事件の概要	判決の内容	参照条文	備考
166	H18.9.8	大阪高裁	平成18年(ネ)第466号不当利得返還請求控訴事件	未登載	原審と同じ	原審と同じ	10条、特商法49条2項1号イ	原審 H18.1.30 京都地裁(147)
167	H18.11.8	京都地裁	平成18年(レ)第37号敷金返還請求控訴事件	最高裁HP、Westlaw	原審と同じ	以下の理由から、敷引特約が10条違反により無効であるとして返還請求を認めた。①敷引特約は、敷引金の性質、敷引率が合理的なものであり、かつ、賃借人がこれを十分に理解・認識した上で敷引特約に合意をしている場合は、賃借人の利益を一方的に害するということはできない。しかし、賃借人の主張（賃料の一部前払い、契約更新時の更新料免除の対価、賃貸借契約成立の謝礼）は、合理性がない。敷引率も高い（85.7%）。	10条	原審 H18.4.28 木津簡裁(156)
168	H18.11.27	最高裁	平成17年(受)第1158号、同年(受)第1159号不当利得返還請求事件	最高裁HP、民集60巻9号3437頁、判時1958号12頁、判タ1232号97頁、Westlaw	原審と同じ	①大学の入学試験の合格者と大学を設置運営する学校法人との間で締結される在学契約は、消費者契約法2条3項所定の消費者契約に該当する。②在学契約は有償双務契約としての性質を有する私法上の無名契約である。③特段の事情がない限り、学生が要項等に定める入学手続を完了することにより、学生納付金を対価とする大学の在学契約における合意が成立する。双務契約は4月1日以降に発生する。④入学金の性質を有するものは、その他の在学契約等に相当に高額である特段の事情のない限り、学生が当該大学に入学しうる地位を取得するための対価としての性質を有する。⑤学生はいつでも任意に在学契約等を将来に向かって解除することができる。⑥入学金については、その納付をもって学生たる地位を取得したものということができ、その後に在学契約を任意に解除しても、口頭による意思表示による解除も可能。	2条、9条1項1号	原々審 H16.3.30 東京地裁(62) 原審 H17.3.10 東京高裁(116) 差戻審 H19.5.23 東京高裁(187)

資料3 消費者契約法裁判例 893

169	H18.11.27	最高裁	平成17年(受)第886号不当利得返還請求事件	最高裁 HP,判時1958号61頁,判タ1232号82頁,Westlaw	原審と同じ	⑦ 授業料等に伴う損害賠償額の予定又は違約金の定めの性質を有する。 ⑧ 9条1号があるとしても、基本的には平均的損害を超える余地が働く。事実上の推定が働くに止まり、それを超えて無効であると主張する学生側が主張立証責任を負う。 ⑨ 4月1日には、学生が特定の大学に入学することが客観的にも高い蓋然性をもって予測されるから、それ以前の解除については大学側の損害は原則として生じないと解され、特段の事情のない限り平均的な損害として認められない。 ⑩ 4月1日以降の解除の場合、授業料等はそれまで大学の解除すべき範囲内のものととどまり大学側に生じる損害として特段の事情のない限り平均的損害は有効。 ⑪ 推薦入学等の場合、解除は大学にとって織り込み済みではないので、特段の事情のない限り平均的損害は生じず不返還特約は有効。	9条1号	原々審 H15.10.23 東京地裁 (21) 原審 H17.2.24 東京高裁 (114)
170	H18.11.27	最高裁	平成18年(受)第1130号不当利得返還請求事件	最高裁 HP,判時1958号62頁,判タ1232号89頁,Westlaw	原審と同じ	大学の入学試験に合格し、納付済みの授業料等を含む在学契約を締結した者が、同大学の職員等から出席するよう告げられ同大学式に出席した場合において、同大学を辞し入学式に欠席した場合であっても、同大学特約が有効であると主張することは許されない。	9条1号	原審 H18.3.23 東京高裁 平成17年(ネ)第5282号
171	H18.11.27	最高裁	平成16年(受)第2117号同年(受)第2118号学費返還請求事件	最高裁 民集60巻9号3732頁,判時1958号	原審と同じ	消費者契約法施行前の事案。 ① 在学契約の合意解除と当該大学との間の在学契約の特約における納付済みの授業料等を返還しない旨の特約の公序良俗違反該当性。	民法90条1条2項	原々審 H15.11.11 大阪地裁 原審

894 資 料

番号	判決年月日	裁判所	事件番号等	掲載	事件の概要	判決の内容	参照条文	備考
			納金返還請求事件	12頁、判タ1232号97頁、Westlaw		②私立医科大学の平成13年度の入学試験に合格し、同大学との間で納付済みの授業料等を返還しない旨の特約の付された在学契約を締結した者が、同良俗に反しないとして、授業料等の返還請求は公序良俗に反するとして、同良俗に反しないとして、棄却された。③【滝井反対意見】不返還条項は公序良俗に反しないが、現に定員割れが起こしていない場合には、追加合格に信義則上返還を拒むことは許されない。		H16.9.10大阪高裁(85)
172	H18.11.27	最高裁	平成17年(受)第1437号、第1438号学納金返還請求事件	最高裁 HP、民集60巻9号3597頁、判時1958号12頁、判タ1232号97頁、Westlaw	原審と同じ	①大学手続要項等に入学式等を無断欠席した場合には大学を辞退したものとみなす等の記載があるある大学の入学試験の合格者が当該大学との間で任学契約を締結した場合における入学式の無断欠席は任学契約の解除。②大学手続要項等に入学式を無断欠席した場合には入学を辞退したものとみなす等の記載があるある大学の任学契約における納付済みの授業料と当該大学との間の任学契約の解除に対する9条1号の適用の効果については、入学式の欠席により「平均的な損害」は生じないとした。	9条1号	原々審H16.3.5大阪地裁(55)原審H17.4.22大阪高裁平成16年(ネ)第1083号
173	H18.11.27	最高裁	平成17年(受)第1283号納金返還請求事件	未登載	原審と同じ	①学生はいつでも任意に在学契約等を将来に向かって解除することができ、口頭による意思表示も可能。②入学手続要項には4月2日に就学手続を行わなければ大学許可が取り消されるとの旨記載がある大学について、4月2日の解除を認め、大学手続を行わなかった者の損害について、4月2日の解除を認め、大学的損害は存しないとして、授業料の返還請求を認めた。	9条1号	原々審H16.4.30東京地裁(65)原審H17.7.30東京高裁平成16年(ネ)(121)
174	H18.12.15	大阪地裁	平成18年(レ)第137号保証	未登載	敷金返還請求。敷引特約(45万円から30万円)	以下の理由から、敷引特約が10条違反により無効であるとして返還請求を認めた。	10条	

資料3　消費者契約法裁判例　895

175	H18.12.22	最高裁	平成17年(受)第1762号敷金返還請求本訴、同附帯控訴事件	最高裁HP、判時1958号69頁、判タ1232号84頁、Westlaw	敷引特約は、敷引をすることを認めるものと認められ、かつ、敷金契約締結の際に敷引をすることの趣旨が賃借人に説明されているなど特段の事情のない限り、信義則に反して賃借人の利益を一方的に害するとは解されない。②本件では、説明がなされたことを認めるに足りる証拠はないので、10条適反した場合にこれを認めるに足りる証拠はないとしても、10条適反の合理性の有無を検討すべきとなる。	9条1項1号
176	H18.12.28	神戸地裁姫路支部	平成17年(ワ)第633号売買代金等請求本訴事件、同第899号原状回復請求反訴事件	Westlaw	太陽光発電システムの勧誘について不実告知及び不利益事実の不告知を認めた事案。鍼灸学校であっても、在学契約の性質、不返還特約の効力について、大学に関する最判平成18年11月27日の判例の説示が基本的に妥当する。3月31日より前に辞退しているのであれば平均的損害は存しないのであり、不返還特約は無効である。当該商品を購入することによって将来生ずる経済的メリットに関する事実は、本件契約について、不実告知、重要事項について不告知に該当し、特商法9条1項、2項、特商法9条の2により取り消すことができる。	4条1項、4条2項、特商法9条の3
177	H19.1.11	大阪地裁	平成18年(レ)第176号敷金返還請求控訴事件	未登載	分譲建物賃貸借契約について、敷引(の合意)は、10条、民法90条により無効であるとして敷金の返還を求めた事案に対し、分譲賃貸の事業者(2条2項)に該当し、①転勤により空室になるため賃貸しているという事情もうかがえないという事実を反復継続していることから「事業者」(2条2項)には該当しないとはいえず、②敷金に敷引特約を契約書に明記されたという事情もうかがえないことから重要事項説明書に押しつけられたとはいえないので、賃料月額14万円、管理費月額2万3,940円。なお、賃料月額(90万円)全額(全額敷引の合意)は、民法90条。であっても直ちに公序良俗に反すると存在し得ない。	2条2項、10条、民法90条

896　資　料

番号	判決年月日	裁判所	事件番号等	掲載	事件の概要	判決の内容	参照条文	備考
178	H19.1.29	名古屋地裁	平成18年(ワ)第4452号損害賠償請求事件	Westlaw	パチスロ攻略法が断定的判断の提供に当たるとして4条1項2号による取消、不法行為による損害賠償請求が認められた事案。パチスロ攻略法の売買は消費者契約法による契約の努力義務違反があるか否かが争われた。	①パチスロ攻略法の提供に当たり、本件の観点からは消費者契約法に反するとはいえない。②事業者と消費者の格差の観点からは、本件について4条1項2号による取消を認めても契約法の趣旨を逸脱するものではない。③消費者の努力義務（3条2項）は、事業者から提供された情報を活用するように要請するに過ぎず、消費者自ら情報を収集する努力まで課するものではない。	4条1項2号、3条2項	
179	H19.2.6	西宮簡裁	平成18年(ハ)第108号敷金返還請求事件	消費者法ニュース72号211頁	建物賃貸借契約の敷引特約が10条違反かどうかが争われた。	①法人は「事業者」（2条2項）に当たる。②原告が学生であっても、事業としてまたは事業のために契約したものでないことは明らかであり「消費者」（2条1項）に当たる。③本件敷引特約は10条違反である。	2条、10条	
180	H19.2.20	福岡地裁	平成18年(ワ)第2326号損害賠償請求事件	国センHP報道発表資料 2008年10月16日	パチンコ必勝法詐欺が断定的判断の提供に当たるとして4条1項2号により取消を認め、代金の返還請求を認めた事例	①一般的に、パチンコにおいて遊技者が勝つことは、くじの出玉王等による複合的な要因による偶然性のもので将来において変動不確実な事項である。②被告が「絶対稼げる」「誰でも稼げる」といった文句及び同趣旨の広告を用いて原告らに勧誘した行為は「断定的判断の提供」に当たる。③原告は、②の断定的判断の内容が確実であると誤認したものである。	4条1項2号	
181	H19.3.30	長崎地裁	平成18年(ワ)第453号生命保険金請求事件	消費者法ニュース72号207頁	生命保険契約の保険金請求に対し、保険料の支払が猶予期間を2日過ぎてなされたとして、失効約款の適用により失効していることを争点として争われ、生命保険契約の失効約款が失効したか否かが争われた。	次の理由から、原告の請求を認めた。①本件保険約款は、一応、有効。しかし、②信義則や当事者間の衡平の見地、消費者契約法等、消費者と事業者との格差に鑑み消費者契約約款の適用を検討する必要がある。③本件約款は、民法の原則よりも消費者に不利益になっている。	1条、10条	

資料3 消費者契約法裁判例 897

182	H19.3.30	大阪地裁	平成18年(レ)第196号損害賠償請求控訴事件、同年(レ)第239号損害賠償請求附帯控訴事件	判タ1273号221頁、Westlaw	失効約款の適用に関し、未払保険料の支払が猶予期間を2日も経過していないうちに行われていない場合、消費者契約法・消費者基本法の理念に基づき、消費者保護の理念に失効約款を適用することは信義則上相当ではないとされた事例	④保険では払われて引き続き継続といがしっていたが、2日の遅れで、自動振替制度で引き落とされない場合には取立債務の履行には実際に須に債務の履行として不履行はならない。よって、本件失効約款を適用することは信義則上相当ではなく、失効を主張することは信義則上相当ではないときない。	10条
183	H19.4.3	最高裁	平成17年(受)第1930号解約精算金請求事件	最高裁HP、民集61巻3号967頁、判時1976号40頁、判タ1246号95頁、金判1275号17	建物賃貸借契約の敷引特約が10条により一部無効であるとして、借入人の賃貸業者に対する敷金返還請求が一部認容された事例	次の理由から、25万円について請求を認めた。①敷引金は賃料の対価、契約成立の対価、賃料の修繕費、更新料免除の対価、賃借料を低額とすることの代償などの様々な要素を有するものが渾然一体となったものである。②本件敷引金のうち、契約更新の際賃料を5万円上げたことが明らかであり、この部分は賃料減額の代償であると元々予定されていた敷引金の性質を有する。残りの25万円について①の性質を有する。③5万円の部分は賃料の代償ということができ有効であるが、25万円の部分は一方的不利益ではないといえない状況下での契約であり、ということは一方的押しつけであり、一方的特約であり、本件敷引特約については交渉の余地がなかったと認められる。④賃借人は敷引特約については契約時に単に一方的に押しつけられている状況下にあるといっても、25万円については交渉の余地がなかったと認められる。	10条、商法49条2項1号イ	原々審 H17.2.16 東京地裁(111) 原審 H17.7.20 東京高裁
						外国語会話教室の受講契約の解除に伴う受講料の精算について消費者契約法49条2項1号に定める金額を超える金額の支払を求めるものとして無効。	①本件使用済ポイントの対価額も、契約時単価によって算定されるのが自然。②契約時に、損害賠償額の予定として機能する特約商債権の予定額は、実質的には受講権を制限する定めた、ときうちの行使を制限する定めを解除権の行使を制限するものといわざるを得ない。	

898 資　料

番号	判決年月日	裁判所	事件番号等	掲載	事件の概要	判決の内容	参照条文	備考
184	H19.4.20	京都地裁	平成18年(レ)第79号敷金返還請求控訴事件	最高裁HP、判時1277号8頁、消費者法ニュース73号121頁、Westlaw	控訴人が、被控訴人との間で締結した賃貸借契約の一部である敷金残金の返還を求めたところ、被控訴人からの返還はなかったことから、上記敷引特約が10条に違反して無効であるとして全部または一部無効であるとして35万円のうち30万円などの返還を求めた事案。上記敷引特約は10条により無効であると判断された事例	以下の理由から、敷引特約が10条違反により無効であるとして返還請求を認めた。① 賃貸借において賃借人に賃料不履行であるような場合を除き、賃貸人が賃料以外の金銭の支払を負担することは法律上予定されておらず、関西地方において敷引特約が付されている事実また、敷引特約は、関西地方の公序良俗に反しない規定による場合に比して消費者の権利を制限するものであるから、本件敷引特約は、民法の公序に関しない規定の適用による場合に比して消費者の権利を制限するものである。② 自然損耗についての必要費を敷引金額から回収することとされており、契約締結時に敷引特約の存在により敷引金相当額が明示されているとしても、賃借人にとっては二重の負担を課することになる。また、賃貸借契約の締結における不動産業者の力関係等から、消費者が交渉してもこれを排除することは困難であり、賃借人が信義則に反して消費者の利益を一方的に害するものである。	10条	(128)
185	H19.4.20	大阪地裁	平成19年(レ)第274号保証金返還請求控訴事件	未登載	敷金90万円のうち45万円を差し引くという平成9年締結の敷引特約付賃貸借契約が、自動更新条項により1年ごとに8回自動更新された後に賃貸借契約が終了し、敷引きされた45万円を請求し、原審は10条違反として請求を認めたが、控訴審でこれを否定した事例	① 本件自動更新条項には賃貸の更新の際の条件について協議がなされて合意が成立することとなる事情はない。② 消費者契約法施行後に賃貸借契約を締結する場合として同法の適用があることが定められるところ、本件合意としての自動更新条項は同法を適用する条件を与えるかねない。③ 本件敷引特約は、民法90条違反から賃貸人に不測の損害を認められない。	10条、民法90条	原審 大阪簡裁平成18年(ハ)第70359号 上告審 H19.9.13 大阪高裁 (192)

資料3　消費者契約法裁判例　899

186	H19.4.27	大阪高裁 平成18年（ネ）第2971号 預託金等返還請求控訴事件	判時1987号18頁、国センポートHP 2008年10月16日、資料HP 2008年10月16日、Westlaw	外国為替証拠金取引にかかる預託金返還請求権の約1割を放棄する旨の和解契約の結果知らない又は不実告知（4条1項1号、同2号）等の判断による取消しの理由とする取消による預託金残額の返還を求めるなど	預託金の一部を返還を受けることによって和解契約を締結しなければ、残金を放棄する旨の和解契約取引の営業停止処分を受け、その結果業者はほとんど戻ってこない旨の説明があり、将来における確実な事項についての断定的判断の提供があるとして、4条1項2号による取消を認めた。	4条1項1号、4条1項2号、10条
187	H19.5.23	東京高裁 平成18年（ネ）第5683号不当利得返還請求控訴事件	未登載	推薦入学契約を解除した場合の事業者の手数料等に相当する学納金の返還を求める控訴審判決（H18.11.27最高裁判決）を受けて、特段の事情の有無を審理した差戻審判決	学生が入学契約を解除した時期を平成14年3月13日と認定した上で、当該解除の時点に至るまでに推薦入試および一般入試の入学試験が終了していたことからなどから合格発表を通じて大学者を確保することができる時期が存在することはうかがえず、特段の事情があるとは認めず、特約のうち授業料等相当額部分についても大学の損害を超えるものとは認められず無効とした。	9条1項1号	原審 H16.3.30 東京地裁62 控訴審 H17.3.10 東京高裁 (116) 上告審 H18.11.27 最高裁 (168)
188	H19.6.1	京都地裁 平成18年（レ）第94号保証金返還請求控訴事件	未登載	賃借人（被控訴人）が解約手数料2ヶ月分の解約金を支払う旨の解約手数料（解約金）の返還されない特約により返還されない家賃2ヶ月分の控除によって過去の更新料相当額の20万円（控訴人）の更新料相当額を請求した反訴訟の控訴審判決	控訴棄却。原状回復費、原状回復費のうち通常損耗分を賃借人に負担させる部分は10条により無効である。本件では通常損耗を超える汚損を生じさせたと認められる証拠はなく、解約手数料の定めは9条1項により無効。	9条1項号、10条	
189	H19.6.19	大阪高裁 平成19年（ツ）第20号敷金返還請求上告、同附帯	未登載	転勤に伴って自宅を賃貸した賃貸人に対し賃借人が敷金返還請求をし、敷金90万円を得た事例。	本件敷金合意の内容は全額引当とするものとした上で、貸主は目的物を転貸という事業として使用するので消費者契約法にはあたらないとして、消費者同士の契約	2条2項	原審 大阪地裁 平成18年（レ）第176号

番号	判決年月日	裁判所	事件番号等	掲載	事件の概要	判決の内容	参照条文	備考
190	H19.7.13	向日町簡裁	平成19年(ハ)第65号保証金返還請求事件	未登載	預託する際の合意内容が敷引特約か否か争われた。	保証金の合意返還について、消費者契約法の適用はないとして、請求を棄却した原審判断を是認した。		第251号
	H19.7.26		平成19年(ハ)第85号保証金返還請求事件	未登載	建物賃貸借の保証金に関して、解約時に全額を控除として返還しないとする解約引き特約の効力が争われた事例	保証金は、賃貸借契約から生じた債務の不履行がある場合に全額を差し引くことができるものに過ぎないのであるから、全額を返還しないとする条項は、退去時にこれが10条により無効であるとは認め難かった。	10条	
191	H19.7.26	東京簡裁	平成17年(ハ)第21542号債務不存在確認等請求事件	最高裁HP、国セン報道発表資料HP 2008年10月16日、Westlaw	訪問販売で、長時間家に居座り調湿剤マットを立替払契約を利用して売却した事案で、不退去を理由に立替払契約の取消が争われた。	以下の理由により、不退去を理由とする契約の取消を認めた。①長時間にわたって購入を断り続けたところ、退去の意思を黙示的に求めたと評価できるとして、不退去に当たる。②5条1項にいう「媒介」とは、ある人と他の人との間に法律関係が成立するように尽力することをいうところ、本件立替払契約について、本件販売店は媒介をしたといえる。	4条3項1号、5条1項	
192	H19.9.13	大阪高裁	平成19年(ネ)第42号保証金返還請求上告事件	未登載	敷金90万円のうち45万円を9年締結の敷引特約付賃貸借契約が、平成9年に締結の敷引特約付賃貸借契約が、自動更新により1年ごとに8回自動更新された後に賃貸借契約が終了し、敷引きされた45万円を10条により請求したが否認された事例	本件賃貸借契約は、双方異議がなければ自動的に更新されるという内容であり更新について合意が成立したものと見されたものと見される事情はないまま更新後の賃貸借契約は消費者契約法施行後に締結された契約と認めることはできない。	10条	原審大阪簡裁平成18年(ハ)第70359号控訴審H19.4.20大阪地裁(185)
193	H19.11.9	奈良地裁	平成18年(ワ)第824号敷金返還請求事件	未登載	敷金40万円から控除された。敷引部分20万円から原状回復費用のうち19万8,425円のみが否認された事例	一部認容。①賃借人は原則として故意・過失による建物の毀損等や通常でない使用方法による劣化などについてのみ原状回復義務を負う。	10条	

資料3 消費者契約法裁判例　901

194	H20.1.17	東京簡裁	平成19年(ハ)第5644号損害賠償請求事件	国セン報道発表資料HP2008年10月16日、Westlaw	自動車販売業者から中古車を110万円で購入した際、本件車両の走行距離が改ざんされていないとして交換の事実を告げず走行距離について4条1項1号（不実告知）に基づく取消、代金の返還請求が認められた事例。	走行距離について4条1項1号（不実告知）に基づく取消による返還請求が認められた事例。被告会社は、本件車両の実際の走行距離が約12万キロメートルであったにもかかわらず、HP上でも店舗内でも走行距離を8万キロメートルないし8万1,500キロメートルと表示し、本件売買契約の締結に際してもこれを訂正しないで改ざんされていないから、本件売買契約の締結にあたり不実の告知があったとして、4条1項1号の事実の告知による取消が可能であるとして、110万円の返還を認めた。② 敷引特約は、10条により無効として責任ある修繕費用（13万7,271円）のみ敷金からの控除を認めた。	4条1項1号
195	H20.1.25	札幌高裁	平成19年(ネ)第192号損害賠償、立替金請求控訴事件	判時2017号85頁、金判1285号44頁、国セン報道発表資料2008年10月16日、Westlaw	先行取引の不告知による不利益を認め、1,500万円の返還請求及び1,600万円の損害賠償請求を棄却した事例	本件取引について、将来における金の価格の上下にかかるものの売買（4条4項1号）であり、かつ顧客の契約を反する影響を及ぼすべきものの（同項柱書）であるから、「当該判断に関連する重要な事項」に該当するものであり、外務員が顧客に対し金相場の動きに関連する事項について自己判断を勧めることは「重要事項又は当該消費者の財産上の利益に関する事項について当該消費者の利益となる旨を告げる事実」、すなわち「当該告知の内容が事実と異なること」に該当し、これにより消費者が当該告知に係る内容を事実と誤認したことにより4条2項による取消を認めた。	4条2項、4条5項1号	4 上告審H22.3.30最高裁(225)原審H19.5.22札幌地裁
196	H20.1.30	京都地裁	平成19年(レ)第1793号更新料等返還請求事件	最高裁HP、判時2015号94頁、判タ1279号225頁、金判1327号45頁、Westlaw	賃貸借契約における更新料を支払う旨の特約が、民法90条及び消費者契約法10条により無効であるとはいえないと判断された事例	① 本件更新料は、主たる支払い（賃料の前払い）の性質を有し、その程度の対価性はあるものの、権利放棄の対価及び賃借権強化の対価としての性質を有しない。② 民法90条について、本件更新料（賃料の補充）としての性質を	10条、民法90条

番号	判決年月日	裁判所	事件番号等	掲載	事件の概要	判決の内容	参照条文	備考
197	H20.2.19	福岡地裁	平成19年(ワ)第3937号敷金返還請求事件	未登載	建物賃貸借契約で、敷金家賃3ヶ月分、敷引家賃3ヶ月分とした敷引特約を無効とし敷金の返還請求を認めた事例	有しているところ、その金額は10万円であり、契約期間（1年間）や月払いの賃料の金額（4万5,000円）に照らし、相当性を欠くとまではいえない。③（10条について）任意規定による場合に比し消費者の義務を加重する条項ではなく、期間内に明確に説明している。また、更新料の額、期間内に明確に説明しているから、更新拒絶の損害放棄の対価を与えるものとしての性質を有するとはいえない。定の内容は明確に説明している性質を有することから不満の利益を一方的に害するとはいえない。		
198	H20.4.25	福岡地裁	平成19年(ワ)第3937号敷金返還請求事件	未登載	建物賃貸借契約で、敷金家賃3ヶ月分、敷引家賃3ヶ月分とした敷引特約を無効とし敷金の返還請求を認めた事例	①本件敷引特約は、任意規定に比して消費者の権利を制限しまたは消費者の義務を加重するものである。②本件敷引特約には、合理性が認められず、信義則に反して消費者の利益を一方的に害するものである。	10条	
198	H20.4.25	東京地裁	平成19年(ワ)第23907号不当利得返還請求事件	未登載	セクハラ発言を受け、プロダクションとの所属タレント契約を解除したなどとして、契約金（25万円）の返還を求めるとしたのに対し、契約金は受領後如何なる場合も返還しない旨の条項の効力が争われた。	契約金は受領後如何なる場合であっても一切返還しない旨の条項について、解除に伴い当該事業者に発生する平均的損害の額を超える部分は9条1号により無効とする。事実関係は9条1号にあたり、プロモートのほかに合理的な出費の存在を認めるに足る実質写真代（1万2,600円）のほかは合理的な出費の存在を認めることはできないとしてこれを差し引いた残金につき返還請求を認めた。	9条1項1号	
199	H20.4.25	倉敷簡裁	平成19年(ハ)第828号既払金返還請求事件、立替金反訴請求事件	消費者法ニュース76号213頁。国セ報道発表資料HP2008年10月16日。Westlaw	健康食品販売業者が、高齢で身体に障害のある者を訪問し勧誘する際に、健康上の悩みにつけこんで「これを飲むと病気も治って健康になれますよ」と告げて困惑させた。	不実告知や不退去による困惑に基づく取消しの主張については否定されたが、具体的証拠に基づく証明が不十分として否定された。その一方で公序良俗違反の契約であることを認定し既払金の返還を命じた。	4条1項1号、4条3項1号	

200	H20.4.30	京都地裁 平成19年(ワ)第2242号 定額補修分担金・更新料返還請求事件	最高裁HP、判時2052号86頁、判タ1281号316頁、金判1299号56頁、国セン資料HP2008年10月16日、Westlaw	建物賃貸借契約の定額補修分担金条項について10条で無効とした事例	16万円の定額補修分担金条項について、下記のとおり判示する。建物賃貸借の場合はその使用に伴う物件の損耗は賃貸借の通常損耗の回収は通常賃料の支払を受けることで行われる。そうすると、原則として賃借人に通常損耗についての回復義務を負わせることはできない。賃貸人と賃借人は情報をもっているが賃借人はこれらの程度を要求するかの情報をもっていない。これらの点について賃貸人と交渉することは難しく、定額補修分担金額が設定されない限り賃借人に不利である。分担金額は月額賃料の2.5倍程度と一般的な回復費用に比べて高額を負わせるという特段の事情がないので、10条により無効である。軽過失損耗の回復費用の事情がないとして、10条により無効であるもの、10条により無効である。	10条 控訴審 H20.11.28 大阪高裁 (208)
201	H20.7.16	東京地裁 平成19年(ワ)第22625号損害賠償請求事件	金法1871号51頁、消費者ニュース78号203頁、Westlaw	FX業者間のシステムの不具合により直ちに決済できなかったとして損害額を割り込んだ賠償責任について、一切損害賠償責任を負わないとの約款について	① 原告のロスカット・ルールへの期待は合理的で法的保護に値し、被告は有効な証拠金額がロスカット手続に持ち込まれた時にロスカット手続に着手する義務を負っている。② 被告は不十分なコンピューターシステムしか有しておらず、被告は不十分なコンピューターシステム	8条

番号	判決年月日	裁判所	事件番号等	掲載	事件の概要	判決の内容	参照条文	備考
						か用意しておらず、そのシステムの不具合によりス本件ロスカット時においてカバー取引の注文を出せなかったのであって、①の義務違反）、これにより原告が受けた損害につき不法行為又は債務不履行の責任を負う。③コンピューターシステムの不具合による運送に関する被告の免責約款は、8条1項1号、同条項3号の趣旨に照らし、真に予測不可能な障害や被告の影響力の及ぶ範囲外で発生した損害といった顧客に帰責性の認められない事態によって生じた損害賠償の責任を被告が損害賠償の責任を負わない旨を規定したものと解するほかなく、本件はこれに該当しない（被告が損害賠償の責任を免責されない）。		
202	H20.7.17	亀岡簡裁	平成20年(少コ)第3号保証金返還請求事件	未登載	保証金35万円から30万円を差引いて返還する旨の解約引特約が10条により無効とされた事例	契約成立の謝礼や新規賃借人募集の費用等に賃借人が当然に支払わなければならない性質のものではないにもかかわらず、その趣旨を明示せずに解約引特約で支払強要するのは不当であり、また、解約引特約により賃料が低額に抑えられているとも認めるに足りる証拠はなく、賃料先払として受領するとの趣旨・目的に基づく固定金額を賃料解約時に本件解約引として受領する合理性もなく、賃貸借期間をしての合理的な趣旨・目的とは認められない。解約引率も約85.7%と高く、本件解約引特約は10条により無効というべきである。	10条	
203	H20.7.24	京都地裁	平成19年(ワ)第3565号定額補修分担金返還請求事件	Westlaw	建物賃貸借契約の定額補修分担金条項（月額賃料の3.25倍）について、10条により無効とし、返還請求を認めた事例	下記の理由から、定額補修分担金条項10条により無効とした。①賃貸人は、損害賠償請求権では定額補修分担金の額を採であるが、全体として定額補修分担金を設定しているほかなく、また、交渉による変更の余地が考えられないことである。②賃借人は定額に従うほかなく、退去は1回限りのことであり、賃借人にとって	10条	

資料3 消費者契約法裁判例 905

204	H20.8.27	京都簡裁	平成19年(ハ)第10984号敷金返還請求事件	未登載	分譲建物賃貸借契約につき、敷引特約（50万円のうち40万円を敷引）は10条により無効であるなどとして敷金の返還を求めたのに対し、分譲賃貸の事業者該当性等が争点となった。	① 2条2項にいう「事業」とは「一定の目的をもってされる同種の行為の反復継続的遂行」であり、不動産業者ではなく1つの部屋を貸す場合であっても「事業」に当たる。 ② 敷引特約については、信義則に反し消費者の権利を制限するものであり、解約時1等8割が慣習であるとするに足りる証拠もないから、10条により無効である。 ③ 契約締結から5年後に敷引特約の無効を主張したとしても、信義則に違反するものではない。	2条2項、10条
205	H20.9.26	京都地裁	平成20年(ワ)第1469号敷金返還等請求事件	未登載	定額補修分担金特約、日割計算による早期退去特約が10条に違反しないとされた事例	① 定額補修分担金特約にとってメリットのある特約であって、消費者の利益を一方的に害するものではない。 ② 賃料の計算方法、支払方法については、民法、商法その他の法律の公の秩序に関しない規定の適用による場合に比して、退去月において賃料の日割計算をしない特約も有効であるから、早期退去特約は消費者の利益を一方的に害するものではない。	10条
206	H20.9.26	高松地裁	平成19年(ワ)第155号不当利得等返還請求事件	未登載	広告記載のような医学部合格実績がないのに、その旨記載した広告が交付され、その旨を誤信して医学部受験進学塾の受講契約を締結した	① 医学部受験のための学習塾を標榜する被告に関わるものであり、医学部合格実績は、被告の講義内容に関する重要事項に当たる内容である。 ② ①に関する原告の誤認がもとで、本件契約締結の要因ではないものの、原告が本件契約の受講付けを始め、本件契約締結の際に考慮し	4条1項1号

906　資　料

番号	判決年月日	裁判所	事件番号等	掲載	事件の概要	判決の内容	参照条文	備考
207	H20.9.30	京都地裁	平成20年(レ)第4号礼金返還請求控訴事件	最高裁HP、Westlaw	控訴人は、被控訴人との間で締結した賃貸借契約に基づいて、被控訴人に礼金18万円を交付したが、同賃貸借契約終了時に礼金の約定が付されている旨の、被控訴人から礼金の返還を受けられなかったので、上記の礼金の約定が消費者契約法10条に反し無効であるとして、控訴人が、不当利得に基づき、礼金18万円及びこれに対する遅延損害金の支払を求めた（1審では請求棄却）ところ、控訴人の上記請求を一部認容すべきものとする事案。礼金の約定が消費者契約法10条に反し無効であることから、礼金の約定が10条に反し無効であることを理由とする取消が認められた事例	以下の理由により返還請求を認めなかった。①礼金は、賃貸物件使用収益させることによる対価として賃料とは別に賃貸人にとって必要とされる経済的負担として、賃料の一部前払的な性質を有するものと解釈すると、礼金については説明がなかったというだけでその根拠もないことに礼金を返還しないという合意に不合理はない。また、一方的に支払を強要されているわけではない。②礼金を契約時に支払うことに基づき礼金を得る利益を得ることは不当とはいえない。また、控訴人は自由な意思に基づき本件賃貸借契約を選択したのであり、交渉の余地がなかったとは特段問題とするに足りない。③賃貸借住宅標準契約書」の体裁や旧国民住宅公団住宅法などが旧公団住宅を禁止しているが、本件礼金の額などからみて、本件礼金の額が不相当に高額とは値することはできない。	10条	
208	H20.11.28	大阪高裁	平成20年(ネ)第1597号定額補修分担金・更新料返還請求控訴	判時2052号93頁、Westlaw	原審と同じ	控訴人（賃貸人）からの、契約締結時において、賃貸人と賃借人の双方がリスクと利益を確定させて、賃貸借に伴う交換条件的内容を定めたものであり10条にはあたらないとの礼金の定めの追加主張に対し、多くの賃貸借契約を締結し	10条	原審 H20.4.30 京都地裁 (200)

資料3 消費者契約法裁判例

		訴事件				
209	H20.12.2	大阪地裁	平成19年(ワ)第8639号賃料等請求事件、同年(ワ)第8639号保証金返還請求反訴事件	未登載	敷引特約につき、その一部を無効とする判決	本件数引特約全体が信義則に反しているに過ぎず、本件敷引特約にはメリットがあるかどうか疑問として、控訴を棄却した。賃借人側がリスクの分散を図るに過ぎず、賃借人にはメリットがあるかどうか疑問として、控訴を棄却した。本件取引額全体が信義則に反しているに過ぎると判断するには困難な面があるとしつつ、建物の使用期間に関わらず保証金の71.4%を控除する部分が30%を超える部分だとして、10条違反とした。	10条	
210	H20.12.17	東京高裁	平成18年(ネ)第141号設備費用請求控訴事件	金判1313号42頁、Westlaw	LPガス供給のための消費設備に関する合意に基づき、ガス供給業者が消費者に補償費名目の支払を求めた事例	補償費は消費者契約法9条所定の違約金に該当し、平均的な損害を超えた部分は無効になるところ、本件ではガス供給者に平均的損害があるとは認められず、本件補償費全額が9条1号により無効とした。	9条1号	原審 H17.11.22 さいたま地裁
211	H20.12.25	東京地裁	平成19年(ワ)第24131号損害賠償請求事件	平成26年運用状況検討会報告書207頁[79]、Westlaw	被告会社を仲介業者としてハワイ州の土地の買受けを被告会社に支払い土地申込金を支払った原告が、土地申込金を支払った原告が、契約に不法行為又は債務不履行があると主張して、被告会社及びその代表取締役に対し、支払った売買代金と土地の実際価格との差額相当の損害賠償を求めた事案	本件依頼書には工事申込金3万ドルを被告会社に支払い、契約に至らない場合には返還されるなどの記載があり、消費者契約法10条により無効である。	10条	
212	H21.2.20	東京簡裁	平成20年(少コ)第3509号解約予告不足金請求事件	最高裁HP、Westlaw	建物賃貸借契約に基づく解約予告金を請求した事件	解約通知を行う時期によって、1か月ないし9か月前の解約予告が定められている賃貸借契約において、通常解約金の認定は1か月分に予告に代えて支払うべきであるところ、解約金の1か月分が多数であること、解約により事業者が受ける事賃料・共益費の1か月分に相当する損害は、資料・共益費の1か月分が相当額であるから、それが相当額であると認めるのが相当である。	9条1号	

908　資　料

番号	判決年月日	裁判所	事件番号等	掲載	事件の概要	判決の内容	参照条文	備考
213	H21.5.21	京都地裁		消費者法ニュース84号23頁	貸金業者が連帯保証人に対し連帯保証債務の履行請求をした場合において、当該貸金業者が当該連帯保証契約の媒介を依頼したとして、保証契約の取消しを主張した事案	「媒介の委託を受けた金額を超える遅約金額を設定している本件契約は、その超える部分について無効である。その第三者との共通の利益をもたらし、その第三者の契約締結をするに際して勧誘をする行為と同視できるような両者の関係が必要となる。貸金業者と共通の利益を有しているとはいえず、本件借主は、貸金業者と共通の利益を有しているとはいえず、本件借主は、貸金業者の第三者に当たらない。	5条	原審H21.1.13右京簡裁
214	H21.5.25	東京地裁	平成20年(ワ)第27036号損害賠償請求事件	平成26年運用状況検討報告書200頁[74]、Westlaw	原告が、事業者ココの攻略情報について、本チンコの攻略情報について、本チンコの数について断定的判断を提供できるとの出金のチンコの数について断定的判断を提供したとして損害賠償を請求した事案	攻略情報の売買契約は、将来における変動が不確実な事項に関するものであって、事業者ココの説明がいわゆる利益を得ると思わせる内容となっており、当該説明は消費者契約法4条1項2号所定の断定的判断の提供に当たる。	4条1項2号	
215	H21.6.19	東京地裁	平成20年(ワ)第1275号立替金請求事件	判時2058号69頁、消費者法ニュース83号220頁、Westlaw	包茎手術及びそれに付随する亀頭コラーゲン注入術の施術を受けた者に対し、亀頭コラーゲン注入術に対応する立替金残金の支払を請求したところ、消費者が消費者契約法4条2項に基づく取消を主張した事案	亀頭コラーゲン注入術が医学的に承認されたものとはいえないことは言明4条2項の「当該消費者の不利益となる事実」に該当するものと解するのが相当であり、当該立替払契約を取り消すことができる。	4条2項	
216	H21.7.10	横浜地裁	平成19年(ワ)第2840号報酬契約金請求事件	判時2074号97頁、Westlaw	弁護士である原告が、被告から委任を受けた事案に関し、成功報酬契約及びみなし着手金に基づく支払を求めた事案	本件特約が定めるみなし成功報酬は、その全額について平均的な損害額を有しない。本件では平均的な損害額は認められず、未払成功報酬請求は認められない。及びみなし着手金は委任事務処理の対価であるから、民法の委任規定に従った精算を予定するものと解されるので、委任が履行の途中で終了した場合には、民法に従った精算を予定するものと解される。	9条1項1号、10条	

資料3 消費者契約法裁判例 909

217	H21.9.8	東京地裁	平成20年(ワ)第24606号請負代金返還請求事件	平成26年運用状況検討会報告書190頁[68], Westlaw	住宅の設計業務委託契約を解除した原告が、契約を締結したにもかかわらず、内金を被告が返還しないとして、その返還等を求めた事例	受領済みの金員の返還義務を負わない旨の合意は、平均的な損害の額を超える部分について、無効である。設計業務の報酬については、出来高としては完了に近い段階まで至っているものと推認されるから、これを請負金額の2.5%と評価するのが相当であり、この額を超える部分を返還すべきである。委任の中途終了の場合でも着手金の精算を一切認めない旨が合意された場合には、当該契約は消費者契約法9条1号又は10条により無効である。	9条1項1号	
218	H21.9.30	東京高裁	平成21年(ネ)第207号生命保険契約存在確認請求控訴事件	判夕1317号72頁、金判1327号10頁、金法1882号82頁、NBL916号72頁、Westlaw	保険契約者が、生命保険会社に対し、医療保険契約と生命保険契約が存在することの確認を求めた事例	無催告失効条項は、消費者側に重大な不利益を与えるおそれがあるのに対して保険会社の利益は具体的な事実関係に照らして無催告失効の有無を論ずべきではなく、抽象的に無催告失効条項の有効性を検討して判断できるものではなく、当該条項の運用や10条の他の要件を踏まえて十分に検討して判断すべきである。当保険会社の現実の運用に比べて手厚い無催告失効を回避できる約款上の規定を整備することを一方的に十分に判断することが可能であるから、10条の規定により無効と判断した。また、抽象的に無催告失効条項の有効性を検討するのではなく、具体的な事実関係に照らして保険会社の主張について、無催告失効の主張は認められない（保険会社の実務の運用が10条の主張を現状よりコストや手間を要することとなり、個別の当事者の事情を斟酌して判断することが可能であるから、当該条項の有効無効の判断が可能であるから）と判断して下した。	10条	原審 H20.12.4 横浜地裁 上告審 H24.3.16 最高裁 (247) 差戻後控訴審 H24.10.25 東京高裁
219	H21.10.2	大津地裁長浜支部	平成19年(ワ)第127号、同20年(ワ)第16号既払金返還等請求事件	消費者法ニュース82号206頁	デート商法をめぐり、被害者がクレジット契約を結んだ大手信販会社に既払代金の返還を求めた事案	①クレジット契約において、加盟店は、顧客との間の過程において商品を販売する際に、顧客と信販会社が両者間でクレジットを成立するよう尽力することを委託されているとみることができるから、消費者契約法5条が適用される。②加盟店が、消費者契約法5条の信販会社に利用された「受託者」にあたるとして、③消費者契約法5条の販売店に「受託者」が非正規の販売の「受託者」にあたるとして、③消費者契約法4条を適	4条1項1号、5条	被告控訴

番号	判決年月日	裁判所	事件番号等	掲載	事件の概要	判決の内容	参照条文	備考
220	H21.11.16	東京地裁	平成20年(ワ)第17485号和解金請求事件	平成26年運用状況検討会報告書179頁[61], Westlaw	ゴルフ会員権売買業者が、消費者との間で締結した和解契約に基づく会員権売買契約不履行による和解契約金の支払を求めた事例	利害契約の締結に際して事業者が消費者に告知した違約金額について、事実と異なる告知があったとし、消費者契約法4条1項1号による契約の取消しを認めた。(誤認類型)	4条1項1号	
221	H21.12.9	東京地裁	平成21年(ワ)第21371号代金返還請求事件	平成26年運用状況検討会報告書178頁[60], Westlaw	パチンコ攻略情報を購入した消費者が、業者に対し、提供された情報に基く効果がないとして、売買契約及びパチンコに要した金員の支払金等を求めた事例	消費者に対し、将来における変動が不確定的な事項につき、断定的判断を提供して勧誘を行うことにとまらず、不法行為をも構成すると認めた。	3条1項	
222	H21.12.22	名古屋地裁	平成20年(ワ)第6505号不当利得返還請求事件等	消費者法ニュース83号223頁	山林を売却するために、測量契約及び広告掲載契約を締結させられた山林の売却可能性について説明を受けたとして、各契約の取消を不当利得返還請求等をした事例	山林の売却可能性は、消費者契約法4条4項の「重要事項」の内容その他の取引条件であり、業者の「あなたの土地の近くまで道路ができています。あなたの土地にも影響がおよぶ可能性があります」「家も建ち始まっています」といった発言はその内容は事実と異なる事実を告げた事実に基づく広告掲載の消費者契約は消費者契約法4条1項1号により取り消すことができる。	4条1項1号 4条5項 1号	
223	H22.2.18	東京地裁	平成19年(ワ)第20387号売買代金請求事件	平成26年運用状況検討会報告書173頁[56], Westlaw	刀を購入した買主が、当該刀の製作時期の説明が異なるとして、売買契約の取消に基づく不当利得返還請求をした事例	本作刀のパンフレットには、本件刀の製作時期について、鎌倉時代又は平安時代まで遡るとの記載があり、売主が買主に対し重要事項について不実を告知したものである。	4条1項1号	
224	H22.2.25	東京地裁	平成20年(ワ)第9322号	平成26年運用状況検討会報告書	LPガスの販売業者が、消費者に対し、LPガ	①本件バルク設置契約の終了時に消費者にバルク設備の買取義務が発生するこ	4条2項, 4条5項2号	

資料3 消費者契約法裁判例 911

225	H22.3.30	最高裁	平成20年(受)第909号 損害賠償、立替金請求事件	最高裁HP、判時2075号32頁、判タ1321号88頁、金判1344号14頁、Westlaw	ガス供給契約終了に基づくガス供給設備の撤去義務が生じたとして代金等請求事件	同21年(ワ)工事5693号代金請求事件
					消費者が、商品先物取引会社の商品先物取引員に金員の外務員に委託してしたが、消費者契約法に基づく勧誘行為を理由に消費契約の取消を主張した事例	設置契約の重要事項に当たる。②契約の勧誘に際し、バルク設備の設置に関し、ガス設備がないこと、その他の費用がかかることを説明したから、消費者の不利益となる事実を告げていないので、それは不利益事実の不告知に該当する。金の商品取引において、将来の金額における金の価格が上昇することが相当であり、将来の金の価格が上昇する可能性を告げなかったからといって4条2項の申込みの意思表示により本件契約を取り消すことはできない。	4条2項、同5項	原審 H20.1.25 札幌高裁 (195) 原々審 H19.5.22 札幌地裁
226	H22.3.30	最高裁	平成21年(受)第1232号納金返還請求事件	最高裁HP、集民233号353頁、判時2077号44頁、判タ1323号102頁、Westlaw	専願で資格者として推薦入試合格し、ないし大学の推薦入学試験に合格後に入学契約を解除した場合に入学年度開始前に授業料の返還を求めた事例	返還しない大学予定者とし、入学予定者ないし入学予定者が入学年度開始日である平成18年4月5日に同契約を解除した場合には、一般入学試験合格者が補欠合格の通知があって補欠合格となる旨の事情があった場合などの一定授業料は、上記解除に伴い当該大学に生ずべき損害を超えるものではないから、上記解除によって生ずる平均的な損害の額との関係では、上記契約は全て有効である。		原審 H21.4.9 大阪高裁 原々審 H20.9.19 大阪地裁
227	H22.5.28	東京地裁	平成21年(ワ)第324号損害賠償請求控訴事件	平成26年運用状況検討会報告書168頁[52]、Westlaw	パチンコ攻略情報の売買契約を締結した消費者が、同契約は詐欺によって締結したものであり、消費者契約法4条1項2号に基づく取消を主張した事例	本件契約取消の意思表示は、契約締結時から半年以上経過した後にされたものであるが、消費者は平成20年7月9日に同司法書士との会話の中で攻略情報の提供がないことを認識しているから、それ以前に取消事由が存在していたとは言えない。	7条1項	
228	H22.6.11	東京地裁	平成21年(ワ)第41032号、同年(ワ)第32868号敷金返還等請求	平成26年運用状況検討会報告書168頁[51]、Westlaw	建物賃貸借人が、契約の過去に際しての敷金条項を支払うことにより支払う旨の条項に基づく敷金の返還を求めた事例	本件違約金条項は、賃借人が契約締結後2年未満で解約したときは、賃料・共益費の1か月分を支払うとなるが、一般的には4月に居住者マンションの新規需要が発生するのであるから、契約後2年間の契約期間に特段の意味は	10条	

番号	判決年月日	裁判所	事件番号等	掲載	事件の概要	判決の内容	参照条文	備考
229	H22.6.29	東京地裁	平成20年(ワ)第32609号売買代金返還等請求事件	平成26年運用状況検討会報告書167頁[50], Westlaw	鉛が検出された土地を購入した売主から、瑕疵担保責任を理由として売買契約を解除したと主張した事件	本件契約の特約は、買主による瑕疵担保責任の認識の有無にかかわらず、本件土地の引き渡し日から3か月以内という短期間に制限するものであることから、消費者の解除に関する10条の規定により無効であるとした。	10条	
230	H22.6.29	東京地裁	平成21年(ネ)第4582号、同22年(ネ)第904号求償請求控訴附帯控訴事件	判時2104号40頁, Westlaw	放送を受信できる限り放送受信契約の解除を禁止する旨の放送受信契約の放送受信規約の定めが10条で無効となるかが争われた事件	放送受信契約の定めは放送法32条と同趣旨であり（放送法32条が当然適用されることとは異なる解釈をされることと異なる解釈をされる契約を締結することができない場合であって、10条が適用される余地はない。	10条、11条2項	
231	H22.10.7	三島簡裁	平成22年(ハ)第73号不当利得返還請求事件	消費者法ニュース88号225頁, Westlaw	連鎖販売取引未端の被勧誘者は消費者契約法5条に該当すると当たるとして、不実告知等につき販売業者の勧誘について、消費者契約法4条1項1号に基づく取消しを認め、一方で、個別クレジット契約における信販会社と販売業者との関係では消費者契約法5条には当たらないとして、信販会社に対する既払金相当額の返還請求を棄却した事例	①連鎖販売取引であっても、それに加入しようとする者が商品等の再販売等を行う意思を持たずに、当該商品につき「購入者」に該当する場合、消費者契約法5条に言う「媒介」を行うことがあるといい、契約締結までの両者の間について「消費者契約法5条の『媒介の委託』があったと言える。②消費者が販売契約を取り交わす段階では、販売会社に顧客との契約を結ばせる旨を言明し、契約を結ぶことについての原告会社の尽力という状況であったとしても、本件立替契約書面に信販会社自らの顧客に対する与信調査を行っていたという状況にないことから、信販会社が販売会社に契約締結を委託していたと認めることはできない。③信販会社による販売会社の意思確認等の調査を本件立替契約を行う前の段階で独自に行っていたことから、販売会社の契約締結までの尽力は信販会社の売却の決断に影響を及ぼすものと解される。④一般に、物品等の販売業者にとってクレジット契約が成立するか否かは物品等の売却に多大な影響を及ぼすことから、販売業者は、クレ	2条、5条	

資料3 消費者契約法裁判例 913

232	H22.12.15	東京地裁	平成20年(ワ)第37803号損害賠償請求事件	平成26年運用状況検討会報告書155頁[41], Westlaw	営業担当者の違法な勧誘を受けて未公開株式を購入した原告が、消費者契約法4条1項2号に基づき売買契約の取消を主張した事例	ジット契約が円滑に締結されることを目的に顧客の契約申込手続を代行するなどしていると認められ、販売会社の前記措置もこれと同趣旨のものであって、顧客から依頼を受けて本件立替払契約の申込手続の一部を代行したに過ぎない。	4条1項2号
233	H23.3.4	大阪地裁	平成20年(ワ)第15684号不当利得返還請求事件	判時2114号87頁, 消費者法ニュース88号272頁, Westlaw	3億円の梵鐘製作請負契約を締結した当時91歳の注文者が、代金の一部を支払った後に当該契約の効力を争って不当利得返還請求をした事例	2億円を前払いした後で、それが中途解約時の解約金であることが明確にされているにもかかわらず、その旨の説明を故意に告げなかったことにより、本件請負契約の締結に至らせたのであるから、本件請負契約については消費者契約法4条2項の取消事由があるというべきである。	4条2項
234	H23.3.18	大阪簡裁	平成22年(ハ)第27941号不当利得返還請求事件	消費者法ニュース88号276頁	契約期間の途中で退去した建物賃借人が、賃貸人に礼金の返還を求めた事例	①礼金の経済的機能に鑑みると、礼金は実質的には賃借人に建物を使用収益させる対価であると言える。②本件賃貸借契約締結の際の当事者間の合意としては、礼金として支払われた金員の返還を予定していないということであるが、推認される合意の内容は、予定された契約期間経過前に合意解除された場合には、未使用期間に対応する前払賃料相当額を返還すべきというものとみるべきであり、原告の請求は賃料の一部として認めた。	10条
235	H23.3.23	東京地裁	平成21年(ワ)第17341号不当利得返還請求事件	平成26年運用状況検討会報告書153頁[39], Westlaw	沈没船引き揚げ事業に出資する匿名組合契約を締結し、100万円を出資した投資家が、消費者契約法4条により取消を主張した事例	被告は「100万円出資すれば1年後には倍になる」など実現できていない段階では実現できない事柄を説明し、勧誘した内容や重要事項の契約書に記載されていない契約条項について説明しなかった。そのため、原告は事実を誤認して承諾したものと認められ、これらの勧誘は、消費者契約法4条1項1号の要件を満たす。	4条1項1号

914　資　料

番号	判決年月日	裁判所	事件番号等	掲載	事件の概要	判決の内容	参照条文	備考
236	H23.3.24	最高裁	平成21年(受)第1679号 敷金返還等請求事件	最高裁HP、民集65巻2号903頁、裁判所時報1528号15頁、判時2128号33頁、判タ1356号81頁、金判1378号28頁、Westlaw	賃借人が差し入れた保証金40万円について、1年8か月後に退去した際、敷引特約に基づいて19万円しか返還されなかった事例で、全額返還を求めた事例	敷引特約は直ちに消費者の利益を一方的に害するということはできないが、通常の使用をした場合に生ずる損耗等に照らすべきものの額が高額に過ぎると評価すべきものであるときは、当該建物の賃料が近傍同種の建物の賃料相場に比して大幅に低額であるなど特段の事情のない限り、消費者契約法10条により無効となる。本件では敷引金の額が高額に過ぎると評価することはできず、無効ということはできない。	10条	原審 H21.6.19 大阪高裁 原々審 H20.11.26 京都地裁
237	H23.4.20	東京地裁	平成22年(レ)第2000号不当利得返還請求控訴事件	平成26年運用状況検討会報告書149頁[36]、Westlaw	資産運用ソフトウェアを購入する売買契約を締結した買主が、消費者契約法又は特商法に基づいての判断につき取消を請求した事例	本件商品を用いた資産運用において損益が発生するとの点で、その程度は「消費者契約の目的となるものの用途その他の内容」に当たり、かつ、消費者が本件契約を締結するか否かの判断に通常影響を及ぼすべきものと認められるから、重要事項に当たる。	4条2項、5項	
238	H23.6.22	さいたま地裁	平成22年(レ)第68号報酬金請求控訴事件	最高裁HP、Westlaw、判例秘書	信用情報収集調査等を業務とする被控訴人からの報酬請求に対して、控訴人が、(4条3項2号)又は(民法96条1項)強迫があったとして契約申込みの意思表示を取消してして争った事例	147万円という高額な報酬額を必要とする早急な調査を切迫直前に依頼したにもかかわらず、被控訴人が調査を開始した時間があまりに早かったこと、契約締結の段階で解除の意思表示をしていたこと、77歳の控訴人が2時間30分ないし3時間もの長時間事務所にとどまっていたことから、退去の意思表示をせずに退去を困惑させて申込の意思表示をしたものとして、4条3項2号により取消を認めた。	4条3項2号	
239	H23.7.12	最高裁	平成22年(受)第676号保証金返還請求事件	最高裁HP、裁判所集民事237号215頁、裁判所時報1535号5頁、判時2128号43頁、判タ1356号87頁	居住用建物の賃借人が賃貸人に対し、保証金の返還を求めた事例	本件敷引特約は、保証金から控除されるいわゆる敷引金の額が賃料月額の3.5倍程度にとまり、上記敷引金の額が近傍同種の建物における敷引金の相場に比して大幅に高額であるとはうかがわれない等の事実関係の下では、消費者契約法10条により無効ということはできない。	10条	原審 H21.12.15 大阪高裁 原々審 H21.7.30 京都地裁

資料3 消費者契約法裁判例　915

240	H23.7.15	最高裁	平成22年(受)第863号、同第1066号（受）第1066号賃料返還請求事件（本訴）、更新料保証債務履行請求事件（反訴）	金判1378号41頁、Westlaw、最高裁HP、同民集65巻5号2269頁、裁判所時報1535号3頁、判時2135号38頁、判タ1361号89頁、金判1384号35頁、Westlaw	賃借人が更新料条項は消費者契約法10条に照らし無効であると主張した事例	① 当該条項が信義則に反して消費者の利益を一方的に害するものであるか否かは、更新料の契約条項の性質、目的（同法1条参照）に照らし、当該条項が成立するに至った経緯、消費者と事業者との間に存する情報の質及び量並びに交渉力の格差その他諸般の事情を総合考量して判断されるべきである。② 賃貸借契約書に一義的かつ具体的に記載された更新料の支払を約する条項は、更新料の額が賃料の額、更新期間等に照らし高額に過ぎるなどの特段の事情がない限り、消費者契約法10条に反しない。	10条	原審 H22.2.24 大阪高裁、原々審 H21.9.25 京都地裁
241	H23.7.22	名古屋高裁	平成23年(ネ)第418号不当利得返還請求控訴事件	消費者法ニュース90号188頁	大学金、授業料等を納付して在学契約を締結した受験生が、入学辞退を理由として在学契約を解除したと主張して、支払済みの授業料等の返還を求めた事例	納付済みの授業料等を返還しない旨のいわゆる不返還特約は、在学契約の解除に伴う損害賠償額の予定又は違約金の定めを有する。在学契約の解除の意思表示が、学生の入学年度が始まる4月1日の前日である3月31日までになされた場合には、当該学校に生ずべき損害は存しないから、消費者契約法9条1号所定の平均的な損害は存しないから、上記特約は、同号により無効となる。	9条1項1号	
242	H23.11.17	東京地裁	平成23年(レ)第26号不当利得返還請求控訴事件	判時2150号49頁、判タ1380号235頁、Westlaw	大学のラグビーフットボールチームが宿泊を予定していたが、一部部員がインフルエンザに罹患したため宿泊を取り止め、旅館の求めに応じて支払った取消料について返還を求めた事例	① 権利能力なき社団である大会により構成される本件宿泊契約は企画旅行実施に関係する情報の質及び量並びに交渉力において優位に立っていることに該当する消費者である「消費者」に該当する。② 本件の手配旅行契約における宿泊施設の予約標準約款が存在せず、他に基準たるべきものがないこと等によれば、標準旅行業約款が本件予約の取消しによって生ずる「平均的な損害」に相当するものと解するのが相当である。実際に支出を免れた宿泊費を除いた金額が本件予約の取消しによって生ずる「平均的な損害」に相当である。	2条1項、9条1項1号	

番号	判決年月日	裁判所	事件番号等	掲載	事件の概要	判決の内容	参照条文	備考
243	H23.12.1	東京地裁	平成22年(ワ)第35175号損害賠償請求事件	判時2146号69頁、国セン報道発表資料HP2013年11月21日、LEX/DB	募集型企画旅行の申込みについて、インターネットによる申込みの契約の締結を承諾した旨の通知を発しないときが10条に違反しないとされた事例	③「平均的な損害」及び上の推定条項が働く余地があるとしても、基本的な記載事項に記載されている損害額の予定が平均的な損害を超えて無効であるときは、当該条項において主張立証責任を負うものと解すべきである。顧客からクレジットカード情報等の申出があり、旅行業者は原則としてクレジットカードの契約の締結をしたただし、旅行業者が会員規約に従って旅行代金等が提携会社のクレジットカードの有する権利を行使することができないような場合には、旅行業者がその支払による危険があると解される場合に限って承諾しないこともも許される旨から、インターネットによる申込みの承諾を必要とする旨の規定による申込みの制限し、消費者の権利を制限し、信義則に違反するとはいえないから、10条違反に該当しないとした。	10条	
244	H24.1.31	東京地裁	平成22年(ワ)第34752号慰謝料等請求事件	Westlaw	旅行業者である被告との間で旅行契約を締結して旅行主催のツアーに参加した原告が、被告の債務不履行又は条4項1号に規定する「重要事項」の船室(身体障害者仕様の船室であること)に係る不法行為による債務を怠ったと主張して、損害賠償を求めた事例	「重要事項」の定義すなわち「消費者の……判断に通常影響を及ぼすべきもの」とは、契約を締結するか否かを一般的な消費者が通常判断する上で当該消費者契約の締結を必要とする消費者契約の目的がある上で通常影響を及ぼすべき事項、換言すれば、一般平均的な消費者が当該消費者契約を見合わすような基本的事項について客観的に考えられるものをいうとした上で、バルコニー付スタンダード一般平均船室が割り当てられないことが、身体障害者仕様の船室の割り当てを受けるか否かに係る消費者の意思形成を左右する必要なものと認識されているとして、一般平均的な消費者の合理的な意思形成を行う上で当該消費者契約の締結について通常影響を及ぼす重要な事項とはいえないとした。	4条5項1号	

資料3　消費者契約法裁判例

		裁判所	事件番号	事件概要	判旨	条文	審級
245	H24.2.29	京都地裁	平成21年(ワ)第4696号更新料等返還請求事件	消費者法ニュース92号257頁	賃貸借契約に際し締結した基本清掃料特約及び更新料特約が消費者契約法10条により無効として、借主が更新料等の返還を請求した事例	通常損耗に含まれる汚損しないものとみなすべき基本清掃料特約は、信義則に反して借主人の利益を一方的に害するとはいえ、本件賃貸借契約は、賃借期間が1年であり、賃借人の負担として相当であり、これを超える部分は年額賃料の2割が相当であると、これを超える部分は無効であるとした。更新料の上限は年額賃料の2割が相当であるとした。	10条	
246	H24.3.5	東京地裁	平成22年(ワ)第47338号損害賠償請求事件	Westlaw	建物と借地権を不動産業者に売却することを予定していた消費者が、不動産業者に対し、契約締結上の過失を主張して損害賠償を求めたところ、不動産業者が、契約締結前の合意書に基づき責任を争った事例	売買契約締結前の合意書における損害賠償を求めることを求めるものでなく又は事業者に生じた損害を賠償する責任の全部を免除する条項であるから、消費者契約法8条1項3号により無効であるとし、原告の過失割合を5割として請求の一部を認容した。	8条1項	
247	H24.3.16	最高裁	平成22年(受)第332号生命保険契約存在確認請求事件	最高裁HP、民集66巻5号2216頁、裁判所時報1552号153頁、判時2149号135頁、判タ1370号115頁、金判1395号14頁、Westlaw	保険契約者が、生命保険会社に対し、医療保険契約と生命保険契約が存在することの確認を求めた事例	本件約款において、保険契約者が保険料の不払をした場合にその権利保護を図るために一定の配慮がされている点、保険会社が、保険契約の締結時、上記債務の不履行があった場合に保険契約失効前に保険料払込の督促を行う実務上の運用を確実にしていることに反し、当該運用をしない場合、消費者契約法10条に反し無効。	10条	原々審H20.12.4横浜地裁原審H21.9.30東京高裁(218)差戻後控訴審H24.10.25東京高裁
248	H24.3.27	東京地裁	平成22年(ワ)第38195号不当利得返還請求事件	平成26年運用状況検討会報告書131頁[24]、Westlaw	不動産投資を勧められて2件の不動産を購入した原告が、後に同不動産の価格下落について消費者契約法4条等に基づき取消を請求した事例	被告は、重要事項である本件物件1及び2の客観的な市場価格を告示していないこと、家賃収入が非現実的なシミュレーションを提示したことなど重要事項について不利益となる事実を故意に告げなかったと認められるため、同項は消費者契約法4条2項により取消が認められる。	4条2項	

番号	判決年月日	裁判所	事件番号等	掲載	事件の概要	判決の内容	参照条文	備考
249	H24.4.23	東京地裁	平成23年(ワ)第774号不当利得返還請求控訴事件	平成26年運用状況検討会報告書[22], 125頁, Westlaw	レンタル店でドレスをレンタルした消費者が, 本件契約の解除料条項が消費者契約法9条1項に反すると主張した事例	消費者契約法9条1項所定の平均的な損害は, 当該契約締結から解除までの期間中に当該事業者が契約の履行に通常負担する費用, 及び同期間中に当該事業者が他の顧客を募集できなかったことによる一般的, 客観的な逸失利益がこれに当たる。	9条1項1号	
250	H24.5.15	東京地裁	平成23年(ワ)第616号損害賠償請求事件	Westlaw	不動産の買主である原告業者が被告の債務不履行を理由に手付金の返還と損害賠償を求めたのに対し, 被告は, 4条1項1号による契約の取消し等を主張した事例	原告による718万9800円という見積価額がなくとも1800万円を下らないと認められることから本件各契約の締結についての勧誘に際し, 本件土地の対価について不実告知し, 被告の重要事項という土地対価という重要事項について不実告知をし, 原告がこれを保有して地代を収受し売買契約を継続するよりも有利であると誤信させ, 4条1項1号の取消を認めた。(原告の提示価額1450万円で)土地を売却する方が有利であると誤信し, 原告にこれを有利であると誤信して地代を収受し売買契約を締結させたとして, 4条1項1号の取消しを認めた。なお, 原告の手付金返還請求については被告の取消前に解除がされたとして認めている。	4条1項1号	
251	H24.5.29	東京地裁	平成23年(ワ)第38990号損害賠償請求事件, 同41357号損害賠償請求, 不当利得返還等請求反訴事件	消費者契約法改正に向けた専門的技術的側面の研究会参考資料第1回参考資料7, 裁判例56, Westlaw	行政書士との委任契約を解除した際の料金と不返還特約(いったん納入された料金については, 理由の如何を問わず返還しない旨の特約)に定めた損害賠償額を超えた平均的な損害の額とみえるかが争点となった事例	損害として, 当該事務処理のために要した費用やらかが想定されるところ, 任意する当たり必要な事情の聴取や相談業務を行ったものの, 書類の作成に着手する前に解除されたものであるから, 事情聴取と相談に要した労力の限度で相当する損害が生じたというべきであり, その額は認められるとしても1万円を超えるものとは認められず, これと既払報酬10万5000円を適正であると判断した。なお, 損害賠償額の予定又は違約金を定める条項のうち, 平均的な損害の額を超える部分は無効となるという9条1号の趣旨を限度で制限するために設けられた上記規定の趣旨に反することになるため, 含まれないとして判示している。	9条1項1号	

資料3　消費者契約法裁判例　919

252	H24.7.10	東京地裁	平成24年(レ)第9号授業料返還請求控訴事件	平成26年運用状況検討会報告書118頁[18]、Westlaw	幼稚園を経営する法人との間で在籍契約を締結した消費者が、海外転勤のため、同契約を解除し、授業料等の返還を求めた事例	本件施設の第1学期が9月1日に開始されるのであるから、その前日までに解除の意思表示がされた場合には、本件施設に生ずべき平均的な損害は存在しない。	9条1項1号
253	H24.9.24	東京地裁	平成24年(ワ)第11456号建物明渡等請求事件[16]、	平成26年運用状況検討会報告書115頁、Westlaw	消費者との間で建物の賃貸借契約をした事業者が、債務不履行により同契約を解除し、約定使用損害金及び未払賃料等の支払を求めた事例	「平均的な損害」及びこれを超える部分について、事実上の推定が働く余地があるとしても、基本的な損害の全部又は一部が平均である主張立証責任を負うものと解すべきである。	9条1項1号
254	H25.3.5	東京地裁	平成24年(レ)第1339号敷金返還請求控訴事件	Westlaw	控訴人(消費者)が、被控訴人に賃貸した建物の賃貸借契約終了後に、敷金15万円余の返還を求めた事案。原審は、クリーニング費用を控訴人に対して返還すべき額のうち6万3000円と認め、控訴人に対する残金合計4万1000円と本件特約に基づく11万3000円の一部認容した。控訴人は特約が10条に反するとして控訴した。	本件特約は、本件賃貸借契約終了に際し、建物の通常の使用に伴い生ずる損耗に係る原状回復費用の一部を控訴人に負担させる内容のものであり、控訴人に本件特約に基づく義務が認められるためには、本件特約の内容が明確に合意されていることが必要である。本件では、被控訴人の間においていて、本件特約の内容を含む契約書面によって明確に説明して控訴人に合意したことが認められ、本件特約の内容を契約人にもかわ合意であるから、クリーニング費用の額として想定される額となるといらして格別高額とみるべきものでもないといえることから、本件特約は10条により無効であるということはできない。また、通常損耗等の照らして格別高額となるという合意が任意規定の適用による場合に比して賃借人の義務を加重するものであるとしても、本件特約は10条により無効であるとはできないとして、控訴を棄却した。	10条
255	H25.4.19	東京地裁	平成23年(ワ)第17514号損害賠償請求事件	ジュリ1462号128頁、Westlaw	スイスのチューリッヒの被告本店に口座を開設し、被告発行の株式を取得し、当該口座に投資をした事案。同勧誘行為には適用が、同勧誘行為には適用が	口座開設に伴う申込書には、チューリッヒの裁判所を第一審の専属的管轄裁判所とする管轄合意条項があり、申込者は上記契約をするにあたり、該当内容についても了解しているから、同条項の効力を認め、同契約の締結に基づく国際的裁判管轄は適当である。	

番号	判決年月日	裁判所	事件番号等	掲載	事件の概要	判決の内容	参照条文	備考
256	H25.7.3	大阪地裁	平成24年(レ)第1005号不当利得返還請求控訴事件	国センHP2015年11月26日、LEX/DB	合性原則違反及び説明義務違反があるとして損害賠償を求めた事例 犬の終身預かり契約における非返金条項が9条1号、10条に違反するかが争われた事例	訴えを却下した。本件ビーグル犬が預かり期間の満了より前に解除されて本件代金を返還する場合、被控訴人は、解約にあたり、解除の財源の有無にかかわらず支出を避けられない経費等の一部の支出が十分可能であること。新たな取引を行うことを得るまでの期間に近似する1か月以内において、本件代金の半額を超える部分の定めが存在することは、本件の解除をした場合、平均的損害の額を超えるものであり本件非返金条項は9条1号、民法第1条第2項に規定する条項であり消費者の利益を一方的に害するものにより無効であることにより無効である。他方、本件非返金条項は10条に該当せず10条に反しないとした。	9条1項1号、10条	
257	H26.8.7	名古屋高裁	平成24年(ネ)第1001号金員返還請求控訴事件	最高裁HP、Westlaw、LEX/DB	老人ホーム入居契約に係る入居一時金の初期償却条項(①)、転居償却条項(②)、通常損耗を超える原状回復条項(③)が法10条違反かどうか、②については実告知があったかどうかも争われた。	① 初期償却される部分は終身利用対価部分であることから、入居一時金の初期償却項自体に入居できなかったらない。契約の締結月分の初期償却の対象とする合意は10条に反し無効であるとした。② 転居契約についての初期償却を認めることは、虚偽説明であたることは、不実告知に該当することを認めない事実。また、転居契約の初期償却部分について、再度の利用対価部分から、同一利用対価部分を二重に取得するものであるから、10条に反するものであり、10条の差し戻し精算する。③ 本件原状回復条項は、通常損耗を超える部分の利用者に課しているのであり、それは、民法上の原状回復部分に差し戻したものとなっているものであり、それは、民法上の原状回復義務の終了に伴う賃貸借契約の終了した原状	4条1項1号、10条	原審 名古屋地裁 H24.8.31

資料3　消費者契約法裁判例　921

258	H26.8.19	京都地裁 平成25年(ワ)第3004号解約金返還請求事件	判例秘書	冠婚葬祭事業者との互助契約の解除にかかる解約金の条項が9条、10条等に違反しているかが争われた。	裁判所は、本件解約金条項には9条1項1号が適用されるとした上で、事業者の平均的損害を超える部分が無効であり、その他方で、9条1号を適用して10条を適用しないことが有効として、10条を適用するかどうかを判断することは、本件では10条適用の可否を論ずる余地はないとした。回復義務を超える義務を負担させるものとなり、民法13条2項の規定に反するものとして、10条により無効となる。	9条1項1号、10条
259	H26.10.24	大阪簡裁 平成26年(ハ)第16850号敷金返還請求事件	LEX/DB	一律に1か月の賃料の4、3倍に相当する保証金全額を控除するという特約の10条該当性が争われた。	賃貸人が敷引きすることは10条の前段要件を満たした。また、自然損耗料を受領することは、特段の事情がない限り10条の後段要件を満たした。本件特約は同条の敷引特約と評価され、敷引額が高額たるため、10条の後段要件を満たすとして、10条により無効とした。	10条
260	H26.11.28	東京地裁 平成25年(ワ)第2980号不当利得返還請求事件 同年(ワ)第7261号損害賠償請求反訴事件	Westlaw	バングラデシュ国籍の親族のためにその在留資格の変更等の手続を行政書士である被告に依頼した原告が、被告に対し、消費者契約であるとして契約を解除する事実と異なる4条1項1号に基づく合意取消し及び10条に反するとして、事案。	①本件では、その内容に鑑み、本件特約を履行に不適合、困難性や実現可能性を充たすためには必要であるか、その実現のためにはどの程度の資金が必要かといった事実について明確かつ具体的な判断がなされるべきであるが、消費者契約締結について、その存否を判定することはできるといった事情から、本件特約の前段の要件を充足する。②いったん支払われた金員が返金しない旨の免除条件は10条により、4条1項の返還免除事項は10条により無効。	4条1項1号、10条
261	H27.3.26	東京地裁 平成26年(ワ)第21654号生命保険契約不存在確認請求事件	判タ1421号246頁、Westlaw	生命保険会社である被告との間で締結された生命保険契約の契約者の地位を有していた原告が、保険料の口座振替による存在確認を求めた事案。	保険料の滞納が催告後1か月継続することにより失効するとしている。保険料の口座振替がなされなかった日から1週間できるときでも振替できるときは、潜納金同額を次回振替日までに振替口座に資金を準備することを促したこと、いったん支払われた金額を返送している同条の要件を充たすことができない。	10条、民法90条

922 資　料

番号	判決年月日	裁判所	事件番号等	掲載	事件の概要	判決の内容	参照条文	備考
						替が残高不足により行われなかったため、保険契約が失効したものとして取り扱われたことについて、10条違反を主張して、上記保険契約が存在していることの確認を求めた事案	つ、保険会社は電話又は訪問により依頼者に等の保険事情に鑑み、本件失権条項に信義則に反して消費者の利益を一方的に相当するものが相当するものである（最高裁判所平成24年3月16日第二小法廷判決・民集66巻5号2216頁参照）【247】と判断し、原告の請求を棄却した。		
262	H27.10.29	東京地裁	平成26年(ワ)第9296号損害賠償等請求事件同年(ワ)第15033号名誉毀損損害賠償請求反訴事件	国セン報道発表資料HP2016年11月28日、Westlaw	原告（中華人民共和国籍）が、被告（行政書士）に対し、在留資格の変更書類作成を依頼する旨の契約を締結していたところ、4条1項により、契約の取消しを求めた事案	被告は、契約にあたり原告の在留資格を変更することができると告げていた。変更が実際には不可能であった状況に照らせば、ほぼ不可能であることを告げないではなく原告に在留資格を得られると断定的な判断を提供して誤認させたものと認められ、4条1項1号、同2号により取消しを認めた。また当該契約には、料金の返却しない旨の特約がされていたが、この規定については、10条により無効であるとした。	4条1項1号、同2号、10条	
263	H28.1.21	名古屋地裁	平成27年(ワ)第985号損害賠償等請求事件	判時2304号83頁、Westlaw、判例秘書	地下駐車場の一部を被告（賃貸人）から賃借していた原告（消費者）が、集中豪雨により駐車場が浸水し、駐車していた自動車が水没したと主張して、3条1項に基づき契約内容について消費者の理解を深めるために必要な情報の提供に努める義務を負っていた被告が、それを履行する説明義務に違反したとして、被告に対する損害賠償を求めた事案	裁判所は、約5年前の豪雨により駐車場に同駐車場に浸水がされていた車両が被告の認識していたこと、駐車場（賃貸借）契約を締結するという重要な事実、当該事実を認識するか否かを決定する上で重要な事実であると認識しうること、当該地域等を通常の具体的な被告は当該事実を認識しえないものがあること、3条1項を踏まえると被告は原告にこれを容易に認識しうべきと考え、信義則上当該事実を原告に説明しなかった義務があり、それを履行していなかった違反があるとして、被告に車両の時価と弁護士費用あわせた約128万円の支払を命じた。	3条1項	

資料3 消費者契約法裁判例 923

264	H28.6.30	東京地裁 平成28年(ワ)第2758号建物明渡請求事件	国セン報道発表資料 HP2017年11月30日、Westlaw、LEX/DB	賃料等の立替払委託契約及び保証委託契約を締結したカード会社に対する不払いで解除事由として定める条項が10条に違反しないとされた事例	カード会社が賃料等の立替払いを行うこと になれば、賃借人(被告)は自らの負担を被ることができる利益を被ることができる利益がある。被告が保証会社との三者間関係を健全に維持する上での不可欠な要素となるから、本件賃貸借契約の解除事由として前記解除事由が充足する場合には合理性があり、被告が支払解除事由とする場合には合理性があり、被告が支払解除事由とする場合には合理性が担当該事由として当該条項は消費者の利益を一方的に害するものとはいえないとした。	10条
					に対して、浸水被害に関する信義則上の説明義務違反の不法行為等に基づいて、約128万円を請求した事例	
265	H28.7.11	東京地裁 平成25年(ワ)第2918号損害賠償本訴請求事件 同26年(ワ)17336号損害賠償等反訴請求事件	Westlaw	行政書士に在職期間更新許可申請書類の作成等を依頼し、申請を不許可とされた消費者が、行政書士に対し、上記書類の作成の準委任契約の解除による原状回復ないし不当利得として既払報酬の返還を請求した事案で、同意ない旨の記載は10条により無効であり、同条項に制限する被告の利益をいうことができ、被告の利益を一方的に制限するものであって、10条により無効であるとした。	原告には本件委任契約上の善管注意義務違反が認められるから、原告は、履行の割合に応じた本件契約の報酬を請求することができず、履行状況を請求するため本当利得として、原状回復を請求することができる旨の文言を記載した書面を交付することを要求したとして、既払報酬の返還を求めることもできない旨の文言を同意した場合でも、その同意ない旨の記載は、原告が消費者の返還請求が認められないことの返還は認められないし、原告が報酬返還を求める権利を放棄したとも解されないし、原告の如何なる理由による解除においても既払報酬返還を認めない旨の記載は、一方的に制限する消費者たる被告の利益を一方的に制限するものであって、10条により無効であるとした。	10条

番号	判決年月日	裁判所	事件番号等	掲載	事件の概要	判決の内容	参照条文	備考
266	H28.10.25	東京地裁	平成28年(レ)529号敷金返還請求控訴事件	Westlaw	被控訴人から建物を賃借した司法書士である控訴人が、賃貸借契約の終了に伴い建物を明け渡したところ、被控訴人が、明渡時のハウスクリーニング等の費用を負担する旨の特約の存在を理由に、控訴人からの差し入れていた敷金からの返還を求めた事案。控訴人は、上記特約は10条により無効であるなどとして、本件の消費者性を争われた。	契約申込みの際に司法書士の名刺の写しをファクシミリで送信していること、契約書の契約者欄に自宅住所を記載し、司法書士会発行の会員証（名刺・会員証と同じ住所）を記載したこと、退去後の司法書士業を営んでいた自宅住所で契約を行ったこと、連絡先となること明らかにしたこと。兼司法書士兼ねての事業目的としての使用実態があったこと、事業目的として自宅を事務所として併用していたなどの認識があったことから、「消費者」にあたらず、10条は適用されないとした。	2条、10条	
267	H28.11.1	松山地裁西条支部	平成27年(ワ)120号債務不存在確認請求事件	消費者法ニュース110号260頁、Westlaw	消費者である原告が、自動車の販売店である被告に対し、新車の購入契約の際、Aモデルチェンジの予定はない旨説明していたところ、モデルチェンジの予定があったことを理由にA車種ではなくB車種を購入したとして、A車種について公表されたため、不告知により契約を知らず、本件売買契約に基づく代金支払い・債務の不存在の確認を求めた事案。	裁判所は、被告担当者は、モデルチェンジの予定はない旨述べたことから、原告はモデルチェンジは半年以内にはないと誤信して、本件を注文したと認められる事実が認められるとし、4条1項1号にいう不実告知にあたる事実があると認められ、消費者契約の目的となるものの質に関する事項であって、本件売買契約に通常影響を及ぼすものとして「重要事項」に定める4条4項1号に該当するものと認められ、4条1項1号に基づく本件売買契約の取消しができるものとして、本件売買契約に基づく金支払い義務を負わないとして、本件売買代金相当額10万円の支払い義務はないと判断した。本件使用料相当額10万円の支払義務を認めたが、控訴審でこの点の支払いも否定された。	4条1項1号 4条5項1号	控訴審 H29.3.23 高松高裁

資料3 消費者契約法裁判例 925

268	東京地裁 H29.1.13	平成25年(ワ)19090号損害賠償請求事件	Westlaw判例秘書	原告（消費者）らが被告Y1社の募集型企画旅行に参加した際、船上で船舶が故障して旅行の一部について不履行となったことについて、被告Y1及び船舶の所有会社である被告Y2社に対し、損害賠償等を求めた事案。準拠法を英国法と定める条項があり、原告らはこれらの条項らは10条に反して無効と主張した。	裁判所は、準拠法が英国法であるからといって、一律に消費者の権利を制限したり、義務を加重するものではないので、本件旅行が日本国外に広く航海に及びバナマ法人である被告Y2社が船舶を保有していた法人はないことを理由に10条に違反しないと判断し、原告の請求すべてを棄却した。	10条
269	東京高裁 H29.1.18	平成28年(ネ)4369号電子マネーキャリアサービス不正利用金返還請求控訴事件	判時2356号121頁、金法2069号74頁、Westlaw	X（消費者）は、Y1携帯キャリアの電子マネーサービスを利用し、電子マネーをY2発行のクレジットカードを利用して購入していたが、Xが携帯電話を紛失し、何者かに約29.1万円分の電子マネーを不正利用された事案。Y1の約款には、パスワードの管理に関連して生じた損害について、会員自身が負担するという全部免責条項があった。	裁判所は、全部免責条項について、Y1の軽過失による不法行為責任を全部免除するものであるから、8条1項3号に該当し無効とした上で、Y1に対し、3割の過失相殺をした上で、不法行為に基づく損害賠償請求のうち、約204万円の支払を命じた。なお、不法行為に基づく請求するY2に対する請求は棄却した。	8条1項3号 原審 H28.8.30 東京地裁
270	東京地裁 H30.2.1	平成28年(ワ)4388号預託金返還請求事件	Westlaw	ゴルフクラブの抽選償還金の保証条項が10条に違反しないとされた事例	抽選償還条項は、一方的に不利な規定で会員の優先的な施設利用権を確保することにより、ゴルフ場経営者の経済的な破綻を防ぎ、会員の保証金返還債権を実質的に保護する目的もあり、信義則に反する	10条

926 資　料

番号	判決年月日	裁判所	事件番号等	掲載	事件の概要	判決の内容	参照条文	備考
271	H30.3.16	奈良簡裁	平成28年(ハ)805号不当利得返還等請求事件	消費者法ニュース116号335頁, Westlaw	いわゆる便利屋を謳っている被告人と契約を締結した原告A～Eらが、同契約の締結に際し、不実告知等があったとして、同契約の取消しと同契約に基づき支払った契約金員の返還を求めた事案	いわゆる便利屋業者は一定の事務業務に専門特化したものと認められず、電話で金額提示は困難であり金額提示は出来ないとしても、事前確定金額と異なり金額の見積額（予備的金額を含めて）同契約書面以外に何らの費用項目があることを説明していないこと、各契約について不実告知や不利益事実の不告知等があり、また、代金算定方法については原告らとの間で合意があるものとは認められず、10条で無効となるとはいえない。そのうえで、被告が見積額の提示をしたことをもってそのあと金額で契約が成立したということはできないとして、契約の不存在又は契約について取消事由があるとして、原告らの不退去時に不当利益金請求については取消を認めた。	4条1項1号、4条2項、4条3項1号、民法709条	
272	H30.3.20	東京地裁	平成28年(ワ)35454号売買代金請求事件	Westlaw	ガス供給契約締結に際し、被告と液化石油ガス設備貸与契約を締結した原告らが、ガス供給契約を解除したため、上記貸与契約の解除に伴う原告の売買契約による代金の支払を求めたところ、上記契約の解除に伴う賠償の予定又は違約金を定める条項が、消費者契約法9条1号により無効であるなどと争われた。	本件契約の実質は、ガス供給債務の子定（消費者契約法9条1号）というべきであり、損害賠償額の予定又は違約金を定める条項（消費者契約法9条1号）に該当するが、契約解除について平均的な損害の額を超える部分については無効としても、本件契約により原告に発生している損害は認められず平均的損害が何ら発生していることも認められず、原告にとって損害がないとして、本条項は9条1号に反するとした。	9条1項1号	
273	H30.3.23	東京地裁	平成28年(レ)667号損害賠償請求控訴事件、同年(レ)840号	消費者法ニュース116号340頁, Westlaw	控訴人の開講座を受講成立させる被控訴人らが、本件契約を締結した被控訴人に対し、本件受講契約に基づいて同会業務を勧誘す	①本件受講契約の締結自体は「事業のため」に行うものとはいえず、被控訴人は消費者に該当する。その上で、本件受講契約は消費者契約に該当し、被控訴人が本件受講契約に基づいて同会業務委託契約を引	2条1項、4条1項1号、9条1項1号、10条	

274	H30.3.26	東京地裁 平成27年(ワ)第35367号 弁護士報酬請求事件	Westlaw	被告から事件を受任した弁護士である原告が、自身に帰すべき事由がないにもかかわらず、被告により本件各契約を解除されたため、本件各報酬規定に基づき報酬等の支払を求めたところ、被告が、本件中途報酬規定は実質的に違約金を定めるものとして、9条1号に違反して無効であると主張した事案。本件中途報酬規定は、委任事務処理の程度いかんにかかわらず、委任契約が解除された場合の責めに帰すべき事由によって解除された場合の趣旨の報酬全額を支払うという趣旨の報酬規定ではなく、あくまで履行を遂げた程度に応じた報酬請求を認めるものであり、受任者の報酬請求権に帰するよう本件中途報酬規定の趣旨に鑑みれば、この本件中途報酬規定の支払を義務付けるとしても、それが9条1号に違反するとは言えないことから、9条1号に違反して無効であるものではない。	9条1項1号
		同附帯控訴事件			

き受けたこと、本件養成講座は実践的なレッスン内容を含んでいることを認識していたことなどから、レッスン内容という重要事項について不実告知があったとは言えない。② 未受講分の受講料の不返金特約の取消しについて 本件受任契約は、準委任契約であり、当事者はいつでも解除(解約)できる(民法651条1項、656条)ところ、10条により、不返金特約のうち、未受講分の受講料の不返金特約は9条1号、10条に反し無効である旨を主張した事案。本件養成講座の受講契約は、被控訴人からの解除(解約)を一方的に制限するものであって、信義則に反して受講生の利益を害するものとして、10条のみをもって無効であると考えられ、解約の解除(解約)を制限する部分については時期的な制限が認められる余地があるが、本件養成講座の受講生の募集を未だ始めていない現時点に当たって要請される。また、代替可能性・変更可能性が開講前の受講生の変更等について大きく相対的に認められることに伴い、不返金特約のうち、未受講分の受講料の返還を制限する部分は9条1号により無効である。

番号	判決年月日	裁判所	事件番号等	掲載	事件の概要	判決の内容	参照条文	備考
275	H30.3.29	東京地裁	平成28年(ワ)第35436号売買代金請求事件	Westlaw	【22】参照	「平均的な損害の額」について、原告が主張する損害相当額である残存価値相当額ではない。また、逸失利益は考慮すべき損害相当額について、本件消費設備の購入者との間でのLPガスの供給契約を期待して先行投資するその他の費用として、本件建物に設置したものと理解できるが、本来、本件消費設備（基本工事等）を負担すべき者は購入者であって、それを本件消費設備の所有者である売主と清算するものであり、当然に購入者がその時点で清算すべき損害とはいえない。本件消費設備をその時点で他に転売できる場合でなければ、それ自体の価値を取り得るものではない。本件消費設備は、結局廃棄されることとなるもの、それ自体の価値はなく、露呈される場合も、本件消費設備の残存価値は全くなく、本件消費設備の経年劣化が生じその他の損害の額はないとした。	9条1項1号	
276	H30.4.18	東京高裁	平成29年(ネ)第3234号不当利得返還請求控訴事件	判時2379号28頁、金判1546号15頁、Westlaw	一審被告Aとの間で同被告Bが提供するデータ通信サービス無線契約を締結した同原告に対する契約に基づく役務提供において、被告Aに、役務提供に制限に関して、通信速度制限等に関する事実告知等がなかったとして契約を解消し、同被告に対し既に支払済の利用料の返還、同被告Aによる債務不履行又は不法行為に基づく慰謝料の支払等を求めた原審で、原告の請求をすべて棄却したため、不実告知を理由とする契約の取消しによる不当利得返還請求、及び慰謝料に関する部分について、原告が控訴した。	一審被告Aは、一審原告に対し、電気通信事業法26条の説明義務に違反しているところ、同義務違反をもって詐欺という通信速度制限の存在及び、3日3G制限の内容について評価することは、役務の具体的重要事項である通信速度制限について、不実告知に当たるとして、契約を解除されなかった解約手数料規定の有効性について、消費者契約法を潜脱するための脱法的な合意であり、解除手数料の債務不存在確認請求については認容される部分が認容され、部分又は全部が認められた可能性が大きかった。なお、控訴された合意について、法的な合意について、消費者契約法を潜脱していれば控訴される部分又は全部が大きかった。	4条1項1号、9条1号、同1項1号、民法96条1項、709条、景表法5条1項1号	原審H29.6.21東京地裁 上告審R1.6.7上告受理申立不受理決定

資料3 消費者契約法裁判例 929

277	H30.4.20	東京地裁	平成28年(ワ)第35914号不当利得返還請求事件	Westlaw	消費者である原告の、太陽光発電システム販売業者である被告に対する、太陽光発電工事請負契約に関するおよび管理利用契約につき、太陽光発電設備が設置されていない事実および登記の故意による事実をもって、本件契約に基づく4条2項により取消しが認められた事案	告が控訴した。裁判所は、原告は会社を経営しているものの、投資家として行っており、太陽光発電事業については初めてであってもその後事業について該当するものと認められないことから原告は2条1項の消費者に該当するとした。そのうえで、被告が、本件契約の締結の勧誘に際して、太陽光発電システムの設置により本件土地の権利を取得することができ、収益を得られていた太陽光発電契約による利益を得ることができるものとし、本件仮差押における事項の存在を告げなかったものとし、該当の故意を認めた。他方、太陽光発電仮差押における事項についての仮差押を取り消すことができることを告げず、仮差押により代金2283万円の不当利得返還請求に基づき登記の設置を得るよう本件利得返還を請求するものとして原告の請求を認容した。	2条1項、第2項 4
278	H30.5.30	名古屋高裁	平成29年(ネ)第335号原状回復等請求控訴事件	判時2409号54頁、Westlaw	消費者である原告(控訴人)の、建売住宅の販売業者である被告(被控訴人)との売買契約について、市の風致地区内建築等規制条例を否認していないことを秘匿したとして、契約締結における緑化率に関する事実による取消しが認められた事案	告が控訴した。裁判所は、被控訴人(被告)は、緑化率の不足、これという条例違反の事実を認識していながら、告知しなかったのが4条2項の不実を告げる行為に相当するとして、4条2項を根拠に、本件売買契約を取り消すことができるとして、被控訴人は、本件売買代金等を返還しなければならないなどとして、本件売買代金等の返還を命じ、原判決を変更し、控訴人の請求を一部認容した。	4条2項	原審 H29.3.22 名古屋地裁 上告審 最高裁 H30.11.13 上告棄却、上告申立不受理
279	H30.7.4	東京地裁	平成28年(ワ)第35054号売買代金請求事件	金法2114号75頁、Westlaw	不動産業者である原告(買主)と消費者である被告(売主)との間で、承諾のある借地権の売買について、書面の発行を被告に課すものであったことに、一般的に	裁判所は、事前承諾取得に関する特約条項について、事前承諾を得る形式に従う記載を条件として融資債務承継について事前承諾を得べき債務を	10条	

930　資　料

番号	判決年月日	裁判所	事件番号等	掲載	事件の概要	判決の内容	参照条文	備考
					き建物の購入契約に付されていた、原告が融資を受ける際の金融機関に対する融資承諾書面の発行について被告が地主から承諾を取得しなければならない旨の特約が、10条により認められた事案	は売買契約の要素を構成しない債務を特約により売主である被告に負わせるという意味での適用による加重を許す規定であるもので、任意規定の適用による加重を許す意味に比し、被告の当該条項の発行については被告の尽力のみでは取得できる必要性がないことをもることを正し、かつ、被告からの事前承諾を得わせるものであり、それが達成できない場合には被告の債務不履行となり、これが地主から承諾を得られない（ほかならないから、当該合理することには不合理な内容といわざるを得ず、信義則に反して消費者である被告の利益を一方的に害するものであり10条により無効であるとするものであるとした。		
280	H30.7.18	東京地裁	平成28年(ワ)第35442号売買代金請求事件	Westlaw	LPガスの供給会社である原告が、新築住宅の所有者である被告に対し、LPガス供給契約書記載の条項に基づき、LPガス設備の買取を求めた事案	本件契約条項（設備買取条項）は9条1号を適用し、同設備の減価償却期間が15年と定められていたこと、その社会通念上の価値、解除の時点（契約から4年5か月）において、既に残存すべき平均的な損害は存在しないと認定し、等から、原告がこれに生ずべき平均的な損害は存在しないと認定し、本件契約条項は、同9条1号により無効であり、その全部が無効となると判断した。	9条1項1号	
281	H30.9.18	東京地裁	平成29年(ワ)第40855号損害賠償等請求事件	Westlaw、判例秘書	スマートフォン向けに提供しているアプリの利用者である原告らが、本件で認めるある被告が通常人をして、ゲーム内で使用できるアイテムが出現しないとその提供するものの貸与表示としてなることをもって「契約の目的となるものの質に関し、事実と異なる表示をしてその表示が不当であるとして誤認させるものとし、本件表示による取消し等を求めた事案	原告らの主張は、本件表示が、当該期間限定アイテムが排出される確率で高いという事実を表しているとするところ、一般通常人をして、本件表示をそのような意味を示すと認識することは認められない。原告らの主張する期間限定アイテム以外のアイテムが排出されることをもって期間限定アイテムの出現率が極めて低くなるものと指摘し、それ自体は事実であるとしても、本件表示に関し、その表示目的となるものの質について、事実と異なる契約となる旨の告げたとは認められない。	4条1項1号	

資料3 消費者契約法裁判例 931

282	H30.11.5	東京地裁 平成30年(ワ)第20434号入居一時金返還請求事件	Westlaw	被告の運営する有料老人ホームである本件施設の入居者の相続人である原告が、入居者を明け渡し入居一時金について返還を請求した事案。入居契約書には、「日常的施設及び備品等の滅失・毀損、破損箇所については……直ちに自己の費用により原状に復するものとする」との条項がある。	裁判所は、本件施設が介護型老人ホームであることに照らし、通常使用によるものとは認められない臭気や汚損等が生じた場合は、本件の契約条項は通常損耗を超える部分については居住者に負担させるものと解すべきであり、仮にすべての居住者に負担させると定めていたとしたら法10条により無効であったとして、原告の請求を認めた。	10条
283	H31.2.4	東京地裁 平成30年(ワ)第14724号不当利得返還請求事件	金法2128号88頁、Westlaw	原告(消費者)が、暗号資産交換業者である被告に対し、被告が予告なく同サービスの提供を停止したことが債務不履行に当たり、サービスの提供停止により利用契約を解除したとして、同条項に基づく預託金の返還請求等を求めた事案。本件契約には、盗難等の事故の通知なく本件条項が無効であることが8条1項1号に違反し無効である旨主張した。	本件条項は、ハッキングその他の方法により被告の資産が盗難された場合に、各顧客に事前に通知なく、被告がサービスの提供を停止又は中断することができるというものであり、8条1項1号にいう「事業者の債務不履行により消費者に生じた損害を賠償する責任の全部を免除する条項」又は「事業者の債務不履行による解除権を放棄させる条項」には該当しない。また、本件条項は、ハッキングされる場合に、被告のサービスの提供を停止することについて、本件サービスの提供を継続することにより顧客が損害が広がる場合と比較して顧客の利益に資するものと解せられるから、8条1項1号に該当しない。また被告の仮想通貨の提供価格変動リスクによる資産の盗難等の損害リスクが本件サービスを停止することにより得られる本件条項は、顧客の利益を一方的に害する条項ではなく、かえって顧客の利益を保護する目的とするものであり、顧客の利益を一方的に害するものではない、1条の趣旨に反するものではない。	8条1項1号、8条の2第1号、10条

番号	判決年月日	裁判所	事件番号等	掲載	事件の概要	判決の内容	参照条文	備考
284	R1.9.3	東京地裁	平成31年(レ)第103号不当利得返還等請求控訴事件、第216号同附帯控訴事件	Westlaw、D1-Law	駐車券方式のコインパーキングにおいて、駐車券を紛失した場合、利用時間にかかわらず1回当たり3万円の料金を徴収する条項に基づき、駐車券を紛失した利用者に3万円の支払を命じた事件(なお、実際の利用料金は1800円と事実認定された。)	本件条項は、時間当たりの利用料金を超える支払義務を利用者に負わせるという意味において、10条に該当するものでもない。よって、本件条項は無効とはいえない。	10条	原審 立川簡判 平成30年(ハ)第595号
285	R2.1.9	東京地裁	平成31年(ワ)第7118号損害賠償請求事件	Westlaw、判例秘書	原告ら(CD等制作販売会社及び芸能事務所)が、被告(消費者)との間でギタリストコース契約を締結したところ、被告が本件各契約を解除したため、違約金合意に基づく違約金等の支払を求めた事件	違約金合意に関する原告らの損害の有無及び程度に照らし、本件各契約に係る違約金の金額を一律に課す本件受講料の全額をリターンレス型とする条項は、信義則に相当する限度として被告の利益を一方的に害するものであるので法10条により無効であるとして原告らの請求をいずれも棄却した。	10条	
286	R2.1.30	東京地裁	平成30年(ワ)第13298号売買代金請求事件	Westlaw	LPガスの販売業者がガス供給予約の解除時に予約完結権を行使したところ、売買予約に関する合意は、予定期間よりも早期に供給解除された場合における損害賠償額の予定又は違約金の定めの合意であり、本件		9条1項1号	

資料3 消費者契約法裁判例

		件名			条文
287	R2.6.11	横浜地裁 平成30年(ワ)第3861号損害賠償等請求事件	判時2483号89頁、Westlaw	消費設備の所有権が販売者にあることから消費者代金を請求することができる約定が9条1号に違反するとされた事例	10条
				消費設備の所有権が販売者にあれば、本件契約において賠償額を予め定めた9条1号所定の「平均的な損害」を超えるものといえ、上記合意部分は無効、違約金は、9条1号所定の「平均的な損害」を超えるものといえ、上記合意部分は無効である。	
288	R2.6.30	東京地裁 平成30年(ワ)第39797号不当利得返還等請求事件	Westlaw、判例秘書	相続税申告の依頼を受けた税理士法人の過失により高額に支払った報酬額を上限とする責任制限条項が10条に反し無効とされた事案	10条
				相続税申告の税務代理という本件委任契約の性質上、消費者によって契約締結前に本件責任制限条項によって生じるリスクの程度を見積もるのが困難な契約であること。一般の消費者と税理士法人との間の情報量や交渉力には、大きな差異があること、契約締結過程における実際の契約過程において、税理士法人が消費者が負担することとなるリスクの程度を推測可能な情報を提供しなかったこと等から、責任制限条項は10条後段により無効となるとして、損害賠償を命じた。	
				年金収入しかない高齢者が、保佐開始の審判前の4年間にわたり過量の宝飾品を購入したことについて、契約の取消し代金の返還を求めた事案	4条1項1号、同2号、4条2項、4条4項
				原告の年齢、収入といった生活状況や取引回数、商品の分量によって通常予定される分量を著しく超えた過量取引であると判断されるとして、原告が18回あり、著しく超えた分量を著しく超えて勧誘していたと認識していたとして、4条4項に基づく取消しを認めた。	
289	R2.8.31	津地裁四日市支部 令和元年(ワ)第283号不当利得返還請求事件	判時2477号76頁、Westlaw、判例秘書	インプラント施術中に患者が死亡し、相続人が10条により無効であるとして治療費不返還条項が相当返還請求（相続分）をした事案	10条
				本件不返還条項は、インプラント埋入手術等が行われることによって、インプラントとして対価を支払うものであり、治療費が本来治療をしないという患者の意思に反し、身体的侵襲を伴うインプラント施術機会を損なうような契約であり、本件契約に基づかない治療費の対価性を欠くものであり、また、患者が本件不返還条項によって治療を中断したり、転院することを制限したり、転院する機会を制限することになるなどから、本件不返還条項は10条により無効であるとして、治療費の返還請求を一部認容した。	

番号	判決年月日	裁判所	事件番号等	掲載	事件の概要	判決の内容	参照条文	備考
290	R2.9.16	東京高裁	令和元年(ネ)第2449号請求金等請求控訴事件	判タ1479号43頁,Westlaw,判例秘書	ガス事業者が、ガス供給契約に付随した「ガス供給契約が中途解約された際に、無償で設置した配管等の費消却費相当額等を消費者から取得する旨の約定」に基づき消費者に対し、中途解約した消費者に代金を請求した事案	本件合意は、ガス配管設備の売買契約ではなく、無償配管のガス供給契約による償却料金の下で、予定した償却期間前に消費者がガス供給契約を解除した場合には、投下した費用を回収することができなくなってしまう損害賠償の予定を定めた趣旨としての損害賠償が予定されるというべき。その上で、専門委員による評価を踏まえて7万7300円を平均的損害と認め、これを超える部分は無効とした。	9条1項1号	原審H31.4.16東京地裁立川支部
291	R2.12.10	大阪地裁	平成31年(ワ)第3629号永代使用料及び永代供養料返還請求事件	判時2493号17頁,判タ1495号204頁,Westlaw,判例秘書	集合納骨施設を運営する被告との間で納骨壇の使用契約を締結した原告が、解約及び代金代替の納骨壇の使用料及び代金供養料の支払を求めたのに対し、被告が不返還特約を主張して争った事案	本件契約のように数種類の納骨壇から使用者が同種類の納骨壇を選んで締結する納骨壇使用契約について、当該納骨壇すべてについて使用使用料に係る契約が締結された場合でない限り、当該納骨壇に生じている逸失利益が主張するようの消失による逸失利益は通常生ずると認められないから、本件契約が解除された時点の本件契約と同種の消費契約に応じた平均的な損害は存しないから、本件不返還特約は、9条1号により、すべて無効である。	9条1項1号	
292	R3.1.28	名古屋地裁岡崎支部	平成30年(ワ)第624号預金返還請求、令和2年(ワ)第282号預金債権名義変更手続請求事件	最高裁HP,Westlaw,判例秘書	NPO法人たる原告が、被告らに対し、「亡A」が原告の間に入居していた養護老人ホームAとの間で締結した身元保証契約に基づき、Aの死亡後に不動産を除く全財産を贈与するとして死因贈与契約を締結し、Aの相続人らに対し、預金の返還を求め、Aの相続人である被告が争った事案	Aは身元保証人をつけなければ、養護老人ホームから退所したり、現在の生活の維持に過大な不安を抱いていた状況であったため、身元保証をせざるを得なかったといえること、養護老人ホームを退所すると住居がいなくなったり、病院に入院する際の過大な不安を受けるため、病院に入院したり、入院した際に死亡しても、本件養老人ホームに対して退所することができず、本件身元保証に対し身元保証を求めることができないから本件養老人保証契約を締結しなければならない正当な理由がある	4条3項7号	

資料3 消費者契約法裁判例 935

293	R3.1.29	大阪地裁 平成28年(ワ)第12269号損害賠償等請求事件	最高裁HP、Westlaw	乙事件被告らに対し、本件賃金の名義変更手続を行うことを求めた事案　　販売店から、軽自動車を購入した消費者が、カタログの表示又は販売店の従業員の説明により重要事項である車両の燃費値について不実告知があったとして、4条1項1号に基づき、売買契約の取消しを求めた事案	る場合でないのに、本件元保証契約及び本件死因贈与契約を締結するよう求め、Aをして本件死因贈与契約及び本件死因贈与契約を締結させたのが相当である。高齢者代表者の行った行為は、高齢者の生活環境を維持することについての不安に付け込んで契約を締結するため原告代表者の行為は、現在の生活環境を維持する判断ができず、現在の生活環境を維持することについての不安に付け込んで契約を締結することを目的とする4条3項5号に抵触するといわざるを得ない。なお、本件死因贈与契約を締結当時は4条3項5号は施行されていなかったが、加齢等により判断能力が低下している事情を不当に利用して契約を受けさせる消費者被害が発生しようと立法化がされた同号の趣旨に照らし、その該当するか否かは公序良俗に該当するか否かを判断するに際し、重要な要素となるものとされて上記判断が示された。　　本件車両の燃費値は、本件売買契約を締結するところ、一般的・平均的な消費者が通常、車両の売買契約を締結するか否かの判断に通常影響を及ぼすべき客観的に認められる本車両の売買に係る基本的な事項についての表示であるといえ、4条項1号の「重要事項」に当たるものと認められる。各売買契約の取消しを認めた。	4条1項1号
294	R3.6.22	東京地裁 平成31年(ワ)第1892号保険金請求事件	金法2181号85頁、Westlaw、判例秘書	保険料の払込みがされない場合の無催告失効条項が10条により無効となるかが争われた事例	被告(保険会社)においては、保険料の支払がない顧客が受けているクラームリストに掲載され、顧客に失効日等を記載した失効通知を郵送する、また被告職員が勧誘し、自身の勧誘した顧客についてクラームリストに基づいて入金の催告をしていた。原告(被保険者)は保険料支払を連絡していた。保険料の入金がストリー明細リストに連絡した料金状況を記載したAの死亡日前日に保険料支払をしないと被保険者の入金がストリー明細リストによれば、Aは被告から送付される失効予告、入金がないことから保険料支払が行われており、Aは被告から送付される失効日	10条

番号	判決年月日	裁判所	事件番号等	掲載	事件の概要	判決の内容	参照条文	備考
295	R3.7.20	静岡簡裁	令和3年(ハ)第419号不当利得返還請求事件	未登載	情報商材（SNSでメッセージの送信代行の仕事をしてお金を稼ぐためのもの）である教材の購入のため、89万9000円余を支払った原告が、当該事業者に対する不当利得返還請求訴訟事件	①情報商材が提供された場合に89万9000円の返還請求を消費者が放棄する旨の約定は10条に反する。②広告内容は4条1項2号に該当する。③後日、断定的判断の提供をしていながら、確実な利益を得られるかのように装って勧誘した行為は4条2項の不利益事実の不告知に該当する。告知を受け取って、また被告の営業職員からの連絡を受け、払込期間満了日に間に合わせるように入金していた。被告(保険会社)に対して保険料払込の督促を行う実務上の意図を有しながら、契約失効前に保険契約の運用上の督促を行う実務慣行とはいえ、以上から、本件催告は10条に違反し無効とはいえない。	4条1項2号、4条2項、10条	
296	R3.9.7	東京地裁	令和2年(ワ)第15122号建物収去土地明渡請求事件	Westlaw判例秘書	土地の賃借人が賃貸人からの金銭の借り入れの返済に賃借地に該当する旨の合意は当該土地賃貸借契約を解除する旨の合意とされた事例	賃金契約の弁済が遅滞した場合に賃貸借契約の終了要件を緩和する本件合意は、賃貸借家法第9条に違反するものであり、本件合意は民法の適用をしなければ賃貸人に一方的に有利なものである。また、本件合意は賃金債権は減少せず賃貸人に一方的に有利なものである。したがって、公の秩序に反して消費者の利益を一方的に害する義務規定の適用に比して消費者の利益を加重し義務を加重するものであるので10条により無効である。	10条	
297	R3.9.8	東京地裁	平成30年(ワ)第17879号入会金返還請求事件	Westlaw、DI-Law、判例秘書	仮想通貨の自動取引ソフトウェアの販売等をするクラブを運営する被告会社に対し、本件入会契約を締結した原告らが、本件クラブへの入会契約の本件4条違反等を理由に取消し、入会金の返還を求めた事案	本件ソフトウェアを入手すれば、最低でも1年で1000万円の収益を上げることができる旨の説明が繰り返されていたから、断定的判断の提供が行われていたと認め、入会金の返還を認めた。	4条1項2号	

資料3　消費者契約法裁判例

298	東京地裁 R3.9.17	令和2年(ワ)第27403号残存費用等請求事件	Westlaw 判例秘書	ガス会社である原告が、ガス供給契約を被告と中途解約した際に受け取る設備買い取り費用の一部の支払を求めた事案（消費者たる被告が自らの判断で本件供給契約の下に設置したガス消費設備及びその設置に要した費用を自らの判断で中途解約を理由に撤去することはできず、本件供給契約の解除に伴う損害とみることはできず、本件消費設備設置に要した費用は本件供給契約中途解約による損害といえるか検討されるに、9条1号の「平均的な損害の額」について検討される。本件合意の下ではこうした判断が行われないから、原告のいう「平均的な損害の額」は控除されるべきものとなく、本件合意は、その全部が9条1号により無効となるものと認められる。	9条1項1号
299	東京地裁 R3.11.25	令和元年(ワ)第35187号不当利得返還等請求事件	Westlaw 判例秘書	原告が、被告からの勧誘により、被告会社の従業員との間で締結した、社員権の購入及びドローンの購入等の契約につき、断定的判断の提供があったなどとして取消し等を求めた事案	被告会社の従業員は、各契約の締結に際し、「配当が年間5％になる」或いは「3年後に150％のリターンないし3年で元本が150％になる」旨の説明をして契約を勧誘したことが認められ、いずれもこれを確実と認めるに至っているものと認められ、それに係る判断において不確実なものについて確実であると将来における変動が不確実なものについて断定的判断の提供があったと認められる。また本件トークン購入契約の一部については、原告は、「配当トークンが2億5000万円になる」と誤認して契約に至っており、これを確実なものと認識させる説明が認められ、将来における変動が不確実なものについて断定的判断の提供があったと認められる。	4条1項2号
300	東京地裁 R4.1.17	令和2年(ワ)第16304号売買代金返還請求事件	Westlaw 判例秘書	不動産会社たる被告から建物を購入した原告が、「就職のために必要である」「結婚したときのための」等と告げられたことで困惑して締結に至ったなどとして、4条3項4号イ等による取消を主張した事案	原告は、本件売買契約当時、社会生活上の経験が乏しく、就職、結婚等の社会生活実現に対する願望を抱いていたといえるところ、被告の勧誘に係る社員が本件マンションを購入しなければ採用しない旨述べて、本件マンションを購入することで安定した給与を得られる旨告げ、本件マンションを購入して貯金を増やさなければ結婚もできない旨告げ、原告はこうした経緯に照らして契約に至っており、何ら正当な理由なく不安をあおる告知がされたものといえる。こうした不安を実現するために必要である旨告げられ、原告は上記願望を実現するためには本件マンションの購入が必要であると誤信し、本件売買契約の申込みの意思表示をしたものとみるのが相当である。	4条3項5号イ

消費者契約法判例（団体訴訟関係）

番号	判決年月日	裁判所	事件番号等	掲載	事件の概要	判決の内容	参照条文	備考
1	H21.1.28	京都地裁	平成20年(ワ)第2498号敷引条項使用差止請求事件	京都消費者契約ネットワークHP	適格消費者団体が不動産賃貸業者に対し、消費者契約法10条違反である敷引条項及びその使用差止、及び必要な措置を求めたところ、業者が請求を認諾したため、差止につき必要な措置の命令の可否が争われた事案	請求の趣旨は、「被告らは、その従業員らに対し、被告が消費者との間で建物賃貸借契約を締結するに際し、合意更新又は当該消費貸借に関する保証金又は敷金受領額の如何にかかわらず、当該消費貸借契約終了時すべての敷金又は保証金を返還するという旨の条項を含む意思表示を行わないことを指示しろというものであるところ、差止をした業者に対し、不当行為の停止又は予防のために必要な措置をとるべきことを命ずることができる行為は、別途義務を課すと解しなければ、その命令の実現過程の実効性を確保するためにはどのような措置に限られるのかについて明らかにできる事業者に対する指示又はとられる措置であり、このような命令を履行したことにより義務を強いられる困難が生じたとしても、強制執行による特定ができるものであるから、本件では請求の特定ができないとして、訴えを却下した。	12条3項	
2	H21.9.30	京都地裁	平成20年(ワ)第87号定額補修分担金条項使用差止請求事件	判時2068号134頁、判夕1319号262頁、京都消費者契約ネットワークHP、Westlaw	適格消費者団体が不動産賃貸業者に対し、定額補修分担金条項の契約書用紙の破棄を求めた事案	定額補修分担金は、その額によっては賃借人に有利となることも得ないとは言えず、現実にそのような例があるため、消費者が一方的に害される条項であるとは認め難いとして、本件条項の差止の意思表示の差止を認めなかった。	10条	
3	H21.10.23	大阪高裁	平成21年(ネ)第1437号契約条項使用差止請求事件	消費者支援機構関西HP、Westlaw	適格消費者団体が貸金業者に対し、その金率の早期消費貸借契約の金銭消費貸借契約の早期弁済条項使用差止	本件条項は利息制限法所定の制限の範囲内の利率を定めるものであるが、本件条項が適用される具体的状況によっては、民法又は商法	10条	原審 H21.4.23 京都地裁

資料3　消費者契約法裁判例

	年月日	裁判所	事件番号・事件名	出典	事案の概要	条項	上訴審
4	H22.5.31	大阪地裁	平成21年(ワ)第19964号執行文付与請求事件　差止等請求控訴事件	消費者支援機構関西HP	適格消費者団体が英会話教室を運営する事業者に対し、不当な勧誘行為に基づく違反として差止めを求めて和解したところ、事業者が同和解に違反したとして同和解執行文の付与を求める訴えを提起し、強制執行の差止を付与する旨の判決が言い渡された。事業者が和解条項に違反し、消費者の完済違約金条項が消費者契約法10条により無効であるとして、同条項を含む契約締結の差止を求めた事例　の規定による消費者の義務を加重するものとして機能するが、消費者にとってこのように理解することは困難であること、その場合の差止条項の差止を含む契約締結を求めざるを得ない。	10条	
5	H23.12.13	京都地裁	平成20年(ワ)第3842号、同21年(ワ)第258号　解約金条項使用差止、不当利得返還請求事件	最高裁HP　判時2140号42頁　金判1347号48頁、同23・1387号48頁、同年第1094号、同258号　Westlaw	適格消費者団体が互助会の解約金条項の差止を請求した事例　当該互助契約における平均的な損害とは、金員回振替えし、金員8回毎に月掛金を掛けた金額を超える部分の解約金不返還条項は無効とした。	12条3項、10条	控訴審 H25.1.25 大阪高裁(13) H27.1.20 最高裁上告申立不受理
6	H23.12.20	京都地裁	平成23年(ワ)第1875号　未公開株勧誘行為差止等請求事件	京都消費者契約ネットHP　Westlaw	適格消費者団体が、未公開株の登録業者に対し、勧誘行為の差止めを求めた事例　消費者契約法4条2項で消費者契約の対象となる「重要事項」で消費者の判断に通常影響を及ぼすべき事項に該当するものであり、当該事項は告知により不利益となる程度に重要であり、消費者契約を締結する判断を左右すべき程度のものであることから、金融商品取引法に違反して未公開株式を取り扱うことができない被告らは、株式を取引できるかのような告知をすることにより、消費者は被告らから株式を取得することができると誤認することから、被告が未公開金融商品取引業を受ける旨告知することは……と言える。	4条2項	
7	H24.3.28	京都地裁	平成22年(ワ)第2498号、同23年(ワ)第918号解約金違約金等請求事件	最高裁HP　京都消費者契約ネットワークHP	適格消費者団体が、電気通信事業者に対し、損害賠償の予定または違約金を定める条項が存する2年間の契約期間内の解約は9,975円の解約金を定めた消費者契約の解除に伴う損害賠償の予定又は違約金を定める条項の差止を求めた事例　法9条1号については、消費者契約上、消費者契約の解除に伴う損害賠償の予定又は違約金を定める条項であり、契約の目的である物又は役務の対価等の意思についての合意を対象とは	9条1号、10条	控訴審 H24.12.7 大阪高裁(11) H26.12.11

番号	判決年月日	裁判所	事件番号等	掲載	事件の概要	判決の内容	参照条文	備考
			約金条項使用差止請求事件、不当利得返還請求事件	判時2150号60頁、金判1402号31頁、Westlaw	約金を支払わないならないこと、2年に1度の更新期間の1か月前までに解約を申し出ないければ上記解約金を支払わなければならないこととの各条項の差止請求した事例。なお、不当利得として解約金相当額の支払を求める個別訴訟が併合審理されている。	していない。また、契約の目的である物又は役務の対価についての合意は、法10条により無効となることはない。本件契約は、実質的な合意内容としても、契約上の対価についての合意の損害賠償の予定又は違約金についての条項である。②　事業者は、個別の事案において、ある消費者の契約の解除により実際に生じた損害を算出できる場合であっても、その反面、ある消費者の契約の解除により実際に生じた損害額が、契約の解除の類型ごとに算出した「平均的な損害」を上回る場合もあるし、これを下回る場合もある。事業者は、「平均的な損害」を上回る額について当該消費者に対して請求することは許されないのであり、「平均的な損害」を下回る額を甘受しなければならないものでもない。法9条1号は、消費者の契約の解除に伴って当該消費者に対する損害賠償の額の予定又は違約金を定めた類型のものに基づくべきである。③　法9条1号の文言に照らせば、同条は、契約の解除に伴う損害賠償については請求しうる損害のすべてについてにつき請求することができるのではないということを前提としており、そのすべてについて請求することができないということを規定するのではない。法9条1号は、消費者契約を履行していたならば得られたであろう金額を損害賠償として請求することを許容していて、事業者が契約を履行するために必要な額としてのみ考え方を損害とする考え方をとった上で、その算定の基礎とすることのみとの考え方を超えて本件の契約期間開始時から基本使用料金の割引分の累積額とすることができるとした上で、中途解約時の解約金の算定の基礎と中途解約時の損害とすることのみ、平均的な損害の解約金条項については9条1号の		最高裁上告不受理申立不受理(2)

資料3 消費者契約法裁判例 941

8	H24.7.5	東京地裁	平成22年(ワ)第33711号契約費消費者契約法12条に基づく差止請求事件	判時2173号135頁、判タ1387号343頁、判金1409号54頁、Westlaw	適格消費者団体が、不動産賃貸業を営む事業者に対し、更新料支払条項及び明渡遅延時の倍額賠償予定条項が消費者契約法9条1号又は10条に反するとして、当該契約の申込み等の停止を求めた事例	（更新料支払条項）①いずれの条項も該当性を否定した。②いずれも充足しているというのが次の理由により、10条前段の要件は充足しているとしつつ、10条後段にいう「民法第1条第2項に規定する基本原則に反して消費者の利益を一方的に害するもの」には当たらない、として請求を棄却した。賃貸借契約書に一義的かつ具体的に記載されており、更新料の額が賃料の額や更新期間等に照らして高額に過ぎるなどの特段の事情も認められない。（倍額賠償予定条項）契約終了後1か月分の適用を上回る損害金を負担することとなっても、直ちに不合理であるとはいえない。一般的な損害における賃借人に明渡義務の履行を促進するという観点から、貸主が賃借人にとっても明渡義務に基づく損害として賃料相当額をとり、その金額が賃借人に一義的かつ明確にされているので、その金額が損害の填補あるいは明渡義務の履行を促進するという観点に照らし、不相当に高額であるとは認められない。	9条1項1号、10条	控訴審 H25.3.28 東京高裁(15)
9	H24.7.19	京都地裁	平成22年(ワ)第2497号、同23年(ワ)第917号、同24年(ワ)第555号京都消費者契約ネットワークHP、Westlaw解約金条項使用差止請求事件 不当利得返還請求事件	最高裁HP、判時2158号95頁、判タ1388号243頁、金判1402号31頁	適格消費者団体が、電気通信事業を営む事業者に対し、契約金条項の使用の差止に係る契約金条項の支払いに係る差止及び不当利得額の支払を求める個別訴訟が併合審理されている。	電話会社が携帯電話の2年間の契約期間の定めのある契約を中途解約する際に、解約金として9,975円の支払義務があることを定める契約条項が消費者契約法9条1号、10条により一部無効であると判断された。①一部無効の契約金の使用の差止めの対象は、現に使用して今後本件新たに解釈する条項等の契約条項であって、差止めの意思表示による区分があるため、差止めの意思表示の時期を含む区分がある範囲を無効と解する。②差止めの意思表示による解除が一部無効となる範囲を使用することを求める意思表示を将来的に差止めを求める。とした。	9条1項1号、10条	控訴審 H25.3.29 大阪高裁(16) H26.12.11 最高裁上告受理申立不受理(21)

番号	判決年月日	裁判所	事件番号等	掲載	事件の概要	判決の内容	参照条文	備考
10	H24.11.12	大阪地裁	平成23年(ワ)第13904号契約解除意思表示差止等請求事件	最高裁HP，判時2174号77頁，判タ1387号207頁，金判1407号14頁，消費者支援機構関西HP，Westlaw	適格消費者団体が不動産賃貸業を営む事業者に対し，賃貸借契約書の解除・意思表示の差止等を請求した事例	① 破産等の申立てを理由とする解除を認める部分については信頼関係が破壊される程度の事由であり，後見等の申立てには賃借人の履行能力とは無関係な事由であり，むしろ賃料債務の履行が後には該当しない10条後段に該当する。これを理由とする解除を認める条項は10条後段に無効であるとして使用差止を認めた。② 本件損害金条項は，契約終了後の明渡義務の履行が遅延した場合の損害賠償額の予定であるが，同条項が適用されないかいかわらず，基本的義務を怠っていることによる賃借人が基本的義務を怠っていることから何ら変わらない経済的負担によって賃借物件の利用を継続できることにより，明渡義務の履行促進が期待できず不合理であるとしたがって，同条項は法10条後段に該当する。③ 催告手数料条項について，賃貸人は，催告を賃借人に請求するには，電話代，郵送料，交通費などのコストのみに存するのではあらず，その証書等を確保し，回収まで存することを必要とするのであって，他方，賃借人は本来基本的義務である賃料支払を履行期までにすれば，本条項の適用を免れるのであるから，同条項は10条後段に該当しない。④ 本条項は，賃借費用を賃借人に負担させるものであるか，法10条前段の民法の規定の適用による場合に比べて消費者の義務を加重するものに該当する。このような合意が成立しない合には，賃借物件の回復費用を貸主が負担しないことを前提とするクリーニング代金額が高額であることが相当である。クリーニング代が不相当に高額にすぎるというにはあたらず，上記クリーニング代相当の1㎡あたり1,000円前後の金額が概ね1㎡相当であり，クリーニング代が不相当に高額にすぎるとはいえず，賃借人が不利益を被る可能性は低	10条	間接強制 H25.2.5 大阪地裁(14)

資料3 消費者契約法裁判例 943

11	H24.12.7	大阪高裁	平成24年(ネ)第1476号 解約金条項使用差止・不当利得返還請求控訴事件	判時2176号33頁、金判1409号40頁、京都消費者契約ネットワークHP、Westlaw	原審に同じ	基本使用料金の契約期間開始時までの累積額は、同条1号で定める「平均的損害」の算定の基礎とすることができる。基本使用料金の減額分は、もともと取り戻すはずのものを取り戻しているというべきである。よって本条項は法10条後段に該当しない。	9条1項1号	原審 H24.3.28 京都地裁 H26.12.11 最高裁上告受理申立不受理(21)
12	H24.12.21	名古屋地裁	平成23年(ワ)第5915号不当条項差止等請求事件	判時2177号92頁、消費者被害防止ネットワーク東海HP、Westlaw	適格消費者団体が、専門学校に対し、AO入試、推薦入試、一般・社会人入試及び専願によって大学入学を許可された場合、入学辞退の申出の時期(任意解除期)にかかわらず一律に学費を返還しないとの契約条項を含むとの意思表示等の差止めを求めた事例	AO入試等の合格者が2次募集を解除した場合、本件専門学校はAO入試の代わりの一定水準を持った入学者を通常容易に確保できるという特段の事情があると認められるから、平均的な損害が生じないと認められる。被告に生ずる平均的な損害のうち、2次募集の最終試験日までに解除された場合については本件不返還条項は有効、9条1号に該当しない。9条1号により、本件について任意解除期に解除された場合に本件学費を返還しないとする部分は無効。	9条1項1号	被控訴の高裁で原審判決の判示内容の取扱ほぼ同内容に変更する旨の和解(消費者被害防止ネットワーク東海HP)
13	H25.1.25	大阪高裁	平成24年(ネ)第2828号、同年(ネ)第941号消費者契約解約金条項使用差止請求、解約金返還請求、不当利得返還請求控訴、同附帯控訴事件	判時2187号30頁、同京都消費者契約ネットワークHP、Westlaw	適格消費者団体が冠婚葬祭業者に対し、会員との間の解約中途解約時の解約払戻金の請求における募集を制限する条項等の差止請求をした事例	平均的な損害とは、契約の締結及び履行のために通常要する平均的な費用の額である。平均的な損害の額には、個々の契約に関連性が認められる費用のうち、性質上個々の契約との間での経済的な対価性が認められる人件費等に要した費用であり、その後契約した一人の消費者との関係でのみならず、その他一般の会員との間関係でも個々の経費費用であって、個々の関連性を認められない。	9条1項1号	原審 H23.12.13 京都地裁 H27.1.20 最高裁上告受理申立不受理(5)
14	H25.2.5	大阪地裁	平成24年(ワ)第1715号間機関西HP	消費者支援	適格消費者団体が不動産賃貸業者に対し、差止強制決定が認められた。	違反行為1回あたりの違反金を50万円とする間接強制決定が認められた。		H24.11.12 大阪地裁(10)

番号	判決年月日	裁判所	事件番号等	掲載	事件の概要	判決の内容	参照条文	備考
15	H25.3.28	東京高裁	平成24年(ネ)第5480号消費者契約法に基づく差止請求控訴事件	判時2188号57頁、判タ1392号315頁、Westlaw	本件事件の判決は正当、間接強制を求めた事例止請求申立に基づく接強制事件	本件条項は、賃借人に賃料等相当額の2倍の損害賠償金の支払を強いるものであるが、本件倍額賠償定条項は、賃貸借契約が終了しているにもかかわらず、賃貸人が当該賃貸借契約の目的たる建物を明け渡さない場合に適用されるその使用収益を行えない場合に適用されている条項であって、賃貸借契約終了後における建物の円滑な明渡しを促進し、また、明渡しの遅延により賃借人に発生する損害を一定の限度で補塡する機能を有する。これらの目的等に照らして均衡を失したものでない限り、特に不合理な条項とは民法1条2項に規定する信義誠実の原則に反するものとは解されない。	10条	原審H24.7.5東京地裁(8)
16	H25.3.29	大阪高裁	平成24年(ネ)第2488号解約違約金条項使用差止請求、不当利得返還請求控訴事件	京都消費者契約ネットワークHP、判時2219号64頁、Westlaw	適格消費者団体が、携帯電話の定期契約の解約金条項及び10条により無効であるとして、同条項の意思表示の差止等を求めた事例	① 法9条1号は、債務不履行の際の損害賠償請求権の範囲を定める民法416条を前提とし、その内容を定型化する意義を有するから、「平均的な損害」とは、当該事業者が定める条項に基づき、当該事業者が当該消費者契約に消費者契約に定める同種事案について民法416条に基づき通常生すべき損害」であり、逸失利益を含むと解すべきである。② 法9条1号は、「当該条項において設定された解除の事由、時期等の区分に応じ」と規定しているから、時期的な区分のみならす解除の事由等の区分に従うべきことを定めた規定であり、当該事業者が定めた同条項の区分に従うすべきであるが、当該契約内容に応じてさらに細分化することが認められる場合もあるし、そのような区分が設けられる裁判所が分類できるとは解されない。③ 法9条1号の平均損害の算定は、民法416条に基づく契約に定められた解除事由、時期等による同一の損害の平均値を求めることによって算定すべきである。	9条1項1号、10条	原審H24.7.19京都地裁(9)、H26.12.11最高裁上告受理申立不受理(21)

資料3 消費者契約法裁判例 945

17	H25.7.11	大阪高裁	平成24年(ネ)第3741号解約条項使用差止請求控訴事件	平成26年運用状況検討会報告書92頁【1】,京都消費者契約ネットワークHP, Westlaw	適格消費者団体が,携帯電話会社に対し,定期契約期間中に料金各種の支払われる旨の条項は消費者契約法9条1号又は10条に反するとして,その使用の差止を求めた事例	9条1項1号,10条	原審H24.11.20京都地裁H26.12.11最高裁上告不受理(2)
					① 本件解除料が9条1号にいう「平均的な損害」を超えるか否かを判断するに際し,事業者が契約した2年間の中途解約の設定した契約期間である2年間の区分に従い,これを前提として,事業者に生じる損害の額の比較を行えば足りるというべきである。② 9条1項1号の平均的な損害には,民法416条にいう「通常生ずべき損害」(逸失利益)も含まれる。特定の営業上の利益。③ 本件契約は,不特定多数の顧客サービスを提供する契約であり,特定の顧客が解約した場合,別の顧客との契約が可能であり,同契約をすることによって,上記損害が填補されるという性質のものではない。④ 平均的な損害を算定する際には,中途解約されることなく契約が得られたであろう通常期間満了時まで継続していれば事業者が得られたであろう通常収入等を基礎とすべきである。⑤ 本件定期契約において,社会通念上著しい長期間にわたって解約を制限するものではなく,その期間中の法9条1号の平均的な損害と比較えたした上で,契約金が法9条1号の平均的な損害額を超えることが明らかではないことから,本件定期契約は消費者契約の利益を選択することができ,しかも本件定期契約で契約解除の利益を受けられるのとから,信義則に反して消費者の利益を一方的に害する条項であるとは言えない。			
18	H26.4.14	大分地裁	平成24年(ワ)第499号適用条項使用差止等請求事件	最高裁HP,判時2234号79頁,大分県消費者問題ネットワークHP, Westlaw	適格消費者団体が,学受験予備校に対し,一定期間経過後に任学契約が解除されても学費等を全額返還しないとする不返還条項について差止請求をした事例	大学受験予備校を運営する予告校では,多くの希望者を受け入れており,年度途中に入学する者も当然に予定している。そのため,一人の別の希望者が十分に機能を果たしていないため任学契約を締結した機会が失われたといった関係は認められないため,一定期間に対応する期間に損害を被ることも授業を提供せず・答納金について,一般的・客観的に損害が生ずるとはいえない,として,9条1項1号により無効とした。	9条1項1号	確定

番号	判決年月日	裁判所	事件番号等	掲載	事件の概要	判決の内容	参照条文	備考
19	H26.11.19	福岡地裁	平成24年(ワ)第4566号解約金条項使用差止請求事件	判時2299号113頁、消費者支援機構福岡HP、Westlaw	適格消費者団体が、冠婚葬祭業者に対し、互助会契約における中途解約に要する費用や逸失損害の準備額に要する費用及び解約の履行における個々の費用との関連性が認められる額を超える手数料を徴収する旨の条項について、消費者契約法に基づき所定の手数料を控除する契約の募集、契約書の締結、解約の手数料等を控除する旨等を内容として差止請求をした事例	具体的な役務提供の請求がされる前に解除される場合における「平均的な損害」の額については、具体的な役務提供がされる前であり、互助会費用の準備のための会費互助的役務を含まず、また、事業者が役務提供のために通常要する費用であっても、個々の契約との間における通常生ずる費用に関連性が認められる費用額の範囲に限られるというべきであり、通常要する費用を超える部分については無効とした。	9条1項1号、10条	控訴審 H27.11.5 福岡高裁(23) H28.10.18 最高裁上告受理申立不受理
20	H26.12.10	福岡地裁	平成25年(ワ)第1163号入居一時金返還請求等条項使用差止請求事件	金判1477号53頁<参照>、消費者支援機構福岡HP、Westlaw	適格消費者団体である原告が、有料老人ホームを運営する被告に対し、被告の運営する施設への入居契約における①入居一時金の償却期限を180ヶ月(15年)とする条項は法10条により無効であるとして、法12条3項に基づき当該条項を含む契約の締結等を求める意思表示をしてはならないと求めたが、法10条前段要件を満たさないとして請求を棄却した。	①被告は、本件施設について入居期間が短期間で終わった時期の入居者及び後に短期間入居する権利を条件に取得するだけで、あえて名目で初期償却部分に要する費用を名目で初期償却部分については認められない。②①条項は、法29条6項に反しているが、特に権利金の取得を前提とする本件初期償却部分について、その意思表示を行うおそれは認められない。③保証付有料老人ホームにおいて金銭を定額で入居時に負担することを前提として隣接する介護付有料老人ホームに入居する権利を有する入居者に対し、対価を支払うべき(その余は無償とすべき)であることを理由として、一定期間の入居を確保するための家賃相当額の前払いが必要な費用を定めた条項に対し一律に平均的な年齢時の入居期間に応じた支払額を定めることは無効とはいえず、したがって②条項は10条前段要件を満たさない。	10条、12条3項	控訴審 H27.7.28 福岡高裁(22)

資料３　消費者契約法裁判例　947

21	H26.12.11	最高裁	①平成25年(受)第548号 解約違約金等契約使用禁止条項①不当利得返還請求事件 平成25年(受)第1239号解約違約金使用差止請求事件 ③平成25年(受)第2002号解除料条項使用差止請求事件 京都消費者契約ネットワークHP	原審に同じ	適格消費者団体の上告受理申立てにつき不受理決定した。	9条1項1号、10条	原審 ① H24.12.7 大阪高裁(11) ② H25.3.29 大阪高裁(16) ③ H25.7.11 大阪高裁(17)
22	H27.7.28	福岡高裁	平成27年(ネ)第55号入居一時金償却条項使用差止等請求控訴事件 金判1477号45頁　消費者支援機構福岡IP、Westlaw	原審に同じ	現状、被告（被控訴人）が契約の申込み又はその承諾の意思表示を行う又は行うことを含む蓋然性が客観的に存在しているとはいえず、被控訴人が当該意思表示を「現に行い又は行うおそれがある」とは認められず、また、本件契約に関する条項の将来的な使用の可能性をもって抽象的かつ将来的に使用することを「現に行い又は行うおそれがある」と認めることはできないとして、被控訴人が本件契約条項を含む意思表示に行い又は行うおそれがあるとは認められないとして原審の判断に付加、訂正を加えた上で、法10条にはあたらないとして請求を棄却した。	10条、12条3項	原審 H26.12.1 福岡地裁(20)
23	H27.11.5	福岡高裁	平成26年(ネ)第987号解約金使用差止請求控訴事件 判時2299号106頁　消費者支援機構福岡IP、Westlaw	原審に同じ	本件解約金条項は「平均的な損害の額」を超えているとは認められず、消費契約法10条についても「平均的な損害の額」を超えているとは認められない以上、同条の要件を満たさないとした。	9条1項1号、10条	原審 H26.11.19 福岡地裁(19) H28.10.18 最高裁上告受理申立不受理

948　資　料

番号	判決年月日	裁判所	事件番号等	掲載	事件の概要	判決の内容	参照条文	備考
24	H28.2.25	大阪高裁	平成27年(ネ)第503号クロレラチラシ配布差止請求差止控訴事件	判時2296号81頁、金判1490号34頁、京都消費者契約ネットワークHP、Westlaw	適格消費者団体である一審原告が、健康食品の製造・販売等をする一審被告に対し、別団体が作成したとのチラシを配布することが法4条1項1号等に該当するとして、新聞折り込み体裁で新聞折り込み配布することの差止等を請求した事例	規制の対象となる法12条1項及び2項にいう「勧誘」には、事業者が特定多数の消費者に向けて広く行う働きかけは含まれず、個別の消費者の契約締結の意思の形成に影響を与える程度の働きかけを指すものと解するべきである。したがって、不特定多数に向けた規制すべき働きかけの者に向けて特定の客観的見地から不特定多数向けのもの等、特定の消費者に直接影響を与えられているもの等が含まれる。本件の場合、一般消費者に対する研究会消費者に対する働きかけであり、個別の契約者のチラシの配布であり、特定の消費者の意思の形成に直接影響を与えないことから、上記各項の規制する勧誘に当たるとは認められないとして、原告の請求を全面的に棄却した。	4条1項1号、12条1項、12条2項	原審H27.1.21京都地裁上告審H29.1.24最高裁20
25	H28.12.9	京都地裁	平成27年(ワ)第1443号解約料条項使用差止等請求事件	京都消費者契約ネットワークHP、Westlaw	適格消費者団体である原告が、インターネット接続サービス等を行う事業者である被告に対し、2年継続利用に関する契約の契約款（本件契約款）中にある、有料利用開始日から起算して2年間の最低利用期間を定めた、その期間内に消費者が本件契約を解除したときは2年分にかかる利用料金の全額を一括して支払う旨の解約料条項（本件第9条1項、10条）により無効であるとして、本件解約料条項に基づく差止を認めた。	解約に伴って生ずべき「平均的な損害」から差し引かれた費用を免れた費用項を、月額等いった解除料であるが月額利用料の支払を超える残余期間分の月額利用料全額を請求できる額の予定等をするもので、その超過部分は「平均的な損害」を超える損害であり、本件解約料条項のうち平均的な損害を定める9条1項により無効である部分は法9条1項により無効であるとして、法12条3項に基づく差止を認めた。	9条1項1号、12条3項	

資料３ 消費者契約法裁判例 949

26	H29.1.24	平成28年(受)第1050号 チラシ配布差止等請求事件	最高裁HP、最高裁判所民集71巻1号1頁、裁判所時報1668号1頁、判時2332号16頁、判タ1435号99頁、金判1516号26頁・1510号30頁、金法2064号84頁、消費者法ニュース111号255頁、Westlaw	適格消費者団体である原告が、健康食品の小売販売会社である被告に対し、新聞折り込みチラシを配布することが法4条1項1号、12条1項及び2項等に該当するとして、差止請求をした事案。第一審はチラシを配布することが法12条1項2項の「勧誘」にあたるとした点を否定した。原審は、チラシの配布が法12条1項及び2項の「勧誘」に該当するかに関してのみ上告が受理された。	裁判所は、チラシの配布が「勧誘」に当たるかについて、チラシの配布による働きかけが不特定多数の消費者に向けられたもので、一対一で働きかけるものでないことのみでもって、それだけで直ちにその働きかけが12条1項及び2項の「勧誘」に当たらないということはできないという判断を示したが、当該チラシの配布については「勧誘」に該当しないことから事業者側から法12条1項の「現に行いまたは行うおそれ」があるとはいえないとして、原審同様に原告の請求は棄却した。	4条1項1号、12条1項、12条2項	原審H27.1.21京都地裁 控訴審H28.2.25大阪高裁(24)
27	H30.4.19	平成29年(ワ)第2292号契約締結等差止請求事件	判時2425号26頁、埼玉消費者被害をなくす会HP、Westlaw	適格消費者団体である原告が、携帯電話サービスの提供を業として行う被告に対し通信サービス利用契約款中の一方的な契約款の変更権限を認める条項は法10条により無効であるとして、当該条項を含む契約の申込み又は承諾の差止等を求めた事案	裁判所は、当該条項の契約内容の変更時に消費者の義務を加重する条項に該当するとした。ただし、事前段階において契約内容を変更する必要性は高く、このような契約内容の変更は事業者の利益となる面もあること、②契約の目的に反しないこと、③変更後の契約が不当、内容が相当であるか等について、契約の目的に反せず、不合理とまではいえず、法10条後段該当性を否定した。	10条、12条3項	控訴審H30.11.28東京高裁(28)
28	H30.11.28	平成30年(ネ)第2658号契約締結差止等請求控訴	判時2425号20頁、埼玉消費者被害をなくす会	原審に同じ	裁判所は、本件条項について、変更が客観的に合理的なものであるという場合に限るという趣旨であるとの限定解釈を加えた上で、本件条項による約款変更の合理性は、変更の内容をはじめと	10条、12条3項	原審H30.4.19東京地裁(27)

番号	判決年月日	裁判所	事件番号等	掲載	事件の概要	判決の内容	参照条文	備考
				HP、Westlaw		されるべきものであって、本件事項自体は、消費者に有利な変更がされるものであれば、不利益な変更を加重にすることもあり得るのであって、消費者の権利を制限し、又は消費者の義務を加重にする等の変更がされる条項の内容次第であるから、法10条前段該当性を否定した。		
29	R1.6.21	大阪地裁	平成28年(ワ)第10395号消費者契約法12条に基づく差止請求等請求事件	最高裁HP、判時2488号99頁、判タ1475号156頁、金判1573号78頁、金法2124号48頁、消費者法ニュース122号265頁、消費者支援機構関西HP、Westlaw	適格消費者団体である原告が、被告に対し、住宅に関する賃貸借契約(原契約)の当事者との間で締結する家賃債務保証契約に含まれる条項について、法8条1項3号又は法10条に該当するとして、法12条3項に基づき同条項を含む消費者契約の意思表示の申込み又は承諾の差止等を求めた事案	裁判所は、住宅等の賃貸借契約(原契約)に基づく賃料等債務に係る保証委託契約において、一定の要件の下で賃借人が賃借物件の明渡しをしたものとみなす権限及び賃借物件内に残置した動産類を搬出・処分する権限を保証人に付与する旨の条項類は、当該賃借人が異議を述べない旨などの事項が、法8条1項3号にいう「当該事業者の責任の全部を免除し」する条項の全部を免除する条項に該当することを認めたが、他方で、同条項に基づく権利行使について、無催告解除を容認するものでなく、家賃債務保証業者が保証債務を履行する際に法8条に該当する事項が法8条1項3号及び10条に該当する事項に通知する義務を免除する条項ではないとして、10条該当性、性、賃借人に対する条項に賃借人に対して有する抗弁をもって受託保証人に対抗できないと合意する旨の連帯保証人の条項の法10条該当性を否定した。	8条1項3号、10条、12条3項	控訴審 R3.3.5 大阪高裁(33) 上告審 R4.12.12 最高裁(37)
30	R2.2.5	さいたま地裁	平成30年(ワ)第1642号免責条項等使用禁止請求事件	最高裁HP、判時2458号84頁、埼玉消費者被害をなくす会HP	適格消費者団体である原告が、ネットゲームの事業者である被告に対し、事業者の誤った判断によって会員資格取消し等、差止請求の対象とすることができる意味内容が明確性を欠き、事業者が当該条項につき自己に有利な解釈に依拠して適用し運用することが不当ないとして、当該条項が免責条項などの不当条項として差止請求等		8条1項1号、3号、12条3項	控訴審 R2.11.5 東京高裁(32)

31	R2.5.27	福岡高裁	令和元年㈱456号解約金条項使用差止請求控訴事件	消費者庁HP、消費者法ニュース126号144頁、Westlaw	原告・控訴人（適格消費者団体）、被控訴人（冠婚葬祭互助会運営業者）が、互助会契約約款中の、解約時の払戻金について「被告は、既に支払った掛金から、会員の月掛金額及び契約締結から解約までの経過月数に応じて〔別紙〕欄記載の解約手数料」を差し引いた残額を支払うとした部分について同法9条1号及び10条に該当して無効であると主張して、当該条項に係る意思表示の差止め等を求めた原告の請求を認容した原審に対して、原審が原告の請求を認めた等の差止請求に係る部分は棄却したため控訴した。	裁判所は、被告が本件互助会契約に関し支出してきた費用は、個々の契約に要する費用ではなく、契約の締結に伴う個別的関係で生じる費用とはいえず、同一事業類型の解約手数料を計算するに法10条により無効であると判断した。また同法9条1項に該当するかを判断するに、被告が本件互助会契約の解約に伴って被る損害の額として支出することが必要な出費として相当因果関係のあるものと認められる費用の一方の契約の締結、履行、事業運営の一環として個々の契約関係に関わりなく支出されている募集費用及び事業運営の基本的経費であって、個々の解約と相当因果関係にあると認めることはできず、解約の有無にかかわらず生じているものであるから、解約に起因して生じる費用とはいえず、同一事業類型の解約手数料の平均的な損害の額を超えている部分について同法9条1号に該当するとして、法9条1号及び法10条に該当しないと判断し原判決を変更し、控訴人の請求を一部認容した。	9条1項1号、10条、12条3項	原審 R1.6.14 佐賀地 R3.7.27 最高裁上告申立不受理
32	R2.11.5	東京高裁	令和2年㈱1093号、免責条項使用差止等請求控訴事件	最高裁HP、消費者法ニュース127号190頁、埼玉	原審に同じ	第一審判決を踏襲しつつ、本件規約の意味内容について、一般に合理的限定解釈は許されるとの明確であるとの控訴人の主張について、「事業者は、消費者契約の条項を定めるに当たり明確かつ平易なものになるよう配慮するものとする」とする法3条1項を踏まえ、消費者契約の条項を定めるに当たり、事業者の取引上の優位性に鑑み、消費者契約の条項を合理的に限定的に解釈されることは許されないとして、控訴人の主張を排斥した。	8条1項1号、3号、12条、3項	原審 R2.2.5 さいたま地 裁30

952 資　料

番号	判決年月日	裁判所	事件番号等	掲載	事件の概要	判決の内容	参照条文	備考
			訴事件	消費者被告をなくす会HP、Westlaw		っては、消費者の権利義務その他の消費者契約の内容について疑義が生じない平易なものとなるよう配慮すべき努力義務を負っていることであって（法3条1項1号）との方向で、消費者契約の条項に文言に限定解釈をすることで、同条項による効力を極力控えるのが相当である等と判断した。（不当条項性を否定する）		
33	R3.3.5	大阪高裁	令和元年(ネ)第1753号、同2年(ネ)第1891号消費者契約法12条に基づく差止請求附帯控訴事件	最裁HP、判時2514号17頁、判タ1500号88頁、Westlaw	原審に同じ	① 家賃債務保証業者に賃借契約を無催告解除する権限を付与する趣旨の法8条1項3号、10条に該当する消費者契約の消費者契約法12条3項に基づく差止等の請求を棄却 ② 賃借人が賃料等の支払を2か月以上怠り、賃借人本人と連絡がとれない状況の下で、賃貸借物件において合理的な手段の下、電気・ガス・水道等の利用状況や郵便物の状況等から賃借物件を相当期間利用していないものと認められ、かつ賃借物件を再び占有使用しない賃借人の意思が客観的に看取することができる事情があったものとみなす旨を定めた賃借物件の明示し異議を述べないのに限り、賃借物件を家賃債務保証業者が当該賃借物件に付与する趣旨の法8条1項3号、10条3項に該当する消費者契約の消費者契約法12条3項に基づく差止等の請求を棄却した事例	8条1項3号、10条、12条3項	原審 R1.6.21 大阪地裁(29) 上告審 R4.12.12 最高裁(37)
34	R3.6.10	東京地裁	平成30年(ワ)第15327号差止請求事件	消費者機構日本HP、判時2513号24頁、判タ1503号154頁、Westlaw	適格消費者団体が、芸能人養成スクールを経営する被告に対し、被告の定めた学則中の退学又は除籍処分の際、既に納入した学納金について返還しない旨の条項の差止を求めた。	スクールに入学する受講者の大半は、芸能活動を行っており消費者と評価できるところ、本件不返還条項のうち、①本件権利金部分（12万円）は「消費者契約の解除に伴う損害賠償額を定める条項」又は違約金等の部分に該当し、②本件費用部分に関する部分（入学時諸費用を超える部分）は返還しない旨の条項に該当する。上記①の12万円を超える部分	2条、9条1項1号	控訴審 R5.4.18 東京高裁(38) 最高裁 R6.3.15 上告棄却 上告受理申立不受理

資料3　消費者契約法裁判例　953

35	R3.12.16	仙台高裁	令和3年(ネ)第150号、同第211号　各不当条項使用差止請求、同附帯控訴事件	判時2541号5頁、消費者市民ネットとうほくHP、Westlaw	適格消費者団体が、契約解除時に消費者が事業者に対し一括して支払う残余料金の額を内容とする意思表示の差止を求めた事案	契約解約時に消費者(控訴人等)に対し残余料金を一括して支払う条項、消費者が契約解除期間の途中で契約を解約するとき契約終了前の一定時期に限り契約を自動更新を選択しない旨を通知しない限り契約を自動更新する条項、契約更新に要する弁護士費用等の一切を消費者に負担させる条項、控訴人らが依頼する弁護士費用等を消費者に負担させる条項、代理契約の成立後8日を経過した以後は控訴人らの判断による契約の解除に関する書面による契約を具体的な支払方法を決定する条項、専属的な合意管轄を定める条項について、それぞれ法8条1項1号または10条に反するとして、無効とした。	8条1項1号、10条	原審　R3.3.30仙台地裁　R4.6.3最高裁上告受理申立不受理
36	R4.9.20	大阪高裁	令和3年(ネ)第2218号　差止請求控訴事件	消費者法ニュース135号158頁、ひょうご消費者ネットHP、Westlaw	適格消費者団体が、分譲地内の共益施設の維持管理等を行う事業者と分譲地に土地を所有する消費者との間管理期間を更新する旨の条項について差止を求めた事案	分譲地の管理契約の永久更新条項に関し、①消費者の不作為によって更新される点、②準委任の自由解除権(民法651条)の放棄を内容とする点、いずれも法10条前段に該当する。継続的契約において、これを維持しなければならせるような高度の必要性やこれを更新させることが正義に反するような事情がある場合を除き、契約からの離脱が一定の範囲内で認められるべきであるところ、本件管理契約にはこのような事情が認められず、法10条後段にも該当する。②に関し、永久更新が上記のとおり否定されるという結果、1年単位で自由に契約から離脱できることになるため解除権放棄の影響は大きくないという	10条	原審　R3.9.14神戸地裁

番号	判決年月日	裁判所	事件番号等	掲載	事件の概要	判決の内容	参照条文	備考
37	R4.12.12	最高裁	令和3年(受)第987号 消費者契約法12条に基づく差止等請求事件	最高裁HP, 民集76巻7号1696頁, 判時2558号16頁, 判タ1507号41頁, 金判1672号18頁, 金法2224号73頁, 消費者支援機構関西HP, Westlaw		え, 管理費も高額とはいえず計画的・効率的な管理が可能となり消費者の利益にも資すると考えられるため, 法10条後段を充足しない。無催告解除特約について, 「所定の賃料等の支払の運滞債務が履行されていない場合だけでなく, その履行がされた場合であっても, 賃料債務の消滅した場合関係において賃料保証人の賃借人が原契約についても連帯保証人が定めに基づく解除権を行使することができる旨を定めた条項であると解される」とし, 「法12条3項本文に基づく差止請求の制度は, 消費者と事業者との間の取引における同種の紛争の発生を未然に防止し, かつ, 消費者の利益を擁護することを目的とするものであるところ, 上記差止請求の訴訟において, 条項等について残義の生ずる不明確な条項が存する場合に, その条項について限定解釈をすることなく文言どおり規範的な観点から解釈したものとして扱うことは, 何らかの限定等を加えて無効でないと評価される余地を残して原契約条項の適用を解除することとなって, 本件条項に本件契約書13条1項但書の限定解釈をすることは相当でない。」とし, 本件条項は法10条に反するとした。	8条1項3号, 10条, 12条3項	原審 R1.6.21 大阪地裁(29) 控訴審 R3.3.5 大阪高裁(33)
38	R5.4.18	東京高裁	令和3年(ネ)第3189号 差止請求控訴事件	判タ1522号94頁, 消費者法ニュース140号239頁, 消費者機構日本HP, Westlaw	芸能人養成スクールの大学時諸費用不返還条項について, 大学が入学原審の対価を12万円と認めるその対価を1万円を加えて13万円を超えて平均的損害と評価し, 該当する旨の大学時諸費用を返還しない条項について差止を命じた。	芸能人養成スクールの受講生の大半は事業を行っているようとして認められずしろとその地位に基づいて契約を締結したものとは認めないものと評価するとは難く, 開業意思を明らかにしていない受講者について該当する消費者時諸費用の規制等不返還について法令上の同列に論じることは条項を消費者契約上の同列に論じることは芸能人養成スクールに所轄官庁による監督もなく大学と同列には	2条, 9条1項1号	原審 R3.6.10 東京地裁(34) R6.3.15 最高裁上告棄却上告受理申立不受理

対し、入学しうる地位の対価性を否定した一方、平均的損害を7万円と評価し、入学時諸費用を超えて入学しない旨の返還しない旨の条項の差止を認めた事案

できず、当該芸能人養成スクールを併願するといった状況も認められないことから、入学時諸費用を入学しうる地位の対価とみることはできず、平均的に当該スクールに生ずべき1万円を超えて入学しうる地位の対価の対価性は認められないとしたうえで、当該スクールの業務委託費として1万5000円、講師派遣の業務委託費として2万円、入学に伴う人件費2万4556円、教材費595円の合計7万円であると判断し、入学時諸費用38万円のうち7万円を超えて返還しないとの部分は9条1号により無効であるとした。

第3版あとがき

　2015年6月に発刊された本書第2版増補版のあとがきでは「急速な高齢化社会・情報化社会の進展により，我が国における消費者契約を取り巻く環境は本法の制定当時とは様変わりしており，可及的速やかな実体法改正が望まれる状況です」と記載しています。この高齢化社会・情報化社会の進展は更に加速していることに加え，現在ではデジタル取引社会に対応するルールの整備が急がれる状況です。

　消費者契約法は2000年4月の制定後，2006年，2016年と2018年に主な改正が行われましたが，2022年5月改正を含め，改正案が国会に上程される前に消費者契約法の改正に関する消費者庁の検討会や内閣府消費者委員会の専門調査会において指摘された本来改正が必要とされる点のいくつかは積み残し課題等とされ，先送りの状態が続いています。もはや先送りを続けている状況ではないことは明らかです。2022年5月改正時の国会での附帯決議でも「消費者契約法が消費者契約全般に適用される包括的な民事ルールであることの意義や同法の消費者法令における役割を多角的な見地から整理し直した上で，判断力の低下等の個々の消費者の多様な事情に応じて消費者契約の申込み又はその承諾の意思表示を取り消すことができる制度の創設，損害賠償請求の導入，契約締結時以外への適用場面の拡大等既存の枠組みに捉われない抜本的かつ網羅的なルール設定の在り方について」，「検討を開始すること」（衆議院），「検討を開始し，必要な措置を講ずること」（参議院）が求められています。この附帯決議を踏まえて，消費者庁では「消費者法の現状を検証し将来の在り方を考える有識者懇談会」が開催され，その整理を踏まえ内閣府消費者委員会において「消費者法制度のパラダイムシフトに関する専門調査会」が開催されています。今後，消費者契約法の改正時には，同法が包括的な民事ルールであることを再確認し，これまで先送りされてきた点を取り込んだ抜本的で網羅的なルールを定めるものとして大きく改正されることが強く望まれます。

　しかし，現在日々発生している消費者問題には，現行法を最大限に使って

被害回復，被害の未然防止・拡大防止を図っていくことが必要です。本書では 2022 年改正点を含めこれまで 2 分冊に分かれていた本書を整理し，立法趣旨を踏まえ考えられる解釈を記載しています。本書が様々な分野で消費者問題に取り組まれている多くの皆様のお役に立てることを執筆者一同心より願っております。

　さいごに今回の改訂にあたっては，沖野眞已先生（東京大学大学院法学政治学研究科教授）から，貴重なご意見を頂きました。この場を借りて御礼申し上げます。

2025 年 3 月

　　　　　　　　　日本弁護士連合会消費者問題対策委員会
　　　　　　　　　　消費者契約法部会長　　平　尾　嘉　晃

第2版増補版補巻あとがき

　2000年4月に消費者契約法が制定されてから，19年が経過しました。制定時の衆参両院の附帯決議において，施行後5年を目途に見直しを含め適切な措置を講じることとされていましたが，民法改正に向けた検討が始まり，2009年には消費者庁創設により消費者庁の所管となり，同時期より消費者庁において集団的消費者被害回復制度の創設に向けた検討が始まるなど，消費者契約法をとりまく状況に大きな変化があったこともあり，実体法部分の改正に向けた検討は，長らく，足踏み状態が続いてきました。

　そのような中，2011年12月より，内閣府消費者委員会「消費者契約法に関する調査作業チーム」において見直しに向けた準備作業が開始され，2014年3月からの消費者庁「消費者契約法の運用状況に関する検討会」を経て，同年11月より，内閣府消費者委員会「消費者契約法専門調査会」において，見直しに向けた具体的検討が行われてきました。

　その結果，2016年5月には，取消権の行使期間（短期）の伸長や過量契約取消権の創設等を内容とする2016年改正が，そして2018年6月には，困惑類型に新たな取消権を設け，不当条項を追加する等した2018年改正が，それぞれ実現しました。

　しかしながら，この2回の改正を経てもなお見直すべき論点は多数残されており，2018年改正時の衆参両院の附帯決議においても，つけ込み型不当勧誘取消権の創設や平均的損害の立証責任の問題など，引き続き検討すべき多くの課題が提示されているところであり，私たちは，今後も，消費者契約法が消費者にとって大きな武器となるよう，改正に向けた立法活動を継続していく所存です。

本書が多くの方々の被害回復の一助となることを祈念しております。

2019年11月

　　　　　　　　　　　日本弁護士連合会消費者問題対策委員会
　　　　　　　　　　　　消費者契約法部会長　本　間　紀　子

第 2 版増補版あとがき

　2010 年 3 月に「第 2 版」が刊行されてから 5 年が経過しました。その間，消費者契約法をとりまく状況には大きな変化がありました。

　まず，消費者団体訴訟制度については，2013 年 12 月に「消費者裁判手続特例法」が新設されました。これはかねてより当連合会が立法を求めてきた新しい訴訟制度であり，集団的消費者被害の回復を図るための制度です。この新制度によって少額多数の消費者被害などが広く救済され，健全な消費者取引市場が促進することが期待されます。

　また，私法実体法部分については，2014 年 10 月に消費者庁が「消費者契約法の運用状況に関する検討会報告書」をとりまとめ，2014 年 11 月から内閣府消費者委員会において消費者契約法専門調査会が始動するなど，法改正に向けた動きが重要な局面を迎えつつあります。当連合会では，2014 年 7 月に「消費者契約法日弁連改正試案（2014 年版）」を公表し，消費者被害の救済・防止のため，より実効性のある規定内容に法改正すべきであるという具体的な立法提言を行いました。実際，急速な高齢化社会・情報化社会の進展により，我が国における消費者契約を取り巻く環境は本法の制定当時とは様変わりしており，可及的速やかな実体法改正が望まれる状況です。

　さらに，最高裁判所が消費者契約法 10 条の前段要件・後段要件について本書と同一方向の解釈論を判示するなど，消費者契約法に関する重要な裁判例はさらに増えております。

　加えて，法制審議会が 2015 年 2 月に「民法（債権関係）の改正に関する要綱」をとりまとめ，2015 年 3 月 31 日に「民法の一部を改正する法律案」，「民法の一部を改正する法律の施行に伴う関係法律の整備等に関する法律案」が閣議決定され，第 189 回通常国会に提出されるなど私法一般法である民法（債権法）の改正も間近となっております。

この「第2版増補版」では，上記のような消費者契約法に関する新しい裁判例や最近の法改正の動きについて書き加えております。本書が多くの読者の皆様に活用され，消費者契約被害の救済と防止に役立ちますこと，消費者契約法の解釈や法改正に関する議論の一助となりますことを，心より希望しております。

　2015年6月

　　　　　　　　　　　日本弁護士連合会消費者問題対策委員会
　　　　　　　　　　　　消費者契約法部会長　山　本　健　司

第2版あとがき

　ようやく第2版を発行することができました。初版の発行から9年ちかくが経過し，その間消費者契約法は2回の改正を経ましたが，わが国ではじめて適格消費者団体を創設し，それに事業者の不当な行為に対する差止請求権を付与する消費者団体訴訟制度が創設されたことは特筆すべきことであり，消費者の利益擁護の観点から大いに歓迎すべきことです。

　消費者契約法の立法当時は，事業者の情報提供義務が不十分である，取消の対象となる不当行為が狭すぎる，無効となる不当条項が少なすぎる等の批判があり，果たして使えるのかという声も少なくありませんでした。しかし，施行後は，被害対応の最前線に立つ法律実務家や消費生活相談員らの努力もあって，消費者の利益擁護の観点から画期的な裁判例や交渉解決例が集積されており，それこそ「使える法律」としての評価を獲得するに至っています。

　もっとも，このような実務の積み重ねから，改めて実体法の見直し改正が急務であることが浮き彫りとなるとともに，消費者団体訴訟制度についても本当に被害回復を実現するためには金銭的請求制度の創設が不可避であることも明らかになってきました。

　本年，消費者庁が創設され，消費者契約法は消費者庁の所管となりました。また，最近の民法の債権法改正議論においては，消費者契約法の民法への取り込みが検討されています。私たちは，このような点も踏まえまして，これからも消費者契約法のあるべき姿を追い求めていく所存です。本書が読者の皆様のお役に立てば望外の喜びです。

　2010年3月

　　　　　　　　　　　　日本弁護士連合会消費者問題対策委員会
　　　　　　　　　　　　　　消費者契約法部会長　　上　田　　　憲

あ と が き

　消費者契約法がようやく制定された。経済界の強い反対や経済企画庁の利害調整のために，第 16 次国生審中間報告の内容に比べると特に各論部分において相当後退した感は拭えず，決して満足できるできではない。

　しかし，第 1 条の立法目的において，近代民法の当事者対等の基本理念を変更し，消費者と事業者との間に情報力や交渉力において構造的な格差があることを認めたこと，その目的が，消費者に契約の取消権を認めたり，不当な契約条項を無効とすることによって契約や不当条項の拘束力から解放するという方法で，消費者を保護することにあると宣言したことの意義は大きい。今後，各論部分の解釈指針としてこの目的を大いに活用することが望まれる。

　それとともに，この法律では，消費者に自己決定による自己責任が問えるだけの環境整備ができたとは到底いえないから，今後は，基盤整備に向けた法改正に取り組んでいかなければならない。衆・参両議院においても，5 年を目途に本法の見直しを含めた措置を講ずることが附帯決議されている。日弁連では，手はじめとして，今春，差止請求や団体訴権の調査のためヨーロッパへ調査団を派遣する予定である。

　ところで，本書の刊行にあたっては，消費者契約法に造詣の深い中田邦博助教授（龍谷大学）および髙嶌英弘教授（京都産業大学）に原稿を通読のうえ，数多くの貴重なアドバイスをいただくことができた。ご協力いただいた両先生にはこの場を借りて心から感謝の意を表することとしたい。とはいえ私たちの作業は，弁護士という業務の傍らの仕事であるため，時間的制約からせっかくのアドバイスを十分に生かしきれなかった。そのためなお不統一なところや論理の精度において意に満たない部分が随所に残されているおそれがないとはいいきれない。しかし，この点については，読者，同僚諸氏からの忌憚のないご批判を賜り，再考していくことをお約束して，ご寛容のほどをお

願い申し上げる次第である。

　最後に，本書末尾の資料中，沖野眞已「要綱試案」私案については沖野眞已教授（学習院大学）の，EC指令訳については，訳者である松本恒雄教授（一橋大学），鈴木恵助教授（関東学院大学），角田美穂子専任講師（亜細亜大学）の，また韓国約款規制法および施行令訳については，訳者である本城昇教授（埼玉大学）と日本貿易振興会アジア経済研究所のご厚意により掲載の許可をいただくことができた。また，京都学園大学ビジネスサイエンス研究所第3期研究計画「約款規制の比較法的研究グループ」の訳であるドイツ約款規制法の条文訳の掲載については，同研究グループから快諾を得た。また，その後の改正部分の修正については，とりわけ田中康博教授（小樽商科大学）のご厚意により掲載することができた。ここに記すことで感謝することにしたい。

　2001年2月

　　　　　　　　　　　　日本弁護士連合会消費者問題対策委員会
　　　　　　　　　　　　　　消費者契約法部会長　　菊　井　康　夫

コンメンタール消費者契約法〔第3版〕

2001年4月10日	初　版第1刷発行
2010年3月31日	第2版第1刷発行
2015年6月25日	第2版増補版第1刷発行
2025年7月18日	第3版第1刷発行

編　者　　日本弁護士連合会
　　　　　消費者問題対策委員会

発行者　　石　川　雅　規

発行所　　株式会社 商 事 法 務
　　　　　〒103-0027 東京都中央区日本橋3-6-2
　　　　　TEL 03-6262-6756・FAX 03-6262-6804〔営業〕
　　　　　TEL 03-6262-6769〔編集〕
　　　　　https://www.shojihomu.co.jp/

落丁・乱丁本はお取替えいたします。　　　印刷／大日本法令印刷
© 2025 日本弁護士連合会　　　　　　　　Printed in Japan
Shojihomu Co., Ltd.
ISBN978-4-7857-3134-2
＊定価はカバーに表示してあります。

|JCOPY|＜出版者著作権管理機構 委託出版物＞
本書の無断複製は著作権法上での例外を除き禁じられています。
複製される場合は、そのつど事前に、出版者著作権管理機構
（電話 03-5244-5088、FAX 03-5244-5089、e-mail: info@jcopy.or.jp）
の許諾を得てください。